Beethoven · Interpretationen seiner Werke

BEETHOVEN
Interpretationen seiner Werke

Herausgegeben von

Albrecht Riethmüller
Carl Dahlhaus (†)
Alexander L. Ringer

Band I

Laaber

Die Deutsche Bibliothek — CIP-Einheitsaufnahme

Beethoven: Interpretationen seiner Werke / Albrecht Riethmüller ... (Hg.). — Laaber: Laaber.
ISBN 3-89007-304-2
NE: Riethmüller, Albrecht [Hg.]

Teil 1 (1994)
ISBN 3-89007-305-0

Redaktion: Amrei Schmitt und Christa Brüstle

Umschlagbild: Nach Lucien Lévy-Dhurmer, »Portrait de Beethoven« aus: »Triptyque Beethoven« (Musée du Petit Palais, Paris)

Printed in Germany / Imprimé en Allemagne
ISBN 3-89007-259-3 (Gesamtwerk)
ISBN 3-89007-305-0 (Band 1)
Satz: Fotosatz Knuppertz, Hemau
Umschlag: Grafik-Design Klaus Neumann, Wiesbaden-Delkenheim
Notenherstellung: Curtius Notengraphik, Seubersdorf
Druck: Isarpost Druck- und Verlagsgesellschaft mbH, Altheim
Buchbinderische Verarbeitung: Conzella Verlagsbuchbinderei, Aschheim

Inhaltsverzeichnis

Band I

Vorwort VII
Verzeichnis der besprochenen Werke XIV
Abkürzungen XVIII
op. 1 bis op. 85 1
Die Autoren der Beiträge 678

Band II

Verzeichnis der besprochenen Werke VI
Abkürzungen X
op. 86 bis op. 138 1
Werke ohne Opuszahl (WoO) 373
Literaturverzeichnis 571
Personenregister 613
Register der Werke Beethovens 625
Die Autoren der Beiträge 630

Vorwort

Die vorliegenden Bände richten den Blick auf die Werke Beethovens. Sie gelten nicht der Biographie oder dem Beethoven-Bild und seinen geschichtlichen Wandlungen, sondern einem Schaffen, dessen Rang und weltweite Bedeutung für die Musikgeschichte sowie eminente Wirkung auf die Kulturgeschichte der vergangenen beiden Jahrhunderte stillschweigend vorausgesetzt werden dürfen.

Die hier versammelten Beethoven-Interpretationen zeichnen sich dadurch aus, daß das Œuvre Beethovens einigermaßen vollständig behandelt ist. Etwas Vergleichbares ist, wie es scheint, bisher noch nicht unternommen worden. Zwar ist zum einen in Beethoven-Monographien wie der von Paul Bekker der Akzent programmatisch auf die Werke selbst statt auf die Biographie gelegt worden. Aber eine umfassende Behandlung der Werke läßt sich auf diese Weise von einem einzelnen Autor kaum erzielen. Schon Adolf Bernhard Marx sah sich in seinen beiden reichen Bänden zu Beethovens Leben und Schaffen dementsprechend gezwungen, Werke, die keineswegs marginal sind, bloß zu erwähnen, „da nicht auf alles näher eingegangen werden kann". Zum anderen handelt es sich bei Veröffentlichungen, in denen bei der Besprechung der einzelnen Werke mehr Vollständigkeit erzielt werden soll, seit jeher um Bücher, die nicht dem Gesamtwerk Beethovens, sondern einzelnen Gruppen, voran den Klaviersonaten, Symphonien oder Streichquartetten gewidmet sind. Von beiden Typen unterscheiden die Beethoven-Interpretationen sich durch die Breite der Anlage, die es andererseits natürlich nicht gestattet, jedes der fast 200 besprochenen opera so gründlich zu untersuchen, wie es in separaten Spezialstudien möglich wäre.

Das Ziel des Unternehmens ist es, in einem internationalen Querschnitt das zu dokumentieren, was Musikwissenschaft am Ende des 20. Jahrhunderts zur Musik Beethovens, zu seinen Kompositionen zu sagen hat, und damit nebenbei einen Spiegel dessen vorzulegen, was musikwissenschaftliche Werkinterpretation derzeit zu leisten imstande ist. Um dieses Ziel zu erreichen, haben die Herausgeber sich darum bemüht, bei der Wahl der Autoren auf die Spannweite der Methoden, auf die Vielfalt der analytischen Zugangsweisen und Perspektiven zu achten. Die einzelnen Werkbesprechungen tragen demzufolge durchaus individuelle, ja persönliche Züge. Ohne ein gewisses Quantum an Subjektivität lassen die Werke sich in Worten so wenig wie in Tönen interpretieren. Da es „die", die „einzige" und „einzig richtige" Analyse oder Interpretation nicht gibt — ein Grundsatz, dem gerade in Musiksachen jeder zustimmen wird, ohne ihn immer zu beherzigen —, ist Toleranz wichtiger als die Erwartung einer einheitlichen Sichtweise. Eine Diversität der Behandlung, der Meinungen und des Stils war durch die Beteiligung von 70 Autoren unausweichlich.

DER AUFBAU DER BÄNDE. Den Vorrang genießen die mit Opuszahlen versehenen Werke, gefolgt von einer Auswahl aus den Werken ohne Opuszahl (WoO), jeweils in aufsteigender Numerierung. Noch im Falle von Haydn fiele es wohl niemandem ein, nach diesem Schema zu verfahren. Bei Beethoven jedoch ist die Reihenfolge der Opuszahlen zum ersten Mal nicht mehr grundsätzlich vom Verleger, sondern vom

Autor selbst bestimmt, wenigstens in der Regel. Die Ordnung der Opuszahlen ist weder nach Entstehen noch nach Erscheinen der Werke durchweg chronologisch; denn Beethoven hatte und sah keine Verpflichtung, Chronologie und Werknummern in Einklang zu bringen. Fraglos ist so manche Beethovensche Werkzahl im Lauf der Geschichte unter Kennern und Liebhabern zu einem sprechenden Namen des Werkes geworden, indem zwischen „op. 111" als Ziffer und „Mondscheinsonate" als Beinamen kein grundsätzlicher Unterschied mehr zu liegen braucht.

Die Herausgeber einigten sich darauf, daß alle Werke in der Folge ihrer Opuszahlen unabhängig von der Frage besprochen werden, inwieweit manche von ihnen einen Werkkomplex bilden. So sind beispielsweise die 6 relativ selbständigen Streichquartette op. 18 unter einer Nummer versammelt, während von op. 74 an jedes einzelne Quartett seine eigene Opuszahl erhielt und man heute geneigt ist, den Zusammenhang der fünf späten Streichquartette — ab op. 127 — viel enger zu sehen als den der früheren Quartette op. 18 untereinander. Im Wandel der Gepflogenheiten zeigt sich ein geschichtlicher Umschwung in dem, was als Einzelwerk zu gelten hat. Es lag in der Entscheidung der Autoren, auf dieses Problem einzugehen.

In einigen Fällen ergeben sich Schwierigkeiten dort, wo die Bearbeitung eines unter einer früheren Nummer geführten Werkes eine neue Opuszahl erhalten hat, zum Beispiel op. 104 als Streichquintettfassung des c-Moll-Klaviertrios op. 1, Nr. 3. Die Beteiligung Beethovens an diesen Bearbeitungen, Arrangements, Revisionen usw. ist gelegentlich unklar oder umstritten. (Dieses Feld ist grenzenlos und nicht Gegenstand der beiden Bände.) Der Zusatz „zusammen mit..." in der Titelei der fraglichen opera liefert demnach in seltenen Fällen nur einen vervollständigenden Verweis auf die Zusammengehörigkeit und besagt nicht, daß die entsprechenden Stücke auch eigens besprochen sind.

Die Bezeichnung „Werke ohne Opuszahl" ist natürlich so wenig authentisch wie die Numerierung. Die seit dem thematisch-bibliographischen Verzeichnis von Georg Kinsky und Hans Halm allgemein in Gebrauch gekommene Zählung erfolgt im großen und ganzen nach Gattungen bzw. Besetzungen und innerhalb dieser chronologisch. Cum grano salis und aus vielerlei Gründen mag Beethoven diese Kompositionen als nicht würdig angesehen haben, in die Reihe seiner opera aufgenommen zu werden. Andererseits war es zu seiner Zeit noch üblich, Variationenwerken keine Opuszahl zu geben. Erst mit op. 34 begann er selbst, von diesem Brauch abzuweichen.

Der für Werke mit und ohne Opuszahl zur Verfügung stehende Raum wurde im voraus auf das Verhältnis von ungefähr 5 : 1 festgelegt und die Möglichkeit grundsätzlich verworfen, die Werke ohne Opuszahl nach Gruppen, Gattungen usw. zusammenfassend zu besprechen. Es war Carl Dahlhaus, der entschieden dafür plädierte, diese Werke — selbst einzelne Klavierlieder — so zu behandeln, als wären sie Werke mit Opuszahl. Damit bestand von vornherein die Notwendigkeit einer strengen Auswahl; immerhin stehen 200 WoO-Nummern den 138 Werknummern gegenüber. Das Kriterium für die Auswahl bildete neben der Bedeutung die Behandelbarkeit des jeweiligen Stückes im Sinne eines Einzelwerks, wodurch ganze Sparten wie die Tänze, Märsche und geselligen Lieder wegfielen. Unter den Herausgebern war die Auswahl ebenso unstrittig wie überraschend schnell getroffen. Sie sind sich dessen bewußt, daß insbesondere denen, die die Prioritäten vertauschen und aus welchen Gründen auch immer die Parerga ins Zentrum gerückt sehen möchten nicht alle Wünsche erfüllt werden konnten. Obwohl Beethoven nicht allein im Falle der *Eroica* auf seine Tanzstücke zurückgegriffen hat und Militärmärsche ihm keineswegs gleichgültig geblieben sind, war es unumgänglich, von Stücken der „Gebrauchs"- bzw. Tanz- und Unterhaltungsmusik weitgehend absehen zu müssen.

DIE EINZELNEN TEXTE UND IHRE AUTOREN. Eng zusammengehörige Werke sind zum Teil von einem, mitunter jedoch von verschiedenen Autoren bearbeitet worden, beispielsweise die *Eroica*-Gruppe op. 35, 43 und 55; ausnahmsweise wie bei den je drei Sonaten op. 30 und op. 31 ergab es sich sogar, daß ein opus von mehreren besprochen ist. Ursache dafür waren Optionen teils der Autoren, teils der Herausgeber. Die Behandlung der späten Streichquartette wurde schon deshalb in verschiedene Hände gelegt, weil diese Quartette unter den Autoren erwartungsgemäß zu den begehrtesten Gegenständen gehörten. Die individuelle Besprechung von Werken darf daher nicht so verstanden werden, daß Verwandtschaften absichtlich hintertrieben worden sind. Und der nicht zuletzt auch methodisch so unterschiedliche Umgang etwa mit den aufeinander folgenden Klaviersonaten in C-Dur op. 53 *(Waldsteinsonate)*, F-Dur op. 54 und f-Moll op. 57 (*Appassionata*) sollte deren Zusammenhang nicht unkenntlich machen.

Bei der Wahl der Autoren und ihrer Zuordnung zu den Werken wurde versucht, einigen Grundsätzen zu folgen. Einer bestand darin, daß sie nach Möglichkeit nicht noch einmal über Werke schreiben sollten, über die sie schon extensiv publiziert haben (er ließ sich nicht strikt befolgen), ein anderer darin, eine internationale Streuung der Autoren zu erzielen, ohne die Unwegsamkeiten der Übersetzung der Manuskripte zum Hauptproblem des gesamten Vorhabens werden zu lassen, ein weiterer schließlich darin, jüngere Kolleginnen und Kollegen einzubeziehen. Es hat sich herausgestellt, daß gerade die Jüngeren der immanenten kompositionstechnischen Behandlung auffälliger zuneigen und gewisse Zugangsweisen zur Erschließung der Werke von regionalen Bedingungen der Kultur mitbestimmt sind.

Der Aufbau und die Organisation der einzelnen Texte, die Wahl der Aspekte und der Methode waren den einzelnen Autoren überlassen. Umgekehrt mußten sie für die Einzelheiten ihrer Beiträge selbst einstehen. Es gab also weder eine inhaltliche noch eine formale Normierung; nur auf die Einhaltung der Länge wurde gedrungen. Die Vorgabe zwischen Verlag und Herausgebern waren 1200 Druckseiten, auf zwei Bände verteilt. Um diesen Rahmen zu füllen, wurden zu Beginn die zu berücksichtigenden Werke entsprechend ihrem Gewicht in unterschiedliche Umfangskategorien eingeteilt und die Autoren um Beiträge entsprechender Länge gebeten. Allen Beteiligten war klar, daß eine Umfangsüberschreitung um durchweg nur 10% zu einer die Kalkulation empfindlich treffenden Erweiterung um gleich 120 Druckseiten führen würde. Dieser Fall ist eingetreten. Die Herausgeber sind sich indessen wohl bewußt, daß die Autoren angesichts so vieler bedeutender Werke die Umfangsbeschränkung immer wieder als eine erhebliche Beengung empfinden mußten. Einige Autoren konnten sich nicht innerhalb des vorgegebenen Rahmens halten, nur sehr selten jedoch mußte um Kürzung gebeten werden, damit einem Werk nicht ein gegenüber anderen allzu unfairer Sonderstatus zugebilligt würde. Um so erfreulicher war es zu sehen, in welch hohem Maße es den Autoren gelang, sich dem Prokrustesbett der Umfangsnorm anzubequemen.

Einzelne Werke Beethovens — voran seine berühmtesten — sind vom Beginn der Rezeption an nicht nur häufig, sondern mitunter auch kontrovers besprochen worden. Umgekehrt liegt selbst zu bekannten und viel gespielten Stücken jenseits philologischer Erörterungen kaum analytische Literatur vor. Es mag gleichermaßen reizvoll und schwierig sein, im einen Falle noch einmal über ein schon oft behandeltes Werk sprechen zu müssen und im anderen keine Stütze in der Literatur zu finden. Es versteht sich von selbst, daß vor allem der für die opera minora zur Verfügung stehende Raum meist keine gründliche Analyse gestattete. In wenigen Fällen (wie op. 61 und 102) wurden außer den Notentexten auch Schallplattenaufnahmen in die Diskussion der Werke einbezogen. Es wird nicht unbemerkt bleiben, daß Auffassungsunterschiede zwischen einigen Autoren bestehen, und zwar nicht nur etwa hinsichtlich der Würdigung von Beethovens politischer Einstellung, sondern auch in musikalischen Fragen.

HINWEISE ZUM AUFBAU DER ARTIKEL. 1. Titel und philologische Angaben: Redaktionell vereinheitlicht wurden in erster Linie nur die Titel der Werke und die in kleinerer Type gesetzten Angaben vor jeder Werkbesprechung. Für die Formulierungen der Titel der Werke Beethovens gibt es keine Verbindlichkeit, wohl aber manche, auch in den einzelnen Sprachen wie dem Englischen und dem Deutschen unterschiedliche Gebräuche. Da eine vollständige Titelliste der Neuen Gesamtausgabe noch nicht vorliegt, schien es vertretbar, die Titel (auch unter Einschluß gängiger Beinamen und umgangssprachlicher Formulierungen) möglichst verständlich zu halten. Die Abweichungen im Umfang der Angaben zu Beginn der einzelnen Werkbesprechungen erklären sich einerseits aus der je nach Werk verschiedenen Sachlage, andererseits aus den Vorschlägen und Wünschen der Autoren. Wo diese keine eigenen, speziellen Vorgaben machten, fußen die Angaben hauptsächlich auf folgenden Quellen der Beethoven-Literatur: dem thematisch-bibliographischen Verzeichnis von Georg Kinsky und Hans Halm (1955) samt dem Supplement dazu von Kurt Dorfmüller (1978), dem Verzeichnis der Skizzen von Hans Schmidt (1969) und dem Band über die Skizzenbücher von Douglas Johnson, Alan Tyson und Robert Winter (1985). Die Erwähnungen der Skizzen, die beim vorliegenden Unternehmen nicht im Zentrum des Interesses standen, sind besonders bei Werken mit vielen verstreut erhaltenen Skizzen nur als Hinweise zu verstehen. Während des Entstehungsprozesses der Beethoven-Interpretationen haben sich im Zuge der politischen Veränderungen die Namen der Berliner Staatsbibliotheken offiziell geändert. Zusammengefaßt heißen sie nun: Staatsbibliothek zu Berlin — Preußischer Kulturbesitz. Da die Bestände zur Zeit noch nicht vereinigt sind und die derzeitige Unterteilung in „Haus 1“ und „Haus 2“ mehr für sich spricht als sprechend ist, wird an den in den letzten Jahrzehnten üblichen Bezeichnungen festgehalten: Staatsbibliothek Preußischer Kulturbesitz (früher: Berlin West) und Deutsche Staatsbibliothek (früher: Berlin Ost).

2. Haupttext und Fußnoten: Den Autoren wurde so weit wie möglich ihr analysierender und interpretierender Wille gelassen. Eigenheiten von Personen, Richtungen, Traditionen und Nationalitäten sollten nicht um jeden Preis nivelliert werden. Die Herausgeber wollten hier nicht reglementieren. Denn wo der eine zum Beispiel in mediantischen Verhältnissen der Tonarten bei Beethoven etwas eher Seltenes erblickt, sieht der andere etwas durchaus Typisches.

Der Drang zur redaktionellen Vereinheitlichung machte gelegentlich auch vor stilistischen Nuancen oder eigenwilligen Termini der Autoren Halt. So wird man „Themakopf“ oder „Themabegriff“ ebenso wie „Themenkopf“ oder „Themenbegriff“ und „Vorhaltmotiv“ ebenso wie „Vorhaltsbildung“ finden. Auch wurde kein Ehrgeiz entwickelt, in der Literatur zu Beethoven bekannte Streitfälle der Namensschreibung, über die unendlich nutzlos geredet werden könnte, zu schlichten, wie Adolf oder Adolph Bernhard Marx, Karl oder Carl von Lichnowsky oder Lichnowski. Zumal bei Zitaten aus Beethovens Briefen blieb die Orthographie meist den Gewohnheiten der einzelnen Referenten überlassen. Eine verbindliche Brief-Ausgabe steht bekanntlich noch aus, eine verbindliche Orthographie hat sich noch nicht eingebürgert. Nicht alle Briefzitate sind im einzelnen nachgewiesen, sondern können unter Verweis auf das Briefdatum aufgefunden werden. Im Haupttext und in den Fußnoten gilt für die Auszeichnungen die Regel: Werktitel sind kursiv gesetzt, Gedichtanfänge, Gedichtüberschriften und einzelne Lieder stehen in Anführungszeichen, beispielsweise *An die ferne Geliebte* und „Adelaide“. Überschneidungen haben sich nicht immer vermeiden lassen, etwa im Titel- bzw. Überschriftenblock, dessen Grundschrift kursiv ist. Ähnliches gilt auch für kleine Uneinheitlichkeiten in der Schreibweise von Titeln (z.B. *Eroica-Variationen* versus *Sturmsonate*). Zu ernsteren Mißverständnissen dürfte dieses keinen Anlaß geben.

Erstes Gebot blieb die Lesbarkeit der Texte als Texte. Daher sind Angaben wie die zu den Fundorten der Skizzen Beethovens verkürzt zitiert (z.B. „Grasnick 3“), hauptsächlich nach den im Verzeichnis von Hans Schmidt verwendeten Bezeichnungen; Signaturen wie „Mus. ms. autogr.“ können bekanntlich ohne Verlust der Präzision wegfallen. Vollständigere Angaben finden sich am Anfang jeder Werkbesprechung. Die in den Fußnoten verkürzten Literaturangaben wiederum ergänzt das ausführliche Literaturverzeichnis am Ende von Band II. Wenn in den Fußnoten beispielsweise Anton Schindler die Jahreszahl 1973 beigegeben ist, dann bezieht sie sich auf das Erscheinungsdatum späterer Auflagen, nach denen zitiert ist. (Jahreszahlen sind in den Fußnoten hauptsächlich dann genannt, wenn nicht auf die Erstauflage Bezug genommen wird.) Auch beim Skizzenbuch „Landsberg 12“ verweist das Jahr 1961 auf keine nachträgliche Fälschung.

3. Notenbeispiele: Von den Autoren vereinzelt gewünschte Faksimiles und Abbildungen konnten wegen der Knappheit des zur Verfügung stehenden Raumes nicht aufgenommen werden. Auch der Raum für die Notenbeispiele war streng limitiert; nur gelegentlich, etwa bei op. 14, ließ sich eine inhaltlich begründete Ausnahme machen. Die den Notenbeispielen zugrundeliegenden Ausgaben sind nur ausnahmsweise genannt, sofern sie für das Verständnis unentbehrlich scheinen. Zwar waren die Autoren gebeten, so zu schreiben, daß bei der Lektüre keine Partitur erforderlich ist. Dennoch empfiehlt es sich, und in einigen Fällen dürfte es unerläßlich sein, die Noten bei der Hand zu haben, um das Gesagte gebührend auszuschöpfen. Die Taktzählungen können, besonders bei den Variationenwerken, gelegentlich voneinander abweichen je nachdem, in welcher Ausgabe nachgeschlagen wird.

4. Literaturverzeichnis: Es stand von vornherein fest, daß bei einem Buch, an dem so zahlreiche Autoren beteiligt sind, nur eine zentrale alphabetische Bibliographie in Frage kam. Jede Form einer spezifizierten oder klassifizierten Bibliographie hätte zu endlosen Überschneidungen führen müssen und der Übersichtlichkeit eher geschadet als genutzt. Denn das Literaturverzeichnis dient in allererster Linie dem

Zweck, die im Haupttext bzw. in den Fußnoten in Kurzform zitierten Titel vollständig nachzuweisen. Daneben enthält es, in weitaus geringerem Umfang, von den Autoren mitgeteilte, aber nicht eigens zitierte Spezialliteratur zu einzelnen Werken.

5. Register: Beiden Bänden ist ein alphabetisch-systematisches Verzeichnis der besprochenen Werke Beethovens vorangestellt, das es ermöglicht, von den Titeln bzw. Namen der Werke her auf die Opuszahlen und die Nummern der Werke ohne Opuszahl zu schließen und sie in den beiden fortlaufend zuerst nach Opuszahlen, dann nach WoO-Nummern gegliederten Bänden aufzufinden. Das Register der Werke Beethovens am Ende von Band II hingegen erschließt in numerischer Ordnung alle Stellen, an denen die einzelnen Werke in den beiden Bänden erwähnt sind. Das Personenregister verweist auch auf einzelne Werke anderer Komponisten. Das Autorenregister schließlich gibt Auskunft darüber, wer welche Werke bearbeitet hat. Ein chronologisches Register der Werke hätte angesichts zahlreicher noch ungeklärter Datierungen eher Verwirrung gestiftet, ganz abgesehen davon, daß der Gänsemarsch der Entstehung keineswegs schon die Geschichtlichkeit der Werke verbürgt.

6. Übersetzungen: Bei den Übersetzungen ergaben sich mannigfache, schon mit der Terminologie beginnende Probleme. Ein Beispiel mag genügen: Das im Englischen auch in musikalischen Zusammenhängen gebräuchliche Wort „texture“ läßt sich im Deutschen kaum wiedergeben, es sei denn unspezifisch und unelegant mit „Textur“.

Die Beethoven-Interpretationen gehen auf eine Anregung Albrecht Riethmüllers zurück, den der Laaber-Verlag Ende 1987 um Ideen für größere Buchprojekte bat. Das unmittelbare Interesse des Verlegers galt dem Beethoven-Vorschlag, und er regte an, dafür Carl Dahlhaus als Mitherausgeber zu gewinnen. Dieser sagte Anfang 1988 spontan zu und nahm auf die Planungen bis wenige Wochen vor seinem Tode im März 1989 entscheidenden Einfluß. Zu dem Zeitpunkt waren die Vorbereitungen so weit gediehen, daß Aufbau und Umfang der Publikation im einzelnen feststanden — Dahlhaus selbst hatte sich das G-Dur-Klavierkonzert, das Streichquartett op. 74, die *Diabelli-Variationen* und die 9. Symphonie zur Bearbeitung reserviert — und die Einladungsschreiben an die schon ins Auge gefaßten Autoren hätten verschickt werden können. Aber erst, als Alexander Ringer sich bereit erklärte, wenigstens einen Teil der auf so schmerzliche Weise entstandenen Lücke zu füllen, ergab sich die Möglichkeit des offiziellen Beginns. Und jetzt, da trotz mancher Widerfahrnisse und Verzögerungen, die ein solches umfangreiches Vorhaben mit sich bringt, die Beethoven-Interpretationen der Öffentlichkeit vorgelegt werden können, erinnern wir uns in besonderer Dankbarkeit an die für Carl Dahlhaus so charakteristische Energie, mit der er die gemeinsame Unternehmung, seiner schweren Krankheit zum Trotz, beförderte. Die Arbeit haben die Herausgeber sich dann so geteilt, daß Alexander Ringer sich der englischsprachigen Beiträge und ihrer Übersetzungen, Albrecht Riethmüller sich der deutschsprachigen Texte angenommen hat. Für das Gesamtergebnis tragen sie miteinander die Verantwortung. Der Sitz der Redaktion befand sich zunächst am Musikwissenschaftlichen Institut der Universität Frankfurt am Main, dann von 1992 an am Musikwissenschaftlichen Seminar der Freien Universität Berlin.

Der herzliche Dank der Herausgeber gilt an erster Stelle den Kolleginnen und Kollegen, die durch ihre Beiträge das Gelingen des Vorhabens ermöglicht haben. Sie haben der Johann Wolfgang Goethe-Universität Frankfurt am Main, der Freien Universität Berlin und der School of Music der University of Illinois at Urbana-Champaign für die bereitwillige Unterstützung bei der Durchführung, der Vereinigung von Freunden und Förderern der Johann Wolfgang Goethe-Universität für eine finanzielle Zuwendung zu danken. Gudrun Budde (Berlin) und Lydia Jeschke (Freiburg i.Br.) danken sie für die Übersetzungen, den Studentischen Hilfskräften der Musikwissenschaftlichen Seminare der Universität Frankfurt, namentlich Martin Roddewig M.A. und Sabine Ziegler, und dann der Freien Universität Berlin, namentlich Wolfgang Behrens, Oliver Busch, Jens Luckwaldt und Horst A. Scholz, für ihren Einsatz beim Korrekturlesen. Bei der Wahrnehmung der redaktionellen Pflichten waren Amrei Schmitt M.A. für die Texte und Christa Brüstle M.A. für die Angaben vor den Werkbesprechungen sowie das Literaturverzeichnis zuständig. Beide waren den Herausgebern eine so verläßliche Stütze wie unermüdliche Hilfe. Ihnen vor allem ist zu danken und nicht zuletzt dem Verleger Dr. Henning Müller-Buscher für seinen langen Atem und sein Entgegenkommen insbesondere bei der drucktechnischen Ausstattung.

Berlin und Urbana, Illinois, im Juli 1994

Albrecht Riethmüller und Alexander L. Ringer

Verzeichnis der besprochenen Werke

Andante favori für Klavier WoO 57
Arietten und Duett op. 82

Bagatellen für Klavier
— op. 33
— op. 119
— op. 126
Bläseroktett Es-Dur op. 103
Bläsersextett Es-Dur op. 71
Bratschen-Notturno op. 42
Bundeslied für Soli, Chor und Bläser op. 122

Cellosonaten
— F-Dur und g-Moll op. 5
— Es-Dur op. 64
— A-Dur op. 69
— C-Dur und D-Dur op. 102
Chorfantasie c-Moll op. 80
Christus am Ölberge op. 85

Duett „Nei giorni tuoi felici" WoO 93

Ecossaisen für Klavier WoO 83
Egmont op. 84
Elegischer Gesang für 4 Singstimmen und Streichquartett op. 118
„Es ist vollbracht" für Baß, Chor und Orchester WoO 97

Fidelio (Leonore) op. 72
Fuge D-Dur für Streichquintett op. 137

Germania für Baß, Chor und Orchester WoO 94
Die Geschöpfe des Prometheus op. 43
Der glorreiche Augenblick op. 136
Große Fuge für Streichquartett op. 133
Große Fuge, Bearbeitung für Klavier op. 134

Hornsonate F-Dur op. 17

Kadenzen zu Mozarts Klavierkonzert KV 466 WoO 58
Kaiser-Kantaten WoO 87 und 88
Klavierfantasie op. 77
Klavierkonzerte
— Nr. 1 C-Dur op. 15
— Nr. 2 B-Dur op. 19
— Nr. 3 c-Moll op. 37
— Nr. 4 G-Dur op. 58
— Nr. 5 Es-Dur op. 73
— Es-Dur WoO 4
Klavierlieder
— 6 Klavierlieder op. 48
— 8 Klavierlieder op. 52
— 6 Klavierlieder op. 75
— 3 Klavierlieder op. 83
— „Abendlied" WoO 150
— „Abschiedsgesang an Wiens Bürger" WoO 121
— „Adelaide" op. 46
— „Als die Geliebte sich trennen wollte" WoO 132
— *An die ferne Geliebte* op. 98
— „An die Geliebte" WoO 140
— „An die Hoffnung" op. 32
— „An die Hoffnung" op. 94
— „An einen Säugling" WoO 108
— „Andenken" WoO 136
— „Gedenke mein" WoO 130
— „Das Geheimnis" WoO 145
— „Der Gesang der Nachtigall" WoO 141
— „Das Glück der Freundschaft" op. 88
— „Ich liebe dich" WoO 123
— „In questa tomba oscura" WoO 133
— „Der Jüngling in der Fremde" WoO 138
— „Des Kriegers Abschied" WoO 143
— „Kriegslied der Österreicher" WoO 122

— „Der Kuß“ op. 128
— „Die laute Klage“ WoO 135
— „Der Liebende“ WoO 139
— „Lied aus der Ferne“ WoO 137
— „Der Mann vom Wort“ op. 99
— „Merkenstein“ op. 100
— „Merkenstein“ WoO 144
— „Neue Liebe, neues Leben“ WoO 127
— „Opferlied“ WoO 126
— „La partenza“ WoO 124
— „Resignation“ WoO 149
— „Schilderung eines Mädchens“ WoO 107
— „Sehnsucht“ WoO 134
— „Sehnsucht“ WoO 146
— „Seufzer eines Ungeliebten“ WoO 118
— „Der Wachtelschlag“ WoO 129
Klavierquartette Es-Dur, D-Dur und C-Dur WoO 36
Klaviersonaten
— f-Moll, A-Dur und C-Dur op. 2
— Es-Dur op. 7
— c-Moll, F-Dur und D-Dur op. 10
— c-Moll op. 13 (*Pathétique*)
— E-Dur und G-Dur op. 14
— B-Dur op. 22
— As-Dur op. 26
— Es-Dur und cis-Moll („*Mondscheinsonate*“) op. 27
— D-Dur op. 28 („*Pastoralsonate*“)
— G-Dur, d-Moll („*Sturmsonate*“) und Es-Dur op. 31
— g-Moll und G-Dur op. 49
— C-Dur op. 53 („*Waldsteinsonate*“)
— F-Dur op. 54
— f-Moll op. 57 (*Appassionata*)
— Fis-Dur op. 78
— G-Dur op. 79
— Es-Dur op. 81a (*Les Adieux / Das Lebewohl*)
— e-Moll op. 90
— A-Dur op. 101
— B-Dur op. 106 („*Hammerklaviersonate*“)
— E-Dur op. 109
— As-Dur op. 110
— c-Moll op. 111
— Es-Dur, f-Moll und D-Dur WoO 47 („*Kurfürstensonaten*“)
— D-Dur für Klavier zu 4 Händen op. 6
Klavierstücke
— c-Moll WoO 52
— c-Moll WoO 53
— C-Dur/c-Moll WoO 54 („*Lustig — traurig*“)
— C-Dur WoO 56
— a-Moll WoO 59 (*Für Elise*)
— B-Dur WoO 60
— h-Moll WoO 61
Klaviertrios
— Es-Dur, G-Dur und c-Moll op. 1
— B-Dur op. 11 („*Gassenhauertrio*“)
— Es-Dur op. 38
— Es-Dur op. 63
— D-Dur („*Geistertrio*“) und Es-Dur op. 70
— B-Dur op. 97 („*Erzherzog-Trio*“)
— Es-Dur WoO 38
— B-Dur WoO 39
König Stephan op. 117

Marsch mit Chor op. 114
Märsche C-Dur, Es-Dur und D-Dur für Klavier zu 4 Händen op. 45
Meeresstille und glückliche Fahrt für gemischten Chor und Orchester op. 112
Messe C-Dur op. 86
Missa solemnis D-Dur op. 123
Musik zu einem Ritterballett WoO 1
Musik zu *Leonore Prohaska* WoO 96

Opferlied für Sopran, Chor und Orchester op. 121b
Ouvertüren
— *Die Geschöpfe des Prometheus* op. 43
— *Coriolan* op. 62
— *Leonore/Fidelio* op. 72a/b
— *Egmont* op. 84
— *Die Ruinen von Athen* op. 113

— *Zur Namensfeier* op. 115
— *König Stephan* op. 117
— *Die Weihe des Hauses* op. 124
— *Leonore I* op. 138

Polonaise C-Dur für Klavier op. 89
Präludium f-Moll für Klavier WoO 55
Präludien für Klavier/Orgel op. 39

Quintett Es-Dur für Klavier und Bläser op. 16

Romanzen für Violine und Orchester
— G-Dur op. 40
— F-Dur op. 50
Rondos
— für Klavier
— — C-Dur und G-Dur op. 51
— — C-Dur WoO 48
— — A-Dur WoO 49
— Es-Dur für Bläseroktett WoO 25
— B-Dur für Klavier und Orchester WoO 6
— G-Dur für Klavier und Violine WoO 41
Die Ruinen von Athen op. 113

Schottische Lieder op. 108
Septett Es-Dur für Streicher und Bläser op. 20
Serenaden
— D-Dur für Streichtrio op. 8
— D-Dur für Flöte, Violine und Bratsche op. 25
— D-Dur für Flöte/Violine und Klavier op. 41
Sextett Es-Dur für Streichquartett und 2 Hörner op. 81b
Streichquartette
— F-Dur, G-Dur, D-Dur, c-Moll, A-Dur und B-Dur op. 18
— F-Dur, e-Moll und C-Dur op. 59 („*Rasumowsky-Quartette*")
— Es-Dur op. 74 („*Harfenquartett*")
— f-Moll op. 95 (*Quartetto serioso*)
— Es-Dur op. 127
— B-Dur op. 130
— cis-Moll op. 131
— a-Moll op. 132
— F-Dur op. 135
Streichquintette
— Es-Dur op. 4
— C-Dur op. 29
— c-Moll op. 104
Streichtrios
— Es-Dur op. 3
— G-Dur, D-Dur und c-Moll op. 9
Symphonien
— Nr. 1 C-Dur op. 21
— Nr. 2 D-Dur op. 36
— Nr. 3 Es-Dur op. 55 (*Eroica*)
— Nr. 4 B-Dur op. 60
— Nr. 5 c-Moll op. 67
— Nr. 6 F-Dur op. 68 (*Pastorale*)
— Nr. 7 A-Dur op. 92
— Nr. 8 F-Dur op. 93
— Nr. 9 d-Moll op. 125
Szene und Arie „Ah! perfido" op. 65
Szene und Arie „Primo amore" WoO 92

Terzett „Tremate, empi, tremate" op. 116
Trios
— B-Dur für Klavier, Klarinette/Violine und Cello op. 11 („*Gassenhauertrio*")
— C-Dur für 2 Oboen und Englisch Horn op. 87
— G-Dur für Klavier, Flöte und Fagott WoO 37
Tripelkonzert C-Dur op. 56

Variationen
— für Klavier
— — F-Dur op. 34
— — Es-Dur op. 35 („*Eroica-Variationen*")
— — D-Dur op. 76
— — C-Dur op. 120 („*Diabelli-Variationen*")
— — c-Moll WoO 63 (über einen Marsch von Dressler)

— — D-Dur WoO 65 (über Righinis „Venni, Amore“)
— — A-Dur WoO 66 (über Dittersdorfs „Es war einmal ein alter Mann“)
— — A-Dur WoO 71 (über einen russischen Tanz von Wranitzky)
— — B-Dur WoO 73 (über Salieris „La stessa, la stessissima“)
— — C-Dur WoO 78 (über „God save the King“)
— — D-Dur WoO 79 (über „Rule Britannia“)
— — c-Moll WoO 80
— für Klavier und Cello
— — F-Dur op. 66 (über Mozarts „Ein Mädchen oder Weibchen“)
— — G-Dur WoO 45 (über ein Thema aus Händels „Judas Makkabäus“)
— — Es-Dur WoO 46 (über Mozarts „Bei Männern, welche Liebe fühlen“)
— für Klavier und Flöte/Violine
— — Variierte Themen op. 105
— — Variierte Themen op. 107
— F-Dur für Klavier und Violine WoO 40 (über Mozarts „Se vuol ballare“)
— C-Dur für Klavier zu 4 Händen WoO 67 (über ein Thema von Graf Waldstein)
— F-Dur für Klavier/Harfe WoO 64 (über ein Schweizer Lied)
— für Klaviertrio
— — Es-Dur op. 44
— — G-Dur op. 121a (über das Lied „Ich bin der Schneider Kakadu“)

Violinkonzert D-Dur op. 61
Violinsonaten
— D-Dur, A-Dur und Es-Dur op. 12
— a-Moll op. 23
— F-Dur op. 24 („*Frühlingssonate*“)
— A-Dur, c-Moll und G-Dur op. 30
— A-Dur op. 47 („*Kreutzersonate*“)
— G-Dur op. 96

Wellingtons Sieg op. 91
Die Weihe des Hauses für Chor WoO 98
Die Wut über den verlornen Groschen für Klavier op. 129

Abkürzungsverzeichnis

AcM	Acta Musicologica
AfMf	Archiv für Musikforschung
AfMw	Archiv für Musikwissenschaft
AmZ	Allgemeine musikalische Zeitung
BAMZ	Berliner allgemeine musikalische Zeitung
BMZ	Berlinische Musikalische Zeitung
BzMw	Beiträge zur Musikwissenschaft
GA	Alte Beethoven-Gesamtausgabe
Hess	Hess, Willy: Verzeichnis der nicht in der Gesamtausgabe veröffentlichten Werke Ludwig van Beethovens, Wiesbaden 1957
JAMS	Journal of the American Musicological Society
JbP	Jahrbuch der Musikbibliothek Peters
MaMZ	Münchener allgemeine Musik-Zeitung
Mf	Die Musikforschung
MGG	Die Musik in Geschichte und Gegenwart
ML	Music and Letters
MMR	The Monthly Musical Record
MQ	The Musical Quarterly
MR	The Music Review
NGA	Neue Beethoven-Gesamtausgabe
NMA	Neue Mozart-Gesamtausgabe
NZfM	Neue Zeitschrift für Musik
ÖMZ	Österreichische Musikzeitschrift
SMZ	Schweizerische Musikzeitung
StMw	Studien zur Musikwissenschaft
SV	Schmidt-Verzeichnis = Schmidt, Hans: Verzeichnis der Skizzen Beethovens, in: Beethoven-Jahrbuch 6 (1965/1968), S. 7—128
WamZ	Wiener allgemeine musikalische Zeitung
ZfM	Zeitschrift für Musik
ZfMw	Zeitschrift für Musikwissenschaft
ZIMG	Zeitschrift der Internationalen Musikgesellschaft

3 Klaviertrios Es-Dur, G-Dur und c-Moll op. 1 (zusammen mit dem Streichquintett c-Moll op. 104)

ENTSTEHUNGSZEIT: op. 1: 1793—1794; op. 104: Sommer 1817.
ERSTAUFFÜHRUNG: op. 1: nach dem Bericht von F. Ries, *Biographische Notizen*, S. 84f. wurden die Trios erstmals beim Fürsten Lichnowsky in einer Abendgesellschaft aufgeführt, bei der auch Haydn anwesend war, das heißt vermutlich gegen Ende 1793 oder spätestens Anfang 1794; op. 104: am 13. Dezember 1818 in einer musikalischen Abendunterhaltung der Gesellschaft der Musikfreunde Wien.
SKIZZEN: op. 1, Nr. 1: Gesellschaft der Musikfreunde Wien, A 31, Staatliches M. I. Glinka-Zentralmuseum für Musikkultur Moskau (Skizzenblatt); Nr. 2 und Nr. 3: Staatsbibliothek Preußischer Kulturbesitz Berlin, aut. 28, Skizzenbuch Fischhof; British Library London, Add. Ms 29801, Kafka Sketchbook; op. 104: nicht bekannt.
AUTOGRAPH: op. 1: verschollen; op. 104: unbekannt.
ERSTDRUCK UND WIDMUNG: op. 1: Wien 1795 (Artaria & Co.), dem Fürsten Carl v. Lichnowsky gewidmet; op. 104: Wien 1819 (Artaria & Co.).
GESAMTAUSGABE: op. 1: Alte Gesamtausgabe: Nr. 79—81 = Serie 11 Nr. 1—3; op. 104: Alte Gesamtausgabe: Nr. 36a = Serie 5 Nr. 6.

„Gewaltig, mächtig und ergreifend trat *Beethoven* in jenen schönen Trios als Klavierkomponist auf, die er dem Fürsten Lichnowsky zueignete."[1] Für den Rezensenten des *Wiener Journals für Theater, Musik und Mode*, der diese Worte 1806 schrieb, bestand kein Zweifel daran, daß die Trios op. 1 zum Besten gehörten, was Beethoven bis dahin für das Klavier geliefert hatte. Denn „wo B. nicht Sonderbarkeit sondern Schönheit sich zum Ziele setzte, da schuf er auch vortreffliche Werke, und diese kann man allen starken Klavierspielern empfehlen". Joseph Haydn gefielen, wie Ferdinand Ries, Beethovens langjähriger Freund, sich viele Jahre später zu erinnern meinte, vor allem die ersten beiden Trios in Es- bzw. G-Dur. Über das dritte in c-Moll äußerte er sich vorsichtiger: „Er sagte, er habe nicht geglaubt, dass dieses Trio so schnell und leicht verstanden und vom Publikum so günstig aufgenommen werden würde."[2] Wann genau und unter welchen Umständen Beethovens erster Wiener Lehrer ein derartiges Urteil fällte, ist nicht bekannt. Es müßte jedoch noch vor Ende 1793 gewesen sein, da Haydn im Januar 1794 seine zweite Londoner Reise antrat. Im Gegensatz zu Alexander Wheelock Thayer, Beethovens erstem großen Biographen, bezweifelte der Pionier der Skizzenforschung, Gustav Nottebohm, ein so frühes Datum. In jüngerer Zeit hat Joseph Kerman dann überzeugend bewiesen, daß zumindest das c-Moll-Trio erst 1795 endgültig zum Abschluß kam[3], was eine von Ries ebenfalls erwähnte private Aufführung geraume Zeit vorher bei Beethovens Wohltäter Carl von Lichnowsky keineswegs ausschließt. Denn Beethoven war von jeher geneigt, größere Werke vor der Veröffentlichung noch einmal gründlich zu revidieren. Und Artaria brachte die „Trois trios / Pour le Piano-Forte / Violon, Violoncelle, [...]" erst im Sommer 1795 heraus, und zwar ohne jegliches finan-

1 St. Kunze, *Gesammelte Konzertberichte*, S. 13.
2 Fr. G. Wegeler / F. Ries, *Biographische Notizen*, S. 85.
3 Vgl. J. Kerman, *Ludwig van Beethoven. Autograph Miscellany*, Bd. I, S. 310—312.

zielle Risiko für den Komponisten, nachdem Carl von Lichnowsky für eine Subskriptionsliste gesorgt hatte, in der fast die gesamte Wiener Aristokratie mehrfach vertreten war.[1] Von etwaigen materiellen Faktoren abgesehen ist es nicht undenkbar, daß Beethovens gleichzeitige Kontrapunktstudien unter Johann Georg Albrechtsbergers strenger Leitung den Vollendungsprozeß mit hinauszögerten. Nottebohm entdeckte in der Tat einen „Entwurf zum Anfang des zweiten Satzes des Trios in G dur Op. 1 Nr. 2“ unter seinen Übungen im doppelten Kontrapunkt.[2] Es bedarf jedoch keiner konkreten Dokumentation dafür, daß insbesondere die ersten beiden Trios unter dem Einfluß systematischer Kontrapunkt- und Fugenstudien entstanden. Die Faktur von op. 1 spricht vielmehr für sich selbst. Zugleich aber bezeugt sie auf Schritt und Tritt den bereits reifen Meister, der sich solcher Kunstgriffe nur dort bediente, wo sie seiner unermeßlichen Phantasie die nötige Disziplin aufzuerlegen oder in gewissen Zusammenhängen sogar neue Wege zu weisen vermochten. Das Endresultat war ein Werkkomplex, der im Unterschied sogar zu Haydns, geschweige denn Mozarts als op. 1 veröffentlichten Kompositionen nicht allein die Vitalität einer zuvor wenig beachteten Kammermusikgattung bestätigte, sondern nichts weniger als „ein neues Zeitalter“ verkündete.[3]

TRIO ES-DUR OP. 1, NR. 1. Das erste Trio beginnt durchaus konventionell mit einem vollstimmigen Forte-Es-Dur-Akkord, der dann im Klavierdiskant gebrochen, staccato und piano, über anderthalb Oktaven aufsteigt, eine „Mannheimer Rakete“ also, die auch bei der variierten Wiederholung unverändert bleibt, während der Es-Dur-Akkord jetzt einerseits Auftaktdienste verrichtet und andererseits als Septakkord Zwischendominantfunktionen annimmt.

Der zweite „Raketen“-Aufstieg verzögert die erwartete harmonische Auflösung zwar um einen weiteren Takt, womit sich der dritten, diesmal von der Subdominante startenden „Rakete“ jedoch die Möglichkeit eines vier Kadenztakte langen Ab-

1 Beethovens Vertrag mit Artaria verpflichtete ihn zur Bezahlung aller Unkosten, sicherte ihm aber unter diesen Umständen auch einen ansehnlichen Profit zu. Vgl. A. Wh. Thayer, *Ludwig van Beethovens Leben,* Bd. I, S. 382f.

2 G. Nottebohm, *Beethoven's Studien,* Bd. I, S. 202.

3 A. Einstein, *Essays on Music,* S. 52.

stiegs in vornehmlich figurativen Achtelnoten eröffnet. Das metrische Resultat ist eine charakteristisch vorwärtstreibende Gruppierung von 2 + 2 + 5 Takten. Und derartige Schemata setzen sich auch in der Folge immer wieder durch, großenteils unter Beibehaltung ähnlich kurzer, auf Terzen mit oder ohne Durchgangston sowie auf mehrfachen Einzeltonwiederholungen beruhender Motive. Längere Melodiefragmente bringt erst das weitaus gebundener und regelmäßiger verlaufende Seitenthema oder vielmehr das erste Glied der 72 Takte umfassenden zweiten Themengruppe, die anfänglich zwar ebenfalls Einzelton- und Akkordwiederholungen, allerdings in langen Notenwerten, betont, sich dann aber insbesondere eines typischen Quartgangs aus Albrechtsbergers Lehre vom doppelten Kontrapunkt bedient.

Übung bei Albrechtsberger (nach Nottebohm)

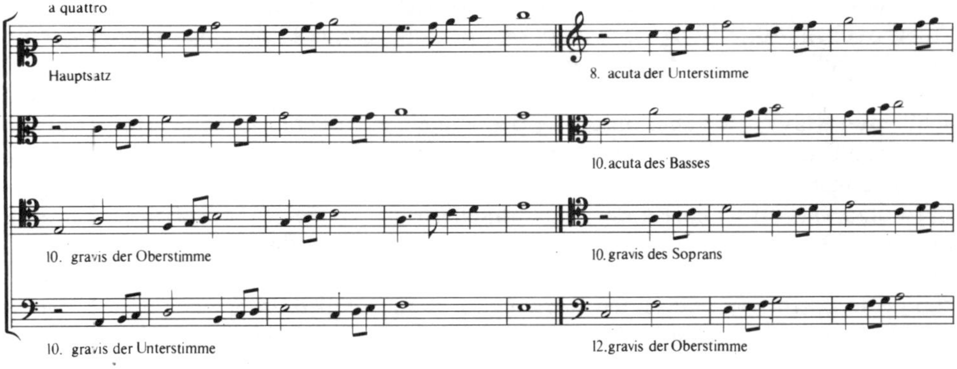

Die Exposition endet mit einer fast demonstrativen Huldigung an den Haydnschen Geist, den das Es-Dur-Trio wiederholt heraufbeschwört.

Die nicht minder ausgedehnte Durchführung moduliert zunächst nach c-Moll, dann aber gleich nach As-Dur und wagt sich, einer Anzahl chromatischer Durchgänge zum Trotz, kaum in entferntere harmonische Gebiete. Eine hier erstmalig in Erscheinung tretende, dank Beethovens 8. Symphonie wohlbekannte Terzumspielung kommt in der reich variierten Reprise sogar noch betonter zu Gehör. Von derart bescheidenen Melodieformeln lebt im übrigen nicht allein das Es-Dur-Trio, sondern das gesamte erste Opus des späteren Komponisten der *Eroica* und der großen Streichquartette.

Im vorliegenden Fall erzeugt die Durchführung einen Reichtum an melodisch-rhythmischer Energie, den keine noch so kunstvoll variierte Reprise völlig zu erschöpfen vermochte. Über 40 zusätzliche Coda-Takte kehren daher zunächst einmal zum lyrisch ruhevollen Beginn der Seitengruppe zurück und ergehen sich dann in stets neuen Varianten und Kombinationen des unleugbar elementaren, aber um so ergiebigeren Motivmaterials, bevor der fast 300 4/4-Takte zählende Satz nach längerem Piano- und Pianissimo-Spiel fortissimo endet. Der 3/16-Auftakt des langsamen Satzes (3/4-Takt) schlägt allerdings eine ebenso natürliche wie logische melodisch-harmonische Brücke von den Schlußakkorden des Allegros zum ersten vollen Takt des Adagio cantabile, zumal dieses in der schon von den Anfangstakten des Trios gestreiften Subdominante As-Dur steht und der Auftakt das harmonische Verhältnis der beiden Sätze im Sinn von Dominante und Tonika weiterhin nahtlos verdeutlicht.

Die Einzeltonwiederholungen des ersten vollen Takts sowie der daraus hervorgehende aufsteigende Quartzug variieren ihrerseits den Beginn des Allegro-Seitenthemas. Und diese enge Verwandtschaft mit der im Ausdruck doch sehr unterschiedlichen Allegro-Thematik erfährt noch eine Verstärkung seitens zahlreicher Terzen sowohl mit als auch ohne Durchgangston.

Ein exquisites Streicher-Duett prägt den Mittelteil in Es-Dur, der mit seinem schlichten Klavierpart eher an die Triosonate einer früheren Epoche erinnert als an die gegen Ende des 18. Jahrhunderts noch immer beliebte, von Streichern begleitete Klaviersonate. Dieselbe friedliche Atmosphäre umgibt auch noch eine verhältnismäßig kurze variierte Reprise der Klaviermelodie in As-Dur; dann aber senken sich dunklere Minore-Schatten über diesen sonst so sonnigen Satz mit modulatorischen Durchgängen und laut hämmernden Akkordwiederholungen, in denen Alfred Einstein eine Beethoven von seinen Vorgängern grundsätzlich unterscheidende „Explosion" erkannte.[1] Letzten Endes aber lösen sich all die ruhelosen, chromatisch aufsteigenden langen Triller, die Sforzati, Fortepiani und Fortissimi in durchaus milde Pianissimo-Tonwiederholungen auf. Und nach der Reprise des As-Dur-Themas ruft eine längere Coda, allerdings mit Hilfe von durch Pausen zersetzten Pianissimo-, Staccato- und Pizzicato-Tonwiederholungen nur zögernd, das unvermeidliche Ende dieses lyrischen Intermezzos herbei.

Vermutlich darf die abschließende Viertelpause mit Fermate hier ebenfalls als ein Hinweis auf ununterbrochene Kontinuität zumindest psychologischer Art angesehen werden, zumal der erste Ton des monophonen, harmonisch keineswegs eindeutigen Scherzo-Beginns einerseits dem As-Dur-Akkord, dem letzten Akkord des Adagio cantabile, und andererseits als Dominante f-Moll angehört, der Tonart, in der das Scherzo-Motiv sich erst einmal vorstellt, bevor es schließlich Es-Dur erreicht.

1 Ebenda, S. 51.

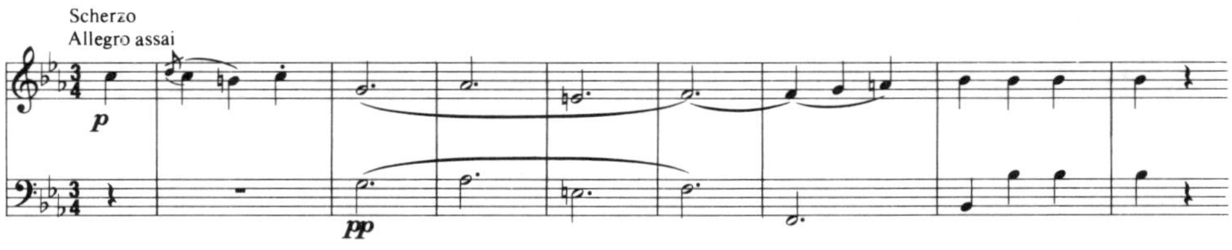

Ein eigentlicher Es-Dur-Dreiklang kommt vor dem 15. Takt überhaupt nicht zu Gehör; dafür aber bringt das Ende der Periode ihn gleich in seiner aus dem ersten Satz wohl bekannten, staccato aufsteigend gebrochenen Form. Grundlegend für das Scherzo ist die absteigende Leittonsequenz H—C—G—As—E—F, größtenteils in langen Cantus firmus-Notenwerten, obwohl ein großer Teil des melodisch-rhythmischen Geschehens dem mit einem kurzen Vorschlag anhebenden ersten Takt verpflichtet ist, und zwar sowohl mit als auch ohne dessen Auftaktviertel. Im übrigen stellt dieses Eintakt-Motiv auch eine Wechseltonvariante der Tonwiederholungsidee dar, in metrischer Hinsicht dagegen eine Art Generalauftakt zum folgenden „cantus firmus"-Viertakter C—C—H—C (nach dem Doppelstrich B—B—A—B). Der aufsteigende gebrochene Akkord tritt erst kurz vor Beginn der Reprise wieder in den Vordergrund, spielt dann aber auch die entscheidende Rolle im Klavierpart des Scherzo-Trios, das die in diesem Satz nur dienend beschäftigten Streicher zu bloßen Borduntönen verurteilt.

Die Tatsache, daß der kontrastierende Trioteil die Tonart des Adagio cantabile, As-Dur, wieder aufnimmt, mag vom konventionellen Standpunkt befremden, entspricht jedoch völlig jenem das gesamte Werk beherrschenden Kontinuitätsdrang, der As-Dur, wie es scheint, die an sich ungewöhnliche Rolle einer sekundären Bezugstonart zuwies. Selbstverständlich kommt Es-Dur als Dominante von As-Dur schon vor dem ersten Doppelstrich wieder zu Gehör. Auch ist der „sempre pp e legato"-Trioteil dem eigentlichen Scherzo in melodischer Hinsicht eng verbunden. Aber selbst mit der Scherzo-Reprise geht in diesem Allegro assai alles ein wenig zu schnell vorüber. Eine zusätzliche Coda rekapituliert daher den Beginn des Satzes, obwohl nur kurz und dieses letzte Mal deutlich in Es-Dur, und ruft schließlich, den vorangehenden Sätzen ähnlich, mit einer von Pausen unterbrochenen erweiterten Kadenz, pianissimo und ritardando, das Ende herbei.

Der letzte Takt schließt auch in diesem Fall mit einer Fermatenpause, die eine längere Unterbrechung vor dem witzigen Beginn des Presto-Finales besonders unangebracht erscheinen läßt. Jedenfalls vermittelt schon der Einsatz des Klaviers mit seinen ulkigen Dezimensprüngen den Eindruck eines Komponisten, der sich entschlossen dagegen wehrt, allzu ernst genommen zu werden. Das Anfangsmotiv dieses waschechten „Rausschmeißers" entstammt wohl der Programmusik des früheren 18. Jahrhunderts, und mehr als ein weiteres halbes Jahrhundert sollte vergehen, bevor es erneut Widerhall fand, und zwar kaum zufällig in den übermütigen Oktavsprüngen der *Tritsch-Tratsch-Polka* op. 214 von Johann Strauß, Sohn.

Johann Strauß Sohn, op. 214

Allerdings gebärdet sich das im 2/4-Takt vorbeiwirbelnde Presto kaum weniger populär mit seinen durch Pausen voneinander abgesetzten Dezimen, geschickt camouflierten Varianten der Tonwiederholungsidee, die ihrerseits den zwei volle Oktaven durchmessenden Abstieg der zu Beginn des ersten Allegros lancierten „Mannheimer Rakete“ in die Wege leiten. Das Seitenthema wiederum verwendet den zunächst in Viertelnoten absteigenden B-Dur-Dreiklang auch als tragendes Gerüst der in Staccato-Achtelnoten abstürzenden Tonleiter eines ausgesprochenen Gassenhauers,

in dessen Licht die sorgfältig unter einem Bogen, aber mit einem Staccatopunkt auf der höchsten Note phrasierten Dezimensprünge des Hauptthemas sich als ganz gewöhnliche Straßenpfiffe entpuppen. Daheim in Bonn wäre der junge Beethoven wahrscheinlich nicht so weit gegangen, obwohl Leopold Mozarts programmatische Stücke dort keineswegs unbekannt waren.

Statt neues Material zu bieten, macht das Finale von denselben an sich unscheinbaren, aber für sehr unterschiedliche strukturelle Zwecke bestens geeigneten musikalischen Bausteinen Gebrauch, die allen Sätzen zugrundeliegen: große und kleine Terzen und Sekunden, kurze und längere Tonwiederholungsvarianten, Triller und Doppelschlagfiguren, auf- und absteigende gebrochene Dreiklänge, all das und mehr in allerdings zumeist neuen Kombinationen und Zusammenhängen. Carl Dahlhaus hat diese Art von „Kombinatorik“ in seiner Besprechung des c-Moll-Trios op. 1, Nr. 3 als „eine Sache des Kalküls“ bezeichnet.[1] Spuren von Albrechtsbergers Lehre tauchen im Es-Dur-Trio in der Tat verschiedentlich auf. Zugleich aber offenbart sich darin ein zwar konsequent handelnder Komponist, der in letzter Instanz jedoch stets seinen eigenen Instinkten folgt und sich nur so äußert, wie ihm der musikalische Schnabel gewachsen ist. Daß variierte Fragmente desselben thematischen Materials in allen vier Sätzen, ja, in allen drei Werken von op. 1 auftauchen, verrät eher eine lebenslange Vorliebe für Variationsverfahren im allgemeinen als einen durchkalkulierten Enstehungsprozeß. Andererseits ist „romantische Ironie“ nicht nur für die deutsche Literatur des ausgehenden 18. Jahrhunderts von entscheidender Bedeutung, sondern auch für Beethoven, den musikalischen Zeitgenossen der Brüder Schlegel. In diesem Sinn ist wohl schon manche „Sonderbarkeit“ in seinem op. 1 zu verstehen, im Presto-Finale des Es-Dur-Trios zum Beispiel die von einer Reihe chromatisch absteigender verminderter Dreiklänge hervorgerufene harmonische Destabilisierung ab Takt 298 der Reprise. Weit davon entfernt, den sorgenfreien Charakter des Satzes zu untergraben, unterstreicht ihn ein solcher, deutlich aus dem diatonischen Rahmen fallender, vorübergehender Stimmungsumschlag vielmehr mit dem Ausdruck eines nur halb ernsten Bedauerns darüber, daß keine noch so zögernde Coda das nahende Ende mehr verhindern kann.

TRIO G-DUR OP. 1, NR. 2. Die rein äußerlich allein durch ihre Viersätzigkeit verbürgte Annäherung von Beethovens Kompositionen für Klavier und Streicher an das Streichquartett und die Symphonie klassischer Prägung zeitigte wohl auch die 27 Takte lange Adagio-Einleitung zum Allegro vivace des G-Dur-Trios, deren Spuren sich weit über den ersten Satz hinaus verfolgen lassen. Zugleich aber erinnert schon der erste Forte-Akkord, nach einer kurzen Atempause von einem Piano-„Raketen“-Aufstieg gefolgt, so unmittelbar an den Allegro-Beginn des Es-Dur-Trios, daß eine bewußte Parodie durchaus nicht von der Hand zu weisen ist, zumal die Grundtonwiederholungen sowie die Doppelschlagfigur, mit denen das Klavier fortfährt, ebenfalls zum Motivschatz von op. 1, Nr. 1 gehören. Strukturell trennen sich die Wege allerdings insofern, als das G-Dur-Adagio seine Anfangstakte zwar zunächst wiederholt (nach der Dominante transponiert), aber bereits im siebenten Takt zur Tonika zurückkehrt.

---

1 C. Dahlhaus, *Ludwig van Beethoven und seine Zeit,* S. 98.

Auf jeweils drei Klaviertakte folgt hier nämlich je ein Geigentakt zur Vollendung einer im letzten Klaviertakt begonnenen Imitatio der Tonwiederholungs- und Doppelschlagmotive. Das erste Mal führt die Violine dabei einen absteigenden a-Moll-Dreiklang aus, der dann zum Septakkord erweitert die harmonische Richtung der nächsten vier Takte bestimmt. Der erste Geigentakt wiederum nimmt den Beginn des Allegro vivace notengetreu voraus, obwohl notgedrungen im 3/4-Takt des Adagios. Schon die ersten Takte dieses Adagios geben einen Vorgeschmack von chromatischen Tendenzen, die das gesamte G-Dur-Trio weitaus stärker kennzeichnen als sein Gegenstück in Es-Dur.

Die Einleitung geht dementsprechend schon nach acht Takten zu einem durchführungsartigen Abschnitt über, in dem das Klavier über hämmernden Akkorden unentwegt Diskantskalen auf und ab laufen läßt. Die einzigen Ausnahmen bilden gelegentliche Vorhaltsfiguren auf ersten Taktteilen, die bei den Streichern fragmentarische Reaktionen unter anderem mit gebrochenen Dreiklängen und nicht zuletzt mit dem Wechseltonmotiv des Scherzos aus op. 1, Nr. 1 hervorrufen. All das mündet schließlich in einen verminderten Septakkord, der nach zwei mit trillernden kleinen Terzen spielenden Takten die Rückkehr der Dominante herbeiführt, in deren fast ausschließlichem Bereich der Rest der Einleitung bis zum „attaca subito il Allegro“ verläuft.

Der einstimmige Beginn des Allegro vivace läßt das erste C im Licht seines noch dem Adagio angehörigen, chromatischen Skalenauftakts als Septime der Dominante erscheinen. Das Motiv als solches betont jedoch, wie in der Einleitung, eher a-Moll. Die endgültige Festigung von G-Dur nimmt tatsächlich nicht weniger als zwölf Takte in Anspruch, in denen das auftaktige Tonwiederholungsmotiv und die Vorhaltsfigur sich mit einem Cantus firmus in langen Noten zu einem traditionellen Kontrasubjekt vereinigen.

Womögliche Zweifel an einer gezielten Anspielung auf die „cantus firmus“-Takte des Es-Dur-Scherzos werden die ersten 18 Takte der Durchführung beseitigen, denen der Cantus firmus in seiner altbekannten Form von zwei durch eine verminderte Septime verbundenen Halbtonschritten zugrundeliegt.

Das graziöse, der Geige anvertraute Seitenthema in D-Dur besteht fast ausschließlich aus abwechselnd gebundenen und Staccato-Zweiachtelpaaren, deren erstes der „cantus firmus“-Idee insofern verpflichtet ist, als es stets einen aufwärts gerichteten Halbtonschritt darstellt. Beethovens intensive Beschäftigung mit traditionellen Kompositionsverfahren macht sich übrigens nicht nur hier im Allegro vivace bemerkbar, sondern in allen vier Sätzen eines Werkes, an dem der doppelte Kontrapunkt entscheidenden Anteil hat, ohne seinen spielerischen, im Finale an Bizarrerien grenzenden Geist im geringsten zu beeinträchtigen. Vielmehr scheint es, daß der noch junge Komponist bei allem Respekt in gewissen Steckenpferden peinlich genauer Lehrmeister wohlfeile Zielscheiben für seinen im Grunde genommen stets gutmütigen Humor sah.

Der zweite Satz, ein Largo con espressione in der Mediante E-Dur, offenbart den Großmeister der Variante und Variation in all seiner noch jugendlichen, aber dennoch fast hellseherisch schöpferischen Kraft. Was hier mit einer sich schlicht im 6/8-Takt wiegenden Weise anhebt, dringt sehr bald in romantische Gefilde vor, die im Fall des zweiten Themas bis zu Gustav Mahler reichen, anderswo zumindest Franz Schuberts harmonische Klangwelt heraufbeschwören und dennoch von denselben unscheinbaren Motiven zehren, die im Allegro vivace ganz andere Früchte hervorgebracht haben. In seiner Struktur stützt sich das Largo offensichtlich auf die große dreiteilige Liedform mit Coda, verrät aber mit seinem thematisch-tonalen Dualismus und einer allerdings kurzen, fast ausschließlich das Hauptthema berührenden Durchführung eine deutliche Lehnspflicht an das Sonatenprinzip. Dementsprechend ist auch die auf den ersten Blick überraschende harmonische Ausweichung nach G-Dur unmittelbar vor der Rückmodulation zur ausgiebig variierten Reprise und Coda in E-Dur als eine typische Manifestation jenes Vereinheitlichungsprozesses zu verstehen, der in op. 1 keine musikalische Ebene unangetastet läßt und auf jede nur mögliche Weise zum Ausdruck kommt.

Das Anfangsmotiv des Largos, eine stufenweise auf- und absteigende Terz, findet seine sofortige Antwort in der Dominante, aber mittels eines Terz-Abstiegs von der vierten (A) zur zweiten Stufe (Fis). Und die dadurch entstandene Spannung zwischen Terz und Quarte spielt eine nicht zu unterschätzende Rolle im weiteren Verlauf nicht nur dieses Satzes.

Inzwischen aber machen sich auch die kleinen Sekundschritte des ersten Satzes erneut bemerkbar, zunächst als Nebennoten, dann harmonietragend im Baß der Überleitung und schließlich als melodische Zelle des sehnsüchtig über seiner Dominante als Orgelpunkt aufwärts strebenden Seitenthemas, wahrlich ein Stück Mahler avant la lettre.

Doppelschläge und Tonwiederholungen melden sich jedoch ebenfalls zu Worte in diesem mitunter auch in reichen Klavierklängen schwelgenden langsamen Satz. Der Höhepunkt des Seitenthemas führt in der Reprise sogar zu neunstimmigen Akkorden, natürlich auf Kosten der Streicher, die es selbst gegenüber dem verhältnismäßig milden Fortissimo eines Wiener Pianofortes aus Beethoven Zeit schwer gehabt haben müssen, sich als Motivträger erfolgreich durchzusetzen. Dafür ist ihnen die volle Verantwortung für eine letzte Reminiszenz des Hauptthemas zugewiesen. Das Klavier muß sich mit bloßen Grundtonwiederholungen in extremen Registern begnügen, bevor es das 124 Takte lange, in jeder Beziehung ausdrucksvolle Largo mit tiefen, von den Streichern unterstützten Smorzando-Akkorden beschließen darf.

Im Vergleich mit dem weit ausholend in sich geschlossenen Largo verhalten sich die beiden letzten Sätze mutatis mutandis eher wie die Adagio-Einleitung und das Allegro vivace zueinander. Beide Satzpaare gehen jedenfalls pausenlos vom jeweiligen 3/4- zum 2/4-Takt über, im G-Dur-Trio wie in op. 1, Nr. 1 mit Hilfe einer abschließenden Fermatenpause, die um so weniger Zweifel an der Absicht des Komponisten zuläßt, als die Anfangstakte des Finales die letzte pianissimo vorgetragene Akkordreihe der zusätzlichen Scherzo-Coda, einschließlich aller Pausen, identisch weiterführen.

Im übrigen entsprechen die Presto-Achtel im 2/4-Takt durchaus den Allegro-Vierteln des Scherzos. Eine beiden Sätzen eigene Neigung zur Exotik im Sinn des späten 18. Jahrhunderts hat im bezeichnenderweise in h-Moll stehenden Trioteil des Scherzos typische Kombinationen von Staccato-Tonwiederholungen, Oktavsprüngen, kurzen Schleifern und langen Trillern zur Folge und im Finale oft von Schleifern unterbrochene, rasend schnelle Einzeltonwiederholungen, die ein wirkliches, melodisch profiliertes Hauptthema überhaupt nicht zustande kommen lassen, obwohl der Satz als solcher dem Sonatenprinzip treu bleibt. Ähnliches leistete Beethoven sich eigentlich erst zwei Jahrzehnte später wieder mit der Bühnenmusik zu Kotzebues *Die Ruinen von Athen* op. 113. Bei Carl von Lichnowsky und seinen aristokratischen Gästen mag op. 1, Nr. 1 inzwischen eine typische Opernfigur wie Mozarts Osmin oder sogar Monostatos ins Gedächtnis gerufen haben. Oder dachte Beethoven selbst bei der Wahl der zwar terzverwandten, aber seinerzeit noch seltenen Tonart h-Moll für das Scherzo-Trio womöglich an das Orchesterritornell zu Pedrillos Romanze „Im Mohrenland gefangen“ aus dem dritten Akt der *Entführung aus dem Serail*?

Die Frage scheint nicht unberechtigt, zumal das eigentliche Scherzo bei Beethoven genau wie Mozarts Vokalpart, dort allerdings in D- statt G-Dur, mit einer aufsteigenden Skala von der Dominante zur Tonika beginnt. Dazu kommt, daß Beethovens achter Takt als Trugschluß einen h-Moll-Dreiklang bringt. Andererseits hebt der Quartzug bei ihm erst nach einem Staccato-Auftakt an und betont dann gleich die Doppelfunktion des Motivs mit Hilfe eines Phrasierungsbogens, der den ersten vollen Takt, das heißt die Terz, von der Zielnote, der Quarte, absetzt.

Staccato-Tonwiederholungen, wie hier zu Anfang, spielen in diesem an kontrapunktischen Imitationen reichen Scherzo dennoch eine verhältnismäßig untergeordnete, aber strategisch nicht unwichtige Rolle, vor allem im Zuge der erweiterten Reprise, in der ihre verschiedenen rhythmischen Fassungen früher Gehörtes in Erinnerung rufen, aber auch noch zu Hörendes vorausnehmen. Andere Figuren, insbesondere der Doppelschlag, erfüllen ähnliche Aufgaben. Die Vorschlagsfigur in Takt 7 geht ja sogar auf den ersten Takt des Scherzos von op. 1, Nr. 1 zurück. Das Klangbild seinerseits leistet mit unter anderem zahlreichen Terzparallelen, im Klavierpart auch in gleichzeitiger Gegenbewegung, einen nicht zu unterschätzenden Beitrag zur Vereinheitlichung der Sätze.

Ferdinand Ries zufolge geht die endgültige Notierung des G-Dur-Finales im 2/4-Takt auf das Konto des zum musikalischen Kreis des Fürsten Lichnowsky gehörenden Cellisten Anton Kraft. Der erfahrene, von Beethoven hoch geschätzte, 20 Jahre ältere Haydn-Schüler — er hob später unter anderem das *Tripelkonzert* op. 56 mit aus der Taufe — erkannte wohl schon bei der ersten privaten Aufführung, daß der beabsichtigte Presto-Effekt dieses ungewöhnlichen Satzes nicht zuletzt von einer genauen Übereinstimmung seiner alles andere als hergebrachten rhythmischen und metrischen Eigenschaften abhängt. Beethovens ursprünglicher 4/4-Takt hinderte einerseits die erwünschte schnelle Aufeinanderfolge schwerer Taktteile, stand aber auch der korrekten Phrasierung kurzatmiger, auf allen möglichen Stufen wiederholter Motive im Wege. Das Seitenthema geht gerade in dieser Beziehung über alles hinaus, was das thematisch und harmonisch weitaus stärker profilierte Finale von op. 1, Nr. 1 zu bieten hat. Der Komponist hielt jedoch hier wie dort hartnäckig am Sonatenprinzip fest, obwohl (oder trotzdem) die 48 Takte lange Hauptmotivgruppe des G-Dur-Prestos — von einer Themengruppe kann kaum die Rede sein — mit ihren ausschließlich von Tonika- und Dominantakkorden unterstützten, nur ab und zu von Achteln unterbrochenen Sechzehntelwerten eher ein Rondo, allenfalls eine Rondo-Sonatenform vermuten läßt. Die Überleitung räumt dem längst nicht mehr neuen Cantus firmus-Viertakter einen überraschenden Platz ein, bevor sich die Situation zugunsten jenes von mehrfach wiederholten Staccato-Achteln beschwingten Seitenthemas klärt. Vortragsanmerkungen wie „pianissimo“ und „dolce“ lassen bei einer so gezielt groben, zweifachen Wiederholung derselben schmissigen Viertakt-Phrase einen weiteren Fall von „romantischer Ironie“ vermuten.

Wohl weil die thematischen Kontrastbedürfnisse eines ganzen Sonatensatzes damit nicht leicht zu befriedigen sind, sorgen Anspielungen auf bereits Gehörtes, unter anderem von der Geige mit absteigenden Dreiklangszügen in Takt 78 und 79 in Gegenbewegung zu den Seitenthema-Achteln des Klaviers, für willkommene Abwechslung. Im Rahmen der Schlußgruppe bringt zunächst die Geige eine im Seitenthema verwurzelte Variante des Scherzo-Motivs, die dem „thème russe" des F-Dur-Streichquartetts op. 59, Nr. 1 verblüffend nahe steht.

Die gleichzeitig absteigende Terzenreihe des Klaviers wird im Stil des Doppelten Kontrapunkts nach vier Takten in Dezimen von den Streichern übernommen und umgekehrt die Scherzo-Variante vom Klavier. Das Ende der Exposition bestätigen acht Calando- und Rallentando-Takte, die den wilden Tanz mit ruhigen Akkordwiederholungen sowie Pausen als zusätzlichen „Bremsen" momentan zum Stillstand bringen. Dabei wird derselbe verminderte Septakkord, der unter der Klammer 1 zur Dominante zurückführt, in der Wiederholung enharmonisch umgedeutet zum Drehpunkt nach e-Moll, der G-Dur-Parallele, worauf zwölf kadenzartige Klaviertakte den eigentlichen Durchführungsprozeß mit dem Seitenthema in E-Dur einleiten. Wirkliche Modulationspassagen fallen jedoch erst den Streichern zu, auf deren Sechzehntel-Tonwiederholungen das Klavier seinerseits mit einer längeren, zweimal dynamisch vom Piano zum Forte gesteigerten Folge von „exotischen" Schleifern und Trillern reagiert. Und diese durchaus „charakteristische" Episode endet mit der Rückkehr des Seitenthemas mitten im Durchführungsteil völlig unerwartet in der Grundtonart.

Nach vier Takten Atempause in a-Moll beginnt die zweite Hälfte der Durchführung, eigentlich eine mehr als 50 Takte lange, zunächst pianissimo und dann forte gespielte Auskomponierung der Dominante als harmonisch erstaunlich stabile Vorbereitung auf eine nahtlos darauf hervorgehende, ansehnlich erweiterte und variierte Reprise. Danach wirft eine längere Coda noch einen letzten Blick auf das Largo, unter anderem mit parallelen Terzen in Gegenbewegung, aber ohne viel espressione, bevor dieser zuweilen fast bildhaft sommernächtliche Spuk nach weiterem Staccato, Legato und ungebundenem Hin und Her mit plötzlichen Fortissimo-Akkorden seinem ganzen Charakter entsprechend humorvoll zu Ende geht.

TRIO C-MOLL OP. 1, NR. 3. Nach der „Gaudi" des G-Dur-Trios schlägt Beethoven in c-Moll weitaus nachdenklichere Töne an. Es ist, als hätte er erst einmal seine Wiener Kumpane abfertigen wollen, mehr oder weniger gleichaltrige Männer wie der Cello spielende „Musikgraf" von Zmeskall und der „dicke" Schuppanzigh, mit denen er auch bei Lichnowsky Musik machte, um sich schließlich mit ernsten Worten an eine „verehrungswürdige" Person, womöglich seine „theuerste Freundinn" Eleonore von Breuning in Bonn, zu wenden. Daß diese beiden Seiten seines feurigen Wesens keineswegs miteinander in Konflikt lagen, beweist allein ihre friedliche Koexistenz in ein und demselben Opus, besonders aber die Gemeinsamkeit zahlloser musikalischer Elemente, die im c-Moll-Trio allerdings auf zuweilen sehr verschiedene Weise Verwertung finden.

Wie dem auch sei, mit dem c-Moll-Trio erreichte Beethoven ein Maß an künstlerischer Unabhängigkeit, das ihn sowohl von Haydn als von auch von Mozart, seinen innig verehrten Vorbildern, zum ersten Mal unverkennbar absetzte. Die einzigartige Intensität eines höchst persönlichen Ausdruckswillens hat in diesem vorläufig noch vereinzelt dastehenden Werk kompositionstechnische Besonderheiten gezeitigt, mit denen der Name Beethoven für alle Zeit verbunden bleiben sollte. Das gilt vor allem für die thematische Vereinheitlichung aller vier Sätze, die im c-Moll-Trio so gut wie nichts unberührt läßt (vgl. die Motivtafel). Das dritte Trio zieht damit jedoch nur weitere Konsequenzen aus einem das gesamte op. 1 kennzeichnenden Kompositionsprinzip, zumal es seine Verwandtschaft mit den Trios in Es-Dur und G-Dur in keiner Weise verleugnet. Mit andern Worten, dieselben kompositionstechnischen Begriffe, die 30 Jahre danach jenes beispiellose „Superquartett", den letzten Streichquartett-Zyklus, zeitigen sollten, lagen bereits dem ersten Opus zugrunde.[1]

Trotz mancher Übereinstimmung mit den Trios in Es-Dur und G-Dur setzt sich op. 1, Nr. 3 in struktureller Hinsicht dennoch deutlich von seinen Vorgängern ab. Denn wo die ersten zwei Sätze dort noch ihr ansehnliches Übergewicht zu behaupten wußten, herrscht jetzt eine sowohl zeitlich als auch inhaltlich wahrhaftig klassische Ausgeglichenheit, obwohl c-Moll bei Beethoven von Anfang an jenes besondere Maß an emotioneller Intensität hervorrief, das der Wiener Rezensent von 1806 als so „gewaltig, mächtig und ergreifend" beschrieb. Und das war es wohl auch, was den Komponisten noch viele Jahre später dazu befähigte, mit bestem Gewissen eine Streichquintett-Fassung ausgerechnet dieses Frühwerks (als op. 104) zu veröffentlichen. Beethoven geht hier jedenfalls in vieler Hinsicht, in der Dynamik, im harmonischen Verlauf und ebenso in der phantasievollen Behandlung einer äußerst be-

1 Vgl. A. L. Ringer, *Klassisches Formbewußtsein und strukturelle Vielfalt,* S. 318—327.

Motivtafel zu op. 1, Nr. 3

I. Allegro con brio, T. 1—8

II. Andante cantabile con Variazioni, T. 1—8

III. Menuetto. Quasi Allegro, T. 1—10

III. Trio, T. 1—5

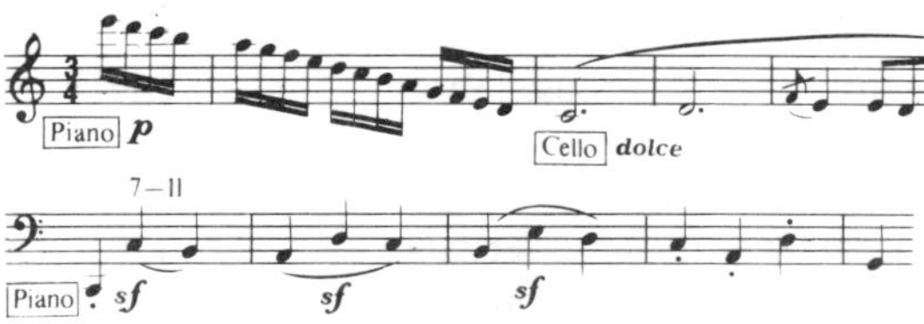

IV. Finale. Prestissimo, T. 1—20

schränkten Anzahl von Motiven nicht weniger als in der Gesamtstruktur zuvor unbeschrittene Wege.

Schon der Beginn des ersten Satzes im 3/4-Takt ist ungewöhnlich insofern, als das, was allgemein als Hauptthema betrachtet wird, hier in zwei deutlich voneinander getrennte Unterteile zerfällt, und zwar so, daß die ersten zehn, harmonisch ungefestigten und in größeren Notenwerten gehaltenen Takte effektiv den Charakter einer langsamen Einleitung annehmen. Erst deren abschließende, von der Violine kadenzartig verzierte Fermatentakte lassen dem eigentlichen „Allegro con brio"-Thema freien Lauf. „Einleitend" im besten und vollsten Sinn des Wortes sind diese zehn Takte schon deshalb, weil sie die motivischen und harmonischen Grundzüge nicht nur des ersten Satzes, sondern auch aller folgenden vorausnehmen. Haydn beschränkte sich zwar ebenfalls gerne auf eine verhältnismäßig geringe Anzahl knapp gehaltener Motive, verschrieb sich ihnen jedoch nie so völlig mit Haut und Haar wie sein genialer Schüler schon hier im noch jugendlichen Frühstadium seiner unvergleichlichen schöpferischen Entfaltung. Eine derart konsequente Anwendung von nicht mehr als einigen wenigen Intervallen in stets neuen Kombinationen mußte auf den tief im 18. Jahrhundert verwurzelten Altmeister der klassischen Instrumentalmusik befremdend wirken. „Die tondichterische Freiheit, von der Beethoven hier, man darf wohl sagen, zuerst Gebrauch macht“, bemerkte Joseph von Wasielewski vor mehr als 100 Jahren, „wird den alten Herrn um so mehr gestört haben, je mehr sie ihm als eine Verletzung seines Schönheitsideals erschien“.[1] Der junge Stürmer und Dränger im Fahrwasser der französischen Revolution erstrebte eben eine unverhohlen menschliche Ausdrucksweise in all ihrer sanfteren Gemütern oft peinlichen Leidenschaftlichkeit. Und es war demnach wohl alles andere als reiner Zufall, daß gerade das c-Moll-Trio jenen ersten großen Werkkomplex beschloß, den der stolze, aber auch entschieden selbstkritische Komponist nach sorgfältigen Revisionen einer Opuszahl würdig erachtete.

Deutlich in die Zukunft weisend ist hier nicht nur die für das gesamte op. 1 verbindliche Viersätzigkeit oder das Vordringen des Sonatenprinzips bis ins traditionell rondoförmige Finale. Was im c-Moll-Trio in gewisser Hinsicht schon vollendet dasteht, ist Beethovens bald für alle Instrumentalgattungen geltende Neuverteilung des strukturellen Gewichts vom ersten Satz als Hauptträger auf die beiden Ecksätze als mehr oder weniger ebenbürtige Pfeiler ausgedehnter musikalischer Gedankengebäude. Die beiden Mittelsätze, der eine lyrisch im Charakter, der andere kinetisch-tänzerisch, bilden ihrerseits ein ähnlich ausgeglichenes Paar, im weiteren Sinn die Antithese gegenüber der These des ersten Satzes. Langsamer Satz und Menuett oder Scherzo stehen in diesem Zusammenhang in einem ähnlichen Verhältnis zueinander wie die Themengruppen einer Sonaten-Exposition oder auch die Durchführung und Reprise. Beethoven gestaltete ja gerade seine dritten Sätze gern aus leicht erkennbaren thematischen Varianten der ersten im Sinn von vorübergehenden Quasireprisen, und op. 1, Nr. 3 weist auch in dieser Hinsicht auf Zukünftiges. Zum endgültigen Ausgleich, zur dialektischen Lösung des Ganzen kommt es natürlich erst im Finale, das es allein darum schwer hat, sich angenehm melodisch zu gebärden, weil eine solche Haltung unvereinbar wäre mit seiner strengen Hauptaufgabe, die ästhetisch-affektive Endbilanz zu ziehen aus dem gesamten von verschiedensten thematischen Metamorphosen bestimmten Verlauf einer komplizierten tönenden Handlung, deren Moral dann zwar abstrakter in Erscheinung tritt als im Schlußkapitel eines Märchens oder einer Novelle, bei Beethoven aber auch um so nachhaltiger.

Das c-Moll-Trio kann geradezu als Modell für dieses ausgesprochen Beethovensche Kompositionsverfahren gelten, zumal sein Grundmaterial fast ausschließlich aus Terzen mit oder ohne Verbindungston, aber zumeist in Kombination mit kleinen Sekunden besteht. Dazu gesellen sich kurze Tonwiederholungen, Doppelschlagfiguren, der Melodik entsprechende harmonische Terzverwandtschaften und Se-

1 W. J. v. Wasielewski, *Ludwig van Beethoven,* Bd. I, S. 108f.

kundverschiebungen. Auch spielen die charakteristischen Unterteilungen der ersten zehn Takte mit Hilfe von Pausen und Fermaten im Dienst einer durchaus rhetorischen Fragestellung entscheidend mit. Die ursprüngliche Frage beruht auf einer leisen Unisono-Bewegung vom Grundton C zur kleinen Oberterz und zurück, gefolgt von einem aufwärts gerichteten gebrochenen Dominantsextakkord. Im ersten Klaviertakt leitet ein Doppelschlag von der Tonika zur Terz, wodurch der untere Leitton gleich zu Anfang prominent herausgestellt wird. Die Violine greift die Doppelschlagfigur dann einige Takte später mit ihrer Fermatenkadenz auf Fis, dem Leitton zur Dominante, auf. Die letzte Note, das G des gebrochenen Dominantsextakkords, wird staccato wiederholt, und nach zwei Vierteln Pause erklingt dasselbe fragende Sextakkord-Motiv pianissimo, eine kleine Sekunde höher, das heißt mit dem für den weiteren Verlauf so wichtigen Grundton As. Zwei weitere zum Motiv gehörende Pausen bereiten die leicht variierte Wiederholung der ersten zwei Klaviertakte vor, jetzt aber eine Oktave höher und mit der absteigenden Durchgangsnote D als Oberstimme einer vierstimmigen, auf Vorhaltsakkorden basierenden Zwischendominantenpassage. Das vorangehende As bleibt im Baß noch zwei Takte lang liegen, bevor es schließlich der Dominante G weicht. Der verminderte Dreiklang Es—Fis—C behauptet sich jedoch noch einen Takt lang, bis in Takt 10 alles in den Fermatenakkord der Dominante aufgeht.

Die Dynamik dieser dem Allegro con brio einverleibten „langsamen Einleitung“ geht trotz der stets aufwärts gerichteten fragenden Gesten nirgends übers Piano hinaus. Auch trägt die unregelmäßige metrische Struktur (4 + 2 + 4 Takte), einschließlich zweier abschließender Fermatentakte, nicht wenig zu ihrem fragmentarisch-offenen Charakter bei. Dann aber, im Fahrwasser so vieler langer Noten und Pausen, entlädt sich die dadurch entstandene Spannung auf völlig entgegengesetzte Weise: melodisch absteigend statt aufwärts strebend, auftaktig und rhythmisch regelmäßig, harmonisch so einfach wie nur möglich mit unbeeinträchtigten Tonika- und Dominantakkorden. Motivisch wird die Verbindung dennoch mit Nachdruck aufrecht erhalten. Schon der erste Auftakt bringt die absteigende Terz Es—C samt Durchgangsnote; auch wird das C im ersten vollen Takt sofort wiederholt, und das darauf folgende G entspricht den einleitenden Takten 3 und 4. Neben dem Doppelschlag sticht besonders das H—G des dritten Taktes hervor, in der neuen Umgebung die einzige mit Sforzati markierte Figur, die auch das erste Forte und schließlich das Fortissimo der abschließenden vier Takte herbeiführt. Auf die letzten Noten, ein dreifaches tiefes G, folgen wie zu Anfang zwei Viertelpausen, welche hier wie dort die Verschiebung nach As-Dur vorbereiten, die Tonart, in der die Überleitung jetzt mottoartig mit den ersten vier Takten der „langsamen Einleitung“ einsetzt, um dann doch eher vom Auftaktmotiv des „eigentlichen“ Allegrothemas Gebrauch zu machen. Das Seitenthema in Es-Dur geht seinerseits von der dreifachen Wiederholung des ihm eigenen Dominanttons, B, aus.

Angesichts der Unmöglichkeit einer faszinierenden Schritt für Schritt-Analyse des c-Moll-Trios im beschränkten Rahmen einer kurzen Besprechung mag ein Blick auf die vergleichende Motivtafel (vgl. oben) genügen, um etwaige Zweifel an der hermetisch geschlossenen motivischen Einheit dieser erstaunlichen Komposition zu stillen. Natürlich erstreckt sich die Vereinheitlichung weit über diese wenigen Beispiele hinaus. Varianten desselben Kern-Materials, identische Intervallschritte, Tonwiederholungen und -auswechslungen, die entsprechenden harmonischen Verschiebungen und durchgehende Bedeutung von G und As sowie ganz ähnliche Pausenfunktionen und metrische Strukturen durchziehen das gesamte Trio von Anfang bis Ende, oft in sehr unterschiedlichen musikalischen Zusammenhängen.

Daß Beethoven sich in c-Moll stets besonders wohl fühlte, bedarf keiner Betonung. Jedenfalls suggerierte diese Tonart wiederholt gewisse musikalische Ideen im Geist einer für ihn und seine Zeitgenossen mehr oder weniger verbindlichen affektiven Bedeutung. So beginnt zum Beispiel das c-Moll-Quartett op. 18, Nr. 4 mit derselben Doppelschlagterz C—Es. Und Ähnliches gilt für terzverwandte Stücke wie das As-Dur-Andante der Klaviersonate in c-Moll op. 10, Nr. 1 oder das As-Dur-Adagio des Septetts op. 20.[1] Der stets mit einbezogene untere Leitton kehrt dann nicht nur im c-Moll-Trauermarsch der *Eroica* wieder, sondern die dem c-Moll-Trio verwandte Thematik bestimmt auch die 3. Symphonie als Ganzes.[2] Im vorliegenden Fall ist es insbesondere das Menuett, dem sowohl die Leitton-Idee, die Einzeltonwiederholungen und absteigenden Terzen sowie im Trio der Doppelschlag neue Dienste leisten. Das Variationsthema des zweiten Satzes im terzverwandten Es-Dur beginnt seinerseits mit der kleinen Sekunde G—As und sequenziert dann die fallenden Terzen bis zum Tonika-Leittonaustausch im dritten Takt. Die erste Variation weist das verzierte Thema der Unterstimme zu, die das Thema bereits zu Anfang des Satzes auf ähnliche Weise mit Unterterzen begleitet hat. In der Oberstimme tritt dort wiederum der Doppelschlag hervor. In der zweiten Variation produzieren sich die beiden Streicher mit ausgiebigen Sechzehntelpassagen über Oktavvarianten des Themas im Klavierbaß. Die folgende Variation dreht das Verfahren dann unter deutlicher Bevorzugung des Sekundschrittes um. Im Lauf der letzten zwei Variationen verdichtet sich das Stimmgewebe schließlich bis zur Sechsstimmigkeit der chromatischen Akkordfolge, mit der die das Ganze noch einmal überblickende Coda pianissimo anhebt.

Der abschließende Sonatensatz wimmelt nur so von Terzen aller Art mit und ohne Durchgangston, um von Doppelschlägen und Leittonschritten ganz zu schweigen. Was dieses Prestissimo von vornherein zum idealen Finale macht, ist die Verdeutlichung seiner organischen Funktion mittels eines achttaktigen Vorhangs, der unvermittelt an die „langsame" Einleitung des ersten Satzes erinnert. Nur geht Beethoven hier noch einen Schritt weiter mit einer Struktur von 2 + 2 + 3 Takten, deren erste dem c-Moll As-Dur gegenüberstellen, während die letzten zwei die kleine Sekunde C—H mit der Sexte H—G verbinden. Pausenzäsuren gliedern diesen Vorhang sogar noch radikaler als sein Gegenstück zu Beginn des Werkes. Ganze anderthalb Takte Pause mit Fermatenverlängerung trennen ihn nämlich vom eigentlichen Hauptthema. Andererseits wird er diesmal ausdrücklich fortissimo angestimmt, gefolgt von piano, ganz im Sinn eines thematischen Ausgleichs, der auch motivische Umstellungen im eigentlichen Hauptthema zustande bringt. In der melodietragenden Violinstimme erlangt neben der Terz die kleine Sekunde As—G besondere Bedeutung, während C—H auf größere Abstände in den Baß verlegt ist. Eine Variante des ursprünglichen Doppelschlagmotivs kommt erst in Takt 29—33 zu Gehör. Die Tonwiederholungen müssen sich gar bis zum Schluß gedulden, kommen dann aber

1 Siehe auch H. Gál, *Die Stileigentümlichkeiten des jungen Beethoven,* S. 71.
2 Für weitere Vorbilder siehe A. L. Ringer, *Clementi and the Eroica,* passim.

nach viereinhalb Takten As—G in langen Notenwerten über einem regen Austausch von kleinen Sekundschritten im Klavier mit elf ununterbrochenen Takten von Viertelnoten auf der leeren G-Saite voll auf ihre Kosten, allerdings pianissimo und mit raunendenden C-Dur-Skalen, bis schließlich drei Viertelpausen den vorletzten C-Dur-Akkord mit E in der Oberstimme vorbereiten, der dann nach drei weiteren Viertelpausen, nun aber mit C in der Oberstimme, sein letztes Wort haucht.

Beethoven betrachtete sein c-Moll-Trio zu Recht als das Beste, was er bis dahin geleistet hatte, und seine Popularität beschränkte sich, Joseph Haydns Bedenken zum Trotz, keinesfalls auf Carl von Lichnowsky und seinen Freundeskreis. Unter diesen Umständen verwundert es kaum, daß der Komponist mehr als zwei Jahrzehnte nach der ersten Veröffentlichung bereit war, eine Umarbeitung für Streichquintett zu unternehmen oder zumindest die eines andern einer gründlichen Revision zu unterziehen. Die Meinungen gehen auch jetzt noch, nach gründlichen Untersuchungen der als Grasnick 11 bekannten Abschrift, auseinander darüber, ob das eine oder andere der Fall war.[1] Das ändert aber nichts an der Tatsache, daß Beethoven alles unternahm, um sein Quintett op. 104 letzten Endes ebenfalls bei Artaria an den Mann zu bringen.

Die Gesamtstruktur des Trios blieb bei der Bearbeitung unangetastet. Andererseits war der Komponist der *Hammerklaviersonate* 1817 durchaus bereit, das Stimmgewebe vornehmlich mit Hilfe von kontrapunktischen Kunstgriffen, wo es ihm nötig schien, den neuen Instrumentalbedingungen anzupassen. Wörtlich genommen weisen die autographen Worte auf der Titelseite der umstrittenen Abschrift tatsächlich darauf hin, daß er „zu einem / 3 stimigen quintett / vom Hr: Gutwillen / u. aus dem schein von 5 stimen / zu wirklichen 5 Stimen ans Tags / licht gebracht, wie auch aus grösster Miserabilität / zu einigem Ansehn erhoben“ habe. Aber ob er nun eine schwache, allzu notengetreue Bearbeitung zur Grundlage der seinigen machte oder nicht, Beethovens Mühe bereicherte das Streichquintett-Repertoire um ein durchaus würdiges Stück, das größere Aufmerksamkeit verdient, als ihm in letzter Zeit zuteil geworden ist.

Sofern der Charakter eines musikalischen Werkes vom reinen Klang abhängig ist, unterscheidet sich das Quintett von seiner Trio-Vorlage allein durch einen weicheren und zugleich volleren Ton. Die zwei Bratschen garantieren eine weitaus reichere Mittellage, und mit ihnen entfällt nicht nur der Klangkontrast, der sich im Trio aus der Übermacht des Klaviers gegenüber einem hohen und einem tiefen Streichinstrument ergibt, sondern auch der Klavieranschlag, dessen Härte selbst das damalige Hammerklavier nicht völlig zu vermeiden vermochte. Dazu kommt natürlich, daß der erfahrene Quartettkomponist Beethoven die Rollen der aufeinander geeichten Instrumente eines Streichquintetts so gleichmäßig wie möglich zu verteilen wußte. Allein der ersten Violine kam eine unvermeidliche Vormachtstellung zu, denn abgesehen von ihren ursprünglichen Aufgaben mußte sie jetzt wiederholt Passagen übernehmen, die in der Trio-Fassung dem Klavier zugefallen waren.

Einen genaueren Vergleich hat Eberhard Enß in seiner verdienstvollen Arbeit über Beethoven als Bearbeiter unternommen. Zusätzlich sei hier nur kurz angedeutet, das gewisse Änderungen im Quintett auch für die Aufführungspraxis von

---

1 Vgl. unter anderem A. Tyson, *The Authors of the Op. 104 String Quintet* und E. Enß, *Beethoven als Bearbeiter eigener Werke,* S. 97—107.

op. 1, Nr. 3 aufschlußreich sein können, da anzunehmen ist, daß der Komponist in diesen Fällen die Gelegenheit wahrnahm, eventuelle frühere Mißverständnisse zu klären. So läßt zum Beispiel die Eliminierung des Doppelschlags, der im Trio den Anfangston C mit der kleinen Terz verbindet, darauf schließen, daß die metrische Betonung stets der ersten Note zugedacht war, obwohl Doppelschläge im allgemeinen den Nachdruck eher auf die Zielnote verlegen. Umgekehrt gab Beethoven der zweiten Bratsche im ersten vollen Takt des Menuett-Trios in der Quintettfassung drei Achtel Auftakt, die in op. 1, Nr. 3 fehlen und der gesamten Passage einen durchaus willkommenen tänzerischen Schwung verleihen.

1817 war ein schweres Jahr für Beethoven, schon wegen der endlosen Probleme mit der Erziehung seines Neffen. Unter den wenigen kleinen Kompositionen, die er vollendete, findet sich jedoch auch ein Originalstück für Streichquintett, die Fuge op. 137. Im übrigen setzte er viel Hoffnung auf England, insbesondere die London Philharmonic Society, und in diesem Zusammenhang spukte wohl schon die 9. Symphonie in seinem Kopf herum. Op. 104 ist nicht mehr und nicht weniger als ein halb vergessenes Kleinod. Daß der Komponist es als solches durchaus ernst nahm, beweist sogar die genannte humorvolle Bemerkung, mit der er die revidierte Kopie verabschiedete. Als historisches Dokument verlangt es — jedenfalls — ernst genommen zu werden. Denn zusammen mit seiner weitaus bekannteren Vorlage bildet es das Jahrzehnte überbrückende erste Glied in der langen Kette von Werkkomplexen, in denen eine minimale Motivquelle nicht nur alle Aspekte einer vielsätzigen Komposition durchdringt, sondern einer ganzen Reihe. Kurzum, op. 104 verdient unser Interesse kaum weniger als das großartige Klavier-Trio, dem es entsprang.

Alexander L. Ringer

3 Klaviersonaten f-Moll, A-Dur und C-Dur op. 2

Entstehungszeit: Nr. 1: 1790—1795; Nr. 2 und 3: 1795.
Erstaufführung: September 1795 bei Fürst Carl von Lichnowsky in Anwesenheit von Joseph Haydn (vgl. Thayer / Deiters / Riemann, *Ludwig van Beethovens Leben*, Bd. I, ²1910, S. 380).
Skizzen: Nr. 1: Gesellschaft der Musikfreunde Wien, A 31 (ein Skizzenblatt); Staatliches M. I. Glinka-Zentralmuseum für Musikkultur Moskau, 155 Nr. 4 (ein Skizzenblatt).
Autograph: verschollen.
Erstdruck und Widmung: Wien 1796 (Artaria & Co.); Joseph Haydn gewidmet.
Gesamtausgaben: Alte Gesamtausgabe: Nr. 124—126 = Serie 16 Nr. 1—3; Neue Gesamtausgabe: Abt. VII, Bd. 2.

Jedem Beethoven-Verehrer ist der Album-Eintrag bekannt, den Graf von Waldstein 1792 dem nach Wien abreisenden Beethoven mitgab: „[...] erhalten Sie: Mozarts Geist aus Haydns Händen.“[1] Auf den ersten Blick entsprechen die drei Sonaten op. 2 (f-Moll,

1 Thayer / Deiters / Riemann, *Ludwig van Beethovens Leben,* Bd. I (³1917), S. 290.

A-Dur, C-Dur) diesem Wunsch am besten. Sie sind Haydn als Zeichen der Dankbarkeit für den Unterricht und für die Beethoven erwiesene Unterstützung gewidmet, aber in ihnen ist das Material jener drei Bonner Klavierquartette WoO 36 verwendet, in denen Beethoven versuchte, bei Mozart sozusagen fernzustudieren (näher dazu unter WoO 36). Jedoch findet sich in den Sonaten op. 2 von Mozart so wenig wie von Haydn. Ästhetisch überzeugungslos wiederum scheinen uns die Versuche zu sein, diese Sonaten als etwas vom Schaffen von Clementi und Dussek Abgeleitetes und sogar Sekundäres vorzustellen.[1] Alle möglichen Einflüsse sind in op. 2 in den rein Beethovenschen Stil umgeschmolzen, der durch eine freche Tapferkeit und eine angreifende Sieghaftigkeit gekennzeichnet ist.

Hier ist es am Platz, sich an das zu erinnern, was Beethoven 1824 über Mozart äußerte: „In einer Monarchie wissen wir, wer der erste ist."[2] Mit den Sonaten op. 2 ist ein Anspruch auf den musikalischen Thron erhoben. Das Gewicht dieses Anspruchs verstärkte sich dadurch, daß Mozart schon nicht mehr am Leben und Haydn niemals als virtuoser Solist berühmt war; Beethoven aber konnte, nachdem er alle Rivalen bekämpft oder verdrängt hatte, in kurzer Zeit zum ersten Klavierspieler in Wien werden. Doch um den Ruhm des ersten Komponisten mußte er noch kämpfen, und laut den Rezensionen über frühere Werke Beethovens in der Leipziger *Allgemeinen musikalischen Zeitung* war dieses Ziel nicht leicht zu erreichen. Die Sonaten op. 2 zeigen ein starkes Streben nach schöpferischer Selbstbestätigung. Von hier aus ergibt sich ihr thematischer Reichtum, der an Überfluß grenzt, ihr Form-Maß am Rande des Riesigen und die demonstrative Verbindung von Eigenschaften, die vom Standpunkt der Epoche schwer zu verbinden waren, zum Beispiel die glänzende Virtuosität und das erhabene Pathos, die kontrapunktische Gelehrsamkeit und die willkürliche Phantasiefreiheit in den Ausweichungen und den Modulationsplänen, die scharfen Charakter- und Launenwechsel nicht nur zwischen den Sätzen, sondern auch innerhalb jedes Satzes.

Die Viersätzigkeit aller drei Sonaten op. 2 ist ebenfalls kennzeichnend. Die Theorie jener Zeit begrenzte die Zahl der Sätze in einer Sonate zwar nicht, aber in der Praxis bevorzugten die größten Komponisten den dreisätzigen Zyklus.[3] Er war eine optimale symmetrische Variante für ein kammermusikalisches Genre wie die Solosonate. Beethoven rebellierte ganz deutlich gegen diese ungeschriebene Tradition. Obwohl die Sonaten op. 2 vom Autor nicht „große Sonaten" (wie später op. 7 und viele andere) genannt wurden, müßten sie ihrem Wesen nach so heißen. Im System der klassischen Musikästhetik schloß der Begriff „Größe" eine Reihe von Bedeutungen ein. Als Kategorie des Inhalts war „das Große" ein Gefährte, beinahe ein Synonym des „Erhabenen".[4] Die Bedeutsamkeit des Inhalts hatte „das Große" als Kategorie der Form zur Folge: große Ausmaße, starke Gegensätze, entfernte Modulationen.[5] Endlich verwies der Begriff „Größe" als Kategorie des Satzes auf rein

---

1 Vgl. H. Truscott, *Piano Music I.*
2 Thayer / Deiters / Riemann, *Ludwig van Beethovens Leben,* Bd. IV, S. 458.
3 Vgl. W. St. Newman, *A History of the Sonata Idea,* Bd. II, S. 27 und 133.
4 Vgl. J. G. Sulzer, *Allgemeine Theorie der schönen Künste,* Bd. II (^{2}1792), S. 97f.; Bd. IV (^{2}1794), S. 487.
5 Beethovens Lehrer Albrechtsberger erlaubte „jähe Übergänge" und Ausweichungen in nicht verwandte Tonarten „im zweiten Theile eines längern Stückes" — d.h. in der Durchführung einer Symphonie, eines Konzerts usw.; vgl. J. G. Albrechtsberger, *Gründliche Anweisung zur Composition,* S. 9f.

technische Schwierigkeiten des Stückes, auf dessen Bestimmung mehr für einen „Kenner“ als für einen „Liebhaber“. Mit dem Begriff „Rangordnung“[1] ließen sich alle diese Eigenschaften mit den höchsten Genres der Kammermusik, Symphonie und Konzert, verbinden. (Man muß daran erinnern, daß alle Werke, die weder in der Kirche noch im Theater oder unter freiem Himmel vorgetragen wurden, damals zur Kammermusik gehörten.) Die Solosonate stand um einen Rang niedriger, sie mußte nur „die Empfindungen einzelner Personen schildern“.[2] Sie wurde an der Wahrnehmung und den technischen Möglichkeiten fortgeschrittener Laien orientiert und praktisch nicht in öffentlichen Konzerten („Akademien“) vorgetragen. Das heißt, daß die Sonate einen ganz bestimmten Platz in der Musikästhetik der Wiener Klassik einnahm. Beethoven erkannte diese Ästhetik im großen und ganzen an, begann sein Schaffen aber mit der herausfordernden Überprüfung solcher — gewissermaßen — Binsenwahrheiten. Die Schwierigkeit und der Glanz der Sonaten op. 2 erinnern uns an Konzerte, die Viersätzigkeit an Symphonien. In ihrer Dauer übertreffen sie sogar die zu jener Zeit üblichen Symphonien.

Im 18. Jahrhundert bezeichneten die Begriffe „Symphonie“ und „Sonate“ vor allem das Genre und nicht die Form. Man forderte vom Komponisten die Kenntnis und die Beachtung von deren ästhetischer Eigenart. Da Übertragungen von Symphonien für ein oder mehrere Instrumente in Umlauf waren und der Begriff „Sonate“ in sich auch alle Kammerensembles bis zum Septett einschloß, zog August Friedrich Chr. Kollmann Ende des Jahrhunderts die merkwürdige Schlußfolgerung, daß man Sonaten im Charakter der Symphonien schreiben könne, „if only proper attention is paid to their general character“.[3] Diese Schlußfolgerung wurde unter bezeichnende Klauseln gestellt: „it is required to give them more plain, but also more grand and bold harmonies and passages, than what would be proper for Sonatas“, „but I would rather call them what they are in outward appearance, I mean Sonatas.“[4] Es scheint so, als bezögen diese Worte sich direkt auf die Sonaten op. 2. Kollmann jedoch kannte sie nicht und bezog sich auf die Werke Carl Philipp Emanuel Bachs, Georg Bendas und Johann Schoberts. Beethoven seinerseits hat diesen Traktat von Kollmann nicht gelesen. Das Übereinstimmen von Theorie und Praxis ist daher um so bemerkenswerter. Beethoven legte sich Rechenschaft über die Unterschiede zwischen einer „Miniatur“ (d.h. einer Sonate) und der „Freske“ (d.h. der Symphonie) ab.[5] In den Sonaten op. 2 ist die „al fresco“-Schreibart besonders ausgeprägt. An einigen Stellen erinnert die Faktur mehr an die eines Klavierauszugs. Aber insgesamt dominiert die Ästhetik der Sonate als eines feinen, betont persönlichen Genres. Dazu gehört etwa eine Einzelheit wie die, daß der Anfang aller Hauptthemen der ersten Sätze in den drei Sonaten im Piano anhebt; in einer Symphonie wäre dies nur nach einer vorangehenden Einleitung möglich gewesen.

Von frühen Jahren an wurde Beethoven in der musikalischen Presse ein „Genie“ genannt, und die Sonaten op. 2 mußten als Bestätigung des Anrechts auf diesen

---

1 Vgl. J. Fr. Reichardt, *Musikalisches Kunstmagazin* (1782), in: ders., *Briefe, die Musik betreffend,* S. 146.
2 H. Chr. Koch, *Versuch einer Anleitung zur Composition,* Bd. III, S. 316.
3 A. Fr. Chr. Kollmann, *An Essay,* S. 15.
4 Ebenda, S. 19.
5 Im Brief vom 12. Juli 1823 an F. Stockhausen. Siehe E. Anderson, *The Letters of Beethoven,* Bd. III, S. 1061.

Rang dienen. „Genie“ schloß seinerseits nicht nur Naturbegabung ein, sondern auch die Fähigkeit, „der Kunst die Regel zu geben“ (I. Kant). Nur der anerkannte Künstler konnte es sich erlauben, die Sonaten „quasi una fantasia“ zu schreiben. Der Anfänger mußte zuerst seine Meisterprüfung ablegen. Deshalb sind alle Formen in den Sonaten op. 2 „regelmäßig“ geschrieben, aber jede von ihnen — sei es das Allegro oder das Adagio, sei es das Menuett oder das Rondo — strebt danach, aus dem Rahmen des Gewöhnlichen zu fallen, um die nur einem Genie eigene Verbindung von strenger Selbstdisziplin und schöpferischer Freiheit zu demonstrieren.

Wenn man die Tonartenfolge der drei Sonaten als „programmatisch“ betrachten kann[1], so ist auch ihre Aufeinanderfolge aus der Sicht der musikalischen Form nicht ganz zufällig. Die strengsten und lakonischsten Formen begegnen in der Sonate f-Moll, die ausgeführtesten und von der Üppigkeit des Empire zeugenden Formen in der Sonate C-Dur; die Sonate A-Dur nimmt eine Zwischenstellung ein. Es scheint so, als habe der Komponist sich die Aufgaben Schritt für Schritt erschwert bzw. die Schwierigkeit dieser Aufgaben für einen verständigen Zuhörer nach und nach offensichtlicher gemacht.

Die Vorstellungen der Zeitgenossen Beethovens über die Sonatenform unterschieden sich etwas von unseren. Sie wurden mehr auf Gesamtprinzipien als auf konkrete formale Vorschriften gegründet. Das harmonische Prinzip dieser Form bestand in dem Prozeß der Modulation von der Tonika in die nächst verwandte Tonart (Dur-Dominante für Dur-Tonarten und Dur-Parallele für Moll-Tonarten) und der Rückkehr in die Tonika mitsamt einer wünschenswerten Ausweichung in die Subdominante. Die thematische Entwicklung in der Sonatenform wurde mit den Begriffen der Rhetorik, der Poetik und sogar der Dramaturgie beschrieben. In den meisten Abhandlungen wurde die Sonatenform als eine aus zwei „Perioden“ bestehende Form behandelt.[2] Die ganze Exposition bildete die erste „Periode“ und die Durchführung zusammen mit der Reprise (falls dazwischen keine vollkommene Kadenz war) die zweite. Die Zahl der Themen in der Exposition wurde nicht begrenzt. Es konnte entweder (wie bei Haydn) nur eines, oder es konnten (wie bei Mozart) viele sein. Das ästhetische Prinzip der Vorherrschaft des Hauptgedankens oder der Hauptempfindung hatte das Prinzip der Unterordnung aller Nebenthemen und deren Ableitung von dem Hauptthema zur Folge. Beethoven selbst stellte sich die Sonatenform ungefähr in diesen Kategorien vor, wie vielen seiner Äußerungen und Bemerkungen zu entnehmen ist.[3] Bei einer Analyse seiner Werke sollte dies nicht übersehen werden. Wie sehen in dieser Hinsicht die Allegros der Sonaten op. 2 aus? Das erste Allegro (f-Moll) ist musterhaft und einwandfrei. Von den Normen wird nicht abgewichen. Die strengste Logik und männliche Gefühlsknappheit wirken hier beinahe asketisch. Das Nebenthema ist sowohl ein Zwilling als auch ein Antipode des Hauptthemas. Seit den Zeiten Hugo Riemanns wird das Spiegelverhältnis der Themen als Beispiel des dialektischen Denkens von Beethoven angeführt.[4] Aber die nähere Beobachtung der Entstehungsgeschichte der f-Moll-Sonate zeigt, daß das End-

---

1 W. Siegmund-Schultze, *Klaviermusik*, S. 258.

2 Um die vielen originalen Qullen hier nicht zitieren zu müssen, berufen wir uns auf das zusammenfassende Buch von Fr. Ritzel, *Die Entwicklung der „Sonatenform“*, u.a. S. 136—138.

3 Zu dieser Frage: L. W. Kirillina, *Sonatny cycl i sonatnaja forma v predstsavlenijach Betchovena (Der Sonatenzyklus und die Sonatenform in Beethovens Vorstellungen)*.

4 Vgl. H. Riemann, *L. van Beethovens sämtliche Klavier-Solosonaten*, Bd. I ([5]1920), S. 86.

ergebnis einen ziemlich komplizierten Weg zur so natürlich und organisch scheinenden Einheit hinter sich hat. Carl Reinecke hatte seinerzeit vermutet, daß der Anfang des Hauptthemas der f-Moll-Sonate aus dem Finale von Mozarts g-Moll-Symphonie (KV 550) entlehnt sei.[1] Aber Natan Fischman hat zu Recht bemerkt, daß in Beethovens Skizze von 1790 der Auftakt fehlte, das heißt, daß es sich zunächst um zwei verschiedene Themen handelte.[2] Trotzdem liegt Mozarts Schatten über den Seiten der ersten Sonate Beethovens. Ihr Hauptthema findet seinen Ursprung beim Thema des Allegros aus dem Klavierquartett WoO 36, Nr. 2, das bestimmt auf ein Modell Mozarts zurückgeht, ohne daß zitiert würde. In der Skizze von 1790 ähnelt das Nebenthema seiner endgültigen Gestalt noch weniger als das Hauptthema:

Die klassische Ableitung der Themen ist hier beinahe nicht spürbar. Dafür durchsickert ganz unerwartet die Durchführung des ersten Satzes eines ganz anderen Werkes das zukünftige Nebenthema der f-Moll-Sonate in seiner erkennbaren Gestalt, in derselben Tonart As-Dur und in derselben Faktur: die des Bonner Trios WoO 38 (1791).[3] Erst nach diesem Suchen und Umherirren nimmt das Thema seinen Platz ein. Demnach kann die Exposition und folglich der ganze erste Satz der f-Moll-Sonate nicht als Beispiel der „Einheit und des Kampfes der Gegensätze" dienen, sondern „des Kampfes für die Einheit der Gegensätze". Es gelang Beethoven, voneinander unabhängige Einfälle so zu vereinigen, daß sie als ein von Anfang an einheitliches Ganzes erschienen. Dasselbe ist auch auf dem Niveau des Zyklus zu beobachten.

Zu Beethovens Zeiten betrachtete die Theorie die Sätze einer Sonate oder Symphonie als selbständige Stücke. Deshalb war die Übertragung ganzer Sätze aus einem Werk in ein anderes möglich, wovon Mozart und Beethoven Gebrauch machten. Gleichzeitig wurde das Werk als etwas Ganzes aufgenommen. Zwischen den Sätzen mußten Verbindungen verschiedener Art existieren: motivische, fakturmäßige, harmonische usw. Und wenn man nicht weiß, daß das Adagio F-Dur der Sonate op. 2, Nr. 1 eine vervollkommnete Version des Adagios des Klavierquartetts WoO 36, Nr. 1 ist, dann wird der lyrische Sextenanfangssprung dieses Adagios wie eine elegische Auslegung der gereizten Exklamationen aus der Schlußpartie des ersten Satzes und das in Sexten gehaltene Thema des Menuetts wie deren Synthese erscheinen. Der „Sturm und Drang" des Finales stößt auf die aristokratisch-klassizistische Ruhe des Episodenthemas. Aber die Ohren und Augen eines Analytikers bemerken im Kopfmotiv dieses Themas den Rhythmus und den Intervallaufbau des aufgeregten Hauptthemas des ersten Satzes[4] und in den Frageintonationen des Überganges zur Reprise die klagenden Intonationen des Mittelsatzes des Adagios.

Die Ideen- und Gestaltenwelt der zweiten Sonate, A-Dur, ist noch bunter und gegensätzlicher, die Verbindungen sind noch dünner und gleichzeitig fester. Zwischen

1 Vgl. C. Reinecke, *Die Beethoven'schen Clavier-Sonaten* (²1897), S. 30.
2 Vgl. N. Fischman, *Drei Varianten der Exposition,* S. 103.
3 Siehe J. Mainka, *Das Weltbild des jungen Beethoven,* S. 237.
4 Vgl. H. Riemann, *L. van Beethovens sämtliche Klavier-Solosonaten,* Bd. I (⁵1920), S. 85.

dem lebhaften, fast anmaßenden Hauptthema und dem nervös-melancholischen Nebenthema scheint es nichts Gemeinsames zu geben. Beethoven aber baut wie ein Zauberer eine einwandfreie logische Kette der motivischen und harmonischen Verwandlungen von glücklichem Verweilen bis zu unruhiger Unstetigkeit. Die Hauptpartie und die Überleitungsgruppe sind auf ihre Art Variationen des A-Dur-Dreiklangs: die feste Quarte und Quinte des Kopfmotivs, dann Tirata, Arpeggiato, gebrochener Akkord, aufsteigende Tonleiter. Nach und nach durchdringt diese Welt glänzender Diatonik eine vieldeutige chromatische Wendung (dis—e T. 16—18). Daraus wachsen die Seufzer-Sekundschritte der Überleitung und die unruhigen aufsteigenden Sequenzen des Nebenthemas heraus, dessen Höhepunkt im fragenden e—dis (T. 74—76) liegt. Mit sicherer Hand führt Beethoven eine fließende und breite Linie von dem die Exposition abschließenden E-Dur zum die Reprise intensiv vorbereitenden Teil auf e (der Gesamtmodulationsplan der Durchführung lautet: E // e—C— / c / —As—f—F—d—Verweilen auf der Dominante des a-Moll). Der heldenhafte Schwung der Durchführung und die Tapferkeit der harmonischen Rückungen mußten die Zeitgenossen überraschen, aber selbst der nörglerischste Pedant konnte gegen die deutliche Logik der Modulation und die Kunstfertigkeit der thematischen Arbeit nichts einwenden.

Das freudige Gefühl eines Daseins in Ordnung, in dem alles organisch verbunden ist, durchdringt die Sätze der A-Dur-Sonate und wird im Netzwerk der absichtlich oder intuitiv gefundenen Wechselbeziehungen ausgedrückt. Die Variationen auf der Tonika, dem A-Dur-Akkord, vereinigen das Hauptthema des ersten Satzes mit dem Scherzothema und dem kecken Arpeggio am Anfang des Rondothemas. Sogar das berühmte Largo appassionato, das scheinbar abseits steht, ist fest an den ersten Satz gebunden. Dessen letzte Takte kommen dem Largothema in der Faktur, dem Klang, der Artikulation und dem Rhythmus zuvor. Und der Anfang der h-Moll-Episode des Largos erinnert an finstere Motive der Überleitungspartie vor dem Nebenthema des Allegros.[1]

„Largo appassionato" ist zudem eine eigenartige Herausforderung Beethovens an die Tradition. Die erhabene Stimmung dieser Musik wird nicht mit einem Traumschweben in den Wolken, sondern mit der höchsten Anstrengung aller Geisteskräfte assoziiert, die im Moment eines Gebetes oder einer religiös-philosophischen Meditation notwendig ist.[2] Das Thema des Largos erinnert an einen Choral, mehr noch an eine Hymne (sakrale Dreizeitigkeit, vierstimmiger Akkordsatz, wenig bewegliche Melodie mit einem einzigen Quartensprung usw.). Deshalb haben jene Recht, die hier eine Orientierung am Stil Händels und überhaupt am Kirchenstil des 18. Jahrhunderts sehen. Ausgerechnet darin bestand der „Aufruhr". Zu Beethovens Zeiten unterschieden sich noch drei Stile (Kirchen-, Theater- und Kammerstil), obwohl Albrechtsberger klagte: „Es werden aber leider bei diesen Zeiten [...] alle drey Styli vermischt und in Satzen angetroffen".[3] 1811 kritisierte der Rezensent der

1 Vgl. P. Loyonnet, *Les 32 Sonates pour piano,* S. 29.

2 Für einen gebildeten russischsprachigen Zuhörer kann das Largo appassionato mit A. Kuprins Novelle *Das Granatarmband* zusammengenommen werden. Dort erscheint diese Musik als Symbol der fatalen, todbringenden, aber äußerst durchgeistigten und opferfreudigen geheimen Passion, als musikalischer Ausdruck der religiösen Ergebenheit: „Heilig sei Dein Name".

3 J. G. Albrechtsberger, *Gründliche Anweisung zur Composition,* S. 377.

Leipziger *Allgemeinen musikalischen Zeitung* Beethoven sogar dafür, daß sein Quartett op. 74 über den ästhetischen Rahmen des Kammerstils hinausgehe.[1] In der Sonate op. 2, Nr. 2 wird diese Verletzung der Stilgrenzen schon durch die Bezeichnung des langsamen Satzes erklärt. „Appassionato" tritt hier nicht als Synonym für „affettuoso" oder „furioso" auf, sondern als Ableitung von „Passion" („Pathos"). Beethoven kannte die Meinungen der Autoritäten, die bestätigten, daß der Begriff „Pathos" nur zur Kirchenmusik und zur musikalischen Tragödie gehöre[2], deshalb „scheinet [es], daß das Pathetische die Nahrung großer Seelen sey".[3] Später bezeichnete Beethoven die Klaviersonate op. 13 demonstrativ als die „Pathetische", aber schon im zweiten Satz der Sonate op. 2, Nr. 2 ist die ähnliche Bezeichnung sowohl der Größe des Geistes angemessen als auch polemisch gegen die Tradition gerichtet, die an der Kammermusik nicht „Pathos", sondern nur „Ethos" festbindet.[4]

Das edel elegische Adagio der f-Moll-Sonate verbleibt ganz in der Ethossphäre, das Adagio der C-Dur-Sonate bewegt sich an der Grenze zwischen Pathos und Lyrik. So wie das Largo appassionato ist es in der Form eines langsamen Rondos geschrieben.[5] Aber das Hauptthema dieses Adagios erinnert nicht mehr an den Kirchen-, sondern an den Opernstil, und die ausdrückliche Festlegung auf die Tonart E-Dur liegt hier sogar früher als die Expressivität von Werken wie dem Duo „Nei giorni tuoi felici" (WoO 93) oder dem Goethelied „Wonne der Wehmut" (op. 83, Nr. 1). Nur der düstere Ausbruch in e-Moll (T. 11 und 26) erinnert an den feierlich unheimlichen Höhepunkt im Largo appassionato und an die Schicksalsidee, die mit vollem Grund als eines der Leitmotive der Ethik und der Ästhetik Beethovens gilt.

Den Erinnerungen von Louis Drouet (1858) an sein Gespräch mit Beethoven im Jahre 1822 zufolge war der Komponist am Lebensabend von seinen früheren Werken nicht besonders begeistert: „Sie sind nicht so gedruckt, wie ich sie zuerst geschrieben hatte; als ich meine ersten Manuscripte, einige Jahre nachdem ich sie geschrieben, ansah, habe ich mich gefragt, ob ich nicht toll war, in ein einziges Stück zu bringen, was dazu hinreichte, zwanzig Stücke zu componiren. Ich habe diese Manuscripte verbrannt, damit man sie niemals sehe, und ich würde bei meinem ersten Auftreten als Componist viele Thorheiten begangen haben ohne die guten Rathschläge von Papa Haydn und von Albrechtsberger."[6] Diese Aussage ist insbesondere im Zusammenhang mit den Sonaten op. 2 interessant, die Beethoven in den Studienjahren geschrieben hatte und deren Handschrift nicht erhalten blieb. Möglicherweise erinnerte sich Beethoven 1823 an diese Werke, als er Louis Schlösser belehrte: „Sie geben zu viel, weniger wäre besser gewesen; das liegt eben in der himmelanstürmenden Jugend, die nie genug zu thun meint, wird sich aber mit der reife-

---

1 *AmZ* 13 (1811), Sp. 349.

2 Vgl. J. Riepel, *Grundregeln zur Tonordnung insgemein,* S. 104; J. J. Rousseau, *Dictionnaire de Musique,* S. 372.

3 J. G. Sulzer, *Allgemeine Theorie der schönen Künste,* Bd. III (^{2}1793), S. 661b.

4 Ebenda.

5 Im 18. Jahrhundert wurde vom Rondo kein schnelles Tempo gefordert, sondern es war eine der gewöhnlichen Arienformen mit einem „Text von sanfter Empfindung" (H. Chr. Koch, *Versuch einer Anleitung zur Composition,* Bd. III, S. 248). Auf die Parallele zwischen den Formen des zweiten Satzes der Sonate op. 2, Nr. 3 und des zweiten Satzes der Sonate op. 49, Nr. 1 sei wenigstens hingewiesen.

6 Thayer / Deiters / Riemann, *Ludwig van Beethovens Leben,* Bd. II (^{2}1910), S. 200.

ren Zeit schon geben und lieber ist mir immer noch ein Überfluß, als ein Mangel an Ideen."[1]

In der Sonate op. 2, Nr. 3, besonders im ersten Satz, fühlt man diese „himmelanstürmende Jugend" und das Bestreben zur Überflüssigkeit an der Grenze der „Thorheiten". Das Material der Sonate hätte wirklich für „zwanzig Stücke" gereicht. Die Neigung zu vielen Themen und scharfen Kontrasten kam schon in der A-Dur-Sonate zum Vorschein, aber in der C-Dur-Sonate brachte diese Tendenz komplizierte Kompositionsprobleme mit sich. Carl Dahlhaus sah die Formidee der C-Dur-Sonate darin, „ursprünglich Heterogenes sekundär miteinander zu verknüpfen und sich durchdringen zu lassen".[2] Außer dem Hauptthema ist das Material der Exposition des ersten Satzes aus dem Bonner Klavierquartett C-Dur (WoO 36, Nr. 1) entlehnt. Praktisch buchstäblich wird die Modulation in die Dominante mit typisch Mozartschen Wendungen und das lyrische Thema g-Moll zitiert. Ein anderes Nebenthema (in G-Dur) erinnert von ferne an seinen Vorgänger aus dem Quartett, aber der Zusammenhang mit dem Hauptthema erscheint äußerst vermittelt. Beethoven sündigt hier also gegen zwei wichtige Prinzipien der klassischen Sonatenform: gegen das Prinzip der Ableitung der Nebenthemen vom Hauptthema und gegen das Prinzip der Kadenzenfolge in der Exposition.

Letzteres muß erklärt werden. Da man unter der Exposition eine „Periode", die in die Dominante moduliert, verstand, konnte man hier weder in ferne Tonarten ausweichen noch „förmliche" Kadenzen bilden. Auch durfte die Form nicht durch vollkommene Kadenzen bis zur endgültigen Festigung der Dominante in der Schlußpartie geteilt werden. Es wurde empfohlen, die unvermeidlichen Kadenzen durch eine metrische Zusammenschiebung einer Partie mit der anderen zu verhüllen. (Beethoven demonstriert die Kenntnis dieser Regel in den Takten 13 und 46 der C-Dur-Sonate.) Es war verboten, zwei gleiche Kadenzen in benachbarten Formteilen zu bilden, da sich sonst eine Verdoppelung ihrer logischen Funktionen ergeben hätte. Welcher Kadenzplan der Exposition galt als optimal? Ausführlicher als alle anderen schrieb darüber Heinrich Christoph Koch, der das Regelsystem der „melodischen Interpunktion" dargelegt hat.[3] Zwei erste Kadenzen gehörten zur Haupttonart, die dritte bezeichnete die Modulation in die Dominante, die vierte fixierte sie. Es war nicht schwer, diese Regel in einer kleinen kompakten Exposition einzuhalten, wie es in der f-Moll-Sonate zu beobachten war. In der A-Dur-Sonate waren schon einige „Tricks" erforderlich: Das Nebenthema wurde in der Form des Ganges und in der nicht völlig regelgemäßen, aber zulässigen Tonart der Moll-Dominante geschrieben.[4] In der C-Dur-Sonate wird es schwieriger, das Material eng im Rahmen einer Regel zu halten, die Beethoven nichtsdestoweniger noch nicht abzuwandeln wagt; so weicht er zum Beispiel nicht auf das Gebiet der Mediante aus (wie es u.a. in den

---

1 Ebenda, Bd. IV, S. 420.

2 C. Dahlhaus, *Ludwig van Beethoven und seine Zeit,* S. 201.

3 H. Chr. Koch, *Versuch einer Anleitung zur Composition,* Bd. III, S. 111, 342ff. und 356.

4 Einige Theoretiker zu Beethovens Zeiten zählten die (Moll- bzw. Dur-) Varianten zu den am nächsten verwandten Tonarten, die anderen erkannten das Recht des Komponisten auf deren breite Verwendung an. Vgl. G. Weber, *Versuch einer geordneten Theorie,* Bd. I ([2]1824), S. 285; J. G. Werner, *Versuch einer kurzen und deutlichen Darstellung der Harmonielehre,* Bd. II, S. 31; H. Chr. Koch, *Versuch einer Anleitung zur Composition,* Bd. II, S. 194; A. Fr. Chr. Kollmann, *An Essay,* S. 10.

Sonaten op. 10, Nr. 3 oder op. 31, Nr. 1 der Fall ist). Von hier aus ergeben sich das Verdoppeln der logischen Funktionen der Kadenzen und das üppige Wuchern der Form in die Breite. Die Exposition der C-Dur-Sonate kann weder mit den Begriffen der „rhetorischen" Theorie des 18. Jahrhunderts noch mit denen der Schultheorie (bzw. der „pragmatischen" Theorie, wie Fred Ritzel sie bezeichnet hat[1]) erklärt werden. Carl Dahlhaus hat nicht weniger als sechs Teile dieser Exposition aufgezählt: Hauptthema, Überleitung (T. 13), kantable Episode (T. 27), Seitenthema (T. 47), Spielepisode (T. 61), Schlußgruppe (T. 78).[2] Vom Standpunkt der „melodischen Interpunktion" erwies sich das wunderbare g-Moll-Thema in Wirklichkeit als ein Zwischensatz oder eine Episode. Ein Blick in den ersten Satz des Quartetts WoO 36, Nr. 1 zeigt allerdings, daß dieser Gedanke dort ohne Zweifel als zweites Thema des Nebensatzes erscheint, weil er nicht vor dem G-Dur-Thema begegnet, sondern danach folgt. Mehr noch, in der Reprise des ersten Satzes dieses Quartetts blieb nur das Moll-Thema übrig, während das Dur-Thema überhaupt weggelassen ist. So ist das g-Moll-Thema in der C-Dur-Sonate nicht einfach verwendet, sondern an einer anderen Stelle der Form und in anderer Funktion untergebracht worden. Unserer Meinung nach handelt es sich um ein einzigartiges Beispiel im Schaffen Beethovens. Man könnte darüber streiten, ob die Exposition der Sonate op. 13 zwei Nebenthemen oder zwei Schlußthemen enthält, in keinem Fall aber dürfen die Positionen gewechselt oder die Stellen aus dem Werk herausgenommen werden.

In der C-Dur-Sonate siegte Beethoven im Kampf mit seinem heterogenen Material in vielem dank dem Genre, dem Spezifikum dieses Werkes als eines Sonaten-Konzerts. Davon zeugt nicht nur die grell ausgedrückte Bravour des ersten Satzes, des Trios im Scherzo und des Finales, sondern auch das Vorhandensein von virtuosen Kadenzen in den Randsätzen. Diese Kadenzen konnten nicht nur den ausdrucksbetonten, sondern auch den emblematischen Sinn haben, im Genre des Konzerts jene übermäßigen Schlüsse zuzulassen, die in den Sonaten und Symphonien getadelt wurden. Den kompositorischen Problemen nach ähnlich verhielt es sich ungefähr zur selben Zeit in der Cellosonate op. 5, Nr. 1, die ebenfalls deutliche Züge des Konzertmäßigen aufweist. Donald Francis Tovey schrieb: „Luxurious and loosely constructed as these works are, they might have led to a degeneration into something like the master of the well-constructed play."[3] Ein Musiker, der gegenüber der Klassik pietätvoll erzogen ist, mag diese Einschätzung als zu herb beurteilen. Aber laut den Aussagen Beethovens in den Erinnerungen Drouets gestand der Komponist selbst, daß er in einigen früheren Werken am Rande des in der klassischen musikalischen Ästhetik Möglichen balancierte. Heute werden die Sonaten op. 2 als Muster dieses Genres wahrgenommen, aber aus der Sicht der Epoche, aus der diese Werke hervorgingen, muß ihrer Neuartigkeit und dem Mut des jungen Beethoven Gerechtigkeit widerfahren, der sich vor die schwierigsten ästhetischen und kompositorischen Aufgaben gestellt und sie glänzend gelöst hat.

Larissa W. Kirillina

---

1 Fr. Ritzel, *Die Entwicklung der „Sonatenform"*, S. 213 und 271.
2 C. Dahlhaus, *Ludwig van Beethoven und seine Zeit*, S. 140.
3 D. Fr. Tovey, *Beethoven*, S. 90.

Streichtrio Es-Dur
op. 3
(zusammen mit der Cellosonate Es-Dur op. 64)

ENTSTEHUNGSZEIT: wahrscheinlich 1794.
ERSTAUFFÜHRUNG: unbekannt.
SKIZZEN: unbekannt.
AUTOGRAPH: Bibliothèque Nationale Paris.
ERSTDRUCK: op. 3: Wien 1796 (Artaria & Co.); op. 64: Wien 1807 (Artaria & Co.).
GESAMTAUSGABEN: Alte Gesamtausgabe: Nr. 54 = Serie 7 Nr. 1; zu den neueren Ausgaben: Die alte Studien-Partitur des Königl. Württembergischen Hof-Musikverlegers Ernst Eulenburg, die zuerst noch (ohne Vorwort) unter dem Serientitel „Payne's Kleine Partitur-Ausgabe" als „No. 41." in Leipzig (o.J.) erschienen ist, wurde durch eine Neuausgabe (Edition Eulenburg No. 41, London und Mainz 1976) ersetzt, die den Notentext der Neuen Gesamtausgabe (Abt. VI, Bd. 6, München und Duisburg 1965) reproduziert. Das Vorwort E. Platens wurde durch eines von R. Fiske, das lediglich auf die Entstehungsgeschichte eingeht, ersetzt. Der Notentext der sogenannten „Erstfassung" des Finales findet sich in den Supplementen zur Alten Gesamtausgabe, Bd. 6 (Wiesbaden 1963), S. 18—31, der Bearbeitung in einer „hypothetischen Fassung" als Klaviertrio, also letztlich verfehlt, ebenda Bd. 9 (Wiesbaden 1965), S. 51—65; op. 64: Neuausgabe Mainz 1984.

Das Streichtrio in Es-Dur op. 3 ist nicht nur das erste Werk, das Beethoven als junger Mann für die Besetzung Violine, Viola und Violoncello geschrieben hat, es ist seine erste vollendete Violinkomposition.[1] Zur allgemeinen Gattung der Violinkomposition zählt das Werk, weil die Violine führt (und nicht das Klavier, das sich so gerne von der Violine begleiten läßt). Violinmusik ist, seit dem Niedergang der Generalbaßpraxis, alle solistische Musik für Streicher ohne Klavier. Und diese Gattung, von Haydn als Streichquartett bereits auf den Gipfel geführt, wurde bekanntlich von Beethoven unendlich vermehrt und bereichert. Beethovens Streichtrio op. 3, das unmittelbar auf die Klaviertrios op. 1 und die Klaviersonaten op. 2 folgt, sollte also schon allein aus diesem Grund mit mehr und größerer Aufmerksamkeit rechnen dürfen, als ihm tatsächlich entgegengebracht wird. Schließlich steht es am Beginn einer unvergleichlichen Werkreihe, die erst mit den späten Quartetten, Beethovens letztem Wort als Komponist, ihren Abschluß findet.

Wann das Trio entstanden ist, konnte bisher noch nicht geklärt werden. Ob noch 1792 in Bonn (Thayer) oder erst 1793 bzw. 1794 (Carl Engel) in Wien, wissen wir nicht. (Skizzen sind nicht erhalten.) Bekannt ist, daß es Ende des Jahres 1794 in Leicester in einem kleinen Kreis von Liebhabern, deren einer die handschriftlichen Stimmen mitgebracht hatte, gespielt wurde. Erst Ende 1796 ist es bei Artaria in Wien im Druck erschienen, selbstverständlich lediglich als Stimmensatz. (Die Partitur erschien erst 1848 in der Serie der hübschen Miniaturpartituren des Mannheimer Verlags K. Ferd. Heckel.) Da Beethoven den Notentext vor der Veröffentlichung so gründlich revidierte, daß der Beethovenforscher Willy Hess sich in der Lage sah, vom Fi-

1 Zum Grundsätzlichen möchte ich auf meine Überlegungen *Zur Kammermusik des jungen Beethoven* hinweisen, die, 1970 niedergeschrieben, in meinen gesammelten Vorträgen *Vom musikalischen Denken,* S. 30ff. neu gedruckt wurden.

nale eine „Erste Fassung“ zu veröffentlichen, darf wohl mit einer nicht zu knappen zeitlichen Distanz zwischen Komposition und Drucklegung gerechnet werden.

Ob der Titel der Erstausgabe „Gran Trio“ auf den Komponisten zurückgeht, ist ungewiß.[1] Aber es ist immerhin auffällig, daß sich eben dieser Titel auch bei Mozarts Trio-Divertimento KV 563 findet, das 1788 vom selben Verleger gedruckt wurde. Dieses einzigartige Werk Mozarts hat die gleiche Satzzahl — sechs — und stellt, trotz der gerade dadurch verstärkten Erinnerung an die höfische Unterhaltungsmusik, durchaus ernste kammermusikalische Ansprüche. Aber auch die Tonart ist für ein Violinwerk nicht sehr naheliegend, und As-Dur, in dem in beiden Werken je ein langsamer Satz (Adagio) steht, noch weniger. So darf wohl als sicher angenommen werden, daß Beethoven bei der Konzeption Mozarts Werk gekannt hat, und dies würde wieder auf eine Entstehung seines op. 3 erst in Wien hindeuten. Andrerseits haben gewisse Einzelheiten — die auffälligen „Seufzer“ der Menuette — den sensiblen Stilkritiker Gustav Becking auf „Mannheim und Bonn“ verwiesen.[2]

Die Bezeichnung „großes Trio“ rechtfertigt sich vielleicht auch inhaltlich, durch den Charakter des Werkes. Gleich der Anfang wirkt wegen seiner durch die Synkopierung bewirkten inneren Dynamik „groß“, und das heißt hier so viel wie orchestral (oder gar symphonisch). Und daß diese einfachen Tonwiederholungen sogar motivisch belangreich sind, soll sich alsbald erweisen, treten sie doch öfters dann bedeutsam in Erscheinung, wenn andere Motive weiterentwickelt werden (T. 16ff.), oder sie gewinnen selbst durch Verkürzung und durch verstärkte Akzentuierung größeres Gewicht (T. 87ff.). Die bloße Tatsache der Synkopierung wirkt durch diese Art der Exposition im ersten Takt als „thematisch“, unabhängig vom konkreten musikalischen Inhalt. Das erweist erneut, daß der wackere, seit Riemann gern über die Schulter angesehene Musiker Johann Christian Lobe in gewisser Weise doch nicht ganz unrecht hatte, wenn er — bedeutende Musik vorausgesetzt — einfach den Taktinhalt zum Motiv erklärte, selbst die an sich bedeutungsloseste Einzelheit, etwa einen gleichmäßig wiederholten Ton.[3] Und weiter hatte er recht, wenn er forderte, mit Motiven zu begleiten (bzw. Begleitung motivisch zu beleben). Dieses frühe Trio Beethovens bietet bereits allenthalben Belege für diese klassischen Verfahrensweisen.

Der Hauptsatz der das Trio einleitenden Sonate ist mit seinen 24 Takten recht umfangreich: Er enthält nicht nur einen beachtlichen Motivvorrat, dem ein innerer Kontrast nicht fremd ist, sondern zeigt auch eine motivisch-thematische Entwicklung (im kleinen) und, vor allem, eine bereits sehr persönliche Art der Akzentsetzung (so insbesondere ab Takt 17, wo das Gegeneinander der Betonungen wesentlich das musikalische Geschehen differenziert). Da solche Akzentuierungen (an sich) nicht betonter Werte für dieses Stück charakteristisch sind, erscheint es — wenigstens solange, bis eine textkritische Begründung vorliegt — durchaus zweifelhaft, ob die neue Partitur, die gegen Ende der Durchführung in den Takten 155f. die Akzente in der Violine ein Achtel vorrückt (und sie dann in den Takten 157f. ganz weg-

1 Über die Bedeutung der Bezeichnung „Gran Trio“ und eine spezielle Wiener Tradition des „großen Trio“ gibt H. Unverricht, *Geschichte des Streichtrios,* S. 202—210, bes. S. 205f. einige Auskunft. Das mit dem op. 3 gleichzeitig im selben Verlag erschienene op. 4 heißt: „Grand Quintetto“.

2 G. Becking, *Studien zu Beethovens Personalstil,* S. 86.

3 Vgl. J. Chr. Lobe, *Compositions-Lehre.*

läßt), eine Textbesserung bietet. Wer, so ist zu fragen, sollte die Akzente derart versetzt (oder eingefügt) haben? Einen besonderen Hinweis verdienen vielleicht noch die Takte am Ende der Reprise (vor der Coda), die Takte 254—261, wo sich das Motivspiel mit den Synkopierungen verdichtet und in dreierlei Gestalt erscheint: Ganze—Halbe—Achtel / Viertel; Halbe—Viertel—Achtel / Viertel; Viertel / Halbe—Achtel / Viertel. Die Vielgestaltigkeit des musikalischen Satzes ist, bei größter Einfachheit der Motive, jedenfalls erstaunlich.

Die Satzfolge mit je zwei langsamen Sätzen und Menuetten — und keinem „Scherzo" — zwischen Einleitungssatz und Finale verweist, wie angedeutet, auf die Tradition der höfischen Unterhaltungsmusik und damit auf eine Gattung, die aus hier jetzt nicht zu erörternden äußeren (und auch inneren) Bedingungen keine Zukunft hatte. Diese Gattung steht an der Grenzscheide zwischen Orchester- und Kammermusik (im neueren Sinn). Ihre Tradition ist jedoch (mit dem ancien régime) nicht sogleich gänzlich erloschen, sie hat vielmehr in einzelnen Kammermusikwerken (verschiedener Besetzung) weiter gewirkt. Aber es fand eine starke innere Veränderung statt. Diese Veränderung, die auch die bereits beschriebenen Einzelheiten erweisen, ist eine der Grundlagen des Werkes von Beethoven, insbesondere die seiner Violinmusik. Nicht mehr (aber auch nicht weniger) wird auch in der Umarbeitung des Trios op. 3, die nur für das Finale greifbar ist, (wenigstens andeutungsweise) erkennbar. Da der Revisionsbericht der neuen Gesamtausgabe noch immer aussteht, erscheinen hier einige Hinweise zur Bezeichnung der Dynamik als angebracht. Bei der Revision des Finales hat Beethoven erstens die dynamische Bezeichnung ergänzt, präzisiert (wohl auch seine Vorstellung differenziert): So sind etwa die „f"- bzw. „sf"-Zeichen in den Unterstimmen der Takte 183—190 sämtlich neu; zweitens wurde die Stimmführung von formelhaften Figuren entlastet: Die Spielfigur des die Violine begleitenden Cellos Takt 86—87 (analog: Bratsche T. 90—91 und 315—316, Violine T. 96—97 und 323—324) wurde melodischer;

1. Fassung, T. 84—87

T. 84—87

drittens wurde der Tonsatz der Seitensatzreprise Takt 286ff. „enger“ und so weniger orchestral: Das Cello wurde höher geführt und so der volkstümliche Baßgeigeneffekt (wenn nicht gänzlich getilgt, so doch erheblich) vermindert. Viertens wurde an zwei markanten Stellen gekürzt. In den letzten Takten der Überleitung zur Reprise nach Takt 220 hat Beethoven einen Unisonotakt (as—b—as—g—f—e) getilgt und so aufs glücklichste die (metrische) Gewichtung der folgenden Akkordschläge verändert: Der Fortissimoklang Takt 222 erhielt dadurch eine zusätzliche Gewichtung, eben die metrische. So geringfügig diese Änderung sein mag, sie ist an dieser formal so wichtigen Stelle von erheblicher musikalischer Bedeutung.

Vielleicht läßt sich auch das Zusammenziehen von drei Takten zu einem (T. 366) deuten: Hier wurde — wenn der Ausdruck erlaubt ist — ein musikalisches Loch gestopft und der Vorgang auch stimmführungsmäßig und klanglich bereichert. Die metrischen Verhältnisse wurden hier allerdings nicht verändert, der musikalische Prozeß jedoch beschleunigt und (in wenigstens zweifacher Hinsicht, in klanglicher und motivischer) verdichtet.

1. Fassung, T. 366—370

T. 365—367

Die Zwischensätze einzeln zu charakterisieren, erscheint nicht notwendig. Das auf das serenadenhafte Andante folgende Allegretto-Menuett verdient aber doch besonders beachtet zu werden, und zwar wegen seiner über die Maßen reduzierten metrisch-rhythmischen Gestalt (die fast an Webern denken läßt). Der Hauptteil ist denn auch nur halb so lang wie das kantable Trio, und so muß am Schluß noch eine den Kontrast vermittelnde (abschließende) Coda folgen.

Das folgende Satzpaar hat inhaltlich wohl größeres Gewicht: Dem großen Adagio in As-Dur folgt ein Menuett mit einem Minore-Mittelteil an Stelle eines gewöhnlichen Trios. Sein Thema galt Becking „als Muster für die Bauart eines Menuetts ohne Scherzoanwandlungen“ (vgl. S. 30, Anm. 2).

Beethoven hat dieses Trio selbst ganz offensichtlich hoch eingeschätzt, denn anders läßt sich nicht erklären, warum er es Jahre später — Wilhelm Altmann erwägt als Datierung „kurz vor 1817“[1] — bearbeitet hat, sei es als Klaviertrio (Altmann, W. Hess), sei es, was wahrscheinlicher ist, als Klavierquartett (E. Platen). Umgearbeitet hat Beethoven bei dieser Gelegenheit vor allem die Cellostimme, die jetzt von der Funktion, alleiniger Träger des Basses zu sein, befreit war. So konnte sie in weit stärkerem Maße am Motivspiel beteiligt, das heißt die thematische Arbeit bereichert und verdichtet werden: In der Durchführung hat Beethoven in den Takten 112—118 das Synkopenmotiv des Anfangs zugefügt (desgleichen in anderer Situation in T. 195), in den Takten 187—193, also bereits in der Reprise, Imitationen. Vielfältig ist die Art der Bereicherung des Tonsatzes, die Zufügung einer Stützstimme, die Überbrückung von Pausen, vor allem durch zusätzliche Motivwiederholung (T. 30, 32ff., 142, 146, 198ff.). Leider hat Beethoven die Arbeit der Umarbeitung nach Takt 43 des zweiten Satzes abgebrochen, so daß sie für die Musizierpraxis kaum in Betracht kommt.

Die Bearbeitung des Trios op. 3 als Sonate für Klavier und Violoncello, die als op. 64 bereits im Jahre 1807 bei Artaria unter Beethovens Namen erschienen ist, stammt von fremder Hand.

Rudolf Stephan

Streichquintett Es-Dur op. 4 (zusammen mit dem Klaviertrio Es-Dur op. 63 und dem Bläseroktett Es-Dur op. 103)

Entstehungszeit: op. 4: 1795; op. 103: 1792.
Erstaufführung: op. 4: vermutlich 1795 bei und mit Fürst Lichnowsky; op. 103: unbekannt.
Skizzen: zu op. 4: Beethoven-Haus Bonn, Mh 63; zu op. 103: Staatsbibliothek Preußischer Kulturbesitz Berlin, aut. 28, Skizzenbuch Fischhof.
Autograph: op. 4: ehemals in Wien, Verbleib unbekannt; op. 103: Staatsbibliothek Preußischer Kulturbesitz Berlin, Artaria 132.
Erstdruck: op. 4: Wien 1796 (Artaria & Co.); op. 103: Wien 1830 (Artaria & Co.).
Gesamtausgaben: op. 4: Alte Gesamtausgabe: Nr. 36 = Serie 5 Nr. 5; Neue Gesamtausgabe: Abt. VI, Bd. 2; op. 103: Alte Gesamtausgabe: Nr. 59 = Serie 8 Nr. 1.

„Während Beethovens C-dur-Streichquintett op. 29 allbekannt ist und häufig auf Konzertprogrammen erscheint, ist sein Es-dur-Streichquintett op. 4 so gut wie vergessen, obwohl es bei Lebzeiten des grossen Tonheros viel gespielt worden ist und sogar Verbreitung in einem Arrangement für Klavier, Violine und Violoncello gefunden hat.“[2] Mit diesen einleitenden Worten versuchte Wilhelm Altmann vor mehr

1 W. Altmann, *Beethovens Umarbeitung seines Streichtrios,* S. 131.
2 W. Altmann, *Beethovens Streichquintett op. 4,* S. 1097.

als 90 Jahren die Aufmerksamkeit auf ein zu Unrecht vernachlässigtes Kammermusikwerk zu lenken, das sich neben den fast gleichzeitigen Cellosonaten op. 5 durchaus zu behaupten weiß, ohne jedoch auch nur annähernd deren Bekanntheit erlangt zu haben. Op. 4 wird noch stets allzu leicht als ältestes Stiefkind in Beethovens vielköpfiger Kammermusikfamilie beiseite geschoben, dem der fragliche Ruf einer bloßen Bearbeitung seines noch früheren Bläseroktetts op. 103 anhängt. In Wirklichkeit aber handelt es sich um ein in seiner verhältnismäßig anspruchslosen Art durchaus originelles Werk, obgleich es seiner Vorlage entschieden näher steht als zum Beispiel das sieben Jahre später vollendete Finale der *Eroica* den Klaviervariationen op. 35.

Das noch aus Beethovens Bonner Zeit stammende Bläseroktett hat sich dagegen im Laufe der letzten 100 Jahre wachsender Beliebtheit erfreut. Bläser-Ensembles stehen nicht eben viele erstklassige Kammermusikstücke zur Verfügung, und op. 103 hat vor allem in rhythmischer Beziehung bereits die unwiderstehliche Anziehungskraft des reifen Beethoven. Dieser sah die Sache jedoch ganz anders. Obwohl er es 1793 in Wien noch einmal einer gründlichen Revision unterzog und Joseph Haydn es in seinem „Fortschrittsbericht“ an den Kurfürsten in Bonn sogar zu den unter seiner Obhut neu komponierten Werken zählte, unternahm der aufstrebende junge Künstler, der sonst sehr auf schnelle Veröffentlichung erpicht war, in dieser Hinsicht offenbar nichts. Es erschien schließlich drei Jahre nach seinem Tode bei Artaria als „Grand Octuor“. Zu Lebzeiten kam er scheinbar nie mehr darauf zurück, nachdem es seine geschichtliche Aufgabe als Grundlage für das Streichquintett vollauf erfüllt hatte. Zumindest ist anzunehmen, daß Artaria das „Grand Quintetto, Opera IV“ im Februar 1797 in Gesellschaft von unbestrittenen Originalwerken nicht ohne Beethovens Zustimmung als „ganz neu“ ankündigte. Der Komponist protestierte jedenfalls nicht, wohl weil seine umfassende Bearbeitung des Oktetts für fünf Streichinstrumente sowohl in struktureller Hinsicht als auch in der Ausdrucksweise tatsächlich etwas durchaus Neues darstellte.

Wie bekannt, machte Beethoven in seinen ersten Wiener Jahren wiederholt von Jugendwerken Gebrauch, die ihm einer Weiterverwertung würdig erschienen. So entlehnte er zum Beispiel das Adagio der Klaviersonate in f-Moll op. 2, Nr. 1 seinem Bonner Klavierquartett in C-Dur. Aber auch später griff er wiederholt Ideen aus älteren Werken auf. Seine letzte und in jeder Beziehung originellste Symphonie veranschaulicht dieses für ihn und seine romantischen Nachfahren typische Verfahren auf besonders vielfältige Weise, zumal das bescheidene Bläseroktett op. 103 auch dort noch ein nicht zu unterschätzendes Echo fand. Paul Bekker empfand das Menuett des Oktetts zwar bereits 1911 als „seinem lebhaften Charakter nach schon auf den späteren Beethovenschen Scherzotyp weisend“ und sprach im Zusammenhang mit dem „neckischen Staccatomotiv der Oboe“ sogar von einer „primitiven Andeutung des Scherzothemas der Neunten“.[1] Aber diese kurze Bemerkung in einer von der neueren Beethoven-Forschung viel geschmähten Studie verlief sich bald im Flugsand der Zeit.

Auf das tatsächliche Verhältnis von op. 4 zu op. 103 wies zunächst Hermann Deiters in seiner Bearbeitung der Thayerschen Beethoven-Biographie hin: „Aus dem

1 P. Bekker, *Beethoven* (^{2}1912), S. 416.

Quintett op. 4 ersehen wir, wie es Beethoven verstand, eine Umarbeitung einer bereits fertigen Komposition so zu gestalten, dass die Spuren derselben völlig verwischt waren und uns sein neuer organischer Aufbau entgegentrat."[1] Altmann, der diese Worte zu seiner „Überraschung" las, unternahm daraufhin einen kurzen Vergleich, in dem er vor allem die erstaunlich unterschiedliche Länge der entsprechenden vier Sätze betonte: „Das Presto-Finale des Oktetts 2/2 Takt besteht ohne den Auftakt aus 223 Takten, denen im Quintett 2/4 Takt 418 gegenüberstehen und zwar zum guten Teil neuen Inhalts."[2] Den genaueren Sachverhalt hat dann zum ersten Mal Alfred Orel analytisch erfaßt, indem er in Einzelheiten aufzeigte, daß Beethoven mit seinem op. 4 etwas ganz anderes im Auge hatte als zum Beispiel mit op. 104, der verhältnismäßig getreuen Streicherübertragung des c-Moll-Klaviertrios op. 1, Nr. 3.[3] Es scheint fast, als handele es sich um eine Art kompositionstechnischer Unabhängigkeitserklärung insbesondere von Mozart, dem das Oktett in vieler Hinsicht noch sehr nahe stand. Mozart ließ die Form seiner „Nacht-musique" in c-Moll (KV 388) in der Streichquintettfassung KV 406 durchaus unangetastet. Beethoven tat genau das Gegenteil.

Dennoch schwebt Mozarts Schatten kaum weniger über op. 4 als über op. 103, obwohl oft auf verschiedene Weise. So erinnert das Seitenthema des ersten Satzes besonders im Oktett an Constanzes Arie in der *Entführung aus dem Serail*; im Finale wiederum hat die *Don Giovanni*-Ouvertüre deutliche Spuren hinterlassen.[4] Mozartsche Melodik spricht aber auch aus den chromatischen Vorhalten zu Beginn des Andantes. In struktureller Hinsicht hielt sich Beethoven jedoch nicht an Mozarts divertimentoartige Es-Dur-Bläserserenade, was unter den Bonner Umständen zu erwarten gewesen wäre, sondern an ihr weitaus ernsteres viersätziges Gegenstück in c-Moll. Für das Menuett von op. 4 komponierte er sogar ein im Oktett fehlendes, kanonisch angelegtes zweites Trio. Mozart hatte das eigentliche Menuett „in Canone" geschrieben, das Trio „al rovescio". Beethovens stets vorwärts treibendes rhythmisches Temperament beherrscht allerdings bereits das Oktett, und auch sonst kommt die unverkennbare Beethovensche Manier in beiden Werken wiederholt auf verschiedenste Weise zum Durchbruch. Im übrigen stützt sich die oben angeführte Vorausnahme des Scherzos der 9. Symphonie eher auf Haydns Streichquartett in E-Dur op. 17, Nr. 1 (Hoboken III, 25), wo die analogen Oktavsprünge des zweiten Menuettabschnitts zwar aufwärts gerichtet sind, Beethovens Thema aber in metrischer und rhythmischer Hinsicht verblüffend nahe kommen. Und ähnliches gilt für die kontrapunktisch bedingten Dissonanzen in den entsprechenden zweiten Takten. Selbst die Doppelschlagfiguration aus Haydns fünftem und sechstem Takt fand einen angemessenen Platz bei Beethoven, dort allerdings erst im Trio.

1 Zit. nach W. Altmann, *Beethovens Streichquintett op. 4,* S. 1097.
2 Ebenda, S. 1098.
3 Vgl. A. Orel, *Beethovens Oktett op. 103 und seine Bearbeitung,* sowie D. Johnson, *1794—1795. Decisive Years,* S. 2—14.
4 Vgl. L. Schiedermair, *Der junge Beethoven,* S. 391.

J. Haydn, op. 17, Nr. 1, Menuet

Beethoven, op. 4, Menuetto

Beethoven, op. 125, Scherzo

J. Haydn, op. 17, Nr. 1

Beethoven, op. 4

Die Versuchung liegt nahe, die grundsätzlichen Unterschiede, die op. 4 von op. 103 trennen, einfach als Zeugnisse eines rapiden künstlerischen „Fortschritts“ seitens des neu gebackenen Wiener Modekomponisten zu betrachten. Daß Beethoven sich in der Wiener Atmosphäre weitaus schneller entwickelte als in seiner provinziellen Geburtsstadt, ist unleugbar. Doch war der Zweiundzwanzigjährige beileibe kein blutiger Anfänger, als er die Bläser-„Parthia“ für die ausgezeichneten Berufsmusiker der Bonner Hofkapelle schrieb. Davon zeugen allein seine bereits ein Jahr vorher erschienenen Klaviervariationen über ein Thema von Righini. Was ihm zweifellos noch fehlte, war der letzte, insbesondere kontrapunktische Schliff, den er sich kurz danach zunächst bei Haydn und dann bei Albrechtsberger zu holen suchte. Nottebohm nannte den strengen Satz in diesem Zusammenhang „ein radicales Mittel, den Schüler, indem sie ihn nöthigen, die Stimmen ohne harmonischen Stützpunkt von innen heraus zu schreiben, an eine selbständige Stimmführung zu gewöhnen“.[1] Nun lehrte Haydn noch stets nach dem erprobten Rezept von Johann Joseph Fux, während Johann Georg Albrechtsbergers *Anweisung zur Composition* den Schüler bald zum frei imitierenden Quartettsatz vordringen ließ. Und auf das bin-

1 G. Nottebohm, *Beethoven's Studien*, Bd. I, S. 43.

nen einem Jahr nach Abschluß seiner Studien bei Albrechtsberger komponierte Streichquintett trifft im Vergleich mit seiner Vorlage genau zu, was Nottebohm über die Folgen dieser Studienzeit im allgemeinen konstatierte: „Aus einer homophonen Zwei- und Mehrstimmigkeit ist eine reale geworden.“[1] Op. 4 mag sehr wohl Beethovens erstes Werk sein, von dem zu Recht gesagt werden darf, daß „das frühere blosse ‚obligate Accompagnement‘ [...] einer mehr auf Contrapunktik beruhenden obligaten Schreibart gewichen“ ist.[2]

Ein charakteristisches Beispiel bieten die Takte 58—62 bzw. 55—58 der Exposition des ersten Satzes.[3] Dasselbe Motiv, das im Bläseroktett in einfacher Terzverdopplung auftritt, bringen die fünf Streicher in op. 4 nacheinander im Aufstieg über mehr als zwei Oktaven, mit harmonisch-rhythmischen Folgen sowohl für die Verlängerung der Passage um einen vollen Takt als auch die damit verbundene chromatische Alteration der Kadenz. Im ganzen hat die Exposition des ersten Quintettsatzes gegenüber der Oktettvorlage 18 Takte gewonnen, die Durchführung 27 und die Reprise, einschließlich der bereits durch und durch Beethovenschen Coda, nicht weniger als 53. Und diese formale Großzügigkeit in der Neubehandlung eines ursprünglich durchaus kompakten Satzes beruht unter anderem auf zumeist stufenhaften Sequenzierungen von Stellen, die im Oktett einfach wiederholt werden, und andererseits auf dort fehlenden Wiederholungen vollständiger Phrasen, oft in Verbindung mit harmonischen Exkursionen, die dem Quintett insgesamt einen reflexiven Charakter verleihen, von dem das draufgängerische Oktett nur wenig weiß.

Das Andante im 6/8-Takt bringt diese und verwandte Züge der Streicherfassung noch nachdrücklicher zur Geltung. Langsame Mittelsätze mögen per definitionem für lyrischen Kontrast zu sorgen haben, aber Beethovens bereits deutlich sich abzeichnende Tendenz, Variations- und Durchführungsverfahren miteinander zu verquicken, drückt dem Andante von op. 4 ein charakteristisches Strukturmerkmal auf, wodurch die übliche dreiteilige Form eher zum Ausgangspunkt als zum Ziel wird. Was sich beispielsweise im Oktett noch rein diatonisch gebärdet, weicht hier wiederholt dem Modulationsdrang chromatischer Alterationen einerseits und andererseits den farbfreudigen Durchgangsharmonien sorgfältig ausgearbeiteter tonaler Übergänge.

Die Oboenkantilene, der das ursprüngliche Andante seinen ausgesprochenen Ariencharakter verdankt, wird im Quintett von der ersten Violine übernommen, die hier von Anfang bis Ende die Führung hat. Die restlichen Instrumente begleiten mit fast ununterbrochenen Achteln, dem Andante von Mozarts Symphonie in g-Moll (KV 550) ähnlich, das ja ebenfalls unentwegt im 6/8-Takt fortschreitet. Beethovens auffallendstes Gegenstück bildete dann das 3/8-Andante seiner 1. Symphonie. Interessanterweise macht sich die pochende Achtelbewegung im Quintett weitaus stärker bemerkbar als im Oktett, wo sie manchmal völlig ausbleibt. Es scheint fast, als hätte Beethoven erst 1796 bemerkt, wie entschieden Mozart bei seinem Oktett mitgespielt hatte. Ob ihm auch bewußt wurde, daß sein erster Satz dem von Mozarts g-Moll-Symphonie sogar noch stärker verpflichtet ist, bleibt natürlich fraglich. Tatsache ist auf jeden Fall, daß die vielfältigen pochenden Tonwiederholungen die vier

1 Ebenda, S. 201.
2 Ebenda.
3 Vgl. H. Gál, *Die Stileigentümlichkeiten des jungen Beethoven,* S. 109.

Sätze des Quintetts aufs innigste miteinander verbinden, ganz abgesehen von sonstigen motivischen Verwandtschaften oder Übereinstimmungen wie jenen, die sich aus der gemeinschaftlichen Verwendung der kleinen Sekunde ergeben, dem Kernintervall des ersten Satzes, oder aus der auf- und absteigenden Skala im Nachsatz des Hauptthemas sowie der schon im Zusammenhang mit dem Trio des Menuetts erwähnten Doppelschlagfigur.

Das Vorbild von Mozarts reifer Schreibart bei der Transformation des kurzen und bündigen Oktetts in ein weit ausholendes Werk für Solostreicher macht sich, mehr noch als in den ersten drei Sätzen, in dem in der Neufassung fast doppelt so langen Presto-Finale bemerkbar. Andererseits verdeutlicht die Tatsache, daß Beethoven das ursprüngliche Formschema der sogenannten Sonatenrondoform beibehielt, wie wenig derartige typologische Verallgemeinerungen über die eigentlichen musikalischen Vorgänge einer bestimmten Komposition auszusagen vermögen. Daß es sich mit dem Gattungsproblem ähnlich verhält, bestätigt allein schon die Möglichkeit einer solchen auf ein völlig anderes Milieu und somit auf verschiedene Rezeptionsmöglichkeiten und -erwartungen geeichten Neukomposition oder vielmehr Neuanwendung von zunächst mit Hinsicht auf eine andere Gattung entwickelten musikalischen Ideen. Dazu kommt noch, daß opernhafte Gesten sowohl in op. 103 als auch in op. 4 wiederholt in den Vordergrund treten.

Die alla breve-Vorzeichnung des Oktetts ersetzt op. 4 durch 2/4, und diese Metrik verleiht dem neuen Finale im Verbund mit verstärkten dynamischen Kontrasten den Charakter eines Geschwindmarsches, der unmittelbar an den Finalsatz von Mozarts *Gran Partita* für 13 Blasinstrumente (KV 361) erinnert. Motivische Parallelen mit dem Finale von Mozarts großer Serenade enthält zwar schon das Oktettfinale, aber erst die Stimmendisposition und Phrasierung der Streicherfassung beseitigten jeglichen möglichen Zweifel an einer bewußten Anlehnung. Vielleicht war es ein noch jugendlicher, aber zukunftsträchtiger Anfall von romantischer Ironie, der Beethoven dazu bewegte, über sein von Mozart sicher nicht unbeeinflußtes Bläseroktett hinaus das darauf beruhende Quintett für Streicher zum Träger einer bescheidenen Huldigung an den von ihm so hoch Verehrten zu machen, der ja den Blasinstrumenten erstmalig Rollen zugewiesen hatte, welche Beethoven im Begriff war, ins Orchester zu übernehmen und dort auf eigene Weise weiter zu entwickeln. Romantische Ironie mag auch der Schlüssel sein zu der an sich überraschenden Tatsache, daß Beethoven speziell für das Menuett von op. 4 ein zweites Trio neu komponierte und ihm damit einen serenadenhafteren Anstrich gab als seinem Gegenstück im vermutlich der Serenade näher verwandten Oktett.

Im übrigen zeigt op. 4 Beethoven ganz so, wie wir ihn aus späteren Werken kennen, ob nun in der Bevorzugung von Mediantschritten in der Harmonik oder von stufenweiser Sequenzierung im harmonisch-melodischen Gefüge. Im Oktett noch vorhandene Vorhalte weichen im Quintett wiederholt einer vereinfachten, erste Taktteile betonenden Melodik. Und diese Tendenz entspricht ihrerseits einer motivischen Arbeitsweise, die dem im Oktett noch vorherrschenden Gebrauch vollständiger Themen verhältnismäßig wenig Platz einräumt. Auf die vielen faszinierenden Einzelheiten einzugehen, die für den besonderen Charakter des Streicherfinales verantwortlich zeichnen, würde den Rahmen einer kurzen Besprechung sprengen, denn die unerhörte Überdimensionierung der Vorlage ließ kein Moment der Komposition unangetastet. So erhält etwa die Vier-Sechzehntel-Auftaktfigur (zweimal Dominante—Tonika) im Quintett eine ostinatoartige motivische Bedeutung, die ihr im Oktett keineswegs zukommt. Andererseits meidet das Quintett manche lyrische Oktettstelle zugunsten von unentwegten Sechzehntelbewegungen in der Oberstimme.

Daß die grundsätzlichen Milieu- und Funktionsunterschiede, denen Beethoven bei der Streicherfassung Rechnung tragen mußte, Format und Faktur entscheidend mitprägten, bedarf keiner besonderen Betonung. Zwar sind die genaueren Umstände der Entstehung des Oktetts noch immer ungeklärt, aber die autographe Bezeichnung „Parthia" sowie die ihr entsprechende Bläserbesetzung sprechen dafür, daß es dem jungen Komponisten um Musik ging, deren eingängige Struktur und unkomplizierte Aussage sowohl einer Serenade im Freien als auch der Unterhaltung von Gästen zu Hofe zu dienen vermochte. Demgegenüber stellte das Quintett eine Art Gesellenstück im Vorfeld der ersten Streichquartette dar. Beethovens guter Freund Franz Wegeler glaubte sich Jahrzehnte später daran zu erinnern, daß Graf Apponyi, der bei dem musikbegeisterten Fürsten Lichnowsky ein- und ausging, Beethoven 1795 um ein Quartett bat.[1] Dieser mag aus Respekt für Haydn gezögert haben. Jedenfalls lieferte er stattdessen in kurzer Folge das Streichtrio op. 3 (ebenfalls eine revidierte Bonner Komposition) und das aus dem Oktett hervorgegangene Quintett. Doch ist es wohl reiner Zufall, daß eine Anzahl Passagen, in denen eines der fünf Instrumente schweigt oder eine Bratsche nur Verdopplungsdienste leistet, gewissen Stellen in den ersten Beethovenschen Streichquartetten erstaunlich nahe kommt.

Zusammenfassend darf bei op. 4 im besten, weiteren Sinn des Wortes — nicht in der speziellen Bedeutung, die es bei Heinrich Schenker annahm — von einer umfassenden „Auskomponierung" der Oktett-Vorlage gesprochen werden. Gemeint ist ein origineller schöpferischer Akt, der einem dem Variationsprinzip ergebenen Musiker wie Beethoven offenbar sehr nahe lag. Für Alfred Orels Gefühle war es, „als hätte sich Beethoven bei der Umarbeitung des Oktetts von dem Gedanken leiten lassen, aus der Gelegenheitsmusik ein Werk ernsten Charakters zu schaffen, das sich dann in seinem neuen Wesen organisch dem großen Bau einfügte, als der uns heute die Beethovensche Kammermusik erscheint".[2] Angesichts eines solchen gelungenen Auftaktes war es durchaus angemessen, daß Beethovens „letzter Gedanke" (WoO 62) 30 Jahre später und nach Abschluß seines einzigartigen Quartettzyklus noch einmal einem Streichquintett galt.[3]

Alexander L. Ringer

1 Vgl. Fr. G. Wegeler / F. Ries, *Biographische Notizen,* S. 29.
2 A. Orel, *Beethovens Oktett op. 103 und seine Bearbeitung,* S. 179.
3 Fragment Hess 41.

2 Cellosonaten F-Dur und g-Moll op. 5

ENTSTEHUNGSZEIT: Sommer 1796.
ERSTAUFFÜHRUNG: im Sommer 1796 bei Hofe in Berlin durch Jean-Louis Duport und Beethoven.
SKIZZEN: Staatsbibliothek Preußischer Kulturbesitz Berlin, aut. 28, Skizzenbuch Fischhof; British Library London, Add. Ms 29801, Kafka Sketchbook; Istituto Musicale „Gaetano Donizetti" Bergamo.
AUTOGRAPH: verschollen.
ERSTDRUCK UND WIDMUNG: Wien 1797 (Artaria & Co.); dem König Friedrich Wilhelm II. von Preußen gewidmet.
GESAMTAUSGABEN: Alte Gesamtausgabe: Nr. 105 und 106 = Serie 13 Nr. 1 und 2; Neue Gesamtausgabe: Abt. V, Bd. 3.

Unter den erstmalig veröffentlichten Werken von Beethovens Hand, die Artaria am 8. Februar 1797 in der Wiener Zeitung ankündigte, war op. 5, „Deux Grandes Sonates pour Le Clavecin ou Piano = Forte / avec un Violoncelle obligé", eigentlich das einzige, das es verdiente, wirklich „ganz neu" genannt zu werden. Denn mit diesen erst ein halbes Jahr vorher in Berlin entstandenen und dem königlichen Violoncellisten Friedrich Wilhelm II. gewidmeten Duosonaten für Violoncello und Klavier hatte Beethoven nichts weniger als eine auf der vollen Partnerschaft der beiden Instrumentalisten beruhende neue Gattung geschaffen. Sowohl Jean-Pierre Duport, der französische Cellolehrer des Königs, als auch Luigi Boccherini, der sich auf Grund einer Reihe speziell für den König geschriebener Sonaten preußischer Hofkompositeur nennen durfte, waren der Generalbaßtradition ebenso treu geblieben wie in Wien Anton Kraft, der von Beethoven hoch geschätzte Hauscellist des Grafen Karl von Lichnowsky. Die bereits zu Mozarts Zeiten in Paris beheimatete begleitete Klaviersonate hatte zwar einen entscheidenden Beitrag zur Entwicklung der Violinsonate geleistet, ließ die Sololiteratur für Klavier und Cello jedoch so gut wie unberührt. Jahrzehnte mußten vergehen, bis die stark verbesserte Baßsonorität des Hammerklaviers das Cello von seiner traditionellen, vornehmlich harmonietragenden Rolle befreite und ihm zugleich einen ebenbürtigen Partner zur Seite stellte. Beethovens op. 5 war das erste Werk, das diese neu erlangte kammermusikalische Gleichberechtigung auf höchster künstlerischer Ebene voll ausschöpfte.

Natürlich neigte Beethoven von Anfang an dazu, den gesamten verfügbaren Tonbereich in die seiner Kompositionsmethode unveräußerliche thematische Arbeit einzubeziehen. Sein „Accompaniment" war, mit anderen Worten, stets „obbligato". Und diese charakteristische Tendenz kam am preußischen Hof einer Situation zugute, in der es darum ging, sich einerseits rein pianistisch im besten Licht zu zeigen und andererseits seiner Cello spielenden Majestät einen bleibenden Eindruck zu vermitteln von den ungeahnten Möglichkeiten seines Lieblingsinstruments im Bann einer zwar noch jugendlichen, aber durchaus reifen musikalischen Vorstellungskraft. Als blutjunger Bratschist im Bonner Orchester saß Beethoven nicht weit von Bernhard Romberg, dem nur drei Jahre älteren, später so berühmten Cellisten und Cellopädagogen. Romberg hatte seinerseits bereits als Siebzehnjähriger im Pariser „concert spirituel" viel von Jean-Pierre Duports jüngerem Bruder Jean-Louis gelernt, der nach Ausbruch der französischen Revolution in Berlin bei seinem Bruder Zuflucht und Anstellung als erster Cellist in dessen preußischer Hofkapelle fand.

Beethoven wiederum verband sich kurz nach seiner Ankunft in Wien in brüderlicher Freundschaft mit dem ausgezeichneten Amateurcellisten Zmeskall von Domanovecz. Was sein Berliner Auftreten betrifft, so deutet alles darauf hin, daß nicht Jean-Pierre, sondern Jean-Louis Duport jener „erste Violoncellist des Königs“ war, mit dem Beethoven, gemäß der Aussage von Franz Wegeler, die Sonaten op. 5 im Sommer 1796 aus der Taufe hob.[1] Jean-Pierre bekleidete längst den Posten eines Intendanten der Hofkapelle. Übrigens ist es nicht undenkbar, daß der König selbst Beethovens erfolgreichen Berliner Aufenthalt zum Anlaß nahm, um mit ihm wenigstens kurz zu musizieren.

Tatsache ist jedenfalls, daß die ersten zwei Cellosonaten einen Riesenschritt vorwärts in der Entwicklung der Kammermusik für Solostreicher und Klavier darstellen, dem selbst Beethovens Violinsonaten vor der *Kreutzersonate* op. 47 weder in klanglicher Hinsicht noch in bezug auf die beispiellose inhaltsschwere Ausdehnung der einzelnen Sätze Vergleichbares entgegenzusetzen vermochten. Daß beide Sonaten, oberflächlich betrachtet, nur aus je zwei Sätzen mit einer langsamen Einleitung bestehen, mag dem Vorbild von Jean-Pierre Duports 1787 in Berlin und Amsterdam erschienenen und ebenfalls Friedrich Wilhelm II. zugeeigneten Cellosonaten zu verdanken sein. Aber damit endet auch jegliche Ähnlichkeit. Denn Beethovens op. 5 offenbart den einzigartigen Tondichter in jeder melodischen Phrase und rhythmischen Geste, jeder charakteristischen harmonischen Wendung und vor allem in der durchgängigen Vereinheitlichung jeder der zwei Sonaten mittels differenziertester Manipulationen von an sich keinesfalls besonders originellen Motivvarianten.

Die 34 Takte des einleitenden „Adagio sostenuto“ der F-Dur-Sonate nehmen dementsprechend eine größtenteils vorbereitende Rolle für sich in Anspruch. Schon der erste, von beiden Partnern in Oktaven gespielte gebrochene F-Dur-Quartsextakkord weist auf das mit derselben Klangfiguration beginnende Allegro hin. Der darauf folgende, eine Quinte umfassende Abstieg in Viertelnoten vereinigt sich dann im Allegro mit dem aufwärts strebenden gebrochenen Akkord zum Hauptmotiv des ersten Themas.

1 Vgl. u.a. L. Lockwood, *Beethoven's Early Works for Violoncello,* S. 176.

Eine ähnliche Bedeutung gewinnt dort die in den Adagiotakten 20 und 21 vom Cello an- und abschwellend gespielte zweifache Wiederholung eines Einzeltons. Im Allegro treten derartige Tonwiederholungen zumeist synkopiert auf, in den Takten 54 und 55 sogar mit zusätzlichen Sforzati. Der Pianist hat sich inzwischen im Adagio in schnelleren, den Takt bis zu Vierundsechzigsteln diminuierenden Figuren und Verzierungen ergangen, die tatsächlich eher im langsamen Mittelsatz einer Sonate oder womöglich in einer Solofantasie zu erwarten wären. Letzten Endes scheint es sich bei diesem F-Dur-Adagio um eine Doppelfunktion zu handeln, die dann im Parallelfall der g-Moll-Sonate zur Sicherheit wird.

Das Allegro steht ganz im Zeichen des Duoprinzips. Die ersten 14 Takte gehören, anfänglich vom Cello verstärkt, dem Klavier, worauf die Rollen vertauscht werden, jedoch unter Beibehaltung der hämmernden Akkordwiederholungen des Klaviers im Stil der späteren *Waldsteinsonate* op. 53. Die erste Periode des Hauptthemas ist in ihrer Klavierfassung auf 14 Takte verkürzt, und die dadurch gespeicherte Energie gibt dem unmittelbar folgenden Verlauf einen beträchtlichen Aufwärtsschub; der Pianist verläßt die dadurch erreichten Höhen mit Hilfe von gebrochenen, über zwei Oktaven fallenden F-Dur-Akkorden erst zwei Takte, bevor der Cellist das Hauptthema wiederholt. Da der Quartsextakkord auch hier die vorherrschende Form des F-Dur-Dreiklangs bildet, bleibt der Dominantton C dem Gehör neben den fortwährenden Arpeggien stets gegenwärtig. Die nach geraumer Zeit einsetzende Überleitung schwankt zwar wiederholt zwischen Moll und Dur, entfernt sich jedoch ebenfalls nie weit von der Dominante. Auch sorgen die nachdrücklichen zweifachen Einzeltonwiederholungen für deutliche Verbindungen sowohl mit dem vorangehenden Hauptthema als auch mit dem Seitenthema, das erst nach mehr als 90 Takten anhebt und mit seinen sequenzierend aufsteigenden Quarten in halben Noten unwillkürlich Beethovens Klaviersonate in E-Dur op. 14, Nr. 1 oder vielmehr ihre Streichquartettfassung in F-Dur ins Gedächtnis ruft.

Die Einzeltonwiederholungen vermehren sich übrigens schon gegen Ende der Überleitung, wo sie im Verein mit Doppelschlagfiguren und Skalenpassagen eine fühlbare Intensivierung der Vorwärtsbewegung herbeiführen. Dazu kommen jetzt noch kurze harmonische Ausweichungen nach der Mediante As. Erst mit dem Nachsatz, dessen Baß die Grundtöne der harmonischen Hauptfunktionen gezielt vermeidet, setzt eine gewisse metrische Regelmäßigkeit ein, der quer liegende Auftakt-Sforzati jedoch kräftig entgegenarbeiten, bis sich das Ganze schließlich in gebrochene Oktaven, zunächst piano und dann fortissimo, auflöst.

Der erste Teil der Durchführung steht in der Mediante A-Dur auf dem Weg nach d-Moll sowie weiteren harmonischen Exkursionen, bei denen As-Dur wiederum prominent in Erscheinung tritt. Das melodische Material entstammt vornehmlich dem Kopfmotiv des Hauptthemas, wenn auch hauptsächlich in einer Variante, in der die ursprünglich diatonische Verzierung des Dominanttons einer chromatischen Wechselnote weicht. Die Reprise verläuft verhältnismäßig regelmäßig und die Coda zunächst spielerisch mit zahllosen Arpeggien in der oberen Klavierstimme. Dann aber engagiert ein unvermittelt einbrechendes, nur sechs Takte umfassendes Adagio-Duett die beiden Instrumentalisten pianissimo, bis das Klavier ebenso plötzlich alla breve in ein von aggressiven Triolenfiguren durchdrungenes Presto verfällt. Der Höhepunkt gehört beiden Instrumenten mit nicht weniger als sechs gemeinschaftlichen Trillertakten auf der Dominante, die eher einem Instrumentalkonzert als einer Kammersonate angemessen scheinen. Auch findet dieser ungewöhnlich lange Satz seinen Abschluß ebenfalls nach Konzertart mit einer kurzen Reprise des Hauptthemas im Originaltempo.

Strukturell weicht das Rondofinale Allegro vivace im 6/8-Takt nur wenig vom charakteristischen Schema eines Mozartschen Konzertrondos ab. Andererseits atmet das monomotivische Ritornell den Geist Haydns, obwohl die Terz mit Sekunde im Rahmen einer Quarte zu den lebenslangen Beethovenschen Spezialitäten gehört. Beginnend mit dem c-Moll-Trio op. 1, Nr. 3 durchzog sie später eine Anzahl seiner großartigsten Werke, einschließlich der Klaviervariationen op. 35 und der damit verbundenen *Eroica*. Nicht weniger charakteristisch ist die kontrapunktische Engführung des Motivs gleich zu Beginn des Rondos, wo das Klavier die fallende Terz C—A des Cellos unmittelbar mit Fis—D beantwortet. Der dadurch entstehende momentane Hinweis auf g-Moll entspricht übrigens einer in diesem langen Finale im Gegensatz zur tonalen Stabilität des ersten Allegros wiederholt in Erscheinung tretenden harmonischen Zweideutigkeit.

Der Anfang hinterläßt fast den Eindruck einer bewußten Vorausnahme der zweiten Sonate in g-Moll. Jedenfalls sucht das Finale verhältnismäßig entfernte harmonische Gefilde auf, zumal Durchführungs- und Variationsverfahren hier weitaus öfter miteinander wetteifern als im vorangehenden Satz. Auch kommt der Cellist weniger zur Ruhe, unter anderem auf Grund von Arpeggien, die zuvor nach dem zweiten Adagio sostenuto-Takt ausschließlich dem Klavier vorbehalten waren. Interessant in diesem Zusammenhang ist, daß Duport sich später in seinem epochemachenden *Essai sur le doigter du violoncelle et la conduite de l'archet* speziell für Celloarpeggien einsetzte.

Der Mittelteil des Rondos bewegt sich anfangs in b-Moll und hat mit seinen Schleifern und Tonwiederholungen etwas vom charakteristischen alla turca jener Zeit, auf das sich Beethoven auch vor den *Ruinen von Athen* op. 113 noch mehrere Male berief. In der Cellosonate führt diese exotische Ausdrucksweise zu einem Nachsatz, der seine unerwartete Tonfärbung den mehrtaktigen leeren Pedalquinten des Cellos zunächst auf Ges, dann auf Des verdankt. Bei der erweiterten Reprise dieses Nachsatzes vor dem letzten Erscheinen des Rondorefrains bildet umgekehrt Des den Ausgangspunkt. Beethoven betonte also bereits in diesem verhältnismäßig frühen Werk zwei seiner liebsten harmonischen Ausweichungen, nämlich die nach verschiedenen Untermedianten und nach der tiefalterierten zweiten Stufe und sechsten Stufe der Grundtonart. Allein schon in dieser Beziehung warf das *Quartetto serioso* in f-Moll op. 95 seine langen Schatten bereits viele Jahre voraus. Inzwischen aber fand die spielfreudige erste Cellosonate ihren rauschenden Abschluß mit einer ausgiebigen, auf Refrainvarianten beruhenden Coda.

Beethovens musikalische Dialektik zeitigte bereits in den Klaviersonaten op. 2 drei im Charakter sehr unterschiedliche Werke, die dennoch zusammengenommen ein einziges übergroßes Werk bilden. Dieselbe Tendenz offenbart sich in dem nur zwei separate Kompositionen umfassenden op. 5. Was die beiden Sonaten trotz ihrer sehr unterschiedlichen Tonarten miteinander verbindet, ist einmal rein äußerlich ihre Gesamtstruktur: zwei schnelle Sätze, denen eine langsame Einleitung vorausgeschickt ist, und all das ohne einen einzigen offiziellen Grundtonwechsel — eine auffallende Eigenart, die eher an die instrumentale Suite der ersten Hälfte des Jahrhunderts als an Haydn oder Mozart erinnert. Mit der g-Moll-Sonate verstärkt sich der Verdacht einer womöglich bewußten historischen Anspielung. Denn ihre ersten 44 Takte gehen weit über alles hinaus, was vier Jahre vor der Jahrhundertwende selbst bei Beethoven von einer langsamen Einleitung zu erwarten gewesen wäre. Andererseits handelt es sich nicht um einen vollständig ausgearbeiteten ersten Satz wie beispielsweise bei Mozarts Violinsonate in B-Dur (KV 454). Vielmehr ist es jene schon im Zusammenhang mit der F-Dur-Sonate erwähnte Doppeldeutigkeit, die hier einerseits den Eindruck eines verkürzten, aber vollwertigen Sonatensatzes vermittelt, andererseits aber allein angesichts des skalenweise absteigenden, scharf punktierten Beginns eine traditionelle französische Ouvertüre heraufbeschwört. Die Berliner königliche Hausbibliothek enthielt fast das gesamte von Johann Joachim Quantz für Friedrich II. komponierte oder zumindest zu Hofe aufgeführte Repertoire. War es Beethoven vielleicht darum zu tun gewesen, dem Neffen des großen Fritz auf diese Weise seine große musikalische Erbschaft ins Gedächtnis zurückzurufen? Und wenn nicht, war es Beethoven womöglich bekannt, daß der doppelt punktierte Ouvertürenbeginn ursprünglich den Eintritt des roi soleil markierte?

Wie dem auch sei, nach dem ersten punktierten Klaviertakt erklingt hier in der Oberstimme über verminderten Akkorden ein dreifaches Es. Bei der letzten Tonwiederholung setzt das Cello zunächst mit dem gebrochenen verminderten Dreiklang auf der zweiten Stufe ein, worauf das Ganze einen Ton höher wiederholt wird. Erst dann kommt das Cello nach zwei weiteren Takten mit dem eigentlichen ersten, ausgesprochen lyrischen Thema schlicht begleitet zu Gehör. Man denkt unwillkürlich an den ähnlich unterteilten Anfang des Klaviertrios in c-Moll op. 1, Nr. 3, dort allerdings im Rahmen eines Allegros. Ab Takt 15 übernimmt die punktierte Skala eine überleitende Funktion. Und was folgt, hat allen Anschein eines Durchführungsverfahrens, in dem das Cello und der Klavierbaß das Motiv gegeneinander ausspielen, während auf- und abwogende Klavierarpeggien für den harmonisch-klanglichen Hintergrund sorgen. Nach diesen pianissimo endenden, monothematischen Durchführungspassagen kehrt das lyrische Cellothema in As-Dur zurück. Die Wahl dieser Tonart für die verkürzte Reprise befriedigte wohl nicht nur Beethovens lebenslange Vorliebe für harmonische Leittonverhältnisse; sie ermöglichte auch die Verzögerung der Grundtonart bis zum Einsatz des Allegro molto più tosto presto, dem übrigens nicht weniger als sechs von ausgedehnten Generalpausen unterbrochene Takte vorangehen.

Das Allegro im 3/4-Takt atmet den unverkennbaren Geist eines Beethovenschen Scherzos, hält sich in struktureller Hinsicht jedoch strikt an das für Kopfsätze gebräuchliche Sonatenprinzip, so daß auch hier eine Doppelfunktion im Spiel ist. Das Erscheinen eines solchen scherzoartigen Satzes im Fahrwasser einer so ausführlichen, fast in sich geschlossenen Adagioeinleitung und gefolgt von einem typischen Rondofinale läßt zumindest den Gedanken einer viersätzigen Sonate ohne eigentlichen Kopfsatz aufkommen. Wo das von zwei mehr oder weniger ebenbürtigen Ecksätzen abhängige Gleichgewicht fehlt, ergibt sich andererseits ein unvermeidbarer Vorwärtsdrang, der dieser Sonate seinen charakteristischen Stempel aufdrückt. Enge thematische Verwandtschaften tun das ihrige dazu. Und der scherzoartige erste schnelle Satz macht dementsprechend ausgiebigen Gebrauch von Varianten des Adagiomaterials: Auf- und absteigende Skalen, Einzeltonwiederholungen und die damit verbundenen kurz—lang-Rhythmen durchziehen das Ganze von Anfang bis Ende. Ähnlich gilt die im Adagio beobachtete Unterteilung des Hauptthemas in struktureller Hinsicht für alle Sätze dieser außerordentlichen Komposition des sechsundzwanzigjährigen Klaviervirtuosen.

Das Allegro setzt erst nach einer volltaktigen Generalpause mit zusätzlicher Fermate ein, dann aber attacca mit einer Viertelnote Auftakt zum gleichen, wenn auch doppelt so langen Grundton G.

Die Gegenüberstellung von kurz und lang prägt also bereits die auf- und absteigende Skala, mit der das Cello beginnt. Das Adagio war mit dem letzten Dominantseptakkord vor der Generalpause wortwörtlich in der Luft hängen geblieben. Die Tonika folgt erst jetzt als Orgelpunkt im Baß des Klaviers. Darüber bringt die rechte Hand des Pianisten jeweils ganztaktig zunächst den Dominantseptakkord zur Subdominante, nach dieser nochmals die eigentliche Dominante und schließlich den g-Moll-Dreiklang. Diese an sich milde harmonische Färbung des Satzbeginns unterstreicht auf ihre Weise, was das Adagio bereits angedeutet hat, nämlich, daß es Beethoven in diesem Werk nicht um Widerspruch, sondern um Kontinuität geht. Der Widerspruch liegt zwischen den beiden Sonaten.

Ein kurzes, aus kleiner Sekunde und Terz bestehendes Motiv mit auftaktiger Tonwiederholung bestimmt die Überleitung zum zweiten und für den weiteren Satzverlauf wichtigsten Unterteil des Hauptthemas. Die ihm eigene leicht-schwer-, kurz-lang-Metrik verschafft dem ganzen Satz jenen tanzartigen Schwung, dem das Klavier mit seinen unaufhörlichen Achteltriolen einen gewissen ungezähmten Charakter verleiht. Man denkt unwillkürlich an das Prestissimo-Finale der f-Moll-Klaviersonate op. 2, Nr. 1. Inzwischen trägt das Seitenthema in B-Dur eine neue Variante der Skalenidee bei, während der Schlußteil der Exposition verschiedene Motivkomponenten — Skalen, Tonwiederholungen, gebrochene Triolendreiklänge usw. — miteinander verbindet. Die Exposition endet mit einer heftigen dreifachen Wiederholung des B-Dur-Dreiklangs in tiefer Lage. Dann aber geht es gleich weiter in der Durchführung mit den Triolenarpeggien und Tonwiederholungen. Der zweite Teil des Hauptthemas kommt schließlich in As-Dur, der Reprisentonart des Adagios, zu Gehör. Die Diskanttriolen modulieren dann jedoch nach d-Moll, wo sie zeitweise regulären Achteln in der Baßregion das Feld räumen, die auch kurz vom Cello übernommen werden, überraschenderweise bereits in der Grundtonart g-Moll. In harmonischer Hinsicht ereignet sich im weiteren Verlauf der Durchführung tatsächlich nur noch wenig. Sie erreicht ihren Höhepunkt vielmehr mit rein rhythmisch-metrischen Mitteln, dynamisch unterstützt von Sforzati auf den guten Taktschlägen. Die Grunddynamik bleibt jedoch auf piano und pianissimo beschränkt. Acht Takte sanfter, eintaktiger Klavier-Terzgänge führen die Reprise herbei, die ebenso sanft anhebt. Ein wirkliches Fortissimo ist dem Ende der Reprise und dem Anfang der übrigens erst nach dem Wiederholungszeichen beginnenden Coda vorbehalten. Die Triolen bleiben noch eine Zeitlang aktiv, werden aber bald von kurzen rhetorischen Einwürfen unterbrochen, bis sie letzten Endes, wie schon einmal vorher, gewöhnlichen Achteln weichen. Darauf endet der lange, ungestüme Satz mit einer momentanen Reprise seiner von Sforzati durchdrungenen Anfangstakte fortissimo und ziemlich abrupt.

Das Rondofinale, ein Allegro im 2/4-Takt, steht in G-Dur. Somit lösen sich „Mißvergnügen, Unbehaglichkeit“ und ähnliche Seelenzustände, die der vielgelesene Ästhetiker Schubart mit g-Moll verband, in „ruhige und befriedigte Leidenschaft“ auf, wenn auch nicht ohne gelegentliche Molltrübungen auf dem ereignisreichen Weg zu einer von Lebenslust nur so sprühenden Coda.[1] Beethovens Vorliebe für zweiteilige Themagruppen spricht hier im Finale sowohl aus dem Ritornell als

1 Chr. Fr. D. Schubart, *Ideen zu einer Ästhetik der Tonkunst* (1924), S. 261 und 264.

auch aus den Episoden. Das Ritornell verbindet eine vom Klavier anfänglich allein vorgetragene kleine dreiteilige Liedform mit einem im Buffo-Stil gehaltenen Duett der beiden Instrumente.

Die erste Episode kehrt dieses Verfahren insofern um, als sie sich zunächst in D-Dur durchaus freundlich, opernhaft sanglich gebärdet, dann aber in jenes d-Moll verfällt, das „Spleen und Dünste brütet“ (Schubart). Wenn diese Passage später vor dem letzten Erscheinen des Ritornells noch einmal zu Gehör kommt, steht sie dementsprechend in g-Moll. Und dieser ebenso kurze wie deutliche Hinweis auf die Ausgangstonart der Sonate ist nicht nur von offensichtlicher struktureller Bedeutung. Angesichts einer ausgedehnten zentralen Episode im „reinen“ C-Dur, die mit ihren Dreiklangsmotiven ihrerseits die F-Dur-Sonate op. 5, Nr. 1 heraufbeschwört, scheint es fast, als hätte der Komponist zum Abschluß seiner ersten Klavier-und-Cello-Duos noch einmal daran erinnern wollen, daß Glückseligkeit und „Unbehaglichkeit“ letzten Endes nur Kehrseiten derselben menschlichen Münze sind.

Ein ausdrucksvoller Vortrag im vorgeschriebenen Allegro dieses Rondofinales bringt manche Schwierigkeit mit sich. Adolf Bernhard Marx bemerkte bereits um die Mitte des 19. Jahrhunderts in seiner Besprechung der beiden Sonaten op. 5 „eine Ungebundenheit und Weite des Tonspiels, die bis dahin in Beethovenschen Werken noch nicht wahrnehmbar gewesen war und die sich geradezu als Vorschule für die spätern symphonischen, wie für die grössern Sonate und Quartette bezeichnen lässt“.[1] Und der letzte Satz der zweiten Sonate bleibt eine Herausforderung selbst für den „wohlbegabten und technisch rüstigen Künstler“, den Marx verlangte. Die Vierundsechzigstel im ersten Klaviertakt deuten bereits an, was den beiden Partnern bevorsteht. Der äußerst schnelle Satz wird dann auch meistens langsamer gespielt, als es der Komponist im Auge hatte, zumeist im Interesse jener „bei der Mehrzahl der Violoncellisten beliebten süssen und sentimentalen Kantilene“, von der Beethoven nichts wissen wollte.[2] „Man muss sich einen Spieler von kräftigem Arm und mannhaftem Sinn für die Ausführung denken“, schrieb Marx. Denn „es war Beethovens eigner Sinn, der sich so aussprach“.

Alexander L. Ringer

1 A. B. Marx, *Ludwig van Beethoven,* Bd. I (^{4}1884), S. 115.
2 Ebenda, S. 117.

Sonate D-Dur für Klavier zu 4 Händen op. 6

ENTSTEHUNGSZEIT: wahrscheinlich 1796—1797.
ERSTAUFFÜHRUNG: unbekannt.
SKIZZEN: British Library London, Add. Ms 29801, Kafka Sketchbook, fol. 110: Minore des zweiten Satzes, Thema und Rückleitung (Faksimile und Übertragung: J. Kerman, *Ludwig van Beethoven. Autograph Miscellany*).
AUTOGRAPH: verschollen.
ERSTDRUCK: Wien 1797 (Artaria & Co.).
GESAMTAUSGABEN: Alte Gesamtausgabe: Nr. 120 = Serie 15 Nr. 1; Neue Gesamtausgabe: Abt. VII, Bd. 1.

Joseph Czerny, der „maître de clavecin“ und Klavierlehrer von Beethovens Neffen Karl, scheint es gewesen zu sein, der im April 1820 in Beethovens Konversationsheft schrieb: „Einne *Sonate* zu 4 Händen / sollten Sie noch schreiben, / darnach sehnen sich alle / *Clavier*spielenden.“[1] Durch die auffällige Formulierung und die nachdrückliche Begründung hebt Czerny seinen Wunsch aus der Gelegentlichkeit der Einträge heraus, — durch einen Nachdruck, der sich aus dem Kontext indessen recht wohl verständlich machen läßt: Czernys Wort steht im Zusammenhang einer Unterredung, in der es um Fragen seines Metiers, des Klavierunterrichts, geht. Bei Gelegenheit der klavieristischen Fortschritte des Neffen Karl war man auf die geplante „Wiener Pianoforte-Schule“ des Hornisten Friedrich Starke zu sprechen gekommen, dem Czerny bereits eine Komposition zugesagt hatte und der auch bei Beethoven bereits mehrfach wegen eines eventuellen Beitrages nebst biographischer Notiz vorgesprochen hatte.[2] In diesem Zusammenhang mag der Gedanke an Vierhändiges nahegelegen haben: Kompositionen zu vier Händen waren längst die „Modestücke in der Musik“[3], und noch die Titelvignette von Joseph Czernys eigener Klavierschule von 1826 zeigt zwei vor einem vierhändigen Stückchen am Flügel sitzende Kinder.[4] Vor diesem Hintergrund wirkt Czernys Bitte um ein Werk für den Klavierunterricht nicht überraschend.

1824 wird diese Bitte gleichsam offiziell wiederholt. Im August dieses Jahres erhält Beethoven einen Brief von dem Wiener Verleger Anton Diabelli, worin dieser anfragt, „ob ich bestimmt darauf rechnen könne, daß ich eine *große 4händige Sonate* in F. von Ihrer Hand erhalte. Da ich meinen Geschäftsbetrieb nach den zu erhaltenden Werken einrichten muß und mir an einer großen Sonate a 4 M. sehr viel liegt, so bitte ich mir sobald es nur möglich, wissen zu lassen, ob ich noch in *diesem Jahr* darauf rechnen kann, welche zu bekommen. Zugleich wünsche ich auch den Preis davon zu wissen [...].“ Beethoven antwortet: „Lieber Diabelli! [...] sie wünschen eine große 4händige Sonate, es liegt zwar nicht in meinem Wege, d.g. [dergleichen] zu schreiben, aber ich will ihnen gern meine Bereitwilligkeit hierin zeigen, u. werde sie schreiben. Vielleicht läßt es meine Zeit zu, ihnen selbe früher als sie wünschen

1 K.-H. Köhler / D. Beck, *Ludwig van Beethovens Konversationshefte*, Bd. II, S. 92; vgl. S. 23.
2 Vgl. ebenda, S. 72 und 192.
3 C. Fr. Cramer, Rezension von: J. Haydn, *Il maestro e lo scolare*, S. 72.
4 Vgl. O. Biba, *Katalog zur Ausstellung „Franz Schubert und seine Zeit“*, S. 33.

verschaffen zu können, was das Honorar angeht, so fürchte ich, es wird ihnen auffallen, allein in Betracht, daß ich andere Werke aufschieben muß, die mir mehr eintragen u. gelegener sind, werden sie es vielleicht nicht zu viel finden, wenn ich das Honorar auf 80 ♯ [Dukaten] in Gold festsetze [...]."[1] Diabelli ist mit dieser Forderung einverstanden, und Beethoven kündigt ihm in einem weiteren Brief vom August 1824 sogar „vierhändige Sonaten" (im Plural) an.[2] Dennoch komponiert er weder die von Diabelli bestellte „große" noch die von Czerny ersehnte „leichte" vierhändige Klaviersonate.

Die beiden Episoden zeigen, wie Beethoven sich dem eigenen kompositorischen „Weg" zuliebe einem prosperierenden Segment des damaligen Musikmarktes verweigert. Czerny wie Diabelli wollen ihn zum Komponieren vierhändiger Stücke bewegen; Beethoven läßt sich in seinem Antwortbrief an letzteren nur insoweit auf dieses Ansinnen ein, als er Diabellis geschäftlichen Ton aufnimmt und nachahmt. Prima vista scheint daraus nur abzulesen zu sein, daß es ihm in dieser Angelegenheit nicht um Kunstsachen, sondern ebenfalls nur um Geschäftliches geht. Aber ist in jener Form des (Vor- und) Nachsprechens nicht doch auch so etwas wie eine artistische Stellungnahme enthalten, die Beethoven sich hier angelegen sein läßt? Spricht er nicht, als habe er jene allbeliebte Verfahrensweise vierhändiger Klaviermusik im Sinn, wodurch diese sich am meisten für den Klavierunterricht empfiehlt? Nicht minder launig hat Joseph Haydn das Alternieren von Primo und Secondo seiner einzigen bekannten vierhändigen Komposition, dem Divertimento *Il maestro et lo scolare*, ganz ausschließlich, wie ein Prinzip, zugrunde gelegt. Das Werk dient einem Unterrichten und Musizieren, bei dem sich die Spieler „gefällig und wechselweise beschäftigen"[3], auf das Vorzüglichste — und karikiert es zugleich.[4]

Deutlicher unterscheidbare Wege wurden bei der Kritik der vierhändigen Sonate eingeschlagen. Eine Rezension von 1827 versucht, das „Originalwerk" des Komponisten Beethoven und die pädagogisch-funktionale Seite „leichter" Klaviermusik zusammenzusehen. Der Rezensent findet in op. 6 Beethovens Bildungsgang dokumentiert in einem Stadium, dessen (angebliche) Anfänglichkeit er als Erreichbarkeit für den Schüler interpretiert: „Seitdem der große Tonmeister van *Beethoven* nicht mehr unter den Lebenden ist, fängt man an, seinen Werken eine größere Aufmerksamkeit zu widmen als vorher. Ja man sucht seine Erstlinge auf, um den Gang seiner musikalischen Bildung zu erkennen, und zu sehen, wie er nach und nach der große Meister geworden ist. Viele wollen behaupten, dass seine früheren Werke die neueren bei weitem übertreffen, und besonders durch Klarheit sich auszeichnen. Wir wollen diese Behauptung hier nicht untersuchen, da wahrscheinlich dieser Gegenstand eine nähere Beleuchtung noch finden wird. Aber es ist dieß doch namentlich ein Grund, dass seit dem Tode v. Beethovens mehrere seiner frühesten Werke in neuen Auflagen erschienen sind. Auch die hier genannte Sonate à 4 mains gehört zu diesen. Sie hat zwar nur einen geringen Umfang, aber sie überwiegt an innerem Gehalte dennoch gar manche der dickleibigsten Werke. Aus diesem Grunde ist es

---

1 Zit. nach Thayer / Deiters / Riemann, *Ludwig van Beethovens Leben,* Bd. V (⁴1923), S. 141—143.
2 Vgl. E. Kastner / J. Kapp, *Ludwig van Beethovens sämtliche Briefe,* S. 723.
3 C. Fr. Cramer, Rezension von: J. Haydn, *Il maestro e lo scolare,* S. 72.
4 Zum „Launigen" von Haydns Komposition vgl. A. Sandberger, *Zur Einbürgerung der Kunst Josef Haydns in Deutschland,* S. 22.

aber auch ganz Recht, daß man sie in einer neuen Auflage dem musikalischen Publikum wieder zu Theil werden lässt. Es würde in der That Schade sein, wenn sie untergehen sollte. Wer damit einverstanden ist, dass man die Schüler Tonstücke von anerkannten Meistern auswendig lernen lassen soll, dem ist die hiergenannte Sonate dazu besonders zu empfehlen."[1]

Die kompositorische und die funktionale Seite des Werks ließen sich trotz aller Mühe des Rezensenten nicht überzeugend ineinander verschränken. Für Adolf Bernhard Marx treten sie völlig auseinander. Marx setzt sich bei seiner Darstellung von Beethovens „Leben und Schaffen" vor, den von Beethoven kompositorisch durchschrittenen Weg, seine künstlerische „Entwicklung", nachzuzeichnen. Er rückt den von der Rezension konstruierten Entwicklungsgang zuungunsten der „kleinen, ganz oberflächlichen Sonate" zurecht: „Sie hat zwei Sätze in D dur, den ersten in Sonaten-, den zweiten in Rondoform, und steht den kleinen vierhändigen Sonaten Mozarts in D dur und B dur nach Form und Gehalt, wenn auch nicht gleich, doch näher, als jenen ersten Sonaten Beethovens aus der bonner Zeit. Man darf annehmen, daß sie unter dem Einflusse Mozarts zum Unterrichtszwecke für angehende Pianoforte-Schüler, vielleicht auf Bestellung, gesetzt ist. Jedenfalls scheint dies glaublicher, als daß Beethoven dergleichen nach den ein und zwei Jahr ältern Trios Op. 1., den Sonaten Op. 2. und der G moll-Sonate Op. 5, Nr. 2 noch aus freier künstlerischer Bewegung hätte schreiben können."[2] Alexander Wheelock Thayer dagegen findet in seiner großen Biographie Platz auch für den Klavierlehrer Beethoven. Er beurteilt zumal die Sonate, dieses „freundliche, anmutige Stück", weit günstiger: „Der erste Satz, frisch und munter, verläuft in einfachster Weise, in anmutigen, hübsch in den Stimmen wechselnden Themen, ohne viel Übergänge und Durchführung, in knappester aber durchaus übersichtlicher Gestaltung. Der zweite Satz, ein Rondo in einfacher Form, ist melodisch etwas breiter angelegt; im übrigen ebenso anmutend und liebenswürdig. Beethoven hat dieses Stück, über dessen Entstehung weiter gar nichts bekannt ist, sicherlich für instruktive Zwecke geschrieben [hier erfolgt ein Hinweis auf die angegebene Stelle bei Marx]; und das Stück ist wie nur eins nicht nur geeignet, den Schülerinnen (so nehmen wir an) sorgfältige, saubere Ausführung der Motive und Passagen und genaues Takthalten beizubringen, sondern gibt ihnen auch Gelegenheit, auf hübschen, geschmackvollen Vortrag zu achten und für den Aufbau des Satzes in kleiner Form, für Imitationen (die auch dem Anfänger in die Augen fallen) und für Modulation Verständnis zu gewinnen. Hätten wir recht viele solcher instruktiven Werke, dann wäre für den Geschmack gesorgt."[3] Thayer stellt sich also auf die Seite Czernys und erneuert dessen Wunsch.

1937 hat Jacques-Gabriel Prod'homme versucht, Gewichtigeres über die Sonate op. 6 zu sagen, als daß sie ein hübsches Stück für den Klavierunterricht sei. Er deutet sie als einen Vorboten der 5. Symphonie op. 67: „Zu bemerken ist hier vom Beginn des im 3/4-Takt stehenden Allegros ab jener ‚schicksalsschwangere' Rhythmus der c-moll Symphonie, der sich in der Reprise mit Hartnäckigkeit wiederholt und

---

1 Anonyme Rezension von: Beethoven, op. 6, Sp. 280.
2 A. B. Marx, *Ludwig van Beethoven,* Bd. I, S. 73.
3 Thayer / Deiters / Riemann, *Ludwig van Beethovens Leben,* Bd. II ([3]1922), S. 55f.

ebenso in den letzten Takten wiedererscheint."[1] Es ist nicht leicht, Prod'hommes Gedankengang zu folgen und „Schicksalschwangeres" herauszulesen aus einem Satz, der so durchaus „frisch und munter" beginnt: viertaktig mit einer Zerlegung des Durdreiklangs, einer Befestigung der Tonika, der ein viertaktiger, legato geführter Nachsatz antwortet. Prod'homme selbst geht seinem Gedanken nicht weiter nach. Er stellt die Sonate mit den beiden leichten Sonaten op. 49 zusammen und weist darauf hin, daß Beethoven denselben Rhythmus im Presto des Quartetts op. 74 „nochmals gebracht" habe — wobei er es offen läßt, ob diese Beobachtungen als Bestätigung oder als Einschränkung des zuvor angedeuteten Konzeptes eines semantisch identifizierbaren und einheitstiftenden rhythmischen Motivs gemeint sind. Umso mehr erstaunt es, daß Prod'hommes Äußerung von Jean und Brigitte Massin ebenso als Zitat übernommen wird wie von Scherman und Biancolli, und zwar hier wie dort kommentarlos und ohne die Bemerkung zu op. 74.[2] Licht fällt durch diese zugespitzte Fassung von Prod'hommes Beobachtung indessen weniger auf op. 6 (das durch sie doch nicht nobilitiert wird) oder auf op. 67 (zu dessen Rezeptionsgeschichte sie immerhin gehört) als auf den bereits von A. B. Marx in das Blickfeld gerückten Abstand zwischen Beethovens Haupt- und Nebenwerken. Op. 6, 1796/1797 entstanden, ist, wie man mit Blick auf den 1796 in der Schweiz dienenden Georg Wilhelm Friedrich Hegel formulieren könnte, ein Dokument der Beethovenschen Hofmeisterjahre. Es ist das Werk eines maître de clavecin, „geschrieben auf Joseph Czerny", dessen 1820 geäußerter Wunsch damit längst in Erfüllung gegangen war.

Michael Maier

Klaviersonate Es-Dur op. 7

ENTSTEHUNGSZEIT: 1796/1797.
ERSTAUFFÜHRUNG: unbekannt.
SKIZZEN: Staatsbibliothek Preußischer Kulturbesitz Berlin, aut. 28, Skizzenbuch Fischhof; British Library London, Add. Ms 29801, Kafka Sketchbook.
AUTOGRAPH: verschollen.
ERSTDRUCK UND WIDMUNG: Wien 1797 (Artaria & Co.); der Gräfin Babette v. Keglevics gewidmet.
GESAMTAUSGABEN: Alte Gesamtausgabe: Nr. 127 = Serie 16 Nr. 4; Neue Gesamtausgabe: Abt. VII, Bd. 2.

Mit Ausnahme von op. 106 ist die Es-Dur-Sonate op. 7 Beethovens längste Klaviersonate, wenn auch ein imposantes Werk wie op. 2, Nr. 3 oder op. 111, das die Gedanken eines ganzen Lebens zusammenzufassen scheint, einen noch längeren Eindruck vermitteln mag. Bei all seiner Länge ist der erste Satz von op. 7 von einer einzigen Eigenschaft beherrscht, einer ununterbrochen vorwärts treibenden rhythmi-

---

1 J.-G. Prod'homme, *Die Klaviersonaten Beethovens,* S. 50.
2 Vgl. J. und Br. Massin, *Beethoven. Materialbiographie,* S. 472 und Th. K. Scherman / L. Biancolli, *The Beethoven Companion,* S. 355.

schen Dynamik, die, nach dem Zeugnis von Czerny, einem Moment leidenschaftlicher Geistesverfassung entsprang.[1] Die nötigen Anhaltspunkte bieten bereits die ersten vier Takte: 1. Allegro molto im 6/8-Takt, flüssiger als die Zweierunterteilung; 2. wiederholte Achtelnoten; 3. die dynamische Kennzeichnung piano, nur vom Sforzando-Es-Dur-Akkord in Takt 3 unterbrochen; 4. eine minimale Melodiebewegung über statischer Harmonik, wodurch die Aufmerksamkeit des Hörers auf das Geschäftige der Tonwiederholungen und das einzelne Sforzando gelenkt wird. Latent in diesen Takten enthalten ist ein Konflikt zwischen gebändigter Zurückhaltung und zügelloser Energie, der Beethovenbüste von Bourdelle ähnlich, wo Mund und Augen zusammengepreßt sind wie von der Anstrengung, aus dem inneren Chaos Ordnung zu schaffen.

Inneres Chaos wird hier zu rein rhythmischem Schwung: wild und getrieben in wiederholt kreisenden Tonfolgen (a), kaleidoskopartig umgestellten Bruchstücken (b), sequenzierenden Passagen (c) und Figuren mit Bindebögen (d), die die rhythmische Schubkraft verstärken.

Lichtere Auflösungen ebnen den Weg für weitere Vorwärtsbewegung (T. 61), während innerhalb der rhythmischen und melodischen Aktivität ein fester Ton, ausgehalten oder nur implizit, beibehalten wird wie in Takt 5—11. Der ausgehaltene Ton wird ebenso zum Moment der gebändigten Zurückhaltung wie die Betonung oder Verlängerung der dominantischen Harmonik (T. 16f., 25f., 41, 65f., 128, 130, 132, 137—140). In einer solchen Passage mit dominantischer Harmonik (T. 209—211) erfährt die Kraft der gebundenen Sekundschritte weitere Verstärkung durch Sforzandi und Pralltriller. Sogar der Tonika-Orgelpunkt, der so stark durch Sforzandi markiert ist, wird für einige Zeit zum Grundton der Dominante der Subdominante (T. 111—114). Ebenfalls bedeutsam ist es, daß die dynamischen Zeichen in den Schlußtakten im Gegensatz zur normalen Betonung auf der zweiten Taktzeit stehen.

Ausgehaltene Töne, Orgelpunkte und die dynamische Hervorhebung dominantischer Harmonien halten die Vorwärtsbewegung auf, stehen der Energie und Willenskraft entgegen. Des weiteren ist das im allgemeinen bruchstückhafte melodische Material im Umfang eingeschränkt, was wiederum einem Effekt wie dem auf acht Takte von Es-Dur-Skalen folgenden Fortissimo in Takt 25 eine besonders starke Wirkung verleiht, zumal diese Skalen die Beschränkung durch den Es-Dur-Dreiklang durchbrochen haben. Ähnlich liegen die in Takt 59 beginnenden viertönigen Segmente des Themas innerhalb einer Quinte, und die in Takt 111 beginnende Sechzehntelbewegung bewegt sich im Rahmen einer kleinen Terz.

Somit geht das Stück auf der einen Ebene voran, während es auf einer anderen Ebene entweder stillsteht oder gebändigt wird. Die Kunst des Dramatikers beruht auf der Kraft der Gegensätze. Bei Shakespeare mag es der Konflikt zwischen Handlung und Reflexion oder zwischen Ehrgeiz und politischer Realität sein. Daß die

1 Vgl. C. Czerny, *Über den richtigen Vortrag* (1963), S. 32.

größten seiner Charaktere der obersten politischen Klasse angehören und um einen hohen Einsatz spielen, steigert das Spannungspotential des Einzelnen. Um den ersten Satz von op. 7 bemüht sich mancher Pianist auf der höchsten Ebene des Könnens: Die Musik aber spricht mit rohster Kraft, mit einer orkanartigen Energie, die, eingedämmt, die Grenzen des musikalischen Anstands durchbricht (T. 79—81). Hier wird Musik als Kunst zum Spiegelbild der Ungezügeltheit des menschlichen Geistes; diese Stelle kann nicht anständig gespielt werden; anständig gespielt klänge sie leer und langweilig. Der Geist hinter dieser Musik ist der eines Wahnsinnigen, der von uns wissen möchte, wer er ist. Uns aber graut vor der Antwort, denn wir könnten vielleicht den gleichen Wahnsinn in uns selbst erkennen.

Vielleicht war es das, was Tomaschek bedrückte, als er Beethoven 1798 in Prag spielen hörte: „Durch Beethovens großartiges Spiel und vorzüglich durch die kühne Durchführung seiner Phantasie wurde mein Gemüt auf eine ganz fremdartige Weise erschüttert; ja ich fühlte mich in meinem Innersten so tief gebeugt, daß ich mehrere Tage mein Klavier nicht berührte.“ Tomaschek sagte ferner, daß sich dieser anfängliche Eindruck bei nachfolgenden Konzerten nicht erneuerte, denn obwohl er Beethovens „kräftiges und glänzendes Spiel“ bewundert hätte, schienen „seine öfteren kühnen Absprünge von einem Motiv zum andern“ dem Zusammenhang nicht zugute zu kommen. Auch bemängelte er Beethovens Beharren auf dem „Sonderbaren und Originellen“.[1] Was immer Tomaschek im nachhinein gedacht haben mag, der erste Eindruck hatte ihm eine beunruhigende Dimension erschlossen, mit der er zurechtkommen mußte. Es ist, als ob nach einem Stück wie dem ersten Satz von op. 7 das ganze 19. Jahrhundert, dessen Kinder wir sind, verunsichert wurde und sich in jeder Richtung an Assoziationen klammerte — Virtuosität, Literatur, Malerei, Natur, Nationalismus, Miniaturismus —, um den musikalischen Inhalt abzustützen.

Die Kennzeichnung des zweiten Satzes mit „con gran espressione“ erklärt sich am besten aus der Musik selbst. Harmonisch erhält sie ihre Farbe durch Ausnutzung von Terzverwandtschaften. C-Dur steht zunächst einmal im Terzverhältnis zu Es-Dur; es setzt den Satz ab und lenkt die Aufmerksamkeit auf seine harmonische Weiträumigkeit. Der zweite Teil (ab T. 25) steht in As-Dur, terzverwandt mit C-Dur, und bringt einen C-Dur-Akkord erst wieder als Dominante von f-Moll (T. 29f.), das sich gleich vier Takte später dem seinerseits terzverwandten Des-Dur zuwendet. Das Hauptthema kommt zwar nicht sogleich wieder zu Gehör, steht dann aber in B-Dur (T. 42).

Von den tonalen Eigentümlichkeiten abgesehen ist das „con gran espressione“ von wiederholtem Schweigen gekennzeichnet. Alle drei Anfangstakte bestehen zur Hälfte aus Pausen — eine Art selbstbewußter Suche nach innerer Stille, um die Stimme der eigenen Individualität besser zu hören. Der Hinweis „con gran espressione“ bezieht sich auch auf starke dynamische Kontraste, die zumeist mit Dissonanzen verbunden sind (T. 4, 7, 27, 75—77) und die Wirkung eines Gleichgewichtsverlustes zur Folge haben, als ob sich die Musik zwischen Extremen bewegte, insbesondere bei den Staccato-Akkorden Takt 20f. im Fortissimo, die zwischen Legato-Passagen im Pianissimo stehen, oder bei der Sforzando-Kette in Takt 45f., die sich

1 Zit. nach E. Forbes, *Thayer's Life of Beethoven,* S. 207.

von dem unmittelbar vorausgehenden Pianissimo absetzt sowie von den nachfolgenden, mit Pausen durchsetzten Piano-Staccato-Sechzehnteln.

Auch die häufige Verwendung von doppelt punktierten Rhythmen, gewöhnlich an emotionalen Höhepunkten, trägt zur Definition des „con gran espressione“ bei. Der erhabene Charakter des Largos entspringt der Fähigkeit der Musik, sich in genau bemessenen Zeiteinheiten still und unbeweglich zu verhalten und an anderen genau berechneten Stellen wiederum dynamisch übertrieben zu klingen. Es ist, als spräche der Erzähler dauernd in extremis.

Nach Nottebohm weisen Skizzen zum dritten Satz darauf hin, daß er ursprünglich als eine von vier Bagatellen vorgesehen war, von Beethoven am Rand der Skizze so genannt. Der Satz erhält seine Einheitlichkeit durch gebrochene Akkorde, gegen die sich fragmentarische Motive wie Schatten von einer Wand abheben. Das Hervortreten des Tons b, auch im weiteren Verlauf des Stücks, mag der Grund dafür gewesen sein, warum der Anfang des zweiten Teils von seiner Skizzenform zur jetzigen Form verändert wurde.[1]

Das Minore kehrt zum leidenschaftlichen Charakter der vorausgehenden Sätze zurück; interessanterweise erinnert die Anfangsphrase an ein Motiv des ersten Satzes (T. 93—96).

Das Fehlen jeglicher Klangunterbrechung — bis auf eine Achtelpause in Takt 40 und die Parallelkadenz Takt 133 — ist bei der beträchtlichen Länge des Satzes besonders auffällig. Wieder nehmen die Anfangstakte den musikalischen Charakter des Satzes voraus: die auf die Klangkontinuität weisenden Tonwiederholungen in der Begleitung, der harmonische Nachdruck auf der Dominante und die zahlreichen Vorschläge. Zieht man außer der wiederkehrenden Pause auf der Dominante auch noch die variierte Wiederaufnahme des Hauptthemas und die jeder Reprise vorausgehende, ausgesponnene Figuration in Betracht, so ergeben die Hauptepisoden des Satzes Eindrücke von stets umfangreicheren kreisförmigen Bewegungen.

Die Intensität der c-Moll-Episode liegt in ihrer Tonalität, der dynamischen Ebene, den Blockakkorden und Sforzandi auf schwachen Achtelzeiten und der Unterteilung in Zweiunddreißigstel, durch die das Kreisende der Begleitfiguren einen wilden Charakter annimmt. In seiner Energie ist der Abschnitt eng dem ersten Satz verwandt. In der Coda ist die Intensität der Halbtonschritte in der Begleitung von Takt 64ff. durch die Gelassenheit eines schlichten gebrochenen Akkords Takt 166ff. ersetzt, und statt der vollen Fortissimo-Akkorde stehen jetzt gebrochene Oktaven auf einer weitaus gedämpfteren dynamischen Ebene. Die Coda stellt mehr dar als bloß einen „Kontrast“; es ist, als ob am Ende der Sonate als Antwort auf die frühere Heftigkeit ein musikalischer Friede gefunden worden sei. Auch die dynamischen Gegebenheiten zu Beginn des c-Moll-Abschnitts und seiner Parallelstelle in Es-Dur tragen zu dieser musikalischen Lösung bei. Das erste Mal wird er von ausgehaltenen Oktaven, B nach H, p < sf eingeleitet, später aber mit denselben Tönen f > pp

1 Vgl. G. Nottebohm, *Zweite Beethoveniana,* S. 508—512.

(T. 154f.). Das in Takt 161 für beide Hände separat angegebene ffp bringt die Grundtonart auf zwingende Weise zurück.

Die Angabe ffp über einer einzelnen Note kommt nur in fünf der frühen Sonaten vor: op. 2, Nr. 2 (1. und 2. Satz), op. 2, Nr. 3 (1. Satz), op. 7 (2., 3. und 4. Satz), op. 10, Nr. 1 (3. Satz) und op. 10, Nr. 3 (1. und 2. Satz). Das Extreme dieser Kennzeichnung ist einer der Hinweise auf den jugendlichen Geist von op. 7. Wie die Adoleszenz, eine Zeit der Suche nach Ausgeglichenheit inmitten von Extremen, wirkt das Werk insgesamt unausgeglichen insofern, als der dritte und vierte Satz bis auf typische Ausbrüche in einzelnen Abschnitten von den direkten, starken Aussagen der ersten beiden Sätze abweichen. Wenn die Unausgeglichenheit nicht als genau das erkannt wird, was sie ist, bleibt die Einheit des Stückes nur schwer faßbar. Denn oberflächlich besehen mag es scheinen, als seien zwei starken Sätzen zwei weitere beziehungslos angeheftet.

Kenneth Drake
Übersetzung: Gudrun Budde

Serenade D-Dur für Streichtrio op. 8 (zusammen mit dem Bratschen-Notturno D-Dur op. 42)

ENTSTEHUNGSZEIT: um 1796/1797.
ERSTAUFFÜHRUNG: unbekannt.
SKIZZEN: zum „Marcia Allegro" und zum „Adagio" (?): British Library London, Add. Ms 29801, Kafka Sketchbook, fol. 103v, faksimiliert und transkribiert veröffentlicht in: J. Kerman, *Ludwig van Beethoven. Autograph Miscellany*, Bd. I (fol. 103v) und Bd. II (S. 15).
AUTOGRAPH: verschollen.
ERSTDRUCK: Wien 1797 (Artaria & Co.).
GESAMTAUSGABEN: Alte Gesamtausgabe: Nr. 58 = Serie 7 Nr. 5; Neue Gesamtausgabe: Abt. VI, Bd. 6.

In ihrer konnotativen, auf den unterhaltenden Charakter einer Komposition zielenden Bedeutung verweist die Überschrift „Serenade" eher auf Funktion und ästhetischen Anspruch als auf eine in ihrer Satzfolge typische oder durch ihre Kompositionsweise determinierte Gattung. So stehen nach den bedeutenden Beiträgen Mozarts zu diesem Genre gattungsgeschichtlich einerseits der Rückgriff auf die Suite mit ihrer locker gefügten Folge von Tanzsätzen, andererseits die Anlage eines erweiterten, die Sätze vielfältig miteinander verklammernden Sonatenzyklus zur Disposition. In diesem Spannungsfeld zwischen arglosem Divertissement und geistreichen, zum Nachvollzug einladenden Verknüpfungen musikalischer Gedanken bewegt sich die Serenade op. 8, die formal dem Suitentypus zuneigt, in einer ganzen Reihe von kompositorischen Maßnahmen jedoch an zyklisch-integrierende, motivisch-thematische Verfahren des Sonatentypus gemahnt.

Alter Serenaden-Tradition gemäß beginnt und schließt Beethoven sein siebensätziges Streichtrio durch einen „Marsch", mit dem in früherer Zeit die Musiker ihren Auftritt und nach Beendigung der Huldigungsmusik auch ihren Abgang begleiteten.

Der vorletzte, mit „Andante quasi Allegretto“ überschriebene Satz ist durch dominantischen Anschluß nahtlos mit dem abschließenden „Marsch“ verbunden. Diese Maßnahme dient nicht einer nurmehr äußerlichen Verknüpfung, sondern sie verweist gleichsam janusköpfig auf eine vielschichtige Substanzgemeinschaft, auf diastematische, rhythmische, harmonische, artikulatorische und gestische Elemente, mit denen der die Serenade umrahmende „Marsch“ auf die übrigen Sätze ausstrahlt.

Zu Beginn des 1. Satzes wird im charakteristischen punktierten Rhythmus der aufsteigende D-Dur-Dreiklang exponiert. Die mit diesem musikalischen Grundgedanken in Verbindung stehenden Abkömmlinge sind zahlreich und umfassen sowohl thematisch ausgeformte Gestalten, wie unter anderem zu Beginn des 2. (T. 1 und 3f.), des 4. (T. 1—3), des 5. (T. 7) sowie besonders auffällig im Variationsthema des 6. Satzes (T. 1), als auch figurativ grundierende Gebilde.[1] Gleichsam seine kompositorischen Möglichkeiten auf die Spitze treibend erscheint er in der fünf Takte umfassenden Coda des 2. Satzes quasi per diminutionem im Violoncello, per augmentationem in der Violine und per imitationem zwischen Violine und Bratsche, damit die verschiedenen Ingredienzien der Themen und Begleitfiguren von „Marsch“ und „Adagio“ wie in einem Brennglas bündelnd. Doch kehren wir zu der Betrachtung des Kopfsatzes zurück. Die erste Phrase wird durch eine weibliche Endung mit der harmonischen Wendung Dominante—Tonika abgeschlossen.[2] Für die weitere Entwicklung der ersten acht Takte erlangt dieses einfache harmonische Modell (D—T oder V—I) entscheidende, gleichsam thematische Physiognomie generierende Bedeutung, die diesem „thematischen“ Abschnitt in motivisch-diastematischer Hinsicht weitgehend versagt bleibt. Es bildet, eingebettet in eine Triolendiminution, die Essenz der zweiten Phrase, in der es mit verdichtetem harmonischem Rhythmus insgesamt dreimal wiederholt wird. Durch einen einfachen, aber effektvollen Kunstgriff wird die Harmonik nun in Bewegung gebracht. Im sich anschließenden Entwicklungsteil des satzartigen Themas werden die metrischen Positionen der harmonischen Abfolge V. Stufe—I. Stufe vertauscht, so daß sich ein aus dem ersten Zweitakter abgeleiteter kontrastierender Abschnitt ergibt.

Ein als doppelter Kontrapunkt erfundenes harmonisches Modell (T. 8), das erst im vorletzten Takt der „Exposition“ mit einer kleinen Variante versehen wird, bildet einen weiträumig auskomponierten Halbschluß mit einem durch die Stimmen wandernden, quasi hängenden Orgelpunkt. Dieses Stimmführungsmuster (T. 8) avanciert im weiteren Verlauf der Serenade zu einem harmonischen Motiv, aus dem mehr oder weniger untergründig zyklischer Profit gezogen wird.[3] Aus der Triolenlinie der Bratsche (T. 8) wird im durchführungsartigen Mittelteil (T. 13—18) ein zweitaktiges Mo-

---

1 Vgl. unter anderem Takt 1 des 1. Satzes (Vl.) mit Takt 7 (Vla.); im 2. Satz Takt 1 und 5 (Vl.), dann auch Takt 6 und 9f. (Vla.) sowie die miteinander verwandten diminuierten Derivate im „Allegretto alla Polacca“ (T. 71ff.) und Variation 2 (T. 33ff.) des vorletzten Satzes.

2 Auch dieses, vielleicht sehr allgemein anmutende Element teilt der „Marsch“ mit zahlreichen Hauptinterpunktionen der nachfolgenden Sätze: zum Beispiel in den Sätzen 2, 5 und 6 jeweils Takt 4 und 8 sowie im 4. Satz Takt 5. Zur Bezeichnung „weiblicher Ausgang“ vgl. H. Chr. Koch, *Versuch einer Anleitung zur Composition,* Bd. II, S. 394ff.

3 Vgl. hierzu im 2. Satz Takt 10 und analoge Takte sowie die Takte 25f., 35f., 37f. und 59f.; im „Trio“ des 3. Satzes Takt 24f., 27f. und 35f.; im 5. Satz die Variante im zweiten Viertakter des „Scherzo Allegro molto“ Takt 26ff. und im 6. Satz Takt 3f. sowie die analogen Takte.

dell geformt, in welchem das zunächst aus neun Triolenachteln bestehende Motiv anschließend auf sechs Achtel verkürzt und zweimal wiederholt wird (T. 14). In der folgenden Sequenz wird es mit seiner eigenen Umkehrung als Kontrapunkt versehen (T.15) und erscheint schließlich ein weiteres Mal metrisch verschoben (T. 16), wodurch die Simplizität der zugrundeliegenden Quintschritt-Transpositionen — von denen Koch sagt, daß verschiedene „allzuoft gebraucht, und dadurch zum Eckel worden", weswegen man „bey ihrem Gebrauch gemeiniglich den Saz" ändere, „wenn er in die andere Tonart versezt wird"[1] — auf eine neue gestalterische Ebene gehoben wird.

Wie kompositorische Konsequenzen im Sinne einer musikimmanenten Logik aus vorangegangenen Formteilen gezogen werden, kann besonders schlüssig an der Reprisengestaltung abgelesen werden. Das Ende des achttaktigen Themas wird in der Reprise des „Marsches" harmonisch so umgestaltet, daß es mit einem Ganzschluß endet, allerdings durch eine „harmonische Betrügerey", wie Carl Philipp Emanuel Bach sagen würde[2], nicht in D-Dur, sondern in d-Moll. Die zweitaktige d-Moll-Episode wird mit ihrer Wiederholung in D-Dur beantwortet. Während in der zwölf Takte umfassenden Exposition die Viertaktgruppen durch deutliche Interpunktionen voneinander abgesetzt wurden, werden die Phrasenenden in der Reprise durch ein Brückenmotiv (T. 22), welches das pochende Staccato der folgenden Taktgruppe antizipiert, miteinander verbunden und durch Phrasenüberschneidungen — in der Terminologie Kochs durch „Tacterstickung" — zu einem „zusammen geschobenen Satz" verschränkt, wodurch ein drängender, stringenter Eindruck erzielt wird.[3]

In der letzten Viertaktgruppe des 1. Satzes gehen Elemente aus Exposition und Mittelteil eine Synthese ein, um gemeinsam eine zielstrebige Schlußgruppe zu bilden. Das Baßmodell aus Takt 8 wird metrisch verschoben, um einen kadenziellen Abschluß zur Zweitaktphrase erweitert und zweimal mit der Umkehrung der Triolenlinie (T. 15) kontrapunktiert (T. 31 und 33). Diese Vorkehrungen zielen auf kompositorische Ökonomie, logische Integration und Zusammenfassung musikalischer Gedanken.

Zwei harmonische „Sensationen" des 1. Satzes werden in geistreicher Weise miteinander in Beziehung gesetzt. Der unisono vorgetragene Ton ais (T. 4) repräsentiert Fis-Dur, die große Obermediante zu D-Dur, mit der eine bis in die Subdominante G-Dur fallende Quintschrittsequenz eingeleitet wird. Ließ diese Wendung schon aufhorchen, so wirkt der Beginn des durchführungsartigen Abschnittes (T. 13ff.), der ebenfalls mit einem Fis-Dur-Klang[4] eine zu einem zweitaktigen Modell ausgebaute Quintfallsequenz eröffnet, sehr viel überraschender und hebt damit den Aspekt der Varietas hervor. Zwar wird für die Harmonik der nachfolgenden Sätze aus diesen mediantischen Konstellationen keine weitere Konsequenz gezogen, wohl

1 H. Chr. Koch, *Versuch einer Anleitung zur Composition,* Bd. II, S. 215f., vgl. auch Bd. III, S. 100.

2 C. Ph. E. Bach, *Versuch über die wahre Art,* S. 330.

3 Vgl. H. Chr. Koch, *Versuch einer Anleitung zur Composition,* Bd. II, S. 453f. und 456—460. Koch verwendet die Bezeichnung „zusammen geschobener Satz" sowohl für durch Phrasenüberschneidung miteinander verschränkte Taktgruppen als auch für thematische Gestalten, die in ihrer Ausformung dem Ratzschen „Satz" entsprechen; vgl. E. Ratz, *Einführung in die musikalische Formenlehre* ([3]1973), S. 21—28.

4 Interpretiert man den Ton cis im Auftakt zu Takt 13 der harmonisch tonalen Logik entsprechend als Repräsentanten von Cis-Dur, so verhalten sich die mediantischen Anschlüsse in den Takten 4 und 12f. analog: D-Dur → Fis-Dur; A-Dur → Cis-Dur.

aber im Hinblick auf die tonale Gesamtkonzeption der Serenade, die — ungewöhnlich genug — abgesehen von der Dominanttonart A-Dur ausschließlich in den subdominantischen Bereich (G-Dur, C-Dur, a-Moll, F-Dur, d-Moll, B-Dur) bzw. den der gleichnamigen Tonart (d-Moll) moduliert. Während im Kopfsatz die Relation zwischen Haupttonart und großer Obermediante das harmonische Geschehen bestimmte, wird im „alla Polacca" die kleine Obermediante F-Dur und in der letzten Variation (T. 117ff.) — zwar nur kurzzeitig, aber durch eine enharmonische Modulation eingeleitet und auffällig — die große Untermediante B-Dur der Haupttonart des Zyklus entgegengesetzt. Daß diese innerhalb des Zyklus tiefste subdominantische Region in unmittelbarer Nähe zu dem die Serenade beschließenden, wieder in D-Dur stehenden „Marsch" plaziert wird, kann als Indiz für die Affinität zu der im einleitenden „Marsch" vorgestellten Mediantik angesehen werden. „Fremde Tonarten" zu verwenden, ist, wie bereits Eduard Krüger feststellte[1], ein Entwicklungszug, der für das Œuvre Beethovens charakteristisch ist und im Spätwerk mit seiner Tendenz, nahezu ständig „auf dem Modulations-Weg zu sein", völlig neue Dimensionen erreicht.[2]

Nicht nur äußerlich wird der Variationssatz durch den nahtlosen, dominantisch vermittelten Anschluß mit dem abschließenden „Marsch" aufs engste verklammert, sondern auch durch innere Substanzgemeinschaften. Ihre Herkunft aus dem Kopf- und Schlußsatz können weder die einleitende Dreiklangsgeste, auftaktig auf der Quinte anhebend und mit dem punktierten Rhythmus versehen, noch die weiblichen Phrasenschlüsse, der zur Subdominante ausgreifende Zug (vgl. im „Marsch" T. 7 mit T. 13—15 im „Andante quasi Allegretto") mit der anschließend von h'' aus diatonisch fallenden Linie oder die auf metrisch leichter Zeit geforderten Sforzati verleugnen (vgl. im „Marsch" T. 7 mit T. 10f. im „Andante quasi Allegretto"). An dieser Stelle kann nur marginal vermerkt werden, daß natürlich auch Beziehungen zu anderen Sätzen bestehen. Unter anderem sind die betont stehenden harmonischen Nebennoten der Sechzehntelgruppen (T. 3, 7 und 15) Reminiszenzen entsprechender Figuren im 2. Satz, im „Adagio" des „Scherzos" und im „Allegretto alla Polacca".

Im Variationssatz setzt das reizvoll zum 6/8-Takt wechselnde „Allegro", obgleich es nicht als „V.Variation" überschrieben ist, die Variationsfolge mit auskomponierten Wiederholungen fort. Nun aber nimmt das musikalische Geschehen eine unerwartete, dramatische Wendung. Die Wiederholung des zweiten Achttakters bricht nach dem sechsten Takt (T. 110) ab, die letzte Phrase wird repetiert. Es folgen zwei Akkordschläge über chromatisch fallendem Baß, die als Glieder des „Wegweisermodells"[3] interpretiert werden können. Sie realisieren durch Enharmonik des

1 E. Krüger, *Beiträge für Leben und Wissenschaft der Tonkunst,* S. 330.

2 Vgl. B. Bischoff, *Monument für Beethoven,* Kapitel *„Ziellosigkeit": Analytische Anmerkungen zur „Hammerklaviersonate".*

3 Über chromatisch steigendem Baß umfaßt das Stimmführungsmodell drei Akkorde mit der Klanggestalt eines verminderten Septakkordes (D_v), eines Moll-Quartsextakkordes ($M^{6}/_{4}$) und eines Dominantseptakkordes (D^7) oder über chromatisch fallendem Baß die krebsgängige Reihenfolge (D^7; $M^{6}/_{4}$; D_v), wobei jedes Glied, ohne daß der Bezug zur Ausgangsgestalt verloren geht, durch verschiedene Derivate vertreten werden kann, so etwa wie im Takt 18 des 4. Satzes der D^7 durch einen Durdreiklang ersetzt wird. Vgl. E. Seidel, *Ein chromatisches Harmonisierungsmodell,* S. 438ff.

verminderten Septakkordes (von g-Moll kommend: fis—a—c—es; nach B-Dur leitend: a—c—es—ges) die Modulation nach B-Dur. Daß dieses Modulationsmittel nicht zufällig gewählt wurde, sondern einem planvollen Kalkül entstammt, kann aus dem weiteren Verlauf geschlossen werden, denn in den Takten 121f. verwendet Beethoven das „Wegweisermodell" über chromatisch absteigendem Baß (b; a; gis) nun vollständig, um die Rückmodulation in die Tonika des Zyklus einzuleiten. Die Wendung ist bekannt. Sie ist vom Fortschreitungsmuster und den Tönen her identisch mit Takt 18 und den analogen Takten 64, 100 und 103 des 4. Satzes, stand dort jedoch in anderem tonalem Umfeld. Auch dieses harmonische Motiv stiftet also innerhalb der Serenade Zusammenhang, leistet seinen Beitrag zu einer übergeordneten, musikimmanenten Logik.

Solcherart musikalisches Denken verwirklicht auch in einer Komposition, die gemeinhin dem unterhaltenden Genre zugeordnet und für minder inhaltsreich gehalten wird, durch vielfältige motivisch-thematische und formal-strukturelle Bezüge sowohl innerhalb eines Satzes als auch der Sätze untereinander überzeugend das ästhetische Postulat nach Einheitlichkeit in der Mannigfaltigkeit.

Bodo Bischoff

3 Streichtrios G-Dur, D-Dur und c-Moll op. 9

ENTSTEHUNGSZEIT: 1796/1798 oder 1797/1798.
ERSTAUFFÜHRUNG: unbekannt.
SKIZZEN: zu Nr. 1 und 3: Staatsbibliothek Preußischer Kulturbesitz Berlin, aut. 28, Skizzenbuch Fischhof; Skizzenblätter im Beethoven-Haus Bonn (ehemals Mrs. Eugene Allen Noble, Providence) und in der British Library London, Add. Ms 29801, Kafka Sketchbook.
AUTOGRAPH: verschollen.
ERSTDRUCK UND WIDMUNG: Wien 1798 (J. Traeg); dem Grafen Johann Georg v. Browne gewidmet.
GESAMTAUSGABEN: Alte Gesamtausgabe: Nr. 55—57 = Serie 7 Nr. 2—4; Neue Gesamtausgabe: Abt. VI, Bd. 6.

Mit den Trios op. 9 vollzieht Beethoven einen für die Gattungsgeschichte des Streichtrios bedeutsamen Schritt: Er löst es aus dem Bereich unterhaltsamer Gesellschaftsmusik, dem selbst seine eigenen früheren Streichtrios (op. 3 und die Serenade op. 8) noch mehr oder weniger verpflichtet waren. An die Stelle serenadenhafter Vielsätzigkeit tritt in op. 9 eine an der Symphonie orientierte Konzentration auf vier Sätze und — zu Beginn des 1. Trios — ein Gestus, den Paul Bekker mit gutem Grund als „majestätische Größe" charakterisierte.[1] Das wuchtige Unisono der Adagio-Introduktion schlägt einen für die Gattung ungewohnten, mächtigen Ton an, der erst im c-Moll-Trio seinen vollen Widerhall findet. Trotz der subtilen Vorbereitung des Allegrothemas im weiteren Verlauf des Adagios wirkt dieser Beginn als

1 P. Bekker, *Beethoven* (^{2}1912), S. 464.

Introduktion zur ganzen Werkgruppe, nicht allein zum 1. Trio. Die Skizzierung der Einleitungstakte im Kafkaschen Skizzenband (SV 185, fol. 66ᵛ) — auf der Rückseite eines Blattes, dessen Recto-Seite unter anderem die Schlußtakte des Rondos aus op. 13 enthält — läßt vermuten, daß sie in dieser Gestalt erst gegen Ende der Arbeit an op. 9 konzipiert wurden. Ein älterer Entwurf zeigt sie noch im 3/4-Takt (SV 31, fol. 42ᵛ).

Zu den „symphonisch" anmutenden Zügen paßt der thematisch-motivische Zusammenhang, den Emil Platen für das D-Dur-Trio nachgewiesen hat, der aber auch im c-Moll-Trio zumindest unterschwellig spürbar wird. Beachtung verdient ferner die Nachwirkung von op. 9 auf die variablen Besetzungsmöglichkeiten des Streichtrios. Die in Liebhaberkreisen bis ins frühe 19. Jahrhundert hinein beliebte Verwendung von 2 Violinen und Baß (sic) bzw. Cello, gelegentlich auch Bratsche, wird nach Beethovens op. 9 in anspruchsvolleren Werken zur Ausnahme (etwa Dvořák op. 74). Das bereits von Mozart gewählte Instrumentarium (KV 563) wird mit op. 9 gleichsam sanktioniert und bleibt bis ins 20. Jahrhundert als Norm wirksam. Dabei bleibt zu bedenken, daß diese Besetzung den spezifischen Erfordernissen klassischer und romantischer Satztechnik weniger entgegenkommt als Bachscher Polyphonie — wie an Mozarts Übertragungen KV 404a erkennbar — oder neuerer Musik (Reger, Hindemith, Webern, Schönberg). Es war sicher nicht zuletzt die gegenüber dem Streichquartett reduzierte Klangfülle, die Beethoven in seinen späteren Jahren von einer erneuten Hinwendung zum Streichtrio abhielt. Die Meisterschaft seines op. 9 ist erst dann voll zu ermessen, wenn man sich bewußt macht, wie Beethoven der angedeuteten Problematik Herr wird. Die gleiche Problematik dürfte auch Mendelssohn, Schumann und Brahms von der Streichtrio-Komposition abgehalten haben. Beethoven hatte die Gattung mit drei meisterlichen Werken nobilitiert; die Arena, in der andere Komponisten sich mit ihm hätten messen können, blieb leer und demgemäß das Repertoire an Streichtrios des 19. Jahrhunderts schmal. Man wird Rudolf Stephan zustimmen, der op. 9 als „Trios von großem Anspruch" kennzeichnet, „keine bloße Musik für Dilettanten [...], sondern reife Kunstwerke, wohl die ersten von Beethoven im Bereich der Kammermusik ohne Klavier, die diesem Anspruch genügen. Beethovens Trios sind in dieser Hinsicht niemals übertroffen worden".[1]

In der französischen Widmung an den Grafen Browne wird deutlich, daß Beethoven seine Trios selbst sehr hoch einschätzte; dies gilt unabhängig von den einschränkenden Konjunktiven, die dem öfter zitierten Passus, sie seien „sein bestes Werk", vorangehen. Stolz war auch das Honorar von 50 Dukaten, das ihm der Verleger Traeg am 16. März 1798 vertraglich zusicherte und im Dezember auszahlte. Bei der Auflösung des Verlags (1818) erwarb Artaria die Platten. Da Beethoven jedoch den mit Traeg geschlossenen Vertrag an Steiner abtrat (1823), kam es zu einem Rechtsstreit (1828/1829), in dem Artaria unterlag. Zahlreiche frühe Ausgaben namhafter Verlage und eine von Ferdinand Ries angefertigte Transkription für Klaviertrio (Simrock 1806, als „op. 61") zeugen für die rasche Verbreitung der Trios.

Der Bestand an Skizzen wurde durch die Übertragungen von Joseph Kerman und durch Douglas Johnsons Arbeit über das Berliner Autograph 28 (= SV 31) erschlos-

1 R. Stephan, *Zur Kammermusik des jungen Beethoven,* S. 36.

sen. Er betrifft überwiegend op. 9, Nr. 1 und 3, wobei allerdings ein nicht verwendetes Scherzo den breitesten Raum an Skizzen zum c-Moll-Trio einnimmt. Ein zweites Trio zum Scherzo von op. 9, Nr. 1 (Bonn, Beethoven-Archiv) wurde erstmals 1924 durch Arnold Schmitz veröffentlicht. Es trägt von der Hand Beethovens den Vermerk: „Das 2te Trio muß zum Einlegen geschrieben werden." Man kann annehmen, daß diese Bemerkung eher auf eine bestimmte Aufführung als auf eine Publikationsabsicht zu beziehen ist. Die Einfügung des zweiten Trios kann als Konzession an die Tradition der Serenade (bzw. des Divertimentos) angesehen werden. Andererseits ist sie aber in Zusammenhang mit den Neuerungen zu rücken, die Beethoven mit op. 9 an der Form des Scherzos (bzw. Menuetts) einführt: 1. Der zweite Teil des Trios wird nicht mehr wiederholt, sondern leitet mit einem offenen dominantischen Schluß (meist pianissimo, mit Fermate) zurück zum Da capo (so in op. 9, Nr. 1 und 2, dann in op. 14, Nr. 2 und in op. 18, Nr. 1, 3 und 4). 2. Das Da capo wird häufig ausgeschrieben, wobei dessen erster Teil — entgegen dem traditionellen „senza repetitione" — zweimal erscheint; beim zweiten Mal oft in variierter Gestalt (z.B. in op. 9, Nr. 1, op. 10, Nr. 2, WoO 53, op. 18, Nr. 3). Beide Merkmale sind in op. 9, Nr. 1 miteinander verknüpft; als drittes Charakteristikum läßt sich für diese Zeit die Vermeidung der Bezeichnung „Trio" anführen. Die damit verbundene Distanzierung von der tradierten Form des Menuetts scheint zur Einlage eines „2. Trios" in Widerspruch zu stehen, läßt sich aber auch als Voraussetzung für die spätere Einfügung interpretieren.

Streichtrio G-Dur op. 9, Nr. 1. 1. Satz: Adagio (C, 15 Takte) — Allegro con brio (₵, 227 Takte). Nicht nur die Doppelfunktion der Adagioeinleitung — als Introduktion zum ganzen op. 9 und zum 1. Trio — unterscheidet diese langsame Einleitung von der des G-Dur-Klaviertrios op. 1, Nr. 2, das im übrigen zumindest in der tonalen Gesamtdisposition (2. Satz in E-Dur) verwandt erscheint. Dort geschieht die Hinführung zum Hauptthema sehr direkt, durch eine zitathafte Vorwegnahme im dritten Takt, hier dagegen denkbar unauffällig, gleichsam versteckt in den Schlußwendungen der Sechzehntel. Statt der beiden Terzfälle des Allegrothemas kombinieren diese Endungen zunächst eine fallende Terz und Sekunde, ausgehend von h—c—a—g (T. 2) über c—d—h—a (T. 3) zu d—e—c—h (T. 4), jeweils auftaktig, wie im Allegro, und in Takt 4 bereits den Spitzenton e'' erreichend. Die Tonfolge des Hauptthemas (dis—e—c—a) erscheint erstmals in Takt 6 (Vl.), jedoch verschleiert durch Verlagerung auf den Volltakt und anschließende Vorhaltsbildungen, die in eine Kadenz münden. Eine zweite Runde der Suche nach dem Thema, im Wechsel zwischen Bratsche und Cello, kommt mit der Tonfolge d—e—c—a (Vla., T. 8) dem Ziel schon sehr nahe. Doch erst im Anschluß an die überraschende H-Dur-Ausweichung, die von einer Augmentation des Motivs in der Bratsche angesteuert wird und den symphonischen Gestus der ersten Takte noch einmal aufnimmt, erfolgt mit der Erhöhung von d zu dis (T. 14, Vl.) der letzte Schritt der Vorbereitung.

Die Skizzierung in aut. 28 (SV 31) — im 3/4-Takt — zeigt noch nicht die verschleiernden Züge in der Annäherung an das Allegrothema. Das dort nur sechstönige Sechzehntelmotiv — es entspricht den letzten sechs Noten von Takt 3 — steuert sehr viel unmittelbarer auf das Motiv des Allegros zu; auch die Vorhaltsbildungen in Takt 6 fehlen noch, und mit ihnen fehlt das Moment der Verlagerung der Auftaktnote dis auf die „Eins“. Die zweifellos spätere Skizzierung im Kafkaschen Skizzenband hat schon den C-Takt, bewahrt aber die rhythmische Differenzierung der fallenden Dreiklangstöne des Anfangs (2. und 4. Note jeweils Viertel). Takt 6 zeigt bereits figurative Umspielung, doch noch ohne jenen direkten Bezug zum Hauptmotiv.

Im Allegro con brio, dem in älteren Ausgaben das ₵-Zeichen fehlt, bleibt der Kontrast zwischen höchster Spannung und gelöstem Musizieren, der schon die Introduktion kennzeichnet, weiterhin wirksam, und der jähe Umschlag vom einen zum anderen Extrem hat stellenweise etwas Erschreckendes. Das gilt insbesondere für das Hauptthema. Seine spielerisch fallenden Drehfiguren münden zunächst in eine sanfte, Mozartisch anmutende Wendung zur Tonika, mit komplimentierendem Quartvorhalt; doch dann antwortet ihnen ein Emporschießen der Violine, das in explosiven Riesensprüngen zerbricht, einer Geste, die man als titanisch, revolutionär oder — im Sprachgebrauch der Zeitgenossen — als „bizarr“ kennzeichnen könnte. Die unkonventionelle Antwort wiederholt sich im Cello, dann erst ist der Weg frei für einen Nachsatz ohne vergleichbare Brüche (T. 27f.), dessen für die Durchführung wichtige Thematik in umgekehrter Folge der Instrumente vorgetragen wird. Aus der eruptiven Antwort geht als verbindendes Element die Brechung des G-Dur-Dreiklangs in den Nachsatz ein; neu hinzu treten punktierte Rhythmen.

Unter Beethovens Themen zählt dieses Hauptthema sicher zu den merkwürdigsten. Dazu tragen seine fünf Teilschlüsse auf der Tonika (T. 19, 23, 27, 31 und 35) einiges bei — es fehlt das verbindende und öffnende Moment dominantischer Halbschlüsse —, mindestens ebensoviel aber der abrupte Einbruch scheinbar ungezähmter Kräfte in Takt 21 und 25. Oder besteht doch ein vermittelnder Zusammenhang zu den kreisenden Figuren des Allegrobeginns? Betrachtet man die „Mozartische“ Schlußwendung in Takt 18—19, so könnten die wuchtigen Riesensprünge der Takte 21—23 als gewaltsam entstellte Augmentation erscheinen: Nicht nur die Linie e—d—c—h, sondern auch die analoge Kadenzierung legt eine solche Auffassung einigermaßen nahe: Auseinandergezerrt in Zeit und Tonraum stellen sie der Komplimentierwendung ihr gleichsam in Stein gehauenes Kontrastbild entgegen. Wie aber kann der Komponist in einem kammermusikalischen Sonatensatz mit solchem Rohmaterial umgehen?

Die Überleitung führt die Rhythmik der 3/8-Auftakte des Allegrobeginns wieder ein und steigert die Bewegungsdichte zu Sechzehntelgängen. Zu der zerrissenen Gestalt des Hauptsatzes findet Beethoven ein ideales Gegengewicht mit dem Moll-Seitensatz: Homophone Gestaltung, Vierstimmigkeit, tiefe Lage, verhaltene Dynamik (meist pianissimo) und eine kompakte Satzstruktur bilden die Basis für ein rhythmisch wie melodisch gleich einprägsames Gebilde, das schon ein wenig auf den Seitensatz des Es-Dur-Klavierkonzerts vorausweist (zu den gemeinsamen Zügen wären nicht nur der Mollcharakter und die durchweg stufenweise Führung der Melodie, ihr engräumiges Umkreisen der Terz und der Pianissimo-Charakter zu rechnen, sondern auch die Hornquinten zwischen Oberstimme und Cello und die anschließende Umspielung durch Achtelgänge).

Im Schlußteil der Exposition heben sich zwei Stauungen heraus (T. 71—74 und 79—82), wobei Liegestimmen durch Harmoniefortschreitungen mit jenen dissonanten Spannungen aufgeladen werden, die man als unverwechselbares Signum von Beethovens Handschrift kennt; auch hier schimmert durch den Triosatz die orchestrale Sprache hindurch.

Die Durchführung beginnt mit einer Überraschung: Anstelle der in Takt 98 erwarteten (und mit Nachdruck vorbereiteten) Dominante zu g-Moll setzt Beethoven die Dominante zu B-Dur, und wiederum lassen dynamische Extreme (pianissimo — fortissimo) das Unerwartete der Wendung besonders stark hervortreten. Im übrigen aber ist die Durchführung sicherlich derjenige Teil des Satzes, in dem kammermusikalischer Stil sich am reinsten entfaltet. Zur Motivik des Nachsatzes tritt eine kantable Gegenstimme — vermutlich aus Takt 29 abgeleitet —, und eine Weiterentwicklung des Achtelgangs aus Takt 30 hält den beständigen Bewegungsfluß aufrecht. Im zweiten Teil wird dann das auftaktige Drehmotiv einbezogen: Um einen halben Takt verschoben, verleiht es der Taktmitte die Aktivierung, aus der die Steigerung zum Unisono-Höhepunkt (T. 134) erwächst. In der Rückleitung zur Reprise (T. 138ff.) greift Beethoven auf die Introduktion zurück (T. 7ff., jetzt nach D transponiert), und das Unmerkliche der Hinführung zum Thema nimmt jetzt Züge einer Verschleierung des Repriseneintritts an. Von hohem Reiz ist auch hier wieder die quasi orchestrale Behandlung des Triosatzes: Die repetierten Oktaven der Bratsche wecken die Assoziation eines Hörnerpaars.

In der Reprise zieht Beethoven die Konsequenz aus der beherrschenden Rolle des Nachsatzes innerhalb der Durchführung, indem er ihn jetzt vollständig ausspart; damit wird die Reprise um 13 Takte gegenüber der Exposition verkürzt. Ins Ohr fällt an dieser Stelle die markante Ausweichung nach H-Dur, die wiederum auf die Introduktion anspielt (T. 156—158 bzw. 10—11). In der Coda, die immerhin 32 Takte umfaßt, bahnt sich zunächst eine der Durchführung ähnliche Entwicklung an: Die Ausweichung nach Es verwendet wiederum Motive des Nachsatzes. Der Kadenzierung nach G-Dur folgt jedoch dann ein stark orchestral geprägter Schlußabschnitt, und wenigstens hier, am Satzschluß, kommt der Hauptsatz mit einem seiner motivischen Elemente (T. 19f.), dem Emporschießen der Violine, zu seinem Recht. Für die Quader der Takte 21—22 bot aber selbst die Coda keinen Raum mehr.

2. Satz: Adagio, ma non tanto, e cantabile (E-Dur, 3/4, 91 Takte). Für die Form dieses Adagios kann auf eine knappe Analyse Joseph Kermans verwiesen werden, der es mit dem langsamen Satz von op. 18, Nr. 1 vergleicht.[1] Dabei zeigt er, wie durch Erweiterungen aus dem Typus einer großen zweiteiligen Form — dem Adagio des Trios — eine reguläre Sonatenform herauswachsen kann (der Quartettsatz). Der Vergleich ist instruktiv, schon weil er sich auf das meist vernachlässigte Problem des langsamen Sonatensatzes einläßt. Die Ausmaße der Teile des Adagios (in Taktzahlen: 33 — 40 — 18), ihr harmonischer und inhaltlicher Verlauf lassen erkennen, daß die mit Takt 34 einsetzende Reprise, dem tonalen Grundriß der Sonate folgend, den Seitensatz zur Tonika verlagert, jedoch — gleichsam als Ersatz für einen expliziten Durchführungsteil — eine Durchführung in sich schließt (T. 42ff.). In e-Moll ansetzend, bringen ihre Fortissimo-Ausbrüche etwas von den heftigen Kontrasten des 1. Satzes in die Ausgeglichenheit und Ruhe des Adagios; mit dem Abebben dieser Spannungen fungiert dieser Abschnitt aber zugleich als Überleitung zum Seitensatz. Die ausgedehnte Coda bringt (erstmals) breite Ruhepunkte und verweilt überwiegend in den tieferen Lagen.

---

1 Vgl. J. Kerman, *The Beethoven Quartets* ([2]1968), S. 38f.

Auffällig erscheint, zumal im Vergleich mit den von Kerman herangezogenen Sätzen (zu denen auch das Adagio aus op. 22 zählt), daß Beethoven in diesem Adagio nicht gleichfalls 9/8 als Taktart vorschreibt, sondern bei 3/4 bleibt, obgleich die triolische Unterteilung der Viertel an keiner Stelle durchbrochen wird. Vielleicht darf man darin eine Unterstreichung des „ma non tanto" (Adagio) sehen. Die Skizzen (SV 367) lassen zwar noch eine Reihe von Figurationen aus, sind aber sonst relativ nahe bei der definitiven Version. Als Detail verdient Erwähnung, daß der Seitensatz — eines der zahlreichen Gebilde Beethovens, die eine Dominantharmonie melodisieren — dort (T. 15) nicht mit der Septime e (als Achtel) ansetzt, sondern mit der Oktave (Sechzehntel fis—e), wie bei der Wiederholung (T. 17). Der Grund für diese Änderung ist leicht zu erkennen: Die ursprünglich vorgesehene Version entspräche dem Beginn von Takt 7, der Schlußwendung des Themas, die in der Fassung der Skizze dreimal aufgetreten wäre.

In der Reinheit und Klangfülle des Triosatzes, der individualisierenden Behandlung der drei Instrumente gehört dieses Adagio zu den reifsten Streichtriosätzen Beethovens.

3. Satz: Scherzo. Allegro (G-Dur, 3/4, 92 Takte). Wie oben angedeutet, vereinigt dieser Satz in sich zwei charakteristische Neuerungen Beethovens, die hier erstmals in Erscheinung treten und darauf abzielen, von der Vielteiligkeit der tradierten Form des Menuetts bzw. Scherzos mit ihren schematischen Teilwiederholungen zu einem eher „durchkomponierten" Typus zu gelangen, der weniger, aber dafür umfangreichere Teile umfaßt, deren Beziehung aufeinander spannungsreicher gestaltet werden kann als das überkommene Modell mit seinen zahlreichen Repetitionsteilen. Dazu dient ihm einerseits der Verzicht auf die Wiederholung des zweiten Trioteils, der statt dessen, zum Da capo zurückleitend, in einen offenen, im Calando verebbenden Dominantschluß ausläuft und damit schlechthin „unwiederholbar" wird, andererseits das ausgeschriebene Da capo (mit variierter Wiederholung seines ersten Teils). Von den üblichen sechs Doppelstrichen mit Wiederholungszeichen, die im Verlauf eines traditionellen Menuetts (einschließlich des Da capo-Teils) begegnen, eliminiert Beethoven auf diese Weise nicht weniger als drei, und schon der äußere Anblick des damit entstehenden Partiturbildes vermittelt den Eindruck, anstelle starrer Abgrenzungen werde einem dynamischen Formprinzip Raum zur Entfaltung eröffnet: Vom zweiten Teil des Trios an sind keine Doppelstriche mehr vorhanden. Eine Beziehung zum 1. Satz stellt der 3/8-Auftakt her, außerdem berühren sich Takt 2—4 des Scherzos mit Motiven der Introduktion (T. 2, Vl.).

Ein apartes Beispiel von Phrasenverschränkung bieten die Pianissimo-Takte zu Ende des ersten Trioteils: Nach den beiden Viertaktern (T. 38—41 und 42—45) entzieht die siebentaktige Schlußphrase der Melodie (über scheinbar regulär achttaktigem Baßverlauf) dem metrischen Gefühl jeden Halt: ein wahres Kabinettstück für metrische Analysekünste.

4. Satz: Presto (₵, 270 Takte). Paul Bekker hielt diesen Satz für den wichtigsten des G-Dur-Trios: Er sei das erste Finale Beethovens, das trotz heiterer Grundstimmung die künstlerische Höhe der Vordersätze nicht nur halte, sondern noch übersteige, was ihm bis dahin nur in leidenschaftlichen (Moll-)Finalsätzen gelungen sei.[1]

1 Vgl. P. Bekker, *Beethoven* ([2]1912), S. 466.

Man muß nicht gleich von einem Vorläufer des Finales der 8. Symphonie sprechen, um den triftigen Kern dieser Auffassung zu akzeptieren. Es dürfte sich kaum ein früher komponiertes Dur-Finale Beethovens finden, das ähnlich sprudelnd an Einfällen und meisterlich im Satz, ähnlich reich an Farben und thematischen Charakteren, aber auch auf spätere Werke vorausweisenden Zügen wäre. Das gilt auch für die Proportionen dieses Sonatensatzes, dessen Durchführung (90 Takte) und Reprise (85 Takte) die Ausmaße der Exposition (77 Takte) übertreffen — eine Disposition, die Beethoven zuvor nie und danach erst in Werken der „mittleren Periode" (ab der 3. Symphonie) gelegentlich wieder verwendete. Diese Ausweitung der Form ist Resultat der Weite der musikalischen Charaktere und der tonalen Konzeption. Der geisterhafte Wirbel des Hauptthemas, dem sich gesangliche und tänzerische Nachsatz- und Überleitungsgedanken anschließen, öffnet sich plötzlich (T. 39) in einem auf Schubert vorausweisenden Farbwechsel der Region B-Dur und einem Seitensatz, dessen aufsteigende Gesangslinie an das „piacevole" aus dem Presto von op. 131 denken läßt, in seiner lydischen Färbung (das e in T. 41) sogar an Kirchentonarten im Spätwerk (op. 132).

Mit der Schlußgruppe (T. 54ff.) kehren die wirbelnden Achtelfiguren zurück, die reguläre Seitensatztonart D-Dur in einem Feuerwerk filigranhaft gewebter Dreistimmigkeit bekräftigend. In der Durchführung arbeitet Beethoven zunächst mit dem Material des Hauptthemas und dem zugehörigen Kontrapunkt, dann mit dem gesanglichen Nachsatz, dem ein neuer Kontrapunkt aus fallenden Terzen beigegeben wird (T. 103). Aus dem Bereich der b-Tonarten führt eine energische Kadenz zur Dominante von e (T. 122), und hier öffnet sich abermals eine völlig neue Region: Die zuvor rastlose Bewegung stagniert, Ketten fallender Terzen reihen sich im Pianissimo in ruhigen Halben aneinander: Der in Takt 103 eingeführte Kontrapunkt übernimmt — augmentiert — die Funktion eines neuen Themas, seinerseits kontrapunktiert von einer Synkopenkette, deren Ursprung (der zuvor verarbeitete gesangliche Nachsatz, dessen zweiter Takt nun augmentiert wird) sich nicht auf den ersten Blick erschließen mag. Das so entstandene Satzmodell bestimmt den Schluß der Durchführung. Es wirkt in der Reihung von Sequenzen zwar schlicht, doch gewinnt Beethoven ihm eine Fülle klanglicher Möglichkeiten durch Stimmtausch ab. So tritt, zu fast romantisch anmutenden plötzlichen Farb- und Stimmungswechseln, in der Durchführung der an alten Meistern geschulte kontrapunktische Satz hinzu, der sich mit der Vergrößerung des Hauptthemas dann auch in der Coda (T. 253) wiederfindet.

Es bleibt die Frage nach der Herkunft des im Verlauf der Durchführung so wichtigen Terzfallmotivs. Ist es wirklich als „neu" anzusehen? Gerade die Vergrößerung der Coda offenbart, daß im Anfangsthema die Kette von drei fallenden Terzen gleich zweimal enthalten ist (g—e—c—a und d—h—g—e). Es bedeutet sicher keine unzulässige Ausweitung moderner Denkweisen, wenn man annimmt, daß hier der Ursprung des Motivs zu suchen ist.

STREICHTRIO D-DUR OP. 9, NR. 2. 1. Satz: Allegretto (2/4, 327 Takte). Die Bezeichnung Allegretto für den ersten Satz eines mehrsätzigen Werkes ist selten. In Beethovens Werk begegnet sie hier zum ersten Mal, und man muß bis zur Klaviersonate op. 101 und dem Quartett op. 135 gehen, um sie wiederzufinden. In Kopfsätzen ist sie an zweizeitige Taktarten gebunden (2/4, 6/8, ₵), auch bei Mozart

(KV 499 und 575), während sie in Mittel- und (seltener) Schlußsätzen auch Dreiertakt annimmt. Sicher meint sie in Kopfsätzen primär ein maßvolles Tempo, doch daß sich ihre Bedeutung darin nicht erschöpft, belegt nicht nur eine ganze Reihe höchst ungewöhnlich geformter Allegretto-Sätze Beethovens; schon in der älteren Beethoven-Literatur[1] findet man die These, Allegretto sei darüber hinaus als Gattungsbegriff zu verstehen, über dessen Inhalt allerdings keine rechte Klarheit besteht. In op. 9, Nr. 2 findet sich die Bezeichnung im 1. und 2. Satz (dort als Andante quasi Allegretto). Es hat den Anschein, als wolle Beethoven das Atypische — sei es in Form, Thementypus oder Satzcharakter — auf diese Weise andeuten. Worin dies im 1. Satz des Trios zu suchen sei, läßt sich vielleicht an den übereinstimmend reservierten Urteilen der Kommentatoren ablesen. Bekker spricht von einem auffallenden „Hang zur stillen leidenschaftslosen Betrachtung, die zwar vorwiegend freundliche Bilder zeigt, aber doch eine gewisse Zurückhaltung nicht überwinden kann und darum trotz der Feinheit der Tonsprache der unmittelbar zündenden Wirkung entbehrt".[2] Riemann nennt das D-Dur-Trio „sinniger, mehr an sich selbst gerichtet, aber doch von heiterem Grundzuge"[3]; der Genieblitze seien weniger als in Nr. 1. Lenz erklärte Nr. 2 als „das schwächste von den dreien".[4] Solche und ähnliche Bewertungen zielen offenbar auf den im Vergleich zum G-Dur-Trio (und erst recht zum c-Moll-Trio) intimeren Charakter des Satzes (bzw. Werkes), der weder vergleichbare Spannungen noch Ausweichungen in entfernte Regionen kennt. Mit Ausnahme des Hauptthemas baut sich die Thematik des Allegrettos großenteils aus sequenzierenden Reihungen eintaktiger — das heißt angesichts der Taktart sehr kurzer — Motive auf, weithin grundiert von ausgedehnten harmonischen Flächen, deren Kreisen um Tonika und Dominante sich vor dem Hintergrund einer pulsierenden Liegestimme vollzieht (T. 39—47, 55—70, 123—135; sogar in der Durchführung: T. 161—174 und an den entsprechenden Stellen der Reprise sowie in der Coda). Ähnlich verharrende Harmonik bestimmt aber auch Überleitung und Schlußgruppe (T. 23 bzw. 79ff.), deren enge, an Identität grenzende Verwandtschaft ohnehin verwundert, in ihrer refrainhaften Wirkung aber zu einem dominierenden (und im Sonatensatz fremdartigen) Element formaler Gliederung wird. Die beiden Abschnitte werden motivisch effektvoll konturiert durch eine Schleiferfigur, die auf das Hauptthema der 2. Symphonie vorausweist und auch dynamisch aus dem sonst vorherrschenden Piano herausgehoben wird.

Die Kombination der genannten Phänomene — kleinzellige Thematik, kurze Takte, breite Flächen harmonischer Statik — mögen die ungewöhnliche Bezeichnung Allegretto zumindest teilweise erklären. Es summieren sich Züge, aus denen hier nicht das erwächst, was man sich unter einem Allegro-Kopfsatz Beethovens vorstellt, mag man dabei primär an Dramatik, an dynamische Entwicklung, an Dualismus oder an das Ringen mit dem thematischen Material denken. Offensichtlich wird man dem Werk nur dann gerecht, wenn man es nicht an den Maßstäben des 1. oder 3. Trios mißt, sondern als deren Gegenbild innerhalb des Zyklus versteht.

---

1 Vgl. W. v. Lenz, *Beethoven. Eine Kunststudie,* Bd. II, S. 118ff.
2 P. Bekker, *Beethoven* ([2]1912), S. 467.
3 Thayer / Deiters / Riemann, *Ludwig van Beethovens Leben,* Bd. II ([3]1922), S. 83.
4 W. v. Lenz, *Kritischer Katalog,* Bd. I, S. 90.

2. Satz: Andante quasi Allegretto (d-Moll, 6/8, 90 Takte). Dieser gewichtigste Satz des Trios weist formale Verwandtschaft mit dem Adagio des G-Dur-Trios auf: Beide sind zweiteilig mit Coda konzipiert. Doch erreicht die Coda hier einen Umfang, der kaum hinter dem der Hauptteile zurückbleibt. Von den 90 Takten umfassen der erste Teil 31, der zweite 30, die Coda 29 Takte. Da Beethoven später nur noch selten auf die zweiteilige Form in seinen langsamen Sätzen zurückkommt und in den wenigen Fällen die Coda relativ kurz faßt, bleibt die formale Disposition dieses Satzes in seinem Werk singulär. Die beiden Hauptteile als „sonatensatzmäßige Anlage" zu interpretieren, die durch den „übermäßig langen Satzschluß getrübt" werde[1], geht an der Eigenart dieser Disposition vorbei. Der zweite Teil steht zum ersten weder im Verhältnis einer eindeutigen Reprise noch in dem einer Durchführung, vielmehr kombiniert er auf sehr eigentümliche Weise Charakteristika beider Verhältnisse. So wird der zunächst dominierende Eindruck einer mit Takt 32 ansetzenden Reprise schon vier Takte später gestört durch sequenzierendes und modulierendes Insistieren auf der fallenden Wendung der Takte 3—4. Doch die scheinbar abgebrochene Reprise wird mit Takt 41ff., einer freien Variante der Takte 11ff., wieder aufgenommen, und der Schluß des zweiten Teiles entspricht dem des ersten wörtlich, sogar im Einmünden in die Dominante. Wollte man den zweiten Teil als Durchführung verstehen, so fehlte dem Satz die Reprise, denn der dritte Teil trägt unverkennbar die Züge einer Coda; wollte man von einer Reprise sprechen, so müßte man ergänzen, daß sie sowohl im Modulationsverlauf als auch in den Unterbrechungen und Abweichungen vom erwarteten Verlauf sich von der Norm löst. Vielleicht läßt sich die Eigenart des Satzes durch den Vergleich mit dem Adagio aus op. 9, Nr. 1 am besten fassen: Dort fügt Beethoven in den zweiten Teil, der eindeutig Reprisencharakter trägt, zusätzlich einen Abschnitt ein, der ebenso eindeutig „durchführt" (T. 42ff.). Hier dagegen sucht er beide Funktionen miteinander zu verschmelzen. Jede der beiden Lösungen führt zu einer anderen Proportion der Teile des Satzes: Im ersten Fall wird der zweite Teil umfangreicher als der erste, hier dagegen erreicht der Komponist ein Gleichgewicht, das zu der eindrucksvollen Geschlossenheit des Satzes wesentlich beiträgt. Der Formvergleich kann überdies die Vermutung nahelegen, das D-Dur-Trio sei vor den beiden anderen Werken aus op. 9 entstanden.

3. Satz: Menuetto. Allegro (3/4, 116 Takte). Die zuletzt angedeutete Vermutung könnte durch die formale Anlage des Menuetts bestärkt werden, denn von den oben erwähnten Neuerungen (vgl. Vorspann und Scherzo von Nr. 1) fehlt hier das ausgeschriebene Da capo, während die beiden anderen Züge aus Nr. 1 sich auch hier finden: der Verzicht auf die Wiederholung des zweiten Trio-Teils, wiederum verbunden mit einem rückleitenden, dominantisch offenen Calando-Schluß, und das Fehlen der Bezeichnung „Trio". Die altgewohnte Form des Da capo könnte freilich daher rühren, daß es sich hier nicht um ein Scherzo, sondern um ein Menuett handelt. Zu den fesselnden Zügen des Satzes zählt neben dem ausgesparten h-Moll-Trio der klangvolle Schlußteil des Menuetts mit seiner Wendung zur Subdominante, die zuvor kaum berührt wurde.

---

1 C. H. Mann, *Formale Probleme,* S. 119f.

4. Satz: Rondo. Allegro (₵, 367 Takte). Im Finalsatz wirken Elemente der vorangegangenen Sätze weiter. So geht der Wiederaufnahme des Hauptthemas in Takt 27 und 219 ein vorbereitender Takt voraus, der dem Menuett-Thema entstammt. Auch das Abreißen im Menuett (T. 3) findet eine Parallele in Takt 6f. des Rondos. Die Führungsrolle des Cellos in den Ritornellen könnte, gerade in D-Dur, an das thematisch verwandte Finale von Mozarts Streichquartett KV 575 denken lassen. Eher auf Haydn verweist dagegen der Bezug des Hauptthemas zur Volksmusik, der in den Bordunbildungen (anfangs oktaviertes a der Violine über markiertem d der Bratsche, ab T. 8 Orgelpunkt d im Cello zu markiertem a der Bratsche), aber auch im schlichten Habitus des Themas greifbar wird, nicht zuletzt in der häufigen Wiederkehr seiner Anfangstakte, die stets ohne artifizielle Variante bleibt. Hierher gehört auch die eigentümliche Rückführung zum Ritornell in Takt 168ff.: In ihren dominantischen Klangbrechungen scheint Beethoven dem Klang der Glasharmonika nahezukommen.

Die Form des Satzes hat unterschiedliche Deutungen gefunden. Zweifelsfrei liegt ein Sonatenrondo vor, dessen Aufbau drei vollständige und ein verkürztes Ritornell erkennen läßt. Das erste Couplet (ab T. 35) kehrt — transponiert — vollständig wieder (ab T. 228). An das zweite Ritornell schließt sich eine Durchführung an (T. 131—168), deren tonaler Ausgangs- und Zielpunkt (d-Moll) eine Beziehung zum Usus des Minore-Teils im älteren Rondo herstellt. Soweit wird die Gliederung der Form durch Doppeltaktstriche Beethovens bestätigt: A—B—A—Durchführung und Rückleitung—A—B—... Geteilte Meinungen bestehen hinsichtlich des mit einer Modulation nach B-Dur beginnenden letzten Teiles, der nach einem Zitat des Themas eine zweite Durchführung von 44 Takten (also länger als die erste), dann ein letztes verkürztes Ritornell mit anschließender Schlußsteigerung bringt. Man kann das als „Schlußdurchführung mit unvollständigem 4. Refrain" (R. v. Tobel) oder als Annäherung an die erweiterte Reprise Haydns („Einschub", A. L. Suder) verstehen. Andererseits sind die plötzliche Einführung einer neuen Tonart und erneute Durchführung im Schlußteil eines Satzes bei Beethoven zu jener Zeit weder im Sonatensatz (op. 5, Nr. 2) noch im Rondo (op. 3) etwas Neues; vielmehr bilden sie gemeinsam Kennzeichen einer großen Coda.

STREICHTRIO C-MOLL OP. 9, NR. 3. Das c-Moll-Trio ist von jeher als das bedeutendste Werk aus op. 9 erkannt worden. Sieht man die Trios insgesamt als Vorstufe zu den Streichquartetten op. 18 an, so erhält beim direkten Vergleich der beiden c-Moll-Werke das Trio aufgrund der äußersten Konzentration seiner Gestaltung vielfach den Vorzug vor op. 18, Nr. 4.[1] Dieser Tendenz zur Verdichtung entspricht es, daß Beethoven für den Finalsatz wieder die Sonatenform wählt. Es kommt hinzu, daß der 1. Satz von einer Tonfolge ausgeht, die in ihrer elementaren Rhythmik (vier gleiche Notenwerte) und in ihrer melodischen Substanz auf das Vierton-Motiv der späten Quartette vorausweist. Das wird zu Beginn von op. 132 weniger deutlich als im Finale von op. 131, wo mit der Folge cis—his—a—gis der Beginn des c-Moll-Trios geradezu zitiert wird. Daß das Motiv c—h—as—g, mit dem das Trio beginnt, auch im Finalthema wiederzuerkennen ist (Spitzentöne der Triolen: g—as, dann die

1 Vgl. J. Kerman, *The Beethoven Quartets* ([2]1968), S. 71.

Viertel h—c—d), kann als Beleg dafür gelten, wie weit zentrale Gedanken des Spätwerks zurückzuverfolgen sind.

1. Satz: Allegro con spirito (6/8, 222 Takte). „C-Moll, heroische Tonart, V. Sinfonie ...“ — von dieser Stereotype aus kommt man diesem Satz schwerlich nahe. Vor allem die Elastizität des 6/8-Takts und der Reichtum an Figurationen stehen einer solchen Auffassung entgegen. Der spannungsvolle Ton dunkler Leidenschaft, das Unvermittelte seiner Sprache, die keinen Überleitungen herkömmlicher Art Raum gibt, führt zu einem eigentümlich blockhaften Aufbau der Form mit tiefen Einschnitten (Pausen in T. 20, 99 und 100) und jähem Wechsel des Bewegungsablaufs. Bei Eintritt des As-Dur-Gedankens in Takt 21 weiß man zunächst nicht recht, ob es sich um ein ungewöhnlich früh ansetzendes Seitenthema handelt (vielleicht hat diese Stelle Schubert als Vorbild für seinen c-Moll-Quartettsatz gedient?); der Modulationsgang zur Paralleltonart schafft noch keine Klarheit. Erst der Vergleich mit der Reprise belehrt, daß die Funktion des Seitensatzes nicht der schwungvollen Melodie, sondern einem fugatomäßigen Gewebe (T. 40ff.) zugedacht ist. Wichtig sind auch hier die markierten Akkordschläge auf dem 2. und 4. Achtel, die schon den Hauptsatz abrupt beendeten, nun aber in ein geisterhaftes harmonisches Vagieren im Pianissimo münden. Der Epilog (T. 61f.) bringt ein eintaktiges Motiv, dem das Sforzato in der Mitte des Taktes Profil verleiht; es gewinnt in der Durchführung zentrale Bedeutung.

Die Durchführung setzt in f-Moll mit dem Hauptmotiv an, dessen Verschränkung zwischen Violine und Cello wieder an den Beginn von op. 132 denken läßt. Aus dem Epilogmotiv von Takt 61 bildet Beethoven dann ein Durchführungsmodell, das über c-Moll nach g-Moll führt. Der energischen g-Moll-Kadenz (T. 103) folgt im plötzlichen Pianissimo eine schattenhaft absinkende Sequenzierung des Hauptmotivs in der Violine, die dann vom Cello aufgenommen wird — als Mittelstimme über dem Orgelpunkt G, der schon die Reprise ankündigt. Dieser Repriseneintritt zählt zu den großen Momenten in Beethovens Frühwerk. Er läßt sich durchaus dem Reprisenbeginn der *Eroica* an die Seite stellen. Über neun Takte hinweg hat sich die Dominantharmonie befestigt, in den Violinfiguren wie auch in den vierstimmigen (!) Akkorden von Cello und Bratsche. Dreimaliges Insistieren des Cellos auf den beiden letzten Tönen des Hauptmotivs (in g: es—d) hat alle thematische Arbeit der Durchführung zu Ende gebracht. Die Violinfiguren, an deren dominantischem Sinn kein Ohr vorbeihören kann, umkreisen im Aufsteigen den Dominantseptimakkord von c-Moll (g—h—d—f). Und ihnen konfrontiert Beethoven in Takt 120 das c des Reprisenbeginns in Cello und Bratsche, jeweils in Oktaven und im Forte, den Inbegriff der Tonika. Für diesen halben Takt setzt er damit gleichsam die physikalischen Gesetze der Harmonie außer Kraft.

Die Coda beginnt mit einer Rückung von c-Moll nach des-Moll, lenkt dann aber über f-Moll zur Haupttonart zurück. Sie schließt mit einer zur Tonika transponierten Fassung des Durchführungsendes.

2. Satz: Adagio con espressione (C-Dur, ¢, 55 Takte). Schon im 1. Satz erreicht Beethoven durch Doppelgriffe vielfach Vier- und Fünfstimmigkeit. Diese zum Quartett hin drängende Tendenz setzt sich im Adagio fort. Das Hauptthema ist auf eine ungewöhnliche Weise periodisch gestaltet: Sein Vordersatz umfaßt sechs, der Nachsatz nur vier Takte. (In der Reprise verkürzt sich das Thema auf den viertaktigen Nachsatz.) Sonatenhafte Züge sind deutlich ausgeprägt: Nach einer Überleitung

im Stil einer Solokadenz der Violine folgt ein Seitensatz, dessen Thema als Kanon zwischen Violine und Bratsche angelegt ist. Die Durchführung setzt in Es-Dur an (T. 22) und bringt die fallende Linie des Cellos in schier endloser Verlängerung, eine Kette, die sich dann in variierenden Figurationen der Violine und Bratsche (ab T. 26) noch fortsetzt. Mit Takt 48 setzt die Coda ein; das Thema — nun in F-Dur — liegt in der Bratsche. Daß man im vorletzten Takt der Violine das Hauptmotiv des 1. Satzes wiedererkennen kann, ist sicher; der unerwartet heftige, schmerzliche Akzent — am Ende eines so lieblichen Satzes — macht es einigermaßen wahrscheinlich, daß auch hier mehr vorliegt als zufällige Identität der Töne.

3. Satz: Scherzo. Allegro molto e vivace (6/8, 100 Takte). Bei Verwendung des 6/8-Takts in Scherzi denkt man meist an Mendelssohn oder Brahms, kaum daran, daß Beethoven ihnen in op. 9 ein Vorbild gab. Überhaupt verweist der Satz in seinem dämonischen Dahinjagen auf die Romantik, denn trotz der teilweise intrikaten Rhythmik trägt er manche Züge eines Jagdstücks, am deutlichsten an der Es-Dur-Stelle des Trios (T. 38f.), die einem Bläsersatz nachgebildet sein könnte. Aber auch der erste Teil des Trios weist eine unerwartete Verwandtschaft zu Brahms auf. Von den formalen Neuerungen des G-Dur-Trios weicht dieser Satz in mehrfacher Hinsicht ab. Der zweite Trioteil wird traditionsgemäß wiederholt; dagegen schreibt Beethoven auch hier das Da capo aus, allerdings ohne variierte Wiederholung des Anfangsteils. Abweichend von op. 9, Nr. 1 und 2 ist auch die hier angefügte Coda (T. 88f.).

4. Satz: Finale. Presto (₵, 229 Takte). Mit diesem Finale gerät man nun doch in eine Familie Beethovenscher c-Moll-Sätze, zu der es vielerlei Querverbindungen aufweist. Das Profil des Hauptthemas zeichnet das Finale des c-Moll-Klavierkonzerts vor; der Seitensatz in es-Moll berührt sich mit dem 1. Satz der (auch zeitlich nahen) Klaviersonate op. 13. Am bemerkenswertesten aber ist doch wohl die Reihe der c-Moll-Sätze, deren Schluß auf ein C-Dur hinausläuft, das merkwürdig offen bleibt und Züge einer Dominante zu f-Moll in sich schließt, jedenfalls in der Schwebe bleibt. Diese Erscheinung, vertraut aus den Finalsätzen von op. 1, Nr. 3, der Klaviersonate op. 10, Nr. 1 und dem Streichquartett op. 18, Nr. 4, bedürfte — zumal in ihrer deutlichen Präferenz für c-Moll — einer eingehenden Untersuchung. Der visionäre Zug solcher Schlüsse teilt sich aber dem Hörer ganz unmittelbar mit.

Das Hauptthema trägt dialogische Struktur, und der in ihm beschlossene Wechsel von stürmischer Bewegung und deklamatorisch-sprachhaftem Gestus wird im Verlauf des Satzes weiträumig entfaltet. Hinzu tritt in der Durchführung in tiefer Lage ein gesangliches Element (Des-Dur, T. 91f.), so daß dieser Teil einen ungewohnt ruhigen, lyrischen Charakter annimmt. Um so heftiger wirkt dann die Wiederkehr der Triolenbewegung. Unvergleichlich gestaltet Beethoven auch hier den Eintritt der Reprise. Die Zusammendrängung der Töne c/h/as/g im Epilog (Vl. und Vla. T. 211f.) könnte wieder auf den Hauptgedanken des 1. Satzes bezogen werden, in dem man doch wohl eine Art Motto des ganzen Trios zu sehen hat. Zu solcher Geschlossenheit trägt in op. 9, Nr. 3 noch ein weiteres Phänomen bei, dem man bei den Wiener Klassikern sonst vorwiegend in der Tonart E-Dur (bzw. e-Moll) begegnet: Alle Sätze stehen auf dem Fundament C, und damit wird das Moment motivischer Querverbindungen durch eine tonale Geschlossenheit überhöht, die sich in keinem der anderen c-Moll-Werke Beethovens findet.

Peter Cahn

3 Klaviersonaten c-Moll, F-Dur und D-Dur op. 10 (zusammen mit den Klavierstücken WoO 52 und WoO 53)

ENTSTEHUNGSZEIT: 1796—1798.
ERSTAUFFÜHRUNG: unbekannt.
SKIZZEN: siehe G. Nottebohm, *Zweite Beethoveniana*, S. 29ff.; Skizzenblätter in der Deutschen Staatsbibliothek Berlin, in der Staatsbibliothek Preußischer Kulturbesitz Berlin und in der British Library London.
AUTOGRAPH: verschollen.
ERSTDRUCK UND WIDMUNG: Wien 1798 (J. Eder); der Gräfin Anna Margarete v. Browne gewidmet.
GESAMTAUSGABEN: Alte Gesamtausgabe: Nr. 128—130 = Serie 16 Nr. 5—7; Neue Gesamtausgabe: Abt. VII, Bd. 2.

Im 18. und 19. Jahrhundert war es üblich, Kompositionen, die sich der gleichen Gattung zuordneten, zu einer Werkgruppe zusammenzustellen. Häufig bestand eine solche Gruppe, die eine übergeordnete Opuszahl erhielt, aus drei, sechs oder zwölf Kompositionen. Bis gegen Ende des 18. Jahrhunderts wurden derartige Gruppierungen im allgemeinen von den Verlegern vorgenommen, die auch die Opuszahl festlegten. Die Gruppierung bedeutete nichts anderes als eine Sammlung von Kompositionen gleicher Gattung. Beethoven war einer der ersten Komponisten, für den die Opuszahl mehr als eine bloße Numerierung war. Die von ihm unter einer Opuszahl subsumierten Kompositionen stellen zumeist je bestimmte Aspekte musikalisch-kompositorischer Reflexion dar; entscheidend ist, daß aufgrund der Zusammenstellung ein übergeordneter musikalisch-kompositorischer Gedanke deutlich wird, der die oft gegensätzlichen Aspekte der einzelnen Kompositionen zusammenbindet. Fast seine sämtlichen solistischen und kammermusikalischen Kompositionen hat Beethoven mehr oder weniger unter einer Opuszahl versammelt, das gilt in besonderem Maße für die Klaviersonaten.

Bereits als op. 2 hat Beethoven nicht nur drei unterschiedliche Klaviersonaten veröffentlicht, vielmehr wollte er mit diesem Opus der musikinteressierten Wiener Öffentlichkeit zugleich zeigen, daß er die drei wichtigsten Charaktertypen der Gattung Klaviersonate musikalisch und kompositorisch vollkommen beherrschte. Als Einzelpublikation folgt die Grande Sonate op. 7, die in ihrem Anspruch und ihrer außerordentlichen zeitlichen Extension gleichsam für sich allein steht. Die drei Klaviersonaten op. 10, die zwischen 1796 und 1798 komponiert wurden, stellen wiederum, ähnlich wie die drei Sonaten op. 2, eine Zusammenstellung von drei unterschiedlichen, um nicht zu sagen gegensätzlichen Sonatentypen dar. Das Charakteristische dieser Zusammenstellung hat man in späterer Zeit nicht mehr gesehen, und deshalb wurden die ersten beiden Sonaten in c-Moll und F-Dur gegenüber der dritten Sonate in D-Dur häufig als weniger bedeutend zurückgestuft. Wenn man versucht, die drei Klaviersonaten nach der sogenannten Sonatensatzform, die als solche jedoch erst um die Mitte des 19. Jahrhunderts schulmäßig systematisiert wurde, zu analysieren und zu verstehen, dann ist man mit unlösbaren Problemen und Widersprüchen konfrontiert. Diese Probleme haben indessen mit der übergreifenden kompositorischen Idee der drei Sonaten kaum etwas gemein; sie ergeben sich aufgrund einer ausschließlich formalen Betrachtungsweise, die dem Selbstverständnis der Komposition nicht gerecht wird.

Die drei Klaviersonaten repräsentieren vielmehr je unterschiedliche musikalisch-kompositorische Charaktere, die in sich wiederum vielfältig differenziert und schattiert sind.

Die Vorstellung, daß Musik auf Charakteren beruht, ist in der zweiten Hälfte des 18. Jahrhunderts nicht nur ein zentraler Aspekt der Musikanschauung, sie ist der Musik selbst eingeschrieben. Der Begriff Charakter bzw. seine Pluralbildung Charaktere ist also doppeldeutig; als ästhetischer Begriff bezieht er sich auf das Besondere und Eigentümliche einer Komposition, das sich dem Hörer beim Erklingen erschließt; als musikalisch-kompositorischer Begriff verweist er auf objektivierbare musikalische Sachverhalte, die zum Normgefüge der musikalischen Sprache gehören. Dazu zählen unter anderem bestimmte Klang- und Melodiekonstellationen, Tonarten und deren Charakter, aber auch Form- und Stilmuster, sowie vor allem das weite Feld der syntaktischen Gliederungsmöglichkeiten. Darauf weist Heinrich Christoph Koch in seinem *Musikalischen Lexikon* von 1802 unmißverständlich hin, wenn er unter dem Stichwort „Charakter" die folgende Definition gibt: „Wenn daher von dem Charakter der Tonstücke die Rede ist, so hat man darunter diejenigen Merkmale und Eigenheiten derselben zu verstehen, durch welche sie sich von einander unterscheiden lassen. Taktart, Zeitmaaß, Rhythmus, die Art und der Gebrauch der melodischen Figuren, die Form, die Begleitung, die Modulation, der Styl, die zum Grunde liegende Empfindung, die besondere Art, wie sie ausgedrückt wird, alles dieses trägt bald mehr, bald weniger zu dem eigenthümlichen Charakter des Tonstückes bey."[1] Charaktere beruhen also, wie Koch darlegt, auf dem besonderen Gefüge einer Komposition; oder anders gesagt, Charaktere müssen komponiert werden.

Ohne Übertreibung läßt sich sagen, daß Beethoven sich in den drei Klaviersonaten op. 10 gewissermaßen sämtlicher kompositorischer Kombinationsmöglichkeiten, die für ihn im Kontext der spätklassischen Musiksprache denkbar und zugleich verstehbar waren, bedient, um unverwechselbare musikalische Charaktere zu formulieren. Man könnte versucht sein, von einem experimentellen Erforschen dieser Möglichkeiten im Blick auf übergeordnete musiksprachliche Zusammenhänge zu sprechen. Nicht nur daß jede Sonate ihre charakteristische Physiognomie hat, es will scheinen, daß sich durch alle drei Sonaten so etwas wie ein geheimes Band zieht, das die unendliche Vielfalt der Charaktere, auch und gerade in ihrer Gegensätzlichkeit, aufeinander bezieht. Der erste Satz der c-Moll-Sonate setzt mit bestimmender Gestik einen volltaktigen Beginn; auch der langsame Satz hat volltaktigen Charakter; erst der abschließende letzte Satz beruht in seiner Thematik auf einer erweiterten Auftaktigkeit (Auftakt zum Auftakt). Dieser Finalsatz klingt schließlich aus in einem dynamisch zurückgenommenen C-Dur in tiefer Lage, gleichsam der Kehrseite des gestischen Beginns des ersten Satzes. Das verklingende C-Dur verweist harmonisch als Dominante auf die Grundtonart der zweiten Sonate, nämlich F-Dur. Der Charakter der zweiten Sonate verhält sich indessen durchaus konträr zu dem der ersten; so ist zum Beispiel die rhythmische Gestik der Thematik in allen Sätzen der Sonate durch eine anspringende Auftaktigkeit gekennzeichnet. Auch zwischen der zweiten und der dritten Sonate, die in der Tonart D-Dur angesiedelt ist, besteht eine latente Beziehung. Man kann sich des Eindrucks nicht erwehren, daß der thematische Beginn der D-Dur-Sonate die ab-

1 H. Chr. Koch, *Musikalisches Lexikon,* Sp. 313.

wärts gerichtete Gestik des Schlusses der zweiten Sonate zumindest assoziativ aufgreift. Auch die Tonart D-Dur kann als verbindendes Moment angesehen werden. Im ersten Satz der F-Dur-Sonate beginnt nämlich die Reprise nicht in der Grundtonart F-Dur, sondern in D-Dur. Im dritten Satz der Sonate wird die Überleitung zum Repriseneinsatz mit der Tonart D-Dur eröffnet, um dann in einer Quintschrittsequenz in die Grundtonart F-Dur zu führen. In beiden Sätzen erklingt also D-Dur jeweils an einem formal charakteristischen Einschnitt. Sicherlich verbinden die skizzenhaft angedeuteten Beziehungen die Klaviersonaten nicht zu einem Zyklus; doch lassen sie mit Sicherheit ahnen, daß es Beethoven bei der Zusammenstellung von Kompositionen zu einer Werkgruppe um sehr viel mehr ging als um eine bloße Bündelung von Werken.

Die unterschiedlichen Charaktere der drei Sonaten werden bereits auf eine nahezu programmatische Weise deutlich, wenn man sich die kompositorische Faktur der Themenbildung der ersten Sätze der drei Sonaten auf ihre Besonderheit hin vergegenwärtigt und bewußt macht. Jedes der drei Hauptsatzthemen weist eine andere kompositorische Struktur auf, das heißt jedes Thema hat nicht nur in seiner klanglichen Außenseite, sondern auch in seinem kompositorischen Binnengefüge eine spezifische individuelle Ausprägung. Das hat nicht nur Konsequenzen für den jeweils ersten Sonatensatz, den das Thema mehr oder weniger bestimmt, sondern schließlich auch Folgen für die Charakteristik der übrigen Sätze der jeweiligen Sonate.

Das Thema des ersten Satzes der c-Moll-Sonate ist auf eine merkwürdige Weise doppelgesichtig. Einerseits ist seine melodisch-thematische Gestik an der Musik des Sturm und Drang, genauer gesagt an der Klaviermusik Carl Philipp Emanuel Bachs orientiert, andererseits wird die Thematik in einer Weise fortgeführt und kompositorisch entfaltet, die mit der Musik des Sturm und Drang kaum etwas gemein hat. Beethovens Orientierung an C. Ph. E. Bach ist ohne Zweifel auf seinen Lehrer Neefe zurückzuführen. Der in der Beethoven-Literatur häufig zu findende Hinweis auf Mozarts c-Moll-Sonate (KV 457) ist wohl eher nur auf der Ebene der allgemeinen c-Moll-Charakteristik zu verstehen und weniger als eine bewußte Anknüpfung an Mozarts Komposition.

Aufgrund seiner internen metrischen Gliederung hat dieses c-Moll-Thema nur zu oft die Musiktheoretiker und die Analytiker verwirrt. Wenn man der Überzeugung ist, daß ein Thema grundsätzlich von metrischen Gewichten getragen wird, die sich paarig nach schwer und leicht (bzw. umgekehrt) einander zuordnen, dann wird man den Widerspruch zur Phrasenbildung des Themas, die drei- bzw. zweitaktig ist, theoretisch auszuräumen haben; wenn man umgekehrt ausschließlich die Phrasenbildungen und deren interne Motiv- und Intervallstrukturen im Blick hat, dann wird man der metrischen Ambivalenz, die dem Thema eigen ist, nicht nur nicht gerecht, man wird auch die von Beethoven intendierte metrische Verschränkung von Anfang und Schluß nicht begreifen können, die den metrischen Stellenwert des ersten Akkordes kennzeichnet, als solche aber erst am Beginn der Reprise evident wird.

Wie in allen seinen frühen Sonaten beruht auch die Themenbildung dieses ersten Themas des ersten Satzes auf dem Formmodell des sogenannten Satztypes. Dieses Modell, das im allgemeinen grob beschrieben wird als die Aufeinanderfolge von 2 + 2 + 4 Takten, ist indessen eher eine syntaktische Struktur als ein reproduzierbares Formmodell, denn es läßt vielfältige Varianten zu, die sich nicht auf ein bloßes Taktschema reduzieren lassen. Die Bezeichnung „Satz", deren Begriffsgeschichte bis ins 18. Jahrhundert zurückreicht, versucht eine syntaktische Struktur zu benennen, die, verkürzt gesagt, Entwicklung ermöglicht; das heißt die aufgrund ihrer besonderen Disposition über sich hinausweist. In diesem eindeutigen Sinne, der gegenüber der Begriffsgeschichte von „Satz“ durchaus eine Verengung darstellt, haben Arnold Schönberg[1] und in seiner Nachfolge Erwin Ratz[2] die Bezeichnung „Satz“ definiert und zugleich exemplarisch untermauert. Ein sogenannter Satz besteht, wie Schönberg und Ratz in ihren theoretischen Schriften darlegen, in seiner einfachsten Form aus einer zumeist zweitaktigen Phrase, die sich ihrerseits durchweg aus zwei gegensätzlichen Motiven zusammensetzt, einer Wiederholung dieser Phrase (häufig auf der V. Stufe) und einer sich über vier Takte erstreckenden Weiterführung bzw. Entwicklung eines der beiden Phrasenmotive. Der sogenannte Satz ist also ein syntaktisches Modell, das Entwicklung impliziert.

Beethoven hat das beschriebene Satzmodell immer strikt herausgearbeitet. Das eindeutige Profil des Modells, das heißt dessen Herausarbeitung, war nicht nur die Voraussetzung für dessen Variation, sondern zugleich auch die Basis für die Komposition individueller musikalischer Charaktere. Nur so konnte jene Binnenspannung entstehen, die der Beethovenschen Thematik von Beginn an eigen ist. Das Thema der c-Moll-Sonate besteht aus einer viertaktigen Phrase, einer Wiederholung dieser Phrase und einer achttaktigen Rückführung (also nicht einer Entwicklung), an die sich eine viertaktige Kadenz anschließt, deren Schlußtakt zugleich den Neueinsatz des Themas bildet. Die viertaktige Phrase setzt sich aus zwei gegensätzlichen Motiven zusammen. Die Phrasenwiederholung ist indessen harmonisch differenziert. Die erste Phrase öffnet sich in die Dominant-Tonart (V. Stufe), während die zweite Phrase, das heißt die Phrasenwiederholung, den harmonischen Bogen schließt, indem sie in die Tonika zurückführt; die Phrasenwiederholung weist nicht, wie in vielen Fällen Beethovenscher Themenbildung, harmonisch über sich hinaus, vielmehr kehrt sie zum Anfang zurück. Damit ist zugleich die Weiterführung in den nachfolgenden Takten, die nicht als eine Entwicklung, sondern als eine Rückführung, der das zweite Phrasenmotiv im wesentlichen zugrunde liegt, zu verstehen ist, musikalisch-kompositorisch motiviert. Das Thema ist in seinem Charakter, wie die skizzierte Binnenstruktur deutlich macht, merkwürdig widersprüchlich. Mit Sicherheit deutet diese Widersprüchlichkeit, die sich im ersten Thema des ersten Satzes so unmißverständlich artikuliert, auf den Espressivo-Charakter der gesamten Sonate, der sich indessen in jedem Satz strukturell ganz unterschiedlich entfaltet.

Das Thema des ersten Satzes der F-Dur-Sonate hat auch, wie die ersten acht Takte nahezulegen scheinen, entwickelnden Charakter. Man hört eine aus zwei auftaktigen Kurzmotiven bestehende Phrase (T. 1—2) und eine sich anschließende Phrasenwiederholung (T. 3—4), die sich harmonisch zur Dominante öffnet. Es folgt eine viertaktige Entwicklung, deren Charakter jedoch merkwürdig labil ist; sie führt nämlich in Takt 8 harmonisch zur Subdominante, das heißt in jenen Funktionsbereich der harmonischen Kadenz, der im allgemeinen eine Schlußwirkung signalisiert, ohne indessen bereits ein Schluß zu sein. Die Subdominante verweist vielmehr über den Pauseneinschnitt in Takt 8 hinaus, und zwar auf die folgenden Takte, die im wesentlichen die F-Dur-Kadenz harmonisch umschreiben und als solche mit der

1 Vgl. A. Schönberg, *Die formbildenden Tendenzen der Harmonie,* S. 111f.
2 Vgl. E. Ratz, *Einführung in die musikalische Formenlehre,* S. 17ff.

Tonika schließen. Auf die viertaktige Entwicklung (T. 4—8) folgt also eine viertaktige Rückführung (T. 9—12). Die symmetrische Entsprechung von Entwicklung und Rückführung läßt an die periodische Zuordnung von Vorder- und Nachsatz denken. Eine periodische Zuordnung impliziert indessen formale Geschlossenheit, sie ist dem entwickelnden Satzprinzip also entgegengesetzt. Wenn sich in den symmetrischen Entsprechungen der Takte 5—8 und 9—12 periodisches Denken niederschlägt, dann formuliert sich in dem Thema ein paradox scheinender Gedanke, nämlich daß ein satzartiger, entwickelnder Beginn in eine periodisch geschlossene Formstruktur weitergeführt wird.

Die formale Paradoxie des thematischen Beginns enthüllt sich im weiteren Verlauf der Komposition als ein sehr vielschichtiges formales Vexierspiel. In Takt 13 wird das Thema bzw. die erste Phrase wieder aufgegriffen. Die sich anschließende Phrasenwiederholung fügt den Ton dis hinzu. Der Klang f—a—c—dis wird zunächst, wenn man den Notentext nicht kennt, als f—a—c—es gehört werden, das heißt als eine Dominante von B-Dur, der Subdominante von F-Dur. Beethoven führt den Klang jedoch nach E-Dur weiter. Man könnte nun versuchen, diese überraschende harmonische Wendung theoretisch zu bestimmen, was keine Schwierigkeiten bereitet, denn die harmonische Wendung ist nichts weiter als die Auflösung eines übermäßigen Quint-Sext-Akkords. Doch damit ist der musikalische Charakter dieser Stelle nicht erklärt. Die Baßführung f—e (sei es in der Aufeinanderfolge von d-Moll-Sextakkord—E-Dur oder aber in der Harmonisierung Beethovens) zählt seit dem 17. Jahrhundert als Modell zum Repertoire der Gesangs- bzw. Opernmusik. Diese Wendung symbolisiert als Figur musikalisch immer jene Textstellen, die eine Frage formulieren. So wie eine Frage ins Offene führt, bleibt die musikalische Figur ohne einen harmonischen Zielakkord. In diesem Sinne begegnet sie — häufig stark variiert — bis ins ausgehende 19. Jahrhundert. Ohne den harmonischen Zusammenhang der Beethovenschen Themenbildung weiter zu analysieren, läßt sich sagen, daß Beethoven die widersprüchliche Komplexität des Themas in eine Frage überführt; als ob der Komponist sagen will: „Was bedeutet das eigentlich?" Der Sinn dieser Frage wird deutlich, wenn in Takt 19 (auftaktig) ein neues Thema einsetzt. Dieses Thema, das sich zunächst bis Takt 26 erstreckt, bewegt sich in der Tonart C-Dur und ist musikalisch als eine Periode mit Vorder- und Nachsatz gebaut. Eine harmonische Verbindung zum E-Dur der Frage läßt sich theoretisch konstruieren. Doch eine Verbindung scheint Beethovens Absicht zu widersprechen; Beethoven will vielmehr Unverbundenes gegenüberstellen. Das Thema des Beginns erweist sich als eine formale Paradoxie, die in eine musikalische Frage mündet. Die Frage findet aber keine Antwort. Statt dessen setzt ein neues Thema ein. Man hat den Eindruck (und Beethoven hat diesen Eindruck mit Sicherheit beabsichtigt), als ob in Takt 19 eine neue Sonate beginnt, eine Sonate in C-Dur. Es wäre nun weiter zu fragen, welchen Sinn diese formalen Paradoxien haben. Eine solche Antwort kann indessen nur der ganze erste Satz und schließlich nur die gesamte Sonate geben, die in allen ihren Sätzen das formale Spiel mit Charakteren auf geistreiche und zugleich virtuose Weise entfaltet.

Auch die dritte Sonate (D-Dur) entwickelt in ihren vier Sätzen musikalische Charaktere, deren extreme Komplexität und zugleich Gegensätzlichkeit von Anfang an von den Zeitgenossen Beethovens erkannt worden ist. Während die c-Moll-Sonate in allen ihren Sätzen eine ganz auf die Gestik des Affekts ausgerichtete Espressivo-Sprache spricht, lassen sich die Charaktere der F-Dur-Sonate eher als heiter und undramatisch beschreiben. Die D-Dur-Sonate beruht indessen nicht auf einem mehr oder weniger überschaubaren Spektrum von Charakteren, vielmehr ist dieses Spektrum in seinen gegensätzlichen Positionen so weit aufgefächert, daß für den unvoreingenommenen Hörer eine Zusammenschau der Extreme nur schwer möglich ist. Während der erste Satz, trotz seiner formalen Extensität und seiner metrischen Bewegungsimpulse, durch ein Äußerstes an kompositorischer Klarheit ausgezeichnet ist, wird der zweite Satz, den Beethoven gegenüber Schindler als den Seelenzustand eines der Melancholie Verfallenen charakterisiert haben soll, von einem undurchdringlichen Dunkel beherrscht. Demgegenüber ist der dritte Satz als ein beschwingtes Menuett nach klassischem Vorbild gestaltet, während das abschließende Rondo dem Hörer als ein kaleidoskopartiges Spiel mit Motiven erscheint, das ständig durch trugschlüssige Wendungen durchbrochen wird, ohne daß ein eigentliches Rondothema, das man unbeschwert nachvollziehen kann, wie es im allgemeinen üblich ist, sich einstellt.

Die in ihrem Charakter und ihrem Ausdruck so disparaten Sätze der Sonate sind indessen auf der Ebene der Intervallverhältnisse zueinander in Bezug gesetzt; das heißt eine bestimmte und zugleich unverwechselbare Intervalldisposition bildet eine für alle Sätze verbindliche Strukturschicht. Aus dieser Strukturschicht gehen nicht nur sämtliche Themen, sondern auch und gerade deren Charaktere hervor. Die angedeuteten Gegensätze innerhalb der Sonate sind also eingebunden in einen übergeordneten Grundgedanken, der in einer spezifischen Strukturschicht seine gegenüber dem Klingenden abstrakte Formulierung findet.

In der viertaktigen Phrase, die das Thema des ersten Satzes in einem rhetorisch-gestischen Sinne eröffnet, ist dieser Strukturgedanke mit einer geradezu prinzipiellen Direktheit vorgegeben. Der metrisch-rhythmische Duktus dieser viertaktigen Phrase ist (wie das gesamte Thema) satzartig (1 Takt + 1 Takt + 2 Takte). Der Strukturgedanke selbst hat jedoch eine annähernd symmetrische Disposition, wie die Intervallanordnung und deren Gruppenbildungen zeigen.

Diese Intervallgruppen sind nicht nur verbindlich für den ersten Satz, vielmehr liegen sie auch den Themenbildungen der übrigen Sätze zugrunde. Die zweite Intervallgruppe bildet als Moll-Variante das intervallische Grundelement des zweiten Satzes.

Im dritten Satz spielt die erste Intervallgruppe eine beherrschende Rolle.

Der abschließende vierte Satz beruht nahezu ausschließlich auf der zweiten Intervallgruppe.

Selbstverständlich sind auch die übrigen Intervallgruppen und die aus ihnen abgeleiteten Varianten in allen Sätzen mehr oder weniger gegenwärtig. Diese Zusammenhänge und deren Bedeutung für den jeweiligen Satzaufbau lassen sich jedoch nur in einer detaillierten Analyse aufzeigen, die, wie Schönberg einmal sagte, „in die Tiefen der musikalischen Sprache" zu führen hat.[1]

Im Jahre 1799 erschien in der *Allgemeinen musikalischen Zeitung* eine kritische Besprechung der drei Klaviersonaten op. 10, die einerseits das Verworrene und Künstliche dieser Sonaten anspricht, andererseits aber gerade in dieser bizarren Künstlichkeit das Besondere dieser Sonaten erkennt, das in die Zukunft weist. Es ist erstaunlich zu lesen, wie der anonyme Rezensent gerade die kompositorischen Kenntnisse Beethovens akzentuiert, zugleich aber das Übermaß intelligenter Phantasie kritisiert, obwohl er doch der Meinung ist, daß nur eine intelligente Komposition den hörenden Kenner zu einer „öftern" Wiederholung einlädt:

„Es ist nicht zu leugnen, dass Hr. v. B. ein Mann von Genie ist, der Originalität hat und durchaus seinen eigenen Weg geht. Dazu sichert ihm seine nicht gewöhnliche Gründlichkeit in der höhern Schreibart und seine eigene ausserordentliche Gewalt auf dem Instrumente, für das er schreibt, unstreitig den Rang unter den besten Klavierkomponisten und Spielern unserer Zeit. Seine Fülle von Ideen, vor denen ein aufstrebendes Genie gewöhnlich sich nicht zu lassen weiss, sobald es einen der Darstellung fähigen Gegenstand erfasst, veranlasst ihn aber noch zu oft, Gedanken wild auf einander zu häufen und sie mitunter vermittelst einer etwas bizarren Manier dergestalt zu gruppieren, dass dadurch nicht selten eine dunkle Künstlichkeit oder eine künstliche Dunkelheit hervorgebracht wird, die dem Effekt des Ganzen eher Nachtheil als Vortheil bringt. Phantasie, wie sie *Beethoven* in nicht gemeinem Grade hat, zumal von so guter Kenntniss unterstützt, ist etwas sehr Schätzbares und eigentlich Unentbehrliches für einen Komponisten, der in sich die Weihe zu einem grössern Künstler fühlt und der es verschmäht, flach und überpopulär zu schreiben, vielmehr etwas aufstellen will, das inneres kräftiges Leben habe und auch den Kenner zur öftern Wiederholung seines Werkes einlade. Allein in allen Künsten giebt es ein Ueberladen, das von zu vielem und häufigem Wirkungsdrange und Gelehrthun herrührt, wie es eine Klarheit und Anmuth giebt, die bey aller Gründlichkeit und Mannigfaltigkeit der Komposition (dies Wort im allgemeinen Kunstsinne überhaupt genommen) gar wohl bestehen kann. Rec., der Hrn. v. *Beethoven*, nachdem er sich an seine Manier nach und nach mehr zu gewöhnen versucht hat, mehr zu schätzen anfängt, als vorher, kann daher den Wunsch nicht unterdrücken — und gegenwärtiges Werk, das viel klarer und also schöner ist, als manche andere seiner Sonaten und übrigen Klaviersachen es sind, ob ihnen gleich darum an Gründlichkeit nichts abgeht, macht diesen Wunsch in ihm noch lebhafter — dass es diesem phantasiereichen Komponisten gefallen möge, sich durchweg bey seinen Arbeiten von einer gewissen Oekonomie leiten zu lassen, die allemal dankbarer als das Gegentheil ist. Es sind wohl wenige Künstler, denen man zurufen muss: spare deine Schätze und gehe haushälterisch damit um! denn nicht viele sind überreich an Ideen und sehr gewandt in Kombinationen derselben! Es ist also weniger direkter Tadel, was Hrn. v. B. hier treffen soll, als vielmehr ein wohlgemeynter Zuruf, der, wenn er auf der einen Seite allerdings tadelt, auf der andern immer etwas Ehrenvolles behält."[2]

Elmar Budde

1 A. Schönberg, *Die formbildenden Tendenzen der Harmonie,* S. 162.
2 Zit. nach St. Kunze, *Gesammelte Konzertberichte,* S. 16.

Trio B-Dur für Klavier, Klarinette/Violine und Cello „Gassenhauertrio" op. 11

ENTSTEHUNGSZEIT: Ende 1797/Anfang 1798.
ERSTAUFFÜHRUNG: nicht bekannt; die von F. Ries (*Biographische Notizen*, S. 81) erwähnte Aufführung beim Grafen Moritz von Fries in Gegenwart Daniel Steibelts kann (entgegen Ries) nicht die Erstaufführung gewesen sein, da Steibelt erst im April oder Mai 1800 Wien besuchte (vgl. Thayer / Deiters / Riemann, *Ludwig van Beethovens Leben*, Bd. II, [3]1922, S. 175).
SKIZZEN: British Library London, Add. Ms 29801, Kafka Sketchbook.
AUTOGRAPH: verschollen.
ERSTDRUCK UND WIDMUNG: Wien 1798 (T. Mollo & Co.), nach C. Czerny stammt die Einrichtung der Violinstimme von Beethoven selbst (vgl. G. Kinsky / H. Halm, *Das Werk Beethovens*, S. 26); der Gräfin Maria Wilhelmine v. Thun gewidmet.
GESAMTAUSGABEN: Alte Gesamtausgabe: Nr. 89 = Serie 11 Nr. 11; Neue Gesamtausgabe: Abt. IV, Bd. 3.

Unter den großen Wiener Klaviertrios Beethovens, zu denen man das *Gassenhauertrio* wegen der von Beethoven selbst hergestellten Violinfassung des Klarinettenparts mit einer gewissen Berechtigung zählen kann, hat nur das D-Dur-Trio op. 70, Nr. 1 mit op. 11 die dreisätzige Anlage — hier: rascher Anfangssatz, langsamer Mittelsatz und Variationen-Finale — gemeinsam, die sich in Mozarts Kammermusikwerken mit Klavier seit den Mannheimer Sonaten von 1778 gegen die in Paris übliche Zweisätzigkeit der streicherbegleiteten Klaviersonate um 1760 durchzusetzen beginnt und auch in Beethovens Duos für Klavier und Streichinstrumente vor der (in seinen Klaviertrios üblichen) Viersätzigkeit überwiegt. Dem Variationen-Finale von op. 11 liegt bekanntlich ein damals populäres Thema aus Joseph Weigls Komischer Oper *L'Amore marinaro* (*Der Korsar oder Die Liebe unter den Seeleuten*) zugrunde, das seit der ersten Aufführung der Oper 1797 ein musikalischer „Dauerbrenner" in Wien gewesen zu sein scheint. Damit ist op. 11 Beethovens einziges mehrsätziges Werk, das einen Variationenzyklus über ein fremdes Thema enthält. Während Beethoven dem „Gesellschaftsspiel" des Variierens gegebener oder aufgegebener Themen (das ja zugleich eine bedeutende musikalische Gattungstradition verkörpert) mit einer stattlichen Reihe selbständiger, zum Teil sehr gewichtiger Variationenzyklen nicht nur für Klavier gehuldigt hat, gibt es in seinen mehrteiligen Werken, sofern sie Variationen enthalten, nur solche über eigene Themen. Vor allem vor diesem Hintergrund ist wohl Carl Czernys Erzählung zu verstehen, Beethoven habe es später bedauert, das Trio mit einem Variationensatz geschlossen zu haben, und mit dem Gedanken gespielt, für op. 11 ein neues Finale zu komponieren, den Variationenzyklus aber als ein separates, eigenständiges Werk zu belassen.[1] Ein Vergleich des Variationen-Finales von op. 11 mit den beiden selbständigen Variationenzyklen für Klaviertrio, op. 44 und op. 121a, böte sich daher an, zumal da insbesondere

1 Vgl. Thayer / Deiters / Riemann, *Ludwig van Beethovens Leben*, Bd. II ([3]1922), S. 100.

op. 11 und op. 121a nicht nur jeweils auf einer populären Musiknummer eines Bühnenwerks beruhen, sondern auch einige auffallende formale Eigenheiten gemeinsam haben: das von einer Solovariation des Klaviers ausgehende sukzessive Aufbauen der Triokonstellation in den ersten drei bzw. vier Variationen, eine Schlußvariation im raschen 6/8-Takt und die mit einer abschließenden Rückkehr zum ursprünglichen Metrum verbundene Auflösung des Themas in einer Coda (vgl. im übrigen die Ausführungen zu op. 121a und op. 44). Stattdessen jedoch soll das Augenmerk auf einige Besonderheiten im Aufbau des Kopfsatzes gelenkt werden; denn im Gegensatz zum Finale, das dem Werk zu seinem populären Beinamen verholfen hat, ist er es, der die Werkphysiognomie hauptsächlich prägt. Die Angelpunkte des Satzaufbaus, an denen sich die für die Wiener Klassik eigentümliche Art des Zusammenwirkens von gattungsgebundener Formkonvention und individuellem kompositorischem Konzept zeigen läßt, sind die Satzeröffnung Takt 1—19, die Überleitung zum Seitensatz der Exposition Takt 33ff., der Beginn der Durchführung Takt 106ff., der Einsatz der Reprise Takt 157ff. und die kurze Coda Takt 243ff.

Keine andere Werkeröffnung Beethovens setzt ausgerechnet im allerersten Takt mit ähnlicher Entschiedenheit zunächst eine tonikafremde Situation wie der massive Unisono-Beginn des *Gassenhauertrios*, der in emphatischer Eröffnungshaltung mit der Quinte f anhebt und sich in gewichtigen Halbenoten chromatisch zur Sexte g schiebt, ohne daß zuvor die Tonika b überhaupt berührt, geschweige denn befestigt worden wäre. Erst die durch den F-Dur-Dominantseptakkord absteigende Viertelfolge von Takt 3 wird am Ende durch ein Tonikaintervall, die aufspringende Sexte d—b aufgefangen. In diesen ersten vier Takten ist die Tonika also weder Ausgangspunkt noch überhaupt gesichertes Fundament; vielmehr wird sie durch den gleichsam in medias res springenden Unisonogang erst erreicht. Unverkennbar ist die den Eröffnungstakten innewohnende Kadenzfolge (I)—IV—V—I. Somit beginnt der Satz, noch ehe er richtig in Gang gekommen ist, eigentlich mit einer Schlußformel — ein Sachverhalt, der erwartungsgemäß am Ende der Komposition als solcher zur Geltung gelangen wird (siehe unten), seine Wirkung paradoxerweise aber bereits hier, als Agens eines planvoll entwickelten Eröffnungsgeschehens entfaltet. Die auf der Terz d lastende Tonika, mit dem Grundton b als Nachschlag auf unbetonter Zählzeit, steht bei aller Kompaktheit und Abgeschlossenheit des viertaktigen Themas noch keineswegs auf sicheren Beinen. Aufgabe des folgenden Geschehens ist es daher, einerseits die periodische Abgeschlossenheit aufzubrechen, andererseits den kadenzierenden Gang zur Stabilisierung der Tonika zu nutzen. Dies geschieht über ein schrittweises Ausbauen des Viertaktthemas in zwei Etappen, Takt 5—12 und Takt 13—18. Erst in Takt 19 ist das Ziel erreicht: Die aus einer imitatorischen Verdichtung des Themenkopfs sich herausschälende Kadenzbildung im Ensembletutti (T. 16—18, in deren Baßverlauf wie im Vorbeigehen noch einmal der Themenkopf aufscheint) rastet in der stabilen, auf der Tonika gegründeten Begleitfigur des Klaviers ein, über der sich breit und gelassen ein von den Sechzehnteleinwürfen des Pianisten kommentierter Dialog zwischen Cello und Klarinette entspinnt (T. 19ff.).

Der nächste für die Formwerdung des Satzes entscheidende Vorgang ist die Einführung und Etablierung einer neuen Tonalitätsebene für den Seitensatz. Die V. Stufe, F-Dur, von der nach dem zeitüblichen Bauplan des Sonatensatzes die Rolle der Seitensatztonart zu erwarten ist, wird in Takt 37f. durch zwei kraftvolle Akkordschläge des Ensembletuttis befestigt, die allerdings noch keine stabile F-Dur-

Tonika setzen, sondern, wegen des vorausgegangenen Pendelns zwischen F-Dur und B-Dur noch als dominantischer Halbschluß, als „Quintabsatz" (in der Terminologie der Kompositionslehre von Heinrich Christoph Koch) erscheinen. Ob und in welcher Weise F-Dur sich als neue Tonalitätsebene gegen die immer noch wirksame Schwerkraft der B-Dur-Tonika behaupten kann, wird sich unmittelbar nach diesem Aufmerksamkeit gebietenden „Doppelpunkt" entscheiden.

In diese erwartungsvoll gespannte Dominantsituation setzt nun das Klavier völlig unvermittelt und in scharfem tonalen Kontrast zum Vorhergehenden, solo und pianissimo, eine simple D-Dur-Dreiklangsgeste, die aus einer anderen Welt zu kommen scheint. Ausgerechnet der Ton f, der als neuer Grundton eingeführt und legitimiert werden soll, wird jetzt durch Alteration aufgehoben. Das überraschende D-Dur ist im Begriff, sich durch seine eigene Dominante A-Dur (T. 41) zu festigen, als ein völlig isolierter, aber geistesgegenwärtig und treffsicher gesetzter Einwurf des Cellos wie ein Scharnier eine Wendung nach g-Moll herbeiführt und damit augenblicklich verrät, wo das Manöver hinauswill: Die erneut, jetzt in g-Moll einsetzende Viertaktphrase löst sich diesmal in den dominantischen Quintsextakkord über e auf und öffnet somit das dominantische Tor für das Seitenthema, das in der Klarinette, aus dem dominantischen c aufsteigend, nun wirklich in F-Dur anhebt. Erst im nachhinein wird die ebenso ausgeklügelte wie einleuchtende Strategie dieses Abschnitts deutlich, durch einen kalkulierten Bruch mit dem Vorangegangenen jede Erinnerung an die Dominante F-Dur auszulöschen, um F-Dur, gleichsam von einer anderen Seite kommend, als neue Tonika etablieren zu können. Daß sich der scheinbare Fremdkörper D-Dur damit als ein wesentlicher Baustein eines auf die neue Tonika gerichteten Kadenzzusammenhangs (D—g—C—F) erweist, zeigt sich auch darin, daß der selbstbewußte Halbe-Rhythmus von Takt 41f. nicht nur als markanter Anfangsimpuls des Seitenthemas weiterwirkt (T. 47f. und 51f.), sondern zugleich eine sinnreiche Reminiszenz an den Kopf des Hauptthemas verkörpert (insbesondere T. 50 und 51).[1]

Inwiefern nun die beiden aus dem Satzganzen herausgegriffenen Vorgänge der Eröffnung und des Übergangs zum Seitensatz miteinander zusammenhängen und was dieser Zusammenhang für den weiteren Verlauf des Satzes bedeutet, zeigt sich am Schluß der Exposition (T. 104f., die beiden letzten Takte vor dem Doppelstrich). In den allermeisten Sonatensätzen Beethovens birgt diese Stelle (als die zweite wichtige „Weichenstellung" nach dem Übergang zum Seitensatz) zwei Möglichkeiten der Weiterführung in sich: Die erste Möglichkeit (für den Interpreten) besteht in der Wiederholung der Exposition, verbunden mit einer Rückkehr in die Ausgangstonart (hier Tonika B-Dur); die zweite Möglichkeit ist die Weiterführung in den zweiten Hauptteil des Satzes (die Durchführung), die oftmals nicht in die Anfangstonart zurückkehrt, sondern die als eigenständige Tonalitätsebene gefestigte Seitensatztonart (hier F-Dur) sozusagen als Sprungbrett für den Start der Durchführung nutzt. Die Wahl der ersten Möglichkeit läßt hier auf den stabilen Tonikaschluß in F-Dur sofort wieder das Hauptthema folgen, das zwar in B-Dur steht, aber (wie beschrieben) mit der Quinte f anhebt und seine Tonika eigentlich erst im vierten Takt erreicht. So

1 Vgl. auch die Besprechung der D-Dur-Stelle in umfassenderem Kontext bei P. Weber-Bockholdt, *B-Dur und D-Dur bei Beethoven,* S. 323.

bekommt mit der Expositionswiederholung nicht nur die auf die B-Dur-Tonika gerichtete Kadenzbewegung im Thema selbst einen neuen Sinn, sondern das gesamte Eröffnungsgeschehen bis Takt 19 erscheint in neuem Licht: Als Wiedererrichtung der B-Dur-Tonika nach dem ersten Durchgang der Exposition wächst ihm eine neue Bedeutungsdimension im Satzzusammenhang zu.

Bei der Wahl der zweiten Möglichkeit (Beginn der Durchführung) kommt hier aber noch eine dritte, besondere und nur in diesem Satz gegebene Möglichkeit ins Spiel: Die Schlußakkorde der Exposition sind eine unzweideutige Reminiszenz an die Zäsur Takt 37f. — und prompt erscheint das vorwitzige Klavierthema von Takt 39ff. Die unscheinbare, aber bedeutungsschwere Nuance seiner chromatischen Versetzung nach Des-Dur ist eine unmittelbare Konsequenz aus der gegenüber Takt 37f. gewandelten tonalen Situation — mit weitreichenden Folgen nicht nur für das Thema selbst. Im Unterschied zu Takt 37f. bezeichnen die Zäsurakkorde jetzt eine eigenständige, durch die ganze vorangegangene Satzentwicklung legitimierte Tonika. Folglich kann die Durchführung daran anknüpfen: Der Ton f bleibt in dem von D-Dur nach Des-Dur versetzten Thema erhalten, das nun auch selbst seinen zwischendominantischen Charakter abstreift und sich mit einer zweitaktigen Erweiterung (T. 114f.) in Des-Dur kadenzierend abrundet (genau besehen erfolgt die entscheidende Weichenstellung für ein Verbleiben in Des-Dur schon in Takt 110: Ges-Dur statt Moll). Damit gibt es aber auch seine ursprüngliche Funktion auf und verabschiedet sich folgerichtig aus der weiteren Entwicklung: Nachdem die Durchführung an einem kritischen Punkt den unvermittelten Sprung der Exposition von F-Dur nach D-Dur mit Hilfe des Hauptthemenkopfes in umgekehrter Richtung überbrückt hat und damit wieder in den Bereich der Grundtonart B-Dur gelangt ist (T. 137 D-Dur dominantisch, T. 143 F-Dur dominantisch)[1], kann die Reprise das Seitenthema (das ja nun in B-Dur stehen muß) ohne die Umwege der Exposition direkt über den auf das Hauptthema folgenden Dialogteil ansteuern (T. 168—183 entsprechend T. 19—33). Die D-Dur-Episode aber entfällt ersatzlos.

So bleiben noch die weiteren Schicksale und Wandlungen des Hauptthemas im Zusammenhang des Satzverlaufs zu klären. Direkt im Anschluß an die Des-Dur-Eröffnung der Durchführung erscheint es im Cello (T. 116ff.), dann in der Klarinette (T. 120ff.). Erstmals durch eine nachdrückliche Kadenzbildung (T. 115) erreicht, offenbart es nun auch selbst, durch den lapidaren Schritt ges—as des Klavierbasses, zum ersten Male ausdrücklich seinen latenten Kadenzcharakter. Aber der gesamte folgende Durchführungsteil bis zum Einsatz der Reprise ist durch die nur am kritischen Punkt Takt 137—142 vorübergehend unterbrochene Alleinherrschaft der vom Thema abgespaltenen Viertelfolge und durch die gänzliche Abwesenheit des dem Thema innewohnenden Kadenzgedankens geprägt. Mit umso größerer Emphase kann daher die Reprise (T. 157ff.) eben dieses grundlegende Einheitsmoment des Themas durch die Wiederherstellung der kompletten Themengestalt in der Grundtonart (und im Unisono) wieder zur Geltung bringen. Der Themeneinsatz auf der Quinte f tritt direkt aus der seit Takt 143 vorherrschenden, spannungsvollen F-Dur-Dominantsituation heraus, so daß der Eintritt in die Reprise eigentlich erst mit dem vierten Takt des Themas (der die Tonika erreicht) vollzogen ist. So erhält die latente

1 Sinnigerweise geschieht dies aber durch dieselbe Quintenfolge d—g—c—f wie in Takt 39—47.

Kadenzstruktur des Themas, die schon im Zuge der Expositionswiederholung in neuem Lichte erschienen ist, an dieser Stelle satzumgreifende Bedeutung als ein zentraler Angelpunkt der „Form“ und als eine kulminative Vereinigung aller bisher zutage getretenen Aspekte des Themas.

Wir verfolgen seine Spur weiter und gelangen zu der kurzen Coda, die sich an die schon bekannte Nahtstelle mit den Schlußakkorden anschließt (T. 243ff.). Die diesen Schlußakkorden innewohnenden verschiedenartigen Möglichkeiten, die ganz eng mit dem doppelgesichtigen Charakter von F-Dur als Dominante einerseits und als eigenständige Tonika andererseits zusammenhingen (siehe oben), sind jetzt, da die Akkorde in der Tonika B-Dur erscheinen (zum ersten Mal übrigens), ausgereizt. Eine Entwicklung ist an ihrem Ende angelangt. So greift eine stockende Wiederholung dieser Schlußakkorde mit dem Dominantseptakkord (T. 245f.) gleichsam nochmals hinter den B-Dur-Schluß zurück, um einem kurzen, zusammenfassend kadenzierenden Abgesang im Klavier Raum zu geben, der vom Ensembletutti aufgegriffen und mit Nachdruck abschließend bestätigt wird. Nichts anderes als das kadenzierende viertaktige Hauptthema selbst, dessen schließender Gestus den Satz mit aller Entschiedenheit eröffnet hatte, verabschiedet sich hier in der mit f—fis—g anhebenden simplen Baßkadenz des Klaviers. Es ist die Preisgabe der individuellen Themengestalt an den ihr selbst schon innewohnenden Kadenzgedanken, ihre Aufhebung in einer gewöhnlichen, unspezifischen Schlußformel, die das dialektische Spiel der Möglichkeiten unwiderruflich beendet.

Robert Forster

3 Violinsonaten D-Dur, A-Dur und Es-Dur op. 12

Entstehungszeit: wahrscheinlich 1797—1798.
Erstaufführung: unbekannt.
Skizzen: zu Nr. 2: Staatsbibliothek Preußischer Kulturbesitz Berlin, aut. 28, Skizzenbuch Fischhof; Bibliothèque Nationale Paris, Ms 83; zu Nr. 3: Staatsbibliothek Preußischer Kulturbesitz Berlin, aut. 28, Skizzenbuch Fischhof.
Autograph: verschollen.
Erstdruck und Widmung: Wien 1798/1799 (Artaria & Co.); Antonio Salieri gewidmet.
Gesamtausgaben: Alte Gesamtausgabe: Nr. 92—94 = Serie 12 Nr. 1—3; Neue Gesamtausgabe: Abt. V, Bd. 1.

Beethoven hat insgesamt zehn Sonaten für Violine und Klavier komponiert und veröffentlicht, publiziert allerdings bis zur *Kreutzersonate* A-Dur op. 47 von 1803 unter der althergebrachten Bezeichnung „Sonate für Klavier mit Violine“. Hinter dieser Bezeichnungsform stand eine Konvention und Norm, auf die gleichsam formelhaft Bezug genommen wurde, auch wenn sich in Beethovens Violinsonaten von früh an gerade unter dem Aspekt der Duopartnerschaft neue Perspektiven ausmachen lassen. Schon Mozart hatte in seinen späten Violinsonaten erkennen lassen, daß das Ideal der Duosonate in einer gleichberechtigten Partnerschaft liege. Beethoven hat diesen Ansatz aufgegriffen und wie in vielen anderen Bereichen auch im Falle der Violinsonate den entscheidenden Durchbruch vollzogen und damit für das 19. Jahrhundert mit dem Typus der Sonate als eines musikalischen Werkes, an dem zwei Partner gleichberechtigt beteiligt sind, neue Grundlagen geschaffen.

Die Violinsonaten entstanden zwischen 1797 und 1812, also in der relativ kurzen Zeitspanne von nur 15 Jahren. Als Werkgruppe werden sie durchweg weit hinter den Klaviersonaten oder den Streichquartetten eingestuft. Dabei mag ein entscheidender Grund sein, daß Beethoven sich in seiner späten Phase der Violinsonate nicht mehr widmete, die Violinsonate also nicht den ganzen Entwicklungsweg des Komponisten widerspiegelt.

Als Instrumentalist war der junge Beethoven in erster Linie Pianist und erwarb sich als solcher größte Achtung und Wertschätzung in den Wiener Gesellschaftskreisen. Die Fertigkeit und die geradezu magische Wirkung seines Klavierspiels waren wegweisend für Beethovens Entwicklung und für seine Stellung im öffentlichen Musikleben Wiens. Beethoven war in Bonn durch den Hofmusiker Rovantius auch im Geigen- und Bratschenspielen unterrichtet worden und verrichtete in der Bonner Hofkapelle seinen Dienst als Bratschist. Allerdings waren seine Fertigkeiten auf der Geige eher begrenzt, was ihn nach der Übersiedlung nach Wien erneut dazu bewogen hat, Violinunterricht bei Krumpholtz zu nehmen. Trotz der relativen Bedeutungslosigkeit der Geige für Beethovens Praxis entging es ihm natürlich nicht, was auf dem Gebiet der Geigenliteratur geleistet worden war. Zumal Mozarts Violinsonaten KV 376—380, die er schon in Bonn kennenlernte, scheinen große Wirkung auf ihn ausgeübt und dann auch in gewisser Weise als Modell gedient zu haben.

Die Gruppe der drei Violinsonaten op. 12 — D-Dur, A-Dur und Es-Dur — entstand in den Jahren 1797/1798 und wurde im Januar 1799 in einer Wiener Zeitung angekündigt. Beethoven war zu dieser Zeit längst kein Unbekannter mehr, er war ins Wiener Musikleben gut eingeführt, galt als „musikalisches Genie" und gestand gleichwohl auch gegenüber der Öffentlichkeit immer wieder seine inneren Bindungen an die Tradition bzw. die „Großen" der Tonkunst wie Haydn, Mozart oder Albrechtsberger ein. Die Sonaten op. 12 hat er Antonio Salieri gewidmet, bei dem er Gesangskomposition studiert hatte und mit dem er in jenen Jahren Umgang pflegte. Rein äußerlich berücksichtigen diese Sonaten noch die alte Tradition; sie sind in der Publikation bezeichnet als „Sonate per il clavicembalo o Forte-Piano con Violino". Tatsächlich aber scheinen sie sich nach Meinung der Zeitgenossen von der „Gesellschaftskunst" jener Zeit schon zu entfernen: Besprechungen aus der Entwicklungszeit halten gerade die Beethovensche Distanzierung von den stilistischen Erwartungen seines Publikums fest. Damit zeigen sich die Sonaten in der Nähe der im Jahre 1799 erschienenen 1. Symphonie, die nach konventionellem Modell gebaut ist, freilich schon eine geistige Haltung erkennen läßt, die auf Zukünftiges vorausweist.

SONATE D-DUR OP. 12, NR. 1. Alle drei Sonaten op. 12 sind dreisätzig. Allegrosätze in Sonatensatzform stehen am Anfang, Rondosätze beschließen die Werke. Die Zwischensätze sind jeweils „langsame" Sätze, wobei diese unterschiedliche Modelle und Ausdrucksformen repräsentieren, so daß vor allem von den mittleren Sätzen her die Sonaten ihre jeweils eigene Individualität gewinnen. Diese Sätze sind es im übrigen auch, die sehr deutlich das Bemühen nach dialogischer Ausgewogenheit der beiden Instrumentalparts erkennen lassen und immer wieder Passagen aufweisen, in denen aus der bewußten Aufeinanderbezogenheit der beiden Instrumente überaus eindringliche Stimmungen und lyrische Qualitäten hervorgehen. Ein sinnfälliges Beispiel für Beethovens Bemühen, die musikalische Gestaltung auf einen Dialog der Instrumente zu gründen, bietet der Andante con moto-Satz aus op. 12, Nr. 1, ein Variationensatz. Die beiden Thementeile werden jeweils wiederholt; dabei wird die jeweilige thematische Substanz in der Abfolge gleichmäßig auf das Klavier und die Violine übertragen. In den Variationen 1 und 2 greift Beethoven dieses Verfahren auf, indem zunächst dem Klavier die führende Rolle zukommt, in der 2. Variation hingegen die Violine die erste Rolle behauptet. Beide Variationen bilden im übrigen „verdeckte" Darstellungen des Themas, indem sowohl Klavier als auch Violine sofort ein reiches ornamentales Spiel entfalten und dabei durch die Unterschiedlichkeit der figurativen Grundmuster zugleich in eine sehr verbindliche Korrespondenz treten. Die 3. Variation, die in a-Moll steht, macht diesen Zusammenhang und die eingeschlagene Entwicklung dann noch deutlicher. In dichter Aufeinanderfolge wechseln nun Klavier und Violine die Führung und verzahnen sich damit gleichzeitig derart, daß daraus eine spannungsvolle Dramatik aufgebaut werden kann. Diese Dramatik beruht allerdings nicht nur auf diesem Führungswechsel der Instrumente, sondern entscheidend darauf, daß Beethoven den Themenkopf vervollständigt und ihn abrupt mit einer im Staccato abwärtsgeführten Tonleiterfigur konfrontiert. Dieser harte und sehr dramatisch wirkende, durch den Wechsel von piano und forte noch besonders unterstrichene Kontrast, der nun auf immer wieder andere Weise den „Dialog" der beiden Instrumente bestimmt, charakterisiert diese 3. Variation, der dann eine codaartige 4. Variation folgt, in der die beiden Parts des Klaviers und der Violine auf höchst bemerkenswerte Weise miteinander verklammert sind, und zwar nun dadurch, daß beide Parts unterschiedliche musikalische Substanzen aufweisen. Im Unterschied zur 3. Variation, deren Ereignisraster kleingliedrig ist, ist die 4. Variation großflächig angelegt. Die Dynamik verbleibt bis auf vereinzelte Sforzati im Piano-Bereich. Am Ende löst Beethoven den Verlauf in eine motivische Fragmentierung auf, die dann durch eine sechstaktige Abschlußphase und Kadenz wieder eingefangen wird.

Ebenso wie dieser Variationensatz schon eine beachtliche künstlerische Selbständigkeit erkennen läßt, verrät die gesamte Sonate in D-Dur Selbstbewußtsein und gestalterischen Eigensinn. Der erste Satz Allegro con brio beginnt mit einer viertaktigen Einleitung, in der der D-Dur-Klang in akkordisch „gebrochener" Form exponiert wird. Dieser Themakopf wirkt ungemein kraftvoll und ausstrahlend; in ihm liegt der Impuls für einen Bewegungsablauf, der gleichsam den gesamten Satz durchzieht. Typisch für Beethoven ist es auch, wie er nach dem Hauptthemasatz die Achtelbewegung zur Sechzehntelbewegung steigert und dann den Überleitungssatz aus der Kombination von Achtel- und Sechzehntelbewegungen gestaltet. Einfache Skalenläufe abwärts und schließlich aufwärts verleihen der Satzentwicklung eine dichte Spannung. Das zweite Thema steht dazu in starkem Kontrast, auch wenn für das Thema der sequenzierend abwärts geführte Skalenlauf in Achtelbewegung gestaltprägend ist und dadurch eine strukturelle Verklammerung mit dem Hauptsatz gegeben ist. Für den Kontrast entscheidend ist die ausgedünnte, überaus sparsame Faktur des Satzes. Die Wiederholung des zweiten Themas verknüpft Beethoven mit der Variante der Triolenbewegung, die fast ornamental wirkt, dann aber für den

Fortlauf des Satzes noch einmal ein weiteres bestimmendes Bewegungsmuster bedeutet, das zugleich dadurch, daß die Triolen gebrochene Akkorde darstellen, das wichtige Gestaltmoment aus dem ersten Themakopf aufnimmt. Die wiederum erfolgende Bewegungsverdichtung bremst Beethoven durch eine Zäsur — durch einen viertaktigen akkordischen Satz, in dem Klavier und Violine in homophonem Satz aufs engste verschränkt sind, bevor dann die Exposition in leichtflüssigem Spiel mit Sechzehntelbewegungen zu Ende gebracht wird.

Wie formbewußt und gestalterisch reflexiv Beethoven arbeitet, zeigt eindrucksvoll der Beginn der Durchführung. Beethoven greift auf die noch im Gedächtnis haftende Zäsurpassage zurück. Diesmal allerdings erklingt sie im Piano; wichtiger aber noch ist es, daß Beethoven den Durchführungsbeginn in F-Dur, also eine Terz tiefer zu A-Dur, ansetzt und die gesamte Durchführung im Tonartenbereich F-Dur / d-Moll / f-Moll ansiedelt. In der materiellen Verarbeitung konzentriert er sich im ersten Teil der Durchführung ganz auf den zweiten Gedanken des Hauptthemas, um dabei die beiden Instrumente in ein vollkommen ausgewogenes Verhältnis zu bringen. Ein weiteres beherrschendes Merkmal bildet die durchgehende Achtelbewegung, die im zweiten Teil der Durchführung dann von der Violine übernommen wird, während das Klavier mit der gebrochenen Akkordbewegung auf die Reprise vorbereitet.

Der Schlußsatz ist von Spielfreude und Unbekümmertheit gekennzeichnet, wobei die Impulse wechselweise von beiden Instrumenten ausgehen. Er zeigt ein hohes Maß an Formgestaltung und sicherem Gespür für die Dimensionierung der Musik und ihre formale Entfaltung. Prinzip dabei ist der Kontrast zwischen dem thematischen Hauptgedanken und den „Seitengedanken". So setzt Beethoven dem diatonisch geprägten Hauptgedanken einen Seitengedanken entgegen, der einerseits durch die Sechzehntelpassage eine Steigerung der Bewegung darstellt und andererseits durch den chromatischen Skalenlauf sowie eine chromatische „Floskel" aus dem Gleichlauf des Hauptthemas ausbricht. Die Chromatisierung der Gestaltung aber erscheint dabei als Ableitung der „eigentlichen" Pointe des Hauptthemas, des Leitton-Vorhalts und der Sforzato-Akzentuierung des Auflösungstons auf der unbetonten zweiten Zählzeit im zweiten Takt. Hier freilich ist der Leitton in seine „normale" Auftaktposition gebracht.

Beethoven hat in diesem Satz die Rondoform mit der Sonatensatzform verschränkt. An der Art, wie er dies tut, wird auch erkennbar, warum ihn diese Kombination anzog; sie gibt ihm einen angemessenen Rahmen, um aus seinen musikalischen Gedanken Entwicklungsprozesse hervorgehen zu lassen, was die Rondoform als doch streng statische Form kaum gestattet. Sehr eindrucksvoll nimmt sich unter diesem Aspekt denn auch der Teil aus, der gleichsam eine „Durchführung" vertritt. Er beginnt in F-Dur, führt dann über die Tonart B-Dur zurück zum Hauptthema bzw. zur Quasi-Reprise. Spannend an diesem Formteil ist, daß er auf den ersten Satz zurückweist, und dies in mehrerlei Hinsicht: Auch im ersten Satz beginnt die Durchführung in F-Dur. Die Parallele der Tonartenkonstellation setzt den ersten und dritten Satz in eine Beziehung, die unter dem Aspekt einer Verknüpfung der Sätze in einer übergreifenden Wirkeinheit zu verstehen ist. Untermauert oder besser: nahegelegt wird diese Interpretation aber vollgültig durch die Melodiegestalt. Sie besteht aus zwei Grundelementen: dem melodisch aufwärtsgebrochenen Akkord und der sich unmittelbar daran anschließenden melodischen Tonleiterbewegung. Genau diese beiden Elemente — in ihrer Gegenüberstellung wie Verknüpfung — bildeten die strukturellen Bestimmungsmomente im ersten Satz.

Sonate A-Dur op. 12, Nr. 2. Bedenkt man das pointenartige Vorhaltsmotiv des Hauptthemas des Finales aus op. 12, Nr. 1 und bedenkt man vor allem seine charakterlich bestimmende Bedeutung, so könnte man meinen, Beethoven habe seine Sonate in A-Dur op. 12, Nr. 2 unter Bezug auf seine Erfahrung mit einem solch kleinen, dabei gleichwohl sehr bedeutenden Detail begonnen. Hauptthema des ersten Satzes ist die über die Akkordtöne abwärtsgeführte Kette von Vorhaltsmotiven. Höchst mögliche metrische Konstanz ist bestimmend für diesen Einfall, der zum Ausgangsimpuls eines ununterbrochenen, fast motorischen Ablaufs wird. Das Thema als ganzes ist freilich zweigliedrig, wobei das zweite Element den Bewegungsgleichlauf in der kontrastierenden Form der Sechzehntelbewegung aufnimmt, alle anderen Gestaltmerkmale aber im Verhältnis einer kontrastierenden Beziehung zum ersten Themaelement zu sehen sind: dort Abwärtsbewegung über die Stufen der Akkordtöne, hier Aufwärtsbewegung in Form des Tonleiteranstiegs; dort Vorhaltsmotive, hier eine gleichmäßige Wechselnotenfiguration, die der aufsteigenden Skala eine kraftvolle Stabilität verleiht und — wie im Falle des ersten Themaelements — die prinzipielle Bedeutung von metrischer Konstanz unterstreicht. Das wird auch an der Verlaufsfolge deutlich, deren einzelne Teile jeweils auf einem bestimmten rhythmisch-metrischen Grundmuster aufgebaut sind. Sie gehen zunächst gleichsam „natürlich“ und zäsurenlos auseinander hervor und bauen eine Bewegungsmotorik auf, die nicht mehr zum Stillstand zu kommen scheint, bis sie dann doch durch eine Generalpause abrupt beendet wird. Die aufgebaute Spannung fixiert Beethoven in einer figurativen Floskel über dem verminderten Septakkord, wobei die mehrfache Wiederholung dieser Floskel auf andere Weise, als es die Generalpause tut, das Festgefahrene in der Bewegungsmotorik festhält, bevor sich dann in einem Skalenlauf und Kadenzierung die Spannung löst. Allerdings endet die Exposition hiermit noch nicht. Beethoven schließt eine Episode an, die deshalb so bemerkenswert ist, weil in ihr verschiedene Funktionen zusammenfallen. Am auffälligsten ist die Unisonoführung von Klavier und Violine — Ausdruck innigster Verschränkung zweier Partner, Ausdruck der „Zusammenfassung“ —, aber dies auch im formalen Sinn. Der ruhige Duktus dieser Episode rückt das Vorangegangene in Distanz und schafft eine Plattform für „neue“ Entwicklung. Die Episode erst macht den eigenwilligen Entwicklungsprozeß des Vorausgegangenen ganz deutlich und rundet ihn ab, indem sie in sich selbst auf völlig andere Weise auch noch einmal das Prinzip der Konstanz herausstellt und in kleinerem Rahmen wiederum eine Bewegungskontinuität aufbaut, die charakteristisch ist für den gesamten Satz.

In der Durchführung konzentriert sich Beethoven auf die Verarbeitung des Materials aus dem Hauptthema. Doch damit nicht genug: An die Reprise schließt er eine Coda an, die aufgrund einer nochmals gesteigerten Verarbeitung des Materials der Vorhaltsmotive fast eine zweite Durchführung darstellt. Zielsetzung dieser zweiten Durchführung ist es, die eigentliche Thematik dieses ersten Satzes, nämlich „Bewegung“ und „Bewegungskontinuität“, deutlich herauszustellen. Auch die Art der Schlußgestaltung des Satzes, die sukzessive Auflösung und klangliche Ausdünnung, unterstreicht diese Thematik.

Eine Welt des lyrischen Innehaltens bedeutet dagegen der zweite Satz, der in seiner großformalen Anlage dreiteilig mit episodischer Coda gestaltet ist, grundsätzlich dabei aber im Unterschied zum ersten Satz aus übersichtlich gestalteten Abschnitten besteht, die deutlich voneinander abgehoben sind. Das gilt insbesondere für den zweimal 16 Takte umfassenden Hauptsatz, bei dem zunächst das Klavier das Thema exponiert, das dann wortwörtlich von der Violine übernommen wird. Der Mittelteil basiert weniger auf einem thematischen Material, das durch die beiden Instrumente dargestellt wird, als vielmehr auf dem Vorsatz und Prinzip, aus der Verschränkung der Instrumente auf der Grundlage desselben Materials eine Satzstruktur und -entwicklung hervorgehen zu lassen. In der Wiederholung des Hauptsatzes bezieht Beethoven dann diese Erfahrungen mit ein, so daß sich daraus eine „Reprise" ergibt, die gleichzeitig etwas ganz Neues darstellt.

Der Finalsatz strahlt eine wunderbare Beschwingtheit und gelöste Stimmung aus. Er stellt eine Kombination aus Rondo- und Sonatensatzform dar und wird in seiner weit ausgreifenden Dimensionierung getragen durch souverän durchgeführte Modulationen und durch eine hohe Raffinesse in der rhythmischen Gestaltung. Auffallend am Hauptthema ist die synkopische Verschiebung, die freilich durch die zweite Phase sofort wieder korrigiert und ins Lot eines Gleichmaßes gebracht wird. Überaus aufschlußreich für Beethovens Könnerschaft ist dann die den Themasatz abschließende und zur Grundtonart kadenzierende Phase. Sie besteht aus zwei deutlich getrennten Motiven, die durch die Baßfigur zusammengebunden werden. Aus diesen Elementen entwickelt Beethoven dann den Satzverlauf, reich an Kontinuation und brillant in der Nutzung der Details, zum Beispiel der kadenzierenden Melodiefloskel aus dem Themasatz, deren Verarbeitung der formalen Gestaltung eine bedeutende Gewichtung und „Eigensinnigkeit" verleiht.

SONATE ES-DUR OP. 12, NR. 3. Die dritte Sonate aus op. 12 wirkt einerseits in ihrer gestalterischen Konzeption am konventionellsten, andererseits sind die Charaktere der einzelnen Sätze derart prägnant und pointiert, daß in der Konsequenz daraus eine Qualität resultiert, die auf ganz neue musikalische Dimensionen vorausweist. Ungemein dicht und geschlossen wirkt diese Sonate und zugleich absolut souverän in der Handhabung der kompositorischen Mittel. Das Werk repräsentiert „Vollendung" — Vollendung im Sinne der meisterhaften Auseinandersetzung mit den musikalischen Sprachmitteln und Formen des klassischen Stils Mozarts.

Der erste Satz ist zunächst ganz vom Klavier her angelegt und entwickelt. Er demonstriert klavieristische Virtuosität und Brillanz, deren Sogkraft sich die Violine allerdings nicht entziehen kann und die nach und nach zur Sache der Geige wird. Die Folge daraus ist eine eng und immer inniger werdende Verschränkung der Duopartner.

Der zweite Satz steht in C-Dur. Dieselbe Tonartkonstellation Es-Dur/C-Dur weist die zwei Jahre zuvor entstandene Klaviersonate op. 7 auf. Diese Dur-Aufhellung der Moll-Parallele zur Haupttonart Es-Dur verleiht dem Mittelsatz schon per se ein besonderes Gewicht, hebt ihn klanglich-harmonisch besonders hervor. Doch eingelöst wird dieses gesamtformale Konzept dann durch die Verdichtung des Expressiven. Eine einfache melodische Grundgestalt liegt dem Satz zugrunde, deren Durchführung steht ganz im Zeichen des Ausdruckhaften. Die zahlreichen figurativen Elemente, die Beethoven in diesem Satz einsetzt, dienen dabei nicht dem Ziel einer dekorhaften Überhöhung, sondern sie werden zu Funktionsträgern und elementaren Stützen des Ausdrucks.

Dagegen erscheint das Rondo geradezu konventionell und wie eine Reminiszenz an eine im Grunde bereits längst zur Vergangenheit gewordene Musik. Die für Beethoven so typische Mixtur aus Spielfreude, Brillanz, Kraft und funkelndem Witz verleiht dem Satz bei aller Konventionalität „Eigensinnigkeit" und Individualität. Unterstrichen wird diese Eigensinnigkeit dann aber auch durch einen ausgedehnten Mittelteil, dessen harmonische Weitläufigkeit und Dehnung der formalen Dimension kombiniert ist mit einem sehr sparsamen Einsatz von sehr einfachem Material. Einfachheit ist das bestimmende Moment der Thematik und Strukturbildung. Doch gerade sie ist für Beethoven die Voraussetzung, um seine souveräne Könnerschaft in der Verarbeitung und Verwertung des einfachen Materials voll und demonstrativ ausspielen zu können.

Dieter Rexroth

Klaviersonate c-Moll Pathétique op. 13

Entstehungszeit: 1798—1799.
Erstaufführung: unbekannt.
Skizzen: 3. Satz: Staatsbibliothek Preußischer Kulturbesitz Berlin, aut. 28, Skizzenbuch Fischhof; British Library London, Add. Ms 29801, Kafka Sketchbook.
Autograph: nicht nachweisbar. Nach T. 1—2 des 1. Satzes abgebrochene Reinschrift: Staatsbibliothek Preußischer Kulturbesitz Berlin, Landsberg 7.
Erstdruck und Widmung: Wien 1799 (Hoffmeister & Co.), vgl. R. S. Hill, in: *Notes* 15 (1958), S. 396f. sowie A. Tyson, *Beethoven's ‚Pathétique' Sonata and its Publisher*, S. 333f. und 714; Fürst Carl v. Lichnowsky gewidmet.
Gesamtausgaben: Alte Gesamtausgabe: Nr. 131 = Serie 16 Nr. 8; Neue Gesamtausgabe: Abt. VII, Bd. 2.

Es sind vor allem zwei Eigentümlichkeiten, durch die sich diese Sonate von den anderen Klaviersonaten Beethovens unterscheidet: Zum einen trägt sie einen Namen und ist damit — neben *Les Adieux* op. 81a — die einzige Sonate, die Beethoven mit dergleichen versehen hat; zum anderen beginnt ihr erster Satz mit einem langsamen Teil, der aber nicht wie in op. 78, 81a und 111 darauf beschränkt ist, langsame Einleitung und damit lediglich das Portal der Sonate zu sein, sondern im weiteren Verlauf des Satzes rekapituliert wird. Ihren besonderen Nimbus dürfte die Sonate diesen beiden ebenso ungewöhnlichen wie rätselhaften Eigenheiten verdanken, die in deutlicher Korrespondenz zueinander stehen (oder doch zu stehen scheinen); denn auf nichts läßt sich das Epitheton „pathétique" besser beziehen als auf die langsamen Takte des ersten Satzes, die bezeichnenderweise mit „Grave" überschrieben sind.

Der Name der Sonate läßt sich zwar mühelos den verbreiteten Beethoven-Klischees einfügen, aber was genau Beethoven mit „pathétique" sagen wollte, ist durchaus ungewiß. Das Werk ist nicht so außergewöhnlich im Ausdruck, daß sich sein Name von selbst verstünde, und es ist oft darauf hingewiesen worden, daß viele Werke Beethovens, vor und nach op. 13, gleichermaßen den Namen „pathétique" führen könnten. Die Vorstellung jedenfalls, Beethoven habe in dieser Sonate in besonderem Maße „große und erhabene Leidenschaften", wie man „pathétique" — „pathetisch" zu seiner Zeit zu übersetzen pflegte[1], dargestellt oder gar entsprechendes eigenes Erleben wiedergegeben, ist nicht haltbar. Beethoven war auch gar nicht der erste, der „pathetisch" in Verbindung mit Musik gebrauchte. Bemerkenswerterweise und vermutlich nicht zufällig findet man das Wort im Werk von Beethovens Bonner Lehrer Neefe, und zwar gleich mehrfach. In Neefes Monodram *Sophonisbe*, aufgeführt im Bonner Hoftheater in den Jahren 1782 und 1783[2] — zu jener Zeit also, in der Beethoven Neefes Schüler wurde —, finden sich ein Abschnitt in einem Monolog der Titelheldin mit der Tempo- bzw. Vortragsangabe „Allegro patetico" (Klavierauszug, S. 10) und ein Priesterchor mit der Anweisung „Patetico" (S. 26). In den *Oden von Klopstock mit Melodien von Christian Gottlob Neefe*[3] verwendet der Komponist zweimal die Anweisung „pathetisch": im „Schlachtgesang" (S. 2) als generelle Bezeichnung für das gesamte Stück, in „‚Ullin zum tapfern Carthon.' Aus Ossians Gedichten" (S. 27) für einen Teil der Komposition (S. 29). Vor allem diese letzte Stelle gibt anschaulich Auskunft über den Bedeutungszusammenhang. „Pathetisch" steht hier nämlich im Gegensatz zur Anweisung „Friedlich", mit der das Stück beginnt, und tritt an einer Stelle ein, an der im Text von „überwundenen Feinden" die Rede ist. Auch zwei der übrigen Belegstellen, die erstgenannte aus *Sophonisbe* und der „Schlachtgesang" aus den *Oden*, beziehen sich auf den Krieg. Ein zweiter semantischer Bezug betrifft Religion, Kirche, Gott. Das zeigt der Priesterchor aus *Sophonisbe* mit dem Text „Der du die Sonne schufest [...] Allvater, Allerhalter!", aber auch der „Schlachtgesang", der auch eine Anrufung Gottes darstellt. Hier wie dort verwendet Neefe punktierten Rhythmus, worin er sich mit den langsamen Takten im ersten Satz von op. 13 trifft, was freilich noch nicht beweist, daß Beethoven die nämlichen Inhalte vor Augen gehabt hätte.

Daß es Theater- und Vokalstücke und nicht Sonaten oder Symphonien sind, in denen das Wort „pathetisch" erscheint, stimmt zusammen mit der Einschätzung und Bewertung in Sulzers *Allgemeiner Theorie der schönen Künste*, wo es im Artikel *Pathos; Pathetisch* heißt: „In der Musik herrscht es vorzüglich in Kirchensachen und in der tragischen Oper."[4] Der Verfasser des Artikels sieht allerdings gerade in der Musik wahrhaftes Pathos selten verwirklicht und steht den Bemühungen der Künstler seiner Zeit um die Realisierung des Pathetischen in der Kunst skeptisch gegenüber. Glaubt man seiner Darstellung, dann brachte nur die Antike Pathos angemessen in künstlerische Gestalt, vornehmlich in Tragödie und Ode. Die einzige Ausnahme der Neuzeit bildet Klopstock mit seinen „Oden von hohem geistlichem Inhalt". Es war demnach nicht Eigenwilligkeit, sondern entsprach allgemeinem Konsens, wenn Neefe die Anweisung „pathetisch" gerade seinen Vertonungen Klop-

1 Vgl. J. H. Campe, *Wörterbuch zur Erklärung und Verdeutschung*, Bd. II, S. 148.
2 Vgl. I. Leux, *Christian Gottlob Neefe*, S. 73.
3 Flensburg und Leipzig ²1779.
4 J. G. Sulzer, *Allgemeine Theorie der schönen Künste*, Bd. III (²1793), S. 661b.

stockscher Oden mitgab. Behält man dies in Erinnerung und vergegenwärtigt sich andererseits die untergeordnete Rolle der Instrumentalmusik im ästhetischen Bewußtsein der Zeit ausgangs des 18. Jahrhunderts, dann ließe sich denken, daß Beethoven mit der Bezeichnung seiner Sonate als „pathétique" eine Aufwertung der Instrumentalmusik, speziell der Gattung der Sonate im Sinn hatte; daß er den Anspruch erhob auf Gleichstellung der Sonate mit Tragödie und Ode. Die Beifügung „pathétique" im Titel ließe sich dann verstehen als Anweisung an den Spieler, das Werk vorzutragen, als sei es eine Ode von Klopstock.

Klaviersonaten beginnen zwar bisweilen mit einem langsamen Satz, aber Sonatensätze mit langsamen Einleitungen am Sonatenbeginn sind sehr selten; es gibt sie weder bei Haydn noch bei Mozart. Beethoven dagegen stellte schon seiner Bonner f-Moll-Sonate WoO 47, Nr. 2 einen langsamen Abschnitt voran. Die Anregung auch dazu könnte von seinem Lehrer Neefe ausgegangen sein, der die zweite seiner *Sechs Neuen Klaviersonaten* (Leipzig 1774) — übrigens auch eine Sonate in Moll — mit einer acht Takte umfassenden „Adagio"-Einleitung versehen hatte. Ein Vergleich des Anfangssatzes der f-Moll-Sonate mit jenem von op. 13 zeigt so bemerkenswerte Gemeinsamkeiten, daß man versucht ist anzunehmen, Beethoven habe mit op. 13 die frühere Sonate gleichsam noch einmal komponieren wollen. Zum einen läßt Beethoven in der f-Moll-Sonate wie in op. 13 die langsamen Takte im Verlauf des Satzes wiederkehren; zum anderen bestehen zwischen den Allegrothemen so enge Beziehungen in Aufbau und Charakter, daß man den Eindruck hat, das Hauptthema im ersten Satz von op. 13 (T. 11ff.) sei die Entfaltung eines Keims aus der f-Moll-Sonate (T. 11f.).

Vorbild für op. 13 bezüglich der langsamen Einleitung könnte aber auch die Gattung der Symphonie gewesen sein, die wenige Jahre vor Entstehen der Sonate durch Haydns Londoner Symphonien zu ihrer klassischen Ausformung und zu besonderem Nimbus gelangt war. Vielleicht wollte Beethoven seiner Sonate etwas von diesem Nimbus angedeihen lassen, in Verfolgung der nämlichen Tendenz, die ihn bei der Wahl des Beinamens „pathétique" geleitet haben könnte. Jedenfalls gehört die langsame Einleitung zum Standard der Londoner Symphonien, und es könnte sogar sein, daß Beethoven eine bestimmte Symphonie, nämlich Nr. 103 Es-Dur, vor Augen hatte, als er op. 13 schrieb. Auffällig ist jedenfalls, daß in den Anfangssätzen beider Werke zum einen der langsame Anfangsteil gegen Schluß, als Teil der Coda, rekapituliert und zum anderen das zentrale Motiv daraus in der Durchführung des Allegros zitiert wird.

In op. 13 spielt der langsame Anfangsteil freilich eine bedeutendere Rolle im Satzganzen als in Haydns Symphonie und der Bonner Sonate. Er wird nicht wie dort nur ein einziges Mal rekapituliert, sondern zweimal: einmal vor Beginn der Durchführung und einmal, wie erwähnt, in der Coda. In Haydns Symphonie sind die langsamen Takte gleichsam außerhalb der Sonatenform angesiedelt, um die sie einen Rahmen legen, der Geschlossenheit und formale Abrundung evoziert. In der Bonner Sonate kehren die langsamen Takte unmittelbar vor Beginn der Reprise des Sonatenhauptsatzes wieder, was sie zwangsläufig als Teil der Sonatenform erscheinen läßt. In op. 13 dagegen dringen sie in die Sonatenform ein, ohne in sie integriert zu werden. Wie es scheint, hat es Beethoven geradezu darauf angelegt, ihre Rolle als Fremdkörper im Sonatenablauf, als Widerpart des Allegros, nicht durch motivische Beziehungen zu unterlaufen. Gemeinsamkeiten sind jedenfalls äußerst rar. Was die langsamen Takte (besonders T. 1—10) charakterisiert — punktierter Rhythmus, ausgeprägte Seufzermotivik, exzessiver Gebrauch verminderter Septakkorde, Chromatik, extreme dynamische Gegensätze, schwergewichtig-volle Akkordik —, hat im Allegro kaum ein Pendant; selbst die wenigen vollgriffigen Akkorde, die vorkommen (T. 15f., 23f. usw.), sind durch Staccatopunkte in der Wirkung abgeschwächt. Als einziges verbindendes Element ließe sich das hier wie dort thematische Intervall des Halbtons auffassen, doch ist fraglich, ob nicht seine unterschiedliche Handhabung die Gemeinsamkeit aufhebt. Im langsamen Tempo (Grave) nämlich tritt es abtaktig auf, im Allegro auftaktig; im Allegro als selbständiges Motiv, im Grave stets eingebunden in die Seufzermotivik; im Allegro vornehmlich als Schritt vom Leit- zum Grundton, im Grave ausnahmslos verknüpft mit einer sehr viel komplizierteren Harmonik. Die einzige tatsächlich greifbare Gemeinsamkeit besteht, wie erwähnt, darin, daß das Hauptmotiv der langsamen Takte, die Seufzerfigur Takt 1, in der Durchführung des Allegros auftritt. Bezeichnenderweise hat dieses Auftreten aber keinerlei Konsequenz. Das Motiv wird lediglich zweimal zitiert, aber nicht integriert; es bleibt ein isolierter Fremdkörper in einer Durchführung, die ihr Material ausschließlich aus dem Allegro bezieht.

Grave und Allegro bilden den zentralen Kontrast des Satzes, einen Kontrast, über dem all jene Gegensätze, die gewöhnlich zwischen den Teilen der Sonatenform bestehen, gänzlich in den Hintergrund treten. Das Gegeneinander ist freilich nicht starr. Die Gravetakte erscheinen bei den Rekapitulationen nicht nur gekürzt, sondern auch gewandelt. Charakteristische Elemente aus Takt 1—10 fallen fort. So kehrt die Wendung ins hellere Dur, wie sie Takt 4f. auftritt, nicht wieder. Dasselbe gilt für die große pianistische Geste, das virtuose Lauf- und Figurenwerk, die schwergewichtigen Fortissimo-Akkorde. Die Grave-Rekapitulationen sind konzentriert auf die Seufzermotivik der Anfangstakte und auf die verminderten Septakkorde. Ein weiterer Wandel vollzieht sich zwischen erster und zweiter Rekapitulation. Hält die erste noch am betont kraftvollen Forte-Einsatz der Akkorde fest, so verzichtet die zweite auch darauf (indem sie die erste Zählzeit ausläßt), so daß sich der Gestus von Melancholie und Resignation, zuvor schon anklingend, vollends ausprägen kann. Man ist versucht, diese Entwicklung in Relation zu setzen zum Begriff des Pathetischen, wie er in Sulzers *Allgemeiner Theorie* verstanden wird, die darin im besonderen jene Leidenschaften verkörpert sieht, „die das Gemüth mit Furcht, Schreken [sic] und finsterer Traurigkeit erfüllen“.[1]

Die Sonatenform, der Widerpart des Grave, zeigt in ihrem Verlauf keinen dementsprechenden Wandel; die Exposition aber weist eine Eigenheit auf, die sich in keiner anderen Klaviersonate Beethovens in dieser Ausprägung findet. Gemeint ist das Ende des Epilogs ab Takt 121. Hier wird nicht nur das Hauptthema in einer Ausführlichkeit aufgegriffen wie sonst nie, sondern auch die sonst ausnahmslos am Ende der Exposition eintretende Ruhe gleichsam verscheucht, indem die Zieltonart Es-Dur, kaum erreicht, sogleich wieder verlassen wird. Das Tremolando der linken Hand tut das seine, die erwartete Ruhe in Dramatik zu verkehren. Es gibt zwar schließlich einen Halt, angezeigt durch die Fermate am Ende der Bewegung, doch der dissonante Akkord, der mit der Fermate verknüpft ist, widerspricht der Idee der

1 Ebenda, S. 661a.

Ruhe, drängt vielmehr ebenso weiter wie die Bewegung zuvor. Es scheint keinem Zweifel zu unterliegen, daß diese Besonderheit der Sonatenform in Beziehung zum Widerpart des Grave steht: Die Umformung des Epilogs dient der Überleitung zur Rekapitulation des Grave. Die Konsequenz dieses Gedankens ist allerdings, daß die Wiederholung der Exposition das Grave, also Takt 1—10, miteinbegreift, — eine Überlegung, der jedoch der Befund der einzigen Primärquelle des Werks entgegensteht. Der Erstdruck — handschriftliche Quellen sind nicht erhalten — sieht nur die Wiederholung des Allegros vor. Auffällig ist aber, daß das Wiederholungszeichen zu Beginn Takt 11 dort offenkundig nachträglich eingefügt wurde, was besagen könnte, daß die Vorlage es nicht enthielt. Dies vorausgesetzt, wäre es denkbar, daß nicht Beethoven das Wiederholungszeichen ergänzen ließ, sondern der Verleger, der es selbstverständlich der Konvention gemäß setzte. Im übrigen gilt es zu bedenken: Wenn die besondere Gestaltung des Epilogs auf das Grave bezogen ist, dann erscheint es unlogisch, die gleiche Musik als Rückleitung zur Wiederholung des Allegrohauptsatzes zu verwenden.[1]

Für das Allegro sind formelhafte Begleitfiguren charakteristisch, Brillenbässe in Verbindung mit dem Hauptthema und seinen Ableitungen, nachschlagende Viertel beim Seitenthema. Sie geben dem Satz sowohl die oft bemerkte lapidare Einfachheit, das orchesterhafte alfresco, als auch den Charakter des Dramatischen, Theaterhaften. Zu den Besonderheiten zählt aber auch die veränderte Reprise, die um nahezu 20% kürzer ist als die Exposition, vor allem aber einen variierten Hauptsatz aufweist. Die Überleitung zum Seitensatz (T. 23—48) entfällt völlig; an ihre Stelle treten 12 neue Takte, in denen aus Sequenzen der zweiten Hälfte des Hauptthemas (T. 15—18), die zuvor überhaupt keine Rolle spielte, eine große Steigerung aufgebaut wird, die — ähnlich der Hauptthemareprise im ersten Satz der 1. Symphonie — dem Thema gleichsam eine neue Dimension erschließt. Etwas davon ereignet sich auch in der Reprise des Seitensatzes, wenn das Hauptintervall der Melodie, die Terz, sich plötzlich zu Quinte und Oktave weitet (T. 231f.).

Die Tendenz zum alfresco, zur lapidaren Einfachheit, die ein Merkmal des Allegroteils des ersten Satzes ist, findet ihre Fortsetzung im zweiten Satz „Adagio cantabile". Der Vergleich mit den langsamen Sätzen der meisten anderen Klaviersonaten Beethovens, besonders der op. 13 vorangehenden, weist ihn als einen Satz aus, der gleichsam zum Verzicht auf Vielfalt und Differenzierung neigt. Das zeigt sich besonders daran, daß sein Thema, eine liedhafte achttaktige Periode, innerhalb des Satzes nicht weniger als fünfmal vorgetragen wird. Ist das schon ungewöhnlich genug, so fällt noch mehr aus dem Rahmen, daß das Thema bei den Wiederholungen so gut wie nicht verändert wird; es erfährt keinerlei Variation, so daß es sich dem Hörer zwangsläufig nachhaltig einprägt, dies besonders auch deshalb, weil es zweimal sogar unmittelbar wiederholt wird. Die Besonderheit dabei ist allerdings, daß die Wiederholung des Themas (nicht seiner Begleitung) jeweils eine Oktave höher

1 Die Vermutung, daß die Expositionswiederholung das Grave miteinzuschließen habe, scheint früh bestanden zu haben. Jedenfalls fehlt in Ausgaben der Sonate bei J. André in Offenbach (Plattennummer 2045) und J. A. Löhr in Frankfurt (Plattennummer 270), die erste von ca. 1843, das Wiederholungszeichen zu Beginn des Allegros. Das gleiche gilt für Hans von Bülows Ausgabe und diejenige von Hugo Riemann, der auch in seiner Analyse entsprechend argumentierte (H. Riemann, *L. van Beethovens sämtliche Klavier-Solosonaten,* Bd. II, S. 2).

erklingt — auch dies eine Ungewöhnlichkeit in Beethovens Klaviersonaten. Überdies bleibt die Musik bei den Wiederholungen auch insofern nicht gleich, als sich die Begleitung wandelt: Bei den oktavversetzten Wiederholungen kommt jeweils eine Stimme hinzu, so daß Tonraum und Klangdichte wachsen; bei den Wiederholungen ab Takt 51 treten Triolen an die Stelle der zuvor verwendeten Duolen, so daß die Bewegung innerhalb der Begleitung zunimmt. Nur die Takte 29—36 sind eine getreue Wiederholung von Takt 1—8.

Wenn man das Thema mit A, seine oktavversetzte Wiederholung mit A' und die Zwischenglieder mit B, C usw. bezeichnet, ergibt sich die Anlage A A' B A C A A' D (= Coda). Das Schema erinnert an die Rondoform. Andererseits ist der Satz deutlich zweigeteilt; denn die erwähnten Triolen prägen nicht nur die Wiederkehr des Themas ab Takt 51, sondern durchgehend die gesamte Musik ab Takt 37, während die Takte 1—36 von der langsameren Duolenbewegung bestimmt werden. So wie sich gleichsam mehrere Formmodelle überlagern (man kann den Satz auch dreiteilig auffassen), so vermischen sich auch statisch-tektonische und dynamische Elemente miteinander. Einerseits ist der Satz durch die Wiederkehr des Gleichen geprägt, wie sie in der Wiederholung des Themas und insbesondere in der regelmäßigen Rückkehr des Themas zur Dreistimmigkeit des Satzes und zu tiefer Lage sich darstellt (T. 29ff., 51ff.); andererseits erweist er sich als dynamisch flexibel oder gar als Steigerungsanlage, wie die bereits genannten Eigenschaften belegen und in der kontinuierlichen Erschließung des Tonraums nach der Höhe zu deutlich wird (b'' in T. 11, c''' in T. 18, e''' in T. 43, f''' in T. 69).

Ein anderes charakteristisches Merkmal des Satzes ist seine Dunkelheit. Bedingt wird sie zum einen durch die Tendenz zur tiefen Lage des musikalischen Satzes: Die zweigestrichene Oktave wird gleichsam gemieden, die Musik von mehr als der Hälfte aller Takte spielt sich unterhalb von c'' ab, meist sogar im unteren Teil der eingestrichenen Oktave. Bemerkenswert sind hier vor allem die Passagen, die zur Wiederkehr des Themas überleiten (T. 23—28, 48ff.). Zum anderen erwächst die Dunkelheit aus der Bevorzugung der B- und Moll-Tonarten, wie daran deutlich wird, daß b-Moll die Stelle der Subdominante Des-Dur vertritt (weshalb a und nicht as in der Melodie Takt 6 erklingt), oder am Zwischenteil C (T. 37ff.), der sich von as-Moll nach Fes-Dur (notiert als E-Dur) wendet und bei der Rückkehr zur Tonika (As-Dur) der Dominante (Es-Dur) des-Moll voranstellt (T. 50).

Die Sonate op. 13 ist die erste nur dreisätzige Sonate Beethovens, die mit „grande sonate" betitelt und mit separater Opuszahl versehen ist. Das mag Zufall sein oder mehr auf den Verleger als den Autor zurückgehen. Verwunderlich ist dennoch, daß eine Sonate, die durch ihren Beinamen so unübersehbar einen besonderen Anspruch stellt, diesem Anspruch zumindest bezüglich des äußeren Umfangs (Zahl der Sätze, Satzdauer) nicht zu entsprechen versucht. Dabei kann man sich ein „pathetisches" Scherzo gut vorstellen; aber vielleicht (oder sogar vermutlich) veranschaulicht eine solche Vorstellung nur, daß Beethoven den Beinamen eben anders verstand (sonst hätte er besagtes Scherzo wahrscheinlich nicht ausgelassen). Dasselbe gilt für die bisweilen geäußerte Verwunderung darüber, daß die *Sonate pathétique* mit einem Rondo endet. Hier hätte man wohl einen Satz in Sonatenform angemessener gefunden.

Das Rondo von op. 13 weist mehrere Eigenheiten auf, die es in Beethovens Klaviersonaten zuvor nicht gibt. Bemerkenswert ist zunächst das Thema (T. 1—17), dem die für Rondothemen charakteristische formale Rundung und dynamische Ausgewogenheit fehlen. Es beginnt zunächst mit einer ganz regelmäßigen achttaktigen Periode, deren Nachsatz — auch dies noch keine Ungewöhnlichkeit — wiederholt wird. Aber dann schließt sich, gänzlich unvorbereitet, noch eine Passage an, die durch Synkopen, Oktavenskalen und Crescendo bis zum Forte zur ruhigen Gesanglichkeit der Takte zuvor kontrastiert. Zugleich birgt diese Passage, von bezeichnenderweise fünf Takten, einen Kontrast in sich selbst: Um Dynamik und Elan, wie sie der Steigerungszug Takt 12—15 entwickeln, aufzufangen, bedürfte es einer ausführlicheren Kadenz, als Takt 16f. sie bietet. Nicht zufällig werden diese gleichsam ruhestörenden Takte bei der letzten Wiederkehr des Refrains (T. 171ff.) ausgelassen, so daß sich das Thema erst am Ende zum Rondothema rundet.

Das Rondo hat, wie bei Beethoven üblich, vier Refrains und drei Couplets, und auch die Nähe zur Sonatenform in Gestalt der seitensatzartigen, nämlich terztransponierten Wiederkehr von Teilen aus Couplet 1 in Couplet 3 entspricht der Beethovenschen Norm. Unüblich hingegen ist der Charakter von Couplet 2 (T. 79ff.). Während dieses Mittelstück der Form sonst meist besonders bewegt ist, geprägt durch kleine Notenwerte und virtuose Figuren, ist es hier durch Ruhe und Getragenheit ausgezeichnet. Die Stimmen sind nicht klavieristisch, sondern kontrapunktisch geführt. Stimmtausch im Sinne doppelten Kontrapunkts, Themenumkehrung, imitatorisch wirkende Einsatzverschiebung durch Synkopierung, später dann (T. 98ff.) Hinzutreten einer figurativen Gegenstimme verleihen der Musik in Verbindung mit der Getragenheit der langen Noten den Charakter besonderen Ernstes, der sich mit der Vorstellung von Ausgelassenheit und heiterem Kehraus, wie man ihn gemeinhin mit „Rondo“ verbindet, nicht verträgt. Festzuhalten in diesem Zusammenhang ist auch die Tatsache, daß die Folge von fallenden Quinten (reinen und verminderten) in der Melodik dem Thema des langsamen Satzes entstammt; sie prägt allerdings auch schon den Nachsatz des Refrain-Themas, dessen Anfang, wie häufig festgestellt wurde, den Beginn des Seitenthemas im ersten Satz aufgreift.

Ungewöhnlich sind schließlich der an Couplet 2 anschließende dritte Refrain und das darauf folgende Couplet 3 (T. 121ff.); im Gegensatz zur sonst geübten Praxis verändert Beethoven nämlich den Refrain beim dritten Auftreten, jenem also, der der Hauptsatzreprise der Sonatenform entspricht. Die Wiederholung des Nachsatzes wird zwar noch angegangen (T. 129f.) — übrigens mit vertauschten Stimmen als Reflex der kontrapunktischen Verfahren in Couplet 2 —, aber dann folgt eine aus der Tonart hinausführende Sequenz (T. 131f.) und daran anschließend bereits eine erste terzversetzte Passage aus Couplet 1 (T. 134—138). Refrain und Couplet werden also in einer Weise miteinander verzahnt, wie sie für Reprisen in der Sonatenform, nicht aber im Rondo gebräuchlich ist. Andererseits wird mit Refrain und Couplet fast durchführungsartig umgegangen. So wie im Refrain Motivsequenzen auftreten, so auch im Couplet, das am Schluß (T. 158—170) nahezu wie ein Durchführungsende wirkt.

Egon Voss

2 Klaviersonaten E-Dur (zusammen mit der Bearbeitung für Streichquartett) und G-Dur op. 14

ENTSTEHUNGSZEIT: Nr. 1 und 2: 1798—1799 (Nr. 1: erste Entwürfe wahrscheinlich um 1795); Nr. 1 (Übertragung für Streichquartett): 1801—1802.
ERSTAUFFÜHRUNG: privat.
SKIZZEN: Nr. 1: Staatsbibliothek Preußischer Kulturbesitz Berlin, aut. 28, Skizzenbuch Fischhof; British Library London, Add. Ms 29801, Kafka Sketchbook; Kungl. Musikaliska Akademiens Bibliothek Stockholm; Nr. 1 (Übertragung für Streichquartett): nicht bekannt, Nr. 2: nicht bekannt.
AUTOGRAPH: verschollen.
ERSTDRUCK UND WIDMUNG: Nr. 1 und 2: Wien 1799 (T. Mollo & Co.); Nr. 1 (Übertragung für Streichquartett): Stimmen: Wien 1802 (Bureau des Arts et d'Industrie), Partitur: Leipzig 1911 (Eulenburg); Baronin Josefine v. Braun gewidmet.
GESAMTAUSGABEN: Alte Gesamtausgabe: Nr. 1: Nr. 132 = Serie 16 Nr. 9; Nr. 2: Nr. 133 = Serie 16 Nr. 10; Neue Gesamtausgabe: Nr. 1 und Nr. 2: Abt. VII, Bd. 2; Nr. 1 (Übertragung für Streichquartett): Abt. VI, Bd. 3 (Anhang 2).

Die „stillen" Sonaten op. 14 sind äußerlich schlicht. Sie gehören nicht zur heroischen Linie im Schaffen des Komponisten, sondern bringen eine andere Seite der Persönlichkeit des Künstlers zum Ausdruck: ihr helles Antlitz, Freude, Sorglosigkeit. Beethovens Stil ist vielseitig, und die Sonaten op. 14 sind für ihn genauso charakteristisch wie seine heroisch-dramatischen Werke. Das Beethovensche an diesen Sonaten besteht in der von seinem Genie getragenen künstlerischen Konzeption selbst. Die Gedankenkraft und die explosive Wirksamkeit ihrer Entwicklung sind nicht weniger erstaunlich als die der berühmten Sonaten op. 13 und op. 27.

Die dreisätzige Sonate E-Dur ist aus drei musikalischen Charakteren zusammengestellt. Der erste Satz — Allegro — scheint, oberflächlich gesehen, nur der Ausdruck eines netten, gemütlichen, offenherzigen, zärtlich-träumerischen musikalischen Charakters zu sein, gehört aber in der Tat zur neuen Gedankenwelt Beethovens. Das geheimnisvolle Allegretto spielt die Rolle eines „langsameren" Teils des Zyklus. Es gibt keinen langsamen Satz in der Sonate, und das ist eben das Besondere ihrer Idee (ein ähnlicher Gedanke war schon in der Sonate F-Dur op. 10, Nr. 2 enthalten). Der Rhythmus der Melodie mit seiner deutlichen Sechsteiligkeit ist dem Wesen nach mit der Bewegung des Scherzos verwandt. Es entsteht, besonders wegen der Kombination mit der Moll-Färbung, ein paradoxes „scherzando serioso". Anton Rubinstein nannte den zweiten Satz ein „düsteres Scherzo". Der sich andeutende Schatten des Allegrettos wird durch die leichte Motorik des Finalrondos verdrängt. Im Rückgriff auf den Bereich der fröhlichen Gestalten des ersten Satzes leitet das Finale die komplizierten Ideen des Kopfsatzes in die Sorglosigkeit des gewonnenen Gleichgewichtes und der Klarheit über.

Doch die Hauptwerte des genialen Schaffens des Komponisten kommen bei der Analyse seines Musikdenkens, das in seiner künstlerischen Arbeit realisiert wird, zum Vorschein. Echte Musik beginnt dort, wo es unmöglich wird, ihre Wirkung in Worten zu beschreiben. All die gewöhnlichen Bezeichnungen (auch wenn sie detailliert sind) wie: „heroisch“, „heiter“, „pathetisch“, „Frühlings-“, „erhaben“ umreißen zwar den gesamten emotionalen Inhalt der Musik, können sich aber sowohl auf das Werk eines Genies beziehen als auch auf das eines mittelmäßig begabten Komponisten. Die Höhe der Kunst selbst kennzeichnen sie nicht. Das wird offensichtlich, wenn man das ganze Schaffen Beethovens überblickt, vor allem seine Gipfelwerke, zu denen die Sonaten op. 14 dennoch nicht gehören. Von der Analyse eines früheren Werkes ist es auch nicht zu erwarten, daß Beethovens Schaffen voll und ganz erschlossen werden kann. Doch schon das, was wir darin finden, weist auf Beethoven hin: auf die Kunst eines freien Geistes, für den die Musik (nach einem Ausdruck von Philipp Herschkowitsch) kein Adjektiv, sondern ein Substantiv ist (das uralte μουσική — „musisch“ ist zunächst ein Adjektiv), dessen Denken eine neue Höhe erreicht hat, von welcher sogar die radikale Musik des weiten 20. Jahrhunderts vorauszusehen ist.[1]

Beethovens neues Musikdenken beginnt mit dem Themagedanken selbst, der dann einem enorm intensiven Entwicklungsprozeß zugrundegelegt wird. In Hinsicht auf die Relief förmigkeit und den Maßstab der thematischen Handlung ist Beethovens Denken in der Geschichte unvergleichlich geblieben. Zwar hat nicht Beethoven die Entwicklung des Gedankens als Prinzip des ersten Sonatenallegros erfunden, aber er war der erste, der die inhaltlichen Kontraste zwischen einzelnen Teilen einer Komposition äußerst stark hervorgehoben und ihre feinen und allseitig differenzierten inhaltlichen Bedeutungen und Funktionen mit besonderer Schärfe gezeigt hat. Darum wirkt Beethovens Gedanke sogar in „stillen“ Sonaten so stark.

Schon der Hauptgedanke des Allegros (Beethoven stellte sich einen Sonatensatz als Entwicklung eines Hauptgedankens und nicht — wie seine Nachfolger — zweier Hauptgedanken vor) ist so formuliert, daß er bei weitem nicht einfach und sorglos ist. Seine innere Kompliziertheit kommt vor allem in der Raffiniertheit des Metrums zum Ausdruck. Als Grundlage nimmt Beethoven einen von zwei Typen symmetrischer liedartiger Achttakter: nicht eine einfache Periode aus 4 + 4 Takten, sondern eine Satzform mit der dynamischen Struktur von 2 + 2 + 1 + 1 + 2 Takten (wie auch in den Sonaten op. 2, Nr. 1; op. 2, Nr. 3; op. 10, Nr. 1). Die symmetrische Struktur wird jedoch durch Verwandlung der Abspaltungsstrecke (T. 5—6) in einem Quasi-Fugato und durch ein mit zwei Anhängen erschwertes Ende innerlich kompliziert. Im Ergebnis wird der Gedanke dichter und verwandelt sich in ein festes Massiv, das von der ursprünglich einfachen Liedgestalt weit entfernt ist. (Die Struktur des Hauptthemas, in Funktionen des metrischen Achttakters ausgedrückt, lautet folgendermaßen: 1—2, 3—4, 5—6—7—8 = 7^a—8^a = 7^b—8^b, 7^c—8^c.)

Das dem Hauptthema gegenüberstehende Nebenthema ist seine dialektische Antithese. Es ist auf zwei diametral entgegengesetzte Arten mit dem Hauptthema verbunden: Einerseits ist es eine Wiederholung des Hauptthemas (entwickelt aus einem Teilchen) und andererseits sein Gegensatz. Diese für das Allegro einer Sonate so typische Doppelheit des Nebengedankens wird von Beethoven bis zum höchsten Grad

1 Vgl. die Analyse des ersten Satzes der Sonate op. 10, Nr. 1 in: J. Rufer, *Die Komposition mit zwölf Tönen*, S. 41—47.

geführt. Hier hat Beethoven sowohl die Vorgänger (die meisten von ihnen hatten keinen so starken Kontrast) als auch die Nachfolger (diese hielten sich nicht so strikt an die enge Abhängigkeit des Nebengedankens vom Hauptgedanken) übertroffen. Eben die Gegenidee verlangsamt sofort die Bewegung (hier finden sich die in einem Gesangsthema üblichen Viertelnoten anstelle von Achteln), es entsteht der allgemeine Eindruck einer ruhigeren Pulsation. Die zweifache Verlangsamung bedeutet gleichzeitig eine doppelte Verlängerung: 24 Takte anstelle von 12. Erstaunlich ist die Form des Nebenthemas. Es scheint ein einziges Mal mit der Barform zusammenzufallen, selbstverständlich ohne daß eine Verbindung zu einem protestantischen Choral oder zu den Meistersingern bestünde. Es harmoniert nur mit dem allgemeinen Gesangscharakter des Nebenthemas:

Stollen 1	Stollen 2	Abgesang
4 + 4	4 + 4	4 + 4

Die mehrmalige Wiederholung des Motivs im Abgesang ermöglicht es hier, die Entwicklung der Barform aus einer herkömmlichen Struktur des Seitensatzes zu ersehen: thesenartige Darlegung des neuen Melodiethemas, anschließend der Gang (der zweite in der Exposition, wenn man den Gang zwischen Haupt- und Nebensatz für den ersten hält). Mit einem solchen Aufbau des Seitensatzes war Beethoven schon 1790 in der ersten (vom Autor abgelehnten) Variante des Seitensatzes im Allegro der Sonate op. 2, Nr. 1 in f-Moll vertraut[1]: Dem Hauptsatz (8 Takte) und der Überleitung (6 Takte) folgt dort der Kern des Seitensatzes (6 Takte), und daran schließt sich ein Gang aus der mehrmaligen Führung einer Phrase an, was sinngemäß dem „Abgesang“ aus der Sonate op. 14, Nr. 1 sehr nahekommt.

Am besten kommt jedoch die Konzeption des Beethovenschen Musikdenkens in der Logik der Gedankenentwicklung zum Ausdruck. Man kann das, was wir im Kopfsatz der Sonate empfinden, in keine Worte fassen, doch kann es durch hörbare Zeichen des Prozesses, durch Musikelemente, verfolgt werden. Und eine Analyse ist dazu berufen, den Weg zum besseren Verstehen des Prozesses zu bahnen; die Analyse erlaubt es, den Prozeß zu verfolgen und ästhetisch zu erleben. Als Träger des Entwicklungsprozesses treten die Thematik (bei Beethoven wie auch bei den Klassikern sind es der Rhythmus und die Tonlinie) und die Harmonie auf. Im Ergebnis wird eine ganze einheitliche Form durch den Prozeß abgegossen. Hier sind nicht mehr nur die Melodien, nach denen vor allem über „Charaktere“ geurteilt wird, wirksam, sondern die Motive, ihr Rhythmus, ihre Linien, ihre Harmonie (die Motive in der Homophonform sind nicht einstimmig, sondern mehrstimmig).

Im ersten Sonatensatz-Allegro wird ein winziges melodisches Motiv aus zwei Tönen h'—e'' zum Keim des ganzen Organismus. Sich nach Symmetriegesetzen multiplizierend, reproduziert es sich durch Ertönen auf anderen Stufen der Tonart (T. 2, 3, 4). Schon in Takt 4 nimmt das Motiv eine neue lineare Form an, indem es sich in ein diatonisches Tetrachord verwandelt und einen neuen Rhythmus erhält. Dabei erweist es sich, daß die Melodie in der Mittelstimme in viermaliger Vergrößerung von der Tetrachordform kontrapunktartig begleitet wird (Notenbeispiel 1). Die Ent-

1 Vgl. G. Nottebohm, *Zweite Beethoveniana,* S. 564—567.

wicklung ist demzufolge schon bei der Darlegung außerordentlich intensiv. Bei der Abspaltung nimmt die Intensität natürlich zu. Das Hauptmotiv beginnt, sich in ein neues, fünftöniges zu verwandeln (Notenbeispiel 2). Das Abschließen des Hauptteils des Satzes geht unmittelbar aus den Takten 5 und 6 hervor, nimmt aber auch das Motiv der inneren Stimmen der Takte 1—3 in sich hinein (Notenbeispiel 3).

1

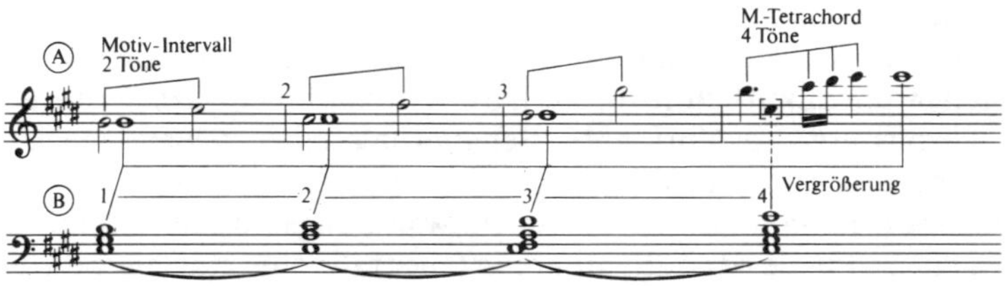

2

3

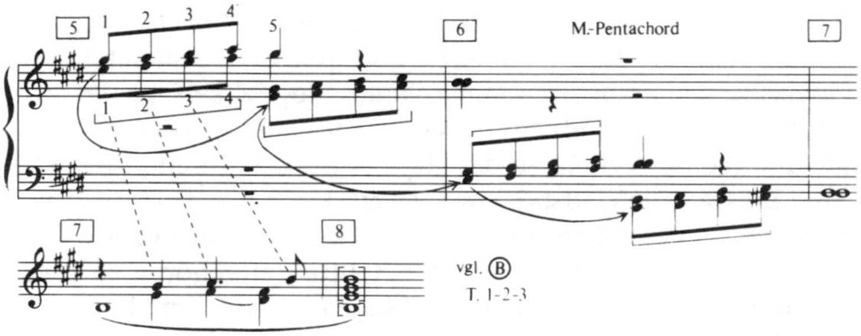

Zwei Anhangszweitakter (T. 9—10, 11—12), die den Hauptsatz abschließen, kommen zum Hauptteil des Themas von außen hinzu (Notenbeispiel 4). Ihre Motive weisen eine Gegenwirkung auf: Das Tetrachord mit dem Ende in kleinen Notenwerten geht nicht nach oben (wie in T. 4), sondern nach unten (T. 9); das Pentachord, viermal nach oben durchgeleitet (T. 5—6), bewegt sich nach unten (T. 9). Der Kontrapunkt verengt die Intervalle und erzeugt damit das chromatische Tetrachord. Dabei wird die Lücke innerhalb der Notenwerte ausgefüllt: Waren früher die Halben und die Achtel, so sind nun die Viertel zu spüren (nicht ohne Einfluß der höchsten Noten in Takt 7 und 8; vgl. Notenbeispiel 3).

4

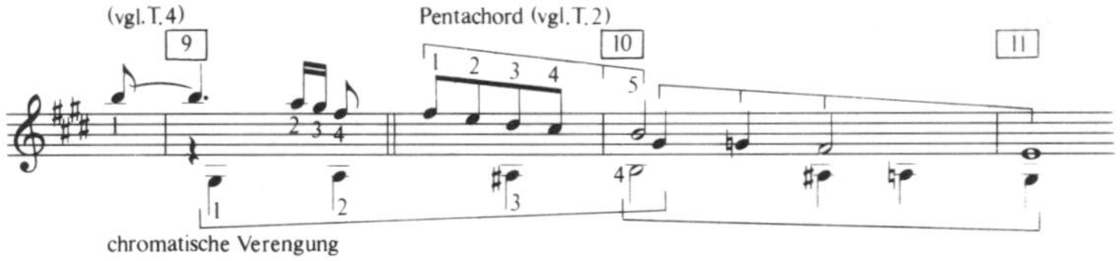

Die Motivumwandlungen in Takt 9—12 kündigen die Melodie des Seitensatzes an. Die Hauptidee der Exposition des Sonatensatzes besteht in der aufregenden Verwandlung eines Gedankens in den anderen, des Hauptgedankens in den Nebengedanken. Der Übergang in Takt 12—22 ist wiederum durch eine innere Kraft gekennzeichnet, die mit Modulationen in heroischen Werken Beethovens vergleichbar ist.

Die Modulation selbst hat den Effekt eines plötzlichen Umkippens des scheinbar so mächtigen Tonikamassivs im Hauptthema (T. 16). Je mehr die Tonika im Laufe von 12 Takten des Themas gefestigt wird, desto stärker ist der Eindruck ihrer plötzlichen willkürlichen Zerstörung: Nach einem drohenden Aufstieg in Takt 13—15 verschieben sich alle Töne plötzlich gleichmäßig um einen Halbton nach oben (T. 16). Im Ergebnis wird die Haupttonika E-Dur der ihr fremden und widersprüchlichen lokalen Tonika Fis-Dur gegenübergestellt — als hätte man dem Hauptthema seine Grundlage entzogen und als habe es nichts mehr, worauf es beruhen könnte. Es entstehen unwillkürlich revolutionäre Assoziationen: Erschütterung der Grundlagen, Thronsturz, revolutionäre Behauptung einer neuen Macht: E-Dur plus Fis-Dur bedeutet unvermeidlich eine neue herrschende Tonika H-Dur. Nach der Wirkungskraft kann man eine solche Umwandlungsmodulation mit dem Übergang nach G-Dur im Finale der 5. Symphonie (ebenfalls eine stürmische Umwandlung innerhalb von nur einem Takt) vergleichen (T. 35—36).

Die Zerstörung der Tonart und damit auch der Liedstruktur des Musikgedankens beseitigt die metrische Regelmäßigkeit und gibt der formenden Symmetrie (einem System logischer Übereinstimmungen) keine Möglichkeit, große Strophen-„Kristalle“ (bei denen es um eine höhere Symmetrie bis zu Achttaktern geht) zu bilden. Das Fließende und die Beweglichkeit des Ganges werden durch „kleine“ Symmetrien erreicht, zum Beispiel im Maßstab eines Zweitakters 1 + 1. (Das, was Riemann in der Symmetrie der Achttakt-Strophen, in den Gängen sowie in der Durchführung findet, scheint fehlerhaft zu sein; denn die Achttakter gehören zu Liedstrukturen und zu Themendarlegungen, aber nicht zu Gängen.) In diesem Gang geht eine Verschiebung des schweren Taktes vor sich (Zeichen: ◡ leichter Takt, — schwerer Takt):

NB

◡ — ◡ ◡ — ◡ — ◡ — ◡

Takte 13—14, 15, 16, 17, 18—19, 20—21, 22

Beim Übergang kommt auch eine thematische Modulation zustande, auf Beethovens Art — dynamisch, offen, stark. Es wird eine chromatische Melodie des Seitensatzes geboren (Notenbeispiele 5 und 6). Das Variieren des Hauptmotivs geht noch weiter: Es wird mit seiner Intervallik, seiner Rhythmik, seinen Linien variiert (Notenbeispiele 5—8). Nach einer deutlichen Vertikalisierung von Motivteilchen (Notenbeispiel 7, T. 20—21, in einer gewissen Ähnlichkeit mit Segmenten der dodekaphonischen Reihe) kann man beim wiederholten Zuhören auch von den „Akkorden“ der mittleren Stimmen in Takt 1—4 (Notenbeispiel 9) eine neue Vorstellung bekommen.

5

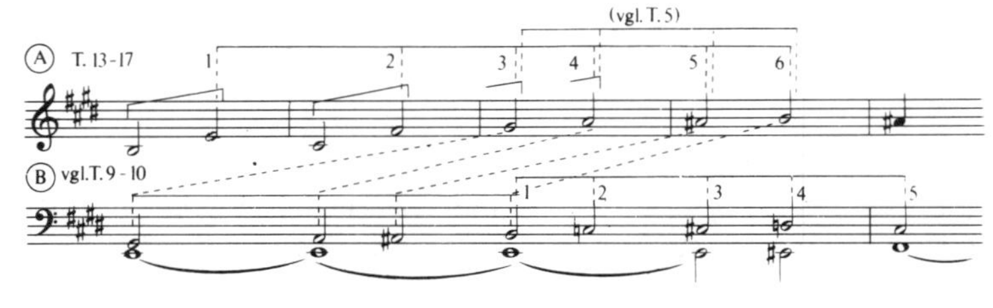

6
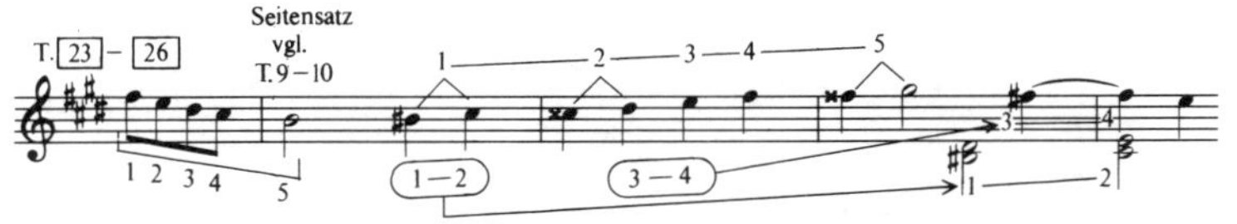

7
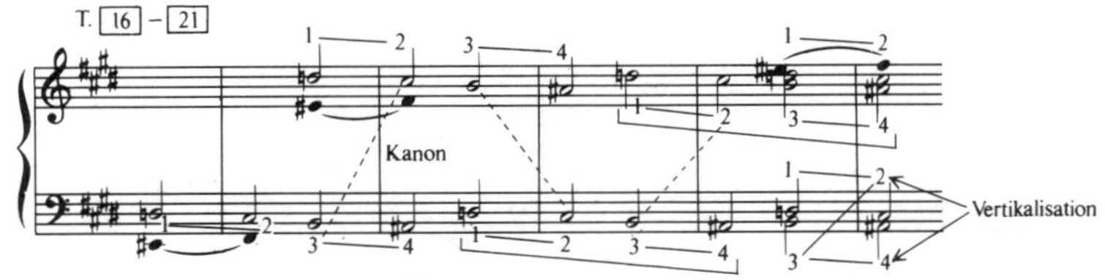

8
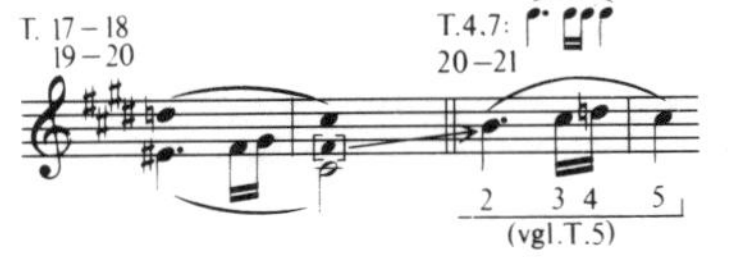

9

Analog geht es weiter. Wir wollen uns auf einige wenige Hinweise beschränken. Während die Struktur des Hauptsatzes im Inneren dynamisch, intensiv, vom Motiv her kompliziert ist, wirkt der Seitensatz extensiv, ruhig, liedhaft. Seine metrische Struktur besteht aus drei Achttaktern mit einer einfachen Abwechslung von leichten und schweren Takten: $1—\bar{2}—3—\bar{\bar{4}}\ 5—\bar{6}—7—\bar{\bar{\bar{8}}}$ („ = “ — ein doppelt schwerer Takt, „≡“ — ein dreifach schwerer Takt; ein „schwerer“ Takt kann nach der Riemann-Prout-Theorie einigermaßen schlußfähig sein).

Die wichtigsten Motivverwandlungen in der zweiten Hälfte der Exposition sind:

10

11
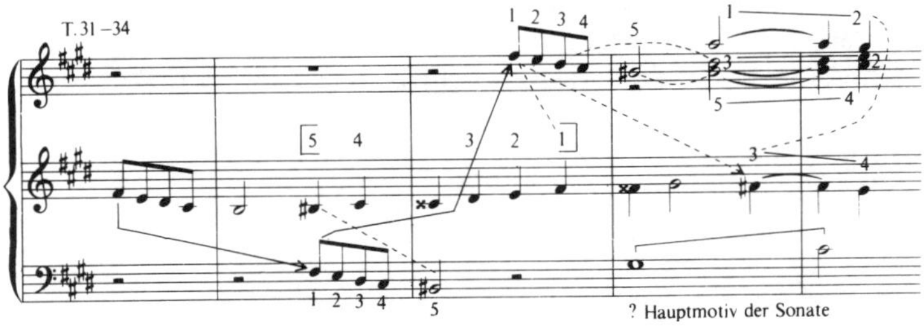

12

13

14 

15 

16 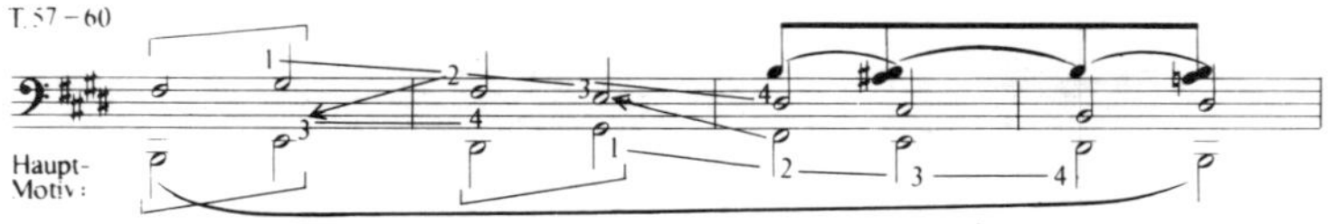

17 

Es ist ersichtlich, daß die ganze Beethovensche Sonatenexposition einen dem Maßstab nach kolossalen Entwicklungsprozeß der zugrundegelegten Musikidee bildet. Ihr Entzweien und die Bildung einer Antithese, vor allem auch mit Hilfe eines tonalharmonischen Kontrastes, wurde vom Autor mit erstaunlicher Logik und Folgerichtigkeit ausgeführt. Nicht auf Schindlers „zwei Prinzipien", sondern auf einem dominierenden „Formdenken" beruht die echte Formbildung der Beethovenschen Kunst. In der Flamme dieses Brennens werden die ehemaligen Probleme der Kompositionskunst umgeschmolzen. Vor allem handelt es sich um eine neue Thematik, durchdrungen von äußerst intensiver Motivbehandlung. Im Zusammenhang mit dieser Panthematik schlägt die Kontrapunktkunst in eine neue Qualität um. Das klassische Prinzip der rein funktionalen Harmonik erreicht ein Höchstmaß gegenüber einer Stufenharmonik, die vom Zählen der Tonleiterstufen ausgeht.

Die Durchführung des ersten Satzes erweckt den Eindruck eines neuen Themas. Wegen der so starken Entwicklung in der Exposition könnte dies auch möglich sein. Etwas Ähnliches lag in den ersten Allegros der Sonaten F-Dur op. 10, Nr. 2 (nach dem Einleitungsabschnitt) und c-Moll op. 10, Nr. 1 (an derselben Position) vor. Die Durchführungsidee lautet:

18 

Trotz unverkennbarer Verbindung mit der Exposition klingt das Thema mit der trillerartigen Figur wie neu, und dies hat in op. 14, Nr. 1 eine etwas ungewöhnliche Durchführung zur Folge. Da ein derartiger Aufbautyp in Sonatensätzen Beethovens dieser Jahre mehrmals vorkommt (op. 10, Nr. 1 und Nr. 2), kann man ihn für den Ausdruck einer besonderen Idee der Komposition halten. Während in der Exposition das Hauptthema in ein Nebenthema übergeht, erfolgt der Übergang in der Durchführung zu einem Nebenthema mit Durchführungscharakter. Zur Zeit der

Klassiker war die Sonatenform noch kein kodifiziertes Schema, und der ähnliche Aufbau bedeutete keinen „Verstoß gegen die Norm"; typisch dafür ist es, daß einer Dur-Exposition die Durchführung in Moll gegenübergestellt wird.

Die Reprise erneuert die oben genannten Verbindungen dank einer Umarbeitung der Harmonik und der Faktur. Um die beiden Massive der Haupttonart zu trennen, wird in der Überleitung eine Modulation eingeführt: (E-Dur) — C-Dur — e-Moll V und weiter E-Dur, das heißt eine Modulation von E-Dur nach E-Dur. Dabei führt dieses C-Dur (T. 103—105) eindeutig die Widerspiegelung der Durchführung in die Reprise ein (C-Dur in T. 71—76). Solch lange Entwicklungslinien sind auch an anderen Stellen zu finden. So wird durch die schillernde Chromatik des Schlußsatzes die chromatische Stufe mit der diatonischen abgewechselt: in der Exposition g♮—g♯ (T. 46—49), in der Reprise c♮—c♯ (T. 137—140), am Ende der Reprise f♮—f♯ (T. 151—154); hier erreicht die Klangverdichtung das Höchstmaß (vgl. Notenbeispiel 17).

Das Thema des zweiten Satzes der Sonate op. 14, Nr. 1 geht aus vielzähligen trillerartigen Figuren des ersten Satzes hervor: aus dem neuen Thema in der Durchführung (T. 66 und Wiederholung), seiner Wiederaufnahme in der Reprise (T. 106), aus gleichen Figuren am Ende der Reprise und in der Coda (T. 137—141, 151—155, 159—161). Ein Vorbild der zweiten Phrase ist ebenfalls im ersten Satz enthalten.

19

Obwohl Beethoven die Sätze seiner Sonaten „Stücke" nannte, stellte er sich eine Sonate als ein Ganzes vor, fest verbunden durch die durchgehende Entwicklung eines einheitlichen Gedankens des Sonatenthemas im breiten Sinne. Eine neue Entwicklungsstufe im Zyklus stellt ein „halblangsamer" Satz — Allegretto — dar. Sein komplizierter Charakter besteht in der Kombination von Eigenschaften unterschiedlicher Genres: ein langsamer Satz (die oben erwähnte Verlangsamung der Bewegung), ein Scherzo (Sechsteiligkeit des pulsierenden metrischen Taktes), ein Element der dramatischen Musik (scharfe Harmonien und teilweise synkopierte Akzente). Schindler schreibt über die Aufführung des Autors: „Der zweite Satz — Allegretto — war nach Beethovens Vortrag mehr ein Allegro furioso. Im Maggiore war das Tempo gemäßigter"; Beethoven hob den Höhepunkt der scharfen Harmonie in Takt 43 hervor, „sehr lange verweilte" er darauf, spielte fast wie eine Fermate.[1]

Beethovens Musikdenken führt das bis zum Höchstmaß, was allen Wiener Klassikern eigen war: den Strukturkontrast zwischen den Zyklussätzen, zwischen Teilen

1 A. Schindler, *Biographie,* S. 234.

der komplizierten Formen (vor allem der Sonatenform). So versenkt der zweite Satz der E-Dur-Sonate den Hörer nach dem ersten feurigen Satz in finstere Ruhe nicht nur durch eine gemessene langsame Bewegung, sondern vor allem durch eine Ungetrübtheit der ebenmäßigen und ausgeglichenen „Strophen“ der Liedform, durch Fehlen von aufregenden Übergängen und dynamischen Modulationen.

Hätte man das Entwicklungsbild des Gedankens und des Themas im zweiten Satz der Sonate in allen Details vorgestellt, so würde man nichts Kompliziertes in der Art thematischer Motivumgestaltungen finden. Hier bringt nur eine leichte Erweiterung am Ende des Allegrettos die friedliche Symmetrie der Struktur ins Schwanken. Das Allegretto wird als ein langsamer Satz mit einer Taktpulsation 12/4 (in den notierten 3/4-Takten sind es die letzten acht Takte) beendet.

Um so eindrucksvoller ist die Einleitung in das lustige Finale. Anstelle von ruhigen Allegretto-Umrissen erscheint wieder ein beweglicher und wechselhafter Gedanke. Im Unterschied zum ersten Allegro hat das Rondo des Finales einen einfacheren, anspruchslosen Charakter („comodo“ — „bequem“). Die Verbindung mit der Thematik des Kopf-Allegros fügt den Rondo-Motiven eine zusätzliche Bedeutung hinzu.

20

Das klassische Rondo wird von der Sonatenform beeinflußt. Es unterscheidet sich von einem älteren Couplet-Rondeau durch entwickelte Übergangs-, sogar Durchführungsteile. Darum ist das klassische Rondo so elastisch und dynamisch im Vergleich zu dem in Liedformen linear gestalteten altfranzösischen Rondeau. Über all diese Vorteile verfügt das Finale der frühen Sonate Beethovens. Bezaubernde „Liedchen“ in den Themen (T. 1—8, 22—29, 31—38 und Wiederholungen) wechseln mit fließenden Gängen ab, die die Leitgedanken zu einem „Kranz“ verbinden und der Rondo-Form einen „rollenden“, kreislaufartigen Charakter zugeben (die Bewegung gleitet vom Haupt- zum Nebenthema ab, und ohne sich dabei aufzuhalten, „rollt“ sie im Kreise wieder zum Hauptthema zurück).

Der Einfluß der Sonate auf das Rondo kommt in einer großen Rolle der Motivumwandlungen zum Ausdruck. Die Melodie scheint Oktaven aus der Coda des Allegrettos zu übernehmen und sich dadurch in Takt 1—4 zu verdoppeln; die Oktave als Intervall verwandelt sich weiter in die Oktave als Tonleiter. Der Übergang in Takt 14—19 wird durch die Tonleiteroktaven liniiert, die sich wiederum in die

Intervall-Oktave umgestalten, aber schon in einer melodischen Form, aus der die Melodie des Nebenthemas (T. 21—22) ausfließt.

21

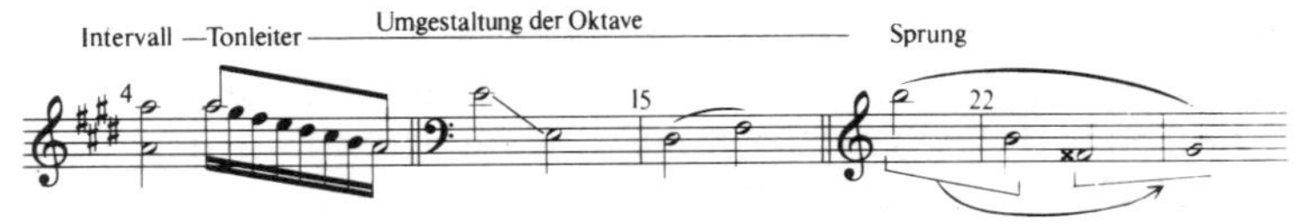

Eine rhythmische Imitation der Melodie im Baß in Takt 23—25 klingt wie ein zärtliches Pizzicato (aber für Klavier — im Streichquartett gibt es hier kein Pizzicato). Das zweite Nebenthema sieht aus wie eine Durchführung (T. 47—83). „Aufschäumende" stürmische Passagen stammen deutlich erkennbar von den Triolen des Hauptthemas. In der darin aufgelösten Melodie ist ein Widerhall des Nebenthemas (die sich wiederholenden Viertelnoten, wie in Takt 25—26) zu hören; und der Abschluß g—fis—g (T. 48—49) sowie die Wiederholung dieses Motivs erinnern an den Melodiekern des zweiten Satzes der Sonate. Eine Ähnlichkeit mit Oktavsprüngen der Exposition wird in Takt 58—65 deutlich.

22

Die Tonart G-Dur (hartes Dur auf der weichen Moll-Terz von E) verleiht dem E-Dur eine Schattierung der Moll-Variante, gehört aber in dieser Sonate zur Linie der harmonischen Zyklus-Entwicklung, welche man als „Subtonart", Hilfstonart, bezeichnen kann (in der 9. Symphonie zum Beispiel ist die Subtonart B-Dur). Die Subtonart der Sonate ist C-Dur:

Satz 1	Satz 2	Satz 3
T. 71—76, 103—105	17—29, 63—97, 101—109	40—63, 104—106
C-Dur C-Dur	C-Dur, C-Dur, C-Dur	G-Dur (= D), F-Dur (= S)

Das dynamische Wesen der Kompositionskunst Beethovens kommt darin zum Ausdruck, daß er bei der Verteilung ihrer Mittel mit dem Erreichen des Höhepunktes direkt am Ende des Werkes rechnet. Den Gipfel, die „Spitze" der Harmonie bildet die neapolitanische Harmonie auf der letzten Seite: die größte Entfernung von der Tonika in der Subdominantrichtung, nach „unten" (im Quintenzirkel). F-Dur ragt über allem hervor, was in der ganzen Sonate vorhanden ist. Eine andere „Spitze" ist auch eine Entwicklungsgrenze der Finalidee als eines heiteren Zyklusschlusses. Und am Ende steht ein Beethovenscher Scherz: Der Rhythmus des Hauptthemas wird durch donnernde Baßoktaven in Takt 117—121 in einer „dramatischen Harmonie" „ausgeklopft": 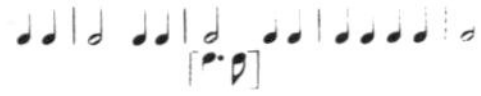

Und alles löst sich in flatternden Passagen auf.

Beethoven mißbilligte die Idee der Übertragung eines Klavierstückes für Streichinstrumente. Dessen ungeachtet verwandelte er die Sonate op. 14, Nr. 1 in ein Streichquartett. Aus den Worten des Komponisten im Brief an Gottfried Christoph Härtel vom 13. Juli 1802 kann man schließen, daß es bei der Übertragung der Sonate eigentlich um eine Umkomponierung geht. (Die Instrumente sind doch ganz verschiedenartige, ja „gegensätzliche".) In der Tat gibt Beethoven im Quartett zwar den gleichen Sinn wieder, ändert aber an vielen Stellen sogar die Noten. So ist zum Beispiel die Tonart F-Dur anstelle von E-Dur für Streichinstrumente zweckmäßiger. Bratsche und Cello bekommen den Ton der 5. Stufe von unten (c, C — z.B. in Takt 10 und 12 des ersten Satzes). Etwas geht dabei allerdings verloren. Ein Cello hat keine Noten unter C, und die wunderbare Erfindung am Ende der Reprise — der Akzent auf der Oktave F_1—F mit der Auflösung im Unisono-E (T. 12, 10 vom Ende her) — ist unspielbar. (Der Instrumentmangel — das Fehlen der Note E_1 am Klavier — schlägt einen neuen Funken der Inspiration.) Der Autor muß sich mit einer bescheideneren Lösung abfinden; er komponiert aber eine zusätzliche Stimme für die Violine 1, der hinzugefügte Kontrapunkt ist nicht zum Klavierspielen.

Natürlich konnte der Komponist sich erlauben, wozu ein anderer Musiker sich kaum entschließen würde. Das ist wohl besonders an der Übertragung des Finales zu bemerken. Eigentlich hat Beethoven eine neue Deutung der Entwicklung gegeben. Der Hauptunterschied besteht, kurz gefaßt, in folgendem: Die Idee des Klaviersatzes ist es, den Triolenrhythmus des Hauptthemas wie seine Durchführung in den zentralen Abschnitt überzuleiten. Im Quartett dagegen haben weder das Hauptthema noch die ganze Rondo-Exposition Triolen, sie erscheinen erst in der Durchführung, füllen diese ganz aus und „fließen" als eine Restfaktur weiter in den Anfang der Reprise über. Es handelt sich um eine vollkommen andere Idee. Dazu sind die thematischen Verbindungen im Quartett bedeutend verstärkt. Mehrmals erscheint im Laufe der Durchführung eine Phrase aus Takt 5—6 des Hauptthemas; das Halbtonmotiv (c'''—h''—c''', T. 58), das auf das Kopfmotiv des zweiten Satzes anspielt, wird hervorgehoben. Beethovens hohe Anforderungen und seine Meisterarbeit überzeugen uns davon, daß der Autor mit bloß nachsichtigen oder gar unterschätzenden Meinungen über die Sonate op. 14, Nr. 1 nicht einverstanden wäre. Das Streichquartett F-Dur nach op. 14, Nr. 1 kann einen ihm gebührenden Platz in der Reihe von Beethovens Werken des gleichen Genres einnehmen.

Die Sonate G-Dur op. 14, Nr. 2 ist bezaubernd elegant, voll von Licht und Grazie. Alle Themen der Sonate stehen in Dur, und sogar das einzige Moll-Thema innerhalb des Finales stützt sich auf einen kräftigen Dur-Akkord. Im Buch von Eric Blom ist dem Anfang ein Text unterlegt, der den glücklichen Charakter der Musik der Sonate widerspiegelt: „O what a happy day!" Auf die beiden Sonaten op. 14 bezieht sich die Erklärung Schindlers, die oberflächlich und fragwürdig zu sein scheint, aber verbreitet ist: „Beide diese Sonaten haben einen Dialog zwischen Mann und Frau, oder Liebhaber und Geliebte zum Inhalt. In der zweiten Sonate ist dieser Dialog wie seine Bedeutung prägnanter ausgedrückt, und die Opposition der beiden eingeführten Hauptstimmen (Principe) fühlbarer noch als in der ersten Sonate. Beethoven nannte diese beiden Principe das ‚bittende und das widerstrebende'."[1] In den ersten Takten dieser Sonate sind die „zwei Prinzipien" durch die Opposition der Außenstimmen

1 Ebenda, S. 224.

symbolisiert. Unter diesem Gesichtspunkt verfolgt Schindler die ganze Sonate. Laut Dagmar Beck und Grita Herre erwiesen sich die „zwei Prinzipien", die Beethoven zugeschrieben wurden, als eine spätere Einfügung Schindlers. Es dürfte sich jedoch kaum um eine Fälschung handeln. Eher hat Schindler eine von Beethoven initiierte Idee aus dem Gedächtnis eingefügt.[1]

Unter einer Opuszahl vereint, scheinen die beiden Sonaten keine gleichzeitig geschriebenen Werke zu sein: Die Sonate Nr. 1 wirkt stilistisch wie ein früheres Werk, die Sonate Nr. 2 ist ein vollendeteres Kunstwerk, obwohl das Lernen bei Haydn und das Selbstlernen bei Mozart deutliche Spuren in dieser Sonate hinterlassen haben. Richard Rosenberg wies auf das Zusammenfallen der Motive des Hauptsatzes des ersten Satzes mit einer früheren Sonate für Klavier und Geige von Mozart hin (dieselbe Tonart, gleiche 2/4 im Takt, gleiche Synkope, sogar Sprünge auf gleichen Noten).[2] Protopopov entdeckte eine Ähnlichkeit des Seitensatzes mit dem Quartett Nr. 5 aus Haydns op. 33.[3] Dabei ist die G-Dur-Sonate eindeutig einer einzigartigen individuellen Idee untergeordnet, und es scheint so, als habe Beethoven diese Idee mit ausreichend bewußter Absicht realisiert. Die Musikwissenschaftler früherer Zeit haben schon „den zeitweiligen Mangel an Bestimmtheit" der Metrik im Hauptthema festgestellt. Aber das ist der Ausdruck der allgemeinen Idee der Sonate, die wir als eine „Sonate des balancierenden Metrums" bezeichnen wollen.

Wie es für einen Zyklus von Beethoven üblich ist, stellt der Kopfsatz einen „Hirnsatz" dar. Analog der äußerlich anspruchslosen Sonate Nr. 1 ist die G-Dur-Sonate von einem mächtigen, wahrhaftig Beethovenschen schöpferischen Gedanken durchdrungen, dessen Entwicklung mit Mikrothematik-Mitteln eines freien Kontrapunkts geschieht:

23

24

25

26

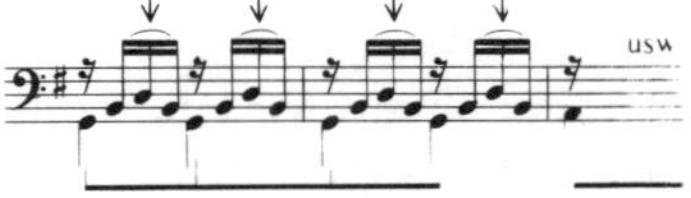

1 Vgl. N. Fischman, *Etjudy i očerki po Beethoveniane,* S. 64.
2 R. Rosenberg, *Die Klaviersonaten Ludwig van Beethovens,* Bd. I, S. 141.
3 Vl. Protopopov, *Principy muzikal'noj formy Betchovena,* S. 51.

27

Die Raffiniertheit des musikalischen Gedankens besteht in der „Umschmelzung“ der Elemente des Hauptthemas (T. 1—8) in die Elemente des Nebenthemas (vgl. den umgestalteten Klang von sechs Anfangstönen des ersten Themas in der Art von sechs Tönen des Nebenthemas in Notenbeispiel 27).

Besonders auffällig jedoch ist die Entwicklung der Hauptidee des schwankenden Metrums im Maßstab des ganzen Allegros der Sonate. Die dem Kopfmotiv zugrundeliegende Zweischichtigkeit der Zeit (die Gleichheit d''—h'—g' in Achteln und G—H—d in Sechzehnteln) wird dann in der Gegenüberstellung von zwei Bewegungen — einer schnellen und einer langsamen — erschlossen, als verfüge die Form über zwei Tempi. Eine gleichmäßige Aufzeichnung verhüllt diese Änderungen. Aber wenn ein Tempo die Bewegungsgeschwindigkeit bedeutet, dann verändert sich eben diese in der Melodie. Obwohl der Puls von Sechzehnteln eine klassische Einheit des Tempos im ganzen gewährleistet, gehen doch Veränderungen vor sich, die Größe des metrischen Taktes wechselt: im Hauptsatz 2/4, aber am Anfang des Überleitungssatzes de facto 2/2. Äußerlich kommt hier der Wechsel in der Verlangsamung der Notenwerte (vgl. T. 1 und 9) sowie in zweimaliger Verlängerung der Motivdauer (Zweitakter anstelle eines Taktes) zum Ausdruck. Hätte sich der metrische Takt nicht vergrößert, sondern wäre wie früher geblieben (2/4), sähen die Motive des verbindenden Satzes so aus:

28

29

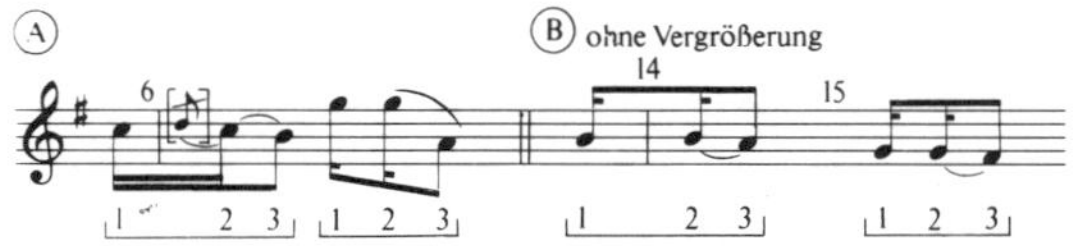

Darüber hinaus wird die deutliche Verlängerung der Notenwerte durch Kopieren der Struktur des Hauptthemas begleitet: An seinem Anfang stehen zwei Motive in 2/4 (1 + 1), und am Anfang der Überleitung begegnen dieselben zwei Motive in der Vergrößerung, das heißt in 2/2 (T. 9—10 und 11—12).

Das Nebenthema als das Anderssein des Hauptgedankens nimmt auch dessen Bewegung wieder auf: eine schnellere Bewegung in Sechzehnteln. Aber im Gegensatz dazu verliert es sein 2/2-Metrum nicht ganz. Im Ergebnis schwankt das Metrum des Nebenthemas, und seine Quasi-Periode (T. 26—33) kadenziert ohne den guten

Taktteil im Baß: Genau so beginnt das Hauptthema. Seine Entwicklung aber führt wieder zum Wechsel der Größe des metrischen Taktes, wie die eindeutige Zweitaktigkeit von Takt 41 an zeigt: Subdominante mit Alteration in Takt 41—42 (das ist ein Takt, ein typischer sechster Takt der klassischen Periode), K_4^6 und D^7 in Takt 43—44 (auch ein Takt, der typische siebte). Der ganze Schlußsatz (T. 48—63) verläuft in 2/2, in ruhigen Achteln (die letzten Takte 60—63 sind besonders zu beachten). Der erste Satz verläuft also auch mit einem wechselhaften Metrum: 2/4 (T. 1—8), 2/2 (T. 8ff.), 2/4 (T. 26—33), 2/2 (T. 41—63).

Die Idee der Sonate erfaßt auch andere Teile. Das Thema mit Variationen — Andante — hat eine Gegenüberstellung des leichten schwerelosen Staccatos (ein Marsch auf den Zehenspitzen) und des klangvollen Legatos zum Gedanken. Die Beendigung der Phrasen und Sätze, wie auch fast alle Akzente fallen nicht auf den guten Taktteil (und dies ist die Idee des versetzten Metrums). Die Akzente sind auch bestrebt, wie im ersten Satz das Hauptmetrum und Anfangsmotiv „aus dem Takt zu bringen". Die Variierungsidee besteht darin, daß zwei gegenseitig sich bekämpfende Farben des Klanges getrennt werden: Variation 1 ganz in Legato, Variation 2 durchgehend in Staccato. Dabei spielen beide Hände des Pianisten in beiden Variationen gleichmäßige Viertel (Rhythmus des Themas), doch nicht gleichzeitig, sondern um ein Achtel auseinandergehend und getrennt. (In Takt 37—38 sind sogar Sforzato-Akzente in je einer Hand, „nicht zusammen".)

Die letzte Variation legt Beethoven ganz nach einem Muster aus dem Hauptthema des ersten Satzes aus (Notenbeispiel 26). Auch die Baßstimme spielt auf das Motiv des ersten Satzes an: d'—e'—h—c'—f—g (vgl. im ersten Satz T. 86—87, 179—180). Am Ende scheint Beethoven zu überlegen: Wie soll er das Andante beenden, wenn noch einmal nicht auf dem guten Taktteil abgeschlossen wird? Er findet einen glänzenden Ausweg: Anstelle der leichtesten Viertel suspendo pede gebraucht er ihre Vergrößerung (die Halben) im leisesten Pianissimo-Klang, und plötzlich wird der Zuhörer von einem Fortissimo-Schlag (wie von einem Paukenschlag bei Papa Haydn) getroffen.

Die sorglose Heiterkeit der Sonate op. 14, Nr. 2 hat Beethoven durch eine bei ihm einmalige Beendigung des Zyklus hervorgehoben: Das Finale ist ein „Scherzo". Das Scherzo anstelle des Finales besitzt indessen ebenfalls den Charakter des Rondos, dessen Form es hier annahm. Vom Scherzo kommt das Prinzip da capo her — eine buchstäbliche Wiederholung des Hauptthemas in seinen zwei Reprisen ohne jegliche Veränderung; das zweite Nebenthema in C-Dur ist ein typisches Trio (des Scherzos). Das Beethovensche Scherzo besitzt nicht nur eine leichte, fliegende Bewegung, sondern es ist auch immer wieder von einem manchmal scharfen Scherz verziert. Das echte Scherzometrum beruht auf einem Sechsteiler, und dies ist auch der Musik des Finales, die einen leichtsinnig flatternden Charakter hat, eigen. Das balancierende Metrum im Finale wird von einem „irremachenden" Rhythmus verursacht, indem zwei Gruppen von Notenwerten — 3/4 und 6/8 — miteinander kämpfen (Notenbeispiel 30a). Der Kern des Gedankens wird in Form einer kleinen Periode wiedergegeben: nicht 4 + 4, sondern (in echten 6/8-Takten) 2 + 2; zum Beispiel tritt die Kadenz des winzigen Vordersatzes schon im zweiten Takt (in der 3/8-Notierung Beethovens im dritten und nicht im vierten Takt) ein. Hier und dort ist der Nachklang der Thematik des Kopfteils des Zyklus zu hören, wodurch der Maßstab des Beethovenschen Denkens hervorgehoben wird.

30

Feine Fäden der thematischen Verbindung ziehen sich auch aus dem Andante heraus (vgl. den Rhythmus im siebtletzten Takt sowie die dort aufsteigende Tonleiter [h] c'—c'' mit dem Anfangsmotiv des Finales). Als Scherze erweisen sich ferner zwei Scheinreprisen in C-Dur (T. 125) und F-Dur (T. 175). Die zweite ist besonders ausdrucksvoll: Wir haben uns wohl „verirrt", sind woanders „angelangt": Hier ist ein Inselchen der leisesten Musik im Finale, im Pianissimo.

Das letzte Lächeln erscheint am Ende einer riesigen Coda. Beethovens Notierung fixiert am Ende einen echten Takt, das heißt 6/8, dann folgen neun 6/8-Takte (vom guten Taktteil der Schlußkadenz zurückgezählt). In der 3/8-Notierung sind es die Takte 237—254, wobei alle ungeraden Takte schwer sind (237, 239, 241 usw.), wie vom Anfang des Finales an. Aber dies gerät in Widerspruch zu der Melodie. In ihr sind doch die geraden Takte schwer. Das Thema tritt zum ersten Mal im geraden Takt ins Finale ein. Und Sforzato-Akzente verwirren das Metrum noch stärker. Die Idee der Sonate ist bis zum logischen Ende geführt. Die so primitiv scheinende Begleitung steht im Dienste dieser Unbestimmtheit, da sie kein Merkmal des Metrums vorsagt. Also drücken der Anfang und das Ende der Sonate op. 14, Nr. 2 eine Idee aus, und sie wird graziös und scherzhaft wiedergegeben.

Jurij Cholopow

1. Klavierkonzert C-Dur op. 15

ENTSTEHUNGSZEIT: Erstfassung 1795; Endfassung 1800.

ERSTAUFFÜHRUNG: am 29. März 1795 innerhalb einer Akademie der Tonkünstler-Societät im Wiener Hofburgtheater (Erstfassung); am 2. April 1800 innerhalb des ersten Benefizkonzerts Beethovens im Wiener Hofburgtheater (Endfassung).

SKIZZEN: Staatsbibliothek Preußischer Kulturbesitz Berlin, aut. 28, Skizzenbuch Fischhof; Beethoven-Haus Bonn, Mh 63; British Library London, Add. Ms 29801, Kafka Sketchbook; Gesellschaft der Musikfreunde Wien, A 62; weitere Skizzen in der Universitätsbibliothek Bonn (Sammlung Andreas Velten), Library of Congress Washington und Pierpont Morgan Library New York (Sammlung Robert O. Lehman).

AUTOGRAPH: Staatsbibliothek Preußischer Kulturbesitz Berlin, Mus. ms. autogr. Beethoven 12: Partitur mit vollständigem, revidiertem Solopart.

ERSTDRUCK UND WIDMUNG: Originalausgabe in Stimmen: Wien 1801 (T. Mollo & Co.), drei Originalkadenzen zum 1. Satz und eine zum 3. Satz: in der Alten Gesamtausgabe (1864); der Fürstin Barbara Odescalchi gewidmet.
GESAMTAUSGABEN: Alte Gesamtausgabe: Nr. 65 = Serie 9 Nr. 1; Neue Gesamtausgabe: Abt. III, Bd. 2; drei Kadenzen zum 1. Satz: Alte Gesamtausgabe: Nr. 70a = Serie 9 Nr. 7/1—3; Neue Gesamtausgabe: Abt. VII, Bd. 7 (1—3).

Die Entstehungsgeschichte der ersten drei Klavierkonzerte Beethovens spiegelt modellhaft den Prozeß der künstlerischen Entwicklung und Selbstfindung des Komponisten wider. Zudem handelt es sich bei den Partiturautographen — zusammen mit dem B-Dur-Rondo als wahrscheinlich ursprünglich vorgesehenem Finale von op. 19 — um die ältesten erhaltenen Orchesterniederschriften. Der Weg führte von vier Fassungen des B-Dur-Konzerts, wobei drei zeitlich vor der Komposition des C-Dur-Konzerts liegen und erst die Endversion danach (1798), über zwei Fassungen des dadurch eigentlich späteren ersten Klavierkonzerts zur einzigen Fassung des c-Moll-Konzerts: Die zeitliche Distanz zwischen Entwurf, teilweise im Solopart improvisierten Aufführungen und Endgestalt wird immer kürzer — wohl ein Zeichen dafür, daß sich Beethoven allmählich vom Konzerttyp Mozartscher Prägung, den der Reisevirtuose primär zum Selbstzweck konzipierte, weg entwickelte und mit dem 3. Klavierkonzert schließlich die Grundlegung des modernen Virtuosen-Konzerts, primär von einem Komponisten verfertigt, erreichte. Vor allem in die beiden ersten Konzerte sind fraglos vielfältige Erfahrungen des Konzertpianisten von Rang eingegangen, diese somit auch als Dokumente der vielgerühmten Improvisationskunst zu sehen — und zwar nicht nur in den erhaltenen Kadenzen —, die zur großen Überraschung des Wiener Publikums neue Ausdrucksdimensionen und ungeahnte Spieltechniken entfaltete: „[...] und er bringt auf dem Clavier Schwierigkeiten und Effecte hervor, von denen wir uns nie etwas haben träumen lassen“, heißt es in einem rückblickend referierten Konzertbericht in Czernys Autobiographie.[1] Damit deuten bereits zeitgenössische Dokumente darauf hin, daß innerhalb der prinzipiell traditionellen Gattungsorientierung in den ersten beiden Konzerten, die definitiv erst mit dem c-Moll-Konzert überstiegen werden, auffallende und innovative Momente gerade innerhalb der Klavierfiguration erkennbar sein müßten. Diesem interessanten Aspekt soll einleitend anhand des ersten Satzes des C-Dur-Konzerts nachgegangen werden.

Die wesentliche Auffälligkeit innerhalb der konzertierenden Klavierfigurationen zeigt gleich der Beginn des Soloinstruments: Weitgespannte, flächige Dreiklangsbrechungen, anschließend Albertibaß-Figurationen und Skalenläufe konstituieren ausgedehnte Klangblöcke (ab T. 118). Die harmonischen Wechsel ereignen sich in weiten Abständen, meist als einfache diatonische Wendungen, so daß eine großräumig zusammenhängende Architektur entsteht. So konstituieren sich in deutlicher Absetzung zum Mozartschen Typus bereits innerhalb der Klavierfigurationen symphonische Dimensionen, die sich formal in weiträumigen Proportionen erfüllen. Das kleingliedrigere, harmonisch auf meist entschieden engerem Raum differenzierte Konzertieren Mozarts weicht klangflächigen Figurationszügen mit symphonischem Anspruch — sicherlich auch eines der auffälligsten Kennzeichen der Beethovenschen Improvisationskunst. Neu wirken dabei nicht die verwandten Figuren als sol-

1 C. Czerny, *Erinnerungen an Beethoven.*

che, da sie ganz dem Virtuosen-Haushalt der Wiener Klassik angehören, als vielmehr deren großräumige Reihung, die nicht selten nahezu den gesamten Ambitus des Soloinstruments umspannt (z.B. T. 119—121) und dabei meist in einem harmonischen Kontext bleibt. Ein wichtiges Mittel sind hierfür emphatisch sich steigernde Sequenzreihen — so innerhalb der Exposition vor allem ab Takt 191 (Notenbeispiel 1) — oder eine Kopplung von rein harmonischen und latent melodischen Figurationen, die rhythmisch differenzierte, lyrische Flächen konstituieren — so vor allem am Durchführungsbeginn ab Takt 266 (Notenbeispiel 2):

1: T. 191ff.

2: T. 266ff.

Die viertaktige reine Es-Dur-Fläche in Beispiel 2 entwickelt aus der harmonischen Dreiklangsbrechung (rhythmisch 2 gegen 3) am Ende in der Oberstimme eine melodische Schlußwendung, die in den nächsten Zentralklang und eine folgende Flächenbildung mündet. Verschiedenste Skalenformationen bis hin zur chromatischen, aber auch Akkordrückungen sind als Mittel entsprechender harmonisch-klanglicher Flächenbildungen möglich, so letztere in unmittelbarer Folge ab Takt 250:

3: T. 250ff.

Vorweg lohnt es sich auch, die thematischen Gestalten des Konzerts allgemein in Augenschein zu nehmen. Das Hauptthema des ersten Satzes scheint an melodischer Unergiebigkeit kaum überboten werden zu können — einem exponierten Oktavsprung in Halben und Vierteln folgt dessen skalenmäßige Füllung in Sechzehnteln und diatonische Überhöhung in erneuten Vierteln, mit einer lapidaren Wendung zur Dominante:

4: T. 1ff.

Diesem viertaktigen Vordersatz folgt ebenso konsequent wie konventionell sein analog gebauter Nachsatz mit Rückmodulation und eine ebenfalls achttaktige, leicht variierte Fortspinnung, die den zwar am Beginn im Piano, dennoch unverkennbar heroischen, fanfarenartigen Gestus ins Lyrische wendet und zugleich die nachfolgende, affirmative Fortissimo-Setzung des Themas herbeiführt. Da der Themenkopf (Oktavsprung) den gesamten Satz über immer wieder auftritt, erhält er eine durchgehend prominente Position, die auf überraschende Weise die Hauptthemen des zweiten und dritten Satzes innerhalb des gesamten Zyklus bestätigen: Er konstituiert den elementaren Leitrhythmus lang—kurz—kurz—lang, der den Kern auch der weiteren Satz-Hauptmotive abgibt (Notenbeispiele 5 und 6):

5

6

So entsteht eine Art gestisch-rhythmischer Substanzgemeinschaft zwischen den Sätzen, trotz extrem unterschiedlichen Charakters: Heroischer, lyrischer und Scherzando-Typus beziehen sich strukturell satzübergreifend aufeinander.

Doch auch satzintern lassen sich die wichtigen thematischen Gestalten zwanglos in Zusammenhang bringen: Im ersten Satz gerät von vornherein durch die auffällige Dominanz des signalhaften Oktav-Kopfmotivs des ersten Themas die skalenmäßig figurierte Fortsetzung in ein Ungleichgewicht. Dieses wird subkutan jedoch dadurch kompensiert, daß der zweite Themenkopf durchaus im Sinn einer variierten Krebsumkehrung dieses Motivs begriffen werden kann: Der skalenmäßigen Ausschreitung aufwärts mit anschließender Doppelschlagfigur entspricht nach dem melodischen Initialton (halbe Note) in der Abfolge jetzt zuerst der Doppelschlag mit dann anschließender Skalenausschreitung abwärts:

7

Noch die umgekehrte Doppelschlagfigur mit abschließendem Vorhalt am Ende des zweiten Themas läßt eine Beziehung zum viertaktigen Hauptthema und dessen Ende erkennen.

Aber auch das dritte Thema kann eine strukturell-gestische Beziehung zum ersten nicht verhehlen: Der Themenkopf enthält latent den Leitrhythmus sowie die Fortführung, jetzt in Hornquinten ausharmonisiert, die Doppelschlagstruktur:

8

Selbst das zweite Thema des zweiten Satzes läßt von fern den Leitrhythmus erkennen, nimmt man nur den gedoppelten Auftakt weg; vor allem die harmonischen Figurationen lassen unschwer das Grundmuster lang—kurz—kurz—lang durchschimmern:

9

Zudem entfaltet sich die melodische Füllung der Kadenzharmonik wiederum ganz an der Doppelschlagornamentik orientiert.

Diese bildet nun auch den melodischen Kern der beiden Couplet-Themen des Final-Rondos, zum einen in lyrisch-kantabler Form mit Sforzato-Ecken auf schwachen Taktendzeiten, zum anderen innerhalb einer schnellen Concitato-Tanzrhythmik (Notenbeispiele 10 und 11):

10

11

Daß alle thematischen Erscheinungsformen als variativ aufeinander bezogene Gestalten, ja fortgesponnene Ableitungen erkennbar werden, gründet in einem technischen Verfahren, das im Kontext der Wiener Klassik erstmals von Haydn zu überzeugender Stilhöhe geführt wurde — einem der wenn auch nicht unproblematischen Bezugspersonen des jungen Beethoven. Schönberg wird später dieses Prinzip mit dem treffenden Terminus der entwickelnden Variation bezeichnen, deren Entwicklungsgeschichte von Bach ausgehend über die Kunst der Wiener Klassiker und vor allem Johannes Brahms bis zu ihm selbst reicht. In diese Tradition verarbeitender Musik reiht sich das 1. Klavierkonzert im Bereich der thematischen Gestalten zwanglos ein; die strukturellen Abhängigkeiten innerhalb der Sätze und untereinander schaffen dabei ein entscheidendes Gegengewicht zur stark improvisatorisch geprägten, weit gespannten Figuration des Klaviersoloparts — besonders auffällig, wie gezeigt, im ersten Satz.

Ein weiteres Gegengewicht zu dieser figurativ improvisatorischen Seite setzt die Konsistenz und Differenziertheit der formalen Abläufe. Schon der Formverlauf des symphonisch angelegten ersten Satzes (478 Takte ohne Kadenz) zeigt eine überaus differenzierte formale Anlage, die im fruchtbaren Spannungsverhältnis zu den Setzungen des wirkungssicheren Virtuosen wie zur lapidaren Prägnanz des Hauptthemas steht. Bereits das Orchestervorspiel lohnt eine detaillierte Analyse.

Das erste Thema formuliert einen in sich zusammenhängenden Block von 46 Takten, der exponierende und fortspinnende Gestaltungsprinzipien, ganz aus dem thematischen Material resultierend, miteinander verschränkt. Dann folgt eine erste Überraschung: Die konventionell angestrebte und erreichte Dominante wird nun nicht durch ein zweites Thema aufgegriffen, sondern dieses erscheint in der Mediante Es-Dur (T. 47ff.), die jedoch instabil bleibt und sofort über ein modulatorisches Einsprengsel (T. 53ff.) verlassen wird. Dieser Vorgang wiederholt sich von f-Moll ausgehend (Moll-Subdominante) und mündet am Ende dieses zweiten Formteils des Orchestervorspiels erneut in eine sequenzierende Reihung mit eigentümlich unentschiedener Schlußbildung (bis T. 72). Damit wird klar, daß sich das zweite Thema nicht sonatensatzentsprechend etablieren konnte, weder tonal noch als geschlossene thematische Struktur. Dieses wird erst später innerhalb der Exposition nachgeholt (T. 154ff. im Orchester, T. 163ff. dann in der Klaviersolostimme), jetzt in thematisch geschlossener Form und konventionell tonaler Fixierung auf der Dominante G-Dur. Die Notwendigkeit einer ausgedehnten symphonischen Exposition innerhalb des konzertierenden Verfahrens wird dadurch zusätzlich provoziert, da eine gleichgewichtige Etablierung eines bereits gesetzten zweiten Themas nach hinten verschoben wurde und, im Orchestervorspiel zunächst nicht geleistet, zwangsläufig nachzuholen ist.

Der instabilen, unvollständigen Exposition des zweiten Themas im Orchestervorspiel folgt nun, im Sinne einer möglichen Konsequenz, eine Art Vorspiel-Durchführungspartie (T. 73—85), die Anteile des ersten Themas (Kopfmotiv) mit solchen des zweiten Themas (absteigende Achtel-Skala) koppelt und gegen Ende bruchlos ein drittes Thema, wiederum auf die Tonika C gesetzt (ab T. 86), herausentwickelt. Erneut mit Fortspinnungen versehen, wird als den Kreis schließender Formteil erneut der erste Hauptthemenkopf erreicht, der signalhaft das Orchestervorspiel beschließt (T. 99—106).

Dem Kenner schulmäßiger Formenlehren wird bei der bisherigen Beschreibung die Etablierung von drei anstelle von zwei Themen mißfallen. Zwar könnte man das dritte Thema, um dem akademischen Konzept der Sonatenhauptsatzform näherzukommen, als Schlußgruppe oder Coda-Thema bezeichnen, störenderweise wird jedoch die tatsächliche Schlußgruppenbildung vom Kopfmotiv des ersten Themas gestellt. Zudem erhält das dritte durch seine tonal prominente Position (Tonika C-Dur) und Geschlossenheit (dem gegenüber modulierte das zweite Thema sofort) ein bei weitem stärkeres Gewicht, das erst im zweiten Teil der Exposition durch eine entsprechende Setzung des zweiten Themas aufgefangen wird. Hier scheint ein kurzer Exkurs angebracht, der generell den Themendualismus als Konstituens der Sonatensatzexposition berührt. Zwar kann er „als heuristisches Modell" eine wesentliche Funktion erfüllen, „das den Ausgangspunkt einer Analyse bildet und Kategorien bereitstellt, durch deren Differenzierung oder Korrektur man die Besonderheit des einzelnen Werkes zu erfassen sucht"; gleichzeitig muß jedoch berücksichtigt werden, daß „die Vorstellung, daß sich Schema und Abweichung wie Allgemeines und Besonderes zueinander verhalten, naheliegt, jedoch unzulänglich [ist]. Die Differenzen zwischen dem Modell und der Realität [...] sind zum Teil keineswegs individuelle Züge einzelner Werke, sondern Merkmale, die zwar nicht generell gelten, aber so häufig wiederkehren, daß man von Modifikationen, die sich zwischen Allgemeinem und Besonderem in der Mitte halten, sprechen kann."[1]

Von solchen „Modifikationen" muß jedenfalls im Bereich des Thematischen gesprochen werden, der zwar in unserem Fall charakterlich eine prinzipiell duale Orientierung erkennen läßt, dennoch in Anzahl und Profil thematischer Gestalten darüber hinausgeht.

Das bestätigt auch die Fortsetzung der Exposition mit dem Einsatz des Soloklaviers ab Takt 107: Überraschenderweise wird keines der bisher exponierten drei Themen gesetzt, sondern ein wiederum neues, wenn auch an der Grenze des Thematisch-Charakteristischen angesiedeltes zweitaktiges Gebilde, das als Doppelschlag-Umspielungstyp am ehesten an das immer noch nicht voll entfaltete Seitenthema erinnert:

12

Die erneute Fortspinnung mündet in eine konzertierende Korrespondenz zwischen Hauptthemenkopf im Orchester und frei-improvisatorischer, symphonisch-klangflächiger Figuration im Klavier (ab T. 118, wie zuvor bereits beschrieben). Erst nach diesem virtuosen Einstieg kann sich im weiteren Verlauf der Exposition das Seitenthema seiner Bedeutung entsprechend auf der Dominante G-Dur zuerst im Orche-

1 C. Dahlhaus, *Ludwig van Beethoven und seine Zeit,* S. 132.

ster, dann im Klavier etablieren (ab T. 155). Aus dessen Fortspinnung nun entwickelt sich in ähnlich unauffälliger Weise wie im Orchestervorspiel erneut das dritte Thema, diesmal im Sog des voll entfalteten zweiten, ebenfalls auf der Dominante (T. 182ff.). Eine erneut weitgespannte, sequenztechnisch vermittelte Figurationspartie primär des Soloinstruments (ab T. 191) führt schließlich zum definitiven Ende der Exposition, das nach dem Modell des Orchestervorspiels zum fanfarenartigen Hauptthemenkopf zurückfindet (ab T. 237), allerdings jetzt erneut gekoppelt mit der absteigenden Achtelskala des Seitenthemas (vgl. dazu T. 73 des Orchestervorspiels), wodurch der fanfarenartige Schluß etwas gemildert erscheint — trotz der Fortissimo-Kadenz ab Takt 253 — und eine stärkere Öffnung zur nachfolgenden Durchführung suggeriert.

Diese setzt, dem Beginn des Satzes entsprechend, mit dem Hauptthemenkopf in leiser Dynamik ein (T. 267 auf G), das heißt, die am Expositionsende erreichte Dominante wird im Unisono aufgegriffen, jedoch sofort nach As verrückt und dieses wieder als Sept einer neugesetzten Dominante B-Dur umgedeutet und in einer anschließenden Kadenz nach Es-Dur geführt — der Mediante, die bereits im Orchestervorspiel das noch instabile Seitenthema trug. Wie oben bereits beschrieben, entfaltet sich die nachfolgende Durchführung weniger im Sinn thematischer Arbeit denn konzertierender, architektonisch weiträumiger improvisatorischer Figurationen, die großdimensionierte harmonische Flächen konstituieren. Nach einer ersten Phase wird deren Verlauf, wie schon in der Exposition, gehäuft mit dem Hauptthemenkopf als signalhafte Initiale des Orchesters durchsetzt (ab T. 292), der dann nach einer zweiten Phase, jetzt tatsächlich ausgehend von der Dominante G-Dur (ab T. 312), über eine eigentümliche harmonische Stillstandspartie (ab T. 314: ostinate Signalimpulse der Hörner auf G, gleitende verminderte, dann Dominantseptakkorde im Klavier) und ein Fortissimo-Oktavenglissando zur Reprise zurückführt (ab T. 345).

Diese orientiert sich im Prinzip an dem konventionellen Formmodell — rein äußerlich entfällt ja schon einmal das differenzierende Zweiteilungsverhältnis von Orchestervorspiel und konzertierender Exposition. Dem Hauptthema auf der Tonika im Orchestertutti (ab T. 346) folgt das Seitenthema, jetzt traditionell ebenfalls in C-Dur (ab T. 370), sowie das ebenfalls tonikal gesetzte dritte Thema (ab T. 397). Erneut folgen die für diesen Satz so charakteristischen symphonisch gedehnten Figurationsflächen, teilweise mit dem Hauptthemenkopf gekoppelt, und münden schließlich in die Vorbereitung der Klavierkadenz. Ein unvollständiger Sechstakter mit dem dritten Thema und ein vollständiger Achttakter mit dem ersten Hauptthemenkopf beschließen den Satz.

Nicht nur Proportion und Architektur der klangflächigen Klavierfigurationen, die großdimensionierte symphonische Blöcke konstituieren, sondern auch deren Häufigkeit muß im Vergleich zum Mozartschen Konzerttyp erstaunen. Statistisch gesehen enthält die Klaviersolostimme sicher weniger als 10% thematisch identifizierbarer Gestalten: Das Hauptthema erscheint nie in der Solostimme — bei Mozart ein undenkbarer Vorgang —, das Seiten- und dritte Thema in Exposition und Reprise nur je einmal, in der Durchführung kann keines der drei Hauptthemen in der Klavierstimme entdeckt werden. Das bedeutet, daß thematische Setzung und Profilierung einseitig in den Orchestersatz verlegt wurden und sich das konzertierende Prinzip gleichsam in der Spannung zwischen klangflächiger Klavierfiguration und orchestraler Themenprofilierung erfüllt, nicht in einem Wechselspiel von thematischen Gestalten, die Tutti und Solo in etwa gleichgewichtig durchwandern. Die Verwirklichung symphonischer Dimension durch die Setzung weiträumiger, harmonisch-flächig gebundener Figuration verändert die Prinzipien des Konzertierens von Grund auf. Was zunächst in den Hintergrund tritt, ist weitgespannte formale Entwicklung aufgrund thematischer Arbeit; diese schimmert zwar im Verhältnis der Themen zueinander durch, liegt in deren strukturellen Abhängigkeiten gleichsam eingeschmolzen, konstituiert jedoch nicht die Formteile als ganze in einem entwickelnden Sinn. Das erfüllt sich erst im 3. Klavierkonzert, wo die figurativ-symphonischen Dimensionen mit Phänomenen entwickelnder Arbeit durchsetzt sind.

Der zweite Satz entspricht ganz dem molto espressivo-Typus zweiteiliger Anlage, wie er auch in Klaviersonaten dieser Zeit nicht selten anzutreffen ist — so etwa im tonartgleichen (As-Dur wiederum mediantisch zu C-Dur) „molto adagio" aus op. 10, Nr. 1 (1798 mit op. 10, Nr. 2 und 3 zusammen erschienen). Der prinzipiell zweiteiligen Form entsprechen auch zwei Themen, die sich im Charakter allerdings nicht kontrastierend, sondern komplementär zueinander verhalten. Während das erste Thema jedoch einen in sich zweitaktig korrespondierenden Viertakter formuliert, der sich bei der Wiederholung zu einer vollständigen achttaktigen Periode schließt (T. 1—8), wird das unmittelbar anschließende zweite Thema von vornherein als offenes, zirkulierendes Gebilde etabliert — in Schönbergs Terminologie als offener Satz; die Wiederholung des zu sich selbst zurückgeführten Zweitakters erfährt nun ihrerseits sofort eine rhythmisch-gestische Fortspinnung (ab T. 11), die schließlich zu einer ersten, bereits leicht figurierten Wiederholung des Hauptthemas im Orchester überleitet (ab T. 15). Im folgenden wechseln nun frei-figurative Teile, wiederum vor allem des Soloinstruments, mit zunehmend verzierten thematischen Charakteren ab, die dadurch einerseits ein sich steigerndes emphatisches Gewicht, andererseits eine deutliche Annäherung an die quasi-improvisatorischen Figurationen erfahren. Wer der Meinung ist, daß spätestens seit dem mittleren Mozart die Wirkmächtigkeit der Manieren und damit entsprechender Lehrwerke verschwunden sei, wird anhand der höchst verzierten langsamen Sätze des frühen Beethoven eines Besseren belehrt. Es wäre durchaus eine interessante Aufgabe, das Repertoire an Verzierungsfiguren am Beispiel dieses Satzes auf ihre Herkunft aus dem Bestand gelehrter und praktizierter Manierenlehren im vor- und frühklassischen Bereich zu überprüfen.

Bevor sich nun die zusehends verziert-thematischen und von vornherein ornamental-figurativen Momente endgültig zu nivellieren drohen, wird über einen kurzen, auskomponierten Eingang eine Art Reprise als Teil 2 angestrebt (ab T. 53). Dieser beginnt programmatisch mit dem ersten Thema, jedoch sofort, gleichsam als Reflex auf die bereits vollzogene Entwicklung, in stärker verzierter Form. Nun wiederholt sich das konzertierende Wechselspiel zwischen freier Figuration und verzierten, thematisch gebundenen Gestalten, wobei allerdings diese durch einen ostinaten Begleitsatz ab Takt 67 eine Stabilisierung erfahren, die bis zur klangflächig-improvisatorischen Coda (ab T. 100) trägt; diese profiliert sich selbständig durch eine charakteristische Vorhaltfigur in den Klarinetten und beschließt, mit Partikeln des Hauptthemas versetzt, den ganzen Satz.

Der dritte, erneut in C-Dur stehende Schlußsatz prägt als Rondo und mit „Allegro scherzando" überschrieben ein durchaus spezielles Formmodell aus: A—B—

A—C—A—B(— Kadenz)—A (mit Coda). Unschwer ist eine charakteristische Verschmelzung von Rondo-Anlage und sonatensatzartigen Tendenzen erkennbar, da das letzte Couplet den ersten kontrastierenden Formteil wiederholt, somit eine Art Reprisencharakter etabliert wird. Ob deshalb der eigenständige Formtypus eines Sonatenrondos bemüht werden muß, sei dahingestellt, da weder eine deutliche Differenzierung von verarbeitenden und exponierenden Anteilen noch eine entsprechende tonale Anlage vorliegt, somit das Sonatensatzprinzip gegenüber dem Rondo zu wenig profiliert erscheint. Dennoch beabsichtigt die Reprisenwirkung eine Annäherung, die zudem die zyklische Geschlossenheit zwischen dem Sonatenhauptsatz des Beginns und dem Finale verstärkt.

Bereits das „leggieremente" überschriebene Hauptthema des Rondos enthält durch die betonte Quasi-Vorhaltstruktur einen leicht exotischen Anklang, der sich dann innerhalb der Rückführung zum Hauptthema nach dem ersten Couplet (Formteil B) offen zu erkennen gibt (Notenbeispiel 13) — man denke nur an Mozarts „A la turca":

13

Hier wirkt das Thema offen wie stilisierte Janitscharenmusik und kehrt erst nach gut zehn Takten zur diskreteren Scherzando-Fassung zurück. Vor allem die Rückleitungen zum Hauptthema nach den Couplets verdienen in diesem Satz größte Aufmerksamkeit, da sie, wie in eben skizziertem Fall, mit virtuoser Verarbeitungs- und Überraschungskunst jeweils in den Refrain zurückführen.

Dem lyrischen Kontrastteil B (ab T. 66 in G-Dur) entspricht ein ebenso ungestüm tänzerischer Teil C (ab T. 192 in a-moll), letzterer ebenfalls mit leicht exotischem Anklang. Besonders auffällig ist die Coda gestaltet: Ab Takt 505 dominiert innerhalb des erneut erreichten Formteils A plötzlich eine ursprünglich nur überleitende Skalenfiguration des Klaviers, überträgt sich kurzzeitig auf den Orchesterpart und scheint die Konsistenz des Hauptthemas zu zerschlagen, das nur noch als fragmentarisierter Themenkopf erscheint. Die konkurrierende Auseinandersetzung zwischen hastiger Reihung dieser Skalenläufe und ebensolcher des unvollständigen Themenkopfs führt, mit gleichsam unentschiedenem Ergebnis, zum Stillstand

(T. 562—565), den eine affirmativ gesetzte Schlußkadenz (im Fortissimo) mit dramatischen Concitato-Repetitionen wie eine späte Katharsis auflöst. Erneut bleiben am Ende dieses Satzes freie Figurationen, die sich zu weiträumigen Klangflächen zusammenschließen und thematische Gestalten als korrespondierende, konkurrierende und konzertierende Erscheinungen erhalten — letztlich unversöhnt und dennoch in einem dialektischen Prozeß aufeinander bezogen und damit das grundsätzliche Form- und Gestaltungsprinzip des gesamten Zyklus rekapitulierend.

Siegfried Mauser

Quintett Es-Dur für Klavier und Bläser op. 16 (zusammen mit der Bearbeitung für Klavierquartett)

ENTSTEHUNGSZEIT: weitgehend im ersten Halbjahr 1796.
ERSTAUFFÜHRUNG: am 6. April 1797 im Saale des Hoftraiteurs Jahn in Wien.
SKIZZEN: British Library London, Add. Ms 29801, Kafka Sketchbook; Skizzenblätter in der Staatsbibliothek Preußischer Kulturbesitz Berlin, aut. 28, Skizzenbuch Fischhof.
AUTOGRAPH: verschollen.
ERSTDRUCK UND WIDMUNG: Wien, Leipzig, Frankfurt 1801 (T. Mollo & Co., Bureau des Arts et d'Industrie, Gayl & Hedler); dem Fürsten Joseph zu Schwarzenberg gewidmet.
GESAMTAUSGABEN: Alte Gesamtausgabe: Nr. 74 = Serie 10 Nr. 1; Neue Gesamtausgabe: Abt. IV, Bd. 1.

Als der knapp zweiundzwanzigjährige Beethoven im November des Jahres 1792 in Wien eintraf, um sich bei Joseph Haydn kompositorisch zu vollenden, hatte er zwar schon durch etliche schöpferische Talentproben auf sich aufmerksam gemacht, galt aber zunächst doch in erster Linie als Klaviervirtuose und errang auf diesem Gebiet auch seine wichtigsten Erfolge. Noch 1796 reihte ihn Johann Ferdinand von Schönfelds *Jahrbuch der Tonkunst von Wien und Prag* primär in die Rubrik „Virtuosen und Dilettanten von Wien" ein, wie aus der falschen Schreibweise „Betthofer" in der Aufzählung von „Kompositeurs" eindeutig geschlossen werden kann, und charakterisierte ihn dabei zunächst folgendermaßen: „Er wird allgemein wegen seiner besonderen Geschwindigkeit und wegen der außerordentlichen Schwierigkeiten bewundert, welche er mit so vieler Leichtigkeit exequirt". Erst danach wird gelobt, daß Beethoven „seit einiger Zeit mehr als sonst in das innere Heiligthum der Kunst gedrungen zu seyn" scheine, daß er sich „unserem unsterblichen Haiden übergeben" habe, „um in die heiligen Geheimnisse des Tonsatzes eingeweihet zu werden", daß er nun auch bei Albrechtsberger lerne und daß daher in Zukunft sehr viel von ihm „zu erwarten" wäre. „Man hat schon mehrere schöne Sonaten von ihm, worunter sich seine Letzteren besonders auszeichnen", heißt es dann abschließend.[1]

1 J. F. v. Schönfeld, *Jahrbuch der Tonkunst,* S. 7f.

Diesem Bild entspricht die damals aktuelle Werkliste des Komponisten voll und ganz: Klaviersonaten (die genannten „Letzteren" sind wohl die drei Sonaten op. 2), Klaviervariationen, Kammermusik für Klavier und (wechselnde) andere Instrumente, Lieder mit Klavierbegleitung sowie schließlich zwei (womöglich drei) Klavierkonzerte stellen den weitaus größten Teil seines Ende 1795 bekannten Œuvres. Und wir gehen wohl nicht fehl in der Annahme, daß Beethoven alle diese Werke im Hinblick auf sein eigenes Konzertieren geschrieben hat, auch die, von deren erster Realisierung wir keine genauere Kenntnis besitzen.

Eine Frucht des eigenen Virtuosentums, im speziellen Fall sogar einer Konzertreise (und zwar der einzigen größeren), ist auch das Quintett für Klavier, Oboe, Klarinette, Fagott und Horn Es-Dur. Beethoven begann mit der Skizzierung dieses Werkes nämlich, wie uns die auf Grund von Wasserzeichen-Untersuchungen nunmehr zeitlich einzuordnenden Skizzen verraten[1], während seines Aufenthaltes Februar bis April 1796 in Prag, wo er vielleicht durch eine Aufführung des Mozartschen Klavierquintettes Es-Dur KV 452 wichtige Anregungen empfing (daß sein Werk mit jenem Vorläufer nicht nur Besetzung und Tonart, sondern auch Satzzahl sowie ganz spezielle formale und stilistische Eigenheiten gemein hat, wurde schon im vorigen Jahrhundert von verschiedenen Autoren festgestellt). Vielleicht arbeitete er auf der Reise nach Berlin, die über Dresden und Leipzig führte, weiter an dem Quintett, sicher aber in Berlin selbst, wo er unter anderem am 21. und 28. Juni 1796 bei Zusammenkünften der Singakademie durch seine Klavierimprovisationen Aufsehen erregte[2]; Skizzen auf in Deutschland erworbenem Notenpapier verraten dies eindeutig. Da diese Skizzen alle drei Sätze umfassen, könnte Beethoven das Werk (dem übrigens — auf böhmischem Papier — Skizzen zu einem dann nicht weiter ausgeführten Quartett für Klavier und Bläser vorausgingen) durchaus noch in Berlin vollendet haben[3], wie ein auf einem weiteren Berliner Skizzenblatt erhaltener Briefentwurf vermuten läßt: „ich habe die Ehre [„schicke" ist gestrichen] ihnen hier das quintett, und sie werden mich sehr verbinden, wenn sie es als ein unbedeutendes geschenk von mir betrachten, die Einzige Bedingung die ich ihnen machen muß, ist, es gar niemandem sonst zu geben." Angesichts der Prager Skizzen zu dem verworfenen Quartett sowie auch zu unserem Quintett muß man wohl der Meinung von Douglas Johnson zustimmen, daß es sich hierbei um das Es-Dur-Quintett handelt und daß dieses einem Auftraggeber oder Bekannten nach Prag gesandt werden sollte. Da das Autograph verschollen ist, kann eine endgültige Klärung wohl nur durch einen weiteren Fund ermöglicht werden.

Wie alle Kammermusikwerke mit Klavier aus jener frühen Zeit ist auch das Es-Dur-Quintett in erster Linie eine Klavier-Komposition mit Begleitung anderer Instrumente, wie uns nicht zuletzt das Programm der ersten uns bekannten Aufführung verrät, die in einer von dem mit Beethoven befreundeten Geiger Ignaz Schuppanzigh veranstalteten Akademie am 6. April 1797 im Saale des Hoftraiteurs Ignaz Jahn stattfand: „Ein Quintett auf dem Fortepiano mit 4 blasenden Instrumenten akkompagnirt, gespielt und komponirt von Herrn Ludwig van Beethoven."[4] Die

---

1 Vgl. D. Johnson, *Music for Prague and Berlin,* S. 35f.

2 Vgl. Thayer / Deiters / Riemann, *Ludwig van Beethovens Leben,* Bd. II ([2]1910), S. 17f.

3 Vgl. D. Johnson, *Music for Prague and Berlin.*

4 Thayer / Deiters / Riemann, *Ludwig van Beethovens Leben,* Bd. II ([2]1910), S. 46.

nahezu solistisch-konzertante Rolle des Klaviers erscheint durch eine Eintragung im Sitzungsprotokoll der Tonkünstlergesellschaft vom 10. Mai 1798, die eine weitere Realisation des Werkes am 2. April 1798 im National-Hoftheater betrifft (die zum Besten der Witwen und Waisen der Gesellschaft stattfand), noch besser dokumentiert: „[...] hat H. van Bethoven ein Quintett produzirt, und sich dabey auf dem Pianoforte auch durchs fantasieren ausgezeichnet." Den schönsten Beweis, wie sehr Beethoven dieses Werk gleichsam als Kammerkonzert für Klavier und begleitende Bläser ansah (also im alten, auch bei Mozart verbürgten Sinn eines „Concerto a quattro"; vgl. die Anzeige von dessen Klavierkonzert F-Dur KV 413), besitzen wir schließlich in einem Bericht von Ferdinand Ries über eine Aufführung des Werkes in einem Privatkonzert des Fürsten Lobkowitz im Dezember 1804:

„Am nämlichen Abend spielte Beethoven sein Clavier-Quintett mit Blasinstrumenten; der berühmte Oboist Ram [sic!] von München spielte auch und begleitete Beethoven im Quintett. — Im letzten Allegro ist einigemal ein Halt, ehe das Thema wieder anfängt, bei einem derselben fing Beethoven auf einmal an zu phantasiren, nahm das Rondo als Thema, und unterhielt sich und die Andern eine geraume Zeit, was jedoch bei den Begleitenden nicht der Fall war. Diese waren ungehalten und Herr Ram sogar sehr aufgebracht. Wirklich sah es posirlich aus, wenn diese Herren, die jeden Augenblick erwarteten, daß wieder angefangen werde, die Instrumente unaufhörlich an den Mund sezten, und dann ganz ruhig wieder abnahmen. Endlich war Beethoven befriedigt und fiel wieder in's Rondo ein. Die ganze Gesellschaft war entzückt."[1]

Auch in Ries' Erzählung ist also zu lesen, daß (u.a.) der Oboist „Ram" (Friedrich Ramm) „Beethoven im Quintett begleitete" — das Klavier war Solo-Instrument und konnte als solches auch Kadenzen, Eingänge, Verzierungen und Ähnliches extemporieren, wie es der Aufführungspraxis jener Zeit entsprach. Angesichts dieses Befundes wundern dann die laut Carl Czerny „um 1812", also nur wenige Jahre später, stattfindenden Begebenheiten zunächst etwas: „Als ich einst in Schuppanzighs Musik das Quintett mit Blasinstrumenten vortrug, erlaubte ich mir im jugendlichen Leichtsinn manche Änderungen, — Erschwerung der Passagen, Benützung der höheren Oktave etc. — Beethoven warf es mir mit Recht in Gegenwart des Schuppanzigh, Linke und der anderen Begleitenden mit Strenge vor." Am nächsten Tag erhielt Czerny einen Brief von Beethovens Hand, in dem sich dieser für seinen Ton entschuldigte („Ich platzte gestern so heraus"), dann aber meinte: „allein das müssen Sie einem Autor verzeihen, der sein Werk lieber gehört hätte, gerade, wie es geschrieben, so schön Sie auch übrigens spielten."[2] — Anton Schindlers Zeugnis hilft uns, diesen Bericht richtig zu verstehen: Beethoven wandte sich mit seinem Tadel sicher nicht prinzipiell gegen stilistisch richtige, im Idiom seines Werkes angebrachte Extemporierungen (wie immer wieder vermutet wird), sondern gegen jene „Zutaten des modernen Virtuosen", die „im maßlosen Gebrauch des Pedals, in Verlegung der Kantilene aus der ein- und zweigestrichenen Oktave in die drei- und viergestrichene [...], in der Anwendung von Trillern und andern Verzierungen" bestanden, also die Virtuosität zum Selbstzweck werden ließen und nicht zur „natürlichen" Ausgestaltung der „musikalischen Rede" heranzogen. Und laut Schindler begann Czerny sehr

1 F. Ries, *Biographische Notizen,* S. 79f.
2 C. Czerny, *Erinnerungen aus meinem Leben,* S. 34f.

bald, „Beethovens Kompositionen mit Zutaten des modernen Virtuosen zu verbessern und damit sich daran zu versündigen".[1]

Das Es-Dur-Quintett erschien dann März 1801 gleichzeitig in Wien, Leipzig und Frankfurt im Druck, und zwar sowohl in der Original-Fassung für Klavier und vier Bläser als auch in einer Bearbeitung für Klavier, Violine, Viola und Violoncello, die das Tasteninstrument völlig ungeändert ließ; „die bedeutungsvollen und einschneidenden Aenderungen, Umformungen und Zusätze legen" aber „dar, wie ernst es Beethoven darum zu tun war, auch ein vollwertiges Klavierquartett mit Streichern der Nachwelt zu schenken".[2] Darüber hinaus wollte der Komponist mit seiner Quartett-Fassung vielleicht auch Bearbeitungen von fremder Hand zuvorkommen, denen er laut einem Brief vom 13. Juli 1802 überaus mißtrauisch gegenüberstand: „ich behaupte fest, nur *Mozart* könne sich selbst vom Klavier auf andere Instrumente übersetzen, sowie *Haydn* auch — und ohne mich an beide große Männer anschließen zu wollen, behaupte ich es von *meinen Klaviersonaten auch*, da nicht allein ganze Stellen gänzlich wegbleiben und umgeändert werden müssen, so muß man — noch hinzuthun, und hier steht der mißliche Stein des Anstoßes, den um zu *überwinden* man entweder selbst der *Meister sein* muß, oder wenigstens dieselbe Gewandheit und Erfindung haben muß."[3] Ähnliches mag Beethoven bezüglich fremder Übertragungen von Blasinstrumenten auf Streicher gedacht haben.

Eine Erwähnung in der Nr. 58 (12. April 1803) von August von Kotzebues in Berlin herausgegebener Zeitschrift *Der Freimüthige* scheint die einzige zeitgenössische Rezension des Werkes zu sein. In einem Artikel über die *Vergnügungen der Wiener nach dem Fasching* wird das Quintett als eines der „vorzüglichsten Clavierstücke [sic], die man in der letzten Fastenzeit bewundert", gelobt: „ein neues Quintett von Beethoven, genialisch, ernst, voll tiefen Sinnes und Characters, nur dann und wann zu grell, hier und da Odensprünge, nach der Manier dieses Componisten."[4] Mit der kritisierenden Vokabel „Odensprünge" wird gleichsam jene „Ordnung der begeisterten Einbildungskraft" angesprochen, die Moses Mendelssohn in Zusammenfassung der Theorie seiner Zeit in seinem 275. Literaturbrief der literarischen Ode zuwies, in welcher aus Gründen subjektiver Begeisterung „die Mittelbegriffe, welche die Glieder miteinander verbinden, [...] von dem Odendichter übersprungen werden, und daraus entsteht die anscheinende Unordnung, welche man der Ode zuschreibt". Diese Theorie der Ode war, wie Carl Dahlhaus festgestellt hat[5], seinerzeit maßgeblich für die Ästhetik der Symphonie, die ebenfalls durch „plötzliche Übergänge und Ausschweifungen von einem Ton zum andern"[6] charakterisiert wurde und ganz allgemein als Sinnbild für die „Instrumentalmusik großen Stils" galt.[7] Und als eine solche muß auch der Rezensent aus dem Jahre 1803 das Quintett empfunden haben, das bereits genau jene „sprengenden Konzeptionen", „Kontinuitäts-

1 A. Schindler, *Biographie* (1977), S. 491.
2 J. Saam, *Zur Geschichte des Klavierquartetts,* S. 77.
3 Zit. nach Thayer / Deiters / Riemann, *Ludwig van Beethovens Leben,* Bd. II (^{2}1910), S. 328.
4 Zit. nach ebenda, S. 380.
5 Vgl. C. Dahlhaus, *E. T. A. Hoffmanns Beethoven-Kritik,* S. 80ff.
6 J. A. P. Schulz, Art. *Symphonie,* in: J. G. Sulzer, *Allgemeine Theorie der schönen Künste,* Bd. IV (^{2}1787), S. 479.
7 C. Dahlhaus, *E. T. A. Hoffmanns Beethoven-Kritik,* S. 80.

brüche im Satzverlauf" und „Ausdruckskontraste" aufwies[1], wie sie später etwa für die mittleren Streichquartette signifikant wurden, Beethovens Symphonien und Solokonzerte aber — gemäß der Ästhetik jener Zeit — schon damals prägten. Daß er sein Es-Dur-Quintett tatsächlich als eine Art Kammerkonzert angelegt hatte, wurde von dem Berichterstatter also ebenso deutlich erkannt wie die symphonische Dimension des Werkes in bezug auf Formgebung, Themencharaktere und Ausdrucksdichte.

Diese Dimension prägt insbesondere den ersten Satz des Werkes, der mit seinen 416 Takten ein gewaltiges — von den Stirnsätzen der ersten beiden Beethovenschen Symphonien zum Beispiel nicht erreichtes — Ausmaß besitzt. „Bedeutungsvoll" wirkt zudem sofort das einer pathetischen französischen Ouvertüre ähnliche, mit scharf punktierten Rhythmen anhebende Grave, dessen erster Gedanke durch seinen Aufschwung als zerlegter Quartsextakkord den Bogen zum gleichgestalteten Rondogedanken des Finales spannt. Doch auch das Thema des Allegro-Teils wird von einem emporschnellenden Sextintervall eröffnet und zeigt sich solcherart der Grundsubstanz deutlich verwandt. Thematisch ähnlich beginnen übrigens der erste Satz der Klavier-Violoncello-Sonate op. 5, Nr. 1, die Eröffnungs-„Marcia" der Serenade op. 8, der erste Satz des (ebenfalls 1796 geschriebenen) Sextetts op. 71, das Lied „Adelaide" oder auch schon frühe Klavierwerke aus der Bonner Zeit, womit die Verbundenheit des jungen Beethoven mit diesem alten fanfarenartigen Ouvertüren-Typus deutlich dokumentiert erscheint.

Dem zunächst auf-, dann absteigenden Eröffnungsgedanken folgen ein synkopisch angerissener Quintlauf abwärts, eine arpeggierend wirkende Klavierüberleitung sowie zwei knappe Klaviermotive: ein einer Tonwiederholung entsteigender punktierter Seufzer sowie ein aufwärtsdrängender chromatischer Durchgang, ein Beethovens Frühwerke überaus häufig affektiv aufladendes Element[2], das auch das Allegro in mannigfacher Form prägen wird. Nach einer variierten Wiederholung dieser Abfolge beginnt ein durchführungsartiges Geschehen, welches die Idee der Dreiklangszerlegung zu Imitationen benützt, durch die Einführung der verminderten Quint als Zielintervall inhaltliche Schärfung im Sinne des rhetorischen Saltus duriusculus gewinnt und auch durch das im Klavier ausgeschriebene Rubato nach Art des Türkschen „Versetzens (oder Verziehens) der Noten oder Taktglieder"[3] (hier als Retardatio) emotionale Aufladung erfährt. Wiederholte Synkopen, die aus dem Rubato zu kommen scheinen und die Tonreperkussionen immer mehr intensivieren, initiieren schließlich ein staccato vorgetragenes Pendelmotiv, das die Entwicklung endgültig zum Stillstand bringt und in eine angedeutete Reprise führt: Die Gedanken der „Exposition" erscheinen verkürzt, gleichsam in ihrer Essenz, und insbesondere der aufwärtsdrängende „chromatische Durchgang" erhält erhöhte Bedeutung — er ist es auch, der das Geschehen in den überleitenden Dominantseptakkord führt.

Insgesamt gesehen wirkt die Introduktion nicht zuletzt wie eine gleichsam aus freier improvisatorischer Haltung heraus gestaltete rudimentäre Sonatenhauptsatzform, welche das thematische Material des folgenden Allegro-Abschnittes anreißt,

---

1 R. Brinkmann, *Wirkungen Beethovens in der Kammermusik,* S. 100f.
2 Vgl. H. Gál, *Die Stil-Eigentümlichkeiten des jungen Beethoven,* S. 35.
3 D. G. Türk, *Klavierschule,* S. 374f.

fantasieartig auf seine Verwendbarkeit hin überprüft[1], emotional anreichert und schließlich mittels einer Fermate — sie „dienet" damals ja „dem Ausdruck starker Leidenschaften an den Stellen, wo sie aufs höchste gestiegen sind" — „etwas mit der Rede innehält, um hernach heftiger wieder fortzufahren".[2]

„Allegro, ma non troppo" eilt nun der Hauptteil dahin, dessen Hauptthema zunächst vom „Hauptinstrument", dem Klavier, vorgestellt wird, ehe die anderen Instrumente, angeführt von der Klarinette, in das Geschehen eingreifen. Dieser Hauptgedanke verbindet wieder die aufspringende Sext mit einem folgenden Abstieg, steigert die Idee mittels Dominantseptakkord und chromatischem Durchgang dabei um je einen Ton in beide Richtungen und entpuppt sich solcherart als Modellfall für die rhetorische „Paronomasia", eine Verstärkung der Aussage durch innere Erweiterung des Grundmotivs. Als Paronomasia angelegt ist auch der Nachsatz, der chromatische Aufladung erfährt und diese dann durch chromatisierende Verselbständigung des noch dazu auf höherer Stufe (im Sinne eines rhetorischen Hyperbatons) wiederholten Schlußseufzers zusätzlich unterstreicht und intensiviert. Das gesamte Thema stellt sich somit als eine jener Gegenüberstellungen von „zwei Prinzipen"[3] verschiedenen Charakters dar, wie sie uns durch Anton Schindler — und zwar auf Grund einer Äußerung des Komponisten — als typisch für Beethovens Musiksprache verbürgt ist.

Nach der Wiederholung des Themas durch die Bläser beginnt ein aus Imitationen entstehender Dialog der Instrumente, wobei sich aus dem Nachsatz ein seufzerhaft absteigendes Dreitonmotiv entwickelt (erstmals T. 55f. des Allegros) und mit dem gegen Ende der Introduktion exponierten Pendelmotiv verbindet. Auch der auf der Dominante stehende „Seitengedanke" erweist sich — in Übereinstimmung mit der Sonatensatztheorie jener Zeit, welche diese Form als „Drama" mit einem einzigen Grundthema (im inhaltlichen Sinn) sah[4] — als Variante jenes „zweiten Prinzips" des Hauptthemas; er wird zudem von dem Pendelmotiv eingeleitet, als dessen Weiterführung er organisch erwächst. In der Folge erhält dann das absteigende Dreitonmotiv erhöhte Bedeutung, verbindet sich mit dem chromatischen Durchgang zu schmerzhaft geschärfter Aussage und macht sich auch das (variierte) Pendelmotiv als Intensivierungsmoment zunutze. Aus dem Baß erklingen schließlich wieder (ab T. 89) die der Einleitung entnommenen aufsteigenden, nach Auflösung drängenden Dreiklangszerlegungen, die dann ihrerseits neue Varianten ausprägen (T. 111, T. 115), mit deren Hilfe Beethoven die Exposition rundet.

Der zweite Teil des Satzes beginnt mit den auftaktig angepeilten Spitzentönen des Hauptthemas, denen chromatische, von Seufzerpausen durchfurchte Durchgänge folgen, ehe sich motivische Arbeit breitmacht. Inhaltliche Schärfung wird schließlich wieder durch ein vermehrtes Auftauchen der Chromatik erreicht, dann drängt das Geschehen in die Reprise, die durch ein Verstärken des Dialogcharakters gekennzeichnet ist. Takt 325 hebt noch eine Coda an, die zunächst den Beginn des

---

1 Siehe dazu auch P. Gülke, *Introduktion als Widerspruch im System,* S. 358f.

2 J. P. Kirnberger, Art. *Fermate,* in: J. G. Sulzer, *Allgemeine Theorie der schönen Künste,* Bd. II (^{2}1786), S. 167.

3 A. Schmitz, *Beethovens „Zwei Prinzipe",* passim.

4 Siehe u.a. Fr. Ritzel, *Die Entwicklung der „Sonatenform"* (^{2}1969), passim, sowie H. Krones, *Rhetorik und rhetorische Symbolik,* S. 124ff.

zweiten Satzteils („Durchführung“) variiert, mit einem Expositionsabschnitt (dort ab T. 31) fortfährt und den Satz mit mannigfachen freien Variantenbildungen beendet.

Auch das Hauptthema des zweiten Satzes gehört einem Thementyp an, den Beethoven in jenen Jahren häufig verwendete; es weist unter anderem Ähnlichkeiten mit dem F-Dur-Adagio aus der Klaviersonate f-Moll op. 2, Nr. 1 (das schon im Klavierquartett C-Dur WoO 36, Nr. 3 vorgebildet war) sowie mit dem Allegro aus der Klavier-Violoncello-Sonate F-Dur op. 5, Nr. 1 auf. Charakteristische Gestaltungsmerkmale sind der anfängliche Quintabstieg, die ihn auffangenden emporweisenden Punktierungen sowie die chromatisch hochdrängenden Durchgänge, denen wir ja schon im ersten Satz begegnet sind. Wieder hebt das Klavier solistisch an und exponiert das Thema, ehe die Bläser — angeführt von der Klarinette — attestieren, den zweiten Teil des Gedankens aber nur im Ansatz übernehmen und statt dessen zu eigener Gestaltung finden.

Die Gesamtform des Satzes stellt sich als Rondo mit zwei Episoden dar, deren erste sogleich (T. 17) folgt und einen Dreiklangszerlegungen, Synkope und Seufzer ausdrucksvoll verbindenden g-Moll-Gedanken aufstellt, der sich durch seine punktierten Rhythmen insbesondere im Nachsatz (T. 25) als dem Hauptthema verwandt erweist. Die chromatisch aufsteigenden Durchgänge werden hier schließlich zu noch intensiverer Gestaltung verwendet (ab T. 29), ehe das Klavier aus einem chromatischen Abstieg wieder in das Hauptthema findet, es nun aber mit chromatischen Figurationen sowie mit Seufzern versieht. Wieder folgen die Bläser mit ihrer Variante und kadenzieren ab.

Die zweite Episode (T. 57) sieht das Horn in Führung; es intoniert eine b-Moll-Kantilene, „welche von Leiden zu erzählen scheint, die aber von den anderen bald beschwichtigt werden“.[1] Diese Kantilene ist durch ihre punktierten Rhythmen und chromatischen Schübe wieder dem Grundmaterial des Satzes verwandt, und auch die „Beschwichtigung“ stellt sich als Mollvariante des Hauptthemas dar, die mit Elementen aus den beiden Episoden eine interessante Synthese eingeht. Noch einmal setzt das Horn solistisch ein und führt seinen Gesang weiter, ehe sich das Geschehen erneut rundet und einen — jetzt allerdings stark variativ veränderten — Hauptthemen-Abschnitt auf den Plan ruft (T. 79). Schließlich verselbständigen sich Seufzer, chromatische Durchgänge und eine Umspielungsfigur, doch auch das Kopfmotiv reißt noch einmal die Führung an sich. Danach verebbt das Geschehen in gegenläufigem „Tragen der Töne“.

Als typisches Rondo-Finale mit tänzerischem Ritornell begegnet uns der dritte Satz, und auch hier eröffnet das Klavier den Bogen. Das von der hochstrebenden Sext geprägte Hauptthema ist in seinem zweiten Teil von jenem uns schon bekannten chromatischen Durchgang kontrapunktiert, der sich im Verlauf der Entwicklungen immer stärker bemerkbar machen und für affektive Eintrübungen sorgen wird. Der ab Takt 21 folgende „witzig dialogisierende Zwischensatz“[2] bringt durch das hier in mannigfacher Weise eingeführte Pendelmotiv Reminiszenzen an den ersten Satz, der erste Episodengedanke (T. 39) ist durch Sextsprung und Aufstieg zur Sept vollends dem Gesamtmaterial verbunden, und auch dessen Fortsetzung (T. 52)

1 Thayer / Deiters / Riemann, *Ludwig van Beethovens Leben,* Bd. II (^{2}1910), S. 48.
2 J. Saam, *Zur Geschichte des Klavierquartetts,* S. 80.

wirkt wie eine Synthese von Hauptthema des ersten Satzes und anderem bekannten Material. Schließlich bildet sich das Geschehen zurück und führt mittels eines stockenden Dialogs in eine Fermate, die wohl seinerzeit Platz für jenes erwähnte Beethovensche „Fantasieren" gewesen ist (siehe oben).

Der nächste Ritornell-Abschnitt erscheint durch eine Mollvariante mit nachfolgender motivischer Arbeit „durchführungsartig" erweitert, wobei den chromatischen Durchgängen hohe Bedeutung zukommt, dann erklingt das Hauptthema wieder in seiner ursprünglichen Gestalt, wird dabei aber „von echoartigen Wiederholungen thematischer Phrasen durch die Bläser unterbrochen".[1] Nun folgen der „dialogisierende Zwischensatz" sowie die beiden Episodenthemen und werden ebenfalls mannigfach variiert und verändert, bis sich die immer wieder anklingende Chromatik vollends verselbständigt und zu einem tragischen Passus duriusculus-Abstieg findet, den auch das figurierende Klavier keineswegs aufzuhellen vermag. Das Geschehen scheint zu stocken, da ergreifen die Bläser die Initiative, intonieren den Hauptthemenkopf im Fortissimo und zwingen das Klavier zur Beantwortung. Doch wieder verliert sich die Fortsetzung in Motivwiederholungen und schließlich in einen Klaviertriller, bis das Horn eine aufsteigende Dreiklangszerlegung intoniert; Seufzerketten beantworten den Ruf, werden gesteigert und führen zu einem plötzlichen, doch klangprächtigen Ende.

Hartmut Krones

Hornsonate F-Dur
op. 17

ENTSTEHUNGSZEIT: April 1800.
ERSTAUFFÜHRUNG: am 18. April 1800 in einer Akademie des Hornisten Giovanni Punto (Johann Wenzel Stich) im Hofburgtheater Wien durch Punto und Beethoven.
SKIZZEN: Staatsbibliothek Preußischer Kulturbesitz Berlin, aut. 19e, Wagenerscher Sammelband, nur die ersten 6 Takte des Adagios.
AUTOGRAPH: nicht nachweisbar.
ERSTDRUCK UND WIDMUNG: Wien 1801 (T. Mollo & Co.); Baronin Josefine v. Braun gewidmet.
GESAMTAUSGABEN: Alte Gesamtausgabe: Nr. 112 = Serie 14 Nr. 1; Neue Gesamtausgabe: Abt. V, Bd. 4; bislang einzige Ausgabe, die Horn- und Violoncellostimme gleichberechtigt abdruckt: Winterthur 1977.

Kein Werk Beethovens ist so auf die Möglichkeiten nicht nur eines bestimmten Instrumentes, sondern sogar eines bestimmten Interpreten abgestimmt wie sein op. 17. „Dass man aber, wenn man diese Sonate durch den berühmten Waldhornisten Punto vortragen hörte, sie unmöglich mit Vergnügen von H., dessen Töne ungleich, unrein und öfters ziemlich derb herausplatzten, mehr hören kann", stellte am 19. Juli 1809 die Leipziger *Allgemeine musikalische Zeitung* nach einer Aufführung durch Carl Czerny und Friedrich Hradetzky im kleinen Redoutensaal in Wien fest (*AmZ* 11, Sp. 669). Das harte Urteil traf nicht einen zweitrangigen

1 P. Bekker, *Beethoven* (^{2}1912), S. 420.

Musiker: Hradetzkys Name findet sich in einer Liste der bedeutendsten Hornvirtuosen seiner Zeit.[1]

Giovanni Punto (Johann Wenzel Stich), der berühmteste Hornist seiner Zeit, war Anfang 1800 von Paris über München nach Wien gekommen und gab am 18. April eine musikalische Akademie im Hofburgtheater. „Die Composition der meisten Werke, die Beethoven zu einer bestimmten Zeit fertig haben sollte, verschob er fast immer bis zum letzten Augenblick. So hatte er dem berühmten Hornisten *Ponto* [sic] versprochen, eine Sonate (*Opus 17*) für Clavier und Horn zu komponieren und in Ponto's Konzert mit ihm zu spielen; das Conzert mit der Sonate war angekündiget, diese aber noch nicht angefangen. Den Tag vor der Aufführung begann Beethoven die Arbeit und beim Concerte war sie fertig."[2]

Diese Entstehungsgeschichte ist — wie so vieles in Ries *Biographischen Notizen* — anekdotisch zugespitzt. Aus unmittelbarer Zeugenschaft kann Ries sie ohnehin nicht gekannt haben, denn er kam erst im Oktober 1801 als Schüler Beethovens nach Wien. Es fällt zwar auf, daß zu op. 17 tatsächlich keine Vorstudien erhalten geblieben sind. Einzig auf einem Bogen, den Beethoven später mit anderen Papieren zu einem Skizzenbuch zusammenbinden ließ[3], findet sich der Beginn des langsamen Satzes. (Seit Nottebohm[4] nimmt man an, der Bogen sei ursprünglich für eine Reinschrift der gesamten Sonate bestimmt gewesen.) Und aus dem Fehlen von Skizzen auf große Eile bei der Komposition zu schließen, ist verführerisch. Doch angesichts der Lücken in der Überlieferung von Beethovens Nachlaß wäre ein solcher Schluß übereilt.

Die Sonate gefiel so gut, „daß, trotz der neuen Theaterordnung, welche das *Da Capo* und laute Applaudiren im Hoftheater untersagt, die Virtuosen dennoch durch sehr lauten Beyfall bewogen wurden, sie, als sie am Ende war, wieder von vorn anzufangen und nochmals durchzuspielen" (*AmZ* 2, 2. Juli 1800, Sp. 704). Daß sie „vortrefflich" war, fiel wohl vor allem im Vergleich mit dem weiteren Repertoire des Solisten auf: „Es that einem wohl, auch eine gute Komposition von Herrn Punto blasen zu hören, denn seine eigne Konzerte sind nicht eben bedeutend und hie und da sehr bizarr" (*AmZ* 3, 15. Oktober 1800, Sp. 48). Punto und Beethoven spielten op. 17 noch mehrmals gemeinsam, wahrscheinlich am 7. Mai 1800, als sie in Budapest konzertierten[5], dann Anfang des nächsten Jahres in einem Konzert zugunsten verwundeter Soldaten.[6] Von einer Privataufführung der Opera 16 und 17 in ihrem Palais berichtet die Gräfin Josephine Deym.[7] Wenige Monate vor seinem Tod soll Punto die Sonate im September 1802 zusammen mit Jan Ladislaus Dussek in Czaslau gespielt haben.[8]

---

1 G. Schilling, *Encyclopädie,* Bd. III, S. 636 (Artikel *Horn*).
2 Fr. G. Wegeler / F. Ries, *Biographische Notizen,* S. 82.
3 Vgl. Johnson / Tyson / Winter, *The Beethoven Sketchbooks,* S. 89ff.
4 Vgl. G. Nottebohm, *Zweite Beethoveniana,* S. 379—381.
5 Vgl. E. Forbes, *Thayer's Life of Beethoven,* S. 256f.
6 Vgl. M. S. Morrow, *Concert Life,* S. 197f.
7 Vgl. ebenda, S. 9.
8 Vgl. Fr.-J. Fétis, *Biographie universelle des Musiciens,* Bd. VIII, S. 136f.

Daß Beethoven in seine Komposition „nach Czernys Erzählung nur Melodien aufnahm, die dem Hornisten geläufig waren“[1], ist später oft dahingehend mißverstanden worden, als habe Punto einzelne Themen vorgegeben. Gemeint ist aber lediglich, daß Beethoven sich an die Möglichkeiten des Instruments hielt, Möglichkeiten, die durch die Fähigkeiten Puntos gewaltig erweitert waren. Und selbstverständlich war es Anliegen des Solisten, vorzuführen, was ihm alles auf dem Horn „geläufig“ war.

Eines der Hauptanliegen des solistischen Hornspiels vor der Etablierung der Ventile war die Erweiterung des Tonvorrats über die vorgegebene Naturtonreihe hinaus (transponierend notiert: C_1 C g c' e' g' b' c'' d'' e'' etc., wobei der Grundton C_1 auf dem Horn nicht ausführbar ist). Einzelne Möglichkeiten waren bereits seit längerer Zeit bekannt, zum Beispiel das Erzeugen einer Quarte unter dem 2. Naturton und die Auswahl zwischen (notiert) f'' und fis'' beim 11. Naturton (der zwischen beiden Tönen liegt) durch Nachlassen der Lippenspannung. Auf den Dresdner Hornisten Hampel wird die Erfindung zurückgeführt, durch Einführen der Hand in die Stürze eine Absenkung des Tones zu erreichen. Damit gelang es den Hornisten, vor allem die Lücken der Naturtonreihe in der eingestrichenen Oktave zu schließen. Punto, zeitweise Schüler Hampels, hatte diese Stopftechnik perfektioniert. „Nie habe ich eine grössere Gleichheit zwischen den gestopften und Naturtönen gehört, als bey Punto's Vortrag, und es hat ihn darin auch bis jetzt schwerlich ein Künstler erreicht“ (*AmZ* 23, 31. Oktober 1821, Sp. 740).

Gleich am Beginn der Sonate führt Beethoven die Errungenschaften des Hornspiels vor. Daß er zwei gegensätzliche Motive einander antithetisch gegenüberstellt, ist zunächst ein rein musikalisches Verfahren: Aus den beiden kontrastierenden Motiven entwickelt er den ganzen ersten Satz. Doch hat es von vornherein eine idiomatische Komponente; der Gegensatz der Motive ist zugleich ein Gegensatz der Instrumente. Der Dreiklangsabstieg mit punktiertem Auftakt stellt typische Blechbläsermelodik an den Beginn (zu beachten ist, daß sich Beethoven für das Horn des sogenannten „hohen Baßschlüssels“ bedient, der als c'—C_1 notierte Sprung also die Oktave f—F meint). Was folgt, aufgebaut aus Seufzermotiven und pointierten Vorhaltsakkorden, scheint konzipiert, um die Möglichkeiten eines „singenden“ Vortrags auf dem Pianoforte zu demonstrieren.

Die Antithese trägt konventionelle Züge und weicht zugleich von der Konvention ab. Denn in der Regel sind antithetische Satzeröffnungen (die man bei Mozart häufig findet, bei Beethoven z.B. im 2. Klavierkonzert und in op. 18, Nr. 1) symmetrisch aufgebaut nach dem Schema a b a (oder a') b', wobei das Kontrastglied b zur V. Stufe hin öffnet, b' zur I. Stufe zurückführt. Tatsächlich leiten Takt 3—4 zur Dominante, Takt 5—6 zur Tonika. Die Wiederholung des Dreiklangsmotivs jedoch, die sich gut zwischen die beiden motivisch gleichen Glieder fügen würde, unterbleibt. Solche Dreiklangsmotive sind ebenfalls typisch für antithetische Themen (als jeweils erstes der beiden Kontrastglieder), und zwar in Einklangs- bzw. Oktavführung aller Stimmen. Das Unisono der beiden Instrumente (und die Wiederholung des Dreiklangsmotivs) spart Beethoven jedoch bis Takt 11 auf, um die Eröffnung dem Horn alleine vorzubehalten. (Die gleiche Abfolge von solistischer und

1 A. B. Marx, *Ludwig van Beethoven,* Bd. I (^{6}1908), S. 292.

„kollektiver“ Einstimmigkeit findet sich zur Eröffnung der Cellosonate A-Dur op. 69.)

Wenn nun das Horn die Takt 3ff. vom Klavier vorgetragene Melodie aufgreift, entspricht dies einer Konvention (dem Bauprinzip der Klaviersonate mit begleitendem Soloinstrument) und ist zugleich mehr, ist sogar die eigentliche Pointe dieser Satzeröffnung: Auf dem in seinen Möglichkeiten erweiterten Instrument läßt sich die nur scheinbar auf das Klavier zugeschnittene Phrase ebensogut ausführen. Gerade die halbtönigen Wendungen der Melodie nämlich sind auf die Stopftechnik abgestimmt. Das Hinaufgleiten von einem gestopften Ton zum Naturton läßt sich besonders gut ausführen.[1] Beispiele dieser Art hätte Beethoven — freilich erst nach Komposition des op. 17 — in einem Artikel aus der *Allgemeinen musikalischen Zeitung* studieren können.[2]

In op. 17 erreicht oder verläßt die Hornstimme die Stopftöne fast stets stufenweise von einem Nachbarton aus. Erst in der Durchführung, in der das Horn das Dreiklangsmotiv durch verschiedene Tonarten führt, häufen sich die Fälle, in denen sie im freien Einsatz oder im Sprung anzuspielen sind. Insgesamt sind an Stopftönen erforderlich: notiert Fis, h, es', f', fis', as'/gis', a', h', cis''/des'', dis''/es'' (klingend H, e, as, b, h, des'/cis', d', e', fis'/ges', gis'/as'), dazu kommen der in der Tonhöhe zu korrigierende 7. (b' = es') und 11. Naturton (f'' = b' oder fis'' = h'). Zwischen notiert es' und g'' (klingend as und c'') verlangt Beethoven vom Hornisten die vollständige chromatische Skala.

Punto hatte aber in der Sonate mehr als die Möglichkeit, nahezu alles, was an Stopftönen möglich war, vorzuführen. Nicht nur ihr Beginn ist auf die Darbietung besonderer Möglichkeiten des Melodieinstruments hin angelegt. Die Sextakkordketten im Wechselspiel beider Klavierhände vor der Schlußgruppe in der Reprise des ersten Satzes münden offenbar nur deshalb in ein kontrastierendes Pianissimo in tiefer Lage, weil damit die Präsentation eines überaus wirkungsvollen Effekts einhergeht: das Erzeugen der Quarte unter dem 2. Naturton (T. 161 und 165; in der Exposition T. 58 und T. 62, Halbton unter dem 3. Naturton).

Die Kenntnis der „von den Virtuosen gewöhnlich geheimer gehaltenen Kunstgriffe“[3] verdankte Beethoven nicht erst (wie Schindler behauptet[4]) Punto, sondern Nikolaus Simrock, in des Komponisten Bonner Jahren noch erster Hornist der dortigen Hofkapelle. Tatsächlich verlangt er schon in seiner früheren Bläser-Kammermusik, zum Beispiel dem Septett op. 20, dem Oktett op. 103, dem Klavierquintett op. 16 und den Sextetten op. 81b und op. 71, den Hornisten Stopftechnik ab (während sich die Hornpartien in den Orchesterpartituren bis hin zur *Eroica* auf Naturtöne beschränken). Doch gehen die Erweiterungen der Naturtonreihe meist nicht über h, a', h', seltener cis'' und es'' hinaus. Eine Ausnahme bilden der chromatische Quartabstieg vom 2. Naturton aus in Takt 238 des ersten Satzes von op. 71 und die in ihrer Virtuosität am ehesten an op. 17 heranreichenden Hornpartien des Sextettes op. 81b. Daß Beethoven das erste Horn in der Ensemble-Bläsermusik bis zum 16.,

1 Vgl. E. Paul, *Das Horn bei Beethoven,* S. 88f.
2 P. Dornaus, *Einige Bemerkungen über den zweckmäßigen Gebrauch des Waldhorns,* in: *AmZ* 3 (1800/1801), Sp. 308ff.
3 Ebenda, Sp. 308.
4 Vgl. A. Schindler, *Biographie* (²1845), S. 38.

in op. 81b sogar bis zum 17. (notiert c''' bzw. d'''), in der Sonate aber nur bis zum 12. Naturton (notiert g'', d.h. beim F-Horn klingend c'') führt, liegt daran, daß Punto Sekundhornist, das heißt auf die tieferen Register des Instrumentes spezialisiert war.

Da die Hornpartie des op. 17 nur einem kleinen Kreis spezialisierter Virtuosen zugänglich war, wurde bereits der Originalausgabe als Alternative eine Violoncellostimme beigegeben. Es ist kaum denkbar, daß dies ohne Einverständnis des Komponisten hätte geschehen können. Die innerhalb weniger Jahre zahlreich erschienenen Nachdrucke enthalten darüber hinaus Bearbeitungen für Violine, Viola oder Flöte. Diese Stimmen halten sich durchweg mehr an den Verlauf der Hornstimme als die Cellostimme in Mollos Ausgabe. Gerade die starken Abweichungen, die ein Bearbeiter kaum gewagt hätte, sprechen für Czernys Behauptung, Beethoven selbst sei Urheber der Violoncellostimme.[1] Die Änderungen beschränken sich nicht auf Anpassung an die tiefere Lage durch gelegentliche Oktavversetzung. So hat man ab und zu den Eindruck, daß erst das Cello die eigentliche musikalische Idee verwirklicht, zum Beispiel Takt 40 des Kopfsatzes, wo es im Gegensatz zum Horn das Motiv aus Takt 38 beibehält, Takt 71, wo nur in der Cellofassung imitatorisches Wechselspiel zwischen den Instrumenten entsteht, oder am Beginn der Durchführung, wenn im Fortissimo nur das Violoncello den c-Moll-Dreiklang unisono mit dem Klavier wagen darf (er wäre in dieser Lage auch mit Stopftechnik offenbar nicht — schon gar nicht in der erforderlichen Lautstärke — ausführbar). Dem Versuch, den Erwartungen der Cellisten auf Berücksichtigung der klanglichen Möglichkeiten ihres Instruments entgegenzukommen (etwa durch die Doppelgriffe Takt 29f. — hier pausiert das Horn), wird bisweilen auch motivische Substanz geopfert: Takt 24ff. folgt das Cello den Sechzehntelläufen des Klaviers, anstatt ihnen den (hornspezifischen) Oktavsprung samt punktiertem Auftakt aus dem Eröffnungssignal entgegenzustellen.

Dies verwundert umso mehr, als das motivisch-thematische Geflecht der Sonate überaus dicht gewebt ist. Die Vorwürfe zumindest, sie sei „ein unbedeutendes Gelegenheitsstück in den Formen Mozartischer Tradition"[2], keine tiefsinnige Musik[3] und biete „keinen sonderlich bedeutsamen Inhalt"[4], hat sie so wenig verdient, wie sie im Ernst für das Produkt einer einzigen Nacht gelten kann. Man beachte nur, wie Beethoven im ersten Satz den punktierten Auftakt, der zugleich Abschluß des Hauptthemas wird (T. 10, T. 19), ebenso für die Eröffnung weiterer thematischer Komplexe (T. 30ff., T. 63ff.) wie als Begleitfigur nützt (T. 76ff., T. 51ff., T. 73), wie er in der Durchführung, deren Beginn zwei der mit dem charakteristischen Auftakt verknüpften Themen zusammenrückt, die Bestandteile des Eröffnungssignals trennt und erst nach dem Verarbeiten des Dreiklangsmotivs durch die Konzentration auf den Auftakt (T. 107ff., zielstrebig vorbereitet ab Takt 102) zur Reprise zurückführt. Der Auftakt stellt auch eine Verbindung zum „Poco Adagio, quasi Andante" her. Durch insistierende Tonwiederholungen und Seufzermotive wird diese

1 Vgl. C. Czerny, *Vollständige theoretisch-practische Pianoforte-Schule,* Bd. IV, S. 89.
2 W. v. Lenz, *Kritischer Katalog,* Bd. I, S. 167.
3 Vgl. W. Brockway in: Th. K. Scherman / L. B. Biancolli, *The Beethoven Companion,* S. 197.
4 P. Bekker, *Beethoven* ([2]1912), S. 420.

Anknüpfung noch deutlicher. Das Ritornell-Thema des abschließenden Rondos gibt zwar die Punktierung auf, lehnt sich aber im ganzen (Quartaufsprung, Oktavabstieg) noch enger an den Beginn der Sonate an. Wie im Kopfsatz bilden Seufzerfiguren und Vorhaltsakkorde den Gegensatz zum weiträumigen Satzbeginn. Die Kürze und der Attacca-Anschluß des langsamen Satzes rücken op. 17 nochmals in die Nähe der genuinen Cellosonaten.[1]

Armin Raab

6 Streichquartette F-Dur, G-Dur, D-Dur, c-Moll, A-Dur und B-Dur op. 18

ENTSTEHUNGSZEIT: Nr. 1: Januar bis April 1799, die Amenda-Kopie stammt vom 25. Juni 1799, Revision im Sommer 1800; Nr. 2: abgeschlossen im Mai 1799, Revision im Sommer 1800; Nr. 3: Herbst 1798, vollendet im Januar 1799 (Abschrift dieser drei Quartette für Fürst Lobkowitz im Herbst 1799); Nr. 4: vermutlich Sommer bis Herbst 1799; Nr. 5: Juni bis August 1799; Nr. 6: April bis Sommer 1800.
ERSTAUFFÜHRUNG: Private Aufführungen von Nr. 3 in der ersten Fassung fanden durch den Freund Beethovens Amenda seit 1799 statt, private Aufführungen bei Lichnowsky vor der Drucklegung sowie einzelner Quartette auf Veranlassung Beethovens im Kreis seiner Freunde, genauere Hinweise fehlen. Besprechungen des Erstdrucks in Periodika sind nicht nachgewiesen; in einer Annonce der *AmZ* vom 26. August 1801 werden die Quartette als „sehr schwer auszuführen und keineswegs populair" bezeichnet.
SKIZZEN: Nr. 1: Deutsche Staatsbibliothek Berlin, Grasnick 1, fol. 37—39, und Artaria 166, Staatsbibliothek Preußischer Kulturbesitz Berlin, Grasnick 2, fol. 1—16, 31, 62—63, aut. 19e, Wagenerscher Sammelband, und Landsberg 7, fol. 1, 50 (Archiv Schott-Verlag Mainz, 1 Seite); Nr. 2: Staatsbibliothek Preußischer Kulturbesitz Berlin, Grasnick 2, fol. 15—18, 20—32, und aut. 19e, Wagenerscher Sammelband, Skizzenblätter in New York und Stockholm; Nr. 3: Deutsche Staatsbibliothek Berlin, Grasnick 1, fol. 1—29, Staatsbibliothek Preußischer Kulturbesitz Berlin, Grasnick 2, fol. 31, 32, Beethoven-Haus Bonn, Mh 64 und Mh 65, Bibliothèque Nationale Paris, Ms 89, Skizzenblatt in Moskau; Nr. 4: Skizzenbuch ist verloren (verworfenes Andante: British Library London, Add. Ms 29997, fol. 8, verworfenes Kopfsatzthema: Staatsbibliothek Preußischer Kulturbesitz Berlin, Grasnick 2, fol. 32, 64); Nr. 5: Staatsbibliothek Preußischer Kulturbesitz Berlin, Grasnick 2, fol. 26, 28, 32—37, British Library London, Add. Ms 29801, Kafka Sketchbook, Blatt 152; Nr. 6: Staatsbibliothek Preußischer Kulturbesitz Berlin, aut. 19e, Wagenerscher Sammelband, Deutsche Staatsbibliothek Berlin, Grasnick 24, Skizzenblätter in Berkeley und Petersburg.
AUTOGRAPH: Alle Autographe von op. 18 sind verloren. Die für Amenda angefertigte Abschrift von Nr. 1 befindet sich heute im Beethoven-Haus Bonn.
ERSTDRUCK UND WIDMUNG: Nr. 1—3: Wien (Juni) 1801 (T. Mollo & Co.); Nr. 4—6: Wien (Oktober) 1801 (T. Mollo & Co.); dem Fürsten Franz Joseph v. Lobkowitz gewidmet.
GESAMTAUSGABEN: Alte Gesamtausgabe: Nr. 37—42 = Serie 6 Nr. 1—6; Neue Gesamtausgabe: Abt. VI, Bd. 3.

Metronomangaben der Quartette nach der *Bestimmung des musikalischen Zeitmasses nach Mälzel's Metronom* (erschienen 1817 in Wien, abgedruckt u.a. in G. Nottebohm, *Zweite Beethoveniana*, S. 520f. und jüngst bei R. Kolisch, *Tempo und Charakter*, S. 101—104). Die dort mitgeteilten Tempobezeichnungen sind hier wiedergegeben, die Abweichungen in der Gesamtausgabe in eckigen Klammern ergänzt. Diese

1 Ähnliche Introduktionen weisen op. 5, Nr. 1 und 2 und op. 102, Nr. 1 zum ersten Satz, op. 69 und op. 102, Nr. 1 zum Finale auf.

Angaben, die immer wieder als problematisch angesehen wurden, weil sie teilweise „absurd schnelle" Tempi fixieren, sind von jenen von Schuppanzigh in der Haslinger-Ausgabe der Quartette op. 18 sehr verschieden (vgl. P. Stadlen, *Beethoven und das Metronom*, S. 27):
Nr. 1: 1. Allegro [con brio] 𝅗𝅥. = 54; 2. Adagio [affettuoso ed appassionato] ♪ = 138; 3. Allegro molto 𝅗𝅥. = 112; 4. Allegro ♩ = 120;
Nr. 2: 1. Allegro ♩ = 96; 2. Adagio [cantabile] ♪ = 72, Allegro 𝅗𝅥 = 69; 3. Allegro 𝅗𝅥. = 52; 4. Allegro [molto quasi] Presto 𝅗𝅥 = 92;
Nr. 3: 1. Allegro 𝅗𝅥 = 120; 2. Andante [con moto] ♪ = 92; 3. Allegro 𝅗𝅥. = 100; 4. Presto 𝅗𝅥. = 96;
Nr. 4: 1. Allegro [ma non tanto] 𝅗𝅥 = 84; 2. Andante Scherzo [Andante scherzoso quasi Allegretto] ♩. = 56; 3. Menuetto Allegretto 𝅗𝅥. = 84; 4. Allegretto [Allegro] 𝅝 = 66; Prestissimo 𝅝 = 84;
Nr. 5: 1. Allegro ♩. = 104; 2. Menuetto 𝅗𝅥. = 76; 3. Andante cantabile ♪ = 100; Poco Adagio ♪ = 88, 4. Allegro 𝅝 = 76;
Nr. 6: 1. Allegro con brio 𝅝 = 80; 2. Adagio [ma non troppo] 𝅘𝅥𝅯 = 80; 3. Scherzo Allegro 𝅗𝅥. = 63; 4. Adagio ♪ = 58, Allegretto [quasi Allegretto] ♩. = 88; Prestissimo ♩. = 112.

Um die Wende vom 18. zum 19. Jahrhundert hatte die junge Gattung des Streichquartetts bereits höchstes Ansehen unter den Musikkennern und Komponisten erlangt. Von Mozart lagen die zehn großen Quartette seit langem vor, während Haydn nach 1800 lediglich noch die Quartette op. 76, Nr. 4—6, die beiden Quartette op. 77 und die beiden Sätze des unvollendeten letzten Quartetts in d-Moll komponierte. Beethoven hatte bis 1798 wichtige kammermusikalische Werke für andere Besetzungen, so unter anderem auch die drei Streichtrios op. 9 komponiert, aber die Gattung des Quartetts, deren Exponenten Haydn und Mozart waren, vermieden. Vorarbeiten in der Komposition und der Instrumentierung für Streichquartett waren offenbar ein Menuett[1] sowie Präludien und Fugen für Streichquartett, die ungefähr 1795 als Kontrapunktstudien während des Unterrichts bei Albrechtsberger entstanden sind. Außerdem gingen der Komposition von Streichquartetten die im Jahre 1793/1794 zu datierende Kopie von Haydns Es-Dur-Quartett op. 20, Nr. 1 (Abschrift im Beethoven-Haus Bonn, Sammlung H. C. Bodmer, Mh 42) sowie die Partiturabschriften der im Stimmendruck erschienenen Quartette Mozarts KV 387 (Beethoven-Haus Bonn, NE 119 und NE 22, und letztes Blatt Pierpont Morgan Library New York, Cary Collection Nr. 74) und KV 464 (Stiftelsen Musikkulturens Främjande in Stockholm) voraus. Auf dem Gebiet des Streichquartetts sah sich Beethoven mit einem Erbe konfrontiert, dem er sich, der Symphonie vergleichbar, erst spät und mit großem Respekt näherte. Dies geschah im gleichen Zeitraum. Neben der 1. Symphonie nahm er mit der ungewöhnlich großen Werkgruppe von sechs Streichquartetten sein bis dahin ehrgeizigstes kompositorisches Vorhaben in Angriff. Nachdem er auf dem Gebiet der Klaviermusik und der Kammermusik mit Klavier- sowie den Streichtrios op. 9 schon Bedeutendes geschaffen hatte, war wohl der Kompositionsauftrag des Fürsten Lobkowitz der Anstoß dafür, sich im Alter von 28 Jahren jener Gattung zuzuwenden, die neben der Symphonie und der Oper (diese allerdings aus anderen Gründen) die kompositorisch und intellektuell anspruchsvollste ist. Aufträge des Fürsten Franz Joseph Maximilian Lobkowitz ergingen im Herbst 1798 oder im Winter 1789/1799 sowohl an Haydn als auch an Beethoven, deren Resultate op. 18 von Beethoven und

1 Vgl. W. Hess, *Supplemente zur Gesamtausgabe,* Bd. VI, S. 154.

op. 79 von Haydn sind.[1] Die sechs Quartette entstanden in der Reihenfolge (vgl. Vorspann): Nr. 3, 1, 2, 5, 4, 6.

Kurz nach dem Erscheinen der Quartette op. 18 publizierte Beethoven ein weiteres Streichquartett, die eigene Bearbeitung der Klaviersonate op. 14, Nr. 1, eine Fassung, auf die er sehr stolz war und die im Mai 1802 auch im Stimmendruck erschien.

Die Abschrift der ersten drei Quartette von op. 18 wurde vermutlich in der Reihenfolge ihrer Entstehung im Juni 1799 von Beethoven in Auftrag gegeben. Ihre Lieferung an den Fürsten Lobkowitz erfolgte im Herbst 1799, denn Beethoven quittierte das Honorar von 200 Gulden am 14. Oktober des Jahres. Bereits am 26. Juni 1799 hatte sein Freund Karl Amenda das Quartett op. 18, Nr. 2 in einer Stimmenkopie für den privaten Gebrauch zum Geschenk erhalten.

Nach der Fertigstellung des letzten der nächsten drei Quartette, op. 18, Nr. 6, begann Beethoven mit der Revision von op. 18, Nr. 1 und 2. Ein Beleg dafür ist der Brief an Amenda vom 1. Juni 1801, in dem er schreibt: „Dein Quartett gib ja nicht weiter, weil ich es sehr umgeändert habe, indem ich erst jezt recht Quartetten zu schreiben weiß, was du schon sehen wirst, wenn du sie erhalten wirst.“[2] Wie die Skizzen zeigen, bezog sich die gründliche Umarbeitung von op. 18, Nr. 1 auf alle vier Sätze. Die Revisionen von op. 18, Nr. 2 sind aus der Analyse der Skizzen von aut. 19e, insgesamt 34 Skizzenblättern, die auf Bibliotheken zwischen Berlin, Berkeley, Berlin und Leningrad verstreut sind, etwa ein Jahr nach Grasnick 2 niedergeschrieben worden. Demnach hat Beethoven alle vier Sätze umgearbeitet, besonders eingehend den zweiten Satz mit der Neukomposition des Allegro-Teils, der vermutlich eine ursprüngliche Mollepisode im Adagio ersetzte. Das erste Finale ist den Skizzen aus Grasnick 2 zufolge wesentlich kürzer und weniger gewichtig als das endgültige gewesen. Leider sind Abschriften dieser ersten Fassung nicht erhalten. Die Quellen für die Überarbeitung von op. 18, Nr. 3 (D-Dur-Quartett) sind offensichtlich verloren.

Die intensive Erforschung der Skizzen in den vergangenen Jahrzehnten brachte zutage, daß Skizzen aus manchen Lebensabschnitten Beethovens nur lückenhaft überliefert und sogar ganze Skizzenbücher verloren sind. Das Fehlen von Skizzen zu op. 18, Nr. 4 brachte Hugo Riemann auf den Gedanken, das c-Moll-Quartett könne nicht wie die übrigen Quartette aus der Zeit von 1798 bis 1800 stammen, sondern müsse auf eine ältere Vorlage zurückgehen bzw. eine Zusammenstellung verschiedener unabhängig voneinander entstandener Sätze darstellen, eine Auffassung, der sich unter anderem auch Joseph Kerman anschloß. Aus der fraglichen Zeit, nämlich Herbst 1799 bis Frühjahr 1800, ist ein vollständiges Skizzenbuch abhanden gekommen, in dem sich neben den Entwürfen zu op. 18, Nr. 4 unter anderem auch solche zum Septett op. 20, zur 1. Symphonie op. 21, zum 3. Klavierkonzert op. 37 sowie zur Hornsonate op. 17 befanden. Das Autograph einer von Beethoven verworfenen Fassung des Adagios aus op. 18, Nr. 6 befindet sich in St. Petersburg, eine Quelle, die noch einer eingehenden Untersuchung bedarf. Beethoven scheint in

1 Die Darstellung der Entstehungsgeschichte und der Quellen ist auf G. Nottebohm, *Zwei Skizzenbücher aus den Jahren 1798 und 1799,* W. Virneisel, *Beethoven. Ein Skizzenbuch zu Op. 18* und S. Brandenburg, *The First Version* sowie ders., *Beethovens Streichquartette op. 18* gestützt.

2 E. Kastner / J. Kapp, *Ludwig van Beethovens sämtliche Briefe,* S. 44.

seiner Überarbeitung von der ursprünglichen Konzeption eines Sonatensatzes ohne Durchführung abgerückt zu sein. In der endgültigen Version des Adagios handelt es sich um eine für Beethoven charakteristische zusammengesetzte dreiteilige Form, die sich bei Mozart kaum findet.

Die Überarbeitung der Quartette op. 18, Nr. 1—3 wurde vermutlich im Sommer 1800 abgeschlossen. Im Oktober 1800 übergab Beethoven Fürst Lobkowitz die Quartette op. 18, Nr. 4—6 und möglicherweise auch die revidierte Version der ersten drei Quartette. Den Erhalt der 200 Gulden Honorar quittierte Beethoven am 18. Oktober 1800. Ein Zeugnis für die beabsichtigte Drucklegung von op. 18 ist ein Schreiben von Nikolaus Zmeskall an den Grafen Franz Brunsvik vom 6. September 1800. Die Werke erschienen in zwei Lieferungen im Juni (Nr. 1—3) und im Oktober 1801 (Nr. 4—6) bei Tranquillo Mollo in Wien, ausgeliefert im Comptoir d'Industrie in Leipzig.[1] Man kann davon ausgehen, daß die Quartette bereits zuvor durch private Aufführungen beim Fürsten Lobkowitz und auf Veranlassung des Komponisten einzelne Quartette im Kreis seiner Freunde aufgeführt wurden. Eine Besprechung der Quartette aus der Zeit ihres Erscheinens ist nicht bekannt. In der Annonce der *Allgemeinen musikalischen Zeitung* (26. August 1801) werden sie als „sehr schwer auszuführen und keineswegs populair" bezeichnet.[2]

Die Drucklegung war offenbar sehr problematisch, wie das Druckbild beider Sammlungen zeigt, das durch viele nachlässig ausgeführte Korrekturen und unkorrigierte Fehler gekennzeichnet ist. So schrieb Beethoven am 8. April 1802 an Franz Anton Hoffmeister: „Hr. Mollo hat wieder neuerdings meine Quartetten sage voller Fehler und Errata — in großer ‚Manier' und kleiner Manier herausgegeben, sie wimmeln wie die kleinen Fische im wasser d.h. ins unendliche. — Questo è un piacere per un autore — das heiß ich stechen, in Wahrheit meine Haut ist ganz voller Stiche und Riße — von dieser schönen Auflage meiner quartetten."[3] Nach verschiedenen Korrekturen legte Mollo im Jahre 1808 eine Neuausgabe vor, in der lediglich das Titelblatt unverändert blieb. Beethoven hat, wie die in der Musikabteilung des Nationalmuseums in Prag aufbewahrte, von der Originalausgabe unabhängige Stimmenkopie aus dem Notenarchiv des Fürsten Lobkowitz belegt, auch nach Erscheinen des Druckes Korrekturen vorgenommen.

Mit den sechs Quartetten op. 18 knüpfte Beethoven, wie schon Friedrich Blume betonte, in gleichem Maße an Haydns und Mozarts Quartettschaffen an, wenngleich nur das A-Dur-Quartett einem konkreten Modell, Mozarts A-Dur-Quartett KV 464 folgt. Er entschied sich dafür, ein reiches Spektrum verschiedener Quartette zu schaffen, indem er durch die Wahl der Satzfolge, der Satztypen, der formalen und satztechnischen Lösungen vielfach neue Wege beschritt. Die Entscheidung, die Quartette in einer anderen Reihenfolge als die ihrer Entstehung zu publizieren, trifft auf beide Teile von op. 18 zu und offenbart die Intentionen Beethovens. Die erste

1 Plattennummer 159. Bei Kinsky / Halm ist eine späte korrigierte Version als Erstauflage bezeichnet. In der Originalausgabe fehlen die Arabesken, die den Titel „Six Quatuor" umranken. Außerdem ist die Opusangabe anders angeordnet (im zweiten Abzug sind die Quartette Nr. 1—3 als op. 18 und die Quartette 4—6 als op. 19 angegeben), der Hinweis auf die „Livraison" fehlt konsequenterweise im zweiten Abzug.

2 *AmZ* 3 (1801), Sp. 800.

3 A. Chr. Kalischer, *Beethovens sämtliche Briefe,* Bd. I (^{2}1909), S. 84.

Gruppe ist in der Reihenfolge op. 18, Nr. 3, 1 und 2, die zweite in der Reihenfolge Nr. 5, 4 und 6 entstanden. An den Beginn der Werkgruppe stellte er das an zweiter Stelle komponierte, nach mehr als einem Jahr und nach der Fertigstellung von op. 18, Nr. 6 in allen Sätzen gründlich umgearbeitete F-Dur-Quartett, weil er den innovativen Akzent seiner Quartette, hier die Zuspitzung eines kompositorischen Prinzips im Kopfsatz, die motivisch-thematische Arbeit mit dem Hauptmotiv, herausstellen wollte. Die Vielfalt der Gestaltungsmöglichkeiten der sechs Quartette läßt sich im Hinblick auf alle kompositorischen Entscheidungen Beethovens nachweisen. Er ordnet die Quartette in der publizierten Reihenfolge ähnlich wie in op. 59 nach dem Prinzip des Kontrasts an: Dem ersten, durch die Gestalt des Hauptsatzes im Kopfsatz so neuartigen ernsten setzt er mit dem zweiten ein vergleichsweise heiteres Quartett entgegen, während im dritten bereits durch das Thema des Kopfsatzes wieder ein sehr innovatives Quartett signalisiert wird. Trotz vieler von Riemann und Kerman herausgestellter, aber heute nicht mehr in derselben Weise beurteilter traditioneller Züge zeigt die Themengestalt des Kopfsatzes im einzigen Mollquartett der Werkgruppe (op. 18, Nr. 4) mit ihrem melodischen Aufschwung von fast drei Oktaven den spannungsreichen Typus eines Beethovenschen Themas auf. Außerdem kommt diesem Quartett dadurch eine besondere Stellung zu, daß das Andante scherzoso quasi Allegretto die Stelle des langsamen Satzes einnimmt und der Stil dieses polyphonen Satzes für ähnliche, von Beethoven später komponierte Sätze stilbildend wurde. Im Kopfsatz dieser drei Quartette verzichtet Beethoven auf die Wiederholung von Durchführung und Reprise. Im A- und B-Dur-Quartett zeigt sich die Anlehnung an klassische Modelle Mozarts und Haydns unter anderem auch an der erneuten Einführung der Wiederholung von Durchführung und Reprise und damit dem Verzicht auf die Coda. Die in op. 18, Nr. 5 dem Epilog der Reprise angehängten sechs Takte werden zusammen mit der Reprise wiederholt, sind also nicht eigentlich als Coda zu bezeichnen.

Das A-Dur-Quartett teilt, wie Jeremy Yudkin wohl als erster bemerkt hat[1], mit Mozarts A-Dur-Quartett, das als einziges den sonst bei Mozart nachgewiesenen „bifocal close" meidet und damit Haydn in besonderem Maße huldigt, eine bemerkenswerte äußerliche Gemeinsamkeit: Wie Mozart, dessen A-Dur-Quartett KV 464 im Jahre 1785 als op. 10, Nr. 5 erschien, gab auch Beethoven im Bewußtsein der Abhängigkeit seines A-Dur-Quartetts diesem die Werknummer op. 18, Nr. 5. Mit dem Finale des abschließenden B-Dur-Quartetts betritt Beethoven innerhalb dieser Werkgruppe und der Gattung des Streichquartetts Neuland, dessen Auswirkungen bis zum Quartett op. 132 reichen.

Wie bereits erwähnt, steht von den sechs Quartetten Beethovens eines in einer Molltonart, dem für Beethoven zeitlebens besonders wichtigen c-Moll. Die Tonarten erstrecken sich auf den Tonartenbereich von B-Dur im Quintenzirkel aufwärts bis A-Dur. Nur ein Satz steht in der parallelen Tonart (op. 18, Nr. 1, 2. Satz), die Untermediante wählte Beethoven für den zweiten Satz des G-Dur-Quartetts und für das Trio des Menuetto in op. 18, Nr. 4 die Variante in dem Allegro bezeichneten Tanzsatz des D-Dur-Quartetts und noch zweimal im c-Moll-Quartett (im 2. Satz sowie im 2. Couplet des Finales). Die bevorzugte Kontrasttonart ist die Subdominante

1 Vgl. J. Yudkin, *Beethoven's „Mozart" Quartet*, S. 70.

(das Adagio cantabile von op. 18, Nr. 2 — hinzu kommt außerdem die Doppelsubdominante in dessen Allegro-Abschnitt — sowie das Trio des Scherzos) und jeweils die langsamen Sätze des 5. und 6. Quartetts. Der tonale Kontrast fehlt dagegen in den Tanzsätzen von op. 18, Nr. 1, 5 und 6.

In op. 18 experimentiert Beethoven mit dem Metrum der Kopfsätze, denn es gibt nur zwei Sätze, die im gleichen Metrum stehen (op. 18, Nr. 3 und 6). Die von Joseph Kerman betonte Zweiteilung der Werkgruppe in die Quartette 1—3 sowie 4—6 ist in der Satzfolge in den einzelnen Quartetten begründet. In den ersten drei und im letzten steht der langsame Satz der Norm entsprechend an der zweiten Stelle des Zyklus, in op. 18, Nr. 4 und 5 sind dagegen abweichende Lösungen getroffen: Im c-Moll-Quartett ist der langsame Satz durch ein Andante scherzoso quasi Allegretto ersetzt wie zuvor in Haydns Streichquartett op. 54, Nr. 1 (ebenfalls gefolgt von einem Menuett) und bei Beethoven selbst später in op. 59, Nr. 1 und in der 7. Symphonie. Im A-Dur-Quartett ist die Position des Variationensatzes analog zum Vorbild von Mozarts KV 464 mit dem Menuetto vertauscht. Schließlich ist der Malinconia-Satz, also das Finale von op. 18, Nr. 6, in mehrerer Hinsicht eine innovative Lösung. Zwar gibt es vereinzelt Finalsätze bei Haydn (op. 54, Nr. 2 mit einem 55 Takte langen Adagio, das am Ende des Satzes modifiziert wiederkehrt) und Mozart (Streichquintett KV 516 mit Adagio-Introduktion)[1] mit langsamen Einleitungen, aber ein „programmatischer" Titel stellt in der Tradition des Streichquartetts ein absolutes Novum dar.

Beim Adagio affettuoso ed appassionato von op. 18, Nr. 1 handelt es sich um einen Sonatensatz mit einer Durchführung von 17 Takten, in der als neues thematisches Element eine Zweiunddreißigstelfigur eingeführt ist. Im Adagio cantabile von op. 18, Nr. 2 schuf Beethoven in der überarbeiteten Version einen Kontrastteil im Allegro, dessen thematisch bestimmendes Motiv am Ende des Adagio cantabile bereits exponiert wird. Im Andante con moto von op. 18, Nr. 3 folgt auf einen ersten Teil in der Form a b a' b' und eine Durchführung lediglich die Reprise des a-Teils und eine recht gewichtige Coda. Nur noch das Andante scherzoso quasi Allegretto aus op. 18, Nr. 4 ist ein Sonatensatz, während das Adagio ma non troppo des letzten Quartetts eine dreiteilige A B A'-Form mit Coda darstellt. Unter den Finalsätzen sind drei Sonatensätze (Nr. 2, 3 und 5), ein reguläres (Nr. 1) und ein freieres Sonatenrondo (Nr. 4) sowie ein frei geformter Satz, der durchführungsartige Abschnitte enthält (Nr. 6).

Selbst wenn man davon ausgeht, daß die von Steiner 1817 publizierten Metronomangaben „absurd schnelle" Tempi ergeben, machen die Angaben zu den Tanzsätzen deutlich, daß nicht nur zwischen den Scherzi und Menuetten eine Tempodifferenz besteht, sondern auch das Tempo der Scherzi ganz erheblich variieren kann. Anhand der Metronomangaben ist abzulesen, wie Beethoven sich die Zuordnung der Sätze vorstellte, denen er eine Tempo-, aber keine Gattungsbezeichnung gab. Im Scherzo von op. 18, Nr. 1 ist die punktierte Halbe mit 112, in op. 18, Nr. 6 aber nur mit 63, also langsamer auszuführen als das Menuetto von op. 18, Nr. 5 (punktierte Halbe = 76). Riemanns Auffassung, bei dem Allegro von op. 18, Nr. 3 handle

1 Mozarts Adagio-Introduktion zum ersten Satz des *Dissonanzenquartetts* KV 465 ist durch ihre Chromatik und Harmonik bemerkenswert.

es sich um ein Scherzo, wird durch die Metronomangabe (punktierte Halbe = 100) bestätigt, nicht aber für seine Zuordnung des „Allegro“ betitelten Satzes von op. 18, Nr. 2, für den mit 52 für die punktierte Halbe die langsamste Tempoangabe aller Tanzsätze der Werkgruppe mitgeteilt ist.

D-DUR-QUARTETT OP. 18, NR. 3. Ähnlich wie Hugo Riemann war Joseph Kerman (er nimmt davon den Kopfsatz weitgehend aus) der Meinung[1], das D-Dur-Quartett als Ganzes überrage „an Kühnheit der Konzeption und Ungezwungenheit der Entwicklung die fünf andern des Werks ganz bedeutend“.[2] Der Kopfsatz dieses zuerst entstandenen Quartetts beginnt mit einem zehntaktigen Satz, der mit dem dominantischen Septsprung in ganzen Noten in der ersten Violine beginnt, der in die Tonikaterz aufgelöst wird. Schon im zweiten Abschnitt des Hauptsatzes führt Beethoven diesen Themenkopf eng. Im Anschluß daran steht die erste Violine durch die virtuose Figuration ganz im Vordergrund. Der deutlich abgesetzte, thematisch und satztechnisch eigenständige Modulationsteil ist nur zwei Takte kürzer als der Hauptsatz. Das aufgrund der Synkopen und seines Homorhythmus sehr markante zweite Thema beginnt in C-Dur (der Parallele der Dominantvariante a-Moll) und führt zur ersten Klimax, in der der Klang bereits auf dreieinhalb Oktaven aufgefächert ist. Eigenständig ist wieder der Epilog aufgrund seines thematischen Materials und seiner Satztechnik, denn nicht nur die beiden Violinen, sondern anfangs auch die Viola und zweite Violine treten in einen Dialog miteinander ein.

Die Durchführung ist wie so oft bei Beethoven in drei klar erkennbare Abschnitte gegliedert, von denen der erste eine harmonisch neue Interpretation des zehntaktigen Anfangs des Hauptsatzes darstellt, der ausgehend von der Variante d-Moll über g-Moll nach B-Dur führt. Daran schließt sich zunächst die Durchführung der Motive aus dem Modulationsteil an, zugespitzt im durchbrochenen Satz der drei Oberstimmen mit der Umkehrung des Motivs in der zweiten Violine. Es folgt schließlich die Durchführung des Kopfthemas vom Satzbeginn unter Aussparung der Bratsche, die in die Klimax des Kopfsatzes in einem über fünf Oktaven ausgebreiteten Cis-Dur-Klang einmündet. Die Reprise beginnt mit dem Einsatz der zweiten Violine über dem liegenden Cis des Violoncellos, wonach erst beim Erklingen des Themas in der ersten Violine das Cello zum D wechselt. Dieser Übergang steht in deutlicher Beziehung zu Haydns Klimax der Durchführung und dem Beginn der Reprise im Andante des D-Dur-Streichquartetts seines op. 33, wo Haydn von einem abwärts gerichteten Cis-Dur-Dreiklang in durchbrochenem Satz unmittelbar in das D-Dur der Reprise wechselt. Nachdem in Beethovens Reprise eine Variante des Hauptsatzanfangs und eine vierzehntaktige Phrase, getragen von einem ebenso viele Stufen umfassenden Baßaufgang, erklungen ist, bleibt die Überleitung auf den zweiten Teil reduziert.

In der Coda stellt die überraschende Einführung von Es-Dur, der Tonart des Neapolitaners, in der der Seitensatz wiederum im homophonen Satz wiederkehrt, die entscheidende harmonische Bereicherung dar. Das Hauptthema wird danach unter

1 Kerman hielt das Finale für den „most ingenious and impressive movement in the entire Op. 18 series“ (*The Beethoven Quartets,* S. 24f.).

2 H. Riemann, *Beethoven's Streichquartette,* S. 25.

Aussparung der Bratsche in drei Stimmen im Oktavkanon durchgeführt, wobei der für den Satz so wichtige verminderte Septakkord zum letzten Mal in diesem Satz den Schlußpunkt dieser Phrase bildet.

Den zweiten Satz des D-Dur-Quartetts bezeichnet Kerman als den neben dem d-Moll-Adagio von op. 18, Nr. 1 dichtesten aller langsamen Sätze der Werkgruppe.[1] Bereits in der zweiten Hälfte des Themas werden Stimmen vertauscht, und nach den ersten acht Takten beginnt eine sehr differenzierte motivisch-thematische Arbeit, an der auch das neu hinzutretende Zweiunddreißigstelmotiv beteiligt ist. Der Seitensatz bildet aufgrund seiner Satztechnik, einem von oben nach unten einsetzenden Kanon aller Stimmen, und aufgrund seines von Pausen durchsetzten Verlaufs einen klaren Kontrast zum Modulationsteil. Harmonisch ist der Satz durch die Chromatik und den Trugschluß in Des-Dur bemerkenswert. Neben dem überraschenden Beginn der Coda mit Sechzehnteltriolen, die in der Klimax des Satzes zum Fortissimo gesteigert sind, ist die von Kerman bereits erwähnte Motiv-Reduzierungstechnik als Ergebnis des Abspaltungsprozesses an deren Ende hervorzuheben.

Durch seinen Tarantella-Charakter nimmt das Finale in der Ahnenreihe der unendlichen Zahl von Tarantellen bzw. Tarantellasätzen in Orchester- oder Kammermusikwerken des 19. Jahrhunderts einen bedeutenden Platz ein. Auf den konstruktiven Charakter des Themas, das auf drei abwärts gerichteten Terzen und drei Quarten in entgegengesetzter Richtung basiert, wies Kerman als erster hin. Beethoven setzt zahlreiche rhythmische (Motivverkürzung, über mehrere Takte reichende Synkopen, Sforzati in der Taktmitte, Ausfallen des Taktschwerpunkts etc.), dynamische (unter anderem Wechsel vom Pianissimo zum Fortissimo, verbunden mit extremem Lagenwechsel der Instrumente) und harmonische Mittel (die überraschende Mediante in T. 41, die als Zwischendominante mit verminderter Sept umgedeutet wird, die Chromatik der Takte 50ff. usw.) ein, um dem Satz seinen Überraschungsreichtum zu verleihen. Kontrapunktische Attraktionspunkte sind besonders das Fugato mit obligatem Kontrapunkt in der Durchführung (T. 129ff.) und der Kanon in der Überleitung vom Haupt- zum Seitensatz in der Reprise (T. 241ff.). Die Gliederung der Coda ergibt sich durch den Dominantorgelpunkt im ersten Abschnitt, während im zweiten der neue, in Terzen geführte prägnante Kontrapunkt zunächst in der Violine und anschließend in der Bratsche und im Cello zum Hauptthema hinzutritt.

Kerman hat in seiner Interpretation des Quartetts insbesondere auch auf vier vereinheitlichende Beziehungen zwischen dem Kopfsatz und dem Finale, den dominantischen Septaufschwung (1. Satz, T. 1—2, im Finale stufenweise ausgefüllt in T. 3—4), den jeweiligen solistischen Satzbeginn, den Abschluß beider Expositionen mit einer chromatisch aufsteigenden Linie sowie die Modulation mit dem Septakkord mit tiefalterierter Quinte (1. Satz., T. 48—49, Finale, T. 41—42) hingewiesen.[2] Damit hat Beethoven Merkmale Mozartscher Quartettkompositionen, wie etwa in KV 464, aufgegriffen bzw. weitergeführt.

1 Vgl. J. Kerman, *The Beethoven Quartets,* S. 20.
2 Vgl. ebenda, S. 25.

F-DUR-QUARTETT OP. 18, NR. 1. Der Kopfsatz dieses Quartetts ist wohl das zunächst Beeindruckendste des gesamten Opus, nicht nur wegen seines Umfangs, sondern in erster Linie wegen der konsequenten motivischen Arbeit mit dem Hauptthema. Das kurze Anfangsmotiv mit seiner rhythmisch prägnanten Drehfigur durchzieht ähnlich wie das berühmte Hauptmotiv des Kopfsatzes der 5. Symphonie den gesamten Satz. Die wichtigsten Motivverwandlungen im Kopfsatz des F-Dur-Quartetts, die durch Abspaltung, Reduzierung und Verlängerung gewonnen werden, sind der folgenden Übersicht zu entnehmen.

Die größte Zahl neuer Gestalten des Motivs, nämlich acht, entsteht bereits in der Exposition, jeweils zwei kommen in der Durchführung und Coda hinzu. Sie alle sind das Ergebnis entweder der Ausweitung des Motivs an dessen Ende oder aber von Abspaltungs- und Reduzierungsprozessen. Im Modulationsteil erscheint in Takt 31 ein komplementäres neues Motiv. Der Seitensatz, auf der Doppeldominante beginnend und mit seinen vier Themeneinsätzen einen deutlichen Kontrast bildend, wird in der Durchführung ganz ausgespart und erscheint erst wieder in der Reprise. Die Durchführung ist besonders stringent, da Beethoven sich auf die motivisch-thematische Arbeit mit dem Hauptmotiv beschränkt. Die Phrasenbildung ergibt eine sehr spannungsreiche Abfolge: Den überleitenden vier Takten mit Skalenwerk folgen jeweils zwei Zwei- und Dreitakter und dreimal sechs Takte im streng kontrapunktischen Satz mit der Stimmeinsatzfolge Baß, Tenor, Sopran, Alt / Alt, Baß, Sopran, Tenor / Tenor, Baß, Sopran und Alt. Während in der Amenda-Version in diesem Abschnitt die vier Stimmen jeweils in gleichem Abstand einsetzten, tritt der letzte Stimmeneinsatz in der revidierten Fassung jeweils vorzeitig, also in Engführung ein, wodurch die Regelmäßigkeit an dieser Stelle unterbrochen und eine gesteigerte innere Spannung erreicht wird. Dieser viermal wiederkehrenden Phrasenfolge im Zentrum der Durchführung folgen nach einem Viertakter zwei gleichgebaute achttaktige Phrasen und eine zwölftaktige Steigerungsphase, die zur Klimax des Reprisenbeginns hinführt. Unmittelbar nach dem Eintritt der Reprise moduliert Beethoven erneut wie in der Durchführung in sehr entfernte Tonarten, das heißt er setzt die Durchführungsarbeit nach dem Repriseneintritt und in der Reprise selbst fort

— ein Verfahren, das auch in anderen Quartetten und Sonaten Beethovens zu beobachten ist. In der Durchführung ist die größte tonale Spannung erreicht, denn es werden die Obermediante A-Dur, die Mollsubdominante b-Moll, die neapolitanische Tonart Ges-Dur, die Variante f-Moll und die Mollsubdominantparallele Des-Dur erreicht, in der Reprise führt der modulatorische Weg sehr rasch quintenzirkelabwärts bis nach Ges-Dur. Die Coda beginnt spektakulär mit einer eine Sept aufsteigenden Skala im Unisono, die aus der Kontrapunktstimme im Zentrum der Durchführung abgeleitet ist. Die dort ausgesparten rhythmischen Verkleinerungen des Themenkopfes werden nunmehr in der Coda nachgeholt.

Der Vergleich der endgültigen Version des F-Dur-Quartetts mit der ersten Fassung[1] ist deshalb besonders aufschlußreich, da Beethoven im Zusammenhang mit der zweiten Version an Amenda schrieb, nun habe er gelernt, Quartette zu schreiben; das heißt, Beethovens Intentionen und Kriterien müssen aus den Änderungen erkennbar sein. In der Exposition betreffen die wichtigsten Veränderungen die Überleitung und den Seitensatz. In der Überleitung stellt Beethoven durch seine Revision die Merkmale der Überleitung klarer heraus. Die erwähnten Revisionen in der Durchführung werden durch dynamische Veränderungen unterstrichen. In den Takten 157—172 der ersten und 151—166 der zweiten Version sind der harmonische Verlauf, die Textur, die Instrumentierung und der Rhythmus so verändert, daß zugleich eine größere Konzentration und Kohärenz geschaffen wurde, wie folgende Übersicht zeigt: 1. Version T. 157—160 b-Moll, 161—164 Ges-Dur, 165—168 Doppeldominante, 169—172 f-Moll; 2. Version T. 151—154 b-Moll, 155—158 Ges-Dur, 159—162 f-Moll, 163—166 Des-Dur. Dagegen revidierte Beethoven den Anfang und das Ende der Durchführung ebensowenig wie den Beginn der Reprise und der Coda.

Der Affekt des zweiten Satzes, dessen erstes Thema den weiten Bogen einer langsamen Opernkavatine bildet, ist durch eine programmatische Anmerkung in französischer Sprache im Skizzenbuch Grasnick 2 zur Coda des langsamen Satzes bestimmt: „Il prend le tombeau / desespoir / il se tue / les derniers soupirs". Beethoven soll nach einer auf seinen Freund, den Geiger und Theologen Karl Amenda zurückgehenden Mitteilung die Grabesszene aus Shakespeares *Romeo und Julia* zur Anregung für den Satz genommen haben. Formal handelt sich um einen Sonatensatz mit einer 17 Takte langen Durchführung und einer fast ebenso langen Coda, in der Beethoven mit der Tremolo-Begleitung und den langen Pausen innerhalb des Satzes neue dramatische bzw. musikdramatische Mittel einsetzt.

Als zyklische Elemente sind harmonische Gemeinsamkeiten zwischen den ersten beiden Sätzen, nämlich die verminderten Septakkorde, zu nennen. Außerdem verbinden Drehmotive den ersten und die letzten beiden Sätze. Beethoven sucht in dem großdimensionierten Sonatenrondo des Finales ein Gegengewicht gegen den dominierenden Kopfsatz zu setzen. Mit der Wiederkehr des Hauptthemas bzw. Refrains beginnt im Finale die sehr lange Durchführung (T. 91—234), in der die beiden Themen übereinandergeschichtet, das heißt kontrapunktisch und auch im doppelten Kontrapunkt miteinander kombiniert werden (vgl. T. 117ff.). Nach der vollständi-

1 Von der ersten Fassung, die als Werk eigenen Rechts gelten kann, gibt es eine Einspielung durch das Pro Arte Quartet aus dem Jahre 1981 (Laurel Record LR-116).

gen, geringfügig erweiterten Reprise beginnt die Bratsche mit dem Refrainthema die tonal stabile Coda.

G-DUR-QUARTETT OP. 18, NR. 2. Das G-Dur-Quartett ist das graziöse und humorvolle Quartett der Werkgruppe. Das Hauptthema erscheint durch seine rhythmische und melodisch-motivische dreigliedrige Gestalt, durch die kurzatmigen Phrasen und die Wiederholung des letzten Zweitakters von einer etwas formellen Grazie und zugleich von eigenwilliger Geziertheit. Im Modulationsteil führt Beethoven ein neu erscheinendes Motiv ein, das aber aus dem Nachsatz des Hauptthemas abgeleitet ist und das von nun an alle Überleitungen bestimmt. Der Seitensatz stellt durch seine rhythmische Schlichtheit einen deutlichen Kontrast zum vorausgehenden Geschehen dar. Auch der Epilog ist thematisch eigenständig und wird durch die humorvoll wirkende Wiederaufnahme des Nachsatzes des Hauptthemas zu Ende geführt, eine Tatsache, die Kerman in Verbindung mit Haydns Es-Dur-Quartett aus op. 33 sieht. Bemerkenswert ist der Reichtum rhythmischer Gestalten in diesem Satz und der Wechsel zwischen Voll- und Auftaktigkeit sowohl im Verlauf des Hauptthemas als auch in der Überleitung. Der Abschlußtakt des Vordersatzes und der Auftakt zum Nachsatz im Hauptsatz wird auf geniale Weise in der Überleitung zur Volltaktigkeit umfunktioniert. Wenn man von dem neu eingefügten Achtelauftakt absieht, ist der Rhythmus des Seitensatzbeginns mit jenem des Modulationsteils (T. 21) identisch. Im Epilog werden die im Modulationsteil eingeführte Synkope (T. 32) und die Triolenbewegung (T. 34) sowie die punktierte Sechzehntelfigur aus dem Seitensatz (T. 55) aufgegriffen und somit über die bereits erwähnte Wiederholung eines Viertakters aus dem Hauptsatz eine zusätzliche Verbindung zwischen beiden Formteilen geschaffen. Im Epilog sind also Elemente aus allen drei vorausgehenden Formabschnitten integriert. Zu Beginn der Durchführung wird die Ableitung des Seitensatzes aus dem Hauptsatz endgültig nachvollziehbar, da Beethoven die entsprechenden Abschnitte unmittelbar aufeinander folgen läßt. Dem Einsatz des Hauptsatzes in Es-Dur im Anschluß an den dem Seitenthema gewidmeten Durchführungsabschnitt entspricht in der Reprise der Einsatz in E-Dur.

Über den von Kerman genannten Reprisenbeginn in Takt 145 läßt sich trefflich streiten. Dort befindet sich das stark veränderte Thema (die Zweiunddreißigstelfigur in einer Art freier Umkehrung) im Cello, harmonisch handelt es sich um einen Sextakkord. Auch die nächsten beiden Einsätze des Themas erscheinen in der transformierten Gestalt, die Takte 149—156 gehören, wie die Kombination und Imitation der Motive des Hauptsatzes in den beiden Violinen sowie die Synkopen der Bratsche beweisen, noch zur Durchführung. Dieser Abschnitt wird schließlich durch eine Generalpause vom wirklichen Beginn der Reprise getrennt, in der das Thema in der originalen Gestalt in der ersten Violine erklingt (T. 157). Ein vergleichbarer Fall liegt im übrigen in der Reprise des ersten Satzes der 8. Symphonie vor, in der das Hauptthema im Baß als Quartsextakkord im Fortissimo als Höhepunkt der Durchführung erklingt, die Reprise aber erst neun Takte später beginnt. Auch bezüglich der 8. Symphonie hat dies zu Mißdeutungen geführt, obwohl ein Repriseneintritt auf dem Quartsextakkord kaum denkbar erscheint. Daß mit dem Beginn der Reprise die Durchführungsarbeit in op. 18, Nr. 2 nicht beendet ist, zeigen die kanonische Behandlung des Zweiunddreißigstelmotivs in den beiden Violinen und die schon erwähnte Transposition des Hauptthemas nach E-Dur. In der Coda bekommt der Satz zunächst durch den dreimaligen Halt auf verminderten Septakkorden noch eine unerwartet ernste Note, aber die Rückkehr des Hauptsatzes im Pianissimo und der Abschluß mit den Pizzicato-Akkorden bestätigen den Gesamtausdruck der klassischen Heiterkeit und Anmut.

Der zweite Satz wurde einer radikalen Revision unterzogen, denn die erste Fassung aus dem Jahre 1799 hatte mit A B A' B' und Coda einen Verlauf ohne Tempowechsel und einen völlig verschiedenen Kontrastteil B. In der endgültigen Version stellt der B-Teil in jeder Hinsicht einen Gegensatz zum A-Teil dar, denn die Tonart, das Metrum und das Tempo sind neu. Das Schlußmotiv des A-Teils wird als Anfangs- und Hauptmotiv des tanzähnlichen Mittelteils übernommen. Die Wiederaufnahme von A vollzieht Beethoven ebenso abrupt, wie er den Teil verlassen hatte. Für diesen extremen Kontrast in einem langsamen Satz gab es kein Modell, aber das Prinzip eines solchen dramatischen und emotionalen Gegensatzes wird zum Beispiel im Streichquartett op. 131 in den fast ans Groteske grenzenden Kontrasten zwischen dem vierten und dem sechsten Satz fortgeführt.

In keinem anderen Quartett von op. 18 bestehen, wie Kerman nachwies, so enge thematische Beziehungen zwischen den Sätzen wie im G-Dur-Quartett.[1] Der Anfang des Scherzo-Satzes ist jenem des vorausgehenden Adagio cantabile sehr ähnlich, das Thema des Finales folgt in seinem diastematischen Verlauf ebenso dem Thema des Modulationsteils im Kopfsatz wie dessen Gliederung in viertaktige Phrasen, an deren Ende Pausen stehen.

C-MOLL-QUARTETT OP. 18, NR. 4. Der Kopfsatz des c-Moll-Quartetts stieß bei zahlreichen Autoren zwischen Riemann und Brandenburg auf mehr oder weniger dezidierte Kritik. Sie basiert auf dem zuungunsten des Quartettsatzes ausfallenden Vergleich mit gewichtigeren c-Moll-Sätzen des c-Moll-Streichtrios op. 9 bzw. der *Pathétique* op. 13 und betrifft die Ähnlichkeit des ersten und zweiten Themas, den an der Exposition zu eng orientierten Verlauf der Durchführung und die rückwärtsgewandte stilistische Orientierung. Ungewöhnlich am Kopfsatz ist die Verlegung des dynamischen Höhepunkts in die Coda, in der noch einmal nacheinander thematisches Material aus dem Epilog, aus dem Hauptsatz und der Überleitung erklingt.

Zukunftsweisend sind dagegen die Sätze 2—4. Wie erwähnt verzichtete Beethoven auf den langsamen Satz zugunsten eines zweiten Tanzsatzes. Genauer gesagt vertritt das Andante scherzoso quasi Allegretto in Sonatenform sowohl den langsamen Satz als auch das Scherzo.[2] Der Satz enthält Fugatos im Hauptsatz der Exposition und in der Reprise, ähnlich wie im zweiten Satz von op. 21, der wie das Andante scherzoso quasi Allegretto im 3/8-Takt notiert ist, sowie im zweiten Satz von op. 59, Nr. 1, wo wiederum ein Sonatensatz an die Stelle des Scherzos getreten ist. Der Witz des Expositionsfugatos im zweiten Satz von op. 18, Nr. 4 besteht darin, daß die Themeneinsätze jeweils um einen Takt früher beginnen und damit der Abstand der neu eintretenden Stimme bei gleichzeitig abnehmender Themenlänge von fünf auf drei Takte verkürzt wird. Der Abschluß des Hauptsatzes wird durch eine Hemiole deutlich markiert. Im Gegensatz zum Anfangsfugato setzen die Stimmen im

---

1 Vgl. J. Kerman, *The Beethoven Quartets,* S. 49f.
2 Vgl. W. Kirkendale, *Fuge und Fugato,* S. 269.

Modulationsteil vom Cello aufsteigend bis zur ersten Violine ein. Im Seitenthema reduziert Beethoven den imitatorischen Satz zunächst auf die Zweistimmigkeit, beteiligt dann aber auch die Bratsche im thematischen Geschehen durch einen Themeneinsatz. Der Epilog ist wiederum ein Fugato, an dem alle Stimmen beteiligt sind. Das Fugenthema des Hauptsatzes, der Seitensatz und das Schlußthema der Exposition bestehen aus denselben beiden Elementen, drei auf gleicher Stufe wiederholten Achteln und einer Stufenmelodik in Sechzehntelbewegung. Im Seitenthema ist die Reihenfolge umgekehrt wie im Hauptsatz, denn es beginnt mit der Sechzehntelbewegung, an die die genannten drei Achtel angefügt sind. Nicht nur durch die Themenbestandteile, sondern auch aufgrund der homogenen Textur ist der Satz sehr einheitlich. Die Reprise beginnt nicht einstimmig wie die Exposition, und dem Thema wird nicht, wie meist in solchen Sätzen, ein Kontrapunkt, sondern zwei verschiedene Kontrapunkte im Violoncello und in der Viola hinzugefügt, so daß ein Fugato mit drei Themen entsteht. Kirkendale zufolge dienen in diesem Satz alle eingesetzten Mittel der Zügelung und Ordnung: das gemäßigte Tempo, die ruhige Harmonik aufgrund des nur taktweisen Harmoniewechsels, die Dynamik, die sich vorwiegend im Pianissimo und Piano bewegt, und die starke Vereinheitlichung des thematischen Materials.

Im Menuetto dieses Quartetts ist das Pathos Beethovenscher c-Moll-Sätze am stärksten spürbar, besonders auch durch den kompakten vierstimmigen Satz, durch die starken Sforzato-Akzente auf der schwachen Zeit des Takts und die zahlreichen Synkopierungen. Bemerkenswert, aber von den Interpreten meist kaum beachtet ist Beethovens Vorschrift, das Menuett nach dem Trio in rascherem Tempo als zuvor zu spielen („la seconda volta si prende il tempo più allegro“).

Das Finale ist ein übersichtliches Rondo mit zwei Couplets in As-Dur und C-Dur ohne Sonatenelemente.

A-DUR-QUARTETT OP. 18, NR. 5. Anders als in den übrigen Quartetten von op. 18 setzt sich Beethoven im A-Dur-Quartett mit einem ganz konkreten Werk Mozarts auseinander, aus dem er kompositorische Strategien, Ideen und die architektonische Anlage übernimmt. Aus der äußeren Anlage des A-Dur-Quartetts ist dies bereits klar an der gleichen Satzfolge und den teilweise sogar gleichen Satzbezeichnungen wie in Mozarts KV 464 ablesbar. Die Tempoangabe der ersten Sätze lautet jeweils „Allegro“, sie stehen jeweils in einem Metrum, bei Mozart 3/4, bei Beethoven 6/8, das einen Wechsel zwischen 6/8 und hemiolischem Rhythmus erlaubt. An zweiter Stelle folgt jeweils ein Menuett und an dritter ein Andante in D-Dur im 2/4-Takt mit sechs (bei Mozart) bzw. fünf Variationen jeweils mit Coda. Beiden Finali ist das Metrum und die Sonatenform gemeinsam.

In Mozarts Kopfsatz werden die Themen zunächst homophon vorgestellt, unmittelbar danach aber polyphon verarbeitet. Zwar ist Beethovens Kopfsatz von seiner Aussage leichter als jener Mozarts — Dahlhaus sieht in ihm das Paradigma des Witzes bzw. Esprit im Sinn des 18. Jahrhunderts[1] —, aber es gibt doch auch Momente innerer Abhängigkeit von Mozart.

1 Vgl. C. Dahlhaus, *Ludwig van Beethoven und seine Zeit,* S. 94f.

Insgesamt steht der erste Satz Beethovens dem Vorbild Mozarts am fernsten, da er leichter im Ton, weniger emphatisch und tiefgründig ist, aber beide teilen das metrische Spiel mit dem Wechsel zwischen 6/8-, 3/4- und sogar 3/2-Takt. Bei Mozart sind die Takte 2—3 als 3/2-, die Takte 3—4 als 3/4- und die Takte 9 und 11 als 6/8-Takte zu verstehen. Bei Beethoven findet aufgrund der Doppelschlagfigur in den ersten drei Takten eine Desorientierung des Hörers statt, der trotz des Violin-Akkordes im ersten Takt im unklaren gelassen wird, an welcher Stelle der Taktschwerpunkt steht, das heißt ob er mit dem Sforzato in der Taktmitte zusammenfällt oder mit dem notierten Taktschwerpunkt. Diese metrische Ambiguität wird später in der Coda wieder aufgegriffen. Zu Beginn des Seitensatzes macht Beethoven den Umweg über die Mollvariante der Dominante (und sogar ihrer Parallele), bevor er E-Dur erreicht, ein Charakteristikum, das Hugo Riemann auf Stamitz zurückführte. Es liegt aber viel näher, daß Beethoven hiermit eine Idee Mozarts aufgriff, der im Modulationsteil auf dem Weg zur Doppeldominante einen Umweg über C-Dur, also wie dann auch Beethoven im Quintenzirkel abwärts beschritten hatte. Der kontrapunktischen Arbeit Mozarts im Anschluß an die jeweilige Exposition der beiden Themen entsprechen, wiewohl etwas weniger kunstvoll, die Takte 40—47 sowie 51—55 bei Beethoven. Insgesamt ist Beethovens Kopfsatz jedoch sehr verschieden von jenem Mozarts.

Mozart führt die Kontrapunktik des Kopfsatzes im Menuett fort, indem er das erste und zweite Motiv aus den ersten beiden sowie den Takten 5—6 miteinander kombiniert. Beethoven reduziert die Kontrapunktik auf die Zweistimmigkeit. Auch sind beiden Sätzen die Ausweichung bzw. Modulation nach cis-Moll (bei Mozart in T. 24, bei Beethoven in T. 44, von Kerman mit dem cis zu Beginn der Durchführung des ersten Satzes in Verbindung gesehen) sowie die ganztaktigen Tonwiederholungen gemeinsam, so daß Kermans Auffassung, die beiden Menuette hätten abgesehen von ihrer „delicacy“ keine Gemeinsamkeiten[1], nicht ganz haltbar ist. Yudkin hat noch auf zwei weitere offensichtliche Verbindungen zwischen diesen beiden Tanzsätzen aufmerksam gemacht: zum einen die Idee der durchgängigen wiederkehrenden Pausen in der Kontrapunktstimme Beethovens, die auf Mozarts Pause im ersten Motiv seines Menuetts zurückzuführen ist[2], zum anderen der auffallende vollstimmige Satz des Trios im Vergleich zum eher filigran-kontrapunktischen Menuett.

Die Gemeinsamkeiten des Metrums, der Tonart und des Tempos der beiden Variationensätze wurden bereits erwähnt. Das Thema Beethovens hat die Besonderheit, daß der Nachsatz der zweiten Periode durch den in der Kadenz veränderten Vordersatz der ersten gebildet ist. Den sechs Variationen Mozarts folgt eine Coda, die auch eine verkürzte Wiederholung des Themas enthält (T. 164ff.), während Beethoven nach den fünf Variationen mit einem im Baß der letzten Variation neu erscheinenden Motiv zur gewichtigen Coda überleitet und darin die ersten beiden Takte des Themas nacheinander in der zweiten Violine, im Violoncello, in der ersten Violine und in der Viola jeweils mit einem obligaten, in andere Stimmen wechselnden Kontrapunkt und nach dem kurzen Adagio in der Violine noch einmal in den beiden Unterstimmen zitiert. Bei Mozart steht die 4. Variation in der gleichnamigen

1 Vgl. J. Kerman, *The Beethoven Quartets,* S. 58.
2 Vgl. J. Yudkin, *Beethoven's „Mozart“ Quartet,* S. 54.

Molltonart, bei Beethoven ist es die einzige Variation, in der er am Ende des ersten Teils moduliert (nach fis-Moll). Das Baßmotiv der 6. Variation, das in Mozarts Coda als rhythmisches Ostinatomotiv durch die Stimmen wandert, kommt ähnlich in Beethovens 5. Variation vor. Beethoven komponierte wie Mozart mehrere Diminutionsvariationen für einzelne Instrumente, bei Mozart sind es die 1.—3. Variation für die Violinen und die Bratsche, bei Beethoven die 2. für die erste und die 3. für die zweite Violine.

Auch im Finale gibt es trotz aller stilistischen Gegensätze auch einige handfeste Gemeinsamkeiten. Mozart schafft zwischen dem Finale und dem Kopfsatz nicht nur durch die Gestalt des Themas, sondern auch durch die Steigerung der harmonischen Spannung und die kontrapunktische Dichte des Satzes eine sehr enge Beziehung. Zunächst hat der Hörer den Eindruck, der Satz sei monothematisch, da an der Stelle des Seitensatzes das Hauptthema wieder erscheint, wird aber dann eines Besseren belehrt, wenn das eigentliche Seitenthema kurz vor dem Ende der Exposition in Takt 67 über den Tonwiederholungen des Violoncellos erscheint. In der Mitte der Durchführung schafft Mozart in Takt 114—121 einen extremen Kontrast, indem er ein neues Material deutlich abgesetzt in ganzen und halben Noten einführt, das danach von einer diminuierten Stimme in der zweiten Violine kontrapunktiert wird. Beethoven griff diese Idee aus der Durchführung Mozarts auf und komponierte einen Seitensatz, der dem Satzbild dieses Abschnitts bei Mozart ganz entspricht und auch wie bei Mozart nach einem deutlichen Einschnitt mit Generalpause in der Durchführung erscheint. Der Anfang des Finales bei Beethoven ist, wie bereits von mehreren Autoren angemerkt, wegen des Dreiachtelauftakts und der Spezifik des Kontrapunkts mit dem Finale der *Prager Symphonie* KV 504 verwandt. Mozart beschließt das Finale mit einem deutlichen Rückgriff auf den Anfang des Satzes, indem er den Themenkopf in der ersten und zweiten Violine noch fünfmal in einem wiederholten Viertakter und in einem dreimal wiederkehrenden Zweitakter erklingen läßt. Das hat offenbar Beethoven die Anregung gegeben, eine ebenfalls zum Satzanfang zurückweisende viertaktige Phrase zu wiederholen, bevor er den Schluß mit der mehrfachen Wiederholung des Anfangsmotivs herbeiführt. Außerdem verbindet das deutliche dynamische Absetzen der beiden Schlußtakte die beiden Finali.

Yudkin hat darauf hingewiesen[1], daß Mozart den für ihn sonst charakteristischen tonikalisierten Halbschluß, nach Robert Winters Terminologie der „bifocal close“[2], in KV 464 vermied. Damit hat er sich ein wesentliches Merkmal des Haydnschen Stils zu eigen gemacht, da Haydn den „bifocal close“ nicht kennt. Beethoven dagegen hat sich in der ganzen Werkgruppe von op. 18 nur einmal des „bifocal close“ bedient, nämlich im Kopfsatz des A-Dur-Quartetts (T. 24—25 und 164—165), und damit ein wesentliches Stilelement übernommen. Im Bewußtsein der Rivalität zu Haydn einerseits und der Kenntnis der Haydn-Hommage des Mozart-Quartetts KV 464 hat er sich offenbar für dieses zusätzliche Bekenntnis zu Mozart entschieden.

B-DUR-QUARTETT OP. 18, NR. 6. In der Literatur über das B-Dur-Quartett steht der Malinconia-Satz stets im Vordergrund, da in diesem Satz der in der Geschichte der

1 Vgl. ebenda, S. 69.
2 Vgl. R. Winter, *The Bifocal Close.* Winter stützt sich hierbei auf Lawrence Bernstein.

Gattung neue Typus des programmatischen Satzes in Erscheinung tritt. Bemerkenswerterweise findet sich in den vorausgehenden drei Sätzen des Quartetts kein Hinweis auf den ungewöhnlichen Ausdruck und den ganz neuen Formverlauf des Finales. Die ersten beiden Sätze von op. 18, Nr. 6 sind eher an vergangenen Modellen als in die Zukunft orientiert.

Die Form des Kopfsatzes ist sehr übersichtlich. Wie im A-Dur-Quartett fehlt ein thematisch sehr eigenständiger Modulationsteil. Zu Anfang der Durchführung beginnt Beethoven die thematische Arbeit mit der Abspaltung des Themenkopfes, dem nunmehr im Cello das Begleitmotiv der zweiten Violine vom Satzbeginn entgegentritt. Im zweiten Abschnitt der Durchführung, der durch eine vorausgehende Generalpause deutlich markiert ist, führt Beethoven das aus dem Modulationsteil stammende Skalenmotiv zunächst in dreimal sechs Takten, zum Schluß als Fugato mit obligatorischem Kontrapunkt durch drei Stimmen (die zweite Violine terzt den Einsatz der ersten aus). Der Kontrapunkt, eine Tonwiederholung mit abschließender abwärtsgerichteter Terz, stammt aus dem Hauptthema. Dieser Abschnitt kulminiert im Vortrag des im Fortissimo vorgetragenen Skalenmotivs in der erste Violine und im Violoncello, das nun wieder eine Oktave abwärts geführt wird und in das Hauptthema in der Dominante mündet, mit dem der dritte Abschnitt der Durchführung beginnt. Die Wechsel der Motive und Texturen, die auf pianissimo und piano zurückgenommene Dynamik, die Reduzierung auf das Vorhaltsmotiv und schließlich sogar auf einen Einzelton, zuletzt nach der Generalpause das Verklingen des Quintklangs auf der Dominante kennzeichnen den Abschnitt als Überleitung zur Reprise.

Im wenig problematischen Adagio ma non troppo steht zunächst der Dialog zwischen den beiden Violinen im Vordergrund, bevor im weiteren Verlauf auch die Viola und das Violoncello in das thematische Geschehen einbezogen werden. Dieser Satz ist offenbar als bewußter Kontrast zu dem harmonisch komplexen Adagio des Malinconia-Satzes konzipiert.

Das Scherzo gehört aufgrund seiner rhythmischen Zwiespältigkeit, dem Spiel mit dem Wechsel von 6/8- und 3/4-Takt und den gewagten Synkopierungen und Sforzandi, zu den rhythmisch komplexesten Sätzen Beethovens. Nur selten fallen gewichtige Noten auf die betonte Zeit, und erst im Schlußabschnitt wird dem Hörer die metrische Orientierung erleichtert.

Auf die Ausnahmestellung des Finales in op. 18, Nr. 6 aufgrund des umfangreichen Adagio-Anfangsteils wurde bereits hingewiesen. Dieses Adagio ist durch seine Ausdehnung und seine Harmonik keine langsame Einleitung im Sinne des Vorhangs oder der thematischen Hinführung zum Allegretto quasi Allegro-Thema, wie es dem Typus der langsamen Einleitung entsprechen würde, sondern ein Satzteil neuer und ganz besonderer Art. In zwei jüngeren Publikationen hat Carl Dahlhaus auf die „geschichtlich geprägte Melancholievorstellung“ des Adagio-Teils hingewiesen[1], während Arno Forchert nachzuweisen versucht, daß sich die Überschrift „Malinconia“ aus Gründen der Quellenphilologie (die Überschrift ist aufgrund ihrer typolo-

1 C. Dahlhaus, *La Malinconia,* S. 201. In B. Cooper, *The Beethoven Compendium,* S. 234, wird der Malinconia-Satz sogar als Groteske gedeutet. Dort heißt es ferner: Beide Teile des letzten Satzes „are intended to sound mutually repellent“.

gischen Gestaltung im Druck Titel des gesamten Satzes) für das ganze Finale gilt und deshalb auch interpretatorisch darauf zu beziehen ist. Die auffallenden Unterschiede in der Melancholie-Darstellung im langsamen Satz der Klaviersonate op. 10, Nr. 3 — Anton Schindler bezeugt diese Absicht Beethovens — und im Streichquartett führt Forchert auf Gattungsspezifika zurück: In der Sonate monologisiere der Komponist und bringe den „unmittelbaren, ungebrochenen Ausdruck seines individuellen Empfindens und Erlebens" zum Ausdruck[1], während im Diskurs des Quartetts „das Bild der Melancholie schlechthin" entworfen werde, „ein Bild, das abgelöst ist von der Subjektivität eines empfindenden Individuums". Auf die weitere Argumentation — Forchert legt das „musikalisch-rhetorische Denken" zugrunde — kann hier nicht eingegangen werden. Zwar läßt Forchert offen, ob sich Beethoven an bestimmte Vorbilder allegorischer Darstellungen der Melancholie in Dichtung und Bildender Kunst (solche der Musik erwähnt er nicht) angeschlossen hat, aber er sieht gemeinsame Vorstellungen am Werk, die er als „Schwanken zwischen Lust und Schmerz, zwischen tiefer Depression und überschäumender Lustigkeit und das plötzliche, unmotivierte Umschlagen der Stimmung" kennzeichnet.[2]

In dem Beginn des Allegretto quasi Allegro sieht er den abrupten Wechsel von einer esoterischen Kammermusik auf den Tanzboden bzw. zur Volksbelustigung. Er lehnt die Deutung des tänzerischen Satzteils als Überwindung der Melancholie ab und versteht die zweifache Wiederaufnahme des Adagios im späteren Verlauf als Umschlagen „von Rastlosigkeit in Ruhe, von Dissoziation zu Konzentration, von Verwirrung und Komplizierung zu Einfachheit und Klarheit".[3] Ein Argument für seine Interpretation ist auch die Wiederaufnahme der chromatischen Baßbewegung aus Takt 7—10 in Takt 138—143, wodurch Beethoven bereits vor dem Zitat des Adagios eine Verbindung dazu herstellt. Das Allegretto quasi Allegro ist ein Deutscher, also ein Modetanz, den Beethoven noch in seinem Streichquartett op. 130 wieder aufgreift und der als hemmungsloser, zu ekstatischer Selbstvergessenheit führender Tanz galt. Insofern ist Forcherts These, das Allegretto sei durch seine Ziellosigkeit und einen geschäftigen Leerlauf charakterisiert, zuzustimmen.

Dahlhaus sieht den Unterschied zwischen der traditionellen Vorstellung von der Melancholie und jener Beethovens darin, daß in der Musik vor Beethoven nicht der Zustand der Melancholie, sondern ihre Vertreibung durch die Musik geschildert werde. Da er sich auf die Analyse des Adagios beschränkt und über das Allegretto kein Wort verliert, scheint er der Meinung zu sein, das nachfolgende Allegretto quasi Allegro stelle trotz des zweimaligen, zunehmend verkürzten Adagio-Zitats die Überwindung der Melancholie durch die Musik dar. Das Festhalten an dem dreimal wiederkehrenden viertaktigen Gedanken zu Beginn des Adagios sowie der von Takt 7 an von b nach g absteigende Baß ist nach Dahlhaus das Abbild der Schwermut. Die sechs nicht aufgelösten verminderten Septakkorde, die in schroffem klanglichem und dynamischem Kontrast aufeinander folgen, seien Zeichen für die Zerrissenheit des Melancholikers. Ihnen folgt die anfängliche viertaktige Phrase in H-Dur, woran sich ein neuer Gedanke in einem freien Fugato anschließt, der von

1 A. Forchert, *Die Darstellung der Melancholie in Beethovens op. 18, 6,* S. 221.
2 Ebenda, S. 225.
3 Ebenda, S. 234.

e-Moll im Quintenzirkel aufwärts bis cis und nach enharmonischem Wechsel von gis nach as bis nach c-Moll führt. Die Akkorde der Takte 30—32 und die nachfolgenden vier Takte durchschreiten die Tonarten von c, b, c, d, g, d, a (jeweils mit Zwischendominanten, deren erste beiden als verminderte Septakkorde) bis zum Sextakkord in B-Dur, der entsprechend dem Takt 12 enharmonisch weitergeführt wird. Dahlhaus interpretiert die Verbindung von Chromatik und Enharmonik bzw. die Ablösung der Chromatik durch Enharmonik als Wechsel der Traurigkeit in die „grüblerische Spekulation", ohne daß dafür zwingende Gründe anzuführen wären. Die Takte 37—42 erinnern an die Akkorde von Takt 12—16. Sie durchschreiten die Tonarten von a-Moll über F, c, As und münden in einen Halbschluß von b-Moll. Dahlhaus kommt in seiner sehr persönlich gefärbten Interpretation zu dem Fazit, Beethovens Malinconia-Satz stelle die erste musikalische Komposition dar, in der Marsilio Ficinos „melancholia illa heroica" „eine musikalische Sprache" erhalten habe.[1]

Die Gültigkeit dieser beiden besonders hinsichtlich des Allegretto quasi Allegro-Teils sich widersprechenden Deutungen des Malinconia-Satzes wird sich vermutlich erst im Kontext einer eingehenden Untersuchung aller verfügbaren Melancholiedarstellungen in der Musik herausstellen.[2] Hierfür wären sowohl die musiktheoretischen Quellen, sofern verfügbar[3], wie auch die mit „Melancholie" bezeichneten Kompositionen[4] genau auf ihre Tradition und ihre Charakteristika hin zu untersuchen. In Kuhnaus *Saul malinconico e trastullato per mezzo della Musica* zum Beispiel wird im ersten Abschnitt „La tristezza ed il furore del Rè" nicht nur in wechselnder und erheblich sich beschleunigender Bewegung, sondern auch in verschiedenen Satztypen, so unter anderem einer pathetischen Fuge und danach einer abstürzenden Figur dargestellt. Es ist anzunehmen, daß das bisher noch ausstehende Studium älterer Melancholie-Kompositionen näheren Aufschluß über die Deutung des Beethovenschen Malinconia-Satzes ergeben wird.

Herbert Schneider

---

1 C. Dahlhaus, *La Malinconia,* S. 210.

2 G. Bandmann, *Melancholie und Musik,* untersucht und deutet ikonographische Quellen, ohne aber auf musikalische Darstellungen der Melancholie einzugehen. Seinen Ergebnissen zufolge kommt Musik in den Melancholie-Bildern in sehr verschiedener Deutung vor, als „Hilfe", als „vergebliche Hilfe", als „weltliches Treiben", als „weltliche Torheit" sowie als „Hilfe und Offenbarung". Auch aus dem Gebiet der Literaturwissenschaft liegen im Gegensatz zur Musikwissenschaft umfangreiche Untersuchungen vor, vgl. Ch. Kahn, *Die Melancholie in der deutschen Lyrik des 18. Jahrhunderts,* H.-J. Schings, *Melancholie und Aufklärung,* G. Mattenklott, *Melancholie in der Dramatik des Sturm und Drang* sowie J. Schmidt, *Die Geschichte des Genie-Gedankens in der deutschen Literatur,* Bd. I.

3 Vgl. z.B. M. Mersenne, *Les Préludes de l'Harmonie universelle,* S. 134: „[...] comme il est aysé au Musicien melancholique de composer des chants, & des airs gays; ce qu'il fait par les regles de l'art, qui arment la raison contre le sens, & l'esprit contre le temperament."

4 Zu nennen sind unter anderem *La belle mélancolique,* Sarabande von Charles Mouton, *La mélancolique,* Courante von Gautier, *Suonata seconda. Saul malinconico e trastullato per mezzo della Musica* mit den Teilen *La tristezza ed il furore del Rè, La Canzona refrigerativa dell arpa di Davide und L'animo tranquillo e contento di Saulo* in J. Kuhnaus *Musicalische Vorstellung Einiger Biblischer Historien,* der dritte Satz in Boccherinis Quartett op. 58, Nr. 2 (*Larghetto Malincolico*) sowie F. A. Kummers *La Mélancolie, pièce caractéristique pour le violoncelle avec accompagnement d'Orchestre ou de quatuor* op. 63.

2. Klavierkonzert B-Dur
op. 19
(zusammen mit dem Rondo B-Dur WoO 6)

ENTSTEHUNGSZEIT: op. 19: 1790 erste Version des B-Dur-Konzerts, zweite Version 1793, dritte Version 1794/1795, vierte Version vor 2. Hälfte (?) 1798, vgl. H.-W. Küthen, *Kritischer Bericht* zu L. v. Beethoven, *Werke*, NGA, Abt. III, Bd. 2; WoO 6: wahrscheinlich 1795.
ERSTAUFFÜHRUNG: op. 19: erste Version: unbekannt; zweite und dritte Version: wahrscheinlich 1793 und 1794/1795 in Wien (privat); vierte Version: im Oktober 1798 in einer Beethoven-Akademie im Wiener Konviktsaal; WoO 6: nicht belegt.
SKIZZEN: zu op. 19: Deutsche Staatsbibliothek Berlin, Grasnick 1; Staatsbibliothek Preußischer Kulturbesitz Berlin, aut. 28, Skizzenbuch Fischhof; Beethoven-Haus Bonn, BH 121; British Library London, Add. Ms 29801, Kafka Sketchbook; Bibliothèque Nationale Paris, Ms 61 und Ms 70; zu WoO 6: British Library London, Add. Ms 29801, Kafka Sketchbook.
AUTOGRAPH: op. 19: Staatsbibliothek Preußischer Kulturbesitz Berlin, Mus. ms. autogr. Beethoven 13; separates Autograph der Solostimme: Beethoven-Haus Bonn; WoO 6: Gesellschaft der Musikfreunde Wien, A 3.
ERSTDRUCK UND WIDMUNG: op. 19: Wien und Leipzig 1801 (Hoffmeister & Co.); Carl Nicklas Edlem von Nickelsberg gewidmet; WoO 6: Wien, Paris, London 1829 (A. Diabelli & Co., M. Schlesinger, Wessel & Stodart).
GESAMTAUSGABEN: op. 19: Alte Gesamtausgabe: Nr. 66 = Serie 9 Nr. 2; Neue Gesamtausgabe: Abt. III, Bd. 2; WoO 6: Alte Gesamtausgabe: Nr. 72 = Serie 9 Nr. 9; Supplemente zur Alten Gesamtausgabe: Bd. 3, Nr. 1.

Nach einem ersten Versuch mit einem Klavierkonzert 1784 (WoO 4) hat es den Plan zu einem neuen Klavierkonzert und erste Skizzen dazu vielleicht schon um 1786 gegeben, zu einer Zeit, da Beethoven bereits als Organist und Cembalist im Dienste des Erzherzogs Maximilian Franz stand, um seinen Lehrer und Mentor Christian Gottlob Neefe in dessen Tätigkeit bei Hofe zu unterstützen. Aber erst nachdem er 1788 eine Stelle als Bratscher in der kurfürstlichen Instrumentalmusik erhalten hatte und somit praktische Erfahrungen als Orchestermusiker sammeln konnte, begann er ernsthaft wieder an Werken mit größerer Besetzung zu arbeiten. Nun erst entstanden Kompositionen wie die beiden Kaiser-Kantaten WoO 87 und 88 — die eine auf den Tod Josephs II., die andere anläßlich der Krönung Leopolds II. — oder die Musik zu einem Ritterballett (WoO 1). Und auch die Gattung des Konzerts wurde wieder aufgegriffen. Während aber ein Violinkonzert in C-Dur, von dem uns nur ein Fragment des Kopfsatzes (WoO 5) überliefert ist, offenbar nie fertiggestellt wurde, war ein Klavierkonzert um etwa 1790 nicht nur vollendet, sondern bereits auch aufgeführt worden. Dabei handelte es sich um die heute nicht mehr rekonstruierbare erste Version jenes B-Dur-Konzertes, das erst nach mehreren Umarbeitungen im Dezember 1801 in Wien als op. 19 im Druck erscheinen sollte.

Es ist hier nicht der Ort, die mit der langen und komplizierten Vorgeschichte dieses Werks verbundenen Probleme eingehend darzustellen. Dank der Forschungen vor allem von Johnson, Block und Küthen[1] läßt sich jedoch der Entstehungsprozeß

1 Vgl. D. Johnson, *Beethoven's Early Sketches in the „Fischhof Miscellany"*, Bd. I, S. 364—385; G. Block, *The Genesis of Beethoven's Piano Concertos*, S. 186ff.; H.-W. Küthen, *Probleme der Chronologie*, S. 263ff.; ders. in: *Kritischer Bericht* zu L. v. Beethoven, *Werke*, NGA, Abt. III, Bd. 2, S. 27—33.

des Konzerts von den ersten Skizzen bis zur Drucklegung vergleichsweise gut überblicken. Dabei zeigt sich, daß die Fassung der ersten Bonner Aufführung mindestens zwei-, möglicherweise auch dreimal umgearbeitet wurde, und zwar stets im Zusammenhang mit weiteren Aufführungen. So hat sich Beethoven sicherlich bald nach seiner Übersiedlung nach Wien, die im November 1792 erfolgte, mit einer revidierten Version des B-Dur-Konzerts hören lassen, auch wenn zeitgenössische Zeugnisse dafür nicht vorliegen. Anlaß zu weiteren Umarbeitungen boten dann die öffentlichen Konzerte in den Jahren 1795 und 1798 sowie die Vorbereitung für den Druck, zu dem Beethoven im April 1801 selbst die Stichvorlage für den Solopart anfertigte. Hatte das Konzert in den ersten beiden Versionen noch mit dem Rondo B-Dur WoO 6 geendet, so entschloß sich Beethoven offenbar um 1794/1795 dazu, es durch eine Neukomposition zu ersetzen: durch jenes Finale, das dann auch in die endgültige Gestalt des Werkes einging.

Trotz solcher immer wieder neuen Bemühungen ist es Beethoven nicht gelungen, dem Konzert eine seiner strengen Selbstkritik standhaltende Form zu geben. Denn daß auch die Fassung, in der es schließlich veröffentlicht wurde, nicht vollauf seinen Vorstellungen entsprach, hat er seinem Verleger Hoffmeister gegenüber ausdrücklich betont, indem er es als ein Stück ankündigte, „welches ich [...] für keins von meinen besten ausgebe".[1] Die Unzufriedenheit mit der eigenen Schöpfung wird freilich begreiflich, wenn man sich vergegenwärtigt, daß der bislang vor allem mit Klaviersonaten und Kammermusikwerken verschiedener Besetzung hervorgetretene Komponist nun auf einem Felde in Erscheinung trat, auf dem Mozart mit seinen Klavierkonzerten Maßstäbe gesetzt hatte, denen gerecht zu werden ihm auf Anhieb beim besten Willen nicht gelingen konnte.

Das liegt nicht zuletzt daran, daß er zwar einerseits, wie man schon immer festgestellt hat, sich in vielen Einzelzügen dem Beispiel Mozarts anschloß, gleichzeitig aber, vielleicht um der Gefahr einer bloßen Stilkopie zu entgehen, sie einem höchst individuellen Formkonzept zu unterwerfen suchte, einem Konzept, das sich erheblich von den Absichten Mozarts unterschied.

Schon der Anfang des Konzerts liefert dafür ein gutes Beispiel. Beethoven beginnt mit einem harmonisch geschlossenen sechzehntaktigen Hauptsatzgedanken. Die acht Takte des Vordersatzes sind in zweimal vier Takte unterteilt, wobei jeder Viertakter seinerseits aus zwei kontrastierenden Teilen zusammengesetzt ist. In ihnen steht jeweils Forte gegen Piano, Orchestertutti gegen Streicherklang, Unisono bzw. Oktaven gegen harmoniebegleiteten Oberstimmensatz. Dabei schließen die ersten vier Takte dominantisch, die zweiten auf dem Sextakkord der Tonika. Der achttaktige Nachsatz wiederum unterscheidet sich vom stark gegliederten Vordersatz durch seine Einheitlichkeit: Er erklingt durchweg im Streichersatz, seine zweimal vier Takte sind harmonisch wie melodisch weitgehend identisch, und lediglich ihre Schlußwendung unterscheidet sie. Sie führt beim ersten Mal in die Terz, beim zweiten Mal in den Grundton der Tonika. Solche Kontrastierung von Taktgruppen innerhalb einer Themengestalt schließt sich zwar an einen Thementyp Mozarts an, wie er beispielsweise in der *Haffner-* oder *Jupiter-Symphonie* und auch in einigen Klavierkonzerten — KV 449, 451 oder 482 — anzutreffen ist. Beethoven aber stei-

1 E. Kastner / J. Kapp, *Ludwig van Beethovens sämtliche Briefe,* S. 35.

gert sowohl die Kontrastbildung, deren gliedernde Wirkung durch die im vierten und achten Takt eingefügten Holzbläserakkorde noch verstärkt wird, als auch die Geschlossenheit des Themenaufbaus, indem er das Prinzip symmetrischer Entsprechungen (2+2 + 2+2 + 4+4) mit einer Konsequenz durchführt, die Mozart mit guten Gründen fast immer zu vermeiden weiß.

Dieses höchstwahrscheinlich bereits aus der Bonner Zeit stammende und in seinem Aufbau auch später niemals mehr in Frage gestellte Thema — denn alle erhaltenen Skizzen setzen es bereits voraus — dürfte einer der Hauptgründe für die Schwierigkeiten sein, die sich Beethoven bei der Arbeit an dem Konzert immer wieder in den Weg stellten. Denn erstens ist es infolge seiner Geschlossenheit denkbar ungeeignet, zum Ausgangspunkt eines Formteils zu dienen, der sein Ziel erst, wie das bei Mozart durchweg der Fall ist, mit dem Eintritt des Solisten erreicht, und zweitens handelt es sich um eine Erfindung aus dem Geist des Orchesters, deren wirkungsvolle Übertragung auf das Soloinstrument nur mit erheblichen Einschränkungen und Modifikationen möglich ist, weil das Klavier allein die von den verschiedenen Farben und der Dynamik des Orchesters unterstützten Kontraste innerhalb des Themas nur in abgeschwächter Form wiederzugeben vermag. Aber es hat den Anschein, als habe Beethoven ohnehin nicht die Absicht gehabt, dem Formkonzept zu folgen, das der Mehrzahl von Mozarts Klavierkonzerten zugrundeliegt. Deren erste Sätze nämlich können im Prinzip als weiträumige Steigerungsanlagen verstanden werden, die, ausgehend vom Eingangsritornell, über die Soloexposition bis hin zu dem von der Durchführung vorbereiteten Schlußabschnitt führen, — einem Formteil, der mit seinem Höhepunkt in der Solokadenz nicht Reprise und damit Rückkehr zu einem Früheren, als vielmehr Zusammenfassung und Fazit alles Vorangehenden ist. Beethoven hingegen scheint bei der Komposition des Konzerts zunächst eher in den Kategorien gedacht zu haben, die auch der Anlage der Kopfsätze seiner vorangehenden Klavier- und Kammermusikwerke zugrundelagen: also an einen Satz mit doppelter, das heißt mit Beteiligung des Solisten wiederholter Exposition. Dem entspricht, daß in der ursprünglichen Konzeption schon für das Eingangstutti eine vollständige Themenexposition einschließlich des Seitensatzes vorgesehen war, der freilich in der Orchestereinleitung noch in der Tonika stehen sollte. Erst 1798 entschloß Beethoven sich, den Seitensatz, nun auf der Dominante, der Soloexposition vorzubehalten. Dennoch zeigt auch die endgültige Gestalt des Kopfsatzes bei genauerer Betrachtung noch immer die Schwierigkeiten, die Beethoven offensichtlich damit hatte, aus einer anfänglich wohl eher vom Orchester her entwickelten Konzeption ein Konzert zu machen, das einem Vergleich mit dem von Mozart geschaffenen Gattungstyp standhalten konnte.

Denn trotz der Eliminierung des Seitensatzes hat das Eingangstutti auch in der letzten Fassung noch alle wesentlichen Merkmale einer Sonatenexposition behalten. Das liegt daran, daß Beethoven aus dem Kontrastmotiv des Hauptsatzes (T. 3f.) bereits einen lyrischen Nebengedanken entwickelt hatte, der nach der Herausnahme des Seitensatzes dessen Funktion übernehmen konnte. In der endgültigen Gestalt des Konzerts verblaßt denn auch der harmonisch in sich geschlossene, keiner Entwicklung fähige Seitensatz der Soloexposition zur folgenlosen Episode, während der motivisch-sequenzierende Nebengedanke in der Folge zum eigentlichen Widerpart des rhythmisch geprägten Hauptsatz-Kopfmotivs wird. Nachdem sein Eintreten im Abschluß eines von B-Dur zur Dominante von f-Moll führenden Überleitungsteils

(T. 16—38) bereits angekündigt wurde (T. 35f.), setzt er in überraschender chromatischer Wendung in Des-Dur ein, um schließlich über b-Moll in einen Dominantorgelpunkt der Tonika zu münden, der den Wiedereintritt der Kopfmotivs vorbereitet (T. 63). Darüber hinaus erscheint er, nun in auftaktiger Form, als kadenzierender Schlußgedanke, der nicht nur das Eingangstutti und die Soloexposition, sondern auch den ganzen ersten Satz beschließt.

Die Gestalt, die Beethoven dem Hauptgedanken gegeben hatte, erfordert, wie schon erwähnt, besondere Überlegungen für den wirkungsvollen Einsatz des Klaviers nach Ende der Orchestereinleitung. Denn nicht nur der von den Möglichkeiten des Orchesters inspirierte komplexe Aufbau des Themas erschwerte seine unveränderte Übertragung auf das Soloinstrument, sondern auch sein Beginn mit einem Fortemotiv, das im unmittelbaren Anschluß und gleichsam im Schatten des ebenfalls im Forte endenden Orchestertuttis kaum zur Wirkung kommen konnte. Mozart hatte in den meisten seiner in Wien entstandenen Klavierkonzerte diese Schwierigkeit dadurch vermieden, daß er seine Hauptsatzgedanken im Piano beginnen ließ — normalerweise im Streicherchor —, um erst im weiteren Verlauf das Orchestertutti einsetzen zu lassen, was ihm auch für den Anfang der Soloexposition eine ähnliche dynamische Anlage ermöglichte. Beethoven begegnet diesem Problem durch die Einfügung eines Abschnitts (T. 91—106), der sich nach Ausdehnung und Funktion von dem üblichen Soloeingang — einer Art Generalauftakt zum Themeneinsatz — unterscheidet. Seine Aufgabe ist offensichtlich die, den Eintritt des Solisten mit dem Hauptgedanken wirkungsvoll vorzubereiten. In dynamischem Kontrast zu den letzten Akkorden des Orchestertuttis beginnt daher zunächst das Klavier allein mit einem Motiv, das vorher im Orchester nur beiläufig erklungen war (T. 34), wird danach von leisen Streicherakkorden begleitet und schließlich vom Orchestertutti abgelöst. Es führt mit einem viertaktigen Crescendo zu einem Höhepunkt, auf dem der Solist dann mit dem Beginn des Hauptgedankens einsetzt. Oberflächlich betrachtet ähnelt dieses Verfahren dem Mozarts in der Parallelstelle seines d-Moll-Konzerts KV 466, — einem Stück, das Beethoven besonders schätzte und wahrscheinlich in den ersten Jahren seines Aufenthaltes in Wien auch einige Male öffentlich gespielt hat.

Der Vergleich beider Stellen läßt freilich erkennen, wie weit Beethoven zur Zeit der Entstehung seines op. 19 noch von der Meisterschaft entfernt war, die Mozarts Wiener Klavierkonzerte durchweg auszeichnet. Zwar beginnt auch Mozarts d-Moll-Konzert mit einem Gedanken von typisch orchestraler Erfindung. Und auch bei ihm geht es um das Problem der Verbindung zwischen dem Schluß des Eingangsritornells und dem Beginn der Soloexposition. Während aber bei Beethoven der erste Einsatz des Solisten ein Ereignis ohne Folgen bleibt — denn das Klaviermotiv kommt bereits bei seiner Wiederholung in einer erweiterten Kadenz zum Stillstand, und nach dem sich anschließenden Orchestertutti muß der Solist zum zweiten Mal einsetzen, was den Zweck des ganzen Abschnitts, den eigentlichen Beginn der Soloexposition spannungsvoll vorzubereiten, weitgehend zunichte macht —, findet Mozart zu einer Lösung, die sowohl radikaler als auch einleuchtender und wirkungsvoller ist. Statt den Hauptgedanken in eine ihm nicht gemäße Klavierfassung zu zwingen, beläßt er ihn in seiner ursprünglichen orchestralen Gestalt, schickt ihm aber einen Soloteil voraus, der — übrigens nicht nur bei seinem ersten Auftreten, sondern noch bis in die Durchführung hinein — als dessen komplementäre Ergänzung fungiert. Der erste Einsatz des Solisten verbindet sich also mit einer Formulierung des Hauptgedankens, die gegenüber der am Beginn der Orchestereinleitung erweitert und gesteigert ist.

Wenn Beethoven dagegen nach der etwas umständlichen Vorbereitung die eigentliche Soloexposition beginnen läßt, erinnert an den breit ausgesponnenen Hauptgedanken des Orchesterritornells nur mehr dessen Kopfmotiv, an das sich nun unmittelbar eine Wendung anschließt, die — ähnlich der des Klaviereingangs — wiederum erst jetzt motivische Bedeutung erhält, während sie vorher lediglich an wenig profilierter Stelle des Überleitungsabschnittes (T. 23) verwendet worden war. Beide Motive bilden zusammen mit einem dominantisch sich öffnenden Schluß den Ausgangspunkt für eine schrittweise absteigende Sequenz, die von B-Dur über a-Moll nach g-Moll gelangt (T. 106—114). Verglichen mit der stabilen und in sich ruhenden Gestalt des Hauptsatzthemas erweckt diese Umformulierung zunächst eher den Eindruck eines Durchführungsmodells, dessen Dynamik allerdings schnell erlahmt. Denn schon nach acht Takten kommt abermals die melodische Bewegung ins Stocken, indem sie in eine mehrfach wiederholte Phrase mündet, deren Spitzenton sich schließlich als Septe des Dominantakkords von F-Dur erweist, womit bereits die harmonische Ebene des Seitensatzes erreicht ist (T. 117f.). Der eigentliche Beginn der Soloexposition wird also weder durch das erste Erscheinen des Soloinstruments hervorgehoben — das erklang schon elf Takte vorher — noch durch das formale Ereignis eines neuerlichen Anfangs in Korrespondenz zur Orchestereinleitung. Statt dessen hören wir einen Abschnitt, der selbst lediglich vermittelnde Funktion hat: Vermittlung zwischen dem Hauptsatz, an den er nur durch ein kurzes Zitat erinnert, und dem Seitensatz, zu dem er hinführt, der aber wiederum zunächst als Orchesterthema vorgetragen wird (T. 128ff.). Dessen kadenzierende Wiederholung hat Beethoven zwar dem Solisten überlassen, aber aus der F-Dur-Kadenz, mit der dieser das Thema definitiv abschließt, erwächst ein neues Problem: das der Fortsetzung in die Schlußgruppe nämlich, in einen Formteil also, der im Konzert in der Regel dem ersten virtuosen Höhepunkt für das Spiel des Solisten vorbehalten ist.

Infolge der Geschlossenheit des Seitensatzes kommt der melodisch-harmonische Fluß zunächst völlig zum Stillstand: Sechs Takte lang bleibt die Harmonie auf F stehen, dazu erklingt in viermaliger Wiederholung ein Gedanke, der an den Beginn des Soloeingangs (T. 90) erinnert. Danach aber setzt, wiederum in plötzlicher Wendung nach Des-Dur (vgl. T. 43), gleichsam als zweites Seitenthema, ein völlig neuer Gedanke ein, diesmal vor dem Hintergrund leiser Streicherbegleitung vollständig vom Solisten vorgetragen. Es scheint, als sei Beethoven die Möglichkeit, ein neues lyrisch-kantables Thema einzuführen, um von diesem aus den Anschluß an die Schlußgruppe herzustellen, erst sehr spät eingefallen. Denn in den Skizzen zum ersten Satz, deren früheste bis ins Jahr 1790 zurückgehen, begegnet es nicht vor 1798, also zu jener Zeit, als das Konzert seiner formalen Anlage nach bereits weitgehend jene Gestalt gefunden hatte, die auch für den Erstdruck von 1801 nicht mehr wesentlich verändert wurde. Die Tonart Des-Dur bleibt allerdings eine kurze Episode, denn ebenso plötzlich, wie sie eingeführt wurde, wird sie auch wieder verlassen, und mit der Rückwendung nach F-Dur kann Beethoven nun endgültig zur Schlußgruppe überleiten. In ihr greift er abermals auf bereits in der Orchestereinleitung (T. 25ff.) verwendetes Motivmaterial zurück, das nun jedoch nur den Ausgangspunkt für eine längere Klavierpassage bildet, die unmittelbar in das Orchestertutti einmündet, mit dem die Soloexposition abgeschlossen wird.

Analog zur Soloexposition wird mit dem Motiv des Klaviereinganges auch die Durchführung eröffnet. Ihr erster Abschnitt (T. 214—229) führt von F-Dur über g-Moll zu einem Orgelpunkt auf D. Mit chromatischer Rückung nach Es schließt sich ein zweiter Abschnitt (T. 230—246) mit demselben Nebengedanken an, der schon in der Orchestereinleitung in analoger Weise eingeführt wurde (T. 41ff.). Auch hier erscheint er zuerst im Orchester, dessen massive Klanglichkeit, verbunden mit der in Es-Dur gleichsam erstarrten Harmonik, allerdings kaum an eine Durchführung denken läßt. Daran ändert sich auch nichts, wenn das Klavier seine Fortsetzung übernimmt, um ihn mit einer erweiterten Kadenz abzuschließen. Erst wenn — immer noch in Es-Dur — der dritte Abschnitt (T. 247—268) beginnt, kommt es zu wenn auch bescheidener motivischer Arbeit. Sie stützt sich auf jene Wendung, die zusammen mit dem Kopfmotiv des Hauptgedankens schon dem Anfang der Soloexposition (T. 106ff.) einen eher durchführungsartigen Charakter verlieh. Der harmonische Verlauf allerdings bleibt auch hier blaß und konventionell. Er führt ohne große Umwege — vermittelt durch einen über acht Takte unverändert festgehaltenen verminderten Septakkord in zwischendominantischer Funktion — lediglich von Es-Dur/c-Moll in den Dominantorgelpunkt von b-Moll. Damit ist bereits der letzte Abschnitt der Durchführung erreicht (T. 269—284). Hier erhält der Solist noch einmal Friedelegenheit, sich über dem Orgelpunkt mit Spielfiguren in Szene zu setzen, die sich freilich in reinem Laufwerk ohne motivische Substanz erschöpfen. Nur in den begleitenden Orchesterstimmen wird in den letzten vier Takten vor Beginn der Reprise die Wiederkehr des kompletten Hauptthemas motivisch vorbereitet.

Es tritt zunächst wie zu Anfang des Satzes im Orchestertutti auf (T. 285ff.), wobei aber der schroffe dynamische Gegensatz zwischen den Zweitaktgruppen des Vordersatzes dadurch gemildert wird, daß im zweiten und analog im sechsten Takt eine neu eingeführte Dreiklangsfigur der Bläser mit einem Diminuendo zum Pianoeinsatz der Streicher überleitet. Den Nachsatz übernimmt nun das Klavier, das auch den sich anschließenden Überleitungsteil (T. 300ff.) mit gebrochenen Dreiklängen untermalt. Dieser allerdings berührt nur kurz die Wechseldominante, um sich gleich wieder zur Dominante der Haupttonart zurückzuwenden. Hatte sich Beethoven bis hierhin im wesentlichen an den Verlauf der Orchestereinleitung gehalten, so ist die Reprise vom Eintritt des Seitensatzes (T. 312) bis zum Schlußtutti im Grunde nichts anderes als eine transponierte Wiederholung der Soloexposition, die selbst in den Figurationen des Soloparts kaum verändert ist. Das auf den Seitensatz folgende kantable Thema steht nun also in Ges-Dur, die Schlußgruppe in der Haupttonart B-Dur. In dem kurzen Schlußtutti (T. 384ff.) ist die Kadenz des Solisten allerdings ein für das formale Gleichgewicht des ganzen Satzes unentbehrlicher Bestandteil. Auch Beethoven scheint sich dessen bewußt gewesen zu sein. Denn wenn das Konzert auch, wie allgemein üblich, ohne Kadenz veröffentlicht wurde, so hat sich doch eine etwa acht Jahre nach dem Erstdruck entstandene Kadenz Beethovens erhalten[1], die dafür spricht, daß der Komponist mit ihr mehr bezweckte, als dem Solisten lediglich Gelegenheit für die quasi improvisatorische Zurschaustellung seiner virtuosen Fertigkeiten zu geben. In ihr nämlich treten die konventionellen Spielfiguren weitgehend in den Hintergrund zugunsten einer auch kontrapunktische Komplizie-

1 Vgl. R. M. Friedman, *The Original Cadenzas,* S. 13—36.

rungen nicht scheuenden Arbeit mit Motiven, die sowohl aus dem Hauptthema als auch aus dem Nebengedanken abgeleitet sind, der in Orchestereinleitung und Durchführung das Seitenthema vertritt. Erst mit dieser Kadenz, die mehr als doppelt so lang ist wie der Durchschnitt aller von Mozart erhaltenen Kadenzen, wird die Reprise zu einer zusammenfassenden Rückschau auf alle den Satz konstituierenden Gedanken und erhält gleichzeitig das für einen befriedigenden Abschluß des Satzes notwendige Gewicht.

Gleichwohl dürfte Beethoven vor allem den ersten Satz seines Konzerts im Sinn gehabt haben, als er noch vor dessen Erscheinen seinen Verleger indirekt darauf hinwies, daß er inzwischen bessere Werke geschrieben habe. Denn abgesehen von den schon erwähnten Schwierigkeiten, die aus der Gestalt seines Hauptthemas resultierten, weist der Satz auch andere Schwächen auf, die ihm um 1801, zu einer Zeit also, als er am c-Moll-Konzert arbeitete und bereits Werke wie die Streichquartette op. 18 und die 1. Symphonie vollendet hatte, längst klar geworden sein mußten. Problematisch ist beispielsweise die Einführung zweier kantabler Nebengedanken zusätzlich zum Thema des Seitensatzes. Der erste zwar tritt, wie häufig bei Mozart auch, sowohl in der Orchestereinleitung als auch in der Durchführung an dessen Stelle. Der zweite aber, der jeweils unmittelbar auf das Seitenthema folgt, führt sowohl in der Soloexposition als auch in der Reprise zu einem Überwiegen des lyrisch-melodischen Elements, das sich retardierend auf den Fluß des ganzen Satzes auswirkt. Beethovens spätere Selbstkritik könnte ebensogut aber auch der Tatsache gegolten haben, daß der Eintritt beider Nebengedanken in der Untermediantregion erfolgt. Denn in einem Satz, dessen harmonische Anlage im übrigen recht konventionell ist, erweckt die unvorbereitete Wendung in die erniedrigte sechste Stufe unvermeidlich besondere Aufmerksamkeit, gleichgültig ob sie durch chromatische Rückung von der Dominante der Ausgangstonart aus (T. 40f. bzw. 229f.) oder durch den Grundtonwechsel in die tiefere Terz (T. 148f. bzw. 332f.) erfolgt. Damit aber erhalten die so eingeführten Nebengedanken eine formale Bedeutung, die weit über die des regulär in der Dominanttonart einsetzenden Seitensatzes hinausgeht. Nun nämlich stellen sich, trotz ihrer unterschiedlichen Funktionen für das Ganze, Beziehungen zwischen den Untermediantabschnitten her, die noch zusätzlich dadurch hervorgehoben werden, daß beide bei ihrem ersten Auftreten in der Orchestereinleitung bzw. in der Soloexposition in der gleichen Tonart (Des-Dur) stehen. Die erhaltenen Skizzen bezeugen, wie Beethoven um die Lösung der hier erwähnten Probleme gerungen hat, freilich ohne letztlich zu einem ihn völlig befriedigenden Ergebnis zu gelangen.

Viel weniger Schwierigkeiten dagegen bereitete ihm die Arbeit an den folgenden Sätzen des Konzertes. Das mag vor allem damit zusammenhängen, daß ihre Grundkonzeption in eine Zeit fiel, als er bereits sehr viel mehr Erfahrungen im Umgang mit großen Formen hatte sammeln können. Denn als er um 1794/1795 daran ging, das noch aus Bonn stammende Werk für seine ersten öffentlichen Konzerte in Wien einer gründlichen Revision zu unterziehen, entschloß er sich offenbar, das Adagio, wenn auch vielleicht unter Benutzung älteren Materials, weitgehend umzuarbeiten, das Schlußrondo aber völlig neu zu komponieren. In den Skizzen aus dieser Zeit zeichnen sich denn auch schon die Konturen der Fassung von 1798 ab, die ihrerseits für den drei Jahre später erfolgenden Erstdruck nur noch geringfügige Änderungen erfuhr. Namentlich die Arbeit am Adagio erweckt den Eindruck eines stetigen und zielsicheren Fortschritts bis hin zu jener Endgestalt, die Beethoven schließlich der Öffentlichkeit übergab.

Dieses Adagio ist denn auch, wenn schon nicht der Schwerpunkt des ganzen Konzerts — dazu ist es zu kurz —, so doch ein wohlgelungenes Stück, das in manchen Einzelheiten auf die großen Adagiosätze der späteren Jahre vorausweist. Es bezieht seine motivische Substanz im wesentlichen aus den ersten zwei Takten, deren Melodik und Harmonik in immer wieder neuen Modifikationen und Fortsetzungen nahezu seinen ganzen Verlauf beherrscht. Die zweiteilige formale Anlage des Satzes ist denkbar einfach und dennoch nicht schematisch, denn sie erschöpft sich nicht im Parallelismus zweier Abschnitte, deren einer von der Haupttonart Es-Dur sich zur Dominante wendet, während der andere in der Tonika verbleibt, sondern unterstreicht deren verschiedene Funktionen sowohl durch spezifische Eingangs- und Schlußwendungen als auch durch die jeweils veränderte Verteilung der Einzelabschnitte auf Solo und Orchester, und es ist gerade die Behandlung dieser Abweichungen, die dem Satz seine besondere Qualität verleiht.

Beethoven beginnt mit einer Exposition des Hauptgedankens im Orchester, die aber schon nach sechs Takten auf der Dominante stehenbleibt und, indem sie diese für weitere sechs Takte festhält, sich als eine Art Eingangsportal erweist, das erst zum eigentlichen Satzanfang hinleitet (T. 1—12). In ihm übernimmt der Solist die Führung. Er knüpft mit seinen zwei ersten Takten zwar an den Anfang der Orchestereinleitung an, schließt diese nun aber mit einer Kadenz in der Haupttonart ab (T. 13—17). Der folgende Abschnitt (T. 18—23) ist in seiner formalen Bedeutung ambivalent. Er ist sowohl Fortsetzung des Hauptgedankens, an dessen Kopfmotiv er wiederum anknüpft, als auch Überleitung zur Dominante B-Dur, dem konventionellen harmonischen Ziel des ersten Teils. Den auf der neuen tonalen Ebene eingeführten Gedanken, eine lediglich aus zwei Halbtakten bestehende Phrase, die viermal nacheinander erklingt (T. 24—27), wird man allerdings kaum als zweites Thema bezeichnen können: einmal nicht, weil er zu kurz und zu wenig profiliert ist, um als formales Gegengewicht zur Haupterfindung fungieren zu können, dann aber auch deshalb nicht, weil er mit seinen beiden letzten nach c-Moll sequenzierenden Wiederholungen die kaum erreichte Dominantebene auch schon wieder zu verlassen scheint. Sie wird erst wiedergewonnen in einer an die letzte kolorierte Wiederholung anknüpfenden freien Fortspinnungspartie des Solisten, der sie kadenzierend befestigt (T. 28—31). Auch das auf dem Schlußakkord des Klaviers einsetzende Orchestertutti (T. 31—36) ist, wie schon die beiden voraufgehenden Abschnitte, nicht eindeutig einer bestimmten formalen Funktion zuzuordnen. Es hat einerseits, indem es ein Motiv des Hauptgedankens aufgreift und sequenziert, rudimentären Durchführungscharakter, kann aber infolge seiner Kürze auch lediglich als ein zwischen dem Schluß des ersten und dem Anfang des zweiten Teils vermittelnder Überleitungsabschnitt betrachtet werden.

Der zweite Teil beginnt — analog zu dem auf den Einleitungsabschnitt folgenden eigentlichen Anfang des ersten (T. 13—17) — wieder mit der kadenzierend abgeschlossenen Fassung des Es-Dur-Hauptgedankens (T. 37—41), der vom Klavier, diesmal in der höheren Oktave und reich koloriert, vorgetragen wird. Wo früher in die Dominante übergeleitet wurde, folgt nun allerdings seine Wiederholung, jedoch mit vertauschten Rollen: Jetzt liegt der Hauptgedanke im Orchester, während das Klavier lediglich begleitet (T. 42—46). Dafür verläuft der nächste Abschnitt

(T. 47—54) zunächst wieder in engem Anschluß an den ersten Teil. Eine diesmal etwas erweiterte Es-Dur-Kadenz scheint mit ihrem Stillstand auf dem Quartsextakkord (T. 61) jedoch eine jener kurzen Solokadenzen anzukündigen, wie sie auch in langsamen Konzertsätzen nicht unüblich sind. Hier allerdings handelt es sich um etwas ganz anderes. Denn was nun folgt, hat keine Ähnlichkeit mit einer flüchtigen improvisatorischen Ausschmückung des formelhaft festgelegten Kadenzverlaufs, sondern ist ein Stück sorgfältig kalkulierter Musik, das, wie die Skizzen des Jahres 1798 ausweisen, Beethoven keineswegs auf Anhieb eingefallen ist. Der äußere Gestus der Solokadenz nämlich verbindet sich hier mit dem Codacharakter des Schlußabschnittes. Sein Merkmal ist die allmähliche Auflösung der melodisch-harmonischen Gestalt des Hauptgedankens, die das Ende des Satzes gleichsam zwangsläufig herbeiführt. In diesem Prozeß fällt dem Solopart die Rolle zu, den vom Orchester vorgegebenen harmonischen Verlauf durch seine Einwürfe immer wieder zu unterbrechen und damit allmählich zum Stillstand zu bringen. Die Art des auf diese Weise zustandekommenden Dialoges zwischen Solo und Orchester nimmt bereits vorweg, was Beethoven später, im Andante con moto des G-Dur-Klavierkonzerts, zum Thema eines ganzen Satzes machen sollte.

Es wäre müßig, die Anlage dieses Adagios in das Schema einer der Standardformen zwängen zu wollen. Wollte man es als Sonatenform analysieren, so müßte man ein zwei halbe Takte langes Sequenzmodell, das weder melodische Konsistenz noch harmonische Stabilität besitzt, zum zweiten Thema und einen Abschnitt von vier Takten (T. 31—34), dem ein zweitaktiger Dominantorgelpunkt folgt, zum selbständigen Durchführungsteil erklären, was beides nicht ohne Gewaltsamkeit möglich wäre. Ausschlaggebend für die Gestalt des Satzes sind denn auch nicht eigentlich vorgegebene Themen oder kodifizierte Formabschnitte. Seine im Grunde sehr freie monothematische Kompositionsweise gibt Beethoven vielmehr die Möglichkeit, in der formalen Anlage vor allem dem Prinzip einer sinnvollen Rollenverteilung von Orchester- und Solopart zu folgen. Die Orchestereinleitung ist eine wirkungsvolle Vorbereitung für den Einsatz des Solisten, in dessen Vortrag sich das Orchester erst allmählich wieder einzuschalten beginnt, um schließlich mit ihm in einen kurzen Dialog (T. 23ff.) einzutreten. Auch der zweite Teil wird zunächst vom Orchester angekündigt (T. 31—36), danach aber dominiert vor allem der Solist, bevor der Satz im Wechselspiel beider Partner an sein Ende gelangt.

Wie das Adagio erhielt auch das neu komponierte Rondofinale, dessen heute nicht mehr rekonstruierbare erste Version Beethoven für Aufführungen des Jahres 1795 offenbar in vergleichsweise kurzer Zeit fertiggestellt hatte, um 1798 eine Gestalt, die mit der des Erstdrucks schon weitgehend identisch war. Der Satz, an dessen Stelle die Neukomposition trat, das B-Dur-Rondo WoO 6, läßt erkennen, was die Gründe für die Verwerfung des alten und die Absichten bei der Komposition des neuen Stücks waren. Der vielleicht auffälligste Unterschied zwischen beiden Sätzen betrifft die Rolle des Soloparts. Obwohl in der erhaltenen Fassung von WoO 6 die Klavierstimme teilweise nicht vollständig ausgearbeitet ist, läßt sich doch aus ihr entnehmen, wie bescheiden im Grunde die Aufgaben waren, die ihr hier zugeteilt wurden. Die Neukomposition dagegen räumte dem Solisten nicht nur einen größeren Anteil im Verhältnis zum Orchester ein, sondern stellte ihm auch wichtigere und dankbarere Aufgaben. Nun begannen beispielsweise sämtliche für das Rondo konstitutiven Formabschnitte — also alle Ritornelle und Couplets — im Solopart, während das in WoO 6 nur für die ersten acht Takte des Ritornellthemas galt; alle anderen Themen wurden zuerst von dem Orchester vorgestellt und vom Solisten allenfalls, aber auch nicht immer, fortgesetzt. Der grundsätzlich andere Charakter des neuen Stückes aber, der aus einem sanft fließenden Allegro nun ein dahinstürmendes Allegro molto machte, verwandelte die gleichförmige Geläufigkeit der Spielfiguren in virtuos-brillante Bravour, die Beethoven erst in der Coda mit einem an- und abschwellenden Terzentriller der rechten Hand ausklingen läßt.

Lag also eines der Motive für die Ersetzung des ursprünglichen Finales sicherlich in dem Bestreben, die Rolle des Solisten, die schon in den vorangehenden Sätzen nicht eben bedeutend gewesen war, wenigstens im letzten Satz etwas aufzuwerten, so gab es für Beethoven aber fraglos auch andere, innermusikalische Gründe, die ihn dazu bewogen, statt einer Umarbeitung eine völlig neue Komposition in Angriff zu nehmen. Denn der alte Satz entsprach längst nicht mehr, weder in seiner motivisch-thematischen Substanz, die noch deutlich dem Vorbild Mozarts verpflichtet war, noch hinsichtlich des Verhältnisses der einzelnen Satzteile zueinander und zum Ganzen, dem kompositorischen Standard, den Beethoven um 1795 erreicht hatte. Das nachkomponierte Finale jedoch ist vielleicht nicht der beste, sicherlich aber der avancierteste Satz des Konzerts. Sein vorwärtsdrängender Charakter, verbunden mit einer Thematik, deren auffälligste Züge sich häufende Synkopenbildungen und plötzliche Sforzato-Akzente sind, ist bereits typisch für Beethovens Personalstil, was in der einschlägigen Sekundärliteratur schon immer bemerkt wurde. Ungewohnt und neu wirkt auch die außerordentliche Komprimiertheit dieses Fünfminutenstücks, das auf alle Komplizierungen des altvertrauten Schemas der klassischen Rondoform mit ihren vier Ritornellen und drei Couplets so demonstrativ verzichtet, als wolle der Komponist sein Lehrbuch-Pensum in der kürzest möglichen Zeit absolvieren. Die Absage an alles, was die Aufmerksamkeit des Hörers auf Spezifika der Formgestaltung lenken könnte, hat allerdings ihre eigene Problematik: Sie ist Schwäche und Stärke des Satzes zugleich; Schwäche, weil die Ebene der großformalen Gestaltung außerhalb der eigentlichen Komposition bleibt. Sie ist vorgegeben und wird von einem im übrigen durchaus individuell geprägten musikalischen Material scheinbar widerstandslos ausgefüllt: Musik, die in der Zeit verläuft, ohne formend in sie einzugreifen. Stärke, weil die durch keine subjektiven Eingriffe in die Form aufgehaltene Motorik dieses Zeitablaufs, die gleichsam sich selbst überlassene Geschwindigkeit, mit der die verschiedenen Themen und Motive am Hörer vorüberziehen, dem Satz einen Ausdruck von Rastlosigkeit mitteilt, den die Musik vor Beethoven noch nicht kannte. Aus der Vielzahl von Skizzen, die gerade zu diesem Satz überliefert sind, wird übrigens deutlich, daß der Eindruck von Mühelosigkeit, den das Stück in seiner Endgestalt erweckt, sich keineswegs von selbst ergab, sondern erst als Resultat angestrengter Arbeit erreicht wurde. Es gibt, sieht man von dem Codaausklang ab, nur eine Stelle in dem ganzen Satz, wo der energische Vorwärtsdrang der Musik für einen Augenblick nachzulassen scheint. Das ist, wenn mitten in der Rückleitung zum letzten Ritornell dessen Thema in einer Art fausse reprise überraschend in G-Dur erscheint (T. 262ff.). Zugleich verwandelt sich seine bisher gegen die Taktschwerpunkte gerichtete abtaktig-synkopische Gestalt in eine auftaktige, die nun von der Akzentordnung des 6/8-Taktes getragen wird. Der Moment der Entspannung ist allerdings nur wie ein kurzes Atemholen vor dem gleich darauf im Fortissimo hereinbrechenden Schlußritornell.

Arno Forchert

Septett Es-Dur für Streicher und Bläser op. 20 (zusammen mit dem Klaviertrio Es-Dur op. 38)

ENTSTEHUNGSZEIT: 1799—1800, genauer: zweite Hälfte 1799 und die ersten drei Monate des Jahres 1800.
ERSTAUFFÜHRUNG: privat beim Fürsten Schwarzenberg; öffentlich am 2. April 1800 im Hofburgtheater Wien während Beethovens eigener „Akademie".
SKIZZEN: Staatsbibliothek Preußischer Kulturbesitz Berlin, Grasnick 2; vgl. G. Nottebohm, *Zweite Beethoveniana.*
AUTOGRAPH: Deutsche Staatsbibliothek Berlin.
ERSTDRUCK UND WIDMUNG: Wien 1802 (Hoffmeister & Co.); Kaiserin Maria Theresia, der Gattin Kaiser Franz' I., gewidmet.
GESAMTAUSGABE: Alte Gesamtausgabe: Nr. 32 = Serie 5 Nr. 1.
Das Thema des dritten Satzes (Tempo di Menuetto) ist der 1796 entstandenen „Leichten Klaviersonate" G-Dur op. 49, Nr. 2 entnommen.
Aus den (damals üblichen) zahlreichen Übertragungen des Werks für andere Instrumente, welche vom Arrangement für elf Bläser bis zu dem für zwei Gitarren reichen, ragt eine von Beethoven selbst hervor (entstanden 1802—1803 oder vielleicht auch erst 1803 als op. 38), ein „Grand Trio pour le Pianoforte avec l'accompagnement de la Clarinette ou Violon et Violoncelle concertans, d'après le Septetto [...] Op: 20. composé par Louis von Beethoven arrangé par lui même et dédié à Monsieur Jean Adam Schmidt [...] À Vienne au Bureau d'Arts et d'Industrie" (Januar 1805).

Am 2. April 1800 gibt Beethoven in Wien im Hofburgtheater eine „musikalische Akademie", in der er mit neuen Kompositionen hervortreten und auf sich aufmerksam machen will. Hier bringt er seine 1. Symphonie op. 21 zur Uraufführung und sein Septett Es-Dur op. 20 für Streicher und Bläser. Im Dezember desselben Jahres bietet er diese Werke (zusammen mit anderen) dem Leipziger Verleger Hoffmeister an. Im Begleitbrief schreibt er: „Ich will in der Kürze also hersetzen, was der Herr Bruder von mir haben könnte: 1. Ein Septett per il violino, viola, violoncello, contra-Bass, clarinett, corno, fagotto; — tutti obligati. (Ich kann gar nichts unobligates schreiben, weil ich schon mit einem obligaten Akkompagnement auf die Welt gekommen bin.) Dieses Septett hat sehr gefallen. [...] 2. eine große Symphonie mit vollständigem Orchester."[1]

„Ich kann gar nichts unobligates schreiben": Beethoven beschreibt hier seine musikalische Kompositionsart als die eines „obligaten Akkompagnements". Der Begriff „obligates Akkompagnement" nun enthält einen Widerspruch in sich. „Akkompagnement" heißt und meint nämlich zu Beethovens Zeit „Begleitung", zum Beispiel eine Stimme oder Stimmen, die eine Hauptstimme lediglich begleiten, die man also weglassen kann, ohne der Musik der Hauptstimme wesentlich zu schaden. „Obligat" hingegen definiert Heinrich Christoph Koch so: „Die jetzige Bedeutung dieses Kunstwortes, nach welcher man unter einer obligaten Stimme eine solche Stimme eines Tonstückes verstehet, die entweder in dem Verfolge desselben hier und da in kurzen melodischen Sätzen den Hauptgesang führt, oder die mit dem Hauptgesange so verbunden ist, daß sie, ohne das Tonstück zu verstümmeln, nicht weggelassen werden kann, hat ihren Grund in der ältern Musik, in welcher alles [...] gebunden gearbeitet war. Weil nun eine obligate oder gebundene Stimme [...] nicht

1 E. Kastner / J. Kapp. *Ludwig van Beethovens sämtliche Briefe,* S. 35.

ausgelassen werden kann, ohne den ganzen Zusammenhang der Harmonie zu zerstören, so hat man den Ausdruck obligat auch auf solche Stimmen in Tonstücken nach der freyen Schreibart übergetragen, die zur Darstellung des ganzen Zusammenhanges eines Tongemäldes unumgänglich notwendig sind."[1] Beethovens Beschreibung seiner Kompositionsart mit „obligates Akkompagnement" meint also eine „freie Schreibart" (d.h. eine nicht kontrapunktische Schreibart), bei der keine Stimme des Satzes wegzulassen ist, ohne daß das Satzganze Schaden nimmt. Alle Stimmen, obschon sie nicht kontrapunktisch geführt sind und obschon der Satz eine Hauptstimme hat, sind doch mehr als nur Begleitung, eine jede gehört wesentlich zum Ganzen, aus dem man sie nicht lösen kann, weil einerseits sie selbst dann nicht mehr bestehen kann, weil andererseits das Satzganze dann als solches zerstört würde. Machen wir uns das am Septett klar.

Am Beginn des Presto-Teils im Schlußsatz hat die Violine die Hauptstimme, diese aber ist ohne die „obligate Begleitstimme" des Violoncellos nicht denkbar.

Im Seitensatz dieses Satzes sind diese beiden Instrumente Violine und Violoncello in Parallelen zusammengespannt, werden aber von einem liegenbleibenden Ton, den zuerst die Viola, später das Violoncello rasch repetieren, konterkariert. Ließe man den rasch repetierten liegenbleibenden Ton weg, es fehlte nicht eine „Begleitstimme", es fehlte die Achse, um die das Melodische sich dreht.

1 H. Chr. Koch, *Musikalisches Lexikon*, S. 1080f.

In der Durchführung führt Beethoven (T. 116ff.) ein drittes Thema ein — wenn man das ein Thema nennen kann —, für dessen Bau die Kompositionselemente, die wir im ersten und im zweiten Thema kennengelernt haben, wieder verwendet sind: Die Unterstimmen im Unisono haben eine kontrapunktisch wirkende Gegenstimme zu einem von den Bläsern dreistimmig vorgebrachten Harmoniestimmensatz, und hinein in diesen vollstimmigen Satz dringt eine Violinstimme, ausgehend von Tonrepetitionen, also als Achsenton, aber dann innerhalb des vollen Satzes frei ausschwingend:

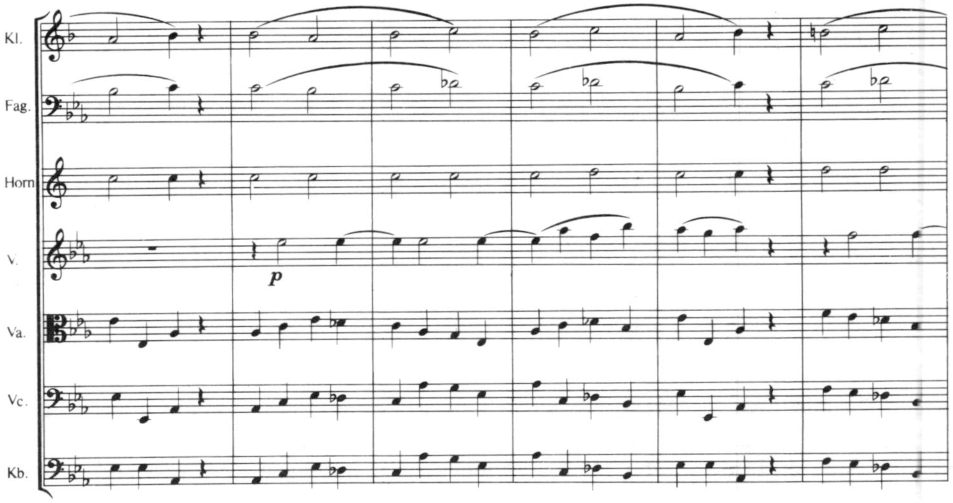

Dies ist wahrhaftig eine herrlich schöne Stelle, eine typisch Beethovensche Stelle — und eine Stelle, an der man sehen kann, wie sie im „obligaten Akkompagnement“ als einer Art von polyphonem Kompositionsverfahren komponiert ist.

Indessen mag man fragen, ob ein paar kontrapunktisch gearbeitete Stellen einen homophon gedachten Satz schon zu einem polyphonen machen, jedenfalls über das hinaus, was ja auch der harmonisch richtig ausgeführte homophone Satz an Kontrapunktik enthält. Nun, dieser musikalische Satz ist eben *nicht* homophon gedacht, er besteht *nicht* aus einer dominierenden melodischen Oberstimme, deren latente Harmonien vom Begleitstimmensatz nur ausgebreitet werden. Man verdeutliche sich die Oberstimme der zuletzt zitierten Stelle als Melodie, die Unterstimmen als Begleitstimme, man vergegenwärtige sich die solistisch geführte Violinstimme einmal ohne den ganzen Satz: Für sich genommen sind alle Stimmen, auch die führenden, musikalisch ein Nichts. Offensichtlich ist der musikalische Satz nicht in Haupt- und Nebenstimmen zu zerlegen, offensichtlich ist er obligat, obwohl er ein freier Satz ist.

Die herrliche As-Dur-Stelle (T. 116ff.) besteht übrigens aus lauter Viertaktern, aus Taktgruppen von je vier Takten, die als in sich abgeschlossene kleine Sätzchen nebeneinander stehen. Diese Satzbauweise aus „Rhythmen von 4 Takten“ — so die Ausdrucksweise der zeitgenössischen Theorie —, diese Satzbauweise aus Taktgruppen mit stets geradzahliger Anzahl von Takten (2, 4, 6, 8, 10 bis 16) ist üblich, ja von der Kompositionslehre verbindlich vorgeschrieben, und in der Tat ist das normale Satzglied in der Komposition jener Zeit vier Takte lang, und das Ganze der Komposition ist, von sorgfältig zu behandelnden Ausnahmen abgesehen, stets in ganzzahligen Taktgruppen-Rhythmen gebaut, auch bei den Wiener Klassikern, auch in unserem Septett. Die Musikwissenschaft nennt das in der Regel Perioden-Bauweise, aber diese Bezeichnung ist irreführend falsch. Der Satz, den die Wiener Klassiker Haydn, Mozart, Beethoven und Franz Schubert in ihren wesentlichen Werken zur Verwirklichung ihrer musikalischen Intentionen einsetzen, funktioniert anders, als die homophon gedachte Perioden-Bauweise vermuten läßt, nämlich in einem Sinne, den ich aus der Tradition abendländisch-polyphonen musikalischen Denkens hervorgehen sehe.

Der Satz des „obligaten Akkompagnements“ ist nicht nur, wie man sieht, in selbständig geführten, aber aufeinander bezogenen Stimmen komponiert, er ist auch in kompositorisch auseinanderzuhaltenden verschiedenen Ebenen gedacht. Diese verschiedenen Ebenen sind zusammengebaut durchaus so, wie es das Wort Compositio sagt, und auch der Hörer hat die Aufgabe, das Divergierende zusammenzuhören, die Com-positio selbst zusammenzuhören, nämlich im aktiven Mitvollzug der Musik. Oder anders: Im Vorgang eines musikalisch aktiv mitwirkenden Hörens entsteht die musikalische Gestalt aus dem Spiel in der Wahrnehmung (gleichgültig ob wir uns unserer Aktivität dabei bewußt sind oder nicht). Bauweise und Hörweise seien an wenigen Beispielen nun aus dem ersten Satz vorgeführt, und zwar zuerst aus der Durchführung.

Diese Durchführung besteht aus lauter Viertaktern: aus Satzgliedern von jeweils vier Takten, die an der immer wieder neuen Zuordnung der Instrumente und an der wechselnden Artikulation eindeutig zu erkennen sind: Takt 112—115, Takt 116—119, Takt 120—123, Takt 124—127, Takt 128—131 usw. Sieht man einmal von der Melodiestimme ab, so scheinen die anderen Stimmen lediglich eine Begleitung zu haben, etwas durchaus Unselbständiges, etwas von einem übergeordneten musikalischen Geschehen Abhängiges. Das ist aber in Wirklichkeit nicht so. Vielmehr läßt die Strukturierung in der Abschnittsbildung und in den harmonischen Verhältnissen dieses scheinbare Begleitgeschehen als ein in bestimmter Weise selbständiges Geschehen erscheinen. Diese Viertaktgruppen haben die Eigentümlichkeit, daß sie harmonisch-funktional unselbständig sind: In jedem vierten Takt ist die harmonische Funktion die einer Dominante, deren zugehörige Tonika erst mit dem ersten Takt des neuen Satzgliedes eintritt. Diese Satzglieder stehen als solche nebeneinander, harmonisch sind sie aneinandergehängt. Dies ist *eine* Schicht des Satzes.

Die *andere* Schicht des Satzes entsteht mit den aneinandergereihten Viertaktern der auf Klarinette (T. 117—120), Horn (T. 121—124) und dann Klarinette und Fagott (T. 129—132) verteilten Melodie. (Der dazwischen liegende Viertakter Takt 124—127 bleibe einstweilen außer Betracht.) Auch in dieser Schicht des Satzes reihen sich also lauter Viertakter aneinander, aber die Melodie ist hier auftaktig und findet ihren Schluß jeweils in einer Tonika.

Wenn man nun die beiden hier in der Beschreibung separierten Schichten der Komposition zusammenbringt, dann ergibt sich das Partiturbild des folgenden Beispiels, an dem man sieht: Die pointiert strukturierten Viertaktgruppen in den melodieführenden und in den anderen Stimmen fallen nicht zusammen, sie sind stets um einen Takt gegeneinander verschoben. Oder anders gesagt: Die melodieführenden Stimmen setzen mit ihrem auftaktigen Beginn jeweils erst dann ein, wenn die Musik der anderen Schicht des Satzes bereits eingesetzt hat, die Musik also gleichsam schon läuft.

Damit dieses differierende Miteinander auch gewiß von jedem Hörer wahrgenommen wird, fügt Beethoven zwischen die beiden entsprechenden Stellen einen Viertakter ein, bei dem die Unter- und die Oberschicht des Satzes *nicht* differieren, einen Satzteil, der eigentümlich trennt und zugleich einen Neubeginn ermöglicht: Takt 124—127. Vergegenwärtigt man sich die ganze Stelle, spielt man sie, hört man sie, so wird man bemerken, daß hier musikalische Gestalten auf verschiedenen Ebenen gleichzeitig gleichsam in Aktion sind, daß sie plötzlich zusammentreten, daß sie aber plötzlich auch wieder auseinandertreten. Der Hörer mag sich schließlich fragen, wie wohl nach solchem Geschehen, bei dem sich die musikalischen Gedanken hart im Raume stoßen, der Eintritt der Reprise geschehen könne, wie nämlich, damit wirklich ein wie neu erscheinender Wiedereintritt des schon Bekannten wahrgenommen werden kann. Beethoven benützt dazu den 3/8-Auftakt, der — abgesehen vom Anfang beim Doppelstrich (T. 112) — hier in der Durchführung stets gebunden und so positioniert ist, daß er seine Melodie in die laufende Musik der anderen Satzschicht einbringt, der aber im Hauptthema des Satzes und am Beginn der Durchführung *anders* positioniert ist, nämlich als Auftakt zum allerersten Einsatz und dann stets staccato artikuliert. Der Auftakt muß also umgestellt werden, umgestellt innerhalb des „Rhythmus' der Taktgruppen", und diese Umstellung muß als musikalisches Geschehen vollzogen werden, und sie muß vom Hörer wahrgenommen werden können. Tatsächlich hat man den Eindruck, als würde hier etwas rückgängig gemacht — übrigens aufgrund der hartnäckig wiederholten „Interventionen" von Violoncello und Kontrabaß und wie gegen den Willen der schönheitstrunkenen Bläser —, rückgängig gemacht schließlich von der Violine, die ihre Dominanz im Satz hier einmal ausspielt, ausspielt nicht nur durch eine besonders schöne und besonders exponierte Passage, sondern durch entschiedenes Eingreifen in das Satzgeschehen.

Daß hier etwas rückgängig zu machen war, nämlich die Umkehrung des Sinns der musikalisch-gestischen Figur des 3/8-Auftaktes, das konnte der aufmerksame Hörer übrigens vom Beginn der Durchführung her schon ahnen, wo der 3/8-Auftakt im harten Fortissimo staccato aufwärts greift und alsbald trügerisch gebunden eine fallende Melodie einführt, die gar keine echte Melodie ist.

Faßt man die Beobachtungen zusammen, so ist folgendes festzustellen: Beethovens musikalischer Satz ist weder primär melodisch gedacht noch primär harmonisch; er ist nicht homophon, sondern polyphon, und er ist polyphon dadurch, daß das Accompagnement obligat geführt ist, und zwar so: Beethoven führt in verschiedenen Schichten des Satzes Verschiedenes gleichzeitig, nämlich so, daß 1. sowohl die verschiedenen Schichten des Satzes als auch 2. die Verschiedenheit des hier und dort Geführten als auch 3. die Gleichzeitigkeit des in den Schichten verschieden Verlaufenden je für sich hörbar werden, musikalisch bewußt erfahren werden können. Beethoven führt bestimmt formulierte musikalische Gestalten in bestimmten Konstellationen vor und ändert im Verlauf der Sonatensatzanlage (die die Möglichkeiten für den Verlauf des Ganzen absteckt) die Konstellation für diese Gestalten, oder aber er ändert die Gestalten bei gleichbleibendem Bezug der Satzschichten zueinander. Das Ergebnis ist eine Art von musikalischem Geschehen, dessen Zeuge der Hörer ist, nein: das der Hörer hörend musikalisch mitvollzieht. Und in diesem Vollzug der Musik erleben wir musikalische Wirklichkeit als Wirklichkeit von Freiheit: das Kennzeichen der Musik Beethovens.

Beethovens Septett war seinerzeit ein Riesenerfolg, es hat eine neue Gattung Kammermusik für Bläser und Streicher hervorgerufen, die die Herkunft aus der Divertimento- und Serenadenmusik nurmehr ahnen läßt. Über den Erfolg seines Werkes und der neuen Gattung war Beethoven aber ärgerlich, sehr ärgerlich sogar. Warum? Wie kann ein Komponist sich ärgern über den Erfolg eines seiner Werke?

Die Antwort muß wahrscheinlich so lauten: Weil alle seine Nachfolger und Nachahmer an diesem Werk nur diejenige Seite gesehen und nachgeahmt haben, die es *auch* hat, aber eben nur *auch* hat, die liebenswürdige, und nicht diejenige, die Beethoven veranlaßt hat, dieses Kammermusikwerk zusammen mit seiner 1. Symphonie zur Uraufführung zu bringen, die Seite der im obligaten Accompagnement streng gearbeiteten polyphonen Komposition. Nur einer ist diesem Irrtum von Beethovens Publikum und von seinen Nachfolgern in seiner Zeit *nicht* erlegen, nur einer hat erfaßt, daß hier in Beethovens Septett etwas offener liegt als in den meisten anderen Kompositionen des Meisters: die Satzbauweise. „Auf dem Wege zur großen Sinfonie" komponiert Franz Schubert im Frühjahr 1824 nach dem Vorbild von Beethovens Septett sein Oktett für Bläser und Streicher F-Dur (op. post. 166; D 803).

Und die anderen alle, die die von Beethovens Septett ausgelöste neue Gattung Kammermusik für Bläser und Streicher fortführen, die Hummel, Spohr und Kreutzer, um nur die bekanntesten zu nennen, machen sie etwas anders als Beethoven, und, wenn ja, was? Sie verlegen das Interesse auf eine andere Seite der Komposition! Die Zeitgenossen haben das ausgesprochen, deutlich allerdings nur in den Kritiken an *Beethovens* Stil, und zwar gerade dort, wo Beethoven weniger verbindlich ist als gerade in seinem Septett. Über die in der Nachbarschaft des Septetts entstandenen Streichquartette op. 18 lautet etwa eine Rezension so: „Unter den neuen erscheinenden Werken zeichnen sich vortreffliche Arbeiten von Beethoven aus. Drei Quartetten geben einen vollgültigen Beweis seiner Kunst: doch müssen sie öfters und sehr gut gespielt werden, da sie sehr schwer auszuführen und keineswegs populair sind."[1] Solches hört und liest man öfter über Werke Beethovens. Über das Violinkonzert (op. 61) urteilt der Rezensent der Uraufführung vom Dezember 1806 so: „Über Beethhofens Concert ist das Urtheil von Kennern ungetheilt; es gesteht demselben manche Schönheit zu, bekennt aber, daß der Zusammenhang oft ganz zerrissen scheine, und daß die unendlichen Wiederholungen einiger gemeinen Stellen leicht ermüden könnten [...] Man fürchtet aber zugleich, wenn Beethhofen auf diesen Weg fortwandelt, so werde er und das Publicum übel dabey fahren. Die Musik könnte so bald dahin kommen, daß jeder, der nicht genau mit den Regeln und Schwierigkeiten der Kunst vertraut ist, schlechterdings gar keinen Genuß bey ihr finde, sondern [...] nur mit einem unangenehmen Gefühl der Ermattung das Concert verlasse. Dem Publicum gefiel im Allgemeinen dieses Conzert und Clements Fantasien außerordentlich."[2] Das Urteil der *Kenner* ist also ungeteilt, nämlich höchst bedenklich. Dem *Publikum* hingegen gefiel das Konzert. Trotzdem ist Beethovens Violinkonzert zunächst kein Erfolg beschieden gewesen. Die Kenner hatten also recht: Dem großen Publikum war das Werk doch zu kompliziert, es bevorzugte eingängigere, leichter zu verstehende Werke, wie etwa die 1. und die 2. Symphonie und eben das Septett. Um den Liebhabern gefallen zu können, sollten die Werke „in Betreff des Geschmacks, Zuschnitts und der Ausführungsart" freundlicher sein, angenehmer, ungezwungener, und sie sollten wohl auch etwas mehr Empfindung zeigen als Beethovens Werke, jedenfalls in ihren raschen Sätzen. Wenn Beethoven selbst diesen Forderungen des Zeitgeschmacks nicht nachkommen wollte, seine

---

1 *AmZ* 3 (1800), Sp. 800.
2 *Wiener Theater-Zeitung* 2 (1807), S. 27.

Zeitgenossen und Nachahmer sind dem Publikumsgeschmack entgegengekommen — und sie haben den offensichtlich großen Bedarf an dieser Art von neuer Musik mit zahlreichen Werken gerne befriedigt.

Nicht, daß diese Werke deshalb eo ipso von minderer Qualität wären. Sie sind nur von anderer Art, *im Grunde anders*: Ihr musikalischer Satz ist homophon; die die Melodie führenden Stimmen treten hervor; ihnen ordnen sich die anderen Stimmen unter; der Begleitstimmensatz ist nicht obligat geführt. Dafür gewinnen die Melodiestimmen an melodischer Originalität, an Sanglichkeit und Eingängigkeit, der Begleitstimmensatz an Interesse durch phantasievollere Figurationen und das Ganze an Ausdruckskraft durch eine viel reichere Harmonik, die etwas hineinbringt, das bisher nur eine untergeordnete Rolle gespielt hat, nämlich Farbe und Tiefenschattierung des Ausdrucks. Der musikalische Satz führt dem Hörer kein Geschehen mehr vor, das er mitzuvollziehen hat, um zu begreifen, was musikalisch geschieht. Der musikalische Satz gleicht jetzt eher einem Bilde, das es zu betrachten gilt, um sich in die Stimmung zu versetzen, die es auslösen soll. Das Interesse richtet sich demnach jetzt im Kern auf etwas, das bei Beethoven nur *auch* da ist, auf den Ausdruck der Empfindung, und zur Erfüllung dieser Intention durchaus auch auf die „Malerei", und all das bei offensichtlichem Beharren auf der Anlehnung an das Vorbild, an bestimmte Werke Beethovens nämlich, wobei das äußere Erscheinungsbild dieser Kompositionen vor dem inneren Geschehen von Bedeutung ist. Man ahmt Beethoven nach, ohne auf seine Grundintention einzugehen; man kleidet dabei eigene, neue Intentionen in das überkommene Gewand; man löst sich ab, ohne es zu zeigen: Klassizismus statt Klassik — freilich durchaus zu Beethovens Zeit.

Auch die anderen Sätze des Septetts haben — besser: verlangen — eben jene beschriebene musikalische Haltung des Klassikers Beethoven, auch wenn der hier angeschlagene Serenadenton dies nicht gleich vermuten läßt. Ja gerade der leichtere Charakter der Musik läßt bei den anderen Sätzen trotz gleicher Satzart keine auch nur ähnlich deutliche „Durchleuchtung" des „obligaten Akkompagnements" zu wie in den Ecksätzen; diese Mittelsätze enthalten zu viel und zu traditionell Typisches.

Ein Letztes: Beethoven ist nicht der erste, der die höchst anspruchsvolle Satzart des obligaten Accompagnements von der hohen Gattung Kammermusik auf die Serenadenmusik überträgt: Mozart mag ihn dazu angeregt haben.

Arnold Feil

1. Symphonie C-Dur
op. 21

Entstehungszeit: 1799, beendet Anfang 1800.
Erstaufführung: am 2. April 1800 in Beethovens Akademie im Wiener Hofburgtheater.
Skizzen: Pierpont Morgan Library New York (Robert O. Lehmann).
Autograph: verschollen.
Erstdruck und Widmung: Wien und Leipzig 1801 (Hoffmeister & Kühnel); dem Freiherrn Gottfried van Swieten gewidmet.
Gesamtausgabe: Alte Gesamtausgabe: Nr. 1 = Serie 1 Nr. 1.

Mit dem Plan zu einer Symphonie in c-Moll beschäftigte Beethoven sich bereits während der Bonner Zeit. Aber trotz zum Teil beträchtlich weit gediehener Vorarbeiten, die sich unter anderem in einer mehr als 100 Takte umfassenden Verlaufsskizze zum ersten Satz niedergeschlagen hatten, blieb das Projekt ebenso unvollendet liegen wie ein neuerlicher Versuch in der Mitte der neunziger Jahre, der diesmal einer C-Dur-Symphonie galt.[1] Erst kurz vor der Jahrhundertwende, nachdem er als Pianist und Komponist von Klaviersonaten, Klavierkonzerten und Kammermusik verschiedenster Besetzung nicht nur in Wien, sondern auch auf Reisen nach Prag, Dresden und Berlin nachdrücklich auf sich aufmerksam gemacht hatte, wagte er es, mit seinem ersten Beitrag zu einer Gattung vor die Öffentlichkeit zu treten, für die Haydn und Mozart klassische Muster geschaffen hatten, an denen fortan jeder ihrer Nachfolger sich messen lassen mußte.

Über die näheren Umstände der Entstehung von Beethovens 1. Symphonie lassen sich detaillierte Fakten allerdings nicht ermitteln, da das Skizzenbuch, das er zwischen Ende 1799 und Anfang 1800 benutzte und das neben Skizzen zum Septett op. 20 und zum c-Moll-Klavierkonzert op. 37 auch die Vorarbeiten zur Symphonie enthalten haben muß, wahrscheinlich verlorengegangen ist. Aufschlußreich für die Entstehungsgeschichte ist allenfalls, daß er an C-Dur, der Tonart von Mozarts *Linzer* und *Jupiter-Symphonie*, der sich schon das vorangegangene Symphoniefragment angeschlossen hatte, auch diesmal festhielt. Das legt den Schluß nahe, daß für den jungen Beethoven die Symphonie, die sich seit den letzten Jahrzehnten des ausgehenden Jahrhunderts zur zentralen Gattung öffentlicher Instrumentalmusik entwickelt hatte, vor allem durch Merkmale wie Feierlichkeit, Größe und klangliche Brillanz ausgezeichnet sein sollte, — Eigenschaften, die sich offenbar in seiner Vorstellung mit der Tonart C-Dur verbanden. In der kurzen Besprechung der Uraufführung, die am 2. April 1800 im K. K. National-Hoftheater stattfand, wurde denn auch die Klanggestalt des neuen Werkes ausdrücklich erwähnt, freilich ohne von dem Wiener Berichterstatter der Leipziger *Allgemeinen musikalischen Zeitung* gebilligt zu werden. Denn nachdem er an der Symphonie zunächst deren Kunst, Neuheit und Reichtum an Ideen gerühmt hatte, folgte die Einschränkung: „nur waren der Blasinstrumente gar zu viel angewendet, so daß sie mehr Harmonie, als ganze Orchestermusik war.“[2]

Es ist bekannt, daß neben der Art der Instrumentation die Zeitgenossen vor allem auch den Beginn der Symphonie als neu und ungewohnt empfanden. Der Grund dafür war indessen wohl weniger, daß die langsame Einleitung, die ihre Tonika nicht sofort erkennen ließ, grundsätzlich als eine besondere harmonische Kühnheit angesehen worden wäre, als vielmehr der, daß solches in einer Gattung geschah, deren ursprüngliche Funktion als Eröffnungsstück noch in lebendiger Erinnerung war, wie denn auch nach wie vor die Symphonien gern an die Spitze der Konzertprogramme gestellt wurden. Dafür allerdings erwies sich Beethovens Symphonie in den Augen der Zeitgenossen als wenig geeignet. Das bezeugt ein Konzertbericht aus dem Jahre 1805, einer Zeit, in der die Symphonie längst allenthalben gespielt, anerkannt

1 Vgl. dazu die Skizzen im Kafka-Skizzenbuch, in: J. Kerman, *Ludwig van Beethoven. Autograph Miscellany,* Bd. II, S. 166ff. und 175f.

2 *AmZ* 3 (1800), Sp. 49.

und geschätzt wurde. „Die erste von Beethoven", so heißt es hier, „hub in dem Augenblick, als ein gespanntes Publikum die erste kräftige Zusammenstimmung eines großen zahlreichen Orchesters erwartete, mit dem Septimenakkorde über der Dominante des Haupttons auf dem kurzen Auftakte an. Dergleichen Freiheiten und Eigenheiten wird niemand von einem genialischen Künstler wie Beethoven tadeln, aber ein solcher Anfang paßt nicht zur Eröffnung eines großen Concerts in einem weiten Operntheater."[1] Zwar beginnt das Werk weder mit der Dominante des Haupttons noch auftaktig, wie der Berichterstatter irrtümlich annimmt. Jedoch spielt dieser Irrtum für sein Urteil keine Rolle, weil seine Kritik nicht der Komposition gilt, sondern ihrer Verwendung als Eingangsstück. Beethoven selbst hatte denn auch die Programmfolge für das Konzert, in dem die Uraufführung des Werks stattfand, anders eingerichtet. Eröffnet wurde es mit einer Mozartsymphonie — mit welcher, ist unbekannt —, und erst am Schluß der Veranstaltung erklang die neue Komposition. Die Berechtigung für eine solche Disposition liegt auf der Hand: Der Beginn der Einleitung will nicht Aufmerksamkeit erwecken, sondern setzt Aufmerksamkeit bereits voraus. Das aber bedeutet nichts weniger, als daß der junge Meister schon mit den ersten Takten seiner 1. Symphonie die letzten Spuren funktionaler Bestimmtheit ignorierte, die der Gattung vielleicht noch anhaften mochten. Gehört werden sollte sie als ein autonomes Kunstwerk, das von Anfang an die volle Konzentration des Auditoriums verlangte.

So selbstbewußt Beethovens symphonischer Erstling aber auch beginnt, so wenig kann er andererseits die Vorbilder verleugnen, die bei seiner Entstehung Pate gestanden haben. In späteren Besprechungen ist in diesem Zusammenhang am häufigsten der Name Mozarts genannt worden, und in der Tat gibt es manche Einzelheiten, die auf dessen Instrumentalwerke hinweisen.[2] Eine Komposition nach dem Modell der *Jupiter-Symphonie*, wie Ulibischeff meinte[3], ist sie freilich nicht. Wollte man nach Ähnlichkeiten mit einer C-Dur-Symphonie Mozarts Ausschau halten, so böte sich dafür viel eher die *Linzer Symphonie* KV 425 an. Wie in Beethovens Komposition, so gibt es auch hier eine langsame Einleitung, die überdies sogar einen ähnlichen harmonischen Verlauf nimmt. Denn beide nehmen zunächst Kurs auf die Unter-, dann auf die Oberdominante, die jeweils zwischendominantisch vorbereitet werden, auch wenn Beethoven, anders als Mozart, darauf verzichtet, zuvor die Haupttonart wenigstens anzudeuten. Er beginnt vielmehr sofort mit der Wendung in die Subdominante, was anfänglich, wie der oben zitierte Konzertbericht zeigt, manche seiner Hörer irritierte. Ähnlich sind sich beide Einleitungen aber wiederum darin, daß sie — anders als die in der Regel sich kontinuierlich entwickelnden Einleitungen Haydns — eine deutliche formale Gliederung erkennen lassen; auf einen blockartigen Tutti-Anfang folgen einige primär melodisch geprägte Takte, an die sich ein unmittelbar in den Allegrobeginn mündender Abschnitt anschließt. Und mindestens noch einen weiteren Punkt gibt es, in dem beide Symphonien übereinstimmen. Auch Beethoven verwendet in seinem langsamen Satz, der in beiden Wer-

1 *Berlinische Musikalische Zeitung* 1 (1805), S. 7.
2 Vgl. M. Broyles, *Beethoven. The Emergence and Evolution of Beethoven's Heroic Style*, S. 64f.
3 Vgl. A. Ulibischeff, *Beethoven, ses critiques et ses glossateurs*, deutsch als *Beethoven, seine Kritiker und seine Ausleger*, S. 145f.

ken in der hier traditionellen Subdominanttonart F-Dur steht, Pauken in C und G, das heißt in der gleichen Stimmung, die sie schon im ersten Satz hatten.[1]

Solche Ähnlichkeiten betreffen indessen immer nur Einzelheiten, weder Beethovens Prinzipien melodisch-thematischer und rhythmisch-metrischer Bildungen noch den allgemeinen Charakter seiner Musik, der, wie Charles Rosen einmal bemerkt hat, „typischer für das Europa nach der französischen Revolution als für die vorrevolutionäre Douceur de vivre ist".[2] Schon 1927 hatte daher Arnold Schmitz auf die Bedeutung der französischen Revolutionsmusik für Beethovens Schaffen hingewiesen[3] und für das Allegrothema der 1. Symphonie sogar eine direkte Anlehnung an Rodolphe Kreutzers *Ouverture de la journée de Marathon* wahrscheinlich gemacht. Beide stimmen nicht nur in der Tonart und in ihrem Hauptmotiv — der von der fünften über den Leitton zur ersten Stufe aufsteigenden punktierten Achtelfigur — überein, sondern auch in der sich zur zweiten Stufe wendenden sequenzierenden Fortsetzung. Mit dem zuletzt erwähnten Merkmal gehört Kreutzers Thema jedoch zu einem allgemeineren C-Dur-Thementypus, der in Frankreich auch schon vor der Revolution verbreitet gewesen zu sein scheint. Das jedenfalls deutet seine Verwendung in einer der ersten Opern Grétrys an, dem *Silvain* von 1770, dessen Ouvertüre er eröffnet.[4] Aber auch Beethoven griff auf ihn in der Symphonie weder zum ersten noch zum letzten Mal zurück. Er hatte ihn bereits in dem Fragment gebliebenen Violinkonzert in C-Dur WoO 5, das noch in Bonn entstand, und in den schon erwähnten Symphonieskizzen sowie in dem Bläsertrio op. 87 von 1794 verwendet. In den ersten Jahren nach der Symphonie erscheint er noch mehrfach, so im ersten Satz des Streichquintetts op. 29 (1800/1801), in der *Prometheus*-Ouvertüre op. 43 (1800/1801), in der Bagatelle op. 33, Nr. 2 (1801/1802), in der marschartigen Einleitung zum Chor der Krieger (Nr. 4) in *Christus am Ölberge* (1802/1803), und selbst im *Fidelio*-Finale („Wer ein holdes Weib errungen") ist ein Nachklang dieses Thementyps zu finden. Aber auch Kreutzer hat ihn noch 1808 in seiner Ouvertüre zur *Aristippe* erneut verwendet.[5]

Die Vorteile dieses Thementyps namentlich als Ausgangspunkt für größere formale Anlagen liegen auf der Hand. Als gesteigerte Wiederholung vermittelt die Sequenz um einen Ganzton aufwärts einerseits den Eindruck des Fortschreitens und der Öffnung für weiträumige Entwicklungen, andererseits leitet sie mit dem Schritt

1 Auf diese Ähnlichkeit hat bereits D. Fr. Tovey, *Essays in Musical Analysis,* Bd. I ([14]1972), S. 24, hingewiesen.

2 Ch. Rosen, *Der klassische Stil,* S. 435.

3 Vgl. A. Schmitz, *Das romantische Beethovenbild;* dazu in jüngerer Zeit auch M. Broyles, *Beethoven. The Emergence and Evolution of Beethoven's Heroic Style,* S. 65.

4 A. Sandberger hat die besondere Bedeutung dieses Werkes für die Beethoven-Familie hervorgehoben: Als der *Silvain* 1771 zum ersten Mal in Bonn gegeben wurde, waren sowohl der Vater wie auch der Großvater des Komponisten als Sänger an der Aufführung beteiligt. Auch Mitte der achtziger Jahre wurde das Werk noch in Bonn aufgeführt; vgl. A. Sandberger, *Zum Kapitel: Beethoven und das Bonner Opernrepertoire seiner Zeit,* S. 135ff. Den gleichen Thementypus verwendet Grétry auch, hier aber in c-Moll, im *Jugement de Midas* (1778).

5 H. Gál, *Die Stileigentümlichkeiten des jungen Beethoven,* S. 58ff., hat bereits auf die Häufigkeit dieses Thementypus in Beethovens Frühwerk hingewiesen, wobei er auch einige Beispiele in anderen Tonarten anführt. Jedoch bleiben sie die Ausnahme, was Broyles dazu veranlaßt hat, hier von einem Charakteristikum der um 1800 entstandenen C-Dur-Kompositionen Beethovens zu sprechen (vgl. M. Broyles, *Beethoven. The Emergence and Evolution of Beethoven's Heroic Style,* S. 65).

von der Tonika in die Subdominantparallele eine harmonische Fortsetzung ein, die durch die Wendung in die Dominante jederzeit kadenzierend abgeschlossen werden kann. Solche Kontrolle von melodischer Expansion durch klar überschaubare harmonische Abläufe, die für eine deutliche Abschnittsgliederung sorgen — womit ausdrucksbedingte Modifikationen der grundsätzlich vorausgesetzten metrischen Viertaktordnung aufgefangen werden —, ist charakteristisch für Beethovens 1. Symphonie und hat ihr bei manchen Autoren den Ruf eines, gemessen etwa an den gleichzeitigen Klaviersonaten oder Kammermusikwerken, ungewöhnlich konservativen Stückes eingetragen.[1] Die Zeitgenossen freilich rühmten um der gleichen Eigenschaften willen die Symphonie schon bald als „herrliche Kunstschöpfung", in der überall „Zusammenhang, Ordnung und Licht" herrsche[2], während sie andere Kompositionen des jungen Meisters nicht selten als bizarr und dunkel getadelt hatten. Diese Einschätzung änderte sich erst im Laufe des 19. Jahrhunderts unter dem Einfluß romantischer Kunst- und Schaffensvorstellungen. Daran gewöhnt, das wirklich Neue nun gerade in dem zu vermuten, was zunächst als verworren, pittoresk oder bizarr beanstandet worden war, lief man jedoch Gefahr, es dort zu übersehen, wo es als unmittelbar einleuchtende Ordnung, als in gleichsam logischer Stringenz verlaufender Zusammenhang begegnete. In Wahrheit jedoch liegt das Neue des ersten Satzes der Symphonie statt in harmonischen Extravaganzen oder überraschenden, phantastisch-pittoresken Einfällen vor allem in einer so planmäßigen und energischen Zusammenfassung aller Einzelheiten in Richtung auf ein Ziel, wie sie in dieser Konsequenz vorher weder bei Haydn noch bei Mozart zu finden gewesen war. Dieses Ziel wird die Reprise, die damit zum Hauptereignis der Sonatenhauptsatzform avancierte.

Der Weg dahin ist gegliedert durch Kadenzen, deren Schlußton jeweils mit dem Beginn eines neuen Abschnitts zusammenfällt. Die langsame Einleitung hat ihren kadenzierenden Abschluß erst auf dem Anfangston des Allegroteils (T. 14ff.), die Überleitung in den Seitensatz beginnt mit dem letzten Ton der ausführlichen C-Dur-Kadenz, die den Hauptsatz beschließt (T. 41), und dasselbe gilt für die drei G-Dur-Kadenzen, die jeweils zum Ausgangspunkt der die Exposition beschließenden Abschnitte (T. 77, 88 und 100) werden. Auf diese Weise wird ein die ganze Exposition übergreifender ostentativer Zusammenhang geschaffen, der auch mit dem Beginn des Seitensatzes (T. 53) nicht abreißt, da die Generalpause, die ihm vorangeht, durch den offenen Schluß der Überleitung, in der die Modulation zur Dominanttonart nicht vollzogen wurde, überbrückt wird.

Dem so geschaffenen äußeren Zusammenhang entspricht ein innerer, funktionaler, durch den sich die einzelnen Abschnitte aufeinander beziehen. So dient die weder harmonisch noch motivisch festgelegte Einleitung als Hinführung sowohl zur Haupttonart als auch zum thematisch geprägten Allegroteil. Dieser exponiert in seinem ersten Abschnitt (T. 13—33) das Hauptthema und mithin die motivische Substanz, die für den gesamten ersten Satz verbindlich wird. Ein zweiter, der durch

1 In diesem Sinne äußerten sich schon Berlioz und Lenz. P. Bekker, *Beethoven,* S. 202, nennt sie „eine Liebhaber-Symphonie im gewohnten Stil".

2 *AmZ* 7 (1805), Sp. 321.

Taktverschränkung mit dem ersten Abschnitt verbunden ist (T. 33—41), bringt, gleichsam als Antwort auf die Einleitung, die ausdrückliche Bestätigung der Haupttonart durch einen achttaktigen Orgelpunkt auf C. Während hier im Abstand von jeweils zwei Takten lediglich zwischen Tonika und Dominante gewechselt wird, findet gleichzeitig eine Bewegungszunahme statt, indem die vorher lediglich in den harmonietragenden Stimmen verborgene Achtelbewegung nach vier Takten als figurierte Wiederholung der vorangehenden Phrase in der Oberstimme manifest wird. Wiederum taktverschränkt setzt der dritte Abschnitt (T. 41—52) ein, der in drei Viertaktgruppen untergliedert ist. Die erste setzt die Achtelbewegung fort und treibt sie unter Verwendung des Hauptmotivs aus dem ersten Abschnitt sequenzierend die C-Dur-Tonleiter hinauf. Dabei beschleunigt sich nach der rhythmischen nun auch die melodische Bewegung: Die Skalenschritte folgen zunächst ganz-, dann halb- und schließlich vierteltaktig nacheinander. Der durch den ersten Viertakter ausgelöste Bewegungsimpuls wird auch noch durch die zweite und dritte Viertaktgruppe weitergetragen, um schließlich auf durch Pausen unterbrochenen G-Dur-Akkorden zum Stillstand zu kommen. Donald Francis Tovey hat diesen dritten Abschnitt nicht nur als extrem formell, sondern auch seinen Abschluß auf der Dominante der Haupttonart als einen schon verbrauchten Gag („practical joke") kritisiert, den Mozart nur in früheren oder leichtgewichtigeren Werken benutzt habe.[1] Die Wirkung im Kontext von Beethovens Symphonie ist allerdings eine andere. Denn durch die nicht vollzogene Modulation in die Dominanttonart fehlt dem Anfang des Seitensatzes die Bestätigung seiner neuen Tonika. Der endgültige Übergang von der Ebene des Hauptsatzes zu der des Seitensatzes erfolgt also statt im Überleitungsabschnitt erst im ersten Takt des Seitensatzes, was beide Abschnitte, trotz des gegensätzlichen Charakters ihrer Themen, eng aneinanderschließt. Gerade das aber und nicht die kaum mehr wirksame Überraschung durch einen alten Scherz könnte Beethovens Absicht gewesen sein.

Ungeachtet der engen harmonischen Verbindung zum Hauptsatz wird der Beginn des Seitensatzes dadurch deutlich artikuliert, daß nun zum ersten Mal der Schluß des vorangehenden und der Beginn des neuen Abschnitts durch eine Zäsur getrennt sind. Dieser zweite Teil der Exposition steht hinsichtlich seiner funktionellen Gliederung in weitgehender Analogie zum ersten. Auch hier gibt es wieder drei durch Elision miteinander verbundene Abschnitte, und auch hier ist der letzte Abschnitt wieder dreigeteilt. Wie im Hauptsatz, so folgt auch jetzt im Anschluß an das dominantische Seitenthema (T. 53—69) ein die Tonart bestätigender Kadenzabschnitt (T. 69—77). Der dem Überleitungsabschnitt korrespondierende Schluß der Exposition (T. 77—109) bildet die Kadenz gleichsam auf zwei verschiedenen Ebenen ab: Zwar schließt jeder der drei Unterabschnitte für sich in G-Dur, aber im ersten (T. 77—87) wird die Zieltonart von der Unterdominantregion her erreicht, im zweiten (T. 87—100) von der Oberdominantregion aus, im dritten dagegen (T. 101—109) herrscht nur mehr die durch einen Orgelpunkt auf G eindeutig festgelegte Tonika. Alle drei sind also untereinander wiederum durch das Kadenzprinzip verbunden. Die Schlußwirkung des letzten Abschnitts wird jedoch zusätzlich durch seine metrische Selbständigkeit unterstrichen, die ihm besonderes Gewicht gibt. Denn wie vor-

---

1 D. Fr. Tovey, *Essays in Musical Analysis,* Bd. I ([14]1972), S. 23.

her nur der Beginn des Seitensatzes ist auch er nicht unmittelbar mit dem Ende der vorangehenden Phrase verschränkt.

„Zusammenhang, Ordnung und Licht" erhält die Exposition nicht zuletzt aber auch durch Beethovens Art der Arbeit mit den im Haupt- und Seitenthema exponierten Motiven. Indem sie verschiedene Abschnitte durch gemeinschaftliches Motivmaterial zueinander in Beziehung setzt, schafft sie Zusammenhang; durch die verschiedenen Grade ihrer Intensität aber unterstreicht sie zugleich die hierarchische Ordnung der einzelnen Formteile. Hierin unterscheidet sich bereits die Zusammensetzung der beiden Themen selbst. Denn während das Hauptthema im Grunde allein aus seinem Kopfmotiv (T. 13) und dessen Modifikationen besteht, ist das Seitenthema aus zwei gegensätzlichen Motiven (T. 53ff. und 57ff.) gebildet, von denen das erste, ein abwärts gerichteter, diatonischer Quintgang mit rhythmisch gedehnter Anfangsnote, so wenig individuell geprägt ist, daß es sich jederzeit in ein beliebiges Skalenbruchstück zurückverwandeln oder auch umgekehrt aus ihm wiederum hervorgehen kann. Die jeweils auf die Themenabschnitte folgenden Tonartbestätigungen (T. 33ff. bzw. 69ff.) greifen überhaupt nicht auf thematisches Material zurück und unterstreichen damit die Funktion, die sie im Gesamtzusammenhang der Exposition als auskomponierte, die Entwicklung vorübergehend stillstellende Ruhepunkte haben: Gegengewicht einerseits zu den harmonisch instabilen Abschnitten (der Einleitung bzw. der Überleitung), die den Themen vorangehen, und wirksamer Kontrast andererseits zu den ihnen folgenden Teilen, in denen motivisch wieder an die Themen angeknüpft wird. Verschieden ist allerdings die Art, wie dort jeweils mit den Motiven gearbeitet wird. Dem Charakter des Überleitungsabschnitts entspricht es, wenn das Kopfmotiv zum Ausgangspunkt einer Entwicklung wird, in der auf engstem Raum die im Hauptthema angelegte sequenzierende Forsetzung in komprimierter Form aufgegriffen und weitergeführt wird, um bereits nach vier Takten (T. 41—44) auf der Dominante, dem Ziel der Überleitung, zum Stillstand zu kommen. Der Schlußabschnitt hingegen hat eher resümierende Funktion, indem er die beiden gegensätzlichen Themencharaktere noch einmal unmittelbar konfrontiert, den ruhig-entspannten des Seitenthemas mit dem energisch vorwärtsdrängenden des Hauptthemas.

Finden sich schon für die Exposition hinsichtlich ihrer überaus konsequenten Gliederung und der nahezu analogen Anlage von Haupt- und Seitensatz kaum Entsprechungen in den Symphonien von Beethovens Vorgängern, so gilt das in noch gesteigertem Maße für den Durchführungsteil. Bei Haydn und Mozart vor allem ein Ort für geistreiches, nicht selten witziges und überraschendes Spiel mit Motiven aus der Exposition, wird er nun zum Schauplatz planvoller „motivischer Arbeit", tritt nun Ordnung und logische Stringenz an die Stelle von Freiheit und Phantasie. Das zeigt sich schon im harmonischen Verlauf der Durchführung. Mit der Exposition verbunden durch einen in halben Notenwerten absteigenden G-Dur-Septakkord, beginnt sie mit einer abrupten Wendung nach A-Dur (T. 110). Von hier aus folgt die Harmonik zunächst dem Prinzip der absteigenden Quintenreihe: An A-Dur schließen sich nacheinander D-Dur, G-Dur, c-Moll, f-Moll und B-Dur an, worauf ein Orgelpunkt auf B die harmonische Peripetie vorbereitet. Sie tritt mit dem Übergang von B-Dur nach Es-Dur (T. 143f.) ein. Denn nun geht der Weg der Harmonik wieder aufwärts; zunächst stufenweise von Es-Dur über f-Moll nach g-Moll, danach abermals in Quintschritten von d-Moll nach a-Moll und dessen Dominante E-Dur.

Es mag ein Zufall sein, daß der Übergang von absteigender zu aufsteigender Harmonik die insgesamt 68 Takte umfassende Durchführung in zwei gleich lange Abschnitte von jeweils 34 Takten teilt, — ein Zufall allerdings, der gleichwohl einen Hinweis auf die fast schablonenhafte Regelmäßigkeit gibt, die dem Verlauf dieses Formteils zugrundeliegt.

Abgesehen von einer noch zu erwähnenden Ausnahme verwendet Beethoven nur motivisches Material, das aus den ersten vier Takten des Hauptthemas und aus den zweiten vier Takten des Seitenthemas stammt. Dabei gilt als Regel, daß ein Durchführungsmodell jeweils vier Takte lang ist und mehrmals nacheinander auf verschiedenen harmonischen Stufen wiederholt wird. So stehen am Beginn dreimal vier Takte (T. 110—121), in denen der zweite und dritte Takt des Hauptthemas (T. 14f.) mit dem zweiten Motiv des Seitenthemas (T. 57f.) verbunden ist. Die nächste Gruppe (T. 122—135) stützt sich auf den vierten Takt des Hauptthemas (T. 16), aus dem wiederum drei Phrasen gebildet werden, von denen lediglich die letzte durch eine Erweiterung um zwei Takte von der Viertaktigkeit abweicht. Aus nur zwei Viertaktern besteht die dritte Gruppe (T. 136—143), die insofern eine Sonderstellung einnimmt, als sie sich nicht auf thematisches Material stützt, sondern in nur wenig abgewandelter Form den Schluß des Überleitungsabschnitts (T. 45ff.) zitiert. Als Überleitung, diesmal in den harmonisch aufwärts führenden zweiten Teil der Durchführung, dient sie auch hier. Wie schon sein Anfang, so beginnt auch die zweite Hälfte des Durchführungsteils mit drei Viertaktgruppen (T. 144—155), in denen Motive aus beiden Themen miteinander kombiniert werden, diesmal der Anfang des ersten (T. 13) mit dem Schluß des Vordersatzes aus dem zweiten Thema (T. 58f.). Erst nachdem auf diese Weise das thematische Material in wechselnden Kombinationen und auf ständig sich ändernden harmonischen Ebenen mehr vor- als durchgeführt worden ist, kommt es in der Vorbereitung des Repriseneintritts zu einer wirklichen motivischen Entwicklung. In ihrem Verlauf verlieren die Motive allmählich ihre deutlichen Konturen, bis sie schließlich nur mehr auf ihre gegensätzlichen Ausdruckscharaktere reduziert sind: das erste auf eine aufwärtsstürmende Sechzehntelfigur, das zweite auf eine sanft absteigende, kantable Terzenkette. Dieser Prozeß beginnt in Takt 156. Im Gegensatz zu den vorangehenden Abschnitten, in denen es stets nur Wiederholungen der gleichen Konstellationen, allenfalls bei gleichzeitigem Stimmentausch, gab, dehnt sich hier nun eine aus dem zweiten Motiv gewonnene Figur in gleichmäßiger Viertelbewegung über den ganzen Viertakter (T. 156—159) aus und verliert dabei den vorher sie kennzeichnenden Synkopenrhythmus. Gleichzeitig wird der Bewegungsimpuls des Kopfmotivs jetzt allein auftaktig auf die Taktschwerpunkte hin konzentriert. Mit dem Erreichen des dominantischen E-Dur, das in einem Orgelpunkt der Hörner und Trompeten über die nächsten dreimal vier Takte (T. 160—171) festgehalten wird, entlädt sich die Energie der Auftaktfigur in eine nach oben führende Achtelfolge, auf die das zweite Motiv mit seinen absteigenden Terzenketten antwortet. Schließlich münden beide Motive — die Achtelfigur ist inzwischen auf die bereits erwähnte Sechzehntelfolge reduziert — in den E-Dur-Akkord, von dem sie vorher ausgegangen waren.

Nach den permanenten Wiederholungen, aus denen der größte Teil der Durchführung besteht, wirkt die kurze motivische Entwicklung an ihrem Schluß wie eine Befreiung. Zugleich aber ist sie mit der Auflösung des thematischen Materials in steigende und fallende Skalenfragmente und dem Erreichen von a-Moll, der Variante ihres Ausgangspunktes A-Dur, an ein Ende angelangt, ein Ende freilich, das mit seinem Halbschluß in der Paralleltonart keinen unmittelbaren Anschluß der Reprise erlaubt. Beethoven greift daher auf die Überleitungsphrase am Ende der Exposition (T. 106—109) zurück, die vorher als Bindeglied sowohl zu deren Wiederholung als auch zum Beginn der Durchführung diente. So passend die im Diminuendo absteigende Bläserpassage dort aber war — passend zum leisen Beginn der Wiederholung wie zum überraschend mit einem Forteschlag einsetzenden A-Dur der Durchführung —, so wenig geeignet ist sie, zwischen dem Fortissimoschluß der Exposition und dem gleichfalls im Fortissimo einsetzenden Reprisenbeginn zu vermitteln, woran auch das nun vorgeschriebene Crescendo nichts ändert. Statt unmittelbar aus dem Höhepunkt am Schluß der Durchführung als dessen triumphale Überbietung hervorzugehen, wird so gerade dem Repriseneinsatz, auf den hin alles Vorausgegangene angelegt war, viel von seiner Wirkung genommen. Denn trotz des Aufgebots aller instrumentalen Mittel wirkt er lediglich wie die schwächere Wiederholung einer schon vorher erreichten Klimax.

Deutlich wird indessen, daß das Ziel der Durchführung für Beethoven weniger im Erreichen der Haupttonart als vielmehr in der Restitution des Zusammenhangs der zuvor in Einzelmotive zersplitterten Themengestalt liegt. Denn während er in der Exposition die Fortsetzung des Themas auf der Subdominantparallele über die Dominante wieder in die Haupttonart zurückführte, gibt er ihr nun Raum für eine harmonische Digression (T. 189—198), die, einsetzend auf F-Dur, in stufenweisem Aufwärtsschreiten bis d-Moll und von da aus zurück über die Subdominante F-Dur in einen achttaktigen Dominantorgelpunkt auf G (T. 198—205) führt. Auf ihn folgt bereits das Thema des Seitensatzes (T. 206—222), das nun die Funktion der definitiven Befestigung der Haupttonart C-Dur übernommen hat und damit aus einem Gegenpol zur unmittelbaren Ergänzung des Hauptsatzes geworden ist. Wie dieses, so erscheint, transponiert nach C-Dur, auch der Rest der Exposition: im Prinzip unverändert, wenn auch anders instrumentiert. Den Abschluß des Satzes bildet eine gewaltig auftrumpfende, fast brucknerische Coda, in der nochmals die Motive des Hauptthemas erscheinen, zuerst kombiniert mit jener fallenden Septakkordfigur, die bereits als Übergang zur Durchführung und zur Reprise fungierte, schließlich aber eingespannt in den Rahmen eines über 22 Takte im Fortissimo festgehaltenen C-Dur-Dreiklangs. Wenn irgendwo, so wird hier der Anspruch deutlich, den Beethoven von Anfang an mit der Gattung der Symphonie verband: Nicht mehr einem kleinen Kreis von Kennern und Liebhabern sollte sie zum Vergnügen dienen, sondern ein öffentliches Publikum in ihren Bann ziehen, es erheben und erschüttern.

Dieser Anspruch erstreckt sich vorerst allerdings nur auf den ersten Satz, während die folgenden, vor allem der langsame Satz und das Finale, sich noch an älteren Vorbildern orientieren. Schon der 3/8-Takt, verbunden mit der Vorschrift „Andante cantabile con moto“ und der Tonart F-Dur, verheißt einen zweiten Satz, dessen ruhig fließendes Bewegungsmaß gleich weit entfernt ist von hohem Pathos wie von plötzlichen Stimmungsumschlägen. Man hat ihn meist als Sonatensatz analysiert, worauf die vorgeschriebene Wiederholung seines auf der Dominanttonart endenden ersten Teils ebenso hinzudeuten scheint wie auch dessen Reprise (T. 101ff.) nach einem 36 Takte langen Zwischenspiel. Aber im Grunde vermeidet Beethoven in diesem entspannten, durchwegs von einer einheitlichen Empfindung getragenen Stück alles, was an das dialektische Wesen der Sonatenform erinnern könnte. Denn das, was im allgemeinen mit einiger Gewaltsamkeit als zweites Thema identifiziert wird, ist für sich genommen völlig unselbständig: Es ist nicht Gegensatz, sondern Ergänzung und Fortsetzung des vorangehenden Gedankens, der seinerseits ohne diese Ergänzung unvollständig bliebe. Es erscheint deshalb sinnvoller und dem einheitlichen Charakter des Satzes angemessener, ihn als dreiteilige Liedform zu betrachten.[1] Unter diesem Aspekt stellen sich die beiden A-Teile der Form als jeweils in Vorder- und Nachsatz gegliederte und durch Zusätze, Einschübe und Wiederholungen erweiterte Perioden, der Mittelteil als ein nicht-periodischer, aber ebenfalls in sich einheitlicher Abschnitt dar, der auf Motive des A-Teils zurückgreift. Das Thema wird eingeleitet durch Vorimitationen der sukzessiv einsetzenden tiefen Streicher, zuletzt auch unterstützt durch Fagott und Hörner, die jedoch mit dem Hinzutreten der von Flöte und Oboe verstärkten ersten Violine begleitende Funktion annehmen. Dem nunmehr von ihr vorgetragenen Vordersatz (T. 13—26) liegt ein regulärer Achttakter zugrunde, der durch eine sechstaktige Parenthese (T. 19—24) erweitert ist. Er endet mit einem Halbschluß auf C. Tovey, der den Satz mit den Termini der Sonatenhauptsatzform beschrieben hat, vergleicht deshalb diese Stelle mit dem Übergang vom ersten zum zweiten Thema im vorangehenden Allegro.[2] Jedoch ist gerade dieser Vergleich geeignet, den Unterschied zu verdeutlichen, der zwischen dem Sonatenallegro und dem liedhaft-periodisch angelegten Andante besteht. Denn erstens wurde dort ein erster thematischer Abschnitt mit einer vollständigen Tonikakadenz beschlossen, bevor ihm ein zweiter folgte, während hier lediglich ein für sich unvollständiger Abschnitt mit einem Halbschluß endet. Zweitens waren dort erster und zweiter thematischer Abschnitt durch einen Überleitungsteil getrennt, während hier beide unmittelbar aneinander anschließen. Drittens prägte dort der zweite Abschnitt seine neue Tonika bereits mit dem ersten Takt unverkennbar aus, während hier der tonartlichen Unabgeschlossenheit des ersten die Unbestimmtheit im Anfang des folgenden entspricht; und viertens stehen beide Themenabschnitte, die im Sonatenhauptsatz sich als Ausdruckskontraste gegenüberstanden, hier unter einheitlichem Vorzeichen, sie bilden, wie schon erwähnt, ein zusammenhängendes Ganzes.

Der Nachsatz besteht aus zweimal acht Takten. Sein Beginn mit einer zwischendominantisch verstärkten Wendung nach d-Moll läßt zunächst die weitere harmonische Entwicklung offen. Erst im fünften Takt wird die neue Tonartebene C-Dur eindeutig festgelegt. Auf den mit Halbschluß endenden ersten Achttakter (T. 27—34) folgt schließlich seine durch Gegenstimmen und reichere Instrumentation gesteigerte Wiederholung (T. 35—42), die, zum überhaupt ersten Mal in diesem Satz, mit einer vollständigen Kadenz in C-Dur schließt. Der Rest des A-Teils dient der mehrfachen Bekräftigung der C-Dur-Tonika: zuerst durch einen kadenzierenden Viertakter (T. 43—46), der gleich darauf, um drei Takte erweitert, wiederholt wird (T. 47—53), danach durch einen Dominantorgelpunkt, der sich erst nach acht weiteren Takten in die abschließende Tonika (T. 53—64) auflöst.

---

1 In dieser Hinsicht unterscheidet er sich deutlich vom zweiten Satz des Streichquartetts op. 18, Nr. 4, mit dem er häufig verglichen zu werden pflegt.

2 D. Fr. Tovey, *Essays in Musical Analysis,* Bd. I ([14]1972), S. 23: „Here again, as in the first movement [...], the second subject follows with no further transition than a taking of the old dominant chord for the new dominant key.“

Nur zwei Motive der schlichten, harmonisch lediglich zwischen Tonika und Dominante pendelnden Melodie des Vordersatzes genügen Beethoven, um den Zusammenhang des gesamten Satzes zu gewährleisten: der an den folgenden Taktschwerpunkt gebundene Auftakt, der gleich in den ersten drei Takten durch seine Wiederholung sinnfällig hervortritt, und ein unmittelbar danach erstmals erklingender punktierter Sechzehntelrhythmus. Beide zusammen dienen, durch Pausen voneinander getrennt und dadurch um so deutlicher hervorgehoben, als Material für den Anfang des Nachsatzes und die ihm folgenden Kadenzabschnitte; darüber hinaus bildet die punktierte Sechzehntelbewegung, über acht Takte in ununterbrochener Folge von der Pauke im Pianissimo vorgetragen, die rhythmische Basis nicht nur für den Schlußabschnitt des A-Teils, sondern auch für fast den ganzen B-Teil. Dessen kurzer Eingangsabschnitt freilich wird zunächst allein von dem Auftaktmotiv bestimmt, mit dem auf kürzestem Wege vom C-Dur-Schluß des A-Teils über c-Moll und As-Dur nach Des-Dur moduliert wird (T. 65—70), wo es, nun in die Bläser übergehend, sich mit dem vom Streicherchor vorgetragenen punktierten Rhythmus verbindet. Nach nur kurzem Verweilen in Des-Dur geht es jedoch bereits wieder — nun über b-Moll und dessen übermäßigen Sextakkord — zur Ausgangstonart C-Dur zurück (T. 71—80). Hier übernimmt die Pauke den punktierten Rhythmus, der von ihr als Dominantorgelpunkt, über dem Streicher und Bläser im Wechsel konzertieren, festgehalten wird. Erst gegen Schluß dieses Abschnitts (T. 81—100) löst sich das Motiv von der Pauke, wird aber von den Trompeten und schließlich von den ersten Geigen, die unmittelbar in den A-Teil zurückleiten, weitergeführt.

Die Wiederaufnahme des A-Teils ist sowohl Steigerung gegenüber seinem ersten Erscheinen als auch Sinnerfüllung des ganzen Satzes: Steigerung, weil er nun durch neue Gegenstimmen und verstärkte Beteiligung des Bläsersatzes ergänzt und bereichert wird, Sinnerfüllung aber, weil erst jetzt die Periode, die den Kern des ganzen Stückes bildet, in ihrer definitiven Gestalt erscheint, also mit einem Nachsatz, der sich nicht, wie beim ersten Mal, von seinem tonalen Ausgangspunkt entfernt, sondern zu ihm zurückkehrt. Eine kurze Coda (T. 163—195), die vom Vordersatz, diesmal in seiner nicht erweiterten achttaktigen Normalgestalt, angeführt wird, beschließt einen Satz, der mit der Einfachheit seiner formalen Anlage und der außerordentlichen Ökonomie in der Verwendung der sie tragenden Motive zwar nicht entfernt an die höchst differenzierten Strukturen Mozartscher Symphoniesätze heranreicht, ihnen aber die klare finale Gerichtetheit voraus hat.

Vielfach ist der Menuettsatz, der in Wahrheit ein Scherzo ist, als Beethovens erster persönlicher Beitrag auf dem Weg zu einer Neubestimmung der symphonischen Gattung betrachtet worden. Zwar hatte namentlich Haydn die Umwandlung des ehemals höfischen Tanzes zum Charakterstück bereits eingeleitet, aber das war zunächst vor allem in der Kammermusik geschehen, während er in seinen Symphonien, ebenso wie Mozart, noch weitgehend an dem alten Tanztyp festgehalten hatte. Auch Beethoven hatte in einigen Werken, etwa in den Klaviertrios op. 1, den Klaviersonaten op. 2 und den Streichquartetten op. 18, dritte Sätze geschrieben, die mit dem Menuett nur mehr den Dreiertakt gemeinsam hatten. Konsequenterweise hatte er sie dort aber als Scherzi bezeichnet, während er für den dritten Satz seiner Symphonie, der radikaler als alle vergleichbaren Sätze vorher mit der Menuettradition brach, die gewohnte Bezeichnung beibehalten hatte.

Dem Stück, das schon Berlioz entzückte, ist weder mit einer thematisch-motivischen noch mit einer harmonisch-funktionalen Analyse beizukommen. Es ist beinahe unmittelbar aus einem Material geschaffen, das, vor aller subjektiven Formung, Gemeingut jeder Musik dieser Zeit ist: aus Skalen, Dreiklängen und einem Rhythmus, der beständig die Dreiteilung des Taktes, seines Bewegungsmaßes, skandiert. Auskomponiert wird das motorische Potential auf- und absteigender Linien, die scheinbare Beschleunigung oder Verlangsamung der musikalischen Ereignisse bei gleichbleibendem Zeitmaß, der Aufbau von Spannungen und ihre Entladung. Dabei tragen alle musikalischen Gestaltungsmittel dazu bei, ein Höchstmaß an unmittelbarer, unreflektierter Wirkung auf die Hörer zu erreichen, die durch das Tempo, ein dahinstürmendes „Allegro molto e vivace", noch unterstützt wird. So steht denn auch am Anfang des Stückes nicht eine charakteristische motivische Konstellation, sondern eine emporschießende Skala, die auf der Quint der Tonika C beginnt und nach acht Takten auf einem Halbschluß innehält. Ihre Fortsetzung greift den Schlußton (g'') mit einer Umspielung durch dessen obere Nebennote auf und leitet mit ihr einen längeren Abschnitt ein, der die erste Phrase mit einer melodischen Abwärtsbewegung beantwortet (T. 9—24). Der Abstieg fängt allmählich an, zunächst mit Terzfällen im Abstand von je vier, dann von zwei Takten, und setzt sich schließlich stufenweise von Takt zu Takt fort. Dem Gefälle dieser sich beschleunigenden Abwärtsbewegung entspricht die Harmonik. Sie beantwortet den Halbschluß der ersten Phrase mit c-Moll und geht dann über Es-Dur und As-Dur nach Ges-Dur, um erst von hier aus den tiefen Abstieg in die Subdominantregion mit einer Des-Dur-Kadenz aufzufangen. Die sich steigernde Ereignisdichte wird schließlich auch von der Instrumentation und einer Dynamik unterstrichen, die sich vom Piano bis zum Fortissimo steigert und zuletzt jeden Takt der Kadenz durch einen Sforzatoschlag hervorhebt. Mit dem Erreichen von Des-Dur kehrt plötzliche Ruhe ein. Über einem Tonikaorgelpunkt stagniert die melodische Bewegung, während der rhythmische Impetus des vorhergehenden Abschnitts in einer Pendelbewegung der Mittelstimmen ausschwingt (T. 25—32).

Charakteristisch für Beethovens Kompositionsweise in diesem Stück ist der kurze Abschnitt, der zwischen dem Des-Dur-Schluß und der Rückkehr zum Anfang des Satzes in der Haupttonart vermittelt (T. 33—44). Seiner Funktion nach handelt es sich um eine Überleitung, die mit einer geradezu schulmäßigen diatonischen Modulation über b-Moll, es-Moll, Ces = H-Dur und e-Moll ihr Ziel C-Dur erreicht. Dieser harmonische Vorgang tritt jedoch völlig in den Hintergrund, denn das eigentliche musikalische Ereignis ist hier, wie aus dem melodischen Stillstand lediglich durch vereinzelte chromatische Aufwärtsschritte in einer im übrigen kaum bewegten, rhythmisch gleichmäßigen Terzenfolge allmählich die neuerliche Umkehr der Bewegungsrichtung eingeleitet wird. Der so vorbereitete Übergang führt in eine gesteigerte Wiederholung des Anfangsteils. Gesteigert ist nicht nur das klangliche Volumen infolge der Beteiligung des vollen Orchesters einschließlich der vorher noch nicht eingesetzten Hörner, Trompeten und Pauken, sondern auch der Ambitus des sich nun über zwei Oktaven erstreckenden Skalenaufstiegs, der nach Erreichen seines Höhepunkts (g''') mit einer formellen Kadenz abgeschlossen wird (T. 45—58). Eine kurze Coda, in der die nunmehr festgehaltene Tonika die melodischen Energien nicht mehr zur Entfaltung kommen läßt, beschließt den ersten Teil.

Der elementaren melodischen Dynamik des ersten steht in vielleicht noch krasserer Radikalität die klangliche Statik des Trioteils gegenüber.[1] Er besteht im Grunde lediglich aus einer Reihe rhythmisch wiederholter Bläserakkorde, die jeweils mit einer in die Konturen der Klänge eingebetteten Streicherfigur kombiniert wird. Spannungslos wie ihre stetige Wiederholung ist auch die Verbindung beim Wechsel der Akkorde: Nach acht Takten C-Dur kommen je vier Takte a-Moll und d-Moll, wonach sich eine Halbkadenz anschließt. Der Mittelteil gehört allein dem Dominantseptakkord, der sich zusammen mit der zugehörigen Streicherfigur über 18 Takte ausdehnt. Den Abschluß des Trioteils bildet eine Vollkadenz des Orchestertuttis, in der Bläserakkorde und Streicherfiguren wieder an den Anfangsteil anknüpfen, nunmehr aber enger miteinander verzahnt sind.

Ist der dritte Satz in seiner elementaren Wirkung, die er aus der Verwendung eines scheinbar ungeformten musikalischen Materials bezieht, vielleicht nicht eine der besten, doch sicher eine der originellsten Kompositionen aus Beethovens frühem Schaffen, so ist das Finale der Symphonie fraglos eines seiner konventionellsten Stücke. Formell zwar ein Sonatensatz, neigt sein Charakter jedoch viel eher zum Rondo, wie es sich im Laufe des 18. Jahrhunderts ausgebildet hatte: ein munteres und abwechslungsreiches Kehrausstück, das den Hörer weder fordern noch mitreißen, sondern auf angenehme Art unterhalten will. Schon aus seinem Anfang wird ersichtlich, wie weit entfernt dieses Finale von dem Geist ist, der den Kopfsatz der Symphonie beherrscht. Es ist zwar üblich, die sechs Takte, die dem eigentlichen Beginn des Finales vorausgehen, ebenso als langsame Einleitung zu bezeichnen wie den gewichtigen Anfang der ganzen Symphonie; im Gegensatz zu ihm aber handelt es sich hier um nichts weiter als einen verlängerten Auftakt, der Beethoven Anlaß zu einem musikalischen Scherz gibt. Angekündigt durch einen pompösen Fortissimoschlag, setzt er fünfmal gewichtig an, nur um beim sechsten Mal unerwartet früh in den Beginn eines unbeschwert-heiteren Allegros zu fallen. Rondocharakter hat auch das erste Thema, eine formal geschlossene, regelmäßig gebaute Periode aus zweimal acht Takten (T. 7—22), deren Nachsatz mit vollem Orchester wiederholt wird (T. 23—30), was es leicht macht, es als ein für sich vollständiges, keiner Ergänzung bedürftiges melodisches Gebilde aufzufassen. Auch der folgende Überleitungsabschnitt enthält nichts, was Beethovens Hörern irgendwelche Schwierigkeiten hätte bereiten können. Er vereinigt drei Funktionen in sich, die auf Phrasen mit jeweils verschiedenem motivischen Material verteilt sind. Die erste bestätigt mit Trompeten und Pauken, die von einer die C-Oktave durchmessenden Streicherfigur beantwortet werden, noch einmal die Haupttonart (T. 30—37), die zweite nimmt die Streicherfigur sequenzierend auf und bestreitet mit ihr den Übergang in die Dominantebene (T. 38—45), die dritte schließlich bereitet mit einer wiederholten viertaktigen Baßfigur den Eintritt des zweiten Themas oberdominantisch vor (T. 46—54). Dieses allerdings versteht sich nicht als Gegensatz zum heiter bewegten ersten Thema, sondern ergänzt es durch eine eher spielerisch-kapriziöse Note. Ihm liegt eine aus der Sequenzierung eines dreitönigen Motivs gebildete kurze Phrase zugrunde, die noch zweimal mit geringfügigen Veränderungen wiederholt und danach mit

1 Vgl. A. L. Suder, *Ludwig van Beethoven, 1. Sinfonie,* S. 70. Suder weist auch auf Ähnlichkeiten im Trio des Menuetts von Haydns Symphonie Nr. 101 hin. Dort trägt die Verbindung der festgehaltenen Harmonie mit einer freien Flötenmelodie allerdings eher folkloristische Züge.

einer erweiterten Kadenz abgeschlossen wird (T. 56—78). Eine weitere Kadenz, nun aber reduziert auf ihre Hauptfunktionen, die durch synkopierte Akkordschläge hervorgehoben werden, schließt sich an (T. 78—85). Mit ihr wird der Seitensatz definitiv beendet. Denn der auf sie folgende Tuttiabschnitt stellt mit dem Auftaktmotiv des ersten Themas in den Violinen bereits den Übergang sowohl zur Wiederholung der Exposition als auch zum Anfang der Durchführung her (T. 86—96).

Entspannt und unproblematisch wie die Exposition verläuft auch die Durchführung. Weder liegt ihr, wie der des Kopfsatzes, eine planmäßige, durchweg auf das Ziel der Reprise gerichtete Anlage zugrunde noch beschränkt sie sich allein auf die Arbeit mit Motiven aus Themen des Haupt- und Seitensatzes. Stattdessen knüpft ihr Beginn, darin Haydns und Mozarts Vorbild folgend, an die letzten Takte der Überleitung (T. 92—95) an, die zunächst im Piano sequenzierend wiederholt werden, um darauf mit dem sie anführenden Auftaktmotiv überraschend in einen Fortissimoabschnitt in B-Dur zu münden (T. 108—116), der, ohne motivische Verbindung mit dem Vorangehenden, gleichsam als Einbruch von außen erscheint. Mit ihm wird die Ausgangstonart für den folgenden Hauptteil der Durchführung festgelegt. Seine drei Abschnitte konfrontieren zunächst das Auftaktmotiv mit dem des Nachsatzes des ersten Themas (T. 117—122), beantworten es danach mit einem Skalenfragment in entgegengesetzter Richtung (T. 123—129) und reduzieren es schließlich auf eine Begleitfigur für das Synkopenmotiv aus der Schlußkadenz der Exposition (T. 130—139). Gleichzeitig mit dem Ende dieses Abschnitts gelangt auch der harmonische Gang an sein Ziel, den von B-Dur und F-Dur aus über A-Dur in Quintschritten erreichten Dominantorgelpunkt auf G. Mit ihm beginnt die Vorbereitung für den Repriseneintritt, eingeleitet zunächst (T. 140—148) durch das wiederholte Viertaktmotiv, das in der Exposition den Anfang des Seitensatzes herbeiführte. Bezeichnend ist allerdings der weitere Fortgang. Denn statt in die Reprise leitet es lediglich in einen weiteren Vorbereitungsabschnitt über (T. 149—162), in jenes Orchestertutti nämlich, das schon einmal — im Übergang vom Schluß der Exposition zu deren Wiederholung — mit dem Auftaktmotiv zum Eintritt des Hauptsatzes zurückleitete. Die Bedeutung des Repriseneintritts für das Finale ist also eine ganz andere als für den ersten Satz. Dort Hauptereignis, auf das alles Vorangegangene hinsteuerte, ist er hier nur Wiederholung eines bereits schon einmal Geschehenen.

Dem Eintritt der Reprise entspricht auch deren weiterer Verlauf. Denn weit entfernt davon, der Bedeutung der Exposition auch nur die Waage zu halten, ist sie lediglich deren verkürzte und infolge dieser Verkürzung schwächere Variante. Beide Themen, ohnehin von ähnlichem Ausdruckscharakter, folgen nun unmittelbar aufeinander, wodurch ein zusammenhängender Komplex entsteht, in dem die verschiedenen Gedanken fast potpourriartig abwechseln (T. 163—218). Dabei wird der Nachsatz des ersten Themas bei seiner Wiederholung nach F-Dur geführt, wodurch er die unmittelbare Verbindung zu dem ebenfalls in F-Dur beginnenden zweiten Thema herstellt, das erst später wieder nach C-Dur zurückkehrt. Der sich anschließende Teil (T. 218—237) ist, abgesehen von seinen Schlußtakten, nichts anderes als eine Transposition des letzten Expositionsabschnitts in die Haupttonart C-Dur. Und auch er mündet wieder in das Orchestertutti ein, das nun abermals zum unverkürzten ersten Thema zurückführt. Es wird gefolgt von einem den Schluß des Satzes einleitenden marschartigen Codathema. Das gegen Ende nochmals hervortretende Auftaktmotiv wird von permanent wiederholten C-Dur-Akkorden zum Schweigen gebracht.

Die genauere Betrachtung dieses Finales macht verständlich, warum es von einigen Autoren als Sonatensatz, von anderen als Rondo beschrieben wird. Denn es hat Züge von beiden: von der Sonatenform die mit Doppelstrich auf der Dominanttonart schließende Exposition mit zwei Themen und den sich auf Motive der Exposition stützenden Durchführungsteil, von der Rondoform dagegen die Charaktere der Themen, die lose Reihung vergleichsweise selbständiger Abschnitte und das drei-, mit Berücksichtigung der Expositionswiederholung sogar viermalige Erscheinen des vollständigen ersten Themas in der Haupttonart, dessen Wiederkehr zudem durch die jeweils gleiche Überleitungsgruppe vorbereitet wird. Gleichwohl gibt das Stück keinerlei Rätsel auf, denn die Eingängigkeit und Vertrautheit seiner musikalischen Sprache bedarf keiner traditionellen Formmodelle, um unmittelbar verständlich zu sein.

Arno Forchert

Klaviersonate B-Dur *op. 22*

ENTSTEHUNGSZEIT: 1799/1800.
ERSTAUFFÜHRUNG: unbekannt.
SKIZZEN: Staatsbibliothek Preußischer Kulturbesitz Berlin, aut. 19e, Wagenerscher Sammelband; Beethoven-Haus Bonn, BSk 25/73; Bibliothèque Nationale Paris, Ms 71.
AUTOGRAPH: verschollen; für die Stichvorlage benützte Abschrift mit eigenhändiger Aufschrift der Titelseite: Deutsche Staatsbibliothek Berlin, aut. 23.
ERSTDRUCK UND WIDMUNG: Wien 1802 (Hoffmeister & Co.); dem Grafen Johann Georg v. Browne gewidmet.
GESAMTAUSGABE: Alte Gesamtausgabe: Nr. 134 = Serie 16 Nr. 11.

Die „GRANDE SONATE pour le Piano Forte, composée et dédidée à Monsieur le Comte de Browne, Brigadier au Service de S. M. J. de toute la Russie, par LOUIS VAN BEETHOVEN. Oeuvre XXII", wie der Titel der Originalausgabe (1802) lautet, entstand hauptsächlich im Sommer 1800. Beethoven hatte in den Jahren 1799—1800 verhältnismäßig lange daran gearbeitet. Er spürte, etwas Besonderes geleistet zu haben, nannte das Werk in seinem Angebot vom 15. Januar 1801 an seinen Verleger Hoffmeister in Leipzig „eine große Solo-Sonate" und schrieb dazu: „diese Sonate hat sich gewaschen, geliebtester Hr: Bruder". Beim Publikum scheint sie indes in unterschiedlicher Gunst zu stehen. Der Rezensent in der *Zeitschrift für die elegante Welt* (1807) sieht sie als von „ganz eigenem Charakter". Sie „vereinigt auf eine sehr originelle Weise Glänzendes und Kraftvolles, Feierliches und Rührendes, Heiteres, Gefälliges und Erschütternd-Großes oder Erhabenes, in ihren schön kontrastirten und verbundenen Sätzen".[1] Andere, auch gute Kenner des Beethoven-

1 *Zeitschrift für die elegante Welt* 7, 1807, Sp. 997 (Verfasser: M — s.), zit. nach St. Kunze, *Gesammelte Konzertberichte,* S. 23.

schen Werkes, schätzen sie geringer ein. Insgesamt gehört sie heute zu den unbekannteren Klaviersonaten. Nach zahlreichen dreisätzigen Werken liegt hier wieder der ältere viersätzige Typus vor, mit einem Sonaten-Allegro an erster Stelle, gefolgt von einem Adagio, einem Menuett und einem Rondo.

Der erste Satz — Allegro con brio — ist in Sonatensatzform gestaltet. Der Hauptsatz (T. 1—11) ist dreiteilig, in der seltener vorkommenden Folge a (T. 1), b (T. 5), c (T. 8). Zum Kopfmotiv gehört eine pendelnde Sechzehntelfigur (im Auftakt zu T. 1), die in vielfachen Varianten weite Teile dieses Satzes bestimmt und auch in den anderen Sätzen wiederkehrt. Die Takte 1—4 bringen nach zwei knappen Ansätzen einen Aufstieg zur kantablen Partie des b-Teils, in der ein Abstieg der Melodik komponiert ist. Der abschließende Teil c kann durch manche Bezüge als entfernte Variante von Teil a gelten. Auch er strebt einem Höhepunkt zu, und sein Abschluß mit den beiden Viertelwerten im Staccato verweist hörbar auf die Takte 1 und 2 zurück. Die sequenzierende Figur im Baß ist eine Erweiterung der Pendelfigur des Anfangs, die darüber erklingende Sequenz in der Oberstimme bezieht sich darauf und umfaßt den Sextumfang des Auftaktes (f—d'). Die zum Seitensatz überleitenden Takte beziehen sich weitgehend auf die Anlage des Hauptsatzes, zunächst auf die Aufwärtsbewegung des dritten Taktes in den Takten 11—12. Die Struktur der Takte 13—15 erinnert mit ihrer gebundenen Artikulation, dem kantablen Klang und dem abwärtsführenden Gestus an Teil b; dabei darf nicht übersehen werden, daß hier zugleich ein auffallender Kontrast vorliegt: durch den neu eingeführten punktierten Rhythmus, durch die verlangsamte Bewegung und durch den neuen homophonen dreistimmigen Satz. Die Takte 16—21 haben wie Teil b einen Orgelpunkt und wie Teil c eine abschließende Funktion mit sich wiederholenden Strukturen und am Ende sogar eine aufsteigende Tonleiterskala, ähnlich wie in Takt 10f. Der Seitensatz ist formal entsprechend dem Hauptsatz gegliedert: a (T. 22), b (T. 31), c (T. 44—56). Die Exposition endet mit einem Schlußsatz (T. 57—68). Eine vierteilige Durchführung (T. 69ff.) und eine regulär gebaute Reprise (T. 128—199) schließen an.

Diese formalen Angaben täuschen über manche Schwierigkeiten, die sich der Analyse schon bei einer solch groben Gliederung stellen, und sie sagen noch kaum etwas über das musikalische Wesen des Satzes. Man darf nämlich nicht vergessen, daß Beethoven nicht nach dem vorgegebenen Schema der Sonatensatzform komponiert, die erst eine spätere Abstraktion von kompositorischen Ergebnissen ist, sondern daß hier Gestaltungsprinzipien vorliegen, die — bei aller Gegensätzlichkeit — auf eine Einheit von inhaltlichen Kriterien abzielen.[1] So spricht auch der oben genannte Rezensent vor allem von den Affekten der Musik: „Der erste Satz: Allegro con brio, ist voll mächtiger Bewegung, und läßt die unruhigen Affekte eines energischen Gemüths in allen Spuren der bald steigenden bald sinkenden Leidenschaft sich verkündigen."[2] Diese Auffassung von einer inhaltlich gebundenen Form hat selbstverständlich Einfluß auf die musikalische Strukturierung und die thematischen Entwicklungen. So ist der Seitensatz in seinem Charakter kein eigentlicher Kontrast zum Hauptsatz. Und, obgleich verschieden ausgeführt und in einer neuen

---

1 Vgl. H. Krones, *Rhetorik und rhetorische Symbolik.*

2 St. Kunze, *Gesammelte Konzertberichte,* S. 23.

Tonart — der Dominante — gestaltet, besitzt er zahlreiche Bezüge in Form und Thematik zum Vorangehenden. Wie verbunden beide sind, zeigt sich zum Beispiel darin, daß in Takt 21 die Begleitung des Seitensatzes vorweggenommen wird. Seine Terzen (T. 22ff.) erinnern an die des Satzbeginns, sie bestimmen dann auch die Takte 31ff., den b-Teil des Seitensatzes. In dessen eigenwertiger, von der Sechzehntelbewegung freien Passage finden sich die Sforzati und die Punktierungen des Taktes 13 wieder, auch die auffallende, jetzt vierstimmige homophone Struktur ist deutlich rückbezogen. Der c-Teil (T. 44ff.) enthält manche Verbindungen zu den Takten 16ff., ebenso der Schlußsatz (T. 57ff.), der insgesamt Momente der bisherigen Exposition zusammenfaßt. Das reiche Beziehungsgeflecht innerhalb der Exposition beruht hauptsächlich auf vier im Hauptthema enthaltenen Elementen, die dann den weiteren Satz bestimmen: die Pendelfigur, der zerlegte Dreiklang mit seinen Terzstrukturen, die Tonleiter und der Orgelpunkt. Diese an sich recht allgemeinen Strukturelemente sind durch weitere Parameter jeweils individuell so präzisiert, daß darauf bezogene Entwicklungen erkannt werden können. So ist die Pendelfigur des Auftaktbeginns durch die gleichmäßige Sechzehntelbewegung zusätzlich determiniert, so daß die Takte 8f. als Varianten davon erkennbar sind. Die Terzstrukturen des Beginnes klingen deutlich im Seitensatz nach, auch schon an seinem Beginn in Takt 22. Richard Rosenberg fordert daher ein leichtes Absetzen nach der Taktdrei, um so die fallende Terz herauszustellen.[1]

Die Durchführung besteht aus vier zwölftaktigen Abschnitten (T. 69, 81, 93, 105) und einem elftaktigen (T. 117), der aber durch eine Fermate am Schluß gedehnt ist. Eine Besonderheit komponiert Beethoven am Beginn, indem er die drei Teile der Schlußgruppe aus der Exposition rückläufig aufnimmt und somit Exposition und Durchführung feinsinnig verknüpft. Die Reprise ist regulär gebaut. Ihre Überleitung zum Seitensatz (T. 139ff.) ist notwendigerweise verändert und bezieht sich dabei ausdrücklicher auf den Beginn des Hauptsatzes, als dies in der Exposition geschieht.

Auch das Adagio ist als übersichtlicher Sonatensatz gestaltet, mit Exposition (Hauptsatz T. 1, Überleitung T. 13, Seitensatz T. 18, Schlußsatz T. 27), Durchführung (T. 31) und regulärer Reprise (T. 47). Im Hauptsatz fällt die rhythmisch differenzierte Ausgestaltung der Oberstimme auf. Die Überleitung in der Reprise wendet sich in Takt 60 nach Moll und gibt so den nachfolgenden Sekundseufzern eine besondere Schwere. Manche melodische Verwandtschaften bestehen zum Adagio des Streichquartetts op. 18, Nr. 1, das, wie die Skizzen belegen, etwa gleichzeitig entstanden ist. Das klangschöne und ausdrucksstarke „Adagio con molto espressione" strömt für Wilhelm von Lenz ein Gefühl von Sehnsucht aus, „eine Sehnsucht, wie sie der Mensch nach der unsichtbaren Welt empfindet, die er ahnt".[2] Er verweist dabei auf Friedrich Conrad Griepenkerls Novelle *Das Musikfest*, in der die Ausdruckswelt dieses Satzes bildhaft mit dem Titel „Die Schwäne" konkretisiert wird: „Ein wunderbares Bild *aller Sehnsucht* auf Erden [...] spüren sie mit ihren langen Hälsen nach den Himmelszeichen unter ihnen, den widerspiegelnden Wellen, die süße Täuschung glaubend."[3]

---

1 Vgl. R. Rosenberg, *Die Klaviersonaten Ludwig van Beethovens,* S. 150f.
2 W. v. Lenz, *Kritischer Katalog,* Bd. II, S. 30.
3 Ebenda.

Der dritte Satz ist ein Minuetto mit einem Minoreteil als Trio. Dem Menuett liegt eine dreiteilige, jeweils achttaktig gestaltete Liedform a b a zugrunde. Sie wird von einem sechstaktigen Epilog abgeschlossen. Der Vordersatz des Themas moduliert in die Dominante. Der Nachsatz, in seiner Gestaltung fein unterschieden, endet in der Ausgangstonart B-Dur. In ihm wird das Vorschlagsmotiv (Auftakt zu T. 2) aufgenommen, sequenziert und sein Anfang schließlich abgespalten und reihend zum melodischen Höhepunkt geführt. Der neu eingeführte punktierte Rhythmus im dritten Takt unterstreicht den graziösen Menuettcharakter. Er weist auf eine Stelle im ersten Satz (T. 13f.) zurück.

Die deutlich kontrastierende zweite Achttakt-Periode beginnt mit einem dissonierenden Akkordtriller, der sich zum Fortissimo hin steigert, dem dramatischen Höhepunkt. Hier ist die Punktierung des dritten Taktes an der syntaktisch entsprechenden Stelle, aber mit verändertem Ausdruck aufgenommen. Die variierte Wiederholung (T. 13f.) ist dabei im Gestus deutlich gemildert und leitet damit zur Wiederholung des a-Abschnitts hin. Dieser endet mit einem durchgehenden Sechzehntel-Fluß im Wechsel beider Stimmen. Lenz nimmt die Takte 9ff. als Beispiel für einen „mit Händen zu greifenden Humor" bei Beethoven. „Die schaurig dissonirende Sechzehntheilgruppe zu Anfang des 2. Theils der Minuett, das die Antwort wirbelnde 2. Tremolo (4. und 5. Takt) sind Töne der Nacht in Mitte der Tanzfreude und da es hier kein *wirklicher Schauer* gilt, so liegt in dem *Kontrast* zwischen Dissonanz in Rembrandt'scher Färbung und Konsonanz — der *Humor*."[1]

Anstelle des Trios steht der kraftvoll kontrastierende, mit Sforzato-Akkorden durchsetzte Minoreteil. Er wird beherrscht von einer beständigen Sechzehntelbewegung, deren Figuren von dem charakteristischen Auftakt im Thema und seiner Umkehrung abgeleitet sind.

Dieser kleine Satz enthält manche historisierende Momente, ist für Lenz gar „eine reizende Beethoven'sche Auffassung Haydn'scher Freuden".[2] Er erreicht mit seiner durchdachten Kompositionsart des Entwickelns, Wiederaufnehmens und Variierens eine erstaunliche Faßlichkeit und Einheit, die über ihn hinaus Bezüge enthält, vor allem zum ersten Satz (vgl. T. 12f. mit T. 13f. im ersten Satz; die auffallenden Trillerpassagen T. 9f. mit T. 23ff.; den energischen Sechzehntelimpetus mit den entsprechenden Passagen im Eröffnungssatz).

Das Allegretto-Finale ist ein Rondo von komplexer Gestaltung. In der Literatur darüber finden sich unterschiedliche Auffassungen über die Bedeutung und Abgrenzung seiner Seitensätze. Die folgende Übersicht verzeichnet den Wechsel der musikalischen Strukturen auf einfachste Weise und ohne Angabe von Varianten; die Hinführung zum Hauptsatz, die jeweils aus dessen thematischem Material, allerdings unterschiedlich gebildet ist, wird einheitlich mit a^1 angegeben.

1 Ebenda, S. 33.
2 Ebenda, S. 32.

1.	Hauptsatz		A	T. 1—18
	a:	1—		
1.	Seitensatz		B	T. 19—40
	b:	19—		
	c:	23—		
	d:	25—		
	e:	32—		
2.	Hauptsatz		A	T. 41—67
	a^1:	41—		
	a:	50—		
2.	Seitensatz		B	T. 68—103
	b (Moll):	68—		
	f:	72—		
	b (Moll, polyphon):	81—		
	f (Transposition der T. 72ff.):	95—		
3.	Hauptsatz		A	T. 104—129
	a^1:	104—		
	a:	112—		
3.	Seitensatz		B	T. 130—152
	b:	130—		
	c:	136—		
	d:	138—		
	e:	145—		
4.	Hauptsatz		A	T. 153—182
	a^1:	153—		
	a:	165—		
Coda				T. 183—199
	g:	183—		
	a:	194—		

Das Finale ist im Wechsel von Haupt- und Seitensatz (Couplet) geformt. Der erste und dritte Seitensatz haben das gleiche Material und den gleichen Aufbau. Der mittlere zweite Seitensatz bringt davon nur den Gedanken b und dazu einen neuen Gedanken f; er ist insgesamt eigenständig gehalten. Erwin Ratz sieht in ihm gar einen eigenständigen Teil C.[1] Die unterschiedlichen Auffassungen in der Literatur betreffen vor allem das Kernthema des Seitensatzes und damit zugleich dessen Gliederung. So beginnt zum Beispiel der erste Seitensatz sehr verschieden: mit b (T. 19), d (T. 25) oder e (T. 32). Die Takte zuvor werden als Überleitung (E. Ratz[2]: T. 19—24), Zwischensatz oder Zwischenspiel (R. Rosenberg[3]: T. 18—32) benannt.

Ein wesentliches Kriterium für die Kennzeichnung des Gedankens b als Überleitung zum Seitensatz könnte zum einen seine Eröffnungsfunktion in allen Seitensätzen sein. Doch zeigt gerade der zweite Seitensatz, daß b mehr als nur eröffnend ist; er wird hier zum Kern kompositorischer Verarbeitung. Auch hat b eine besondere und eigenständige thematische Bedeutung, da Beethoven aus ihm das Thema seiner *Sechs leichten Variationen* in G-Dur für Klavier (WoO 77) gewonnen hat, die etwa

1 Vgl. E. Ratz, *Einführung in die musikalische Formenlehre* (^{3}1973), S. 37—39.

2 Ebenda, S. 37. Für ihn sind daher in den Takten 19—49 „alle Funktionen deutlich ausgebildet: Überleitung [T. 19] — Seitensatz [T. 25] — Schlußsatz [T. 32] und Rückführung [T. 40]."

3 R. Rosenberg, *Die Klaviersonaten Ludwig van Beethovens,* Bd. I, S. 155; er gibt für die Takte 1—67 folgende Gliederung: „A (8 + 10) T. 1—18, Zwischenspiel (?) T. 18—32, B (?) T. 32—40, ‚Generalauftakt' T. 40—49, A T. 49—67." Rosenbergs Fragezeichen zeigen die Unsicherheiten gegenüber einer schematischen Festlegung, auf die er in seinen Analysen jedoch nie verzichtet.

gleichzeitig mit op. 22 entstanden sind. Ein weiterer Grund, daß b als einleitend gewertet wird, mag an seiner Harmonik liegen, denn er setzt nicht in der Dominanttonart ein, sondern führt erst zu ihr. Möglicherweise ist dies unausgesprochen der Grund, warum Rosenberg den eigentlichen Seitensatz erst mit Takt 32 beginnen läßt; hier erst ist nämlich F-Dur voll ausgeprägt. Erwin Ratz und Jürgen Uhde dagegen kennzeichnen diese Takte bereits als Schlußsatz bzw. Schlußgruppe.[1]

Der mittlere Seitensatz besitzt einen auffallenden Durchführungscharakter. Seine b-Abschnitte sind in Moll gehalten. Der zweite beginnt mit einer polyphonen Verzahnung des Themenkopfes und seiner Beantwortung (T. 81—88), die mit einer Variantenbildung fortgesetzt wird (T. 89—95); die Sequenzbildungen steigern sich in ihrer Stimmenzahl schrittweise von der Zwei- zur Vierstimmigkeit. Der Charakter von b ist dabei insgesamt verändert durch ein kraftvolles, von Sforzati durchsetztes Forte. Als Gegensatz zu ihm ist im Anschluß (T. 95ff.) eine neue toccata-artige Struktur f in gleichmäßig rascher Bewegung komponiert; sie beginnt leise und steigert sich zum Ende hin. Dieser zweite Seitensatz ist demnach durch die Einführung neuen thematischen Materials, die Verwendung neuer technischer Verfahren und neuer Ausdrucksmittel in der Art einer Durchführung komponiert, wie sie Sonatensätzen zu eigen ist. Auch wie der letzte Hauptsatz eingeführt wird, erinnert an Sonatensatzform. Im einleitenden Abschnitt erklingt zunächst eine Scheinreprise (Auftakt zu T. 153), das Eintreten der eigentlichen Reprise wird also besonders vorbereitet. Ihr Hauptgedanke (T. 165) erscheint dann allerdings, anders als erwartet, nicht tongetreu, sondern in einer figurativen Ausschmückung; er ist wie in einem Variationszyklus verändert. Beethoven erweitert demnach das Finale durch Elemente des Sonatensatzes und der Variation, gestaltet es musikalisch reich und gibt ihm so als Schlußsatz besonderes Gewicht.

Bereits Wilhelm von Lenz hat die musikalische Nähe des Hauptgedankens a zum Rondo der Klaviersonate op. 7 festgestellt. Auffallender noch ist seine Verwandtschaft mit dem Allegrothema der 1789 erschienenen Klaviersonate in B-Dur von Ernst Wilhelm Wolf (1735—1792), einem in seiner Zeit geschätzten mitteldeutschen Komponisten.[2]

Doch zeigen die Skizzen[3], daß Beethoven an der Gestaltung seines Hauptgedankens eigenständig gearbeitet hat.

Peter Andraschke

1 Vgl. J. Uhde, *Beethovens Klaviermusik,* Bd. II (³1970), S. 299: es „schließt sich eine größere arpeggierende Schlußgruppe (entwickelt aus T. 22ff.) an".

2 Notenbeispiel nach R. Rosenberg, *Die Klaviersonaten Ludwig van Beethovens,* Bd. I, S. 155.

3 Vgl. G. Nottebohm, *Zweite Beethoveniana,* S. 239—251. Hier finden sich Überlegungen zu den Gedanken a, b, c und d.

Violinsonate a-Moll
op. 23

ENTSTEHUNGSZEIT: 1800/1801.
ERSTAUFFÜHRUNG: nicht nachgewiesen; eine Privataufführung im April 1803 im Hause des Grafen Johann Georg v. Browne ist durch F. Ries belegt.
SKIZZEN: Staatsbibliothek Preußischer Kulturbesitz Berlin, aut. 19e, Wagenerscher Sammelband, und Landsberg 7; Skizzen im Nachlaß von Arturo Toscanini (Mrs. Wanda Toscanini Horowitz, New York).
AUTOGRAPH: verschollen.
ERSTDRUCK UND WIDMUNG: Wien 1801 (T. Mollo & Co.); dem Grafen Moritz v. Fries gewidmet.
GESAMTAUSGABEN: Alte Gesamtausgabe: Nr. 95 = Serie 12 Nr. 4; Neue Gesamtausgabe: Abt. V, Bd. 1.

Zu den eigentümlichen Zügen an Beethovens Arbeitsweise gehört der mehr oder minder gleichzeitige Umgang mit stark gegensätzlichen Werken gleicher Gattung. Es scheint, als sei die profilierte Ausprägung eines Werkcharakters der Arbeit an einem konträren Konzept abgerungen, durch sie erst ermöglicht oder doch zumindest gefördert worden. Beispiele bieten etwa die 5. und 6. Symphonie, aber auch die Klaviersonaten op. 54 und op. 57.

Unter diesen kontrastierenden Werkpaaren ragen die dem Grafen Moritz von Fries gewidmeten Violinsonaten op. 23 (a-Moll) und op. 24 (F-Dur) schon durch die komplizierte Geschichte ihrer Veröffentlichung heraus. Der Erstdruck vom Oktober 1801 faßte beide Sonaten als op. 23 zusammen. Einzelausgaben mit separaten Opuszahlen (23 und 24) erschienen aber bereits im Frühjahr 1802, gleichfalls im Verlag T. Mollo. Als Grund für die rasche Trennung galt das unterschiedliche Format der Violinstimmen: Bei op. 23 Hochformat, bei op. 24 dagegen, entsprechend der Klavierstimme, Querformat. Neuerdings wird sie als Reaktion des Verlegers auf die anschwellende Nachfrage nach op. 24 angesehen.[1] In jedem Fall wirkte sich die Trennung einseitig zu Lasten von op. 23 aus: Isoliert von dem populären Schwesterwerk blieb die a-Moll-Sonate relativ unbekannt und überdies noch auf Jahre hin mit der Unbequemlichkeit divergierender Formate behaftet. Appelle, beide Sonaten nacheinander vorzutragen, da „ein Werk das andere in seiner Wirkung steigert"[2], haben in der Praxis des Konzertlebens bislang wenig gefruchtet.

Daß die a-Moll-Sonate schon relativ früh im Schatten stand, ergibt sich unter anderem aus den Aufzeichnungen von Beethovens Schüler Ferdinand Ries, der in seinen ersten Wiener Jahren als Hauspianist des Grafen Browne fungierte. Ries berichtet über eine Aufführung von op. 23 im Hause des Grafen; da er dabei die Sonate op. 31, Nr. 2 als „eben erst erschienen" erwähnt, läßt sich die Aufführung auf April 1803 datieren: „Eines abends sollte ich beim Grafen Browne eine Sonate von Beethoven (A moll, Op. 23) spielen, die man nicht oft hört. Da Beethoven zugegen war und ich diese Sonate noch nie mit ihm geübt hatte, so erklärte ich mich bereit, jede andere, nicht aber diese, vorzutragen." Auf Beethovens eigenes Drängen hin habe er jedoch nachgeben müssen.[3] Wer als Violinist an jener ersten belegbaren Aufführung beteiligt war, verschweigt Ries.

---

1 Vgl. H.-W. Küthen, *Die erste Pariser Originalausgabe Beethovens,* S. 123.
2 J. H. Wetzel, *Beethovens Violinsonaten,* S. 226; ähnlich J. Szigeti, *Beethovens Violinwerke,* S. 27.
3 Fr. G. Wegeler / F. Ries, *Biographische Notizen,* S. 92.

Auch in der ersten Rezension (*AmZ* 1802, Sp. 569f.) bleibt der Violinpart unbeachtet. Beide Sonaten (op. 23 und 24) werden unter „neuen Klaviersachen" besprochen und „einem größern Publikum empfohlen" als „bey weitem nicht so schwer auszuführen" wie frühere Arbeiten Beethovens. Unter diesem Aspekt erhält op. 23 sogar den Vorzug vor op. 24.

Die Vernachlässigung des Violinparts in beiden erwähnten Quellen hat Gründe: Die zu Lebzeiten Beethovens erschienenen Drucke seiner Violinsonaten boten keine Partitur. Anders als neuere Ausgaben, die zur Klavierstimme den Violinpart (im Kleinstich) hinzufügen, spiegelten sie noch eine Praxis, die auf die violinbegleitete Klaviersonate des 18. Jahrhunderts zurückgeht. Dominanz und (scheinbare) „Autarkie" des Klavierparts leben in Druckgestaltung und Werktiteln erstaunlich lange fort. Noch in Schumanns Rezensionen von Klaviertrios und in Mendelssohns Briefen an Breitkopf & Härtel vom 21. Januar 1839 über den Druck seines d-Moll-Trios finden sich Belege für dieses „ancien régime" in der Kammermusik mit Klavier. Bei Besetzungsangaben für Duosonaten überdauert die alte Reihenfolge „für Klavier und Violine" noch weit länger (z.B. Brahms op. 78; Hindemith op. 11, Nr. 1).

Die erste Partiturausgabe von op. 23 erschien nach 1830 bei dem Frankfurter Verleger Dunst. Die handschriftlichen Quellen hingegen sind karg: Das Autograph der Sonate ist nicht erhalten; Briefbelege zur genaueren Datierung fehlen. Nach dem Kontext der erhaltenen Skizzen fällt die Hauptarbeit an der Sonate in die Zeit zwischen Frühjahr 1800 und (spätestens) Januar 1801, Auszüge aus den Berliner Skizzen bietet Gustav Nottebohm.[1] Eine vollständige Übertragung von SV 61 (Skizzenbuch Landsberg 7) legte 1927 Karl Lothar Mikulicz vor; sie enthält den Hauptbestand an Skizzen zu op. 23 aus einem fortgeschrittenen Stadium der Arbeit. Die Publikation der übrigen, früheren Skizzen (SV 29 = aut. 19 e und SV 359) durch Richard Kramer steht bevor.

Zur Rezeption: Stand die a-Moll-Sonate bei Publikum und Interpreten schon früh im Schatten von op. 24, so zeichnet sich in der Beethovenliteratur eine zum Teil gegenläufige Tendenz ab. Wilhelm von Lenz benötigt dafür noch einen Wechsel des Formaspekts: „Der 1. Satz (Presto 6/8) in 2 kurzen Theilen mit Reprisen und einem Anhange, hat Sonatinenform. Wenn man die Sonate als Sonatine faßt, so sprüht der 1. Satz von einem Feuer und einer Meisterschaft in der Behandlung, wie sie keine Sonatine in der ganzen musikalischen Literatur aufweist."[2] Eine vergleichbare Charakterisierung des Kopfsatzes der 5. Symphonie als „Sonatine" wird Hans Pfitzner zugeschrieben. Gemeint ist offenbar der bei höchster Spannung lakonisch knappe Ton und die straffe Formdisposition, die beiden Sätzen ebenso gemeinsam sind wie die Nachbarschaft eines entspannten Gegenstücks in F-Dur.

Für Wilhelm Joseph von Wasielewski steht op. 23 bereits merklich höher als das „in Dilettantenkreisen sehr beliebte" op. 24, in dem nur wenig „echt Beethovensches" enthalten sei.[3] Hugo Riemann macht als Gründe für geringere Beliebtheit von op. 23 „eine gewisse Trockenheit, Farblosigkeit, ein Zerbröckeln in kurze Einschnitte" geltend; es fehle „fast ganz die blühende Melodik und der kühne Schwung großer Linien". Er verweist auf den bescheidenen melodischen Ambitus (Finale) und empfindet für die ganze Sonate „ihr Haften am Kleinen, ihr sich Drehen im Kreise" als charakteristisch. Gleichwohl gilt sie ihm als „sehr wichtiger und in seiner Art einziger Beitrag zur Charakteristik von Beethovens Seelenleben".[4] — Paul Bekker sucht das „Besondere der Tonsprache" in der bei Beethoven seltenen Haupttonart a-Moll zu fassen, die nur in op. 132 eine Entsprechung finde und „der Tondichtung das Gepräge einer von Melancholie umfangenen leidenschaftlichen Erregung" gebe.[5] Walter Riezler schließlich stellt op. 23 unter den ersten fünf Violinsonaten am höchsten und hebt die „Gegensätzlichkeit der beiden jagenden Ecksätze in Moll" hervor.[6] Strenger am Tonsatz orientiert sind zwei Hinweise aus der neueren Literatur. Nigel Fortune hebt die Linearität der Schreibweise hervor[7], und Rudolf Stephan konkretisiert diesen Ansatz mit Hinweis auf die weitgehend strikte Dreistimmigkeit: „In dieser a-Moll-Sonate gehört die Stimmenzahl zu den Momenten, die für die Formbildung bedeutungsvoll geworden sind. So ist etwa im

1 Vgl. G. Nottebohm, *Zweite Beethoveniana,* S. 231f. und 380.
2 W. v. Lenz, *Kritischer Katalog,* Bd. II, S. 36.
3 W. J. v. Wasielewski, *Ludwig van Beethoven,* Bd. I (^{2}1895), S. 118.
4 Thayer / Deiters / Riemann, *Ludwig van Beethovens Leben,* Bd. II (^{3}1922), S. 246f.
5 P. Bekker, *Beethoven* (^{2}1912), S. 440.
6 W. Riezler, *Beethoven* (^{6}1942), S. 138.
7 Vgl. N. Fortune, *The Chamber Music with Piano,* S. 215.

Rondofinale das Ritornell durchweg dreistimmig, die kontrastierenden Partien sind dagegen vielfach akkordisch."[1]

Als Konsequenz des apodiktisch knappen Gestus des Hauptthemas und der entsprechend gerafften Gestalt der Exposition weist der erste Satz (Presto, 6/8) ungewöhnliche Formproportionen auf. Erstmals gibt Beethoven hier in einem Sonatensatz der Durchführung breiteren Raum als der Exposition (94 gegenüber 69 Takten) — eine Disposition, auf die er erst wieder in der 3. Symphonie und im Streichquartett op. 59, Nr. 1 zurückkommt, dort freilich in Sätzen vergleichsweise gigantischen Ausmaßes. Die Reprise ist mit nur 54 Takten noch knapper als die Exposition: Die Überleitung schrumpft zu einer Variante ihrer ursprünglichen Schlußtakte. Die Coda (33 Takte) nimmt das neue Thema des letzten Durchführungsteils (T. 131f.) auf und kommt erst gegen Ende auf das Hauptthema zurück, — ein Impuls, dessen Energie jedoch in der metrisch unregelmäßigen Folge der Kadenzakkorde zusammenbricht und im Pianissimo verebbt.

Die eigentümliche Zwischenstellung von op. 23 in Beethovens Schaffen wird deutlich am Zusammentreffen zweier nur schwer zu vereinbarender Formintentionen. Der Vorgriff auf die Ausweitung der Durchführung geht Hand in Hand mit einem Rückgriff auf die Wiederholung des „zweiten Teils", — ein Relikt des 18. Jahrhunderts, auf das Beethoven dann erst zwischen 1806 und 1809 gelegentlich zurückkommt, meist in Sätzen mit ähnlich knapper Exposition (vgl. die Kopfsätze von op. 59, Nr. 2, op. 70, Nr. 1, op. 78 und 79). Faßt man diese spätere Entwicklung ins Auge, so läßt sich der scheinbare Rückgriff ebenso als Vorgriff auf spätere Formkonzeptionen verstehen wie die Ausweitung der Durchführung. Im Petterschen Skizzenbuch (fol. 11^{v}), während der Arbeit an der 7. Symphonie, hat Beethoven entsprechende Erwägungen verbalisiert — in jener unvergleichlichen Weise, welche die Verfertigung des Gedankens beim Schreiben offenlegt: „1ter theil einmal 2ter theil 2mal überhaupt bald jeden theil 2mal bald einmal."

Das Hauptthema (T. 1—12) läßt sich als achttaktiger Satz mit wiederholtem Nachsatz verstehen. Das Klavier führt, nur kurzfristig (T. 9—10) erlangt die Violine eine führende Rolle. Die konträren Satzstrukturen von Vorder- und Nachsatz gewinnen thematische Bedeutung, sie werden nicht nur im ersten Satz, sondern in der ganzen Sonate abgehandelt. Die für einen Nachsatz Beethovens kennzeichnende Entfaltung der im Vordersatz angelegten Latenzen vollzieht sich hier in der Dimension der Polyphonie. Der Klavierdiskant des Nachsatzes entwickelt die Dreiklangsbrechung, die im Vordersatz lediglich als Harmoniegrund wirkte. Der Klavierbaß dagegen verdichtet die Einsätze des Hauptmotivs (in T. 9 deutlicher erkennbar als in T. 5) in doppelter Verknüpfung und unter Verlagerung des dynamischen Akzents zur Taktmitte. Die dabei entstehende Variante des metrischen Grundmodells (zuerst im Baß, T. 7) wird wichtig als motivischer Keim der Überleitung, aber auch für das neue Thema zu Ende der Durchführung.

Die Überleitung (T. 13—29) setzt unvermittelt in der Tonart ein, die man als Ziel ihres Modulationsgangs erwartet: C-Dur. Beethoven wählt jedoch in op. 23 erstmals im Kopfsatz eines Mollwerks für den Seitensatz die Tonart der Molldominante.

1 R. Stephan, *Zur Kammermusik des jungen Beethoven,* S. 37.

Auch darin verweist die Sonate auf spätere Werke (op. 31, Nr. 2, op. 90; insgesamt findet sich der Moll-Seitensatz bei Beethoven nur selten, zumal in Kopfsätzen). — Als rhythmisch neues Element bringt die Überleitung den Achtelauftakt, der dann auch auf den Seitensatz übergreift. Die Satzstruktur wechselt zwischen Unisono und akkordischer Antwort, die das Auftaktmotiv isoliert und damit das Thema des zweiten Satzes vorbereitet. Die polyphone Verdichtung erreicht ihren Höhepunkt über dem Orgelpunkt H mit der insistierenden Diminution der chromatischen Linien aus Takt 22—23.

Der Seitensatz ist in mehrfacher Hinsicht konträr zum Hauptsatz angelegt: Es führt zunächst die Violine, dann das Klavier; wiederholt wird nicht der Nachsatz, sondern der Vordersatz; zur lakonischen Motivik des Beginns kontrastieren die weitgeschwungenen viertaktigen Phrasen des Seitenthemas; schließlich wirkt der dreistimmige Satz hier schlichter und zugleich klangvoller infolge der kontinuierlichen Parallelführung zweier Stimmen in Dezimen. Der Eindruck strenger Dreistimmigkeit entsteht erst im Nachsatz (T. 46f.) durch Ligaturen und eine Stauung in Takt 48. Mit der Lösung dieses Knotens wird in den kadenzierenden Takten (T. 50f.) der klangliche Höhepunkt des Seitensatzes erreicht: durch Oktavierung massierte Zweistimmigkeit. Überboten wird diese Klangfülle in der Steigerung des Schlußsatzes (T. 54f.) durch Hinzutreten einer leicht figurierten Liegestimme. Das Umkreisen des Tones e (mit Berührung der neapolitanischen Sexte f) nimmt Bezug auf die analoge Figurierung des Tones h (T. 24f.) und wird in der Durchführung (T. 120f.) aufgegriffen. Es folgt ein jäher Zusammenbruch, dessen affektive Dynamik Momente des Aufbäumens zeitigt, besonders fesselnd in Takt 66f. mit der Verlagerung des Sforzatos vom vierten zum dritten Achtel. Hervorzuheben bleibt das Beharren auf dem e-Moll-Klang zu Ende der Exposition; der Verzicht auf die Konvention, den Rückweg der prima volta mittels der Dur-Dominante zu glätten, ist ungemein typisch für einen Satz, zu dessen Wesenszügen das Schroffe, Unverbindliche zählt. Den Skizzen (SV 359) läßt sich entnehmen, daß der Zusammenbruch über dem Orgelpunkt E (T. 62f.) ursprünglich in fallenden Sekundschritten konzipiert war. Mit der Änderung in fallende Terzen wird der Sturz ungleich steiler, zumal in einem so durchgängig von stufenweiser Melodik geprägten Umfeld.

An der Durchführung fallen, neben ihrer Ausdehnung, einige weitere überraschende Züge auf. Hervorhebenswert sind unter anderem die Einführung neuer Themen, die Orientierung zur Subdominante hin und der im Vergleich zur Exposition eher durchsichtige Satz. Zum letzten Punkt: Die vertraute Vorstellung von Durchführung als dem Ort satztechnischer Verdichtung wird trügerisch angesichts einer weithin strikt dreistimmigen Exposition. Die thematische Arbeit im Wechselspiel der Instrumente (T. 76—83, 92—117) führt vielmehr zur Auflockerung des Satzes und trägt damit auch zur Ausweitung der Durchführung bei. Der Beginn im subdominantischen Bereich und dessen Hervortreten im weiteren Verlauf (T. 72—93, 104—114, 144—159) kompensiert die fast übergewichtige Präsenz der Dominanttonart e-Moll in der Exposition. Der e-Moll-Bereich wird in der Durchführung nahezu vollständig gemieden (Ausnahme: T. 94—97). Da die Coda gleichfalls in d-Moll ansetzt, ergibt sich die ungewöhnliche Konstellation, daß Durchführung und Coda von der gleichen Harmoniebasis ausgehen.

Von den beiden neuen Gedanken bereitet der erste (T. 84f.) eine F-Dur-Fläche mit ruhiger Dreiklangsthematik aus, wahrt aber enge Beziehung zum Hauptthema, dessen Kopfmotiv zum Ostinatobaß wird, während die Begleitfigur den neuen Gedanken diminuiert. Die Tonart F-Dur schafft Verbindungen zu op. 24 und zum Mittelteil des Finales, die bis in die melodischen Konturen reichen (f—e—b—a). Der zweite neue Gedanke (T. 136f. und 224f.) trägt eher abschließenden Charakter. Er wirkt auch nicht als wirklich neu, da er keinen Wechsel der Bewegung bringt und einer metrischen Umkehrung des Hauptmotivs zu entstammen scheint. In der Verknüpfung von Elementen des Hauptthemas (Begleitfigur, verlagertes Kopfmotiv) und des Schlußsatzes (steigende Baßlinie) gewinnt er resümierende, fast erzählende Qualität. Der Wechsel des Sprachtons zum Balladesken hin erscheint als das eigentlich Neue des Themas. Vorbereitet wird dieser „Wechsel der Töne" (Hölderlin) mit einer ausladenden, durch Querstände (f—fis, b—h) pointierten Dominantspannung, die in einer Fermate mündet, — eine Situation, welche die Reprise erwarten läßt, so recht geeignet für den Eintritt einer derartigen Überraschung.

Die thematische Arbeit der Durchführung wird weithin bestimmt von einem fallenden Motiv, das den Ansatz des Hauptthemas mit dem halbtaktig verlagerten Überleitungsmotiv verknüpft. Die verarbeiteten Skalenmotive berühren sich so eng mit der Überleitung, daß deren radikale Kürzung in der Reprise zwingend wirkt. Am sonst getreuen Reprisenverlauf fällt die fast unmerkliche Variante des Seitenthemas (Ansatz in C-Dur) auf.

Die Coda bringt keine neuen Gedanken mehr, sondern greift den resümierenden Ton des letzten Durchführungsteils auf und gestaltet ihn zum Satzschluß. Erwähnenswert bleibt, daß dieser Teil im Skizzenbuch Landsberg 7 (S. 4) explizit als „Cod[a]" bezeichnet ist. Auch wenn die Bezeichnung nicht in den Druck übernommen wurde, ist sie von Interesse für den Interpreten hinsichtlich der Teilwiederholungen. Für die Theorie der Zeit um 1800 impliziert die Verwendung des Terminus Coda die Wiederholung der *beiden* vorhergehenden Teile[1], — ein Faktum, das zum Überdenken des üblichen Ignorierens der Repetitionszeichen Anlaß geben sollte.

Als „heit'rer, lieblicher Scherz, mit Humor und Zartheit vorzutragen" wird der zweite Satz (Andante scherzoso, più Allegretto, 2/4) bei Carl Czerny charakterisiert.[2] Die Form eines voll entwickelten Sonatensatzes hat sich erst im Verlauf der Arbeit herauskristallisiert. In den Skizzen umfaßt der erste Teil im frühesten Entwurf (SV 359) nur 41 Takte; ein zweiter Entwurf (Landsberg 7, S. 3) bringt erstmals eine Vorform des Seitenthemas und wird damit auf 68 Takte erweitert. Erst im dritten Entwurf (ebenda, S. 5f.) wird mit der Bereicherung um Schlußgruppe und kantablen Epilog die definitive Ausweitung des Teils auf 87 Takte erreicht. In starkem Kontrast zu den Ecksätzen stehen der „galante" Charakter des Hauptthemas, die beredsame Breite auch der übrigen Themen und die Ebenmäßigkeit der Form: Exposition und Reprise weisen fast exakt den gleichen Umfang auf (87 bzw. 88 Takte), während die Durchführung — für einen Mittelsatz nicht ungewöhnlich — mit 36 Takten auf weit bescheidenere Dimensionen beschränkt bleibt. Innerhalb dieses Sonatensatzes steht als Überleitung ein Fugato, das eine zumindest satztechnische Verbindung zu den Ecksätzen herstellt. Eine Variante des Kontrasubjekts wird ab Takt 76 zur Begleitung des ebenso einfachen wie innigen Epilogs (Czerny: „sehr sanft

1 Vgl. H. Chr. Koch, *Musikalisches Lexikon,* S. 345.
2 C. Czerny, *Über den richtigen Vortrag* (1963), S. 72.

aber auch nicht gedehnt"). Beachtung verdient die subtile Anknüpfung der (später komponierten) Schlußgruppe: Takt 68f. augmentiert Takt 66 und nimmt Takt 72f. vorweg, Feinheiten, die in der Skizze noch fehlen.

Der Witz des Satzes liegt nicht zuletzt in der reizvollen Diskrepanz von Themencharakter und Form, denn der spielerische Ton und die (geradezu musterhafte) periodische Gestalt des Hauptthemas lassen eher ein Rondo als eine Sonate erwarten, und mit der typisch rondomäßigen Suche nach dem Thema am Ende der Durchführung wird diese Erwartung abermals geweckt (T. 115f.).

Czerny zufolge ist das Finale (3. Satz, Allegro molto, ₵) „eben so leicht und schnell wie der erste Satz vorzutragen; jedoch leidenschaftlicher".[1] Wie die Skizzen zeigen (Landsberg 7, S. 8—13), war der Satz von Beginn an als Rondo konzipiert, ebenso F-Dur als Tonart des dritten Couplets, allerdings mit anderer Thematik: Ein an Oktavsprüngen reiches Baßmotiv ist in drei Entwürfen (S. 10—12) ausgeführt, die Konturen der zugehörigen ruhigen Oberstimme sind nur zu ahnen (S. 10, Z. 4). Offenbar fand Beethoven erst spät den choralhaften F-Dur-Gedanken, der dann zum dritten Couplet ausgebaut wurde. Verblüffend erscheint dabei, daß der in der Skizze vorgesehene Vordersatz (c—a—d—b—g—f—b—g) in der definitiven Fassung zum Nachsatz (T. 130f.) wurde und der ursprüngliche Nachsatz (f—e—b—a...) zum Vordersatz (T. 114f.).

Die Satzstruktur des Hauptthemas — zwei Außenstimmen umkreisen eine axiale Liegestimme im Wechsel von symmetriehafter Gegenbewegung (T. 1—2, 5—6) und Parallelführung in Dezimen (T. 3—4, 7—8) — nimmt markante Fügungen der vorangehenden Sätze auf (T. 54ff. des Prestos, Beginn des Andante). Der Stimmtausch der Außenstimmen, in der Skizze bereits für das dritte Ritornell vorgesehen (S. 8, Z. 7: „Basso il thema"), wird jedoch erst beim letzten Erklingen des Themas (T. 304) realisiert. Dagegen fehlt im Entwurf noch völlig die eigentümliche Querstandsbildung durch den Ton ais in Takt 3, der den ohnehin engräumigen Charakter des Themas verschärft, — zumal als Alterationsform der tonalen Basis. Kaum weniger kennzeichnend wirkt die jähe räumliche und dynamische Expansion in Takt 5—6 mit der Wendung zur Subdominante; auch hier findet sich ein ähnlich einengendes Chroma, diesmal im Baß (dis, T. 7). Beethoven verwendet damit innerhalb des rasch dahintreibenden Themas alle zwölf Töne. Ein weiterer auffälliger Zug des Satzverlaufs sind die zahlreichen, meist durch Fermaten markierten Zäsuren: Seltsam abrupt stehen die Abschnitte nebeneinander, nur an zwei Stellen (T. 49f. und vor T. 203) finden sich Elemente eines Übergangs, die sich dem instrumentalen Rezitativ nähern und damit etwas von jener Vermittlung zwischen den Teilen schaffen, auf die Beethoven im übrigen hier so entschieden verzichtet.

Im ersten Couplet dominieren gebrochene Nonenakkorde, die an Takt 62f. des ersten Satzes denken lassen (dort hatte Beethoven, wie erwähnt, gegenüber der Skizze eine Änderung vorgenommen). Im übrigen wirken die Takte 21—49 harmonisch eher als modulierender Zwischensatz — „modulierend" im Sinne eines Ausschreitens der Regionen einer Tonart verstanden. Der Wegfall der Achtelbewegung bringt eine erste Stufe der Beruhigung, kompensiert durch synkopische Spannungen, die

1 Ebenda.

auf Takt 5—6 zurückgreifen. Auch das zweite, für ein Maggiore ungewöhnlich kurze Couplet scheint bereits im Hauptthema angelegt (T. 7), bildet jedoch einen scharfen Kontrast durch die stationär wirkenden Tonwiederholungen und den auf das Andante verweisenden galanten Ton (vgl. dort T. 72f., aber auch schon T. 52). Es bleibt aber bei einer Andeutung des konträren Charakters: Das mehrfache jähe Abbrechen (Fermaten) scheint Einhalt zu gebieten. Insgesamt gewinnen weder das Ritornell noch die beiden knappen Couplets Raum zur Entfaltung. Erst mit dem dritten Couplet (F-Dur, T. 114—203) weiten sich die formalen Dimensionen. Der choralhaft vierstimmige (später variierte) Satz bringt Beruhigung, Kantabilität und wiederum eine neue Satzstruktur, in der man Züge des stile antico (zumal im Allabreve-Takt) sehen könnte.

Dem F-Dur-Teil folgt das Ritornell (T. 204—223), dann ein fast als Stretta wirkender Bewegungsteil mit raschen Dreiklangsfigurationen und energischen Akkorden (T. 224—248), von dem man nicht recht weiß, ob man ihn als viertes Couplet verstehen soll (an dem allerdings das Hindrängen zum Schluß seltsam wäre) oder als Einstieg in eine große Coda. Er mündet in eine Fermate, die gleichsam auf der Schwelle zum Quartsextakkord verharrt, den Satzschluß ankündigend. Was folgt, weicht vom gewohnten Verlauf eines Rondos erheblich ab: Stark verkürzt klingen unmittelbar aufeinander folgend die drei ersten Couplets an, getrennt nur durch eine Generalpause (T. 267) oder Fermate (T. 275) — in einer Zusammendrängung, die auf die Reminiszenzen oder Zitate in der Coda späterer Werke vorausweist. Das Ritornell bleibt aufgespart für den Schluß; dort tritt es unter beträchtlicher dynamischer Pointierung und mit dem Thema zunächst im Baß ein; erst in den letzten Takten, die auf Takt 44f. zurückgreifen, wird die Ebene des Piano wieder erreicht.

Die Form des Satzes gibt manches Rätsel auf. Offenbar hat Beethoven lange mit ihr gerungen: Die Skizzen zeigen mindestens drei von der definitiven Fassung gänzlich abweichende Schlußentwürfe, jeweils von höchstem Rang. Die hier angedeutete Interpretation des Schlußteils (ab T. 249) bedürfte detaillierter Begründung. Aber wäre es tatsächlich zu verwundern, wenn Beethoven in der gleichen Sonate, in der er erstmals die Dimension einer Durchführung über die Ausmaße der Exposition hinaus dehnt, in der er auf Jahre hin letztmals die Wiederholung des zweiten Teils fordert, auch das Novum der großen Coda eingeführt hätte, seinen vielleicht gewichtigsten Eingriff in die Architektur des Sonatensatzes?

Nicht nur durch den leidenschaftlichen Ton der Ecksätze, sondern ebenso durch die Vielfalt strenger Satzstrukturen und kühner Formentwürfe zählt op. 23 zu den fesselndsten Werken des dreißigjährigen Beethoven.

Peter Cahn

Violinsonate F-Dur „Frühlingssonate" op. 24

ENTSTEHUNGSZEIT: um 1800.
ERSTAUFFÜHRUNG: unbekannt.
SKIZZEN: Staatsbibliothek Preußischer Kulturbesitz Berlin, Landsberg 7.
AUTOGRAPH: 1.—3. Satz: Österreichische Nationalbibliothek Wien; Faksimile der 1. Seite vgl. op. 121b („Die Flamme lodert"); Faksimile aus dem 1. Satz, Reprise, 2. Thema in Fr. Grasberger, *Die Handschriften der Meister*, S. 122f.
ERSTDRUCK UND WIDMUNG: Wien 1802 (T. Mollo & Co.); dem Grafen Moritz v. Fries gewidmet.
GESAMTAUSGABEN: Alte Gesamtausgabe: Nr. 96 = Serie 12 Nr. 5; Neue Gesamtausgabe: Abt. V, Bd. 1.

Der mehr oder weniger gleichzeitige Umgang mit stark gegensätzlichen Werken gleicher Gattung stellt eine eigene Art von Beethovens Arbeitsweise dar (vgl. zu op. 23). Das Verhältnis der in unmittelbarer zeitlicher Nachbarschaft entstandenen Violinsonaten a-Moll op. 23 und F-Dur op. 24 ist ein charakteristisches Beispiel für diese Eigentümlichkeit, die bei Beethoven zugleich Ausdruck eines musikästhetischen Paradigmas ist, das wiederum vor dem zeitgenössischen philosophischen Hintergrund Schleiermachers oder vor allem Hegels verständlich wird. Wie Beethoven den Themendualismus der Sonatenhauptsatzform zum Anlaß für eine zugespitzte Konfrontation unterschiedlicher musikalischer Sachverhalte nimmt, kann als musikalisches Analogon zu Hegels dialektischer Konzeption beispielsweise in der *Phänomenologie des Geistes* angesehen werden. Dieses Prinzip der konfrontierenden Gegenüberstellung und Durchführung eines ersten Themas im Sinne einer „These" und eines zweiten in der Art einer „Antithese" potenziert Beethoven insofern, als er es auf zeitnah, wenn nicht gar zeitgleich entstehende Werkpaare anwendet. So ist es hinsichtlich der Sonaten op. 23 und 24 nur konsequent, daß die tragische Stimmung der a-Moll-Sonate keine Aufhellung erfährt — diese besorgt erst die heiter-aufgelichtete Sonate op. 24 mit ihrem apokryphen Beinamen *Frühlingssonate*.

Als Beethoven in der zweiten Jahreshälfte 1800 an seinem Violinsonatenpaar arbeitete — zwischen seinem Quartettzyklus op. 18 und den *Geschöpfen des Prometheus* —, stand ein ästhetischer Paradigmenwechsel an, der von Beethoven auf musikalischem Gebiet entschieden vorangetrieben wurde. Nun fand Beethoven hierfür den idealen kulturellen Nährboden. Noch keine zehn Jahre war es her, daß ihm, als er 1792 an einem nebligen Novembertag in Wien eingetroffen war, durch seine Tätigkeit als Hoforganist für den Onkel von Kaiser Franz in Bonn ein exzellentes Entree bis hinauf zur Staatsspitze ermöglicht wurde. Joseph Haydn kehrte zu dieser Zeit als gefeierter Dirigent aus London zurück; er war darangegangen, die Symphonie von ihrer unverbindlichen, austauschbaren Funktion als Operneinleitungsmusik zu befreien und sie zum autonomen anspruchsvollen Kunstwerk individueller Prägung auszubauen, was auch für Beethoven oberstes Prinzip werden sollte, indem er den Anspruch der symphonischen Idee nicht nur gattungsspezifisch innerhalb seiner Orchesterwerke weiterverfolgte, sondern auch auf seine Kammermusik, seine Lieder oder seine Klaviersonaten übertrug. Wenngleich der Kompositionsunterricht, den Beethoven bei Haydn erhielt, nur kurz war und die entscheidenderen pädagogischen Impulse von Johann Georg Albrechtsberger, dem Kapellmeister am Stephansdom, ausgegangen sind, so bleibt doch unbestritten, daß die ersten Wiener Werke Ludwig van Beethovens bis einschließlich der ersten Dekade des 19. Jahrhunderts auf den Einfluß Haydns (der zur Entstehungszeit der beiden Violinsonaten op. 23 und 24 an seinen späten Messen arbeitete, die ebenfalls von zunehmender symphonischer Faktur bestimmt waren) zurückzuführen sind und gleichzeitig musikalische Richtungen einschlugen, zu denen Wolfgang Amadeus Mozart den Weg gewiesen hat.

Während Beethoven also einerseits über Albrechtsberger jene strengen kontrapunktischen Satztechniken früherer Epochen kennengelernt hat und deren Kenntnis zugleich durch seine Bekanntschaft zum Wiener Hofbibliothekar, dem Baron van Swieten vertiefen konnte, kam er andererseits durch Haydn und Mozart mit der musikalischen Avantgarde seiner Zeit in Berührung, wodurch er nicht nur ausgefallene formale Lösungen, sondern auch die inhaltliche Bedeutung von Musik im Sinne einer Bedeutungsträgerschaft kennenlernte. Abgerundet wurde diese Ausbildung durch den regelmäßigen Austausch mit dem kaiserlichen Kapellmeister Antonio Salieri, dem Beethoven einige seiner Violinsonaten op. 12 gewidmet hat und unter dessen Anleitung er zwischen 1801 und 1802, also unmittelbar nach der Entstehung der beiden Violinsonaten, eine Unterweisung vor allem hinsichtlich jener musikdramatischen Ideale erhielt, wie sie die Opernreform ab der zweiten Hälfte des 18. Jahrhunderts kennzeichnete.

Synkretistisch ging aus diesen unterschiedlichen stilistischen Positionen, deren Spektrum von Albrechtsbergers kontrapunktischer Schulung bis hin zum lodernden musikdramatischen Feuer eines *Don Giovanni* reichte, Beethovens Personalstil hervor, und für Beethovens Instrumentalmusik bedeutete dies, daß er jene artifiziellen Durchführungstechniken, die er bei Mozart oder Haydn vorfand, zuspitzte, gleichsam das dialogische Miteinander von Haupt- und Seitenthema auf eine Konfrontation hin anlegte. Diese formalen Voraussetzungen wurden zum Ausgangspunkt wesentlich weitergehender musikalischer Entwicklungen, oder — wie es Richard Wagner in seinem Beethoven-Essay von 1870 ausdrückte — „der Vernunft seiner Kunst begegnete er nur in dem Geiste, welcher den formellen Aufbau ihres äußeren Gerüstes ausgebildet hatte". Bezogen auf die Violinsonate op. 24 bedeutet dies einerseits eine Manifestierung des wachsenden symphonischen Anspruchs, der sich in der Aufstockung von der konzertanten Dreisätzigkeit zur symphonischen Viersätzigkeit ausprägte, und andererseits deren Auffassung als dialektisches Gegenstück zur a-Moll-Sonate op. 23.

Gestützt auf eine ruhige Akkord-Umspielung hebt das Hauptthema mit einer Fallbewegung in enger Diastematik an. Umso emphatischer wirkt darauf der dritte Takt: Die Verbreiterung des Rhythmus um das Doppelte von Sechzehntel- auf Achtelnoten und der Oktavgang erfüllen sowohl im musikalisch-rhetorischen Sinn als auch gemäß der ureigensten Wortbedeutung die Funktion einer Emphasis, zu der ebenso im vierten Takt das Anklingen der noch zur Zeit Beethovens als Leidenschaftstonart begriffenen Tonart g-Moll beiträgt.

Beethoven beläßt es aber nicht damit, diese viertaktige Periode durch einen ebensolangen Nachsatz zu ergänzen. Vielmehr geht es ihm darum — und hierin zeigt sich ein bewußtes Unterlaufen von Periodizität —, innerhalb einer Einheit von insgesamt zehn Takten jenen emphatischen Affekt aus dem dritten Takt in den verbleibenden fünf Takten zu verstärken, wobei er sich noch weiterer affektsteigernder musikalisch-rhetorischer Mittel einschließlich einer Pathopoiia (T. 7 und 9) bedient; die statt des erwarteten F-Dur nunmehr lydische Schlußwendung der Phrase wirkt genauso archaisch wie der — trotz langsamem harmonischen Rhythmus — stufenreich geführte Baß.

Ab Takt 11 werden die Rollen getauscht: Das Hauptthema wird dem Klavierdiskant anvertraut, umspielt von gebrochenen Dreiklängen in der Violine. Diese Satztechnik kennzeichnet auch den Beginn der ersten Bewegung (ab T. 20), die ihre musikalische Energie aus dem Rhythmus des Nachsatzes vom Hauptthema gewinnt. Über einem Ostinato auf der Dominante im Baß wird schließlich in Takt 25 auch von den übrigen Stimmen die Dominant-Tonart erreicht, aber nicht etwa, um nun — wie es der „Regel" vermeintlich „klassischer" Satzkunst entsprechen würde — das Seitenthema zu exponieren, nein: Dieses setzt vielmehr erst nach einer dramatisch aufgeladenen, von Parrhesiae bestimmten Passage ab Takt 38 ein.

Das Seitenthema wirkt vor den gehämmerten Akkord-Wiederholungen des Klaviers äußerst energisch und sehr bestimmt. Der geschmeidig abfallenden und emphatisch wieder in die Höhe geführten melodischen Linie steht nun erstmals in diesem Satz eine akkordische Faktur gegenüber. Die zweite Bewegung ab Takt 46 dramatisiert diesen musikalischen Sachverhalt durch ihre enggeführten Moll-Gänge weiter, und auch der Epilog ab Takt 54 mit seinem weiten Durchmessen zunächst des c-Moll-Tonraumes (über zwei Oktaven) hält, gestützt auf Synkopen-Rhythmik, vergleichbar dem Epilog der 2. Symphonie, diese Spannung aufrecht. Ab Takt 62 läßt sich abermals, nun jedoch im Stimmtausch, die Bewegungs-Motivik vernehmen, die anschließende Synkopierung des Epilogthemas wird ab Takt 70 durch das massiv eingesetzte Baßregister und durch die akkordische Ausfüllung in ihrer Wirkung intensiviert.

Die Durchführung beginnt Takt 87 mit einem mächtigen Akkordschlag im terzverwandten A-Dur, dem sich die zweite Hälfte der ersten Phrase des Hauptthemas anschließt, die zweimal in leeren Oktavparallelen sequenziert wird, durch eine Abruptio voneinander abgegrenzt und als Hypobole in Tiefstlagen geführt — musikalisch-rhetorische Elemente also, die eine nächtige Todesstimmung bedeuten und damit den Titel *Frühlingssonate* auch aus dieser Sicht in Frage stellen. Der restliche Verlauf der Durchführung bis Takt 117 wird durch Motiv-Abspaltungen und deren Sequenzierungen von Epilog-Material bestimmt; nach sieben Takten Überleitung setzt in Takt 125 die Reprise ein, mit ihren insgesamt 86 Takten von gleicher Länge wie die Exposition. Die daran anschließende Coda weist ihrerseits dieselbe Länge wie die Durchführung auf, — eine für Beethoven außergewöhnliche Symmetriebildung.

Selbstverständlich bietet die Reprise der F-Dur-Sonate keine wörtliche Wiederholung der Exposition. Schon ab Takt 131 vernehmen wir gegenüber Takt 16—18 Varianten innerhalb der Violinstimme. Auch ab Takt 135 entsprechen nur die ersten drei Takte den ersten drei der Exposition; ab Takt 138 nimmt das Satzgeschehen nicht nur eine andere harmonische Wendung, sondern auch der Baß beteiligt sich intensiver an der motivisch-thematischen Arbeit, beginnt eine Sequenzierung auf der Grundlage des Rhythmus, der den dritten Takt des Hauptthemas ausmachte. Beethoven verlagert also typische Durchführungstechniken in die Reprise; die Verzahnung von Klavier- und Violinstimme in Takt 138—139 bzw. 140—141 hat Engführungscharakter. Takt 145—150 entspricht im wesentlichen Takt 20—25, weist jedoch Varianten in der Violine auf. Auch die dramatische Klavierüberleitung ab

Takt 152 hatte bereits in Takt 26ff. ihren Vorgänger. Takt 163ff. entspricht den Takten 38ff., „regelkonform“ jetzt allerdings von der Tonika startend. Die zweite Bewegung (ab T. 171) wie auch der Epilog (T. 179ff.) beginnen konsequenterweise in f-Moll, die Coda (ab T. 211 mit denselben musikalisch-rhetorischen Mitteln wie der Durchführungsbeginn) im terzverwandten D-Dur. Wie so oft bei Beethoven ist sie zu einer Art zweiter Durchführung ausgebaut, die in Takt 232 zu ihrem Höhepunkt geführt wird. Ihr folgt Takt 233 im Baß eine sequenzierte Phrase, deren Material aus dem ersten Thema stammt und die durch den f-g-Anstieg statt des a-g-Falls zunächst den Anschein einer Umkehrung erweckt. Diese Sequenz führt zur Schlußbildung.

War es im ersten Satz die Violine, die das Hauptthema eingangs formulierte, gehört der Anfang des Adagios zunächst dem Klavier. Die Geige darf nur ein paar Einwürfe machen, bis endlich auch ihr die zarte, liedhafte Melodie zugewiesen wird. Damit steht Beethoven durchaus in der Tradition der frühklassischen Violinsonaten, wie sie besonders in Frankreich sehr beliebt gewesen sind und bei denen das Streichinstrument einzig und allein dazu da war, die Oberstimme des Klaviers zu verdoppeln, damit dessen Melodie noch sanglicher und blühender wirken konnte.

Die Melodie, die Beethoven seinem langsamen Satz zugrunde gelegt hat, ist mit dem Hauptthema des Kopfsatzes verwandt. Dies liegt nicht nur an dem schwärmerischen Charakter, den beide Themen aufweisen, sondern auch am gemeinsam von oben nach unten sich bewegenden Melodieverlauf, zwischen den die schleiferähnlichen Wendungen eingeschaltet sind. Komponisten der nachfolgenden Generationen, wie etwa Carl Maria von Weber, Heinrich Marschner oder Richard Wagner, benutzten mit Vorliebe solche Schleifermotive, wenn es ihnen um die Darstellung höchster Emphase ging. Die fein zisiliert auskomponierte Ornamentik bis hin zu den Vierundsechzigstel-Figuren verdeutlicht die Nähe zu Joseph Haydns langsamen Sätzen.

Bei der Übernahme der achttaktigen, periodisch gebauten Melodie durch die Violine fällt das dezente Akkompagnement auf, — einzig eine (meist Alberti-)Baßbegleitung in Oktavparallelen, das heißt: keine Mittelstimmen, die den Melodienstrom zu ersticken drohen, auch keine kontrapunktischen Linien, welche ihn konterkarieren. Die schlichte Liedhaftigkeit dominiert, auch in jenem kurzen Zwischenspiel Takt 18—29, bis abermals das Hauptthema sich Gehör schafft, jetzt allerdings durch elegante Klavierfiguren variiert. Ab Takt 46 läßt sich dann die Violine vor einer ähnlichen Begleitungstechnik wie zu den Takten 38ff. mit einem neuen Gedanken vernehmen. Damit modifizierte Beethoven in diesem langsamen Satz die Barform mit ihren beiden Stollen und einem Abgesang, — ein Formenplan, der auch beispielsweise für Beethovens „Szene am Bach“ in der *Pastoralsymphonie* für das Grundgerüst sorgte.

Im kurz und knapp gehaltenen Scherzo betätigt sich Beethoven als musikalischer Karikaturist: Das Zusammenspiel zwischen Violine und Klavier wirkt „falsch“, immer wieder klappert ein Instrument nach. Selbst der Schlußton ist nicht zusammen. Beethoven liebte derartige musikalische Späße in seinen Scherzo-Sätzen; auch hier liegt die Parallele zur 6. Symphonie auf der Hand, in der sogar eine ganze Dorfmusikkapelle mit ähnlichen Mitteln karikiert wird. Auch das Trio mit seiner einfachen Skalenbewegung in Terzparallelen vor einem ostinaten Baß ist ein bewußter Rückgriff des Komponisten auf primitive volksmusikalische Schreibart.

Das abschließende Rondo kommt an Ausdehnung dem Eingangssatz gleich. Hierin spiegelt sich die schon im Spätwerk Mozarts auszumachende Tendenz wider, den letzten Satz von seinem Kehraus-Charakter zu emanzipieren und ihn gegenüber dem Eingangssatz gleich zu gewichten. Folgerichtig ist dieses Rondo auch kein gewöhnliches Strophenlied mit der aneinander gereihten Abfolge von Refrain und Couplet, sondern Beethoven verbindet die heiter-unbeschwerte Strophenform mit den dramatischen Entwicklungsmöglichkeiten des Sonatenhauptsatzes. Dennoch ist die Eröffnung des Satzes traditionell: Das Anfangsmotiv, ausgehend von der Quinte, über die Doppeldominante zur Sexte sich aufschwingend und diesen Verlauf sequenzierend, ist auch schon bei Mozart ein geschätztes Verfahren.

In Takt 18 setzt das erste Couplet (B) ein, wobei die viertaktige Periodizität nur scheinbar auf einfache symmetrische Phrasenverhältnisse schließen läßt. Schon in Takt 26 läßt sich eine Variante des Couplets vernehmen, und ab Takt 32 setzt statt der Wiederholung der Gegenphrase als Analogon zu Takt 25 eine Weiterentwicklung ein, die schließlich in einen neuen Gedanken (C) mündet. Takt 56ff. bringt erneut das Rondothema im Klavier, wobei die Einzeltöne in der Violine (T. 57 und 59) als durchgehaltene Oberoktav zum Klaviersatz wiederum als Relikt von jenen Klaviersonaten mit obligater Violine anzusehen sind, die Schober in Paris gesellschaftsfähig machte und die jenes Ideal des „singenden Allegros" repräsentierten, das auch schon im langsamen zweiten Satz seine Spuren hinterlassen hat.

Takt 73 beginnt der D-Abschnitt, dessen Triolenrhythmisierungen der Variante des B-Teils (vgl. T. 26ff.) entnommen sind. Im Klavier heizen dazu Synkopierungen die Stimmung an, ähnlich wie dies schon im Kopfsatz beim Epilog der Fall gewesen ist. Ab Takt 81 wird dieser D-Teil per Stimmtausch praktisch variiert, ab Takt 90 bzw. 98 kommen weitere Varianten dazu. Beethoven unternimmt hier also den Versuch, die Rondoform nicht nur unter den Entwicklungsmöglichkeiten der Sonatenhauptsatzform, sondern auch unter denjenigen der Variation zu beleuchten. Infolgedessen setzt nach einer kurzen Überleitung (T. 105—111) auch das Rondothema in Variation ein, harmonisch um eine Terz nach unten gerückt, damit mollgetrübt, und mit Gegenkantilenen versehen; die Pizzicato-Akkorde ab Takt 124 bringen sogar eine neue Klangfarbe mit ins Spiel. Erst in Takt 141 wird wieder die Grundtonart erreicht, und es läßt sich, gleichsam wie im Rahmen einer Reprise, der B-Block vernehmen. Gleichwohl sorgt die f-Moll-Trübung ab der zweiten Takthälfte von Takt 149 für eine dramatische Weiterentwicklung, die sich in Takt 180 entlädt. Mit einer Reminiszenz an die kurze Pizzicato-Passage (vgl. T. 194 mit T. 129) beginnt auf der letzten Schlagzeit von Takt 196 erneut das Rondothema, jetzt allerdings rhythmisch variiert. Die schlußbildende Coda ab Takt 206 greift wieder auf die Spannungsmomente der Synkopierungen zurück.

Beethoven komponierte seine *Frühlingssonate* zu einer Zeit, in der er sich in der Wiener Gesellschaft etabliert hatte und über die wichtigen Beziehungen zu einflußreichen Familien wie diejenige des Grafen von Brunsvik oder zu seinem großen Gönner, dem ehemaligen Kölner Kurfürsten Max Franz, verfügte. Ebenso trat Giulietta Guicciardi in sein Leben ein, der er die berühmte *Mondscheinsonate* gewidmet hatte. Widmungsträger der Violinsonate op. 24 ist Graf Moritz von Fries, in dessen Salon die musikalische Elite Wiens damals verkehrte und der für seine zahlreichen amourösen Abenteuer ebenso bekannt war wie für seine Kunstfreudigkeit und sein Vermögen, mit dem er dieser Leidenschaft frönte.

Jörg Riedlbauer

Serenade D-Dur für Flöte, Violine und Bratsche op. 25 (zusammen mit der Serenade D-Dur op. 41)

ENTSTEHUNGSZEIT: op. 25: 1801 in Wien; op. 41: 1803, Übertragung vermutlich von Franz Xaver Kleinheinz.
ERSTAUFFÜHRUNG: op. 25 und op. 41: unbekannt.
SKIZZEN: op. 25: Staatsbibliothek Preußischer Kulturbesitz Berlin, Grasnick 2, fol. 42 (Finalsatz).
AUTOGRAPH: op. 25: verschollen.
ERSTDRUCK: op. 25: Wien 1802 (G. Cappi); op. 41: Leipzig 1803 (Hoffmeister & Kühnel).
GESAMTAUSGABE: Alte Gesamtausgabe: op. 25: Nr. 62 = Serie 8 Nr. 4; op. 41: Supplemente zur Alten Gesamtausgabe, Bd. 9, Nr. 29.

Am 22. September 1803 richtete Beethoven folgende Zeilen an seinen Leipziger Verleger Hoffmeister und Kühnel; sie betreffen die für den baldigen Druck vorgesehenen Bearbeitungen seiner beiden Serenaden op. 8 und op. 25: „Die Übersetzungen sind nicht von mir, doch sind sie von mir durchgesehen und stellenweise ganz verbessert worden, also kommt mir ja nicht, daß ihr da schreibt, daß ich's übersetzt habe, weil ihr sonst lügt und ich gar keine Zeit und die Geduld dazu zu finden wüßte."[1] Mit der übertriebenen Darstellung seiner Zeitnot, vor allem aber durch den unmißverständlichen Ausdruck von Distanz besonders diesen Bearbeitungen gegenüber deklarierte Beethoven die Arrangements als lediglich durch ihn korrigierte Fassungen. Entgegen seiner damaligen Haltung, die keineswegs von Bearbeitungsüberdruß geprägt war, überließ er beide Opera Franz Xaver Kleinheinz, versah sie mit seinen Opuszahlen und willigte offenkundig ein, daß das Streichtrio op. 8 zu dem „Notturno / pour / Fortepiano et Alto [...] oeuvre 42" umgegossen wurde, während sich der Arrangeur entschied, die „Serenata / per / Flauto, Violino, / e Viola" als op. 41 in einen Satz „pour le / Fortepiano et Flûte / (ou Violon)" zu übersetzen. Am 17. Dezember 1803 las man im *Intelligenz-Blatt N. 58* zur *Zeitung für die elegante Welt* die Ankündigung und konnte das neue, mit dem Vermerk: „revûe par l'Auteur" versehene Werk für „Prix 1 + " im Handel erwerben.[2] Der Hinweis auf die durch Beethoven autorisierte Fassung muß sowohl Adolf Bernhard Marx als auch Anton Schindler dazu verleitet haben, beide Serenadenbearbeitungen als von Beethoven stammende Umsetzungen zu listen, der sogar in der Leipziger *Allgemeinen musikalischen Zeitung* bekannt hatte: „Das übersetzen überhaupt ist eine Sache wogegen sich heitzutage (in unserem fruchtbaren Zeitalter der übersetzungen) ein Autor nur umsonst sträuben würde."[3]

Im Verlaufe des 19. Jahrhunderts mehrfach von verschiedenen Verlagshäusern neu aufgelegt, gehören seit ihrem erstmaligen Erscheinen sowohl die Originalfassung als auch die Bearbeitung der Serenade op. 25 zu den wenigen Flötenwerken Beethovens, der sich mit dieser Publikation von der Traversflöte als wirkungsvoll

1 Thayer / Deiters / Riemann, *Ludwig van Beethovens Leben,* Bd. II (^{3}1922), S. 207, Fußnote.
2 K. Dorfmüller, *Beiträge zur Beethoven-Bibliographie,* S. 213.
3 Zit. nach E. Enß, *Beethoven als Bearbeiter eigener Werke,* S. 13.

einsetzbarem Instrument getrennt hatte. Selbst wiederholten Nachfragen etwa seines schottischen Verlegers George Thomson begegnete er fortan mit der Absage: „Je ne peux pas me décider à travailler pour la flûte, parce que cet instrument est trop limité et imperfait" und nahm damit auch sein früheres Ansinnen zurück, „den flötenliebhabern" etwa durch die Bearbeitung seines erfolgreichen Septetts op. 20 entgegenzukommen, die „darinn wie die Insekten schwärmen und daran speisen" würden.[1] In den 1818 für Thomson geschriebenen Variationen op. 105 und op. 107 mutete er der Flöte nur noch das „Accompagnement ad libitum" zu. Zum Ende des Jahrhunderts hatte die einstige Flötenkunst einen Tiefstand erreicht und war zu einer für die meisten progressiven Musiker wenig herausfordernden Marginalie abgesunken, so daß selbst engagierte Neuerer wie der Leipziger „Flötenist" Johann George Tromlitz in seinem „ausführlichen und gründlichen Unterricht die Flöte zu spielen" eingestehen mußte, daß „wir gegenwärtig wenig Setzer haben", die das „Instrument ganz kennen" und es daher „mehrtheils Kleinigkeiten, für geübte Spieler aber gar nichts" gäbe.[2] Namentlich in Wien hatte Beethoven Verhältnisse vorgefunden, die dem 1796 erschienenen *Jahrbuch der Tonkunst von Wien und Prag* zufolge von „Abscheu gegen dieses Instrument" getragen waren.[3] Zur damals konisch, ein- bis sechsklappigen Traversflöte heißt es weiter, „daß auch der beste Flötraversist nicht immer für die reinste Embouchüre gut stehen könne" und „wir, wenigstens hier in Wien, einen wirklichen Mangel an Dilettanten für die Flaute haben". Wie sehr man sich in der Zeit vor Theobald Böhms bahnbrechender Neukonstruktion des technischen Limits dieses Instrumentes bewußt war, spiegeln auch die ausführlichen Rezensionen Beethovenscher Symphonien wider. 1807 etwa heißt es in einer Besprechung in der Leipziger *Allgemeinen musikalischen Zeitung* zum Flötenpart im Scherzo der 1806 von Beethoven herausgebrachten 3. Symphonie op. 55: „Hierbey ist aber Schade, dass die Flöte, die alles um eine Oktave höher spielt, bey so schneller Bewegung, äusserst schwierig auszuführen wird, wenn nämlich der Spieler guten Ton und gehörigen Vortrag nicht aufopfern will."[4]

Verlangte mithin Beethoven in seinem symphonischen Werk auch von den Flötisten hohes technisches Können, so bescheinigte man namentlich seiner „Serenata" op. 25 die kompositorische Zurücknahme, das Verlassen eines einmal erreichten Standards und die Anpassung an die Bedingungen unterhaltsamer Gesellschaftsmusik. Man brachte das Werk in das Umfeld seiner früheren Flötenkompositionen, etwa des gefälligen Trios WoO 37 oder des Duos für zwei Flöten WoO 26, das Beethoven „für Freund Degenharth als Erinnerungszeichen bei dem nahenden Abschiede" in Bonn vor seinem Weggang nach Wien schrieb.[5] Daß das so konventionelle op. 25 auch kritische Töne anschlägt und die damalige Flöte sogar zu Ungewöhnlichem herausfordert, ist zunächst nicht gesehen worden. In Ermangelung von Wid-

---

1 Brief Beethovens an George Thomson vom 1. Oktober 1806, zit. nach Thayer / Deiters / Riemann, *Ludwig van Beethovens Leben,* Bd. II (³1922), S. 316f.; deutsche Übersetzung vgl. A. Kalischer, *Beethovens sämtliche Briefe,* Bd. I, S. 172. Zweites Briefzitat ebenda, S. 63 (Brief Beethovens an Hoffmeister in Leipzig vom 22. April 1801).

2 J. G. Tromlitz, *Ausführlicher und gründlicher Unterricht,* Einleitung.

3 J. F. v. Schönfeld, *Jahrbuch der Tonkunst,* S. 188f.

4 Zit. nach St. Kunze, *Gesammelte Konzertberichte,* S. 63.

5 K. Dorfmüller, *Beiträge zur Beethoven-Bibliographie,* S. 359.

mung und Auftraggeber warf daher vor allem die Datierung der Komposition nachhaltig Probleme auf, weil man die „Serenata“ ungern im Kontext zur Arbeit an der 2. Symphonie im Jahre 1802 sehen wollte. Da das Autograph der Serenade als verschollen gilt, liegt der Kenntnis des Werkes heute nur der ins Frühjahr 1802 fallende Wiener Cappi-Erstdruck mit der Plattennummer 881 zugrunde. Die Flöte-Klavier-Bearbeitung op. 41 im Leipziger Hoffmeister-Verlag trägt die Plattennummer 273.[1] Einen wichtigen neueren Datierungshinweis liefern zudem die bislang in diesem Zusammenhang noch wenig ausgewerteten Skizzen zum Finalsatz im Skizzenbuch aus dem Nachlaß des Wiener Kunsthändlers Ignaz Sauer.[2] Auf fol. 42 der gesammelten Blätter mit Studien zur Deklamation, die Beethoven für Antonio Salieri vorbereitet hatte, finden sich einige Satzentwürfe, die im Jahre 1801 niedergeschrieben worden sind und es nahelegen, die Serenadenkomposition im Jahre 1801 anzunehmen. Die seit Alexander Wheelock Thayer mehrheitlich vertretene Ansicht, op. 25 als ein Werk zu sehen, das „jedenfalls der Serenade op. 8 vorangegangen“ sei (also vor 1797), muß nunmehr revidiert werden. Thayer war zu diesem Ergebnis nach eingehender Analyse des Werkes gekommen, das für ihn „ohne weiter ausgreifende Anlage und detaillierte Arbeit“ war. Seine Überlegungen resümierte er mit den Sätzen: „die Motive, alle hübsch gegensätzlich, müssen für sich wirken; kein eigentlich planmäßig ausgeführter Bau, lauter Sätze mit kurzen Abschnitten; ein freier produktiver Geist schwebt nicht darüber, es ist sicher eine rasch konzipierte Arbeit gewesen“.[3] Dem schloß sich 1895 auch Wilhelm Joseph von Wasielewski an, der in der Serenade ein „fein ausgeführtes Genrebild einer idealisierten Serenade“ erkennen wollte, die der „Ausdruck [...] einer spontanen künstlerischen Stimmung“ sei.[4]

Erst in der neueren Beethovenforschung sind die Beethovenschen Serenaden- oder Trio-Kompositionen als ein spezifisches Umgehen mit Gattungstraditionen und mithin als ein Probieren interpretiert worden.[5] Auch op. 25 scheint ein solches Probieren zu sein, in historischem Eingedenken die überlieferten Serenaden-Topoi ohne wesentliche Verunsicherungen auf einen Bläser-Streicherklang zu transponieren. In sechs Sätzen, die um das zentrale „Andante con Variazioni“ gruppiert sind, entwirft Beethoven klar konturierte „Genrebilder“, die vor allem durch den Verzicht auf motivisch-thematische Arbeit zu Abbildern überkommener Schemata und zu kontrastreichen Studien gerinnen. Bereits die als Einzugsmusik zum obligaten Bestandteil instrumentaler Serenadenzyklen gehörende „Entrata — Allegro“ wird zum Versuchsfeld, dessen Ausgangspunkt ein zweitaktiges signalähnliches Dreiklangsmotiv ist. Zusammen mit einem weiteren zweitaktigen dominantischen Motivkomplex bildet es das Material für einen kurzen Durchführungsteil, dem sich ein zweiteiliges subdominantisches Trio anschließt.

1 Vgl. ebenda, S. 211, 303 und 309.
2 Vgl. Johnson / Tyson / Winter, *The Beethoven Sketchbooks,* S. 116.
3 Thayer / Deiters / Riemann, *Ludwig van Beethovens Leben,* Bd. II (²1910), S. 50f.
4 W. J. v. Wasielewski, *Ludwig van Beethoven,* Bd. I (²1895), S. 127f.
5 Vgl. L. Finscher, *Beethovens Klaviersonate opus 31, 3*; zur Serenade vgl. auch Th. Schipperges, *Serenaden zwischen Beethoven und Reger.*

Der Flöte bedient sich Beethoven in dieser komprimierten Entrata vor allem als Trägerin scharfer Fanfarenzitate, die er dem melodiöseren Trioteil entgegenstellt. In der Tutti-Wiederholung des zweitaktigen Eingangsmotivs bis a''' und mithin an ihre obere Grenze geführt, gemahnt ihr Klang an aufspielende Musikanten, — ein Eindruck, der im Satzverlauf durch Sforzati, rasante Crescendi, Repetitionen und Motivfraktionierungen unterstrichen wird und den der Komponist in der bearbeiteten Fassung offenkundig dadurch noch unmißverständlicher zum Ausdruck bringen wollte, daß er veranlaßte, alle Staccato-Punkte in Marcato-Striche zu verändern.[1]

Dieser traditionellen Eröffnung steht das „Tempo ordinario d'un Minuetto" gegenüber, dem in der Divertimento- und Serenadenmusik ebenfalls ein unverzichtbarer Platz zukommt und das überdies zum „Inbegriff Wiener klassischen Komponierens" geworden ist.[2] Ob Beethoven mit der Vortragsbezeichnung „Tempo ordinario" über das gewählte symmetrisch-periodische Formschema hinaus einen Hinweis geben wollte auf die in Wien damals getanzten Menuette, die als Gesellschaftstänze durch die Simplifikation der einst komplizierten Figuren ein schnelleres Tempo bekommen hatten, ist nicht mehr ermittelbar. Daß er jedoch den überlieferten Menuett-Ablauf im Sinne eines Zurückkehrens zum „ordinario" im Sinn hatte, nachdem er in seiner Serenade op. 8 ehemalige Gewißheiten aufzubrechen versuchte, scheint offensichtlich. Äußerlich folgt er dem Menuett-Raster sogar so weit, daß er den Vordersatz der ersten Periode mit schwerem ersten und folgendem leichten zweiten Takt entwirft:

1 Vgl. W. Hess in: L. v. Beethoven, *Werke*, GA, *Supplemente* Bd. 9, S. 65f.

2 W. Steinbeck, *Das Menuett in der Instrumentalmusik Joseph Haydns;* vgl. W. Salmen, *Mozart in der Tanzkultur seiner Zeit.*

Die Tanzstruktur wird lediglich dadurch unterbrochen, daß ab Takt 2 der 3/4-Fluß durch Sforzati auf unbetonter 3 und durch Synkopierungen unterbrochen wird, woraus eine Taktverschleierung entsteht, — ein Überraschungsmoment, das sich im Nachsatz um so entspannter löst. Nach viertaktiger dominantischer Interpolation von Streicherakkordik im Wechsel mit A-Dur-Dreiklangsbrechungen der Soloflöte folgt im zweiten Teil eine über sechs Takte gespannte Sequenzierung des Anfangsmotives mit kurzer Coda. Zwei Trios mit heiteren Spielfiguren lösen den melodiösen Fluß ab und geben dem Satz rondoähnliche Züge. Werden im ersten Trio Violine und Viola exponiert, so muten die Skalen und Arpeggien der Soloflöte im zweiten Trio ebenso virtuos an wie in den Variationen des späteren „Andante con Variazioni". Über dem Streicherpizzicato und der aus dem Menuetthema entlehnten Violinbegleitung kann sich die Flöte im problemlos zu realisierenden subdominantischen G-Dur als gewandtes Soloinstrument präsentieren. In der Bearbeitung op. 41 wurde das aus zweimal acht Takten bestehende erste Trio zum Solo für das Klavier.

Der folgende Satz, ein ebenfalls streng periodisch gegliedertes, Moll und Dur kontrastierendes „Allegro molto", entpuppt sich als erstes Scherzo dieser Serenade und hat überdies jene Scherzando-Züge, die Gustav Becking beschrieben hat.[1] Dazu gehört nicht nur die Inversion des erwarteten Dur-Moll- zu einem Moll-Dur-Ablauf, sondern auch die pointierte Auftaktbetonung, scharfe dynamische Kontrastierung, hoquetierende Begleitakkordik und der Maggiore-Mittelteil, der den üblichen Minore-Mittelteil ersetzt. Mit unverändertem Scherzando-Grundton beschränkt sich dieser Mittelteil auf Repetitionen von Septakkordrückungen, die an verselbständigte Tanzbegleitfiguren erinnern. Auffallend ist die beabsichtigte Kontrastwirkung, die durch die Instrumentierung erreicht wird. Die Flöte übernimmt dabei die Rolle der Klangaufhellung im Moll-Dur-Wechsel, — ein Mittel, von dem Beethoven in dieser Serenade häufiger Gebrauch macht.

1 Vgl. G. Becking, *Studien zu Beethovens Personalstil.*

Das Thema des bereits erwähnten „Andante con Variazioni“ ist eine schlichte, doppelgriffig vorgetragene Streicherkantilene, in die die Flöte im jeweiligen Redikt in oktavierter Sopranlage wiederum als Farbkontrast eingebunden wird. Das liedhafte Themengerüst bleibt bei den anschließenden drei Variationen im wesentlichen unangetastet und wird lediglich figural umspielt. Wenn Beethoven dem Sechzehntel- und Zweiunddreißigstelfluß der ersten Variation der Flöte jedoch retardierende, strukturierende Akzentverschiebungen entgegensetzt, so scheint ihm in der Entwicklung der drei Solonummern vor allem das rhythmische Raffinement ein Anliegen zu sein. In der zweiten Variation setzt er gegen die Violintriolen die Sechzehntel der Viola und beschränkt den Flötenpart auf Motivsplitter, während die dritte Variation Spielfiguren, Themenzitate mit akzentuierender Rhythmisierung verbindet. Angedeutete thematische Arbeit bleibt auf die Coda beschränkt, in die die dritte Variation mündet. In einer 8 + 8 + 3-taktigen Anlage gelingt es, den „Ständchentypus“ früherer Serenaden damit erst am Schluß des Satzes in Erinnerung zu rufen, — eine Assoziation, die Beethoven bislang vermieden hatte. Durch triolische Begleitfiguren, Pizzicati, die Zurücknahme ins Pianissimo und die Reduktion der thematischen Arbeit auf nicht enden wollende Kadenzfloskeln und deren barockisierende Diminution entlarvt er das „Ständchen“ als kurzphrasiges, von der Figurenredundanz abhängiges Klischeebild.

War im dritten Satz „Allegro molto“ das erste wichtige, für die Serenade konstitutive Scherzo begegnet, so folgt mit dem fünften Satz „Allegro scherzando e vivace“ das zweite, das vollends auf den Witz der Vortragenden angewiesen ist. Das Grundgerüst ist thematisch wie harmonisch simpel: punktierte Aufwärtsskala und in Sexten parallel abwärts geführter Stufengang zum dominantischen Schluß sowie ein Mittelteil, der dem 3/4-Metrum 6/8-Betonungen entgegensetzt. Der Satz lebt von seiner Geschwindigkeit, unerwarteten Dynamisierungen und scharfer Artikulation.

Der Finalsatz „Allegro vivace disinvolto“ wird von einem 22taktigen „Adagio“-Intermezzo eröffnet, dessen schlichte Anlage wieder von jenem Klangkontrast bestimmt ist, der zwischen Violine—Viola und Violine—Flöte entsteht. Beide Instrumentengruppen korrespondieren im formal geschlossenen A-B-A’-B’-Schema und münden nach zweitaktigem Decrescendo in einen durch ein herausforderndes Sforzato akzentuierten Dominantseptakkord, der sich „attacca subito“ in das Finalrondo auflöst:

Mit 199 Takten bildet dieses Rondo das notwendige Gegengewicht zum „Andante con Variazioni" und basiert auf einem 26taktigen Refrain, der in symmetrischem Formschema A—B—A—C—A—D—A—Coda eine viermalige Repetition erfährt. Hatte Beethoven in seinem op. 8 wenige Jahre zuvor mit einem „à la polacca" die Zurückführung zum Marcia-Topos als Schlußsatz begleitet, so griff er in op. 25 zu einem nicht minder modischen Raster, das später als „ungaresca" die „Polacca" ablösen sollte:

Nachdem das Refrainthema (a—b—a—a') bereits aus kontrastierender Motivarbeit gebildet wurde, verzichtet Beethoven auf eine weitere Durchführung in den drei Couplets zugunsten eines erneuten virtuosen Hervortretens der Soloinstrumente, die dem Satz dadurch den Charakter eines Perpetuum mobile geben.

Die Kritik an diesem Werk als einem „dem Namen seines Autors wenig entsprechenden Stück"[1] hatte sich nicht zuletzt an dem offensichtlichen Aneinanderreihen von derartigen Topoi entzündet, woran Beethoven jedoch formale Muster zu studieren suchte; ihre klangliche Auslotung war ihm in der Serenade op. 25 wichtiger als formale Verunsicherung, die man in der früheren Serenade findet. Unter Verzicht auf die Ironisierung einer längst ad acta gelegten Kompositionsweise signalisiert er seine Distanz zur historischen Gattung aber dennoch durch die Wahl der Instrumente. Mit ihr rückt die ehemalige Freiluftmusik in die Atmosphäre stillerer Hausmusik. Die Tatsache also, in dieser Serenade einem Studienobjekt zu begegnen, dessen primäre Fragestellung für Beethoven nach Beendigung der Komposition abgeschlossen und beantwortet war, mag ihn möglicherweise davon abgehalten haben, weiteres Interesse an einer Übersetzung in andere instrumentale Gegebenheiten zu entwickeln. Wie an den durch Beethoven vorgenommenen Bearbeitungen nachweisbar ist, zollte er dem Prozeß der Anpassung einer kompositorischen Faktur an ein anderes Medium große Aufmerksamkeit und änderte vielfach ganze Passagen. Dieser Umarbeitungsaufwand war ihm offenkundig bei der Bearbeitung der Serenaden nicht herausfordernd genug, wie er in dem eingangs zitierten Brief seinen Verleger wissen ließ. In op. 41, Franz Xaver Kleinheinz' Einrichtung „pour le / Fortepiano et Flûte", begegnet also die textgenaue Übersetzung des Flötenparts als Solostimme über einem Klaviersatz, der, von wenigen Ausnahmen abgesehen, aus der Violin- und Violastimme gewonnen wird. Diese Ausnahmen betreffen vor allem jene Stellen, die im Streicher-Bläsersatz an die dreistimmige Faktur gebunden blieben und im Klaviersatz einer Baßergänzung bedurften. Beschränkte sich Kleinheinz jedoch in den meisten Sätzen auf akkordische Ergänzungen, so griff er im Rondofinale mit der Hinzufügung eines selbständigen Basses im Refrain entschiedener in die Anlage des Satzes ein, der seine Hastigkeit vor allem durch den Verzicht auf die Baßlage (Viola) erreicht hatte. Die biedere Hinzufügung einer kadenzierenden Baßlinie nimmt nun freilich vor allem dem Refrain die Schalkhaftigkeit zugunsten braver Motorik. Hatte man diese Bearbeitung von der Aufnahme in die Gesamtausgabe ausgeschlossen, so erschien sie erst 1965 in den Supplementen dazu, unter anderem mit dem Hinweis, durch die kritisch durchgesehene Fassung den „ziemlich freizügigen Überarbeitungen", die gerade dieser Bearbeitung zuteil wurden, ein Ende zu setzen.[2]

Gabriele Busch-Salmen

1 E. Hanslick, *Concerte, Componisten und Virtuosen,* S. 21.
2 W. Hess in: L. v. Beethoven, *Werke,* GA, *Supplemente* Bd. 9, Vorwort S. 5.

Klaviersonate As-Dur op. 26

ENTSTEHUNGSZEIT: 1800/1801.
ERSTAUFFÜHRUNG: unbekannt.
SKIZZEN: Staatsbibliothek Preußischer Kulturbesitz Berlin, Landsberg 7.
AUTOGRAPH: ehemals Staatsbibliothek Preußischer Kulturbesitz Berlin, während des Krieges 1939—1945 ausgelagert, gilt als noch verschollen.
ERSTDRUCK UND WIDMUNG: Wien 1802 (G. Cappi); dem Fürsten Carl v. Lichnowsky gewidmet.
GESAMTAUSGABEN: Alte Gesamtausgabe: Nr. 135 = Serie 16 Nr. 12; Neue Gesamtausgabe: Abt. VII, Bd. 2.

Op. 26 zählte einmal zu den verbreitetsten Klaviersonaten Beethovens. Das ist jedenfalls für die Zeit vor 1920 durch einen Auflagenvergleich des Verlages B. Schott's Söhne in Mainz belegt.[1] Danach standen die Sonaten op. 2, Nr. 1, op. 13 und op. 27, Nr. 2 mit jeweils über 40000 Abzügen an erster Stelle, gefolgt von op. 26 mit einer Auflage von 12600. Heute scheint die Beliebtheit dieser Sonate zurückgegangen zu sein, außerhalb von Gesamtaufnahmen ist sie kaum noch zu erwerben, und Joachim Kaiser stellt fest, daß sie auch in den Konzertsälen nur selten erklingt.[2] Ein Grund dafür könnte die bunte, zum Teil sich widersprechende semantische Vielfalt des Ausdrucks sein.

Es wurde verschiedentlich betont, daß die Klaviersonate op. 26 im Œuvre Beethovens einen Umbruch anzeigt. Man verwies dabei speziell auf die Satzfolge im Zyklus. Er beginnt nämlich mit einem Variationensatz und nicht mit einem Satz in Sonatensatzform. Dies ist auffallend, auch wenn es hierfür Vorbilder gibt, etwa Mozarts Klaviersonate in A-Dur, KV 300i (331). Noch bedeutsamer ist aber, daß Beethoven in op. 26 ganz auf die Sonatensatzform verzichtet. Die Satzfolge besteht aus einem „Andante con Variazioni", einem „Scherzo", einer „Marcia funebre sulla morte d'un Eroe" und einem leicht gehaltenen Rondo-Finale im Allegro. Paul Bekker gibt eine einleuchtende Deutung für diese neue Konzeption.[3] Er verweist auf die kompositorische Einengung, die das traditionelle Zykluskonzept bedeutete. Denn ein in Sonatensatzform geschriebener Anfangssatz hatte von vornherein ein besonderes formales Gewicht und setzte zugleich entscheidende Vorbedingungen für die nachfolgenden Sätze. Op. 26 zeigt, wie sich der Schwerpunkt neu ins Innere des Zyklus verlagert, nämlich zum dritten Satz, dem Trauermarsch hin. Dabei hat Beethoven die neue Zyklusbildung hier noch nicht überzeugend gelöst; das gelingt ihm erst in späteren Werken. Op. 26 dagegen ist noch „eine merkwürdig kaleidoskopartig zusammengesetzte Arbeit"[4], in sich noch keineswegs gänzlich ausgewogen. Vielleicht ist aber die neue Bedeutung des Semantischen in dieser Sonate noch kennzeichnender für ein verändertes kompositorisches Denken. Der Schweizer Pianist Edwin Fischer schreibt, daß hier erstmals bei Beethoven eine Art „psychologischer Komposition" vorliegt, in der „Beethovensche Seelenaussagen in den Vordergrund

1 Vgl. H. Loos, *Zur Klavierübertragung,* S. 11.
2 Vgl. J. Kaiser, *Beethovens 32 Klaviersonaten,* S. 217.
3 Vgl. P. Bekker, *Beethoven* ([2]1912), S. 138f.
4 Ebenda, S. 139.

rücken, die psychologische Verkettung der einzelnen Sätze ist stärker, und die Ansprüche an den Nach-Dichtenden, Nach-Schaffenden, größer".[1]

Das anfängliche „Andante con variazioni" wird selbst von Kritikern der Sonate als einer der klangschönsten Sätze Beethovens charakterisiert. Sein Thema, „in Mozarts Geist empfunden"[2], ist von „ruhiger, abgeklärter Milde"[3], es „athmet tief innige Sehnsucht"[4], besitzt „milde, ernste Schönheit" und eine „Melodie edelster Prägung, ohne den geringsten leidenschaftlichen und sinnlich wirkenden Zug"[5], loben die Rezensenten. Trotz der erstaunlichen Differenzierung im Rhythmischen wirkt das Thema gleichmäßig und ruhig. Es entspricht mit seiner klaren Tektonik (a a b a) dem Adagio der Sonate op. 2, Nr. 1, ist aber insgesamt reicher gestaltet. Der Gegensatz des b-Teils liegt nicht im Ausdruck, sondern im Strukturellen, beispielsweise in der neu einsetzenden zweischichtigen Polyphonie, die zum melodischen Höhepunkt und zur klanglichen Verdichtung in den Takten 21—26 führt. Es bestehen jedoch auch zahlreiche Bezüge zu den a-Teilen. Sie belegen die für Beethoven charakteristische Einheit im Gegensatz, vgl. etwa Baß und oberste Stimme der Takte 17—20 mit den Takten 5f. (einschließlich Auftakt) oder die Oberstimmen der Takte 13f. und 5f.; dabei sind in den Quartenstrukturen auch Anklänge an den Beginn des Rondos aus op. 13 und an die Fuge des dritten Satzes von op. 110 erkennbar, also ein übergeordnetes und weiterreichendes Strukturprinzip.

Die Skizze zeigt[6], daß das Thema ursprünglich im 6/8-Takt gedacht war, auch fehlt noch manche Auflösung der Achtelbewegung in Sechzehntelwerte (etwa in T. 2 und 9). Dadurch hatte es einen stärker tänzerischen Duktus und erhielt erst in der Umarbeitung die gewichtigere Betonung des Dreierrhythmus.[7]

Die formale Anlage des Themas ist in den Variationen beibehalten. Sie haben demnach den gleichen Umfang und Aufbau, nur die Schlußvariation ist durch eine Coda geweitet. Auch lassen sich die jeweils satzbestimmenden Variationsmomente aus dem Thema ableiten bzw. darauf zurückbeziehen. Dabei zeigen aber die fünf Variationen eine neue kompositorische Haltung. Sie haben eine deutliche Tendenz zu unterschiedlich ausgeprägten Charakteren, die sich von dem Verfahren der herkömmlichen Variation abhebt, in der das Thema eher spielerisch verändert und mit immer neuem Beiwerk aus-

1 E. Fischer, *Ludwig van Beethovens Klaviersonaten,* S. 63.
2 Th. v. Frimmel, *Beethoven-Handbuch,* Bd. II, S. 193.
3 E. Schmitz in: A. B. Marx, *Anleitung zum Vortrag Beethovenscher Klavierwerke* (1912), S. 249, Anmerkung 18.
4 E. v. Elterlein, *Beethovens Clavier-Sonaten,* S. 67.
5 W. Nagel, *Beethoven und seine Klaviersonaten,* Bd. I, S. 179.
6 Staatsbibliothek Preußischer Kulturbesitz Berlin, Landsberg 7, S. 56.
7 Vgl. G. Nottebohm, *Ein Skizzenbuch aus dem Jahre 1800,* in: ders., *Zweite Beethoveniana,* S. 237; K. L. Mikulicz, *Ein Notierungsbuch von Beethoven,* S. 52. Notenbeispiel nach Mikulicz.

geschmückt wird. Dieses neue kompositorische Denken wird besonders ab der 3. Variation auffallend. Es findet seinen Niederschlag in der verbalen Rezeption mit ihren unterschiedlichen und oft sehr persönlichen Deutungen eines musikalischen Geschehens.

Das Klangbild der 1. Variation wird über weite Strecken bestimmt durch eine aufstrebende Figuration, die in ihrer Bewegung aus der Synkope von Takt 17 und dem Rhythmus von Takt 15 gebildet ist.

Beziehungspunkt der 2. Variation ist die gleichmäßige Sechzehntelbewegung in den Takten 9f. des Themas mit ihren Repetitionen; die Punktierungen sind allerdings aufgegeben. Die durchgehende Zweiunddreißigstelbewegung im Wechsel beider Hände erweckt den Eindruck einer Beschleunigung gegenüber der 1. Variation, obgleich das Grundtempo im ganzen Satz gleich bleibt. Auf dialogische Strukturen ist jetzt verzichtet. Das Thema erscheint, zum Teil in synkopischer Versetzung, in der linken Hand. Geradezu als klangliche Ereignisse fallen die tongetreu aufgenommenen Auftakte zu den Takten 73 und 81 heraus.

Die 3. Variation ist eine Musik von Trauer und Klage. Ihre Tonart as-Moll und manche Details weisen voraus auf den Trauermarsch. Das Abstreifen äußerlicher Floskeln und Konventionen führt zu einer Tiefe des Ausdrucks von betonter Schlichtheit. Die Veränderungen in der melodischen und harmonischen Gestaltung gegenüber dem Thema sind hier am stärksten (vgl. T. 119—121 mit T. 17—19). Auch die Sforzati unterscheiden sich in ihrer Schärfe von denen im Thema. Die durch Synkopierungen verstärkten Sekundseufzer — sie können kompositionstechnisch vom Beginn des ersten Taktes im Thema abgeleitet werden — sind meist in aufwärtsführende crescendierende Linien eingebunden, die äußerste Stilisierungen der Themengestalt sind. Sie enthalten so die Möglichkeit zu künftigen aufhellenden und optimistischen Entwicklungen.

Die 4. Variation bringt durch ihren tänzerischen Duktus (siehe die aufgelockerte Begleitung) eine Auflichtung und löst sich damit im Charakter von der vorangehenden. Deren Synkopengestik ist nun ins Graziöse gewendet, auch das Staccato der Begleitung hat seine Schwere verloren.

Die 5. Variation hat insofern finale Gewichtung, als sie zahlreiche Strukturmomente aus den vorangehenden Teilen zusammenfaßt; als neues Strukturmoment wird der Triller thematisiert (z.B. in T. 179). Sie ist zudem durch eine Coda geweitet, deren Melodik aus den beiden Schlußtakten des Themas gestaltet ist. Die Variation ist steigernd angelegt, beginnt mit Sechzehntel-Triolen, in denen das Thema integriert ist, und verdichtet sich zu Zweiunddreißigsteln, die im Auftakt zu Takt 175 vorgeprägt sind. Es ist interessant, diese Schlußvariation mit dem Thema zu vergleichen und festzustellen, wie dessen Form und Struktur immer wieder durchscheinen, dabei aber die Möglichkeiten von Variation stets neu erdacht sind. Es wäre umständlich, dies im Detail zu beschreiben, aber ein eigenes, die einzelnen Variationen vergleichendes Studium ist von unschätzbarem Wert.

Die Variationen, in denen sich neben variativen technischen Verfahren bereits deutliche Modifikationen im Charakter des Themas zeigen, weisen in Richtung auf op. 34. Daß sie noch nicht die dort dargestellte Ausdrucksvielfalt erreichen, mag mit der Idee der Einheit des Satzes zusammenhängen, die auch durch Tempo, Form und durch Zurückhaltung Beethovens gegenüber Abweichungen im harmonischen Grundkonzept gewährleistet wird. Dabei scheint der Trauermarsch semantische Grenzen zu setzen; so fehlt ein Umschlagen in allzu Burleskes und Heiteres.

Der erste Satz hat sich durch zahlreiche Bearbeitungen in verschiedenen Besetzungen eigenständig aus dem Zyklus gelöst.[1] Er hat zudem auch eine bedeutende außermusikalische Rezeption erfahren. So wurden dem sanglichen Thema Texte unterlegt. Beethoven selbst hatte einen entsprechenden Wunsch an Franz Gerhard Wegeler gerichtet, der jedoch darauf nicht eingegangen war. In der Folge aber wurde das Thema unter anderem als unbegleitetes Männerterzett („Aus dunkelm Laub mit leisem Klingen / erhebt ein Lied zu dir die Schwingen") und als Klavierlied in verschiedenen Versionen (so auch von Friedrich Silcher[2]) veröffentlicht. Eine Besonderheit und von großer Bedeutung für die semantische Dimension der Musik ist die Novelle *Commentatiuncula in usum Delphini* von Johann Friedrich Rochlitz, in der die Variationen eingehend und als eigenständige Charaktere gedeutet werden.[3]

Das Scherzo als zweiter Satz erhält einen besonderen Reiz durch seine harmonische Anlage, bei der die Grundtonart As-Dur beständig durch absichtsvolles Herausheben einer f-Moll-Sphäre in den Hintergrund gedrängt wird. Komponiert ist dies bereits im Thema. Es beginnt in f-Moll, also mit der sechsten Stufe, führt im Vordersatz zur Dominante Es-Dur und sequenziert erst im Nachsatz von der zweiten Stufe zur Tonika. Eine variierte Wiederholung des Themas schließt den ersten Teil ab. Sequenztechnik bestimmt auch den weiteren Verlauf. Dabei wird in Takt 24 die Dominante von f-Moll erreicht; sie setzt sich bis zum Beginn der Reprise in Takt 45 fest.[4] Aufgrund der besonderen harmonischen Struktur des Themas zielen aber gerade dadurch die Takte 24ff. als Dominante direkt auf den Themenbeginn in der Reprise. Das Thema erscheint hier zunächst in der Unterstimme und erst bei seiner Wiederholung in der Oberstimme, im Stimmtausch mit der neu eingeführten Achtelkontrapunktik. Diese Themenwiederholung in der Reprise wertet Ratz als „ganz gegen die Regel".[5] Sie entspricht aber der Exposition, die hier ausdrücklich nicht wiederholt werden soll; dies hängt wohl mit der beschriebenen Anlage zusammen. Eine Festigung der Grundtonart As-Dur wird erst in den letzten acht Takten erreicht. Die Wiederholung des zweiten Scherzo-Teiles ist hier besonders einsichtig und mehr als nur ein Zugeständnis an Tradition, da dadurch das beabsichtigte harmonische Spiel hörfälliger wird.

Zeitgenossen Beethovens, unter anderem Carl Czerny, Ferdinand Hiller, Ferdinando Paer und Ferdinand Ries sprechen davon, daß der dritte Satz — Marcia — eine Reaktion auf den Erfolg des Trauermarsches in Paers Oper *Achille* war, der dort den Leichenzug des Patroklos begleitet. Das wird zwar dadurch widerlegt, daß die Skizzen zu Beethovens Trauermarsch schon vor der Uraufführung der Oper (Wien, 6. Juni 1801) liegen. Doch mag der Eindruck dieses Werkes möglicherweise die Ausarbeitung der Sonate beeinflußt haben. Heroische Sujets und Trauermär-

1 Vgl. G. Kinsky / H. Halm, *Das Werk Beethovens,* S. 65f.

2 Vgl. H. Loos, *Zur Textierung Beethovenscher Instrumentalwerke,* S. 125.

3 Vgl. J. Fr. Rochlitz, *Commentatiuncula in usum Delphini,* in: *Für Freunde der Tonkunst,* Bd. II ([2]1830); Teilabdruck bei W. v. Lenz, *Kritischer Katalog,* Bd. II, S. 47—52.

4 In diesem Verweilen auf der für das As-Dur des Satzes gewissermaßen falschen Dominanttonart erkennt E. Ratz (*Einführung in die musikalische Formenlehre,* [3]1973, S. 34) Bedeutungsmomente der Gattung: „Dieser wie ein eigensinniges Beharren auf der absichtlichen Irreführung des Hörers wirkende Vorgang entspricht durchaus dem immer auf Überraschungsmomente bedachten Scherzocharakter."

5 Ebenda.

sche waren damals in Wien, insbesondere auf der Bühne, aktuell; man denke etwa an das heroische Ballett, den heroischen Tanz und die heroische Oper.[1] Die Sujets waren zum einen gestaltet mit Bezügen zu antikem Mythos. Gedanken an diese Tradition sind für Beethoven wichtig und auch für sein op. 26 nicht auszuschließen. Ebenso existierte um 1800 der Instrumentalmarsch mit personengebundener Aktualität, erinnert sei etwa an die Trauermärsche von Luigi Cherubini und Giovanni Paisiello anläßlich der Feierlichkeiten für den gefallenen General Lazare Hoche am 1. Oktober 1797, die durch ein Preisausschreiben Napoleon Bonapartes angeregt worden sind.[2] Wieder aufgenommen werden könnte deshalb in diesem Zusammenhang auch für op. 26 einer der Hinweise von Andreas Bertolini, Beethovens langjährigem Arzt, zum Trauermarsch in der *Eroica*. Er behauptete (so zu Otto Jahn), Beethoven sei dazu durch Nelsons Tod in der Schlacht bei Abukir veranlaßt worden, und an anderer Stelle (zu Carl Czerny), diese Sinfonie sei durch den Tod des englischen Generals Abercrombie angeregt worden.[3]

Überhaupt lassen sich für die Marcia des op. 26 prinzipiell die gleichen Überlegungen anstellen, die für die *Eroica*, speziell für deren Trauermarsch schon vielfach diskutiert worden sind. Neben den genannten personenbezogenen Hinweisen sind dies: 1. Es wird auf ein antikes Sujet Bezug genommen, etwa auf die Totenfeier Hektors, der von Achill erschlagen wurde (Homer, *Ilias*, 24. Gesang) oder den Leichenzug des jungen Pallas (wie er in Vergils *Äneis*, IX geschildert ist). 2. Es gibt Zusammenhänge mit dem Prometheus-Mythos, die allerdings bei der *Eroica*, aufgrund der Themenverwandtschaft mit Beethovens Musik zum heroischen Ballett *Die Geschöpfe des Prometheus* von Salvatore Viganò, näher liegen als bei op. 26. Bezogen auf das Heroische würde dies aber auch hier allgemein die Idee von Freiheit beinhalten, eines der großen Themen Beethovens. 3. Es liegt kein reales oder fiktives Ereignis vor, sondern die Idee von Heldentum. Das Heroische wäre also, wie etwa Richard Wagner dies hinsichtlich der *Eroica* deutet, „im weitesten Sinne zu nehmen und keineswegs nur etwa als auf einen militärischen Helden bezüglich aufzufassen. Begreifen wir unter ‚Held' überhaupt den ganzen, vollen *Menschen*, den alle rein menschlichen Empfindungen — der Liebe, des Schmerzes und der Kraft — nach höchster Fülle und Stärke zu eigen sind, so erfassen wir den richtigen Gegenstand, den der Künstler in den ergreifend sprechenden Tönen seines Werkes sich uns mittheilen läßt."[4] 4. Über den Terminus „heroisch" zur Zeit Beethovens kann man Wichtiges in Johann Georg Sulzers entsprechendem Artikel in seiner *Allgemeinen Theorie der schönen Künste* nachlesen.[5] Beethoven hat ihn aller Wahrscheinlichkeit nach gekannt. Für Sulzer ist heroisch vor allem gebunden an eine historische oder mythische Erscheinung. Das Heroische unterscheidet sich insofern vom Großen, als es „eine nicht ungewöhnliche, sondern natürliche Aeußerung größerer Menschen sey". Zu seiner Gestaltung bedarf es allerdings eines Künstlers von besonderer Fähigkeit und Größe, „der mit Gewißheit empfindet, daß er sich weit über die Denkungsart seiner Zeit erheben könne. [...] Alles, wozu eine außerordentliche Stärke des Geistes, eine ungewöhnliche Kraft des Gemüths erfordert wird, ist heroisch." Arnold Schmitz ergänzt dazu, daß der Held für Beethoven „*immer ein außerordentlicher Charakter im moralischen Sinn*" ist.[6]

Der Trauermarsch wurde schon in der frühesten Rezension, 1802 in der *Allgemeinen musikalischen Zeitung*, als der auffälligste und bedeutendste der Sonate gewertet.[7] Formal ist der Satz sehr übersichtlich: eine dreiteilige Form mit einem Trio.

1 Siehe dazu ausführlicher C. Floros, *Beethovens Eroica und Prometheus-Musik;* M. Geck / P. Schleuning, *„Geschrieben auf Bonaparte"*.
2 Vgl. O. Fleischer, *Napoleon Bonaparte's Musikpolitik*.
3 Dazu ausführlicher bei C. Floros, *Beethovens Eroica und Prometheus-Musik*, S. 74ff.
4 R. Wagner, *Beethoven's „heroische Symphonie"*, S. 169f.
5 Vgl. J. G. Sulzer, Art. *Heroisch*, in: *Allgemeine Theorie der schönen Künste*, Bd. II.
6 A. Schmitz, *Das romantische Beethovenbild*, S. 161.
7 Vgl. *AmZ* 4, Nr. 40 vom 30. Juni 1802, Sp. 650—653. Sammelbesprechung mit op. 27, Nr. 1 und

Nach einer Darstellung des Themas (T. 1—8) folgt eine variierte Wiederholung eine kleine Terz höher (T. 9—16, enharmonisch verwechselt zu h-Moll an Stelle von ces-Moll), und nach einem Zwischensatz (T. 17—20) eine Wiederaufnahme des Themas mit bedeutender Steigerung (T. 21—30). Während die Oberstimme von Beginn des Satzes an überwiegend auf einem Ton rezitierend verharrte, beginnt sie ab Takt 15 allmählich eine eigenständige Bewegung, die dann ab Takt 26 eine geweitete Intervallik erreicht. Die Wiederkehr des Hauptthementeils nach dem Trio (T. 31—38) schließt mit einer Coda ab (T. 69—75). Diese nüchterne, formale Feststellung wird dem Satz keineswegs gerecht, dessen Bedeutung hauptsächlich im semantischen Bereich liegt.

Semantisches existiert im Trauermarsch in vielfältiger Weise, es setzt die Sonate in einen besonderen Bezug zu späteren Werken Beethovens, so zu all jenen, die beispielsweise Arnold Schmitz unter dem Thema des Heroischen abhandelt[1], ebenso zu solchen mit politischer Aussage. Lediglich das Ballett *Die Geschöpfe des Prometheus*, auch ein heroisches Sujet, entstand zeitlich gemeinsam mit der Klaviersonate, in der Konzeption sogar einige Monate früher. Dies alles verstärkt die Überlegung, daß die semantische Komponente für ein ästhetisches Umdenken Beethovens in der Kompositionsart um 1800 entscheidend gewesen war.[2]

Gleich wie man den Bezug zum Heroischen setzt, das reale oder ästhetische Subjekt dieses Satzes ist von außerordentlicher Größe und Bedeutung. Und deshalb verlangt es auffallende und unübliche kompositorische Mittel der Darstellung. Zum einen ist es die entfernte Tonart as-Moll mit ihrer optisch auffallenden Vorzeichnung von sieben b. Beethoven hat sie wohl nur noch in der 3. Variation des ersten Satzes und später in Episoden seiner Klaviersonate op. 110 verwendet. Sie bedeutet eine besondere Intensivierung der Tonartensymbolik und prägt die dunkle Stimmung von Trauer. Hermann Stephani, der über den Tonartencharakter geforscht hat, scheint as-Moll als „eines Grundklanges mit dem so ganz auf ein Innenleben eingestellten As dur, in eine fast hoffnungslose Trauer versunken. Die Verlorenheit in schier unergründliche Be-Tiefen läßt das Herz schaudern".[3] Die zahlreichen b der Vorzeichnung zwingen Beethoven sogar zu enharmonischen Umschreibungen, um im Rahmen des Lesbaren zu bleiben. Das h-Moll ab Takt 9 ist im Grunde ein ces-Moll, es findet keine enharmonische Modulation zu ihm statt; die Vorzeichnung von Kreuzen an dieser Stelle ist nicht Auflichtung im Sinne einer Augenmusik; die neu vorgeschriebene Tonart h-Moll wird beim Hören auch nicht wahrgenommen.

Diese Deutungen beziehen sich auf die heute geltende Stimmung des Klaviers. Zu bedenken ist dabei, daß Beethovens schöpferische Vorstellung sich möglicherweise

---

Nr. 2. Zit. nach St. Kunze, *Gesammelte Konzertberichte*, S. 24—26. Während die Sonate als Ganzes dem Kritiker „doch wohl stellenweise allzukünstlich gearbeitet" schien, spricht er vom dritten Satz als einem „wahrhaft grossen, düstern und prachtvollen *Harmonie*-Stücke [...], das der Verfasser, um den Spieler gleich auf den rechten Standpunkt zu heben, überschreibt: Marcia funebre sulla morte d'un Eroe: denn hier gehört alles Schwierige und Kunstreiche zum Ausdruck und folglich zur Hauptsache" (S. 25).

1 Vgl. A. Schmitz, *Das romantische Beethovenbild*; siehe insbesondere Kapitel X: *Zur Auffassung des Heroischen*, S. 153—176.

2 Für Thayer „ist dieser Sonatensatz vorbildlich geworden für alle Trauermärsche der Folgezeit, zunächst den der Variation Op. 34 und den der *Eroica*" (Thayer / Deiters / Riemann, *Ludwig van Beethovens Leben*, Bd. II, ²1910, S. 249).

3 H. Stephani, *Der Charakter der Tonarten*, S. 141.

auf eine der damals in Wien vorherrschenden Temperaturen gründet, insbesondere auf die Kirnbergerschen.[1] Die daraus resultierenden Klangwirkungen würden das Semantische im Trauermarsch nuancieren. In Christian Friedrich Daniel Schubarts *Ideen zu einer Ästhetik der Tonkunst* (Wien 1806), die Beethoven sehr geschätzt und „Fortgeschrittenen zu angelegentlichem Studium" empfohlen hat[2], fehlt zwar as-Moll noch bei der Charakterisierung der Tonarten. Die gleichnamige Durtonart enthält jedoch manche der späteren Ausdrucksbestimmungen von as-Moll: „As-Dur, der Gräberton. Tod, Grab, Verwesung, Gericht, Ewigkeit liegen in seinem Umfange." Über gis-Moll heißt es, dem verwandt: „Griesgram, gepreßtes Herz bis zum Ersticken; Jammerklage, die im Doppelkreuz hinseufzt, schwerer Kampf; mit einem Wort, alles was mühsam durchringt, ist dieses Tons Farbe." Und h-Moll „ist gleichsam der Ton der Geduld, der stillen Erwartung seines Schicksals und der Ergebung in die göttliche Fügung".[3]

Als weitere Besonderheit fällt im Trauermarsch die Konzentration auf Rhythmus und Klangfarbe auf, verbunden mit einem weitgehenden Verzicht auf das Primat des Melodischen. Das Stück beginnt quasi rezitierend mit Tonrepetitionen, die über einen weiten Verlauf beibehalten werden. Dies ist erst das Ergebnis des Kompositionsprozesses; in den frühen Skizzen findet sich nämlich bereits im dritten und vierten Takt eine Ausweitung in der Oberstimme.[4]

Der Marschrhythmus wird harmonisch verschieden eingefärbt und beleuchtet, ähnlich wie es später Franz Liszt in seinem *Il Penseroso* im Italienband der *Années de pèlerinage* getan hat, möglicherweise mit Bezug auf Beethoven. Dadurch, daß das Melodische zunächst in den Hintergrund rückt, scheint dieses Stück für eine Textunterlegung, das heißt für eine vokale Ausführung, wie dies später geschehen ist, kaum geeignet; anders das melodieintensive sangliche Thema des Variationensatzes, das ein Mitsingen geradezu herausfordert. Am Beginn des Trauermarsches lassen sich gleichwohl verschiedene zusammenhängende Mittelstimmen in der wechselnden Akkordik ausfindig machen.[5] Es ist eine ähnliche kompositorische Situation wie beim Thema des „Andante con moto" in der *Appassionata* op. 57. In seiner Orchestrierung (WoO 96) hat Beethoven eine der Möglichkeiten ausgeführt.

1 Siehe dazu H. Kelletat, *Zur musikalischen Temperatur,* Bd. II: *Wiener Klassik,* insbesondere das Kapitel *Verbreitung der Kirnbergerschen Temperatur und ihr Einfluß insbesondere auf Beethoven,* S. 40—62.

2 Siehe darüber A. Schindler, *Biographie* ([3]1860), Teil 2, S. 162ff.

3 Chr. Fr. D. Schubart, *Ideen zu einer Ästhetik der Tonkunst* (1924), S. 262—264.

4 Übertragung der Skizze aus der Staatsbibliothek Preußischer Kulturbesitz Berlin, Landsberg 7, S. 57 nach K. L. Mikulicz, *Ein Notierungsbuch von Beethoven,* S. 53.

5 Vgl. J. Uhde, *Beethovens Klaviermusik,* Bd. II ([3]1970), S. 324f.

Das Insistieren auf einen Ton, der harmonisch verschieden gefärbt ist, betont die Schwere des Rhythmus, von dem keine melodische Wendung ablenkt. Dadurch wird aber die später einsetzende Melodik, auch wenn sie sich zunächst im kleinen Ambitus bewegt, auffallend und gar als Ereignis empfunden. „Gleichzeitig vollzieht sich hier in T. 17 für eine Dauer von 4 Takten ein innerer Umschwung: gab es vorher in der Musik mehr die *objektive* Tatsache des Trauerzuges, so erhebt sich hier in dem Melodiezug des Zwischensatzes [Notenbeispiel: T. 17f., Oberstimme] so etwas wie eine *subjektive* Klage.“[1]

Das Auffallende in der Kompositionsart des Trauermarsches besteht schließlich in einer geradezu äußerlichen theatralischen Gestik des Trioteils, die geradezu nach einer Orchestrierung verlangt. Hier äußert sich das semantische Moment in sehr direkter Weise: „Zum Begräbnis des Helden gehört die Erinnerung, und so ist dieses Trio Vision von Trommelwirbel und Trompetenfanfaren.“[2] Es finden sich demnach verschiedene Darstellungsarten des Sujets in diesem Satz: die objektive Sicht eines gleichsam von außen kommenden Betrachters, die sich zu subjektivem Empfinden wandelt, eine nach außen gewendete öffentliche Gestik im Trioteil, und schließlich in der Coda eine reflektierende Rückschau.[3]

Der Trauermarsch hat (ebenso wie der Variationensatz) eine eigene Rezeptionsgeschichte, die ihn aus der Klaviersonate herauslöst. So ist er als einziger Satz bereits im Erscheinungsjahr der Sonate vom Verlag als Auszug aus der Originalausgabe gesondert ediert worden und noch im gleichen Jahr in anderen Verlagen als Nachdruck erschienen. Zudem existieren Übertragungen für Orchester. Beethoven selbst hat ihn 1815, aus Gründen der Spielbarkeit nach h-Moll transponiert, als eines der vier Stücke für seine Musik zu Friedrich Dunckers Drama *Leonore Prohaska* eingerichtet (WoO 96).[4] Das Trauerspiel behandelt ein reales Schicksal.[5] Die Musik des Trauermarsches ist hier von Beethoven personengebunden eingesetzt, was jedoch nicht unbedingt Rückschlüsse auf op. 26 zuläßt. Sie wirkt in der Orchesterausführung heller, soll „in gehender annehmlicher Bewegung“ vorgetragen werden; auch die anderen Sätze haben entsprechende Anweisungen: Nr. 2 „in gehender Bewegung“, Nr. 3 „feierlich doch nicht schleppend“. Der mögliche große Effekt des Trios wird in der Instrumentierung nicht ausgenützt; so fehlen etwa die erwarteten Trompeten. Für die Komposition der Bühnenmusik scheint der Trauermarsch Ausgangspunkt gewesen zu sein, man vergleiche die Satzanfänge von Nr. 1 („Krieger-Chor“) und Nr. 3 („Melodram“) mit den Tonrepetitionen in der Oberstimme.

Eine weitere Übertragung „pour le grand Orchestre“ von J. P. Schmidt erschien 1840 bei Schlesinger in Berlin. Wichtiger für die semantische Dimension des Satzes ist aber eine Übertragung, die aus Anlaß von Beethovens Tod gemacht wurde: „Beethoven's BEGRÄBNISS! / Gedicht von Jeitteles. / Nach einer Composition des Verewigten: / 'Marcia funebre sulla morte d'un Eroe' / für 4 Singstimmen / mit Begleitung des Pianoforte / eingerichtet / von / Ignaz Ritter von Seyfried“. Sie erschien 1827 bei Tobias Haslinger in Wien (VN. 5036); im Anhang wurde unter

1 Ebenda, S. 324.
2 In einer Besprechung, zit. ebenda, S. 326.
3 Vgl. dazu ebenda, S. 327.
4 Vgl. H. Loos, *Beethovens Trauermarsch aus op. 26 und WoO 96.*
5 Vgl. G. Kinsky / H. Halm, *Das Werk Beethovens,* S. 553.

anderem der Trauermarsch, wohl der leichteren Lesbarkeit wegen in a-Moll abgedruckt. Der Anfang des sechsstrophigen Gedichtes von Alois Jeitteles lautet[1]:

Im Lenz, in heitrer Abendstille
Da trugen sie dich hinaus,
Wir folgten schweigend deiner Hülle,
Bis in ihr unerwünschtes Haus.

Viel Priester im Talare schritten,
Viel Sänger schritten dir voran;
Die sprachen Segen, schickten Bitten,
Zum Seelenrichter laut hinan!

Der Trauermarsch erklang bereits bei Beethovens aufwendigem Leichenzug, wie Gerhard von Breuning berichtet.[2] Und er bleibt auch bei Wilhelm von Lenz mit dem Tod des Heros Beethoven verbunden.[3] In der Folgezeit wurde der Trauermarsch häufig bei Begräbniszeremonien aufgeführt, wohl in verschiedensten Arrangements, und er hat zahlreiche Nachfolgen gefunden.

Der Allegro-Schlußsatz ist ein Rondo von virtuosem Fluß in fast ununterbrochener Sechzehntelbewegung. Es wird durch zahlreiche Spielfiguren und eine geradezu formelhafte Variantentechnik (Umkehrung, Stimmtausch usw.) bestimmt. In den Skizzen ist dieser Satz der Sonate als erster konzipiert. Hier denkt Beethoven noch an Differenzierungen des Rhythmus zu Sechzehntel-Triolen und zu Zweiunddreißigsteln hin.[4]

1 Zit. nach I. Ritter v. Seyfried, *Ludwig van Beethovens Studien*, Anhang S. 79f.
2 Vgl. G. v. Breuning, *Aus dem Schwarzspanierhause*, S. 169.
3 W. v. Lenz, *Kritischer Katalog*, Bd. II, S. 54: „In dem düster brütenden Heldentrauermarsche (eine *marcia funebre quasi fantasia*) kommt der Genius dazu sich selber zu Grabe zu tragen. Unverstanden im Leben, bleibt ihm der Tod und der diesem folgende unvergängliche Ruhm, um sich in den Augen der Geliebten, der Besten auf Erden, ebenbürtig zu zeigen. Sich legt der Dichter auf die Bahre. Das Trauergepränge des Genius, ist die *marcia funebre sulla morte d'un eroe,* der Heros, Beethoven."
4 Übertragung der Skizze aus der Staatsbibliothek Preußischer Kulturbesitz Berlin, Landsberg 7, S. 21 nach K. L. Mikulicz, *Ein Notierungsbuch von Beethoven,* S. 21.

Der motorische Charakter dieses „Perpetuum mobile" von „beinahe etüdenartiger Haltung"[1] soll, nach Carl Czerny, Eindrücke aus einer Klaviersonate von Johann Baptist Cramer enthalten. Das nach außen hin virtuose Klangbild ist formal klar gegliedert:

Rondo	1— 28
Überleitung und Seitensatz I	29— 52
Rondo	53— 80
Seitensatz II	81—100
Rondo	101—128
Seitensatz I	129—153
Coda	154—169

Die in die Grundtonart transponierte Wiederholung des ersten Seitensatzes (T. 129ff.) vor der Coda wurde verschiedentlich als Annäherung an die Sonatensatzform diskutiert (etwa von H. Riemann).

Seine besondere kompositorische Qualität erhält das Finale dadurch, daß Beethoven unterschiedliche Periodenbildungen komponiert. Das Rondothema ist zunächst aus Dreitaktern gebildet und findet erst ab Takt 13 zu zweitaktigen Gestaltungen. Es ist interessant zu beobachten, wie, nachdem sich diese zweitaktige Periodenbildung für längere Zeit festgesetzt hat, jeweils wieder zum Rondothema zurückgeführt wird. In den Takten 48—52 geschieht dies durch die dreimalige Baßoktave und durch die dreimalige Wiederholung der Sechzehntelgruppe ab Takt 51, die das metrische Zeitgefühl verunsichert, es gleichsam zum Stillstand bringt und so die Einführung der neuen Periodik erleichtert. Diese repetierende Figur enthält bereits die beiden Anfangstöne des Themas, so daß dieses zunächst wie unbemerkt einsetzt. Dies unterstützt auch die Phrasierung, die vor dem Thema nicht unterbrochen wird. Entsprechendes ist vor dem nächsten Themeneinsatz (T. 101) komponiert.

Die eigenständige Bedeutung des Trauermarsches und sein semantisches Gewicht machen es schwierig, den Sonatenzyklus als Einheit zu deuten. Zu gewichtig drängt er sich hervor und zwingt dazu, die anderen Sätze im Verhältnis zu ihm zu werten. In der Literatur zu op. 26 ist dies ein immer wiederkehrendes Thema. Oft wirkt geradezu erzwungen, wie ein Zusammenhang des Trauermarsches mit dem Finale herzustellen versucht wird. Zweifel daran, ob das Zyklusproblem hier von Beethoven wirklich gelöst ist, werden in den Besprechungen dieser Sonate stets aufs neue angedeutet, zuweilen auch direkt ausgesprochen. Häufig finden sich Versuche, das Problem des Zyklus auf der Ebene des Semantischen zu lösen und zu überlegen, wie die umgebenden Sätze auf die speziellen außermusikalischen Gedanken des Trauermarsches eingehen oder sich davon absetzen. Dabei besteht neben dem Wunsch nach geisteswissenschaftlicher Erkenntnis auch ein Interesse, daraus Anregungen für die Vortragsart zu gewinnen.

Eine Verbindung des dritten mit dem ersten Satz stellt Jürgen Uhde zur Diskussion, indem er dessen Thema in folgendem Rhythmus dem Beginn des Trauermarsches zuordnet[2]:

---

1 H. Riemann, *L. van Beethovens sämtliche Klavier-Solosonaten,* Bd. II (^{3}1920), S. 187f.

2 Vgl. J. Uhde, *Beethovens Klaviermusik,* Bd. II (^{3}1970), S. 323f.; Notenbeispiel von S. 324.

Besonders den punktierten Rhythmus im Thema der Variationen wertet er als Vorausweisen auf den späteren Satz. Dies scheint gar nicht so unwahrscheinlich, da die erste Notierung beider Themen in den Skizzen in unmittelbarer Nähe steht (S. 56 und 57).[1] Hier (S. 56) ist auch der Beginn des Finales notiert, zu dem sich erste Aufzeichnungen bereits auf früheren Seiten (S. 21 und 54) finden. Auf S. 56 steht im Zusammenhang mit der Skizzierung des ersten Satzes, Takt 1ff., der Vermerk „Sonate pour M. — varièe tutt a fatto / poi Menuetto o qualche altro pezzo characteristica come p. E. una Marcia in as moll e poi questo: [es folgt der Beginn des Finales]". Zu einem sehr frühen Zeitpunkt also hatte Beethoven bereits die Vorstellung von einem Zyklusganzen. Schöpferischer Ausgangspunkt von op. 26 ist demnach das leicht gehaltene Rondo-Finale. Der Einfall für den Trauermarsch geht zunächst vom Trio aus. Skizzen zum zweiten Satz finden sich erst bedeutend später (S. 158f.), und er wurde dann als Scherzo und nicht als Menuett konzipiert. Gewichtung und Bedeutung der einzelnen Sätze ergaben sich daher erst im Verlauf der Niederschrift.

Unter den Versuchen, die beiden letzten Sätze als sinnvollen Zusammenhang zu sehen, finden sich auch Deutungen semantischer Art, zum Beispiel: „Der [dritte] Satz klingt im milden As dur aus: herber Schmerz vergeht, und aus stillem Leid keimt der Entschluß neuer eigener Tat auf"[2]; „Eine kurze Coda läßt ihn [den Trauermarsch] versöhnend in As-Dur ausklingen. ‚Und neues Leben blüht aus den Ruinen'. Der Tod muß dem Leben weichen, das nun in dem *Schlußsatz* mit aller Macht hervorbricht. Ein Leben und Weben schier unerschöpflich und übersprudelnd an zeugender Kraft"[3]; „Der hastige Wirbeltanz des Finale — eines richtigen Elfenstückes und *Perpetuum mobile* — tritt besonders durch die unmittelbare Nachbarschaft des Trauermarsches wirkungsvoll heraus. Es dürfte schwer halten, denselben in einen programmatischen Zusammenhang mit dem Marsche auf den Lob eines Helden zu bringen. Wohl aber steht fest, daß er den schweren Druck, mit dem der Marsch die Seele belastet, mit leichter Hand hinwegfegt."[4]

Eine überzeugende Lösung aus der Praxis bietet Edwin Fischer an. Ihm als ausübendem Musiker war die Schwierigkeit, die in ihrem Charakter so immens verschiedenen Sätze in ihrer Aufeinanderfolge überzeugend zu gestalten, ein musikalisches Problem: „[...] dem berühmten Trauermarsch folgt ein Rondo. Es ist nicht leicht, die Einheit des Werkes fühlen zu lassen, und insbesondere die beiden letzten Sätze stehen sich feindlich gegenüber. Da glauben manche, das bekannte Prinzip des Gegensatzes zur Erklärung heranziehen zu müssen. Es scheint mir aber eine etwas bequeme Erklärung, verursacht durch den scheinbar etüdenhaften Charakter dieses

1 Staatsbibliothek Preußischer Kulturbesitz Berlin, Landsberg 7, S. 56 und 57, siehe K. L. Mikulicz, *Ein Notierungsbuch von Beethoven,* S. 52f.
2 W. Nagel, *Beethoven und seine Klaviersonaten,* Bd. I, S. 187.
3 Fr. Volbach, *Erläuterungen zu den Klaviersonaten Beethovens,* S. 127.
4 Thayer / Deiters / Riemann, *Ludwig van Beethovens Leben,* Bd. II ([2]1910), S. 249f.

Geläufigkeitsrondos. Ich ziehe vor, das Allegro des letzten Satzes zu mäßigen, dem Beethovenschen piano große Bedeutung zu geben und eine Beziehung zum Trauermarsch herzustellen, als ob nach stattgehabter Beisetzung ein milder Regen tröstend die Stätte in ein Nebelgrau hüllt. Ich möchte sagen: die Bühne ist nun menschenleer, und Natur spricht das letzte Wort, so wie etwa Chopin das bekannte schwierige Finale dem Trauermarsch folgen läßt, nur dort mehr ‚in modo di Goya'. Ohne solche Modifizierung ist das Stück wirklich leicht auf den Stand einer Cramer-Etüde zu bringen, und das hat wohl Beethoven nicht gewollt."[1] In dieser Interpretation Fischers gewinnen nun auch die zahlreichen Abwärtsgesten und besonders die „zwei schmerzlichen Vorhalte"[2] in der Coda des Finales (T. 156 und 160) Sinn und Bedeutung. Dieser Deutung widersprechen Auffassungen, die dramatische Gesten im Finale in den Vordergrund rücken, etwa donnernde Akkordschläge und starke dynamische Kontraste (z.B. T. 81—96). Hier sieht Joachim Kaiser Gemeinsamkeiten mit den „Trommelwirbeln" im Trio des Trauermarsches und führt als entsprechenden Interpreten Walter Gieseking an.[3]

Der Marcia-Satz wächst aufgrund seines semantischen Gewichts aus dem Rahmen des Zyklus heraus. Er wird geradezu zu einem formalen Problem des Zusammenhangs im Zyklus. Lediglich der erste Satz ist ihm an Bedeutung vergleichbar, wenn auch in einer anderen Weise.

Peter Andraschke

2 Klaviersonaten
Quasi una fantasia
Es-Dur
und cis-Moll
„Mondscheinsonate"
op. 27

Entstehungszeit: Nr. 1: 1800—1801; Nr. 2: 1801.
Erstaufführung: Nr. 1 und Nr. 2: unbekannt.
Skizzen: Nr. 1: Staatsbibliothek Preußischer Kulturbesitz Berlin, Landsberg 7 (1., 2. und 4. Satz); Nr. 2: 3. Satz: Konsul Fritz Hunziker, Bern; Beethoven-Haus Bonn, Mh 66; Fitzwilliam Museum Cambridge; Harold Hutcheson, Lake Forest; British Library London, Add. Ms 29801, Kafka Sketchbook.
Autograph: Nr. 1: nicht nachweisbar; Nr. 2: Beethoven-Haus Bonn.
Erstdruck und Widmung: Nr. 1: Wien 1802 (G. Cappi), Fürstin Josephine v. Liechtenstein gewidmet; Nr. 2: Wien 1802 (G. Cappi), Gräfin Giulietta Guicciardi gewidmet.

---

1 E. Fischer, *Ludwig van Beethovens Klaviersonaten,* S. 63f.
2 Ebenda, S. 65.
3 Vgl. J. Kaiser, *Beethovens 32 Klaviersonaten,* S. 236f.

GESAMTAUSGABEN: Nr. 1: Alte Gesamtausgabe: Nr. 136 = Serie 16 Nr. 13; Neue Gesamtausgabe: Abt. VII, Bd. 3; Nr. 2: Alte Gesamtausgabe: Nr. 137 = Serie 16 Nr. 14; Neue Gesamtausgabe: Abt. VII, Bd. 3.

Die Sonate op. 27, Nr. 1 steht seit jeher im Schatten der anderen unter der Opuszahl 27 veröffentlichten Sonate, der sogenannten *Mondscheinsonate*. Sie besitzt weder die suggestive Atmosphäre noch die besondere Agitato-Leidenschaftlichkeit, die jener — nicht zuletzt allerdings in Verbindung mit ihrer ebenso suggestiven Widmung — ihren besonderen Nimbus einbrachte. Das Fehlen alles in diesem Sinne Spektakulären, ein zumindest vordergründig heiterer Charakter und formale Übersichtlichkeit haben, wie es scheint, verhindert, daß das Werk auch nur annähernd die Beachtung fand, die dem anderen zuteil wurde. Dabei ist es nicht minder ungewöhnlich und rätselhaft.

Es ist nach op. 26 die zweite Sonate im Werk Beethovens, die auf einen Satz in Sonatenform verzichtet. Darüber hinaus erscheint das Unkonventionelle der Satzfolge von op. 26 in op. 27, Nr. 1 in doppelter Hinsicht gesteigert. Zum einen sind die Sätze selbst noch ungewöhnlicher; zum anderen stehen sie nicht für sich, durch Pausen getrennt, wie es dem Herkommen entspräche. Beethoven verlangt durch attacca-Vorschriften den unmittelbaren Anschluß des jeweils folgenden, so daß ein pausenloser Ablauf entsteht wie in einer Sonate in einem Satz. Die Anregung dazu könnte übrigens von Beethovens Bonner Lehrer Neefe ausgegangen sein, der in der ersten seiner *Sechs Neuen Klaviersonaten* (Leipzig 1774) von einem „Allegro con spirito“ ohne Unterbrechung in ein „Adagio“ übergeht und an dessen Ende durch eine attacca-Vorschrift den unmittelbaren Anschluß des folgenden „Allegro e scherzando“ fordert. Zur Besonderheit der pausenlosen Abfolge der Sätze gesellt sich als zweites auffälliges Merkmal der häufige und unkonventionelle Tempowechsel. Erstmals in einer Sonate Beethovens zeichnet sich der kontrastierende Mittelteil einer A-B-A-Anlage durch ein verändertes Tempo aus (1. Satz), und ebenso neuartig ist die ausführliche Rekapitulation des Adagios gegen Ende des Schlußrondos. Während eine viersätzige Sonate gewöhnlich vier Tempi aufweist, gibt es in op. 27, Nr. 1 deren acht. Der häufige Tempowechsel, ein Gattungsmerkmal der Fantasie, könnte den Zusatz „quasi una fantasia“ im Titel erklären, der sich im übrigen kaum erklären läßt, da die Sonate bei aller Tendenz zum Unkonventionellen die Kennzeichen der Fantasie gerade nicht trägt. Möglicherweise aber verstand Beethoven den Zusatz als bloße Spielanweisung an den Ausführenden und gar nicht als Aussage über Inhalt oder Bedeutung des Stückes.

Der erste Satz ist wie kein zweiter im Werk Beethovens auf die Ausprägung statisch-tektonischer Form angelegt, so als habe Beethoven demonstrativ das Gegenteil einer dynamischen Formanlage (wie sie die Sonatenform exemplarisch darstellt) an die Spitze dieser Sonate stellen wollen. Das zugrundeliegende A-B-A-Schema, Modell tektonischer Form, prägt nicht nur den Satz als Ganzes, sondern auch dessen ersten Teil. Freilich folgt dieser dem Schema konsequenter als die Anlage im Großen, bei der die Wiederkehr des A-Teils verkürzt und verändert ist. Ungewöhnlich ist die Gleichförmigkeit im Aufbau, die den A-Teil auszeichnet. Er setzt sich aus lauter Viertaktern zusammen, die zudem noch sämtlich in sich geschlossen sind; metrische Überlappungen, wie sie sonst in kaum einem Satz fehlen, gibt es nicht, und die Abgeschlossenheit der Viertakter wird noch dadurch akzentuiert, daß jeder sogleich wiederholt wird. Überdies kadenzieren die Viertakter ausnahmslos zur Tonika, was bedeutet, daß in 48 Takten (die nicht ausgeschriebenen Wiederholungen mitgezählt) 12 Kadenzen nach Es-Dur erfolgen, regelmäßig alle vier Takte eine. Dieser steten Rückkehr zur Tonika korrespondiert die insgesamt einfache und spannungsarme Harmonik. Daß in den Viertaktern 1 und 3 (T. 1—4, 9—12) jeweils nur Tonika und Dominante vorkommen, ist symptomatisch; auch sonst spielen andere Funktionen und Akkorde nur eine untergeordnete, vornehmlich auf Durchgänge beschränkte Rolle wie beispielsweise der verminderte Septakkord, sonst eines der spezifischsten Elemente der Beethovenschen Harmonik. Betont einfach gibt sich auch die Melodik, zumindest in den Viertaktern 1 und 3, die als kleine Perioden mit Vorder- und Nachsatz simpelste Muster gängig-liedhafter Melodik darstellen. Die Nähe zur Banalität ist, so scheint es, gewollt. Das belegt die auf jede Spur von Originalität verzichtende Art der Variation der ersten beiden Viertakter bei der Wiederholung des A-Teils im ersten Teil des Satzes (T. 25ff., 33ff.). Die Auflösung der ersten beiden Viertel in den ersten drei Takten zunächst in Achtelrepetitionen, dann in Sechzehntel-Wechselnoten ist die primitivste und trivialste Form der Variation, die sich denken läßt. Die Anwendung solch abgenutzter und daher nichtssagender Variationstechnik läßt sich kaum anders als ironisch oder parodistisch auffassen. Da die Variation zudem noch jeweils auf die erste Takthälfte beschränkt ist, also gleichsam im Ansatz steckenbleibt, wird eher der Eindruck der Unwandelbarkeit der Substanz als ihrer Veränderung hervorgerufen. In ähnlicher Weise bestätigt der Tausch der Hände bei der Reprise des A-Teils im Großen (T. 67ff., 75ff.) den statischen Charakter.

Das blockhafte Nebeneinander der Formteile ist nicht nur das Resultat der additiven Reihung gleichförmiger abgeschlossener Partikel, sondern kommt auch dadurch zustande, daß abrupt extreme Kontraste eingeführt werden. Das gilt besonders für den B-Teil der Form im Großen. Hier wechselt von einem Achtel zum nächsten alles, was nur wechseln kann: Tonart, Tempo und Taktart, musikalische Substanz und Dynamik. Allegro wird übergangslos neben Andante gestellt, C-Dur neben Es-Dur, 6/8 neben ₵, Akkordbrechungen und Laufwerk gegen liedhafte Melodik, Forte gegen Piano. Beschränkt auf den Bereich der Tonarten tritt ein derart unvermittelter Kontrast auch im A-Teil auf: Der dritte Viertakter endet in Es-Dur, der vierte setzt in C-Dur ein.

Beethoven hat jedoch, so drastisch die Kontraste auch erscheinen mögen, auf Vermittlung nicht verzichtet. Da der Tonarten-Kontrast Es-Dur / C-Dur bereits im A-Teil auftritt, erscheint er zu Beginn des B-Teils als eingeführtes Element, das der Hörer schon kennt. An den Nahtstellen zwischen Es- und C-Dur geht dem C-Dur beide Male (T. 13, 37) ein Auftakt mit dem Ton g voran, jenem Ton also, der als einziger den Akkorden von Es und C-Dur gemeinsam ist, und beide Male folgt der Auftaktnote als erste abtaktige Note der Ton e, einmal aufsteigend über die große Sexte (T. 12f.), einmal — als genaues Pendant — fallend über die kleine Terz (T. 36f.). Die Integration geht jedoch noch weiter. Auch der Auftakt zu Takt 13 nämlich ist schon vermittelt. Er tritt bereits — und zwar getreu als Achtelauftakt und mit aufsteigender großer Sexte — beim Übergang zu Takt 9 auf. Innerhalb der A-B-A-Form des ersten Teils des Satzes erscheint dieser Auftakt zunächst als besonderes Kennzeichen des B-Teils (da er in A fehlt); doch hat Beethoven ihn in die Reprise des A-Teils übernommen (Auftakt zu T. 21, 25), so zwischen A und B vermittelnd. Allerdings ist die Gemeinsamkeit auf den Achtelauftakt reduziert; denn melodisch tritt an die Stelle der großen Sexte die Oktave. Diese Veränderung aber erscheint als Voraussetzung dafür, daß der gegen Ende des Satzes auftretende Auftakt zu Takt 79 — das Intervall ist hier eine kleine Septime — als eingeführtes Element erscheint. Dieses Spiel mit dem Auftakt scheint seine Bedeutung für die folgenden Sätze der Sonate zu haben. Daß der Auftakt im Mittelteil des zweiten Satzes, für den er konstitutiv ist, vom ersten Satz hergeleitet sei, wird man nicht behaupten können (die Tatsache des Auftaktes allein ist zu allgemein, als daß sie als zusammenhangstiftendes Moment gelten könnte); doch der Auftakt mit kleiner Septime beim Übergang zu Takt 5, 21 und 260 des dritten Satzes (Adagio) sowie jener im ersten Thema des Rondos, wo das Intervall eine Quarte und die Auftaktnote ein Achtel ist, wirken unüberhörbar als Ableitungen aus dem ersten Satz. Damit stimmt im übrigen überein, daß in einer Skizze zum ersten Rondothema der Auftakt noch fehlt.

Die Reprise des A-Teils im Großen ist auf die ersten beiden Viertakter beschränkt, also den A-Teil im Kleinen (T. 63—78). B-Teil und Reprise des A-Teils sind durch eine Coda ersetzt, ein Formelement, das in einer tektonischen Anlage strenggenommen nicht am Platze ist. Wie um am Ende zum dynamischen Prinzip der Sonate zurückzukehren, handhabt Beethoven hier den Anfang des ersten Viertakters, als befände man sich am Ende einer Durchführung: Über einem Orgelpunkt wird das erste Motiv, die Tonrepetition, abgespalten, sequenziert und schließlich aufgelöst.

Der zweite Satz ist gleichsam die konventionelle Mitte der Sonate, zumindest im Vergleich zu den ihn umgebenden Sätzen. Er stellt das Scherzo der Sonate dar, formal durch keinerlei Unregelmäßigkeit oder Ungewöhnlichkeit von einem klassischen Menuett- oder Scherzosatz unterschieden. Im Charakter entspricht er einem Beethovenschen Typus. Daß der Satz nämlich in Moll steht statt in Dur, wie es sich für ein Menuett bzw. Scherzo einer Dur-Sonate traditionellerweise gehörte, kennzeichnet schon die Mittelsätze der Sonaten op. 10, Nr. 2 und op. 14, Nr. 1, die auch darin mit op. 27, Nr. 1 übereinstimmen, daß ihr Mittelteil, das Trio, in der Subdominantparallele — hier As-Dur — steht. Speziell mit op. 10, Nr. 2 verbindet den Satz noch — neben Ähnlichkeiten in der Melodieführung — das teilweise Unisono der Hände, das bei der Wiederholung des A-Teils nach dem Trio sehr charakteristisch um eine Achtelnote gegeneinander verschoben wird, so daß sich ein synkopisches Nachschlagen der Hände ergibt. Der Kontrast zwischen Moll und Dur, Scherzo und Trio, erscheint gegenüber op. 10, Nr. 2 und op. 14, Nr. 1 geschärft. Während das Trio, vor allem im ersten Teil, an Hörnerklang und Jagdmusik gemahnt und damit vordergründig-fröhliche Atmosphäre verbreitet, wirkt der Scherzoteil herb und düster. Das hat vor allem damit zu tun, daß die Substanz des Scherzos aus einem vom Grundton zur Dominante chromatisch absteigenden Baß besteht (T. 1—12, 24—36) — einer Figur, für die man, handelte es sich um Barockmusik, die Bezeichnung Lamentobaß verwenden würde. Es ist jedoch nicht der Baß allein, der historisch nach rückwärts verweist. Auch die Harmoniefolge zu dem chromatisch absteigenden Baß ist archaisierend. Das Nacheinander von V. und IV. Stufe und zwar jeweils zunächst in Dur und dann in Moll, also G-Dur / g-Moll / F-Dur / f-Moll, erinnert unmittelbar an das Crucifixus aus Bachs h-Moll-Messe und mehr noch an dessen Vorlage, den Eingangschor aus der Kantate BWV 12 *Weinen, Kla-*

gen, Sorgen, Zagen.[1] Dabei wirkt Beethovens Beschränkung auf die reinen Dreiklänge noch altertümlicher als die Verwendung dieses klassischen Topos bei Bach, der die Dreiklänge durch Dissonanzen schärft und so im Sinne moderner Harmonik zwischen ihnen vermittelt. Daß Beethoven mit der Übernahme dieser althergebrachten Figur eine Lamento-Musik im Sinn gehabt hätte, läßt sich freilich nicht beweisen; denn die Übertragung vom langsamen ins schnelle Tempo und in die Dreivierteltakt-Bewegung des Scherzos verändert den Charakter nicht unerheblich; äußeres Zeichen dessen ist die Tatsache, daß der Bezug zum Lamentobaß der Barockzeit bisher kaum wahrgenommen wurde, wie die Literatur beweist.

Entsprechend seiner Stellung in der Mitte der Sonate vermittelt der Satz nach beiden Seiten. Die Synkope, die als nachschlagende rechte Hand im Trio wie in der Wiederholung des Scherzos so großen Effekt macht, wird nicht erst im zweiten Satz eingeführt, sondern entstammt bereits dem ersten Satz, wo sie in Takt 4 in der rechten Hand exponiert und in Takt 6f. von der linken Hand aufgegriffen wird. Sie kehrt später im Adagio wieder, in der Synkopenkette der Takte 13—16 ins Extrem geführt. Verbindende Elemente über die Grenzen des Satzes hinaus sind auch das As-Dur des Trios, das auf die Tonart des Adagios vorausweist, sowie das C-Dur des Schlusses, das im ersten Satz die Kontrast-Tonart zu Es-Dur bildet. Dieser C-Dur-Schluß des zweiten Satzes, im Fortissimo vom dreigestrichenen zum großen C hinabfahrend, ist dynamisch-klanglich der Höhepunkt der gesamten Sonate, Folge vor allem der synkopischen Verschiebung der Hände gegeneinander.

Gemessen an Länge und Struktur dessen, was dem zweiten Satz folgt, kann dieser nur bedingt als Mitte der Sonate gelten. Nach allgemeiner Auffassung nämlich folgen noch zwei Sätze, der langsame und das Schlußrondo, so daß die Sonate, sieht man vom gänzlich unkonventionellen ersten Satz ab, der traditionellen viersätzigen Anlage entspräche. Daß diese Auffassung, so verbreitet sie auch ist, den tatsächlich vorliegenden Sachverhalt nicht trifft, ist bislang kaum gesehen worden, immerhin aber bei Kinsky / Halm angedeutet, wo den Incipits von Adagio und Rondo zwei Taktzählungen beigegeben sind, eine pro Satz und eine durchgehende. Die Argumente dafür, daß es sich nicht um zwei voneinander unabhängige Sätze handelt, sind unverkennbar. Das Adagio ist mit nur 26 Takten viel zu kurz, als daß es für selbständig gelten könnte; die dreimal 8 Takte (plus 2 Takte Überleitung), aus denen es sich zusammensetzt — gebildet wird eine regelmäßige A-B-A-Form —, sind allenfalls die Exposition eines langsamen Satzes, nicht aber schon dieser selbst. Dieser Anfang bedarf der Ergänzung. Es wäre freilich falsch, diese allein in dem Rückgriff auf das Adagio zu sehen, der kurz vor Ende der Sonate erfolgt. Wichtig an diesem Rückgriff ist vor allem, daß er mit „Tempo I" überschrieben ist, was sich eindeutig auf das Adagio bezieht und damit Adagio und Rondo in *einen* Zusammenhang rückt. Diesen Zusammenhang stellen im übrigen auch die Septakkorde her, die an den Nahtstellen zwischen Adagio und Rondo plaziert sind, während erster und zweiter Satz jeweils mit der Tonika enden. Der Rückgriff auf das Adagio am Ende ist

1 Die Kantate war Beethoven mit Sicherheit nicht bekannt. Vom Crucifixus der Messe aber könnte er zumindest den Baß gekannt haben, den Kirnberger in seiner *Kunst des reinen Satzes* wiedergibt (Bd. II, [2]1793, 2. Abt., S. 41 und 91, Fig. 103). Den Hinweis auf Kirnberger verdanke ich Klaus Hofmann, Bach-Institut Göttingen. Vgl. auch den Brief an Breitkopf & Härtel vom 15. Oktober 1810, in dem Beethoven den Crucifixus-Baß zitiert und um die Partitur bittet.

mit seinen zehn Takten viel zu lang, als daß man ihn mit jenen knappen Stellen des Innehaltens kurz vor Schluß, wie sie Beethoven in den Schlußsätzen von op. 2, Nr. 3, op. 10, Nr. 1 und op. 27, Nr. 2 praktiziert, auf eine Stufe stellen könnte. Dieser Rückgriff hat vielmehr die Funktion eines Formteils. Er steht nämlich genau an der Stelle, an der der Hörer das letzte, die Form rundende Auftreten des Refrains der zugrundeliegenden Rondoform erwartet. Das Rondo, im übrigen betont übersichtlich und deutlich angelegt, bleibt also ebenso unvollständig wie das Adagio, und so wie das Adagiothema am Ende den Refrain des Rondos vertritt, so tritt das Rondo selbst an die Stelle der weiteren Entwicklung des Adagios. Man hat es also nicht mit zwei Sätzen zu tun, sondern mit der Verschränkung zweier Sätze, die zwar keine übergeordnete Einheit bilden, jedoch auch nicht für sich selbst bestehen können. Greift man den Gedanken, daß der zweite Satz die Mitte der Sonate bilde, auf, dann ließe sich, so betrachtet, sagen, daß der zweite Satz, das Scherzo, von zwei langsamen Sätzen eingerahmt werde, in die schnelle Sätze eingelassen seien. Auf diesen Gedanken führt der Schluß der Sonate, das Presto im Anschluß an den Rückgriff auf das Adagio. Es ist in seiner Thematik so selbständig, daß es nicht als Anknüpfung an das Rondo oder gar dessen Fortsetzung aufzufassen ist, vielmehr die Stretta der gesamten Sonate bildet. Es greift ein Hauptmotiv der Sonate, die fallende Terz, auf und faßt die verschiedenen Spielarten, in denen das Motiv melodisch wie harmonisch vorkommt, wie in einem Brennspiegel zusammen.

So sehr op. 27, Nr. 2 durch seine Berühmtheit von op. 27, Nr. 1 geschieden ist, so offensichtlich ist es doch, daß die Sonaten Wesentliches gemeinsam haben und im Zusammenhang zu sehen sind. Gemeinsam ist vor allem die Anlage: der Beginn mit einem langsamen Satz, der keinem herkömmlichen Muster entspricht, an zweiter Stelle ein Scherzo mit Trio, schließlich der Hauptsatz der Sonate, in op. 27, Nr. 1 eine Verschränkung von Adagio und Sonatenrondo, in op. 27, Nr. 2 ein Satz in Sonatenform. Gemeinsam ist die attacca-Vorschrift am Schluß der Sätze, von der allerdings das Ende des zweiten Satzes in op. 27, Nr. 2 ausgenommen ist, so daß diese Sonate im Unterschied zu op. 27, Nr. 1 als zweigeteiltes Werk erscheint. Gemeinsam ist ferner der Titel *Sonata quasi una fantasia*, der aber hier noch übertriebener wirkt, da die Eigenheiten, die das Werk mit der Gattung der Fantasie verbinden (könnten), noch geringer an Zahl und Gewicht sind als in op. 27, Nr. 1.

Der erste Satz zeichnet sich durch die völlige Einheit des Affekts aus, und es dürfte diese von Anfang bis Ende durchgehaltene einheitliche Stimmung sein, die der Sonate zu ihrem Beinamen und zur „romantischen" Berühmtheit verhalf. Es gibt in diesem Satz keinen zweiten Charakter neben dem einmal entwickelten, folglich auch keinen Kontrast, wie er für die Sonatenform konstitutiv ist. Grundlage der einheitlichen Stimmung ist der von Anfang bis Ende beibehaltene Bewegungsduktus, die ostinate Achteltriole, die fast wie in einem barocken Präludium gehandhabt wird. Auf diese Weise entsteht eine motivische Gleichförmigkeit, die der metrischformalen im ersten Satz von op. 27, Nr. 1 verwandt ist und wie jene der Dynamik der Sonatenform entgegensteht. Im Gegensatz zu op. 27, Nr. 1 liegt kein erkennbares Formmodell zugrunde. Um den B-Teil einer A-B-A-Form zu konstituieren, fehlt es der Orgelpunktpassage Takt 28—41 an eigenständiger Kontur, und die einmal getreue, einmal transponierte Wiederkehr zweier Abschnitte an späterer Stelle

(T. 5—9 = 42—46; T. 15—19 entsprechend 51—55) reicht angesichts des im übrigen fehlenden Umfeldes nicht aus, um den Satz als rudimentäre Sonate zu deuten. Diese Unbestimmtheit gilt ebenso für den Aufbau im Kleinen. Der klaren Übersichtlichkeit im ersten Satz von op. 27, Nr. 1, beruhend vornehmlich auf der gleichförmigen Addition regelmäßiger abgeschlossener Partikel, steht hier ein eher gliederungsloser, Zäsuren meidender Aufbau gegenüber: kaum eine Phrase, deren letzter Takt nicht zugleich der erste der nächsten wäre, so daß keine definitiv zum Abschluß gelangt; dazu die Vermischung von Regelmäßigkeit und Unregelmäßigkeit im metrischen Aufbau der Phrasen. In Takt 5—9 beispielsweise bildet die Oberstimme einen in Takt 6 beginnenden Viertakter (mit Auftakt), während der übrige Tonsatz die Phrase als Fünftakter ausweist.

Daß es so schwer fällt, ein Formmodell auszumachen, liegt vor allem daran, daß der Satz fast ganz auf das im ersten Satz von op. 27, Nr. 1 so exzessiv gehandhabte Prinzip der Wiederholung verzichtet. Kaum ganze fünf Takte erfahren eine getreue Wiederholung (T. 42—46), im übrigen gibt es nur partielle Übereinstimmungen und Transpositionen. Dieser fast völlige Verzicht hat jedoch einen ganz ähnlichen Effekt wie die exzessive Anwendung in op. 27, Nr. 1: Es kann sich kein Gefälle zwischen den Formteilen ausbilden, wie es für die Sonatenform charakteristisch ist. Das ist selbstverständlich auch die Folge des gleichförmigen Bewegungsduktus, der zur Einebnung tendiert, und es hat auch damit zu tun, daß Motivik und Thematik in diesem Satz Kategorien von untergeordneter Bedeutung sind. Der Satz ist nämlich wie kein zweiter bei Beethoven auf dem Klang aufgebaut, in den alles Motivisch-Thematische nur eingepaßt erscheint. Überdies ist die Motivik rudimentär; man kann die Oberstimme Takt 5—9, auch wenn der punktierte Rhythmus durch seine Wiederholung ins Ohr fällt, kaum als Thema bezeichnen, als Zelle oder Keim nämlich, aus dem sich etwas entwickelt. Das Charakteristische daran — der punktierte Rhythmus — bleibt im gesamten Satz stets starr-unverändert, während das, was sich ändert — und zwar jedes Mal —, so arm an thematischer Kontur ist, daß man es nicht als Entwicklung aus einem zuvor Exponierten, sondern als je Neues wahrnimmt.

Folgte dem ersten Satz ein Stück in Sonatenform oder zumindest ein ausgedehntes Allegro, so würde man angesichts der Vorschrift „attacca subito il seguente“ am Ende des Satzes diesen für eine langsame Einleitung halten. Für diese Einschätzung könnte auch die Tatsache sprechen, daß der Tempobezeichnung „Adagio“ der Zusatz „sostenuto“ beigefügt ist, den Beethoven mit Vorliebe, besonders im Frühwerk (vgl. op. 5), langsamen Einleitungen beizulegen pflegte. Es folgt jedoch ein knapp gehaltenes Scherzo, eines der kürzesten, die Beethoven überhaupt geschrieben hat, so daß sich diese Auffassung wohl nicht halten läßt. Möglicherweise aber ahnte Beethoven das Geschick des ersten Satzes als Namensgeber einer *Mondscheinsonate* und forderte den unmittelbaren Anschluß des zweiten Satzes als eines Gegengewichts, eines Purgatoriums gleichsam, ähnlich wie später Chopin seine E-Dur-Etüde aus op. 10 durch die pausenlos anzuschließende cis-Moll-Etüde vor der Gefahr der Sentimentalisierung zu bewahren suchte, freilich mit ebensowenig Erfolg wie Beethoven; denn der Satz wurde bedenkenlos aus der ausdrücklich geforderten Verknüpfung mit dem Scherzo herausgelöst, und selbst bei Aufführungen der gesamten Sonate schiebt die Mehrzahl der Pianisten bis heute zwischen Adagio und Scherzo die zwischen den Sätzen einer Sonate sonst übliche Pause ein.

Der zweite Satz, das Scherzo, hat einen gleichsam offenen Beginn; die Folge Sext-, Quartsext-, Sekund- und wieder Sextakkord usw. ist als Anfang eines selbständigen Satzes kaum zu tolerieren. Vielleicht erklärt auch das den unmittelbaren Anschluß ans Voraufgehende. Das Hauptkennzeichen des Satzes ist die Synkope, die im Scherzo bei der Wiederholung des ersten Teils (T. 9ff.) eingeführt wird. Sie beherrscht auch das Trio, das die Tendenzen des Scherzos eher fortsetzt, als daß es, wie sonst üblich, einen Kontrast zum Scherzo bildete; bezeichnenderweise steht es in der gleichen Tonart (Des-Dur) wie das Scherzo, ein Fall, der in Beethovens Klaviersonaten zuvor nicht vorkommt. Durch die Synkopierung erfolgt eine metrische Verschiebung des Grundrhythmus (Halbe—Viertel): Während er in der Unterstimme (= linke Hand) normal weiterläuft, ist er in der Oberstimme (= rechte Hand) um ein Viertel verschoben. Auch dieses Muster wird vom Trio übernommen, dessen Grundrhythmus jedoch die punktierte Halbe ist. Die gegeneinander verschobenen Rhythmen sind von großer Schubkraft und erzeugen eine Spannung, die im Widerspruch steht zu dem berühmten, Franz Liszt zugeschriebenen Wort über diesen Satz als einer „Blume zwischen zwei Abgründen". Die Lieblichkeit, suggeriert vermutlich vom so harmlos anmutenden Anfang und einer falschen Temponahme — der Satz wird allgemein zu langsam gespielt —, ist nur eine vermeintliche.

Auch wenn die „klassische" Formanlage der Schlußsätze von Beethovens Klaviersonaten der frühen und mittleren Zeit das Rondo ist, haftet der Wahl der Sonatenform für das Finale von op. 27, Nr. 2 nichts Außergewöhnliches an; denn auch die Sonaten op. 2, Nr. 1 sowie op. 10, Nr. 1 und 2 enden mit Sätzen in Sonatenform. Außergewöhnlich dagegen sind Ausdehnung und vor allem Gewicht dieses Sonatensatzes. Wäre nicht die Tempoangabe „Presto", die im allgemeinen Finalsätzen vorbehalten ist (obwohl es gerade beim frühen Beethoven auch dafür ein Gegenbeispiel in der Sonate op. 10, Nr. 3 gibt), so könnte man meinen, der Satz sei in Wirklichkeit der Kopfsatz der Sonate und gleichsam irrtümlich ans Ende geraten. Die Verhältnisse scheinen jedenfalls auf den Kopf gestellt.

Das Finale beginnt mit einem 14taktigen Hauptthemakomplex, gebildet aus einem zweitaktigen „Raketen"-Motiv und dessen Sequenzen (T. 1—8) sowie einer Orgelpunktpassage auf gis (T. 9—14) mit Fermate auf dem Orgelpunktton am Schluß. Den unaufhaltsam vorwärtsstürmenden Elan des Komplexes, der kaum durch Orgelpunkt und Fermate aufzuhalten ist, erzeugen nicht allein die Sequenzen und die Verkürzung der Sequenzglieder (T. 7f.), sondern vor allem das „Raketen"-Motiv selbst. Dessen über drei Oktaven crescendohaft aufsteigende Akkordfiguration gipfelt in Sforzato-Akkordschlägen auf der vierten, also unbetonten Zählzeit des zweiten Taktes, während der ersten Zählzeit des folgenden, dritten Taktes durch das unvermittelte Zurückgehen zum Piano und die Beschränkung auf einen einzigen Baßton die ihr normalerweise zukommende Betonung genommen ist, was das Gleichmaß des metrischen Flusses stört und — modern gesprochen — drive erzeugt. Wie in Sonatensätzen Beethovens üblich, schließt sich in Takt 15 ein Abschnitt an (T. 15—20), der als Rekapitulation des Hauptthemas beginnt, jedoch unvermerkt zur Überleitung zum Seitensatz wird. Auf diese Weise ist die Grenze zwischen Hauptsatz und Überleitung unbestimmt und in Konsequenz dessen die Fermate in Takt 14 keine Zäsur zwischen Formteilen, sondern ein Charakteristikum des Hauptsatzes. Die Überleitung führt nach gis-Moll, das aber nicht etwa, wie man nach Beethovens sonst geübter Praxis erwarten sollte, eine Zwischenstation auf dem Wege zur

Zieltonart der Exposition ist, sondern bereits diese selbst. Ungewöhnlich ist dabei auch, wie schnell die Zieltonart erreicht wird (der bei Beethoven fast obligatorische Orgelpunkt auf dem Grundton der Dominante der Zieltonart ist ausgelassen); gis-Moll herrscht von Takt 21 bis Takt 63, das heißt, über mehr als zwei Drittel der Exposition. Seitensatz und Epilog erklingen folglich in gis-Moll und nicht, wie traditionellerweise in Moll-Sätzen, in der Tonikaparallele. E-Dur bleibt, wie das Durgeschlecht überhaupt, weitgehend ausgeschlossen, so daß der dunklere, herbere Charakter des Moll nicht gestört wird.

Beethoven hat dennoch auf das Dur nicht verzichtet, es jedoch in Zusammenhänge gestellt, in denen es seine gewohnten Qualitäten nicht entfalten kann. In Takt 37, also mitten im Seitensatz, ertönt ein E-Dur-Akkord, aber nicht als gleichsam logisches Resultat eines entsprechenden harmonischen Vorgangs, sondern als Trugschluß einer Kadenz nach gis-Moll. Ähnliches gilt für die ausgedehnte A-Dur-Passage Takt 33—42, die nicht als Dur-Aufhellung im Moll-Dunkel wirkt, sondern als greller Einbruch. Diese „Verfremdung" ist die Folge der harmonischen Funktion; denn es handelt sich nur äußerlich um A-Dur, in Wahrheit aber um den Neapolitaner von gis-Moll, also cis-Moll mit kleiner Sexte statt Quinte. Daß der unvermittelte Eintritt des Neapolitaners wie ein Hereinbrechen wirkt, ist auch die Folge dessen, daß Beethoven hier Fortissimo vorgeschrieben hat, das sonst in der gesamten Sonate nicht vorkommt.

Der Seitensatz hat drei Teile: Am Anfang steht eine kantilenenhafte Melodie über Alberti-Bässen, durchaus typisch für ein kantables Seitenthema; dann folgt als scharfer Kontrast der vom Neapolitaner bestimmte Abschnitt, für den im übrigen konventionelles Laufwerk kennzeichnend ist, schließlich ein von einem Achtel-Klopfmotiv im Staccato geprägter Teil (T. 43—56), der zwar motivisch kleingliedrig ist und dadurch etwas Kurzatmiges hat, aber dennoch erstmals Ruhe einkehren läßt. Die Tonart gis-Moll ist nun endgültig fixiert und wird nicht mehr verlassen; vor allem aber kommt die Musik erstmals ohne die unrastige Sechzehntelbewegung in Thema oder Begleitung aus. So sehr aber dieser dritte Teil als Kontrast zum übrigen, vor allem zum Vorangehenden angelegt ist, so vermittelt erscheint er andererseits. Markanter Beleg dafür ist das Auftreten des Neapolitaners in Takt 55, integrierende Reminiszenz an den Mittelteil des Seitensatzes.

Die folgenden Takte (57—63) sind Epilog, wie er musterhafter kaum sein könnte. Über einem Orgelpunkt auf dem Grundton der Zieltonart der Exposition vollzieht sich ein Wechselspiel zwischen den Akkorden der Zieltonart und deren Dominante. Harmonisch schließt die Passage damit konsequent und übergangslos an den dritten Teil des Seitensatzes an. Daß der Epilog dennoch deutlich vom Vorangehenden getrennt ist, liegt daran, daß er die Sechzehntelbewegung wiederaufgreift. Mit den Albertibässen der linken und der Motivik der rechten Hand (Tonfolge h'—gis'—fisis'—dis''; punktierte Achtel mit Sechzehntel auf 4) bezieht er sich auf den ersten Teil des Seitensatzes, das Kantilenenthema, und dies geschieht, wie es scheint, nicht von ungefähr; denn dieses Thema steht im Zentrum sowohl der Durchführung als auch der Coda und avanciert damit buchstäblich zum Hauptthema des Satzes, ein im Werk Beethovens ungewöhnlicher Fall.

Der Durchführungsteil (T. 64—101) entspricht landläufigen Vorstellungen von Durchführung; er stellt nämlich Haupt- und Seitenthema gegeneinander. Für Beethovensche Durchführungen ist das jedoch eher ungewöhnlich; denn diese greifen in der Regel zwar auf das Hauptthema zurück, pflegen aber gerade das Seitenthema auszuklammern und verwenden stattdessen mit Vorliebe Nebenmotive der Exposition. Im vorliegenden Fall erscheint das Hauptthema in die Funktion einer Ein- oder Überleitung gedrängt (T. 64—70), ohne daß etwas anderes mit ihm geschähe als in der Exposition, während das Seitenthema, die Kantilene, Versetzung in andere Lagen und Tonarten sowie Abspaltung von Motiven und deren Sequenzierung erfährt, also das, was in Durchführungen gewöhnlich mit Themen geschieht. Der Abspaltungs- und Sequenzierungsprozeß mündet in eine ausgedehnte Orgelpunktpassage auf gis (T. 87—99), an die sich, bevor die Reprise einsetzt, noch eine sich zu zwei ganztaktigen Akkorden beruhigende Kadenz anschließt (T. 99ff.). Beides, Orgelpunkt und Kadenz, weist auf den ersten Satz zurück, der in Takt 28—41 die nämliche, in Beethovens Klaviersonaten sonst nicht vorkommende Abfolge enthält. Der Zusammenhang mit dem ersten Satz geht aber noch weiter: Die über dem Orgelpunkt erklingende Motivik — relikthaft zwar, wie für das Ende von Durchführungen charakteristisch, aber dennoch nur gewaltsam aus dem Vorangehenden ableitbar — bezieht sich auf Motive, die auch im ersten Satz über dem Orgelpunkt auf gis ertönen. Die Folge gis'—a'—gis' / fis' (3. Satz T. 87f.) ist eine Variante von gis'—a'—fis' (1. Satz T. 28), und dis''—cis'' / his' (3. Satz T. 95f.) greift die gleiche Tonfolge aus Takt 37f. des ersten Satzes auf.

Die Reprise, die im übrigen musterhaft ist, weist zwei Besonderheiten auf: Sie verzichtet nach getreuer Wiederholung des Hauptthemakomplexes (T. 1—14) auf die Überleitung zum Seitensatz, was zwar, da dieser ja in der Reprise ebenfalls in der Tonika steht, „logisch", aber dennoch höchst ungewöhnlich ist. Seitensatz und Epilog — regelgemäß in die Tonika versetzt und dabei, von Details abgesehen, ebenfalls getreu — sind gegenüber der Exposition um einen Takt kürzer; im Mittelteil des Seitensatzes ist der dem Takt 39 der Exposition entsprechende Takt ausgelassen. Daß mit dieser Divergenz eine Intention verbunden ist, erscheint jedoch schon angesichts der im übrigen gleichsam automatischen Übernahme von Seitensatz und Epilog aus der Exposition zweifelhaft, wird aber noch zweifelhafter angesichts dessen, daß Beethoven Takt 39 im Autograph nachträglich eingefügt hat. Daß er ihn nicht auch in der Reprise ergänzte (obwohl diese doch nichts anderes ist als eine transponierte Kopie der Exposition), dürfte ein schlichter Fehler sein. Jedenfalls deutet der Tatbestand der Einfügung eines Taktes hier und der Nichteinfügung dort bei im übrigen völlig identischer Musik auf eine Unsicherheit gegenüber den Regeln der klassischen Metrik hin, zeigt zumindest ein Schwanken an zwischen der Neigung, sie zu durchbrechen, und der Tendenz, sie zu befolgen.

Zu den Ungewöhnlichkeiten des dritten Satzes gehört vor allem die ausgedehnte Coda, die sich — wie in kaum einer Sonate Beethovens zuvor — als Gegenstück und Steigerung der Durchführung präsentiert. Zum einen sind die verwendeten Themen sowie die Reihenfolge ihres Auftretens hier wie dort die gleichen; zum anderen münden die Themen jeweils in arpeggierte Akkorde, in reinen Klang (T. 163ff. bzw. 177ff.); es geschieht das mit ihnen, was gewöhnlich in Durchführungen mit ihnen geschieht: Sie werden aufgelöst. Erst die Coda also führt die Durchführung zu Ende, ist damit nicht mehr nur Anhang, sondern gleichgewichtiger Formteil.

Egon Voss

Klaviersonate D-Dur „Pastoralsonate" op. 28

ENTSTEHUNGSZEIT: 1801 (autographe Datierung).
ERSTAUFFÜHRUNG: unbekannt.
SKIZZEN: Deutsche Staatsbibliothek Berlin, aut. 31; Beethoven-Haus Bonn, BSk 10/58; Skizzenblätter: Bibliotheca Bodmeriana Genf, Stiftelsen Musikkulturens främjande Stockholm, Stadtbibliothek Wien.
AUTOGRAPH: Beethoven-Haus Bonn.
ERSTDRUCK UND WIDMUNG: Wien 1802 (Bureau des Arts et d'Industrie); Joseph Edlen v. Sonnenfels gewidmet.
GESAMTAUSGABEN: Alte Gesamtausgabe: Nr. 138 = Serie 16 Nr. 15; Neue Gesamtausgabe: Abt. VII, Bd. 3.

Die Klaviersonate op. 28 trägt den Beinamen „Kleine Pastorale". Er geht vermutlich auf die Londoner Ausgabe von 1805 zurück, in der das Werk mit „Sonata pastorale" überschrieben ist. Tatsächlich trägt es Züge, die auch in der (großen) *Pastorale* zu finden sind. Insbesondere der gewissermaßen milde Ton des Kopfsatzes hat den Vergleich immer wieder veranlaßt. Man hört nicht das Zerklüftet-Dramatische früherer Sonaten, keine harten, schroffen Gegensätze, sondern weich-ruhige Sanglichkeit, runde melodische Bögen, beharrliches Festhalten an Orgelpunkten und lange Passagen flächiger Dreiklangsbrechungen. Hierauf beruhe der pastorale Charakter. Die „idyllischste aller Beethovensonaten"[1] erinnere „stellenweise an ländliche Hirtenmusik"[2] und zeige „eine Naturverbundenheit [...], wie es nur noch in der gleichnamigen Symphonie zum Ausdruck kommt".[3]

So plausibel freilich Kennzeichnungen dieser Art sein mögen, sie treffen doch nur die halbe Wahrheit. Denn jede Beobachtung, die wir an dieser Klaviersonate machen, müßte gewissermaßen sofort durch ihr Gegenstück ergänzt werden. Es gibt kaum eine Sonate Beethovens, in der die kompositorischen Mittel in ihrer formbildenden Funktion mehr einander entgegenwirken und sich gleichsam die Waage halten wie in dieser. Und dies betrifft nicht nur den Kopfsatz, sondern das ganze Werk. Der pastorale Tonfall des ersten Satzes zum Beispiel ist nur die eine Seite, seine permanenten Brechungen und die Artifizialität, die gleichfalls zu ihm gehören, die andere. So ist es nicht erstaunlich, ja es geht vom Werk aus, daß in seiner Rezeption das Pastorale durchaus auch verneint wurde.[4]

Beethoven selbst hat die Bezeichnung „Sonata pastorale" nicht verwendet. Ob er sie kannte und was er von ihr hielt, wissen wir nicht, ebensowenig, ob er sich dadurch zu seiner Pastoralsymphonie hat anregen lassen, was jüngst für möglich ge-

1 P. Badura-Skoda, *Die Klaviersonaten,* S. 99.
2 Th. v. Frimmel, *Beethoven-Handbuch,* Bd. II, S. 200.
3 E. Fischer, *Ludwig van Beethovens Klaviersonaten,* S. 71.
4 Z. B. bei G. Grove, *Beethoven and his nine symphonies* (^{2}1896), S. 183, oder bei J. Uhde, *Beethovens Klaviermusik,* Bd. II, S. 385.

halten wurde.[1] In Skizzen aus dieser Zeit finden sich allerdings die Bezeichnungen „Sinfonia pastorella“ und „Sinfonia caracteristica“.[2] Beides gehört zur 6. Symphonie (siehe unter op. 68) und trifft auf sie auch zu. Eine entsprechende Aufzeichnung zur Sonate, die ja früher entstanden ist, gibt es aber nicht. Was immer hieraus zu schließen ist, und ob man bei der Bezeichnung bleiben will oder nicht, — die Sonate ist jedenfalls, im Unterschied zur Pastoralsymphonie, kein „charakteristisches“ Werk im engeren Sinne, das heißt keine „charakteristische Sonate“, wie es zum Beispiel auf die von Beethoven selbst so bezeichnete Sonate op. 81a zutrifft. Gleichwohl liegt ihr ein spezifisches Gestaltungskonzept zugrunde, eine Idee, deren musikalische Realisierung jedoch, anders als bei der Pastoralsymphonie, jenseits abbildhafter Konkretion liegt. Vielleicht könnte man diese — spezifisch musikalische Idee — mit dem Problem umschreiben, das sich aus der bewußten Gestaltung bestimmter Ambivalenzen ergibt, aus der ‚Aufhebung‘ von Gegensätzen, zum Beispiel aus der des Gegensatzes von Sanglichkeit und innerer, rationaler Konstruktion. Damit wäre auch der auffällig ausgewogene Gesamtcharakter sowie sein leichter, schwebender Ton Teil der Gestaltungsidee.

Der erste Satz hat gewöhnliche Sonatenform. Sie gliedert sich in eine Exposition mit zwei Themen in Grund- und Dominanttonart sowie einem Epilog, eine echte Durchführung nach der (wie üblich) wiederholten Exposition, eine klar einsetzende, sehr tongetreue Reprise (T. 269, nach einer durchaus traditionellen „Adagio“-Überleitung) und eine Coda (T. 438). Das Besondere des Satzes wird also an den allgemeinen Formumrissen nicht ablesbar, wohl aber an den eigentlichen Trägern des individuellen Satzprozesses: den Themen. Gehen wir vom Hauptthema (T. 1—10) aus, so stoßen wir auf die Thematisierung jenes Ambivalenz-Phänomens, mit anderen Worten: Das Hauptthema formuliert mit seiner konkreten musikalischen Gestalt die Satzkonzeption, die Idee des Satzes.

So tautologisch die Bemerkung ist, daß der Satz am Anfang beginnt, so steckt doch darin ein Moment, das hier nicht zutrifft: Der Satzbeginn nämlich scheint seinen Anfang schon hinter sich zu haben. Die ‚leere‘ Tonrepetition des ersten Taktes klingt nicht nach Anfang, sondern so, als habe sie längst, ‚irgendwann‘ begonnen, als sei sie „präexistent“.[3] Auch klingt sie ‚noch nicht‘ nach Thema. Zwar werden Grundton und Taktart durch das d und die drei Viertel angedeutet. Beides aber wird erst im Fortgang nach und nach definitiv. Das gleiche gilt für die Tonart. Der Septakkord (T. 2) fügt dem ‚Anfang‘ zwar die Dimension des Dreiklangs hinzu, leitet aber in die ‚falsche‘ Tonart G-Dur, deren wir jedoch durch den Quartsextakkord nicht ganz sicher sein können. Selbst rhythmisch unstrukturiert, legt der Klang ferner nur den Taktschwerpunkt fest, noch nicht jedoch die Taktart (Takt 1 könnte — jetzt noch — als Auftakt zu einer geraden Taktart gehört werden, man denke nur an den Beginn der 5. Symphonie). Durch die Dominantauflösung in Takt 3 bildet dieser mit dem zweiten eine metrische Einheit. Dadurch wird der erste zum ‚Vor-

1 Vgl. H.-D. Sommer, *Beethovens kleine Pastorale,* S. 112.
2 Im Skizzenbuch Landsberg 12 bzw. in Skizzen zur Pastoralsymphonie (vgl. D. Weise, *Ein Skizzenbuch zur Pastoralsymphonie*).
3 Vgl. P. Cahn, *Aspekte der Schlußgestaltung,* S. 22, sowie H.-D. Sommer, *Beethovens kleine Pastorale,* S. 115.

takt', obgleich er doch auch, wie insbesondere die Gegenstimme in der Themenwiederholung (T. 11) zeigt, metrisch zum zweiten Takt gehört. Durch diese (und viele andere) Gestaltungsdetails werden alle kompositorischen Schichten ambivalent, insgesamt am evidentesten zu erkennen an der ,schwebenden' Orgelpunktrepetition und am harmonisch changierenden Anfang. Erst im Moment harmonischer Sicherheit werden auch Takt und Metrum gefestigt und der Themenschluß durch eine kadenzierende Viertakteinheit gebildet (T. 7—10). Paradox gesprochen hat der Satz, der irgendwann vor seinem Anfang begann, erst hier ,richtig' begonnen — und beendet damit sein Thema. Man muß sich klar machen, was das für ein kompositorischer Einfall ist!

Das gleiche Prinzip gilt — entsprechend — auch für den Seitensatz, dessen Existenz und besondere Gestaltung in der Sonatensatzform bekanntlich durch die Dominantspannung der Exposition begründet ist (die in der Reprise als Moment des Schließens zurückgenommen wird). Das Besondere aber erwächst aus der individuellen Werkidee. Über den Beginn des Seitensatzes ist man sich in der einschlägigen Literatur nicht einig. Angegeben wird, je nach Standpunkt, Takt 63, 77 oder 91. Der Streit darüber verstellt jedoch den Blick auf das Formkonzept ebenso, wie die Auseinandersetzung um die Richtigkeit des Ortes verkennt, daß es nicht der Autor einer Analyse ist, der ein Thema „beginnen läßt", sondern der musikalische Prozeß. Im Laufe des Satzes, das leugnet niemand, vernehmen wir ganz ohne Zweifel ein zweites Thema, nur sein Beginn will sich nicht eindeutig bestimmen lassen. Aber genau das ist Teil der Satzidee, wie sie schon im ersten Thema formuliert wurde.

Nach dem Bewegungsstau in Takt 62 (in einem einzelnen Ton in überzähligem Takt), auf dem Niveau der mittlerweile etablierten Dominanttonart (A-Dur), hören wir erwartungsgemäß einen Neuansatz, der erstmals uneingeschränkt den 3/4-Takt schlägt. Harmonisch jedoch ,sackt' der Neubeginn nach fis-Moll ab, untergräbt also das Dominantniveau und damit dessen Etablierung, erreicht die Dominante aber dennoch (T. 70), um sie dann gleichwohl wieder fallen zu lassen. Der nächste Aufstieg (T. 71) gelangt zwar an ,sein' harmonisches Ziel (T. 77), nicht aber an das eigentliche, die Satzdominante. Die ,flimmernde', still stehende Klangfläche bildet einen auffälligen Kontrast und läßt als dominantisches Plateau (zur ,falschen' Tonart fis-Moll) ein neues Ereignis erwarten. Das Neue kommt, und zwar endlich und endgültig mit der Dominanttonart A-Dur (T. 91), aber in leiser Hinwendung und nicht mit großer Geste, fast nahtlos und doch in feiner Nuance des Übergangs (piano, Auftakt von oben, Gegenbewegung in der Begleitung). Hier geht plötzlich, kaum spürbar und doch erlösend, eine ,Schleuse' auf, wird der dominantisch gespannte Stillstand zu fließender Kantilene aufgelöst, aber so als sei der Schluß, der absinkende Nachsatz angestimmt. Das Seitensatzthema, dessen formaler Sinn in der ,Markierung' der Dominanttonart liegt, scheint längst begonnen zu haben und nimmt doch erst hier eigentlich Gestalt an. Und seine nachsatzartige Anlage bewirkt, daß sich der Prozeß von hier ab seinem (allerdings noch weit entfernten) Ende zuwendet.

Das integrierende Spiel des Epilogs (T. 136) ist sein Schlußmoment. Er greift auf Material des Hauptthemas zurück, um es mit dem Neuansatz aus Takt 63 zu verknüpfen, dessen fester 3/4-Taktrhythmus jedoch durch Taktverschiebung (des Hauptsatzes) konterkariert wird. Ambivalenz, Aufhebung durch Gegensatz, Kontinuität und Kontrast, Sanglichkeit und Konstruktion (vgl. beispielsweise die fast strenge Vierstimmigkeit des Satzes und ihre Kontraste in Überleitungen) — dies sind die Kennzeichen der Satzidee, die selbst das Anfangen, aber mit ihm auch die Gliederungszäsuren, den harmonischen Satzprozeß ebenso wie das gesamte kompositorische Gefüge einbezieht.

Die Durchführung ist ein Musterbeispiel Beethovenscher Auflösungstechnik im Rahmen eines traditionellen äußeren Aufbaus. Der Übergang zur IV. Stufe (G-Dur) mit der vollständigen Hauptthemenwiederholung (T. 167—176) sowie der Fortgang nach Moll (ab T. 179) ist ebenso zeitüblich wie die fugierten oder fugenähnlichen Themeneinsätze in der Oberquint (T. 183, 187, 191, 195). Beethoven aber benutzt diese Konvention, um einen Prozeß zu gestalten, der vom vollständigen Hauptthema ausgeht (der Seitensatz wird bezeichnenderweise völlig ausgeklammert), um in dessen vollständiger Auflösung (durch Abspaltung kürzer werdender Einheiten aus dem Themenschluß) sein ,Ziel' und Ende zu haben, bis hin zum Stillstand, entrückt nach Fis-Dur (als Dominante der Tonikaparallele). Die Konsequenz eines solchen Prozesses aber ist die Wiederherstellung des Aufgelösten: die (vollständige) Reprise.

Dieser Vorgang ist nicht „affirmativ", wie Adorno meinte. Die Wiederholung kommt nicht obwohl, sondern weil Auflösung war. Um musikalisch zu sagen, was wesentlich ist, wird es in seiner Gültigkeit bestätigt, was nur geht, wenn es zuvor in Frage gestellt wurde. Das ist der Formsinn von Exposition, auflösender Durchführung und tongetreuer Reprise. Und hier wird Auflösung in besonderem Maße betrieben, weil die Gestalt, die es aufzulösen gilt, das Hauptthema nämlich, in eben diesem Maße dazu herausfordert, dazu gemacht ist. Die Sanglichkeit läßt seine Auflösung ausdrücklich hörbar werden (schon das Fugato ist ein krasses Gegenbild, eine andere „Kultur", wie August Halm sagte), und seine artifizielle Struktur macht es entsprechend geeignet dafür. Die langanhaltende Wiederholung in der zweiten Hälfte der Durchführung ist im übrigen mit ähnlicher Ausbreitung flächigen Stillstands in der Pastoralsymphonie verglichen worden. Mag man tatsächlich eine Beziehung feststellen, so ist auch zu sehen, daß Stillstand hier das Ende, dort dagegen den Anfang der Durchführung bildet.

Die Themenwiederholung der Coda ist der der Durchführung analog. Die Schlußbildung kann sich dabei auf deren Auflösungsprozeß ,berufen' und die Abspaltung bis zu einem Einzelklang — auf ,falscher' Zählzeit — treiben (T. 455), so daß der Schlußklang einen Takt ,zu früh' einsetzt und damit eine latente Öffnung zum nächsten Satz schafft.

Die äußere Form des zweiten Satzes ist die einer potenzierten Wiederholungsform, in Buchstaben: A B A' + Coda. Die Rahmenteile stehen in d-Moll, der kontrastierende Mittelteil in D-Dur. Beide haben in sich wiederum eine dreiteilige Wiederholungsform mit periodisch einfacher Gliederung (|: a :|: b a' :|). Die Variantenbildung der Binnenwiederholungen (a') entsteht durch Ausgleich der jeweiligen Dominantspannung, die der Hauptwiederholung (A') durch figurative Variation von a, b und a'. Das alles ist nicht ungewöhnlich, wohl aber die geradezu insistente Wiederkehr des Themenkopfes, der selbst im a-Teil zweimal (im Moll-Dur-Wechsel) erklingt. An ihm äußert sich zugleich die Werkidee in ihrer besonderen Form des langsamen Satzes: der Gegensatz von Gesang und Begleitung sowie der spezifische Kontrast der Formteile. Die rechte Hand spielt legato einen elegisch singenden, langgezogenen akkordischen Satz, die linke eine höchst einfache Begleitung dazu, jedoch ausdrücklich und durchgehend im Staccato.[1] Das Gegeneinander der Spielweisen und ‚Besetzungen', das auf dem Klavier fast befremdlich hervorsticht, paßt dennoch zusammen. Diesen Tonfall kennen wir im Grunde aus der Oper: Eine Arie, begleitet von akkordischem Streichersatz sowie einem Pizzicatobaß: wehmütige Klage und leise Hoffnung (im Dur-Abschnitt und im Mittelteil), jedoch zaghaft in der Begleitung und gleichsam auf trügerischem Fundament. Als Klavierstaccato aber schafft es zur Elegie ein Stück Distanz, Brechung unmittelbaren Ausdrucks, Artifizialität, eine eigenartige Mischung aus Gefühl und Ratio. Das gleiche gilt für den Mittelteil (B). Seine schöne, vollstimmige Aufhellung nach D-Dur (Dreiklang) wird doch spröde zurückgenommen durch abgerissen-punktierte Klangrepetition, die wiederum zur leichten, einstimmigen Triolenbewegung kontrastiert, mit der sie sich stets abwechselt. Die Kontrastbildung, die als solche Zusammenhalt zum Rahmenteil schafft, wirkt bizarr und doch fein. Auch hier hören wir das Prinzip der Brechung (der Ambivalenz). Nur wirkt es nicht wie im Hauptteil synchron, sondern sukzessiv: Akkordsatz und Staccatobegleitung sind auseinandergelegt in Akkordrepetition und triolierte Dreiklangsauflösung.

All dies faßt die Coda (T. 83) zusammen: Das Thema gibt den artifiziellen, animierenden Gegensatz auf, wird ruhig und sozusagen mit sich eins. Dann wendet es sich wie fragend an das Kommende (T. 86, 88), als erwarte es eine endgültige, abschließende Antwort (technisch gesprochen: den Nachsatz). Die Antwort kommt mit dem wunderlichen Kontrastspiel des Mittelteils, anders als erwartet und doch konsequent. Mit einer daraus abgeleiteten Abschiedsgeste, die durchaus noch etwas Vorläufiges hat, geht der Satz zu Ende. Der Formsinn der Coda ist der einer ‚Conclusio', eines ‚Zusammen-Schlusses', der Schlußbildung also durch Zusammenfassung und Resümee.

Der dritte Satz, das Scherzo, radikalisiert die Werkidee. Die Legitimation dazu gibt der Satztyp selbst, zu dessen Wesen das Spiel mit der Form gehört. Aus dem Tanzsatz abgeleitet, wird das Spiel vor allem durch die strenge Metrik und periodisch geschlossene Anlage des Hauptteils ausgelöst. Und ursprünglich von der Periodizität des (Tanz-)Liedsatzes beherrscht, sucht das Scherzo nach dessen Aufhebung. Das gilt auch für diesen Satz. Das Melodische wird geradezu negiert, durch die völlig regelmäßige, strenge Metrik jedoch Zusammenhalt auch der schroff kontrastierenden Halbsätze bewahrt. Sie fügen sich freilich zu so abgeschlossenen Achttaktperioden, daß das Vorwärtskommen des Satzes zum Problem wird. Takt, Metrum und Tonart werden im Vordersatz der ersten Einheit völlig unbestimmt gelassen, im Nachsatz dagegen um so deutlicher definiert und mit einer Vollkadenz zum Abschluß gebracht. Der scheinbar gegen den Takt verschobene Rhythmus allerdings drängt über diese Zäsur (T. 8) hinaus, wie die Halbsatzfolge (T. 1—4 und 5—8) überhaupt sich als stufenweise Bewegungszunahme darstellt. Die Konsequenz dessen ist eine tongetreue Wiederholung, jedoch auf dem gehobenen Aktionsniveau der Dominantstufe: Wiederholung und doch Fortschritt. Hier endet der Hauptteil (T. 16), der dem Formschema nach genau, der Satzidee nach jedoch mit wiederum steigernden Zusätzen wiederholt wird: Die leeren Oktaven werden mit Terzen bzw.

1 Vgl. die ähnliche Bildung im zweiten Satz der Klaviersonate op. 31, Nr. 2, der hier eigens mit „Scherzo" überschrieben ist.

Sexten gefüllt und laut herausgehämmert, der Kontrast auch auf die Dynamik erweitert.

Der Mittelteil vereinigt die Gegensätze in verblüffend einfacher Form zum endlich ‚echten' 3/4-Takt und verlegt die Steigerung in die stufenweise ansteigende Harmonik, um am Höhepunkt in die Reprise des Hauptthemas zu münden (T. 49). Sie bietet die letzte und größte Steigerung, in der der Ausgleich der harmonischen Spannung (Verharren in der Grundtonart) durch die Stärke der zu Akkorden erweiterten Oktavschläge wett gemacht wird. So schießt der Satz über seinen Schluß (T. 64) hinaus und tief hinab in eine Nachsatzbestätigung, die mit einem kurzen Schlag beendet wird, so als könnte das Perpetuum mobile dieses Satzes nur ein energisch hingesetzter Stopper anhalten.

Einen Gegensatz bildet das Trio (h-Moll), das im Scherzo-Rahmen die Funktion eines Mittelteils hat. Über der pausenlos jagenden Pendelbewegung der linken Hand erklingt — metrisch wohlgeordnet — dauernd dasselbe (genau: achtmal). Es ist eine simple (metrisch freilich raffinierte) viertaktige Melodieformel, die wie das Scherzothema stets vom ganztaktigen fis'' ausgeht und nur in der Schlußwendung (zum Öffnen bzw. Schließen) abgewandelt wird. Die Viertakter werden jedoch jedesmal harmonisch verändert, so daß insgesamt sechs verschiedene Versionen herauskommen. So entsteht ein Gemisch aus latenten Gegensätzen: aus ruhelos-motorischer Bewegung, Gleichförmigkeit in kurzgliedrigem Ablauf, insistierender Wiederholung und doch feiner Abwandlung.

Der Formsinn des Scherzos liegt in der ‚spielerischen', geistvoll-‚witzigen' Aufhebung des kompositorischen Widerspruchs von gezirkelter Periodik und prozessualem Fortschritt. Das Trio dagegen erfüllt seine Funktion als Mittelteil durch Kontrast: im Bewegungsduktus ebenso wie in der primär nicht-prozessualen, reihenden Anlage. Und der ganze Satz hat seinen Sinn im Rahmen der Sonate in der radikalen, freilich satztypischen Version der Werkidee: des Spiels mit gegenläufigen Kräften.

Das Finale hat die seit Joseph Haydns Londoner Symphonien längst etablierte Form des Sonatenrondos. Es ist die Verschränkung im Grunde einander widerstreitender Formprinzipien: dem in der Abfolge grundsätzlich unbegrenzten Reigen verschiedener Couplets mit ihrem wiederkehrenden Ritornell sowie der geschlossenen Sonatensatzform. Die unbekümmert-heitere Rondofolge erhält gleichsam den Ernst einer bedachten, zielorientierten Gestaltung. Das macht es zur geeigneten Finalform. Kennzeichen sind ein typisch rondohaftes Thema (Liedcharakter, strophisch-geschlossener Aufbau) sowie die Wiederkehr des Ritornells in der Grundtonart zwischen dem dominantischen Seitensatz (1. Couplet) und der Durchführung (2. Couplet). Diese allgemeinen Voraussetzungen nutzt Beethoven für die individuelle Werkidee. Das Thema (T. 1—16) artikuliert durch seine Gestalt Finalfunktion. Sein melodischer Teil nämlich (rechte Hand) ist stets Nachsatz und Nachsatzbestätigung in einer periodischen Anlage, bei der der Vordersatz (linke Hand) den Anschein eines untergeordneten Vorspiels der Begleitung hat. Was also als Hauptstimme und melodische Gestalt hervortritt, ist nach Tonfall und Form stets eine Schlußbewegung. Im Baß dagegen spielt eine volkstümliche, bordunähnliche (pastorale) Tanzbegleitung, deren ostinate Orgelpunktanlage auf den Kopfsatz zurückweist. Das Thema artikuliert aber auch jene Brechung des Liedhaften, wie sie zur Werkidee gehört. Die zarte, beschwingte Melodie mit ihren zierlichen Variationen erklingt scheinbar immer nur halb. Jedenfalls hat sie keinen adäquaten Vordersatz und steht in offenem Kontrast zum holpernden, derb aufspielenden Begleitbaß. Dennoch schließt sie sich mit ihm metrisch zu einem (Rondo-)Thema zusammen, dessen heitere Unbekümmertheit gerade durch diesen ausgefallenen Kontrast betont wird. Die Dreiklangsmelodik und die naturtonhaften Hornquinten (T. 29) des Seitensatzes dagegen heben diesen Gegensatz auf. Und doch hören wir auch hier in imitierenden Einsätzen und scheinpolyphonem Satz ein Moment des Artifiziellen. In ihrer Ähnlichkeit, ihrer doppelgesichtigen Anlage sowie in ihrem (rondotypischen) Kontrast zu den umliegenden Abschnitten, den rauschenden Arpeggien zuvor und den jagenden Oktavpendeln danach, erfüllen die Themen ihre Funktion als herausragende Sinnträger des Satzes.

Aus diesen Voraussetzungen leitet sich auch die Anlage der Durchführung ab (T. 67). Im Mittelpunkt steht ein Fugato mit fünf Einsätzen (T. 79, 83, 87, 91, 95), das die beiden Themen des Satzes durch die motivische Variante des ersten und die satztechnische des zweiten miteinander vereinigt. Eingeleitet wird sie durch eine Verarbeitung des Themenbasses (T. 67), und die Rückleitung zur Reprise geschieht so wie die zum zweiten Ritornell (T. 101). Damit ist in der Durchführung, dem Zentrum des Satzes, tatsächlich alles Wichtige der Exposition verarbeitet.

Nach der tongetreuen Reprise mit ihrer harmonischen Einrichtung macht die Coda (T. 169) doppelt Schluß: Sie löst zum einen die Themenmelodie auf und bewahrt allein den Baß als Fundament und ostinates Bewegungsmoment des Satzes. Zum andern mündet sie nach der Rückmodulation von der Subdominante (in die der Schluß des Seitensatzes geraten war) in eine rasende Stretta mit einer Themenfiguration über dem herausgehämmerten Themenbaß: Aufhebung des Thematischen in dialektischem Sinne sowie als Ziel und Ende nicht nur des Satzes, sondern des ganzen Werkes.

Wolfram Steinbeck

Streichquintett C-Dur
op. 29

ENTSTEHUNGSZEIT: 1800—1801.
ERSTAUFFÜHRUNG: unbekannt.
SKIZZEN: Deutsche Staatsbibliothek Berlin, Grasnick 21, aut. 61; Gesellschaft der Musikfreunde Wien, A 32 und A 33; University Library Stanford (ein Skizzenblatt zum 1. Satz).
AUTOGRAPH: verschollen.
ERSTDRUCK UND WIDMUNG: Leipzig 1802 (Breitkopf & Härtel); Graf Moritz v. Fries gewidmet.
GESAMTAUSGABEN: Alte Gesamtausgabe: Nr. 34 = Serie 5 Nr. 3; Neue Gesamtausgabe: Abt. VI, Bd. 2.

Das Streichquintett C-Dur op. 29 gehört zu den Kammermusikwerken Beethovens, die im Konzert kaum je zu hören sind. Und in der wahrlich nicht armen Literatur — sie befaßt sich, was dieses Werk betrifft, vornehmlich mit der Geschichte der Drucklegung[1] — findet sich nur wenig musikalisch Belangreiches.[2] Und dabei han-

1 Vgl. D. W. McArdle, *Beethoven, Artaria, and the C Major Quintet;* ders., *The Artaria Editions of Beethoven's C Major Quintet.*
2 Vgl. die Nachschrift „Zur Literatur".

delt es sich um ein Werk, das kaum seinesgleichen im Œuvre seines Meisters finden dürfte, ein Werk von hoher Originalität und zugleich ein Zeugnis souveränster Meisterschaft. Gerade der, der von der reichen Welt der Quartette op. 18 herkommt, einer Welt, die durch charakteristischen Motivreichtum geprägt ist und durch die Kunst, diesen Reichtum zu entwickeln und die Gegensätze zu vermitteln, wird überrascht, wenn er sich dem Quintett zuwendet.

Das Quintett ist auf weite Strecken gänzlich aus dem Klang heraus gestaltet, aus dem unterschiedlich in sich bewegten, sich selbst genügenden Klang. Das zeigt gleich der Beginn des Werkes, der Einsatz des Hauptsatzes, dessen Oberstimme weniger als charakteristische Melodie denn als Oberfläche eines innerlich bewegten Klangs, eines ruhigen, hin- und herwogenden Wechsels von Tonika und Dominante erscheint. Daß am Anfang eines größeren zyklischen Werkes nicht zielstrebige Klangentwicklung stehen muß, sondern der Grundklang kaum modifiziert über mehrere Takte beibehalten bleiben kann, ist bei Beethoven nicht eben selten, aber ein derartiger Grundklang (bzw. gleichbleibender einfacher Klangwechsel) ist sonst nie die wesentliche Substanz, der eigentliche musikalische Gedanke; das ist im Quintett so gut wie singulär. Man muß diesen Anfang nur mit den ersten Takten der beiden letzten Quartette aus op. 18, den Quartetten in A-Dur und in B-Dur, vergleichen, um den Unterschied in seiner ganzen Bedeutung ermessen zu können. In den Quartetten bilden pointiert rhythmisierte Gestalten, eben Motive, die bewegenden Themen, die Harmonie nur die Grundierung; im Quintett ist das, was als (melodisches) „Thema“ angesprochen werden kann (und späterhin auch als solches verarbeitet wird), ganz ohne charakterisierende rhythmische Profilierung. Und um dies ganz deutlich werden zu lassen, bietet die tiefste Stimme gleichzeitig die Umkehrung. Das „Thema“ besteht demnach aus der Melodie und ihrer Umkehrung (mit harmonischer Füllung). Die Melodie begleitet sich selbst. Dem entspricht die Entwicklung: sukzessive, sich ständig steigernde Klangentfaltung, Vergrößerung des Ambitus des Tonsatzes und sich verdichtende Füllung. Es entsteht ein voller, runder, in sich ruhender Klang, dessen Ausschwingen an Schubert gemahnt. Die Hinzufügung eines winzigen Vorschlagsmotivs in der Reprise (T. 179ff.) bestärkt diesen Eindruck. Sie ist eines der im Quintett angewandten Kunstmittel, um den Klang anzureichern.

Die Orientierung am Klang, seiner Entfaltung als wesentlicher musikalischer Inhalt, wird selbstverständlich nicht nur im Hauptsatz des ersten Satzes, sondern allenthalben sichtbar. Im Finale wird beim Einsatz der Reprise die Stimmenzahl (genauer: die Tonzahl der Begleitharmonie) verdoppelt (acht statt vier, T. 202), an der entsprechenden Stelle im zweiten Satz, dem Adagio molto espressivo, wird aus den vier melodisch geführten Begleitstimmen ein System qualitativ unterschiedlicher Instrumentalpartien: Zwei melodisch geführte Bratschen werden ergänzt durch eine Akkorde pizzicato spielende Zweite Geige und ein Akkordbrechung in rascherem Tempo spielendes Cello (T. 63). Hier erscheint die Steigerungstechnik gegenüber dem nun in jeder Hinsicht großen langsamen Satz des F-Dur-Quartetts, dem ersten des op. 18, in bedeutsamer Weise weiterentwickelt und ausdifferenziert.

Die Bedeutung des Klangs im Quintett wird deutlich an den Stellen, an denen seine Entwicklung das Motivische aufzehrt; besonders eindrucksvoll vollzieht sich dies im Scherzo — auf die Sonderstellung seines Themas innerhalb der sehr kleinen, den Fortspinnungstypus ausprägenden Gruppe hat bereits Gustav Becking hingewiesen[1] —, wo insbesondere in der zur Fermate (T. 56) hinzielenden Partie die harmonische und dynamische Entwicklung vorherrscht, von der unmittelbar anschließenden Auskomposition der Hinauszögerung der Auflösung der mit ihr erreichten Dominante, die schließlich erst Takt 77 erreicht wird, ganz zu schweigen. Aber hier ruht der Klang nicht in sich, er wird vielmehr gesteigert. Diese Steigerung, die durchaus mit einer gezielten Veränderung der Lage verbunden ist, seine Hinführung auf als Höhepunkte aufzufassende Stellen, läßt erkennen, daß der Klang primär dynamischen Wesens ist. Bei den in sich ruhenden Stellen (oder genauer: den scheinbar in sich ruhenden, den in sich bewegten, aber nicht wesentlich auf ein außerhalb des Klanges selbst liegendes Ziel hinführenden Stellen) erscheint diese innere Dynamik stillgestellt (nicht etwa getilgt), sie bleibt eben als innere noch immer fühlbar.

„Klang" meint hier jedoch nicht lediglich die Darstellung der Harmonie, sondern auch diese selbst. In der Formdisposition ist nämlich in diesem Quintett an die Stelle der Quintbeziehung weitgehend die Terzbeziehung getreten. Der Seitensatz (im ersten Satz) steht also nicht in G-Dur, sondern in A-Dur (T. 41), im Finale statt in G-Dur in As-Dur (T. 55), das kurz vor dem Repriseneinsatz eingefügte Andante con moto e scherzoso, das doch etwas rezitativischen Charakter erkennen läßt, in A-Dur (T. 177), der Einsatz des Hauptgedankens nach dem zweiten Einschub (innerhalb der Coda) auf As. Auch im in F-Dur stehenden Trio des Scherzos, das keine innere Dynamik wie die Rahmenteile kennt, tritt die Terzverwandtschaft besonders hervor: Der zweite Teil beginnt überraschend in A-Dur.

Johann Christian Lobe konnte in der Ersetzung der Dominante durch die Unterterz keine „Verbesserung" erkennen, ließ sie aber als Ausnahme doch gelten.[2] Gleichwohl galt ihm das Quintett als mustergültig, denn sonst hätte er es nicht derart ausführlich in seiner *Compositions-Lehre* (1844) zitiert. Er bietet nämlich vom ersten Satz die Takte 1—33, 75—159, 179—203, 255—301 als Partitur, also praktisch den ganzen Satz mit Ausnahme des Seitensatzes in Exposition und Reprise, sowie die nicht wesentlich thematische Schlußsteigerung der Durchführung. Das, was er jedoch zeigen will (und ohne Worte zu machen zeigt), die simultane Verknüpfung

---

1 Vgl. G. Becking, *Studien zu Beethovens Personalstil*, S. 26.

2 J. Chr. Lobe, *Compositions-Lehre*. Der vorletzte Absatz seines Werkes sei hier als ganzer wiedergegeben (Teil 1, S. 175): „*Zu den Formen in modulatorischer Hinsicht*. Die Wendung der Modulation von der dritten Gruppe des ersten Theils bis zum Ende desselben, in Dur nach der Oberdominante, in Moll nach der kleinen Oberterz, ist die gebräuchliche und als Regel zu betrachten. *Beethoven*, dessen kühner Geist nach allen Seiten hin nach Erweiterungen und Erneuerungen strebte, hat mehrere erste Theile seiner Tonstücke anders geführt. Um nur ein Beispiel aufzuführen, so modulirt der erste Theil seines Quintetts, Op. 29, C-dur, nicht, wie gewöhnlich, nach der Dominante G-dur, sondern nach der kleinen Unterterz A-dur. Doch nicht alles, auf was ein großer Geist geräth, ist eine Verbesserung und Schönheit, und darunter möchte diese entferntere Modulationsweise im ersten Theile gehören. Ein Tonstück könnte man wohl mit einer Reise vergleichen. Man geht von der Heimath aus, durchwandelt dann nähere Gegenden, kommt sodann weiter und bei großen Reisen in sehr entfernte Theile, und aus entfernteren zurück stufenweise durch nähere wieder zur Heimath. Dieses ist der natürliche Gang der Modulation, und ich finde nicht, dass die Abweichungen davon zur Verstärkung der Wirkung in den Beethoven'schen Werken, die solche aufstellen, etwas Besonderes beigetragen hätten. Doch soll das nur eine Bemerkung für den Anfänger seyn und nicht etwa als ein ästhetisches allgemeines Gesetz gelten. Denn wo es Seelenzustände zu schildern gibt, da muß aus ihnen heraus die Form geschaffen, nicht aber umgekehrt die innere Natur in die äusserlich vorgefundene Zwangsjacke einer conventionellen Form gepreßt werden." Es folgt noch ein kurzer, fünf Zeilen umfassender Absatz über das Rondo. Den umfangreichen Auszug aus dem ersten Satz findet man in Teil 2, S. 91—103.

von gegensätzlichen Elementen, erfordert keine Berücksichtigung des Seitensatzes; es genügt, den Hauptsatzgedanken in seiner Kombination mit dem zweiten musikalischen Gedanken vorzuführen, weil Beethoven diesen Gegensatz nutzte, also nicht den zweier „Sätze“, sondern den zweier qualitativ unterschiedlicher Gedanken, deren einer Satzcharakter hat, der andere dagegen sich mit einem kurzen Motiv, das ganz anders zu verarbeiten ist, begnügt. Ob dieser zweite Gedanke (T. 18ff.) als noch zum Hauptsatz (als dessen Fortsetzung) oder schon zur Überleitung gehörig beschrieben wird, ist unerheblich, wenn erkannt wird, daß er den für die weitere Entwicklung wesentlichen Kontrast bildet, während der richtige Seitensatz Episode bleibt (und in der Durchführung nicht einmal anklingt). Dieser zweite Gedanke ist auf jeden Fall „unselbständig“, er ist locker gefügt und mündet in einen Tonsatz, der aus dem Hauptsatz abgeleitet ist, aber bereits eine andere Struktur hat: Er ruht nicht mehr in sich, sondern er führt auf das Kommende hin; er ist jedenfalls Teil einer Überleitung.

Für die Gestaltung der Form des Quintetts sind zwei Verfahren, die von der Art der Themenstruktur bedingt sind, charakteristisch: das unvermittelte Nebeneinanderstellen kontrastierender Gedanken, abgeteilt durch Pausen (oder Fermaten) und die Komposition von sogleich als solchen erkennbaren Übergängen, die nichts anderes als Übergänge sind. Thematische Vermittlung (oder unmerkliche Übergänge) sind nicht vorhanden. Die Formanlage ist also — wenn man die durchgehende Thematisierung als fortschrittlich deutet — altmodisch. Dies hat dazu geführt, daß gelegentlich sogar erwogen wurde, ob Beethoven hier nicht auf ältere Entwürfe und Aufzeichnungen zurückgegriffen haben könnte, das Quintett also stilistisch vor die Quartette op. 18 einzuordnen wäre.[1] Überlegungen dieser Art, die sich durch die mittlerweile aufgefundenen Skizzen erledigt haben[2], mögen auf sich beruhen, da sie über die Sonderstellung des Werkes nichts aussagen. Der Einsatz des zweiten Gedankens ist im ersten Satz jedenfalls stets abrupt (T. 17, 103, 119 und 195), er selbst dient dann später im wesentlichen der klanglichen Bereicherung des Hauptsatzes, er dient als klanglich charakteristisch belebende Figur, die vielleicht als Motiv angesprochen werden kann, obgleich sie selbst nichts bewegt, sondern als Bewegungsmittel dient.

Die Überleitung zum Seitensatz in Exposition und Reprise sowie die zum Einsatz der Reprise und der Coda bereiten das Kommende so gründlich vor, daß der Einsatz dann jeweils als bedeutendes Ereignis wirkt. Klangliche Steigerung, eindeutiges Kadenzieren, lange Auftakte (Generalauftakte) bilden die eingesetzten Kunstmittel, die ihrerseits die Konsequenz dieser primären Orientierung am Klang sind, andererseits diesen selbst auch wiederum befestigen, indem sie verhindern, daß sich das Thematische über alle Formglieder ausbreitet.

Besondere Beachtung verdient auch noch der Umstand, daß unterschiedliche Setzweisen des Hauptsatzes vornehmlich der klanglichen Variation dienen, diese denn auch tatsächlich von größter Mannigfaltigkeit ist, wobei auch kontrapunktische Techniken den grundsätzlich freien Satz auf vielfältige Weise beleben. Stim-

---

1 Vgl. H. Mersmann, *Die Kammermusik,* Bd. II, S. 100.

2 Vgl. W. Virneisel, *Aus Beethovens Skizzenbuch*; Johnson / Tyson / Winter, *The Beethoven Sketchbooks,* S. 113—123 (Nachweis der einzelnen, jetzt weit verstreuten Skizzenblätter des aufgelösten Skizzenbuchs); vgl. auch B. Churgin, *Beethoven's Sketches for His String Quintet op. 29.*

menzahl — Drei- bis Achtstimmigkeit (vgl. T. 111f.) —, Höhenlage, Begleitungsart: In all diesen Bereichen herrscht größte Mannigfaltigkeit.

Einen besonderen Hinweis verdienen noch die das Taktgefüge bereichernden Akzente; auch sie sind hier vom thematischen Geschehen unabhängig.

Kommt im ersten Satz die Durchführung ganz ohne Bezug auf den Seitensatz aus, so ist die des Finales (Presto, Sechsachteltakt) wohl überhaupt einzigartig. Nicht nur sind an zwei Stellen — in der Durchführung gegen Schluß und in der Coda kurz vor Beginn — höchst eigentümliche Episoden Andante con moto e scherzoso (Dreivierteltakt), die neben dem Scherzandocharakter auch etwas Rezitativisches ausprägen, eingefügt, die Durchführung wird durch Einbau eines motivisch-thematisch kontrastierenden kontrapunktischen Satzes im Zweivierteltakt geprägt. Dieser Teil (T. 112—157) besteht zunächst (bis T. 141) aus einer Folge von sechstaktigen Sätzchen, die jeweils aus einer fanfarenartigen Melodie und einer synkopierten Skalenbewegung (aufwärts oder abwärts, je nach dem zu erreichenden Zielton) bestehen, die sich auch stimmzahlmäßig steigern (und im Ambitus vergrößern). Zunächst ist der eingefügte Satz zweistimmig (T. 112—117, 118—123), dann durch eine die fanfarenmäßige ergänzende zusätzliche Stimme dreistimmig (T. 124—129, 130—135), schließlich, bei Takt 136, hat der eingefügte Satz das, wohinein er gesetzt wurde, verdrängt, indem er sämtliche verfügbaren Stimmen für sich in Anspruch nimmt. Auf dem Weg zum Höhepunkt — in den Takten 139—140 vergleiche man die Dichte der Sforzatozeichen! — dringt dann wieder ab Takt 141 die Satzthematik im Sechsachteltakt ein und drängt den sich auflösenden kontrapunktischen Satz, nicht jedoch die fanfarenartige Hauptstimme zurück: Dessen synkopierende Gegenstimme ist nicht mehr skalenförmig (also „linear“), sondern akkordabhängig. Sie wirkt nicht mehr als selbständige Stimme, sondern nur mehr rhythmisch. Hat die klangliche Steigerung ihr Ziel erreicht, so verwandelt sich der Satz und führt nach E-Dur. Der folgende Scherzando-Einschub, der übrigens mit dem Fanfarenmotiv den punktierten Rhythmus teilt, hat die Vorzeichen von A-Dur.

Der Charakter des Finales erinnert an eine belebte Buffo-Szene. Alles ist beschwingt, auf raschen Wechsel eingestellt. Die Satzanlage ist gänzlich homophon. Und hier hinein setzt Beethoven die größten denkbaren Kontraste, den kontrapunktischen Satz und das rezitativähnliche Scherzando. Beides dient der Belebung, der Steigerung und dem Aufschub. Dieses Finale ist gewiß ein Muster für die gleichzeitige Realisierung von an sich Gegensätzlichem. Und das alles ohne die sonst so wirkungsvollen Kunstmittel der motivisch-thematischen Arbeit.

Dem verständigen anonymen Kritiker der *Berliner Allgemeinen Musikalischen Zeitung*[1], der im Jahr nach Beethovens Tod die Erstausgabe der Partitur anzeigte, erschien „eben dieses Quintett [als] das geistreichste und künstlerisch gereifteste unseres großen Meisters, zugleich eins seiner einfachsten und darum schon jetzt allgemein geliebten Werke“.

Nachschrift: Zur Literatur. Hugo Riemann hält etliche der von ihm (in Thayer / Deiters / Riemann, *Ludwig van Beethovens Leben*, Bd. II, ²1910, S. 265ff.) zum

1 Anonyme Anzeige und Besprechung der ersten in Berlin bei Schlesinger erschienenen Partiturausgabe des Quintetts, *BAMZ* 5 (1828), S. 445f., neu gedruckt in: St. Kunze, *Gesammelte Konzertberichte*, S. 26ff.

Teil treffend beschriebenen Eigenarten für Mängel, so „die ungenügende Kontrastierung der beiden Hauptthemen, das unvermittelte mehrmalige Auftreten der Triolenpartien“ usf. Er verkennt die gänzlich andersartige Formidee des Werkes, die den „Themen“ eine andere Rolle zuweist. Die meisten Abweichungen vom Quartettstil erklärt er für orchestral. Wenn er jedoch davon spricht, daß „durch diesen einmaligen Versuch“ Beethoven offenbar zu der Überzeugung gekommen sei, das Quintett biete ihm dem Quartett gegenüber nichts Wesentliches, so darf dagegen erinnert werden, daß Beethoven am Ende seines Lebens erneut ernstlich Quintettpläne erwog. So wäre vielleicht eine vergleichbare Situation wie nach der Vollendung des op. 18 gegeben, die Charles Rosen (*Der klassische Stil*, S. 301f.) mit der Mozarts, die ihn zu seinem Quintett B-Dur KV 174 geführt habe, vergleicht. Rosen sagt von Beethovens op. 29, daß es „Breite und gelassene Überschwenglichkeit“ besitze. Er hebt an anderer Stelle ausdrücklich hervor, daß die Behandlung der Harmonie von Beethoven auf diese Weise „nie wieder in einem Sonatensatz eingesetzt“ wurde (S. 432). Diese Harmoniebehandlung ist eines der Momente (neben melodischen Wendungen, die schon Riemann auffielen), die auf Schubert vorausweisen. Tilman Sieber, *Das klassische Streichquintett*, bietet, wie der Untertitel verspricht, „quellenkundliche und gattungsgeschichtliche Studien“, bringt also keine musikalischen Details zur Sprache.

Rudolf Stephan

3 Violinsonaten A-Dur, c-Moll und G-Dur op. 30

Entstehungszeit: 1802.
Erstaufführung: unbekannt.
Skizzen: Nr. 1—3: Gesellschaft der Musikfreunde Wien, A 34, Skizzenbuch Keßler.
Autograph: Nr. 1: Staatsbibliothek Preußischer Kulturbesitz Berlin; Nr. 2: Beethoven-Haus Bonn; Nr. 3: British Library London.
Erstdruck und Widmung: Wien 1803 (Bureau des Arts et d'Industrie); dem Zaren Alexander I. von Rußland gewidmet.
Gesamtausgaben: Alte Gesamtausgabe: Nr. 97—99 = Serie 12 Nr. 6—8; Neue Gesamtausgabe: Abt. V, Bd. 2.

Sonate A-Dur op. 30, Nr. 1. Bereits die Entstehungsgeschichte der 1802 komponierten A-Dur-Sonate akzentuiert die vorwärts weisende Position des Werks innerhalb der Gattungsentwicklung der Klavier-Streicher-Kammermusik Beethovens. Denn den ursprünglich für die A-Dur-Sonate geschriebenen Schlußsatz — später durch den endgültigen Variationensatz ersetzt — widmete Beethoven sehr bald um und formte daraus den Finalsatz eines der originellsten Werke der Gattung, der 1803 abgeschlossenen *Kreutzersonate*. Doch deutet sich in der Substituierung des Finales zugleich ein Problem der kompositorischen Integrität des Werks an. Nicht auf die zyklische Struktur insgesamt, sondern auf Details der inneren musikalischen Logik bezogen, sieht Alexander Wheelock Thayer markante Schwächen der A-Dur-Sonate. Im Vergleich mit den beiden anderen aus op. 30 stünde sie an „natürlichem

Fluß, an zwingender Notwendigkeit der Entwicklung entschieden zurück. Der erste Satz zerbröckelt in zu viele gegen einander abgeschlossene kleine Sätzchen und läßt mehrfach die modulatorischen Einschiebsel, welche die Tonartordnung erfordert, unliebsam hervortreten [...]. Trotz aller aufgewandten Kunst und alles fein empfundenen Detail bleibt der Gesamteindruck der eines mosaikartigen Zusammensetzens der ganzen Sonate."[1]

Demgegenüber scheint kompositorische Stringenz und strukturelle Integrität auf einer anderen, für die Geschichte der Gattung jedenfalls essentiellen Ebene intendiert. Gemeint ist das Bemühen Beethovens, Klavier und Geige als autonome Partner unter dem emphatischen Begriff von Kammermusik zu fassen und somit die letzten Spuren des Typus der violinbegleiteten Klaviersonate weitgehend zu tilgen. (Auch wenn terminologisch der Tradition gemäß in der Erstausgabe op. 30 noch als „Sonates pour le Pianoforte avec l'Accompagnement d'un Violon" bezeichnet wird und erst in der Originalausgabe der *Kreutzersonate* von „Violino obligato" bzw. bei op. 96 von „Sonate für Piano-Forte und Violin" die Rede ist.)

Daß die A-Dur-Sonate, den von Thayer attestierten Schwächen zum Trotz, einen entscheidenden Schritt in dem gattungsgeschichtlichen Prozeß von der Klaviersonate mit Violinbegleitung zur Sonate für zwei gleichberechtigte Instrumente darstellt, tritt an einem zentralen Merkmal, an der Themenstruktur der einzelnen Sätze, offen zutage. Das Hauptsatzthema des ersten Satzes ist in diesem Sinne geradezu programmatisch. Drei zwischen Klavier und Geige polyphon verflochtene Linien heben die satztechnische Unterscheidung in Haupt- und Nebenstimme, in Melodie und Begleitung auf, Polyphonie selbst wird zum Signum des integralen Zusammengehens der beteiligten Instrumente.

Konventioneller gehalten, im Sinne von melodieführender Oberstimme und darunterliegender rhythmisch-harmonischer Begleitschicht, scheint das Thema des zweiten Satzes. Doch setzt auch hier das Moment polyphoner Autonomie als Abbild des Verhältnisses der Instrumente zueinander sich durch. Denn die Repetition des thematischen Achttakters, wobei die Kantilene ins Klavier wandert, wird von einer kontrapunktischen Gegenstimme in der Violine simultan erweitert, von einem Kontrasubjekt, das einerseits als melodische Fortspinnung der Kantilene fungiert, andererseits als thematisch profilierte Weiterentwicklung des begleitenden Klaviersatzes der ersten acht Takte auftritt, gewonnen aus einer Verschmelzung der rhythmisch markanten Begleitfigur mit der Nebenstimmen-Motivik des Klavierbasses.

Im Thema des schließenden Variationensatzes sind die Beziehungen subtilerer Natur. Wieder bildet der Klavierbaß eine kontrapunktische Nebenstimme, die sich insofern korrespondierend zum melodieführenden Violinpart verhält, als sie im zweiten Takt, harmonisch die thematische Dreiklangsbrechung imitierend, der Oberstimme folgt. Wichtiger als ihr imitierender ist jedoch — den Vorgängen zwischen Thema und erweiterter Themenrepetition im zweiten Satz vergleichbar — ihr antizipierender Charakter. Denn das Hauptereignis des Nachsatzes (T. 4—8) ist neben der melodischen Ambitus-Dehnung in der Oberstimme die dort zugleich stattfindende metrische Verschiebung des repetierten Themenkopfes, ein Ereignis, das einen Takt früher durch die Synkope der Baßstimme des Klaviers vorweggenommen

1 Thayer / Deiters / Riemann, *Ludwig van Beethovens Leben,* Bd. II ([3]1922), S. 351.

wird. Damit zeigt sich letztlich, daß die thematische Substanz des Werkes durchgängig von der Idee des integralen Zusammenwirkens der instrumentalen Komponenten geprägt ist, worin eine Tendenz der Gattungsentwicklung zum Ausdruck kommt, die in dem nahezu symphonisch-konzertanten Gestus der *Kreutzersonate* dann bereits an die Grenzen der Gattung selbst stößt.

Zwiespältig erscheint jedoch der Satztypus des Finales insgesamt: das Verhältnis von Thematik und der aus ihr erwachsenden Form problematisch. Thayer beschreibt die auf diesen Satz gerichteten spontanen Hörerwartungen und vermutet, daß nach erstmaligem Hören des Themas kaum jemand auf die Form eines Variationensatzes schließe. „Das Thema läßt sich durchaus so an, als sollte sich eins der flotten Rondos, wie sie Beethoven so häufig bietet, entwickeln.“[1] Der Tonfall des Themas mag eine solche Erwartung provozieren. Doch zeigt auf der anderen Seite gerade die oben beschriebene Themenstruktur, daß schon der eröffnende Achttakter auf Verarbeitung statt auf identische Wiederkehr hin ausgerichtet ist.

Dennoch sind Rondo-Momente — über den Gestus des Themas hinaus — unverkennbar. Gleich die 1. Variation läßt eher auf eine kontrastierende Episode als auf eine motivisch-thematische Veränderung schließen. In ihr scheint das Thema kaum noch durch, die prägnante Melodiegestalt der Hauptstimme und der charakteristische synkopische Impuls sind in einem gleichförmigen Bewegungsablauf weitgehend eingeebnet, und variativ verarbeitet wird eher peripheres Material der Begleitschicht.

Um so betonter tritt dann in der folgenden Variation das Thema in seiner eigentlichen Bedeutung für die Form des Satzes auf: In aller Deutlichkeit sind seine beiden Hauptkomponenten, die ausladende melodische Linie und die synkopische Akzentverschiebung, Gegenstand der variativen Fortspinnung. Und schließlich wird in der 3. Variation das imitatorisch-polyphone Element der Themenstruktur zur Basis einer durchführungsartigen Anlage. Diesen Charakter führen die letzten drei Variationen fort: Sie gleichen Durchführungspartien, die in unterschiedlicher Weise auf die einzelnen Materialkomponenten zurückgreifen. Da die 6. Variation obendrein reprisenartige Züge trägt, erhält der Formprozeß eine weitere Nuance, so daß ausgehend vom anfänglichen Rondo-Gestus über die Klärung der Form als Variationenfolge zum Schluß das Prinzip des Sonatensatzes als latente Idee durchscheint.

Umgekehrt ähnelt die Durchführung des Kopfsatzes mehr einer lockeren Variationenkette als einem auf die Reprise hin zielgerichteten stringenten Prozeß, was Thayer in der eingangs zitierten Passage als Mangel an zwingender Notwendigkeit der Entwicklung beschrieb. Fast kaleidoskopartig werden die einzelnen Elemente der Haupt- und Seitensatzthematik in sukzessiver Folge aneinandergereiht, jedoch von keinem Durchführungsstrudel erfaßt, aus dem heraus die Reprise dann bestätigend und legitimiert erwachsen könnte. In ihrer zyklischen Gewichtung nähern sich auf diese Weise Kopf- und Finalsatz einander an.

Dies berührt auch den mittleren Satz. Seine Kantabilität ist keine ruhende, von episodischen Blöcken kontrastierend unterbrochene. Vielmehr drängt, wie oben gezeigt, bereits die Themenstruktur auf entwickelnde Fortspinnung. In diesem Sinne schließt sich, tonartlich in die Mollparallele ausweichend, nach Abschluß des The-

1 Ebenda.

menkomplexes in Takt 17 eine von der Violine eröffnete Kantilene an, die motivisch als Weiterführung der Violin-Gegenstimme der Takte 9—16 erscheint, die selbst wieder als variative Ableitung aus dem thematischen Hauptgedanken und den Elementen der dazugehörigen Begleitschicht des Klaviersatzes auftrat. Dieser Vorgang findet auch später jeweils im Anschluß an die beiden Reprisen des Themas statt, so daß insgesamt ein großer kantabler Bogen über den ganzen Satz sich spannt, der den vom Sonatenprinzip motivierten Gedanken der entwickelnden Variation in die liedhafte Satzform hineinträgt. Und so bewirkt die unter dem Aspekt durchführender Techniken stärkere Gewichtung von Mittel- und Finalsatz bei gleichzeitiger Lockerung der Struktur des Kopfsatzes in der A-Dur-Sonate letztlich eine zyklische Integrität besonderer Art.

SONATE C-MOLL OP. 30, NR. 2. Mit ihren vier Sätzen ist die c-Moll-Sonate nach gängiger Terminologie die einzige „große" Sonate aus op. 30. Zudem ist sie ähnlich schwierig auszuführen wie die *Kreutzersonate* op. 47, und das Gewicht eines Werkes bemißt sich bei Beethoven durchaus auch danach. Im ersten Satz tragen zur grandezza beispielsweise schwere Fortissimo-Akkorde zwischen Haupt- und Seitensatz ebenso bei wie hervorstechende großintervallige, doppelt punktierte und mit Trillern versehene Floskeln zwischen Seitensatz und Schlußgruppe, aber auch eine Coda, die fast einer zweiten Durchführung gleichkommt, während es umgekehrt auffällt, daß Beethoven auf die zu jener Zeit noch übliche Forderung verzichtet, die Exposition zu wiederholen. Der Zug ins Große führt indessen keineswegs ins Feierliche, sondern ist von einer vorwärts drängenden Bewegung (Allegro con brio) getragen, der ein im tiefen Baß in Sechzehnteln grummelnder Halbton C—H (T. 10ff.) etwas Düsteres, wenn nicht Bedrohliches verleiht.

Der zweite Satz (Adagio cantabile, As-Dur) ist ein Gesang durch und durch — ein Tribut an das Melodie-Instrument Violine, wenngleich diese, worauf noch zurückzukommen sein wird, eher im Hintergrund die erste Geige spielt. Der Satz lädt zu schwelgerischem Sprechen ein: „wie ein Sang aus anderer Welt schweben die Töne hernieder", „hier spricht Seele zu Seele".[1] Es ist zu Kontroversen über die Taktvorschrift gekommen (vier Viertel oder alla breve).[2] Der Satz verliert nicht sein Gewicht, wenn er etwas rascher aufgefaßt wird, aber er verändert sozusagen sein Gesicht. Bei zu gedehntem Tempo gewinnt er nichts an jener Kantabilität hinzu, die der Komponist eigens angezeigt hat, sondern verflüchtigt sich zum instrumentalen Zeitlupengesang. Und die gegen Ende notierten Hundertachtundzwanzigstel-Werte (zugleich im Fortissimo als schärfstem Kontrast zu der Pianissimo-Umgebung) erfüllen sich erst im alla breve ganz: als äußerste Zuspitzung, nicht als stumpfe Schwerfälligkeit.

---

1 O. Rupertus, *Erläuterungen zu Beethovens Violinsonaten,* S. 68.

2 Vgl. die Leserzuschrift an die Zeitschrift *Music and Letters* (21, 1940, S. 204), in welcher der für die Musik so verdienstvolle Paul Hirsch seiner Verwunderung darüber Ausdruck verleiht, daß die Ausgaben über 130 Jahre hinweg das alla breve, das ihm einleuchtet und durch die Erstausgabe abgesichert erscheint, ignorierten. Er war auf die Frage gestoßen, als er die Sonate mit einem befreundeten Pianisten spielte und es zum Dissens der Partner über das Tempo kam, bis er entdeckte, daß in der Geigenstimme der verwendeten Ausgabe (J. Joachim) die alla breve-Vorschrift bewahrt, in der Klavierstimme hingegen durch einen Viervierteltakt ersetzt war. Hirsch fand denselben Hiatus dann auch in früheren und späteren Ausgaben wie denen von F. David und Fr. Kreisler.

Scherzo mit Trio (Allegro, beide in C-Dur) zeigen das instrumentale Duo, wenn man so sagen darf, in bester Spiellaune. Beethoven soll laut Anton Schindler später erwogen haben, den dritten Satz entweder zu streichen oder zu ersetzen.[1] Könnte es aber nicht genauso plausibel sein, daß das durch die Sforzati sowohl im Scherzo als auch im Trio dann gewissermaßen ins Stolpern geratene Leichtfüßige des dritten Satzes nicht Beethoven, sondern nur seine Exegeten gestört hat, sofern sie schon wegen der Grundtonart der Sonate c-Moll Erwartungen hegten, die mit dem Werk selbst nicht überall übereinkommen müssen?

Das Finale (Allegro, c-Moll, alla breve) gilt den einen eher als Rondo, den anderen eher als Sonatensatz. Die Frage hängt nicht zuletzt mit dem eigentümlich zweigeteilten Beginn zusammen. Ein aus drei und vier Takten zusammengesetztes, mithin asymmetrisches Gebilde, in dem nicht nur etwas Hämmerndes oder Seriöses, sondern auch ein „humoristischer Kopfsatz" erblickt wurde[2], erklingt zweimal (T. 1—7, 8—14), ehe eine viertaktige schlichte und noch schlichter harmonisierte c-Moll-Melodie (T. 15—18) eingeführt und ebenfalls wiederholt wird. Der Siebentakter wirkt zunächst wie eine Einleitung, wird aber dann im Verlauf des Satzes behandelt, wie es einem Thema zukommt, während die c-Moll-Melodie dem Ohr als Thema gefallen mag, aber weder die Beschränkung auf vier Takte noch das, was mit ihnen im weiteren geschieht, reichen eigentlich hin, darin die Hauptsache des Finales zu erblicken. Das Vorhandensein einer Presto-Coda verhilft dem Satz zu einer nachdrücklichen, drängenden Stretta, die noch einmal an das Allegro con brio des Eröffnungsstückes zurückdenken läßt.

Je nachdem, auf welche strukturelle, formale, motivische, technische usw. Details geachtet wird, je nachdem auch, welche Musikwerke einem geläufig sind, wird man unterschiedliche Beziehungen knüpfen und Assoziationen beisteuern wollen. So läßt sich bequem eine Verbindungslinie zum c-Moll-Klavierkonzert op. 37 herstellen, sofern die im Adagio der Sonate isoliert hereinbrechenden Hundertachtundzwanzigstel-Tonleitern über zwei Oktaven aufwärts so unabweisbar an den ersten Einsatz des Klaviers im Konzert gemahnen, obwohl sie einmal in Dur, einmal in Moll stehen; die vielen c-Moll-Werke — nicht nur die *Pathétique* op. 13 — und, mehr noch, so gut wie alle Beethovenschen c-Moll-Sätze laden zum Vergleich im allgemeinen oder im einzelnen ein. Die Assoziationskraft, die Hörer und Interpreten aufzubringen vermögen, führen weit: Der Anfang des ohne Einleitung einsetzenden ersten Satzes der c-Moll-Sonate ist sogar als Moll-Version des Beginns der 8. Symphonie F-Dur op. 93 angesehen worden. Näher liegt es freilich, ihn mit dem zusammenzuspannen, womit die A-Dur-Sonate op. 30, Nr. 1 anhebt. Ja, alle drei Sonaten aus op. 30 beginnen mit einer „rollenden" Figur, die in jedem Werk zwar verschieden ausgefallen ist, aber dennoch einen Zusammenhang erkennen läßt, der früh bemerkt worden ist[3] und seither, in der Regel ohne Berufung darauf, wieder und wieder entdeckt wird.

Bei denen, die Beethoven erklären, löst c-Moll in der Regel nicht nur sogleich die Erinnerung an musikalische Parallelstellen, sondern auch — meist vorausseh-

---

1 Vgl. z.B. W. Riezler, *Beethoven* ([6]1944), S. 143.
2 Thayer / Deiters / Riemann, *Ludwig van Beethovens Leben*, Bd. II ([2]1910), S. 353.
3 Vgl. ebenda.

bare — Vorstellungsraster aus, voran den Eindruck des Pathetischen, was immer um 1800 darunter hat verstanden werden können. Meist wird nicht gefragt, ob es damals (und wie bei der *Pathétique* op. 13 vorzugsweise aus dem Französischen genommen) dasselbe bedeutet, was uns im heutigen Sprachgebrauch geläufig ist, in dem das übertrieben Feierliche und das Leidende mehr betont werden als das einfach Leidenschaftliche (pathetisch als passioné bzw. appassionato), das zunächst wohl im Vordergrund stand. Es ist nicht zu übersehen, daß besonders im 20. Jahrhundert unter „pathetisch“ („c-Moll-Pathos“ usw.) bei Beethoven immer weniger ein Gefühlszustand als vielmehr der Ausdruck einer Haltung oder Gesinnung verstanden wurde, der dann für Zwecke aller Art, auch (ideologisch) sinistre und finstre, zu verwenden war.

Sologeige und Soloklavier bilden eine Mischung, die klanglich als prekär empfunden werden kann. Aber es kommen Passagen von außerordentlichem klanglichen Reiz zustande wie im ersten Teil der Durchführung des ersten Satzes, wo die Violine sich über dem unterschwellig so lebhaft bewegten Klaviersatz aussingt. Der reife Franz Schubert, etwa in der Durchführung des ersten Satzes des Klaviertrios Es-Dur (D 929), mag Passagen wie diese zum Vorbild genommen haben, um Wirkungen zu erzielen, die ergreifen können. In welches Licht man die Geigen-Klavier-Beziehung hingegen jenseits des Klanglichen rücken will — womöglich als „männliche“ Dominanz des Klaviers über die „weibliche“ Geige —, das bleibt den geneigten Interpretinnen und Interpreten überlassen. Dafür gibt es Spielräume, die nicht weniger verschieden genutzt werden können, als es einen bemerkenswerten Unterschied macht, ob die Sonate als musikalische Zwiesprache in kleinem Rahmen dargeboten oder, wie es bei prominenten Geigern schon lange der Fall sein kann, auf einem Podium für zweitausend Menschen aufgeführt wird. So viele Einfälle und Motive Beethoven in der c-Moll-Sonate von der Geige und ihren Spielweisen her gewonnen hat — neben dem Pizzicato (am Ende des 2. Satzes) sind es insbesondere die höchst vielfältig verwendeten Tonrepetitionen, die geradezu als ein Strukturelement der ganzen Sonate gelten können —, so unverkennbar ist es, daß in allen Sätzen die ersten Themen, auf die es zuvörderst ankommt, zunächst vom Klavier vorgetragen werden. Die Geige darf sie dann übernehmen. (Im Gesang ist diese Abfolge vergleichbar selbstverständlich: Gleichberechtigung kennt viele Nuancen.)

In den nachgeordneten Seitenthemen wiederum ist der Geige der Vortritt gestattet. Im Eröffnungssatz Allegro con brio ist dies um so merkwürdiger, als es sich gerade hier zwar um ein eingängiges, aber auch um ein ins Marschmäßige hinüberspielendes Thema handelt, das man trotz seines sozusagen augenzwinkernden Charakters nicht zuerst von einer Violine erwartet. Auch das Trio (seiner Position oder Funktion nach so nebengeordnet wie ein Seitenthema) wird von der Geige angeführt. Da es sich jedoch um einen Kanon im Einklang handelt, folgt das Klavier (linke Hand) im Abstand eines Taktes auf dem Fuße. Das hat zweierlei Konsequenz: Erstens kommt Beethoven nicht mit einem achttaktigen Abschnitt aus, sondern er legt einen Neuntakter zugrunde, der durch die kanonische Struktur im Abstand eines Taktes zu einem Zehntakter wird; zweitens setzt er das schon im Scherzo begonnene Spiel mit den Sforzati fort, die sich dank der kanonischen Behandlung nun so häufen, daß der Eindruck von etwas Lustigem entstehen mag. Schließlich kommt der stakkatiert beginnende und synkopiert fortgeführte Es-Dur-Seitensatz des Finales (T. 39ff.) einerseits der Geige besonders entgegen, andererseits macht er vollends klar (falls beim auffällig schlichten c-Moll-Hauptthema darüber noch Zweifel bestanden haben sollten), mit welcher Sphäre der Schlußsatz spielt: mit der Volks- bzw. Tanzmusik (wohl des Wiener Umlandes). Selbst das die Einleitung des Satzes bildende kräftige, in einen Fortissimo-Akkord mündende Crescendo (T. 1—3), dem einige Kadenzakkorde im Piano kontrastierend korrespondieren (das schon erwähnte siebentaktige Gebilde), braucht nicht allzu weit davon weggerückt zu werden, obwohl natürlich gerade diese Passage die Aufgabe hat, zugleich die Brücke zu dem „großen" Duktus des ersten Satzes zu schlagen; nicht zufällig beginnt das Finale mit dem im Baß grummelnden Halbton, nun H—C statt C—H wie im ersten Satz. Es ist gesagt worden, daß das Finale den Humor des Scherzos noch „überbietet" und die Sonate insgesamt „trotz der dunkleren, er[n]steren Tonart befreiend" wirke.[1] Oder es läßt sich über die Sonate im ganzen mit Walter Riezler sagen: „das ist heroisches Pathos von echt Beethovenscher Prägung".[2] Die Musik, Beethovens c-Moll-Sonate, kann dies alles nicht nur evozieren, sondern auch ertragen.

SONATE G-DUR OP. 30, NR. 3. Durch die Dreisätzigkeit ihrer Anlage gleicht die G-Dur-Sonate der einleitenden A-Dur-Sonate, durch ihren heiteren Gestus bietet sie den deutlichsten Kontrast zu der vorhergehenden, nicht nur in der Mitte, sondern auch im Zentrum von op. 30 stehenden c-Moll-Sonate. Durch solchen Rückbezug und Gegensatz scheint die G-Dur-Sonate geeignet, die Werkgruppe abzuschließen und sie ihrem Widmungsträger, dem Zaren Alexander I., wohl gerundet zu präsentieren.

Die drei Sätze bieten drei Blicke auf die Möglichkeiten des Zusammenspiels von Violine und Klavier. Den ersten Satz könnte man überschreiben „Das wiedergefundene Unisono". Es handelt sich um einen Satz von klarstem, auf Sonderwege durchaus verzichtenden Bau: Das Hauptthema wendet sich im vierten Takt nach der Dominante und im achten Takt nach der Tonika; die weiteren Themen sind kontrastierend angelegt, ohne daß dadurch der rasche Ablauf des Satzes auch nur im geringsten stockte. Auffällig dagegen und durchaus folgenreich für den Satz ist die Art, wie das Hauptthema nach kurzem Anlauf in einem Fluge den Raum vom kleinen d bis zum dreigestrichenen g durchmißt, wobei Vorder- und Nachsatz im Unisono beginnen:

1 Ebenda, S. 352.
2 W. Riezler, *Beethoven* (⁶1944), S. 143.

Ob das erste Seitenthema in einem Sechzehntellauf ausschwingend in die Anfangsbewegung zurückkehrt oder ob diese in einem Überleitungsteil einem Akkordgang gegenübergestellt wird — zweimal kommt der Satz längst vor der Wiederholung der Exposition auf dieses Kopfmotiv in unisono rollenden Sechzehnteln zurück. Im Mittelteil der Sonate mischen sich in dieses Spiel von einstimmigem Beginn, Auseinanderlaufen und Zurückfinden die Unterschiede der Instrumente nach Klang und Lage hinein. Der in die Wiederholung der Exposition zurückleitende Abwärtsgang wird am Beginn der Durchführung sequenziert; den Sechzehntelrepetitionen des Klaviers treten dabei Violintriller gegenüber. Diese Sequenz mündet in eine Form der Ausgangsfigur, welche, in cis-Moll, das Unisono des Anfangs durch ein Alternieren der Kontra-Oktave des Klaviers und der zweigestrichenen Oktave der Violine ersetzt. Mit der vierten sequenzierenden Wiederholung ist mit der Grundtonart G-Dur auch die gemeinsame mittlere Lage wieder erreicht, in der das Unisono der Reprise eintritt. In dieser Weise exponiert der erste Satz die Frage des Zusammenspiels der beiden Instrumente; daß es in ihm um diese Exposition ging, muß die Behandlung der Frage in den folgenden Sätzen zeigen.

Den zweiten Satz, Tempo di Minuetto ma molto moderato e grazioso, trägt eine Melodie von jener Art, die Beethoven nicht im Lauf der Komposition verändert und die er nicht variiert, sondern die er unverändert wiederholt. Anders aber als im Fall der Melodie des zweiten Satzes der Klaviersonate op. 90, in deren acht Wiederholungen nur einmal die Tenorlage der Melodie für klangliche Abwechslung sorgt, steht hier ein Reichtum von Kombinationen zur Verfügung. Der Satz beginnt getragen; zur Melodiestimme in der rechten und zum Baß in der linken Hand des Klaviers tritt in der Violine eine dritte Stimme, die wie der Baß in Vierteln geht, als höre man eine Begleitvioline. Die Violinstimme entfaltet sich zur Triostimme, die bald in Terzen mit der Oberstimme, bald in Gegenbewegung mit dem Baß geht. In den zweiten acht Takten entfaltet sie sich zur Melodiestimme, die vom Klavier begleitet wird. In den folgenden, nach vier Takten gegliederten Abschnitten des Satzes wechseln sich die beiden Instrumente meist in eben diesem Rhythmus ab. Am Ende des Satzes wird der Vortrag der unveränderten Melodie (über unverändertem Baß) einer Wechselrede der beiden Instrumente (Violine und rechte Hand des Klaviers) anvertraut. Durch die unüberbrückbare Verschiedenheit des Klanges und der Tonerzeugung wird die Aufmerksamkeit des Zuhörers auf die Art des geschehenden Aufeinandereingehens gelenkt. Die Melodie, die so schön ist, daß man sie in den 177 vergangenen Takten gerne wieder und wieder hörte, wird in dieser Form des Vortrags zur Darstellung des Seltenen, daß Menschen, und wäre es nur beim Spielen von Musik, übereinstimmen wollen. Weniger das den Abschnitten des Satzes entsprechende Abwechseln der vortragenden Instrumente nach vier und vier Takten bereitet diese Wirkung vor als das Unregelmäßige, daß etwa die Violine, über die Zäsur hinweg, in den Takten 59 und 149 fortsetzt, und es ist der Nachklang dieser in dem wiederholungsreichen Satz nicht wiederholten, unwiederholbaren Stelle, daß Beethoven den schließenden Terzgang g—f—es sechsmal (variiert siebenmal) wiederholen läßt.

Der dritte Satz hat die Interpreten nachgerade verlegen gemacht durch seine Spielfreude. Thayer spricht von einem „Rondo à la musette“, in dem „ein gut Teil Naturalismus“ stecke[1], und noch die Beilage zu den Schallplattenaufnahmen mit

1 Thayer / Deiters / Riemann, *Ludwig van Beethovens Leben,* Bd. II (^{2}1910), S. 354.

Clara Haskil und Arthur Grumiaux weiß von dem Jahrmarktstreiben, das man einmal aus dem Satz herausgehört habe.[1] Zu dem für einen Schlußsatz obligatorischen Stimmungswechsel tritt jedenfalls eindrucksvoll bis zum Erstaunenmachen der Wechsel der Stilhöhe. Fast könnte man von einer Parodie, fast von Spott auf die Wiederholungen und auf das Verzärtelnde des zweiten Satzes sprechen, denn auch das Sechzehntelthema dieses Satzes wird oft genug wiederholt und ruft oft genug seine Gegenstimme herbei. Und auch die hervorgehobenen Stellen fehlen nicht: In Exkursen nach H-Dur und nach Es-Dur wird es als letzte in diesem Werk vorgestellte Form des Zusammenspiels gezeigt, daß ein Instrument die Richtung weist und daß das andere sich so einstimmt und nachfolgt, wie Onkel Toby den Vorschlägen seines Dieners Trim nicht widerstehen kann.[2] Das „,till-ready' accompaniment"[3] des Klaviers ab Takt 177 ist ein solcher unwiderstehlicher Vorschlag, und die mit der linken Hand des Klaviers parallel laufende Begleitfigur der Geige in Takt 133—136 ist ein solches Folgeleisten.

Peter Ackermann (Nr. 1)
Albrecht Riethmüller (Nr. 2)
Michael Maier (Nr. 3)

3 Klaviersonaten G-Dur, d-Moll „Sturmsonate" und Es-Dur op. 31

ENTSTEHUNGSZEIT: 1801/1802.
ERSTAUFFÜHRUNG: unbekannt.
SKIZZEN: Gesellschaft der Musikfreunde Wien, A 34, Skizzenbuch Keßler; Staatliches M. I. Glinka-Zentralmuseum für Musikkultur Moskau, Skizzenbuch Wielhorsky.
AUTOGRAPH: Verbleib unbekannt.
ERSTDRUCK: Nr. 1 und Nr. 2: Zürich 1803 (H. G. Nägeli); Nr. 3: Zürich 1804 (H. G. Nägeli).
GESAMTAUSGABEN: Alte Gesamtausgabe: Nr. 139—141 = Serie 16 Nr. 16—18; Neue Gesamtausgabe: Abt. VII, Bd. 3.

Im August 1803 bot der Züricher Verleger Hans Georg Nägeli den Abonnenten der *Allgemeinen musikalischen Zeitung* sein *Répertoire des clavecinistes* an, das als fünftes Heft Beethovens Sonaten op. 31, Nr. 1 und 2 enthielt. Er lobte dabei Künstler, die „Genialität" und „Gründlichkeit" vereinigten, und schrieb: „Es ist mir zunächst um Klavier-Solos in grossem Styl, von grossem Umfang, *in mannichfaltigen*

1 Vgl. die Textbeilage zu A. Grumiaux / Cl. Haskil, *Beethoven. Sämtliche Sonaten für Klavier und Violine,* Philips 7633001.
2 Vgl. L. Sterne, *The Life and Opinions of Tristram Shandy,* S. 115—117.
3 N. Fortune, *The Chamber Music with Piano,* S. 217.

Abweichungen von der gewöhnlichen Sonaten-Form zu thun. Ausführlichkeit, Reichhaltigkeit, Vollstimmigkeit soll diese Produkte auszeichnen. Contrapunktische Sätze müssen mit künstlichen Klavierspieler-Touren verwebt seyn. Wer [...] nicht zugleich Klavier-Virtuos ist, wird hier kaum etwas namhaftes leisten können."[1] Nägeli war wahrhaftig nicht bescheiden in seinen Anforderungen: Genialität, Originalität, Virtuosität und satztechnische Meisterschaft.

OP. 31, NR. 1. Mit der G-Dur-Sonate hatte Beethoven entgegen Nägelis Forderung ein wenig virtuoses Werk geliefert, eine Sonate, die noch dazu in mancher Hinsicht rückblickend komponiert erscheint. Der erste Satz könnte, der Faktur nach, aus dem 18. Jahrhundert stammen, das viel geschmähte Adagio gebärdet sich wie eine etwas zopfige Serenade, und das Rondothema scheint auf den ersten Blick nur spärlich ausgearbeitet. Die Sonate hat sich jedenfalls keiner besonderen Beliebtheit erfreut. Sogar der glühende Beethoven-Enthusiast Wilibald Nagel, der 1903 die Klaviersonaten als eine „aufwärts strebende Kette, die an keiner Stelle durch unschöne oder misslungene Teile in ihrer Wirkung gehindert wird", beschrieb[2], verleugnete die G-Dur-Sonate, indem er meinte, wir würden sie, ohne es zu wissen, „schwerlich [...] dem Meister zuschreiben können". Das Allegro sei „harmlos", das Adagio „gehaltlos" und das Rondo „der Philister unter Goliaths".[3]

Die Editionsgeschichte der Sonate ist ausgesprochen unglücklich.[4] Nägelis Ausgabe enthielt eine große Anzahl von zuweilen grotesken Fehlern sowie vier von ihm selbst dazukomponierte Takte, so daß Beethovens Schüler Ries den Auftrag bekam, ein Fehlerverzeichnis für den Bonner Verleger Simrock zwecks einer „édition très correcte" anzufertigen. Leider war auch diese Ausgabe bei weitem nicht fehlerfrei. Es ist nicht zu vermuten, daß Beethoven für spätere Ausgaben zu Rat gezogen wurde, und nach dem Verschwinden des Autographs scheint eine schlüssige Urtextausgabe nicht mehr möglich.

Das Problem der Authentizität stellt sich gleich mit dem ersten Einsatz. Die richtige Dynamik zu erfassen, ist für den Herausgeber, der mit Anmerkungen auf die unsichere Lage hinweisen kann, eine weniger riskante Aufgabe als für den Pianisten, der jeweils eine für den Charakter des gesamten Satzes maßgebende Entscheidung treffen muß.

1

1 M. Staehelin, *Hans Georg Nägeli und Ludwig van Beethoven,* S. 19.
2 W. Nagel, *Beethoven und seine Klaviersonaten,* Bd. II, S. 1.
3 Vgl. ebenda, S. 4, 12 und 15.
4 Vgl. Fr. G. Wegeler / F. Ries, *Biographische Notizen* (1906), S. 105—108.

Die ersten elf Takte bestehen aus drei Motiven, die durch Pausen und scharfe Kontraste in der Tonstärke gegeneinander abgegrenzt sind. Ein vorschlagartiger Auftakt, gegen einen Dreiklang synkopiert und an das darauffolgende punktierte Viertel gebunden, führt zu einem Sechzehntellauf (x).[1] Es folgen, im synkopierten Rhythmus des Anfangs, drei durch Pausen voneinander getrennte Akkordgruppen (y). Drei weitere, diesmal gleichzeitig klingende Akkorde bilden als D-Dur-Kadenz den knappen Abschluß (z). Diese ungewöhnliche Konstruktion bestimmt den Gang des ganzen Satzes. Der erste Einsatz ist bei Nägeli „p" bezeichnet, und es erscheint kein weiteres Zeichen bis zum eigentlich überflüssigen „p" in Takt 10. Dagegen druckte Simrock zweifellos richtig „f" für den dramatischen Höhepunkt, die Akkorde T. 8f. Der Anfang (x) der unmittelbaren Wiederholung in F-Dur ist in allen Ausgaben, alten wie neuen, mit „f" bezeichnet und der Anfang der Akkordfolge (y) mit „p". Irgendeine musikalische Logik läßt sich für diese Diskrepanz nicht anführen, zumal der erste Einsatz bei der Wiederholung der Exposition in allen Ausgaben im Forte steht, was die widersinnige Lage mit sich bringt, daß diesmal auch (y) „f" gespielt werden müßte und das vorhandene „f" Takt 7 somit unnötig ist. Vollends verwirrend ist es in Takt 45[2], wo (x) laut Simrock und in allen Urtextausgaben (aber nicht bei Nägeli) „p" zurückkehrt, (y) aber „f", was natürlich das folgende „f" auf dem letzten Sechzehntel Takt 52 überflüssig macht. Somit stellt das Hauptthema innerhalb der Exposition überhaupt kein verbindliches dynamisches Schema auf, obwohl die Dynamik für die Stimmung und Architektur des Satzes offenbar von überragender Bedeutung ist. Die Reprise bietet jedoch ein völlig logisches Modell, das mit dem transponierten Thema Takt 12—22 identisch ist: ein kraftvoller, eruptiver Eintritt, zwei leise Figuren, ein überraschendes, explosives Forte und eine Vollkadenz im Piano — ein energischer Vorgang, voll jugendlicher Kraft und Übermut, der die Konturen des musikalischen Geschehens deutlich hervorbringt und keinen Platz für das häufig suggerierte „humoristische" Bild des Klavierspielers mit nachhinkender linker Hand übrig läßt.

Das unlogische „p" am Anfang wird von allen heutigen Urtextausgaben nachgedruckt und von den Interpreten honoriert, was angesichts der offenbaren Irrtümer in den Erstausgaben unverständlich erscheint. Für die Pianisten ist das mangelnde „p" in Takt 3 bei der Wiederholung der Exposition so unerfreulich, daß sie dort ohne Aufhebens piano spielen. Derartige Entschlüsse über die Dynamik, exempla-

---

1 Die Synkopierung muß durch einen sehr dezidierten Eintritt des G-Dur-Dreiklangs auf dem guten Taktteil deutlich gemacht werden.

2 Ein „forte" gerade hier ist das einzige dynamische Zeichen im ganzen Kesslerschen Skizzenbuch (S. 193, fol. 91ᵛ).

risch für die Schwierigkeiten bei der Herstellung eines sogenannten Urtextes, sind aber entscheidend für die Wirkung des Satzes.

Die G-Dur-Sonate bestrickt, unvoreingenommen betrachtet, durch ein Allegro vivace voll Energie, Witz und Überraschungen, ein Adagio grazioso mit echtem Kantilenen-Einschlag und ein Rondo, dessen besonderer Reiz im Reichtum der Variierung des behaglichen Themas liegt. Gewisse Verfahren sind allen Sätzen gemein, zum Beispiel der nie vorher so häufige Hand- und Registerwechsel, im Allegro vivace beim Seitenthema und im Adagio und Rondo bei der Wiederholung des Hauptthemas. Klanglich herrschen mittlere Lagen vor, die Melodik ist gesanglich und der Affektgehalt liebenswürdig. Auffallend sind auch die im Vortrag hervorzuhebenden Dur-Moll-Gegenüberstellungen. Das Seitenthema im ersten Satz kommt beim Wechsel in die tiefe Lage in Moll zu Gehör. In der anschließenden Schlußgruppe alternieren Moll und Dur. Dramatisch wirken im Adagio die wiederholten Moll-Einbrüche in der Rückleitung Takt 17—26 und die tiefe und bedrohliche eintaktige c-Moll-Einleitung zum As-Dur-Thema Takt 35. Auch im Rondo gewinnen die Takte 9f., die Imitationen in Takt 82ff. und das burleske Presto durch Dur-Moll-Abwechslungen. Überall macht sich Beethovens Bemühen um einen logischen Zusammenhang des Stoffes bemerkbar. Man denke zum Beispiel an den Terzsprung in Takt 4 des ersten Satzes, der sich zur Sexte in Takt 8 und zu den Oktaven in Takt 119 erweitert, aber auch im Seitenthema (zweimal schneller und zum Teil umgekehrt) und in der Schlußgruppe eine bestimmende Rolle spielt. Der zweite Satz fängt gleich mit dem Terzenschritt an und gibt dann seinerseits durch seine für Beethoven einmalige Beschäftigung mit der Ornamentierung den Hauptimpuls für das Rondo, das als Apotheose des Doppelschlags gelten könnte.

Dieses anscheinend so bescheidene Werk ist tatsächlich höchst originell, ja, in mancher Hinsicht gewagt. Im Allegro vivace nimmt die Synkopierung gleich zu Beginn ungeahnte Ausmaße an, dann im Seitenthema und schließlich fast überall, wo nicht ihr Gegenpol, die rasenden Unisono-Sechzehntel, herrscht. Die synkopierten Akkorde treiben den Satz schnell voran, obwohl paradoxerweise die kurzen Anstöße und Pausen eher ein bewegungshemmendes Bild ergeben. Dieser Effekt erklärt sich aus den auf Umkehrungen des Dreiklangs fußenden Forte-Akkordausbrüchen, die selbst nicht stabil sind und daher zu den unerwartet auf den guten Taktteilen sich befindenden drei Piano-Akkorden weiterleiten. Darauf folgt ein Schwelgen in starken dominanten Akkordbrechungen, das als Vorbereitung des Seitenthemas eindeutig überzogen scheint. Es kehrt stattdessen in Takt 46 tatsächlich das Hauptthema zurück, nur um sich nach neun Takten als Überleitung zum überfälligen Seitenthema zu entpuppen, welches überraschend Takt 66ff. in der Mediante mit der Terz von Takt 4 als thematischem Ausgangspunkt auftritt. Originell ist auch der Übergang zur Wiederholung der Exposition, der durch zwei auftaktige Unisono-Achtel erfolgt, die in h-Moll gehört werden, bis der Forte-Einsatz sie rückwirkend nach G-Dur umfunktioniert.

Nach der durchführungsartigen Behandlung des Seitenthemas erscheint dieses in der eigentlichen Durchführung nicht. Ausschließlich auf (x) und (y) gestützt, ohne die hemmende Kadenzfigur (z), bewegt sich die Musik in großen Schritten vorwärts. Ein 20-taktiger, stufenweiser Abstieg im Baß und dazu in den oberen Registern die schon erwähnte dramatische Ausweitung der Sprünge zu Oktaven werden vom Sechzehntelmotiv abgelöst, das B-Dur, c-Moll und d-Moll durchzieht, bis es in eine

23-taktige Dominant-Vorbereitung der Reprise mündet. Alles ist großflächig angelegt. Die Dreiklangsbrechungen von Takt 39ff. sind um eine Oktave erweitert, eine obsessive Synkope auf d streitet leise, aber hartnäckig gegen einen Nonenakkord Takt 170—192, der Rhythmus des Anfangs, nunmehr piano in Takt 183, bringt ein ermattetes Pendeln mit sich, bis die Reprise ohne Vorbereitung fortissimo einbricht. Der Schwung dieser Durchführung ist atemberaubend.

Die Unisono-Sechzehntelfiguren erscheinen in der Reprise nicht, sondern werden für die Coda aufgespart. Dort wird der Abschluß spielerisch immer wieder verzögert, bis endlich der Fortissimo-Einbruch der synkopierten Akkorde dem Satz anscheinend ein Ende macht. Lässig nachgeschoben aber sind noch zwei Piano-Akkorde auf dem guten Taktteil. Der von Nägeli komponierte Zusatz in der Coda bestand aus der Wiederholung der Tonikatakte 296—299 in der Dominante, offenbar um eine Symmetrie (die tödlich gewirkt hätte) herzustellen.

Die Bezeichnung „Adagio grazioso" des langsamen Satzes, die sich sonst nirgendwo im Klavierwerk Beethovens findet, deutet den Serenadencharakter an, der von der mandolinenartigen Begleitung verstärkt wird. Kontraste von liedartiger Melodie und durchgehendem Staccato bestimmten um diese Zeit übrigens auch das Allegro von op. 28 und das Scherzo von op. 31, Nr. 3. Für eine Serenade typisch sind die einstimmige Melodie mit ihrer anmutigen Ausschmückung und einfachen Begleitung sowie die regelmäßigen Zweitakter. Der Mittelsatz Takt 35—64 präsentiert sich dagegen dramatisch-opernhaft in Moll mit einer ominösen Begleitung von vorbeihuschenden Sechzehnteln. Die Coda ist ein Duett mit einer für Beethoven ungewöhnlich überschwenglichen Kantilene (T. 98—107) und wunderbar hartnäckigen Moll-Appoggiaturen auf dem tiefen As (T. 111—113). Das Rondo entfaltet sich ausgesprochen gemächlich. Das hauptsächlich aus Doppelschlägen und Skalenfragmenten bestehende und an sich zu Wiederholungen neigende Thema kehrt fünfmal vollständig zurück und hinterläßt seinen Stempel auf den verschiedenen Episoden und Überleitungen sowie auf der Coda. Das aus früheren Begleitfiguren und gebrochenen Akkorden zusammengesetzte Seitenthema begnügt sich recht bescheiden mit Abwechslungen von Tonika und Dominante, aber mit viel pianistischem Reiz in der überschäumenden, quirligen Bewegung.

Das eigentlich Beethovensche an diesem Satz ist zunächst seine große Kunst, aus fast nichts etwas Wertvolles zu gestalten. So behandelt er das Tonika-Dominanten-Verhältnis mit großer Wirkung auf langen Strecken und lockt aus unscheinbaren Floskeln eine charakteristische Stimmung hervor. Durchaus bewundernswert sind die Raffinessen der Variierung in der Begleitung. Die quartettartige Begleitung des Anfangs weicht mit Takt 64 Triolen, die dann tonleitermäßig eine absteigende Oktave durchschreiten. Die Takte 87—98 bringen Imitationen mit Dur-Moll-Abwechslung, und in Takt 132—140 kehrt das Thema in Oktaven zurück, immer noch piano, aber mit der Tenorlinie des Anfangs jetzt in doppelten Notenwerten im Baß.

Beethovens wachsendes Interesse an der Coda als einer geeigneten Stelle für weitere Durchführungsarbeit und letzte Auseinandersetzungen ist hier unverkennbar. Eine kontrapunktische Bearbeitung des chromatisch fallenden Motivs von Takt 8—10 beginnt in Takt 206, um einen aufspringenden Quart-Auftakt bereichert. Es folgt eine witzige, fragmentarische Behandlung des ganzen Themas mit Tempoänderungen, die zum schwirrenden Presto in Takt 243 führen. Der Forte-Doppelschlag springt hier wild, auf einen Baßtriller gestützt, zwischen zwei Registern hin und her, durchmißt in Takt 248—255 piano und von Pausen unterbrochen drei Oktaven, bis er sich endlich in Takt 256 als Sopranorgelpunkt gegen gebrochene, aufsteigende Septakkorde festsetzt. Takt 260 fällt er dann von der dreigestrichenen Oktave vier Oktaven hinunter zur großen Oktave Takt 262, wo er zunächst allein und pianissimo brodelt, dann allmählich stärker wird, bis ihn Fortissimo-Akkorde schließlich zum Schweigen bringen. In den letzten acht Takten wechseln sich Oktaven im Baß und Akkorde im Sopran, von „f" bis „pp" sinkend, ab, um erst beim letzten Schlag wie am Ende des ersten Satzes zusammenzuklingen.

Op. 31, Nr. 2. „Diese Sonate ist vollkommen. Die Einheit der Idee und des tragischen *Characters*, die, durch keine Episode gestörte Kunstform, das Romantisch-pittoreske des ganzen Tongemäldes werden nie verfehlen, die grösste Wirkung zu machen, wenn die Fantasie des Spielers mit seiner Kunstfertigkeit auf gleich hoher Stufe steht."[1] Die Komposition der Sonaten op. 31 muß gegen Anfang des Jahres 1802 entweder bereits beendet oder zumindest der Vollendung nahe gewesen sein, denn Beethovens Bruder Karl bot Breitkopf & Härtel alle drei Sonaten bereits am 22. April 1802 an. Dieses Angebot wurde zur Ursache eines heißen Bruderstreites, da Beethoven diese Werke seinerseits schon Nägeli in Zürich für dessen *Répertoire des clavecinistes* versprochen hatte. Nägeli druckte sie auch, aber mit vielen Irrtümern (vgl. oben zu Nr. 1). Nach der Ansicht von Nottebohm gehörte die d-Moll-Sonate zu den Werken, welche Czerny entweder Beethoven selbst spielen hörte oder sogar mit ihm einstudierte.[2] Beim Lesen von Czernys *Über den richtigen Vortrag der sämtlichen Beethoven'schen Klavierwerke* mit seinen wortreichen Beschreibungen empfängt man den Eindruck, sich in Gegenwart von Beethoven zu befinden — eine Erfahrung, welche die Geschichte Czerny tatsächlich bescherte. Nicht nur Czernys genaue Anleitungen, auch seine allgemeineren Bemerkungen über die Haltung und Pflichten des ausführenden Musikers dem Kunstwerk als Ganzem gegenüber stellen den Klavierspieler von heute vor Aufgaben, die weit über die Vervollkommnung seiner rein pianistischen Fähigkeiten hinausgehen, denn die d-Moll-Sonate ist selbst in jeder Beziehung vollkommen; die musikalische Idee und der tragische Charakter des Werkes sind ein und dasselbe, und die Phantasie des Pianisten muß seiner Technik zumindest ebenbürtig sein.

Die d-Moll-Sonate ist keine virtuose Konzertsonate, die zu stehenden Ovationen einlädt. Ihre Rahmensätze sind durchaus ärmer an Noten als die von op. 57 oder das Finale von op. 27, Nr. 2. Die musikalischen Richtlinien für das Verständnis eines Satzes finden sich bei Beethoven oft in den ersten Takten. Hier sind es drei musikalische Ideen — ein aufsteigender gebrochener Akkord, gebundene Sekunden und eine mit einem Doppelschlag verzierte Halbkadenz —, profiliert mit Hilfe der speziellen Tempoandeutung Largo — Allegro — Adagio. Der individuelle Charakter jeder dieser drei Ideen ergibt sich aus der Arpeggierung des A-Dur-Sextakkords, so völlig anders in seinem Ausdrucksvermögen als derselbe Akkord in seiner Grundposition, dann aus dem gebundenen Zwei-Noten-Motiv und schließlich aus dem Doppelschlag auf der sforzato gespielten großen Septime. Beethoven soll selbst ge-

1 C. Czerny, *Über den richtigen Vortrag* (1963), S. 47f.
2 Vgl. G. Nottebohm, *Beethoveniana,* S. 136.

sagt haben, daß die gebundenen Sekunden zu klingen hätten, als bürstete man den Staub von den Tasten; somit sind sie nicht aus pädagogischer Sicht korrekte gebundene Sekunden, sondern eine auf einer völlig unorthodoxen Behandlung des Klaviers beruhende musikalische Aussage. Bei Czerny enthält die Verzierung ein fisis, wenn auch nicht in seiner von Simrock veröffentlichten Ausgabe der Sonate, wo ein gewöhnliches fis angedeutet ist. Ob nun Beethoven bei der Einstudierung ein fisis verlangte oder nicht, Tatsache ist, daß der daraus sich ergebende Halbtonschritt diese Verzierung mit all ihren im weiteren Verlauf des Satzes in Erscheinung tretenden Ableitungen verbindet.

2: 1. Satz, T. 22—24, 55—57, 63—65, 122—123

Die Frage, ob der gebrochene Akkord oder die gebundene Zwei-Noten-Figur das Hauptmotiv bildet, läßt sich nicht beantworten. Es ist anzunehmen, daß Beethoven beide als gleichberechtigt betrachtete. Wie dem auch sei, die Anfangstakte bestimmen den Charakter des gesamten Satzes schon insofern, als dieser, wie sie, häufig und auf abrupte Weise seine Richtung ändert. Auch erreichen die zwei stärksten Episoden — sie beginnen in Takt 20 und in Takt 99 — ihren Höhepunkt auf einem verminderten Septimen-Akkord bzw. mit einem ausgedehnten Spiel auf der Dominante. Anstatt eines deutlich erkennbaren Hauptthemas schafft der Anfang eine dreiteilige thematische Situation, welche die Bausteine und Gerüste für den Bau des Satzes und somit auch eine vollendete Integrierung der Motive und der Struktur liefert. Jeder Unterteil, wie der eines vorfabrizierten Hauses, entstammt entweder dem aufstrebenden gebrochenen Akkord, den gebundenen Sekunden oder der Verzierungsfigur. Beethovens strikte Logik sorgte dafür, daß der gebrochene Akkord stets in aufsteigender Form erscheint — in seiner Largo-Pianissimo-Gestalt immer mit Hilfe des Pedals. In Takt 75—84 wiederum entspricht die Abwärtsbewegung der Halbenoten jener der gebundenen Achtelnoten in den Takten 2 und 3.

3: 1. Satz, T. 75—76

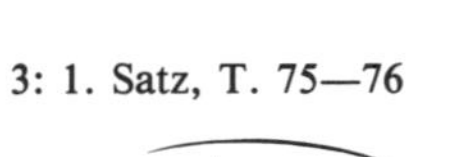

Was diesem aus scharf definierten Unterteilen bestehenden knappen Satz völlig fehlt, ist irgendeine ausgedehnte melodische Episode, mit Ausnahme von zwei Rezitativen am Anfang der Reprise. Der etwas verschwommene Charakter dieser zwei nachdenklichen Passagen ergibt sich zwar aus dem sehr bewußten Gebrauch des Pedals, der jedoch keinesfalls den schwächeren Klangeigenschaften von Beethovens Klavier zuzuschreiben ist. Ein derartig lang gehaltenes Pedal ist auf einem Klavier jener Zeit mit seinen schärferen Klangeigenschaften eher noch prekärer.

Letzten Endes muß der ausführende Musiker selbst entscheiden, was Czerny gemeint haben mag, als er von der Einheit der musikalischen Idee und dem tragischen Charakter sprach. Czerny selbst bemerkte, daß eine wirklich lebendige Definition einer solchen Einheit abhängig ist von der Phantasie des Pianisten in enger Verbindung mit seinen technischen Fähigkeiten sowie seinem analytischen Vermögen und seinem Geschichtsverständnis. Phantasie ist natürlich ein subjektives Element, das kein Unterricht objektiver Art zu vermitteln imstande ist. Statt nun zu entscheiden, ob dem ersten Satz der Sonate eine Einleitung vorangeht, so daß er eigentlich erst mit Takt 21 beginnt, erscheint es weitaus fruchtbarer, zu einer angemessenen Einschätzung des psychologischen Abstandes zwischen dem pianissimo gespielten gebrochenen Akkord und dem Forte-Ausbruch in eben diesem 21. Takt zu gelangen. Angesichts der ebenfalls von Czerny berichteten Tatsache, daß Beethoven beim Lesen stets eigene Vorstellungen entwickelte, drängt sich ein Vergleich auf mit jener Passage in Goethes *Faust*, in der Faust sich um eine Übersetzung des Evangeliums in der Überlieferung des Heiligen Johannes bemüht und nach den Worten „Im Anfang war das *Wort*" schließlich zu dem Schluß kommt: „Im Anfang war die *That*!" Rein musikalisch läßt sich die entschiedene Bedeutung des gebrochenen d-Moll-Akkords in Takt 21 mit einem ähnlichen Moment im Hauptthema von Mozarts c-Moll-Sonate KV 457 vergleichen. Der Unterschied besteht aus einer einzigen Note. Beethoven hält bewußt auf dem guten Taktteil an, Mozart auf einem schwachen. Das Resultat ist aber ein völlig anderer Charakter, eine ängstliche Frage bei Mozart, starker Wille und Entschiedenheit bei Beethoven. Selbst einem, der nie ein Wort über Beethovens unzähmbare Persönlichkeit gelesen hat, dürfte es nicht schwer fallen, den Unterschied zwischen den beiden Männern aus einem solchen kurzen Beispiel herauszuhören.

Der aufstrebende gebrochene Akkord wird zum Ausgangspunkt einer intensiven Entwicklung in Takt 21—41. Dennoch erreicht diese Episode, all ihrer Energie zum Trotz, ihren Höhepunkt auf einem verminderten Septimen-Akkord, jenem Akkord von unbestimmter Richtung, als ob der Komponist da, wo einfaches Singen nicht mehr imstande ist, den dramatischen Inhalt angemessen zu vermitteln, auf einem Schrei besteht. Ebenso mag die Phantasie des Ausführenden von dem psychologischen Abstand angeregt werden, der die in Takt 21—24 piano gespielte Doppelschlagfigur von ihrer Sforzando-Umkehrung in Takt 45—47 trennt.

Die zwei Episoden, in denen der gebrochene Akkord mit Hilfe von Sequenzen zum Entwicklungsmotiv wird (T. 21—41 bzw. 99—121), stellen die einzigen durchlaufenden Passagen dar, von denen man das Gefühl hat, daß sie einem wirklichen Ziel entgegenstreben. Wenn dann auch noch die Parallelpassage statt in der Reprise bereits im Entwicklungsteil in Erscheinung tritt, gewinnt man unwillkürlich den Eindruck, daß die diesem Satz unterliegende Grundidee tatsächlich statt einer zielbewußten Entwicklung eher fatalistische Wiederholungen verlangt. All dies zusammen mit dem einem Wutanfall gleichenden Spiel auf der Dominante in Takt 121—134, das sich durchaus mit der ursprünglichen Verzierungsfigur verbinden läßt, bereitet den maximalen dramatischen Effekt der Rezitative vor, von denen Beethoven gesagt haben soll, ihr Klang solle einer Stimme aus einem Sarkophag gleichen. Diese lyrischen, wie von einer menschlichen Stimme getragenen Passagen — die einzigen von einer derartigen Länge in dem ganzen Satz — weisen ganz offenbar auf eine Innerlichkeit hin, die in scharfem Kontrast steht mit der sonstigen äußerlichen Heftigkeit des Satzes — wie das Sehnen eines menschlichen Wesens nach Ruhe im Kampf mit unpersönlichen, unabwendbaren Kräften.

Der an den Sonatenanfang erinnernde arpeggierte B-Dur-Akkord zu Beginn des zweiten Satzes geht aus dem mit Pedal gespielten d-Moll-Klang des ersten hervor, jenem Donner aus der Ferne, von dem Czerny spricht. Daß die Arpeggierung mit der Grundnote statt mit der Terz des Dreiklangs beginnt, deutet auf Ruhe und Stabilität. Unter der Oberfläche dieses subtilen Ruhezustandes bewegt sich das Adagio jedoch mit einer gewissen angsterfüllten Vorsicht. Einfach punktierte Achtel- und Sechzehntelnoten hätten mehr cantabile geklungen als Beethovens doppelt punktierte, die etwas Zuckendes an sich haben, ein Gefühl von Entfremdung, das jegliche Verbindlichkeit oder Vertraulichkeit ausschließt. Die Paukenfigur (T. 17—31) stellt einen ähnlichen kurzen Akt abstrakter Steifheit dar — nach Czerny sollte sie blitzschnell gespielt werden — in einer lyrischen, Wärme ausstrahlenden Episode. Man denkt an die gemessenen Schritte einer Ehrenwache, die nichts von irgendwelchen menschlichen Gefühlen unter den Uniformen verraten.

Die vielen kleinen Sekunden in der Melodie, das Vorherrschen der Dominante — auch mit der kleinen None — im harmonischen Bereich sowie die plötzlich abbrechenden Crescendi, all das trägt zu einer Atmosphäre bei, die von Unbehaglichkeit und Verängstigung gekennzeichnet ist. In Takt 26—30 steht der Modulation nach C-Dur ein Orgelpunkt auf der Tonika im Wege. C-Dur wird zwar erreicht, aber unter dem Deckmantel eines subito piano in Takt 27. Nach vier Takten harmonischer und dynamischer Anstrengungen klingt das F-Dur-Thema dann um so friedvoller und entspannter.

Der Anfang des Allegrettos gibt dem Pianisten Anlaß zu Fragen in bezug auf den angewiesenen Gebrauch des Pedals. Czerny spricht zwar von langen Pedalen, wo immer die Harmonie unverändert bleibt; in seiner Ausgabe der Sonate fehlen sie jedoch. Moscheles, der Gelegenheit hatte, Beethoven selbst zu hören, gibt dieselben Pedalanweisungen; Bülow und d'Albert folgen ihm. Keiner von diesen schien sich an der Verschwommenheit zu stören, die sich daraus ergibt. Andererseits verkürzten sie seltsamerweise Beethovens eigene Pedalanweisungen für den ersten Satz, die d'Albert als eine Unmöglichkeit für das moderne Klavier bezeichnete.[1] Übrigens beginnt bei d'Albert jeder Takt mit einem an Debussy erinnernden Phrasierungsbogen.

Czernys Kommentar für das Allegretto mag seine Pedalanweisungen erklären: „Die rechte Hand stets leicht abgerissen, die linke möglichst *legato*", und er fährt fort: „Die 6, in beide Hände vertheilte Sechzehnteln müssen mit möglichster Gleichheit einander nachfolgen, um gewissermassen den Galopp eines Pferdes auszudrücken. Diese Bewegung dauert durch das ganze Stück und wird nur durch die genaue Beachtung des *piano,* des *forte*, *crescendo*, *diminuendo*, und auch durch die Benützung des *Pedals* bei harmoniösen Stellen belebt." In einer Anmerkung fügt Czerny hinzu: „Das Thema zu diesem Tonstücke improvisirte Beethoven, als er einst (1803) einen Reiter an seinem Fenster vorbeigaloppieren sah. Viele seiner schönsten Werke entstanden durch ähnliche Zufälle. Bei ihm wurde jeder Schall, jede Bewegung Musik und Rhythmus." Weiterhin heißt es bei ihm: „Die immerwäh-

1 Vgl. E. d'Albert, *Beethoven Sonaten,* Bd. II, S. 113.

rende leidenschaftliche Bewegung verleiht diesem *Finale* einen Reiz und eine Einheit des Gefühls, wodurch es die ganze *Sonate* würdig beschliesst."[1] Czerny betrachtete das Allegretto somit als eine Herausforderung an die Vorstellungskraft des Pianisten. Denn wie kann die ununterbrochen andauernde Bewegung eines zweistimmigen Satzes diese Sonate „würdig" beschließen?

Nottebohm bemerkte einmal, daß, was auf eine Beethovensche musikalische Idee folgt, in der Regel logisch aus ihr hervorgeht und nicht aus irgendwie hinzugefügtem Material besteht. Im vorliegenden Fall ist der Konflikt zwischen Tatkräftigkeit und Unentschiedenheit charakteristisch für den ersten Satz, eine etwas gespannte Ruhe für das Adagio, für das Allegretto wiederum eine gewisse Ausgeglichenheit, das pendelartige Ebenmaß seiner wichtigsten rhythmischen Zelle sowie die unmittelbare Wiederholung von jeweils vier, sechs oder acht Takten — Aspekte, die dafür verantwortlich sind, daß dieser Satz sich weitaus fatalistischer gebärdet als der erste.

Czernys Behauptung, daß Beethoven das Finalthema improvisierte, kurz nachdem er einen Reiter an seinem Fenster vorbei galoppieren hörte, lädt allein bereits darum zu Skepsis ein, weil er diesen Vorfall dem Jahr 1803 zuschreibt, ein Jahr nach der Ablieferung des Manuskripts an den Verleger. Im Vergleich mit der Substanz seines Kommentars ist das genaue Datum jedoch unbedeutend, zumal die Betroffenen Menschen waren, deren Vorstellungskraft völlig auf ihre Umgebung abgestimmt war — ein Pferd im Galopp, eine Wiederholungsfigur, die unaufhaltsam durch den Satz läuft wie die Zeit: Derartige Bilder hatten für sie die Qualität menschlicher Gesten. Dem Leser sei anheim gestellt, in diesem Sinn die Metaphorik von Goethes nach einer Reise von Darmstadt nach Frankfurt geschriebenem „An Schwager Kronos" mit den ausdrucksvollen Gesten von Beethovens Musik zu vergleichen. In der römischen Mythologie war Kronos ja der Gott des Säens und der Ernte, bei Goethe wurde er zum Gott der Zeit und des Schicksals.

Op. 31, Nr. 3. Es ist seltsam, wie unwillig sich die Beethoven-Sonatenforschung der Es-Dur-Sonate annimmt und wie häufig sich die Autoren mit schöngeistigen Redewendungen begnügen. Ludwig Finscher schreibt zu diesem Phänomen in seiner bekannten Abhandlung über die Sonate: „Das Werk gehört nicht zu den Lieblingsgegenständen der Beethovenliteratur", und weiter: „Es scheint, als verschließe sich gerade dieses [Werk] dem Verständnis besonders hartnäckig."[2] Die hochinteressante Sonate ist auch selten auf Konzertprogrammen zu sehen und wird von den Studierenden fast gänzlich vermieden, zugunsten von unzähligen „Appassionatas" und „Waldsteins".

Die Ursache des Problems liegt teilweise in einem Bericht aus der Entstehungszeit der Sonate. Carl Czerny erzählt in seinen autobiographischen Notizen, Beethoven habe 1803 dem Geiger Wenzel Krumpholz gesagt: „Ich bin nur wenig zufrieden mit meinen bisherigen Arbeiten. Von heute an will ich einen neuen Weg einschlagen." Und er bemerkt dann weiter: „Kurz nach diesem Ereignisse erschienen seine drei Sonaten op. 29 [in der ursprünglichen Numerierung, danach op. 31], in welchen man

---

1 C. Czerny, *Über den richtigen Vortrag* (1963), S. 48.
2 L. Finscher, *Beethovens Klaviersonate op. 31, 3,* S. 385.

die teilweise Erfüllung seines Entschlusses erkennen kann."[1] Es findet sich kaum eine Betrachtung der Es-Dur-Sonate, die nicht von diesem Zitat ausgeht und den „neuen Weg" sucht — und natürlich auch irgendeinen findet.

Es ist ein Fall, der exemplarisch zur Vorsicht beim Umgang mit allgemein anerkannter Überlieferung mahnt. Die Anekdote ist nämlich in jeder Hinsicht verdächtig. Daß Beethoven eine globale Verurteilung seiner gesamten „bisherigen Arbeiten" an einen mittelmäßigen Musiker wie Krumpholz richten würde (man weiß anhand seiner Korrespondez zumindest, daß er auf die kurz vorher komponierten Sonaten op. 22 und op. 26 sehr stolz war), scheint ebenso unwahrscheinlich wie die gleichzeitige Ankündigung eines neuen Weges, ganz abgesehen davon, daß das Resultat kurz danach in Form von drei Klaviersonaten erscheinen würde (Sonaten, nebenbei bemerkt, von denen die dritte erst ein Jahr später als die anderen erschienen ist). Beethovens angebliche Bemerkung ist in Notizen enthalten, die Czerny erst 1852 aus dem Gedächtnis verfertigte, und zwar über eine Unterhaltung, die er mit Krumpholz volle 40 Jahre früher geführt hatte. Da Czerny anderswo berichtet[2], daß er Beethoven zu dem Zeitpunkt zwei Jahre lang nicht gesehen hatte, war eine Bestätigung aus persönlicher Erfahrung überhaupt nicht möglich.

Wer wird seiner Erinnerung in einer solchen Lage trauen können? Wir lassen die Frage nach Wahrheitsliebe und Gedächtnis des Gesprächspartners beiseite, obwohl es gerade bei Beethoven viele Geschichten (Schindler) darüber zu erzählen gibt. Es ist falsch, diese Sonate mit der schweren Verantwortung zu belasten, der Verkünder eines „neuen Weges" zu sein, und schon gar nicht des Weges der berühmten „zweiten Periode". Im Grunde genommen betritt jede Sonate von Beethoven einen neuen Weg, und somit auch die in Es-Dur op. 31, Nr. 3, aber freilich nicht als Exempel *des* „neuen Weges", zumal Beethovens eigenhändige Erwähnung einer „ganz neuen Manier" sich ausdrücklich auf die Variationstechnik im Zusammenhang mit den Klaviervariationen op. 34 und 35 bezieht.[3]

Auch die von der Überlieferung nicht beeinflußten Interpreten suchen häufig an der falschen Stelle einen Schlüssel zur Es-Dur-Sonate und glauben feststellen zu können, daß sich der Kopfsatz schwer zusammenhalten läßt, weil er keinen richtigen Anfang habe, sich nicht vorwärts bewege, keine Spannung erzeuge, kurzum auseinanderfalle. Bei näherem Hinsehen aber ist die vermeintlich fehlende Einheit zu finden, und zwar im rhythmischen Bereich.

Wie bekannt, sind Fragen der Werkstruktur lange Zeit nur im Rahmen von Tonhöhenverhältnissen („Themen") und der Harmonie behandelt worden unter weitgehender Außerachtlassung des Rhythmus als formbildenden Elements. In seinen *Relevés d'apprenti* (1966)[4] beschreibt Pierre Boulez den Ausbau und die virtuose Handhabung von „thèmes rythmiques" als Haupterrungenschaft Igor Strawinskys. Aber gerade mit einem solchen rhythmischen Thema haben wir es hier in Beethovens Es-Dur-Sonate, mehr als ein Jahrhundert früher, zu tun. In dem Sinn handelt es sich tatsächlich um etwas „Neues", aber auch um etwas, dem man in der Art,

---

1 C. Czerny, *Erinnerungen aus meinem Leben,* S. 43.
2 Vgl. C. Czerny, *Über den richtigen Vortrag* (1963), S. 11.
3 Vgl. E. Kastner / J. Kapp, *Ludwig van Beethovens sämtliche Briefe,* S. 61.
4 Vgl. P. Boulez, *Relevés d'apprenti,* S. 93—145.

wie es hier behandelt ist, bei ihm nicht wieder begegnet, so daß es als Illustration einer umfassenden Theorie durchaus ungeeignet ist. Das Hauptthema ist deutlich in drei Teilen angelegt: Takt 1f. bietet eine Art punktierten Seufzer mit anschließender Viertelpause, Takt 3—6 einen chromatischen Aufstieg, akkordisch gesetzt und von einem pochenden Rhythmus begleitet, und Takt 7—9 eine Doppelschleife, von einem Überleitungslauf gefolgt, der einen zusätzlichen Takt beansprucht, bevor das Thema wiederholt wird, allerdings mit Lagenwechsel.

Die anfängliche Verwirrung mancher Pianisten angesichts dieses erstaunlichen Anfangs ist verständlich. Der erste Akkord, mit seiner sixte ajoutée ein unstabiler Subdominantakkord, erscheint leise wie aus dem Nichts, und danach bemüht sich die Linie gegen Pausen, Fermaten und ein ausgedehntes Ritardando in Richtung Tonika, die sie nach Erreichen sofort wieder verläßt. Die Wiederholung vollzieht innerhalb von acht Takten einen viermaligen Lagenwechsel, gefolgt von einer viertaktigen Umformung des Themas Takt 18—21, die, weniger befremdlich als ursprünglich, von einer Umkehrung eines unverbrämten Subdominantakkords ausgeht, und zwar ohne Ritardando oder Fermate. Der Satz darf sich jetzt a tempo weiterbewegen, und so mancher Betrachter fühlte sich irrtümlicherweise gezwungen, alles Frühere als Einleitung auszugeben. Trotz aller Unterbrechungen, Verzögerungen, harmonischer Unbestimmtheiten und kurzer Einteilungen ist die Kontinuität des Hauptthemas und des Satzes dennoch gesichert.

4

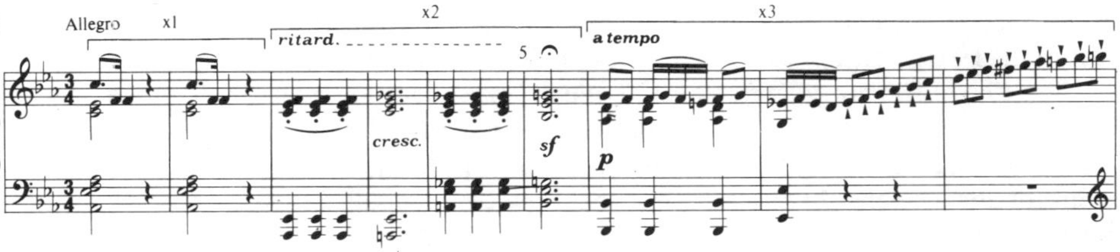

Nach dem zögernden Anfang drängt die aufsteigende chromatische Linie, von einem Crescendo unterstützt und in ein Sforzato einmündend, deutlich vorwärts unter zunehmender Schnelligkeit des harmonischen Rhythmus (3 + 2 + 1 Takte), der die thematische Phrasierung überschneidet. Dabei verleihen die volleren Akkorde dem Geschehen ein Dringlichkeitsgefühl und führen zur Tonika. Hauptsächlich aber treibt der Rhythmus ♩ ♩ ♩ | 𝅗𝅥. die Musik, alles andere überwiegend, vorwärts. Dieser Rhythmus aus x2 wird in x3 weitergeführt und spielt hier eine noch wichtigere Rolle als die auffälligere Doppelschleife und Kadenz. Er wirkt dann unaufhörlich durch den ganzen Satz hindurch, sowohl allein als auch in Verbindung mit den punktierten Halben von x2 𝅗𝅥. | 𝅗𝅥. | ♩ ♩ ♩ | 𝅗𝅥. (vgl. Beispiel 4). Dieser übergreifende rhythmische Bau ermöglicht die häufigen Dehnungen, wie die Fermaten oder die Sequenzen Takt 35—42, ohne daß der musikalische Faden zerreißt.

Ab Takt 18 kommen noch dazu: das drängende Achtelostinato, die kürzeren Phrasen (die chromatische Fortschreitung Takt 3—6 wird eliminiert und die Phrase dadurch von acht bis auf vier Takte zusammengezogen), die ununterbrochene Linie und die in jedem Takt wechselnde Harmonie. Überall leuchtet dabei der Grundrhythmus in lapidarer Form durch. Da der Rhythmus das charakteristische Merkmal des Satzes ist, sollten x2 und x3 logischerweise auswechsel- und umformbar sein, wie in den Takten 20f., die an Stelle von x2 wie x3 funktionieren, und so verfährt Beethoven auch von Anfang bis Ende.

5

Das Seitenthema Takt 46ff. tritt allem Anschein nach anders als der Hauptthemenkomplex Takt 1—45 auf. Denn 1. ist es rein zweistimmig, 2. liegt es in hoher Lage und vermeidet die sprunghaften Lagenwechsel des Hauptthemas, 3. fällt es, statt zu steigen, und 4. bewegt es sich über einem einfachen, leicht hingeworfenen Albertibaß, wie er so „sorglos“ in keiner bisherigen Sonate Beethovens vorkommt. Die Harmonie entbehrt jeglicher Dramatik, ist stabil und bewegt sich durch sehr direkte, einfache Verbindungen. Trotzdem bleibt der gemeinsame Rhythmus weitaus bedeutender als alle Unterschiede. Wir finden den gleichen Rhythmus 𝅗𝅥. | 𝅗𝅥. | ♩ ♩ ♩ | 𝅗𝅥. und auch die gleichen achttaktigen Phrasen von einer Überleitung gefolgt, die, nebenbei bemerkt, in den Skizzen als Eingang ohne Taktstriche notiert ist. Diese rhythmische Beziehung kann durch sorgfältige Pedalisierung — kurze Pedalschläge auf dem ersten Taktteil der Takte 46, 47 und 49 — noch lebendiger gestaltet werden.

Die Durchführung Takt 89—137 bietet, nachdem sie zuerst mit einem wilden, dann plötzlich mit einem „falschen“ Tritt ins Komische sich wendenden Einbruch Takt 99 ansetzt, die gleiche Übermacht des rhythmischen Themas. Finscher beschreibt die Durchführung als „ein lockeres Gefüge aus Motiven des Hauptsatzes und Spielfiguren des Seitensatzes, das die geballte Energie, die großen Steigerungen und die Ausbrüche einer normalen Seitensatz-Durchführung dieser Jahre [...] durchaus vermissen läßt“.[1] Er übersieht eben den Vorrang des Rhythmus.

Ein von eigentümlichen rhythmischen Eigenschaften geprägtes Bild kann auch für jeden der anderen Sätze dieser anspruchsvollen und mit Ausnahme von op. 106 letzten viersätzigen Sonate Beethovens entworfen werden. Die Hauptelemente des zweiten Satzes, einem als „Scherzo“ überschriebenen Allegro vivace in Sonatenform, sind die Gegenüberstellung des Legatothemas und seiner durchgehend staccato gespielten Sechzehntelbegleitung, aber auch das überaus subtile Spiel zwischen Sechzehntel- und Zweiunddreißigstelfiguren. Im Menuetto, schon von Natur aus vom Rhythmischen bestimmt, beobachtet man den feinen Kontrast des haupttaktigen Endes des ersten Teils und der sofort anschließenden auftaktigen Sprünge des Trios sowie die außerordentlich hartnäckigen und dissonanten Hemiolen Takt 25—30. Jeder Versuch, dieses Allegro durch ein zu mäßiges Tempo als den „fehlenden“ langsamen Satz darzustellen, muß fehlschlagen. Im vierten Satz, dem dritten Sonatensatz dieser Sonate, herrscht wiederum allem voran der Rhythmus. Der pure, nackte Rhythmus *ist* das Thema. Erst der Tarantellarhythmus verleiht den kurzen Kadenzteilen, den eigensinnig wiederholten Einzelnoten und den aneinandergereih-

1 L. Finscher, *Beethovens Klaviersonate op. 31, 3,* S. 392.

ten kurzen Sprüngen Bedeutung. Die rhythmische Zelle aus sechs Sechzehnteln Takt 1 erscheint sogar häufig ganz allein: gleich in den ersten zwei Takten, dann in Takt 164—173 mit vorausgehender 14maliger Wiederholung einer Figur aus drei Achteln, weiterhin 19 Takte lang (T. 263—281) als Einleitung zur Coda und schließlich Takt 303—306 und 313—316 zweimal als wilder, viertaktiger Ausbruch in beiden Händen.

Joel Shapiro (Nr. 1, Nr. 3)
Kenneth Drake (Nr. 2)
Übersetzung Nr. 2: Alexander L. Ringer

Klavierlied „An die Hoffnung“ op. 32

Gedicht: Chr. A. Tiedge.
Entstehungszeit: um die Jahreswende 1804/1805.
Erstaufführung: privat: Anfang 1805 durch die Schwestern Brunsvik; öffentlich: nicht bekannt.
Skizzen: Staatsbibliothek Preußischer Kulturbesitz Berlin, Mendelssohn 15, Fidelio-Skizzenbuch.
Autograph: nicht erhalten.
Erstdruck: Wien 1805 (Bureau des Arts et d’Industrie).
Gesamtausgaben: Alte Gesamtausgabe: Nr. 215 = Serie 23 Nr. 1; Neue Gesamtausgabe: Abt. XII, Bd. 1.

Die Textgrundlage für Beethovens Komposition stammt aus Christoph August Tiedges *Urania*, einem (wie es sich selbst nennt) „lyrisch-didaktischen Gedicht in sechs Gesängen“. Die Schrift, die auf den philosophisch-religiösen Anschauungen Herders, Schillers und Kants beruht, war 1801 zuerst erschienen und gehörte zu den meistgelesenen literarischen Produkten der Zeit. Während Tiedges langen Lebens (1752—1841) kamen mindestens zehn Neuauflagen heraus — bis zur vierten (1808) vom Autor stetig revidiert und erweitert.

Auch Beethoven scheint die *Urania* eingehend studiert zu haben. Die Themen, vor allem die zentrale Frage nach den sichtbaren Zeichen einer göttlichen Weltordnung, aber wohl auch die pathetische Darstellungsweise und die poetische Form kamen seinem eigenen Denken und Empfinden sehr entgegen. Jedenfalls entnahm er den Text zu seinem Lied nicht einer separaten Veröffentlichung, sondern der *Urania* selbst.[1] Auch der Titel „Lied an die Hoffnung“ stammt von Tiedge, nämlich aus dessen Inhaltsübersicht — nicht (wie lange angenommen) von Beethoven. Immerhin vertonte Beethoven aber nur dieses erste der Lieder und keine der folgenden Hymnen, Elegien und Szenen mehr, die Tiedge wie musikalische Nummern in seine Dichtung eingestreut hat.

1 Der bereits erheblich erweiterten, zweiten Auflage, Halle 1803.

Das „Lied an die Hoffnung“ aus der Mitte des ersten Gesanges bezieht sich auf eine vorhergehende Schilderung: Der seines Glaubens beraubte Zweifler „blickt nach Hehra’s, seiner Gattin, Gruft, und die Erinnerung führt ihm das Bild eines Sternenabends vor die Seele, den er mit Hehra feierte“[1]: „Wie verherrlicht! wie empor gehoben! / Einer heiligen Entzückung gleich, / Rief sie aus: ‚Zum Wiedersehn dort oben / Sey gegrüßt, du stilles Geisterreich! —‘ / Zu dem Strahl, der ihr Gemüth besonnte, / Flog mit ihr auch meine Seel’ empor. / Ach! die Zeit, als ich noch glauben konnte, / Sie ging unter, wie ein Meteor [...].“[2]

Im Zusammenhang mit dieser Szene ist „An die Hoffnung“ eine Art Liebesgedicht. Die Hoffnung wird mit der verstorbenen Gattin personifiziert, deren gläubige Zuversicht den Zweifelnden beruhigt und mit sich gehoben hatte. Sie ist der Engel, der die Tränen zählt. Einzig die Erinnerung an sie läßt den Verlassenen noch hoffen — auf Erlösung und auf ein Wiedersehen im Geisterreich. Ohne diesen Zusammenhang ist der Inhalt der Verse dagegen ebenso verklausuliert wie die verschachtelten Sätze, mit denen die Sprache operiert. Zur Vertonung sind sie dennoch außerordentlich geeignet, und zwar gleich aus dreierlei Gründen: durch die emphatische Haltung, durch die ungeheure Fülle und Plastizität der Bilder[3] und nicht zuletzt durch den aparten Rhythmus.

Die du so gern in heil’gen Nächten feierst,
Und sanft und weich den Gram verschleierst,
Der eine zarte Seele quält,
O Hoffnung, laß, durch dich empor gehoben,
Den Dulder ahnen, daß dort oben
Ein Engel seine Thränen zählt!

Wenn, längst verhallt, geliebte Stimmen schweigen;
Wenn unter ausgestorbnen Zweigen
Verödet die Erinnrung sitzt:
Dann nahe dich, wo dein Verlaßner trauert,
Und, von der Mitternacht umschauert,
Sich auf versunkne Urnen stützt.

Und blickt er auf, das Schicksal anzuklagen,
Wenn scheidend über seinen Tagen
Die letzten Strahlen untergehn:
Dann laß ihn um den Rand des Erdentraumes
Das Leuchten eines Wolkensaumes,
Von einer nahen Sonne sehn!

Beethoven hat das Gedicht zweimal vertont: zuerst um die Jahreswende 1804/1805 (op. 32) und dann noch einmal zehn Jahre später, im Frühjahr 1815 (op. 94). Beide Kompositionen entstanden in direktem zeitlichem Bezug zum *Fidelio* — op. 32 zu dessen erster Fassung, op. 94 zur endgültigen dritten. Die Skizzen zu op. 32 stehen mitten im sogenannten Leonoren-Skizzenbuch, gewissermaßen in der Pause zwischen den beiden Akten; die ältesten Aufzeichnungen zu op. 94 sind auf drei Blät-

1 Zitiert nach der Inhaltsübersicht der 5. Auflage, Reutlingen 1814.
2 Chr. A. Tiedge, *Urania* ([5]1814), Erster Gesang, Vers 50ff.
3 Gerade das, was den Text literarisch suspekt macht, zeichnet ihn für die Vertonung aus.

tern (SV 383) überliefert, die auch eine kurze Notiz zur *Fidelio*-Ouvertüre und darunter das Hörner-Motiv aus dem Allegro der Leonoren-Arie enthalten. Leonores „Komm Hoffnung! Laß den letzten Stern der Müden nicht erbleichen“ scheint der Schlüssel für diesen Bezug zu sein. Zwar bestehen zwischen den Kompositionen keine musikalischen Zusammenhänge. Aber die Texte haben nicht nur dasselbe Thema; sie benutzen auch dieselbe Metaphorik. In der dritten Fassung (1814) wurden die Gemeinsamkeiten sogar noch weiter konkretisiert. Tiedges Gedicht erscheint jetzt fast wie das Verbindungsglied zwischen den beiden Hoffnungsarien von Leonore und Florestan und wie eine Inspirationsquelle für Treitschkes neue Verse. Leonores Regenbogen („so leuchtet mir ein Farbenbogen, der hell auf dunkeln Wolken ruht“) erinnert an Tiedges erlösenden Sonnenaufgang (3. Strophe), die unmittelbar anschließenden Verse („Der blickt so still, so friedlich nieder, der spiegelt alte Zeiten wieder, und neu besänftigt wallt mein Blut“) an die Darstellung der früheren Vereinigung mit Hehra und der Engel, der den Dulder Florestan „ins himmlische Reich“ führt, an Tiedges Engel, der die Tränen zählt.

Durch diesen Bezug zum *Fidelio* gibt Beethoven dem Gedicht wieder einen Inhalt. Wie zuvor, im Rahmen der *Urania*, wird es eine Huldigung an die personifizierte Hoffnung. 1805, zur Zeit der ersten Vertonung, war diese Hoffnungsträgerin für Beethoven auch eine biographische Person, nämlich Josephine Deym. Für sie hat er das Lied komponiert. Sein Autograph schmückte er mit einer Widmung, aus der die geheimgehaltene Beziehung zur Gräfin hervorging.[1] Möglicherweise ist das der Grund, weshalb die Niederschrift nicht erhalten blieb. Einzige Quelle für die Komposition ist die Originalausgabe. Übrigens wurde das Lied, wie zu dieser Zeit für solche kleinen Gelegenheitswerke, insbesondere für Vokalkompositionen noch selbstverständlich, *ohne* Opusnumerierung veröffentlicht. In den erlauchten Kreis der Opera gelangte es nur zufällig, weil Beethoven beim Wechsel zwischen seinen Verlegern gelegentlich Opuszahlen übersprungen hatte, die später mit Werken ohne Opuszahl (WoO) ausgefüllt wurden.[2] Die Opuszahl ist also nicht authentisch und darf keinesfalls als Zeichen besonderer Wertschätzung, als Bevorzugung gegenüber den in den Werken ohne Opuszahl verbliebenen Liedern mißverstanden werden.

Die erste Vertonung ist — im Unterschied zur zweiten (op. 94) — ein Strophenlied. Alle drei Strophen des Gedichtes werden derselben Gesangsmelodie unterlegt, derselben Komposition unterworfen. Zu dieser Vertonungsweise hat Beethoven sich offenbar durch Tiedges Bezeichnung „*Lied* an die Hoffnung“ verführen lassen. Ein Lied war für Beethoven noch ganz selbstverständlich ein Strophenlied. (Ein durchkomponiertes Stück war dagegen ein „Gesang“ oder spezieller eine „Kantate“ wie op. 46 und op. 94, eine „Ariette“ wie op. 82 und op. 128 oder ähnliches, oder es wurde überhaupt nicht näher bezeichnet.)

---

1 Josephine wies deshalb ihre Schwestern Charlotte und Therese an, das Lied niemandem zu zeigen. Doch als Beethoven es zurückerhalten hatte (vermutlich, um es für die Veröffentlichung abschreiben zu lassen), sah Lichnowsky es bei ihm liegen. Das verursachte große Aufregung, denn der Fürst durchschaute das Geheimnis. Zu den biographischen Bezügen des Liedes siehe J. Schmidt-Görg, *Beethoven. Dreizehn unbekannte Briefe*, S. 15f.; M.-E. Tellenbach, *Beethoven und seine „Unsterbliche Geliebte“*, S. 238ff.; L. v. Beethoven, *Werke*, NGA, Abt. XII, Bd. 1, *Kritischer Bericht*, S. 29.

2 „An die Hoffnung“ erhielt bereits 1819 in Artarias Werk-Katalog die Opuszahl 32, die sich aber nicht gleich durchsetzte.

Tiedges Gedicht ist jedoch kein Lied, obwohl es sich so nennt. Und so sehr es sich der Musik anbietet, so sehr widerstrebt es einer strophischen Vertonung. Gerade die drei musikablen Gestaltungsebenen — die emphatische Haltung, die Bildhaftigkeit und die langen Verse mit wechselndem Rhythmus — stehen in regelrechtem Widerspruch zum Lied — nicht nur zum musikalischen, auch zum literarischen. Den emphatischen Ton mußte Beethoven, statt ihn zur Begründung für das Singen zu nutzen, auf liedhafte Schlichtheit reduzieren. Er tat dies, indem er die Singstimme fast durchweg syllabisch deklamieren läßt und sie überwiegend in Sekundschritten bewegt. Melodische Sprünge läßt er nur bei der Exklamation „O Hoffnung“ und in der Schlußwendung zu.

Die Bilder mußten gewissermaßen neutralisiert werden, wenn die Vertonung zu allen drei Strophen passen sollte — bei Tiedges Text ein unmögliches Unterfangen. Schon der erste Vers, der in Vertonungen immer thematisch wirkt, indem er den Duktus des Ganzen angibt, konnte, zur ersten Strophe erfunden („Die du so gern in heil'gen Nächten feierst“), keinesfalls noch zur dritten passen („Und blickt er auf, das Schicksal anzuklagen“). Dem vierten Vers, der mit dem durch die Exklamation hervorgehobenen Schlüsselwort des Gedichtes beginnt („O Hoffnung, laß, durch dich empor gehoben“), muß in der zweiten Strophe ein resignatives Bild („dann nahe dich, wo dein Verlaßner trauert“) und in der dritten der langsame Beginn einer Steigerung zugeordnet werden. Bei solchen Diskrepanzen hat die Musik nur eine Wahl: Wenn sie nicht auf jede eigene Aussage verzichten (und das hieße letztlich: verstummen) will, muß sie Prioritäten setzen. Beethoven hat das getan und vor allem die erste Strophe vertont, die beiden folgenden nur summarisch einbezogen. Aus der Tradition des Strophenliedes war dies naheliegend, aber dem Text ist es nicht angemessen.

Das für die Komposition interessanteste Element des Gedichtes ist der Rhythmus. Die Strophen gliedern sich in jeweils zwei Hälften (Vers 1—3 und 4—6), deren Verse verschieden lang und nicht nur nach Hebungen und Senkungen geordnet sind, sondern metrisch ambivalente Silben enthalten, deren Gewicht sich nach der syntaktischen Stellung und nach der Aussage richtet. Beethoven hat für seine Komposition eine lange Taktart gewählt, den 3/4-Takt mit Achteldeklamation.[1] Die langen Takte lassen, genau wie die langen Verse, dem Metrum größte Freiheit, weil die Gewichtsunterschiede zwischen den Taktteilen nur gering sind. Die Vertonung kann, über den Takt hinaus, die wichtigen Silben durch unterschiedliche Dehnungen hervorheben und dabei zugleich die wechselnde Verslänge „liedhaft“ regulieren. Tatsächlich sind die beiden Strophenhälften genau gleich lang; sie umfassen acht Takte (3 + 2 + 3), deren harmonischer Verlauf sogar eine gewisse Symmetrie hat.

Durch den „schweifenden“ Rhythmus entsteht der strophischen Vertonung jedoch ein weiteres Problem: Der Versrhythmus ist in allen Strophen derselbe; die Position der gehaltvollen Silben wechselt jedoch. Beispielsweise hat Beethoven den zweiten Vers sehr sprechend vertont: „und sanft und | weich den *Gram* ver- | schleierst“. In der zweiten Strophe wird daraus: „wenn unter | ausge*storb*nen | Zweigen“ (statt: „wenn unter *aus*gestorbnen *Zwei*gen“), in der dritten: „wenn scheidend | über *sei*nen | Tagen“ (statt: „wenn *schei*dend über seinen *Ta*gen“).

1 Die Skizzen stehen noch fast alle im 3/8-Takt; erst im letzten Entwurf (S. 157) kommt Beethoven auf den 3/4-Takt.

In der Originalausgabe des Liedes sind die Folgestrophen zum ersten Mal der Singstimme unterlegt, während sie in Beethovens älteren Liedern immer nachgestellt, separat hinter den Noten abgedruckt worden waren. Die neue Anordnung, die den Eindruck erweckt, als wäre die Komposition nicht mehr nur zur ersten Strophe erfunden, sondern als würden alle drei Strophen behandelt, in *einer* Komposition zusammengefaßt, macht die Probleme der Vertonung jedoch noch deutlicher. Die zu dieser Zeit einzige Alternative für ein „Lied", das Ausschreiben variierter Strophen, hätte sie nicht gelöst. Die Lösung fand Beethoven, als er sich zehn Jahre später über die Tiedgesche Gattungsangabe hinwegsetzte und den Text durchkomponierte.

Helga Lühning

7 Bagatellen für Klavier op. 33

ENTSTEHUNGSZEIT: ausgearbeitet wahrscheinlich gegen Ende 1802, teilweise mit Verwendung von Vorarbeiten oder fertigen Stücken aus früheren Jahren.
ERSTAUFFÜHRUNG: unbekannt.
SKIZZEN: Deutsche Staatsbibliothek Berlin, Grasnick 14; Staatsbibliothek Preußischer Kulturbesitz Berlin, Landsberg 7; Gesellschaft der Musikfreunde Wien, A 34, Skizzenbuch Keßler; Staatliches M. I. Glinka-Zentralmuseum für Musikkultur Moskau, Skizzenbuch Wielhorsky; Fitzwilliam Museum Cambridge (ein Skizzenblatt).
AUTOGRAPH: Beethoven-Haus Bonn.
ERSTDRUCK: Wien 1803 (Bureau des Arts et d'Industrie).
GESAMTAUSGABE: Alte Gesamtausgabe: Nr. 183 = Serie 18 Nr.1.

Im Ruhm der Nachwelt, der sich vor allem auf die großen, pathetischen Werke gründete, wurden Beethovens divertimentoartige Stücke vernachlässigt. Der Beethoven-Mythos des 19. Jahrhunderts fand seinen Rückhalt in den symphonischen Werken mit sonatenhafter Entwicklung. Für den Komponisten selbst mag das anders gewesen sein. Denn wie hätte er es sonst gewagt, in unmittelbarer Nachbarschaft der drei Klaviersonaten op. 31 mit ihren zerklüfteten, allem rein Gefälligen abholden Strukturen thematisches Material aus seiner Jugendzeit wieder aufzugreifen und es als Bagatellen, als kurze genrehafte Musik, die sich nicht einmal als Zyklus verstand, zu veröffentlichen? Doch der erste Augenschein täuscht; auch hier waltet ingeniöse Ökonomie und stringente Entwicklung. Wie weit sie erst bei der Ausarbeitung dazukamen, bleibt ungewiß; die Manuskripte geben darüber nicht eindeutig Auskunft. Deshalb ist man auf Vermutungen angewiesen, die doch dazu verhelfen können, hier mehr als nur unterhaltende Klavierliteratur für gebildete Dilettanten zu sehen.

Alle sieben Stücke sind in Lied- und Tanzformen geschrieben. Das erste mit seinem Auftakt aus drei Achteln scheint zögernde Tanzschritte anzudeuten. Denn das zweite Achtel mit seiner Bindung an das erste und dem Staccatopunkt wirkt graziös, rokokohaft, wird dann aber bei der Reprise (T. 24) durch Sforzato piano noch mehr hervorgehoben, um später (T. 50) als Sforzato mit nachfolgender Achtelpause und auf ein Achtel früher verschoben noch mehr an Prägnanz zu gewinnen. Unwillkürlich denkt man schon an Gustav Mahlers überdeutliche Artikulation von scheinbar harmlosen, volkstümlichen Melodien, — ein Verfahren, das auf Arnold Schönberg eingewirkt hat.

Vom Standpunkt der Harmonik aus verläuft dieser „Tanz“ in konventionellen Bahnen: Nach einem ersten Teil (T. 1—8), der wiederholt werden soll und die Tonika im Baß unverändert festhält, folgt ein zweiter (T. 9—24), der neben der Tonika vor allem die Dominante hervorhebt, um dann in eine Wiederholung der ersten acht Takte einzumünden. Ein Abschnitt in es-Moll (T. 33—44) mit einer Ausweichung nach Des-Dur bringt größeren harmonischen Reichtum, worauf sich die drei ersten Teile harmonisch unverändert anschließen und durch eine Coda (T. 83—95) abgerundet werden.

Auf die Höhe von anspruchsvoller Kunstmusik wird dieses Stück paradoxerweise durch etwas sonst Nebensächliches emporgehoben: durch Ornamentik und überdehnte Überleitungen, die kontinuierlich an Wichtigkeit zunehmen und doch nicht ins Leere abgleiten. Der vierte Takt mit seinen Sechzehnteln und Zweiunddreißigsteln macht den Anfang; er wird bei der Reprise (T. 28) klangvoller ausgebaut, worauf die nächsten vier Takte die ursprüngliche Melodie ganz mit Verzierungen umhüllen. Nach dem Mollteil erscheint der vierte Takt (jetzt T. 55) in noch reicherer Form, um dann bei seinem letzten Auftreten (T. 78) und den folgenden drei Takten in ein noch dichteres Figurenwerk überzugehen. Diese Tendenz, das scheinbar Unwichtige zur Hauptsache zu machen, findet ihre Entsprechung in den Vorbereitungen zur Wiederaufnahme des Hauptgedankens (T. 17—24, T. 47—50, T. 66—74). Beides — die Verzierungen und die Überleitungen — erinnert an das Seitenthema des ersten Satzes der Klaviersonate Es-Dur op. 31, Nr. 3 (T. 50—64) und dürfte wohl das Resultat der Ausarbeitung des ursprünglichen Materials sein.

Das zweite Stück ist ein Scherzo mit einem Minore und einem Trio, die sich zwischen die Wiederholungen des Hauptteils schieben. Aus den ersten vier Takten des Scherzos sind die folgenden zwölf abgeleitet. Nach einer Versetzung auf die II. Stufe (T. 5—8) folgt eine Abspaltung, zuerst auf zwei Takte (T. 9—10, T. 11—12), dann auf einen (T. 13—15), worauf der letzte Takt des Abschnitts (T. 16) mit seinem nachschlagenden Baß wieder auf den ersten Takt Bezug nimmt. Dieses Nachschlagen wird dann später von Vierteln auf Achtel verkleinert (T. 96—98, T. 100—102, T. 104, 106) und schließlich in seiner Richtung noch umgekehrt (T. 109—110). Die Coda (T. 127—138) bringt dieses Verfahren auf den Höhepunkt, indem sie sich ganz auf die Tonika beschränkt und in stockender Bewegung das Abrupte, das sich schon im ersten Takt ankündigte, zu voller Wirkung bringt.

Das Minore und das Trio lassen sich auch auf den Hauptteil beziehen: Das erste bringt in Oktaven die kreisende Bewegung des zweiten Taktes des Scherzos zurück, das zweite weist Sforzati auf den zweiten Vierteln auf (T. 55—58, T. 65, T. 67, T. 71—76), die auf den ersten Takt des Scherzos zurückgehen. Doch sind diese beiden Teile auch als Kontraste gedacht: Das Minore mit seinen Achteltriolen in der linken Hand ist eine Klangstudie in den tiefen Lagen, das Trio zeigt durchbrochene Arbeit, indem das thematische Material zwischen den beiden Händen alle zwei Takte ausgetauscht wird.

Als einzige Bagatelle von op. 33 zeigt die dritte eine mediantische Rückung: Nach den ersten vier Takten in F-Dur folgt unvermittelt D-Dur, das nach dem Piano des Anfangs ins Pianissimo zurückgenommen wird, wodurch eine gewisse, schon an Franz Schubert gemahnende Raumwirkung entsteht. Dieses D-Dur bleibt aber in der Schwebe, da der Baß, statt Kadenzschritte auszuführen wie im vorangegangenen F-Dur, als Orgelpunkt auf der Tonika liegen bleibt: eine an ländliche Musik gemahnende Technik, die sich sowohl hier in den Bagatellen op. 33 findet als auch in op. 119 und 126 wieder begegnet. Sonst wird damit ausnahmslos die Tonika oder die Dominante hervorgehoben, hier aber eine Mediante, was außergewöhnlich ist. Doch zeigen diese auf die Musette des Rokoko verweisenden liegenden Bässe die Verwurzelung der Bagatellen in angenehm unterhaltender Musik, die hier im dritten Stück wie im ersten nur durch die sorgfältige Verwendung von Umspielungen der Hauptnoten überwunden wird und sich planvoll steigert: Die in punktierten Vierteln abwärts steigenden Sexten (T. 16—17) werden bei ihrer Wiederholung (T. 20—21) durch Vorhalte bereichert, die später an Wichtigkeit zunehmen, aber zuerst nicht am Thema, sondern an der Rückleitung zum Thema (T. 30—31) deutlich exponiert werden, um dann erst später ins Thema einzugreifen (T. 40—46, T. 56—63). Damit ist aber die Entwicklung dieses zuerst so unwichtigen, rein schmückenden Elementes noch nicht zu Ende; sie findet ihre Krönung erst am Schluß (T. 71—72), wo die Vorhalte zwar wegfallen, das zweite und dritte Achtel von je dreien aber mit einer derartigen Hartnäckigkeit in höchster Höhe gehämmert werden, daß von der ursprünglichen Anmut der früheren Tonrepetitionen nichts mehr übrig bleibt. Zugleich steigt die linke Hand in die tiefsten auf der Klaviatur verfügbaren Töne hinab, womit ein heftiger Kontrast entsteht, der alles Gefällige, das diese Bagatelle sonst auszeichnet, hinter sich läßt. Die Tendenz, die Mittellagen zeitweise auszusparen und nur die Extreme zur Geltung zu bringen, zeigt sich in Beethovens Klaviersonaten schon früh und steigert sich zusehends. Erwähnt sei hier nur der zweite Satz aus der sogenannten Sturmsonate op. 31, Nr. 2 und der zweite Satz aus op. 111 (T. 116—119); auch die Bagatellen op. 126 zeigen streckenweise diesen vollkommen ausgezehrten, kahlen Klang, vor allem die erste (T. 37—38) und die dritte (T. 21—23). Ob es sich nun um Passagen im Marcato und Forte oder im Legato und Piano handelt — beides zeigt Beethovens Bestreben, bis an die Grenzen des technisch auf dem Klavier Verfügbaren zu gehen.

Starke Kontraste auf dem Gebiet der Harmonik zeigt das vierte Stück: Nach einem ersten Teil (T. 1—16), der sich auf die Tonika und die Dominante beschränkt und diese beiden Töne dazu noch als Orgelpunkte ganz in den Vordergrund stellt (die Tonika von Takt 1—8 und 13—16, die Dominante von Takt 9—12), folgt ein Mittelteil von großem Reichtum an Akkorden: a-Moll, d-Moll, C-Dur und E-Dur mit ihren Dominanten treten auf, bevor nach einem Crescendo im plötzlichen Piano ein Trugschluß erscheint (T. 22). Nach dem Ganzschluß in a-Moll (T. 24) lassen die drei Akkorde mit der übermäßigen Sexte f—dis' einen Halbschluß auf der Dominante erwarten. Die drängende Spannung dieses Intervalls mit einem Crescendo, das diesmal bis ins Forte und bis auf die Dominante von A-Dur/Moll geht, könnte direkt die Reprise des Hauptteils herbeiführen. Doch die Rückleitung wäre zu kurz; sie würde nur zwei Takte umfassen und das Gleichmaß der Quadratur (der Viertaktigkeit), das diese Bagatelle wie alle andern von op. 33 auch auszeichnet, empfindlich stören. Deshalb sind noch zwei Zweitakter angefügt, die beide eine vollständige

Kadenz in a-Moll aufweisen, der zweite noch intensiviert durch ein Crescendo und den chromatischen Ton Dis im Baß.

Erst die Reprise zeigt nun das ganze Potential, das in den ersten 16 Takten verborgen war. Man hätte sie zuerst für einen vierstimmigen Holzbläsersatz von bukolischem Charakter halten können, doch blieb es ungewiß, ob die oberste oder die zweitoberste Stimme die eigentliche Melodie sei. Diese Zweideutigkeit wird von Takt 39 an voll ausgespielt: Die oberste Stimme wird in den Baß versetzt, und die rechte Hand löst die Mittelstimmen in Sechzehntel auf, die nicht nur die Harmonik verdeutlichen, sondern diese mit Synkopen und Vorhalten in ihrer Bedeutung steigern. Die Akkorde erscheinen an wichtigen Punkten auf den Kopf gestellt, so vor allem am Anfang und am Schluß des Viertakters (T. 39 und 42), wo statt der Grundstellungen Quartsextakkorde auftreten. Das Fundament des abschließenden Tonika-Dreiklanges erscheint erst in Takt 46, vorher herrscht ein schwebender Zustand, der aber die Rolle des Basses als Melodiestimme betont.

Die Coda (T. 62—68) zeigt nach einem dichteren Satz (T. 55—58) und der Flucht in die Extreme der Klaviatur (T. 59—62) keine motivische Arbeit mehr, dafür aber gerade die Kontraste zwischen verschiedenen Oktavlagen, die wie die Register einer Orgel deutlich voneinander abgehoben sind: Mittlere und tiefe Lagen wechseln ab, worauf ganz am Schluß kaum hörbar eine Synthese zwischen Hoch und Tief realisiert wird, die schon in dem erwähnten zweiten Satz aus der Sturmsonate — dort ebenfalls als Schluß — auftritt. Alle klanglichen Möglichkeiten des Klaviers sind in dem zuerst so unbedeutend wirkenden Stück ausgeschöpft: die mittleren Lagen im ersten Teil noch ganz im Sinne des Cembalos oder eines Bläsersatzes, die tiefen, singenden Bässe im Mollteil in der Art des Hammerklaviers und die Kombination von beidem in der Reprise, die Ansätze zum Kontrapunkt zeigt und den homophonen Satz reicher und bewegter macht.

Die bis jetzt dargestellten ersten vier Bagatellen können durchaus von einem gut ausgebildeten Dilettanten gespielt werden. Anders verhält es sich mit dem fünften Stück, das große Virtuosität verlangt. Die Sechzehnteltriolen, teils als gebrochene Akkorde (T. 1), teils als Tonleiterausschnitte in parallelen Sexten (T. 2—3) oder in Gegenbewegung der beiden Hände (T. 9—12), erfordern einen brillanten, perlenden Anschlag, der auch für die Triller (T. 4 und 8) erforderlich ist. Vom harmonischen Standpunkt aus scheint aber kaum Neues, das über die andern Nummern von op. 33 hinausginge, vorzuliegen. Grosso modo hält sich der modulatorische Plan an den der ersten Bagatelle: Nach einem ersten Teil (T. 1—8), der ganz auf die Tonika zentriert ist, folgt ein zweiter (T. 9—15) auf der Dominante, worauf der erste unverändert wiederholt wird (T. 16—23). Der Mollteil (T. 24—35), der nach c-Moll in die Durparallele und die Subdominante ausweicht, mündet schließlich in die Dominante der Haupttonart (T. 35—37), welche die Reprise vorbereitet, die bis Takt 58 völlig unverändert bleibt. Doch nun beginnt mit der Coda (T. 59—72) das Entscheidende, welches den Automatismus des Stückes ins Stocken bringt. Ausgehend vom zweiten Takt, wo mit den ersten zwei Achteln die Terz und der Grundton der Subdominante in jähen Sprüngen exponiert worden sind, beginnt nun im Forte (T. 59—60) und Piano (T. 61—62) ein Wechselspiel zwischen den beiden Tönen. Die Musik scheint nicht mehr vom Fleck zu kommen, bis mit dem Crescendo (T. 63—64) und der Chromatik c'—cis' schließlich der Anschluß an die hinausgeschobene Fortsetzung des Themas gefunden wird, das aber in Takt 65 durch einen vollen Akkord und die

Oktavierung des F mit einem Kontra-F über den zweiten Takt, von dem er abgeleitet ist, gesteigert wird. Die Takte 59—64 sind eine Einschiebung in den sonst geradlinig verlaufenden Gang des Stückes. Dieses Prozedere verweist wiederum auf Werke von höherem musikalischem Anspruch, als ihn der Titel Bagatelle vermuten ließe; erwähnt sei hier nur die Klaviersonate op. 31, Nr. 3, in deren letztem Satz ab Takt 307 der fröhliche Ton des Rondos kurz vor seinem Ende durch Fermaten unterbrochen wird. Diese und ähnliche zerklüftete Strukturen zeichnen auch die symphonischen Werke von Beethovens Zeit der Reife aus.

Das berühmteste und auch Dilettanten wieder zugängliche Stück ist das sechste, das den Untertitel „Con una certa espressione parlante“ trägt. Dieser „gewisse sprechende Ausdruck“ verweist nicht unbedingt auf Vokalmusik mit ihren weit ausschwingenden Bögen, sondern auf ein zärtlich zögerndes Sprechen in freier Rede; deutliche Phrasierungen nach je zwei Takten sind deshalb angebracht, obwohl sich die Musik zu Vier- und Achttaktern rundet.

Die Harmonik verzichtet auf eine deutliche Betonung der Dominante, wie sie sonst in liedhaft geschlossenen Formen häufig auftritt. Der erste wie auch der zweite Viertakter schließen auf der Tonika; die beiden Schlüsse unterscheiden sich nur durch die rhythmisch-melodische Gestaltung: Der erste ist „weiblich“, der zweite „männlich“. Die Takte 9f. weichen in die Mollparallele h-Moll und Takt 23—30 zudem noch nach fis-Moll aus, worauf nach einem Calando unvermittelt wieder die Haupttonart D-Dur erscheint. Dieses Calando ist die einzige Temposchwankung, die in den Bagatellen op. 33 notiert ist; sie weist wiederum auf das in ungewissem Rhythmus gehaltene Sprechen des Stückes hin.

Die Reprise (T. 31—70) bringt ausgeschriebene Wiederholungen, die am Anfang (T. 1—20) textuelle Wiederholungen waren, hier aber durch Umspielungen in Sechzehnteln ersetzt sind. Sie dürfen nicht als brillantes Figurenwerk mißverstanden werden; die sorgfältig differenzierten Phrasierungen weisen vielmehr wieder auf ein mehr „sprechendes“ Spiel hin. Nur die Coda (T. 70—85) macht hier eine Ausnahme, da sie sich zweimal durch Legatobögen auszeichnet, die sich über je vier Takte erstrecken. Auch die linke Hand wechselt hier ihre Rolle. Begleitete sie am Anfang akkordisch den Lauf der Oberstimme, so reduziert sie sich nun auf den Orgelpunkt der Tonika, wie das für eine Coda sowohl der barocken wie auch der klassischen Musik typisch ist.

Motivisch sind die einzelnen Teile des Stückes miteinander verwandt. Die Abwärtsbewegung über die Terz fis'—d' (T. 1) wird später (T. 9) zur Quinte fis''—h' ausgeweitet, um unmittelbar darauf (T. 10—13) den Umfang der Dezime fis''—d' zu erreichen und damit die Wiederaufnahme des Anfangs (T. 13) voll zu integrieren, wie es dem beiläufigen „Sprechen“ der Melodie entspricht. In der Coda dehnt sich diese Abwärtsbewegung nun auf zwei, ja sogar drei Oktaven aus, wenn man den Gang der Mittelstimmen in Takt 78—80 mitzählen will, bevor die Musik wiederum in einem Calando und Pianissimo verlischt. Ein Fortissimo findet sich nur in fis-Moll (T. 26), am entferntesten Punkt von der Grundtonart und nicht bei ihrer Bestätigung, was aber wiederum nur den vagen Charakter dieser „Klangrede“ hervorhebt.

Eine faszinierende Klangstudie stellt die siebente, die letzte Bagatelle von op. 33 dar. Es wurde schon darauf hingewiesen, wie bewußt und erfindungsreich Beethoven die Möglichkeiten des Klaviers ausnützt. Hier erscheint diese Tendenz noch akzentuiert durch harte Kontraste zwischen einem Hauptteil (T. 1—20), der sich zweimal variiert wiederholt (T. 37—76 und T. 93—132), und einem trioartigen Mittelteil, der zweimal unverändert auftritt (T. 21—28 und T. 77—84). Der Hauptteil weist bei seinem ersten Erscheinen rasche Staccatonoten in der linken Hand auf. Dieser an Schlagzeuge gemahnende Effekt wird in der Folge noch gesteigert, indem noch tiefere Lagen aufgesucht werden und die rechte Hand eine trillerartige Figur ausführt (T. 45—48 und T. 65—68). Beim dritten Auftreten des Hauptteils führt nun auch die linke Hand eine wirbelnde Bewegung aus, die sich mit der rechten zu einer mehr geräuschhaften Wirkung verdichtet (T. 101—104 und T. 121—124). In der Coda, die nach Takt 132 einsetzt, verstärkt sich noch dieser Eindruck, daß hier das Klavier als Schlagzeug behandelt wird. Die hartnäckig wiederholten und vollgriffigen As-Dur-Akkorde (T. 133—136 und T. 141—144) wirken vor allem auf dem Hammerklavier, wie es dem Komponisten damals zur Verfügung stand, weniger als klangvolle Betonungen der Tonika denn als kompakte Masse, die nicht mehr durchhörbar ist. Dieser Aspekt steigert sich noch in den auf die beiden repetierten Akkorde folgenden Viertaktern (T. 137—140 und T. 145—148), wo die linke Hand zum Teil Dissonanzen zur rechten ausführt. Dissonanzen haben hier die Aufgabe, noch mehr schlagzeugartige Wirkungen zu erzeugen, da sie den komplizierten (Ober-)Tonverhältnissen entsprechen, die ins Geräusch übergehen.

Mit diesen an Pauken und Trommeln erinnernden Passagen erklingen gleichzeitig kurze, sich unablässig wiederholende Tonfiguren in relativ großer Höhe (T. 4—8 und T. 12—20), die mit ihrem schrillen Pfeifen an Piccoloflöten denken lassen. In der Folge (T. 48—52 und T. 68—76) werden sie noch umspielt und bilden eine hastige, grelle und sich überstürzende Bewegung. Das Ganze läßt an eine Kriegsmusik denken, wie sie in der zeitgenössischen Oper sehr oft auftrat.

Die trioartigen Teile, die sich zwischen diese temperamentvollen Ausbrüche stellen, zeigen nun ein Legatospiel im Pianissimo; nur am Anfang der je acht Takte steht ein Fortissimo-Viertel im Baß, zuerst auf der Tonika, dann auf der Dominante, die im Pedal durchgehalten werden sollen. Da die Akkordbrechungen in Vierteln aber innerhalb der je acht Takte zwischen der Tonika und der Dominante alternieren, entstehen irisierende Klänge wie später im Rondo der sogenannten *Waldsteinsonate* op. 53. Selbstverständlich kannte Beethovens Hammerklavier noch nicht die starke Pedalwirkung wie der moderne Flügel. Daß er aber dessen Möglichkeiten suchte und Beethoven sie bewußt einsetzte, zeigt sich an verschiedenen Kompositionen. Erwähnt sei hier nur die rezitativische Stelle in der schon erwähnten *Sturmsonate* im ersten Satz ab Takt 143 und der Schluß der dritten Bagatelle aus op. 126.

Die sieben Bagatellen op. 33 bilden, wie schon erwähnt, keinen Zyklus. Aus der Abfolge der Tonarten der einzelnen Nummern läßt sich kein Plan herauslesen, doch zeigen sie sich pianistisch zum Teil auf der Höhe der Klaviersonaten op. 31, was vermutlich durch die ingeniöse Überarbeitung der aus der Jugend stammenden, noch sehr harmlosen Grundsubstanz erreicht wurde.

Theo Hirsbrunner

6 Variationen F-Dur für Klavier op. 34

ENTSTEHUNGSZEIT: 1802.
ERSTAUFFÜHRUNG: nicht bekannt.
SKIZZEN: Gesellschaft der Musikfreunde Wien, A 34, Skizzenbuch Keßler; Staatliches M. I. Glinka-Zentralmuseum für Musikkultur Moskau, Skizzenbuch Wielhorsky.
AUTOGRAPH: Beethoven-Haus Bonn, Mh 3/43.
ERSTDRUCK UND WIDMUNG: Leipzig 1803 (Breitkopf & Härtel); der Fürstin Barbara Odescalchi gewidmet.
GESAMTAUSGABEN: Alte Gesamtausgabe: Nr. 162 = Serie 17 Nr. 1; Neue Gesamtausgabe: Abt. VII, Bd. 5.
Eine erste Aufführung ist nicht dokumentiert, doch ist anzunehmen, daß das Werk bald nach seiner Fertigstellung im Rahmen eines Privatkonzerts im Hause des Fürsten Innocenzo d'Erba-Odescalchi aufgeführt wurde, entweder von Beethoven selbst oder von der Widmungsträgerin, die als Comtesse Anna Luise Barbara (Babette) von Keglevics Beethovens Schülerin gewesen war und der er außerdem die Sonate op. 7, das Klavierkonzert op. 15 und die Variationen WoO 73 gewidmet hatte. Daß zu dieser Zeit Privatsoireen im Hause Odescalchi stattfanden, wissen wir aus einem Brief Beethovens an Nicolaus Zmeskall.[1] Das Autograph, das als Stichvorlage diente, muß sich zunächst im Verlagsarchiv von Breitkopf & Härtel befunden haben und gehörte später zum Bestand der Musikbibliothek Peters in Leipzig.

„Ich habe zwei Werke Variationen gemacht, wovon man das eine auf acht Variationen berechnen [kann], und das andere auf 30. Beide sind auf eine wirklich ganz neue Manier bearbeitet, jedes auf eine andere, verschiedene Art."[2] Mit diesen Worten bot Beethoven dem Verlag Breitkopf & Härtel in einem Brief vom 18. Oktober 1802 zwei Kompositionen an, die er nicht nur graduell, sondern prinzipiell höher als voraufgehende Variationszyklen bewertet wissen wollte. Um dies auch nach außen hin deutlich zu machen, schlug er in einem späteren Schreiben vor, der Ausgabe beider Werke folgenden Vorbericht voranzustellen: „Da diese Variationen sich merklich von meinen früheren unterscheiden, so habe ich sie, anstatt wie die vorhergehenden nur mit einer Nummer [...] anzuzeigen, unter die wirkliche Zahl meiner größeren musikalischen Werke aufgenommen, um so mehr, da auch die Themas von mir selbst sind."[3]

Zu dieser Zeit wurden selbständige Variationenreihen — in der Regel nach einem bestimmten Muster ablaufende Veränderungen eines bekannten Liedes oder einer beliebten Opernarie — hinsichtlich ihres Kunstwertes nicht sehr hoch eingestuft. Wie alle anderen universellen Komponisten der zweiten Hälfte des 18. Jahrhunderts hatte auch Beethoven bis dahin etliche Gelegenheitswerke zu diesem Genre beigesteuert (vgl. WoO 64—78). Zum ersten Mal erteilt er nun aber selbständigen Variationenzyklen durch Zuweisung von Opuszahlen (34 und 35) die höheren Weihen eines „Kunstwerks". Vermutlich war zur Zeit der ersten Ankündigung noch keines der beiden Variationswerke wirklich vollendet — die definitiven Fassungen enthalten beide eine geringere Zahl von Variationen als angekündigt[4] —, jedoch stand ihr jeweiliger Kompositionsplan wohl von vornherein fest. In dem 1802 von ihm benutzten Keßlerschen Skizzenbuch schreibt Beethoven neben das als Erinnerungshil-

1 Vgl. E. Kastner / J. Kapp, *Ludwig van Beethovens sämtliche Briefe,* Nr. 58, S. 55.
2 Ebenda, Nr. 65, S. 61.
3 Brief an Breitkopf & Härtel vom 18. Dezember 1802; ebenda, Nr. 71, S. 67.
4 Vgl. dazu auch den Brief vom 8. April 1803; ebenda, Nr. 75, S. 68f.

fe notierte zweitaktige Kernmotiv des Themas gleichsam als Leitidee: „Jede V[ariation] in einer anderen Tak[t]art — oder abwechselnd einmal in der l[inken] h[and] passagen und dann die nemlichen oder andere in der rechten hand.“ Gegenüber diesem noch vagen Konzept bietet das Wielhorsky-Skizzenbuch aus der gleichen Zeit schon eine Art konkreten Bauplans: Durch kurze, mit Ziffern oder Bezeichnungen wie „Menuetto“ oder „Todtenmarsch“ markierte Incipits hat Beethoven eine Folge von Variationen skizziert, die dem endgültigen Zusammenhang weitgehend entspricht (lediglich Variation 1 ist dabei nicht ausdrücklich aufgeführt). Ein Vergleich mit der endgültigen Fassung zeigt, daß Beethoven seinen Alternativvorschlag des Austauschens der Passagen zwischen rechter und linker Hand fallen gelassen und stattdessen das Prinzip der Kontrastierung intensiviert hat: Die einzelnen Variationen stehen nicht nur in verschiedenen Taktarten, sondern auch in unterschiedlichen Tonarten.

Die Kennzeichnung der beiden Variationenzyklen als „auf eine wirklich ganz neue Manier bearbeitet“ ist häufig kommentiert worden. Dabei wurde Beethovens Formulierung meist in direkten Zusammenhang gebracht mit seiner ähnlichen, aber keineswegs sicher verbürgten Aussage über einen „neuen Weg“, den er in seiner kompositorischen Arbeit von nun an einschlagen wolle.[1] Die „kleineren Variationen“, wie Beethoven sein op. 34 in Briefen mehrfach genannt hat, sind allerdings in diese stilkritischen Überlegungen nie einbezogen worden. Sie bleiben hinsichtlich der Idee des Variierens doch noch zu eng mit der Konvention verbunden, um als stilistische Innovation empfunden zu werden. Die Kompositionstechnik in op. 34 ist partiell, aber nicht umfassend neu. Die Veränderungen des Themas präsentieren sich hier nicht, wie in diesem Genre bis dahin üblich, als eine aneinandergereihte Kette unterschiedlich kolorierter, aber in Tonart, Metrum und Form gleichgearteter Glieder, sondern als Verbund von Variationen, deren jede einzelne in Tonart und Bewegungsform eine Individualität darstellt. Zwar kennt auch der Variationenzyklus des ausgehenden 18. Jahrhunderts Abwandlungstechniken wie das Transponieren in eine verwandte Tonart (meist in das entgegengesetzte Tongeschlecht), das Versetzen in einen anderen Takt oder die Umgestaltung des Themas in standardisierte Satztypen wie Menuett, Polacca oder Marsch. Hier geht Beethoven jedoch über solche bis dahin nur in Einzelfällen ausgeübte Praxis hinaus, indem er die Charakterumwandlung zum fundierenden Gestaltungsprinzip des Zyklus erhebt.

Der individuelle Satzcharakter jeder Variation beruht in diesem Werk vor allem auf der jeweiligen, aus Metrum, Tempo und signifikanten rhythmischen Modellen resultierenden Bewegungsform, worauf Beethovens Vermerk über die „Taktart“ ja auch hinzuweisen scheint. Aus den angekündigten acht Variationen wurden, wenn man die variierte Themenwiederholung in der Coda hinzuzählt, sieben; der Originaltitel und die autographe Numerierung zählen lediglich sechs Variationen.

1 Vgl. dazu die neuere Literatur zu op. 35: St. Kunze, *Die „wirklich gantz neue Manier“ in Beethovens Eroica-Variationen op. 35;* C. Dahlhaus, *Ludwig van Beethoven und seine Zeit,* vor allem Kap. IX, *Der „neue Weg“.*

	Satzbezeichnung	Metrum	Tonart	Takte[1]
Thema	Adagio. cantabile	2/4	F-Dur	22
Var. 1	[ohne Bezeichnung]	2/4	D-Dur	22
Var. 2	Allegro ma non troppo	6/8	B-Dur	22 + 14
Var. 3	Allegretto. dolce	4/4	G-Dur	22 + 14
Var. 4	Tempo di Menuetto	3/4	Es-Dur	22 + 14
Var. 5	Marcia. Allegretto	2/4	c-Moll	22 + 22
	[Überleitungsepisode]	2/4	C-Dur	6
Var. 6a	Allegretto.. dolce	6/8	F-Dur	22 + 14
Coda		6/8	F-Dur	18
[Var. 6b]	Adagio molto			
	Variierte Themenwiederholung	2/4	F-Dur	22
	Epilog			3

Die Folge der Tonarten F—D—B—G—Es—c—C—F,

ein Wechsel von absteigenden Klein- und Großterzen, ist für einen Variationenzyklus der damaligen Zeit nicht nur ungewöhnlich, sondern geradezu kühn. Die Relation der Grundtöne führt über die Grenzen der leitereigenen Funktionen hinaus in ein weiträumiges, offenes harmonisches Beziehungssystem. Die Werkbesprechungen heben durchweg den Tonartwechsel als charakteristisches Merkmal dieser Variationenfolge hervor; Paul Bekker sieht in der Komposition sogar ein Beispiel für „eine Tonartenästhetik Beethovens in kleinem Format".[2] Im Grunde ist der Tonartwechsel aber nicht das tragende Gestaltungsprinzip der Gesamtform, er unterstreicht nur dadurch, daß er jeder einzelnen Variation ihren eigenen Tonraum zuordnet, die vom rhythmischen Profil bestimmte Individualität der Formteile.

Das Thema hat, anders als die konventionellen, meist heiter oder gelassen wirkenden Variationsthemen, eine ernste Grundstimmung, einen elegischen Grundzug, der dem offenbar bewußt zurückgehaltenen Adagio-Zeitmaß zuzuschreiben ist.[3] In der Form unterscheidet es sich indessen kaum von den üblichen Variierungsmodellen der Zeit. Wie viele andere Themen ist es als Reprisentypus nach der Strukturformel A B A angelegt. Im Hauptteil (A) wird der zweitaktige Kerngedanke (α) im Wechsel von zweitaktigen Phrasen (β, γ), die — wie Systole und Diastole — in einem Komplementärverhältnis von Spannung und Lösung zueinander stehen, zu einer in Vorder- und Nachsatz (a^v und a^n) gegliederten Wiederholungsperiode ausgeformt:

1 Die unterschiedliche Ausdehnung der Variationen erklärt sich daraus, daß Beethoven die Frage der fakultativen Wiederholung von Formabschnitten ganz ungleichmäßig handhabt: In Thema, Variation 1 und 6b wird gar nicht wiederholt, bei den Variationen 2, 3, 4 und 6a lediglich der zweite Teil der Form (A ‖: B A :‖), nur in Variation 5 sind beide Teile mit Wiederholungszeichen versehen (‖: A :‖: B A :‖).

2 P. Bekker, *Beethoven,* S. 158.

3 In der „Marcia funebre" der ein Jahr später entstandenen 3. Symphonie erscheint derselbe Typus ins Pathetisch-Heroische verwandelt.

Er wird abgelöst durch einen Nebengedanken (b), der keine neue melodische Substanz enthält, sondern die Motivik des Hauptteils aufgreift und rhythmisch intensiviert (vgl. T. 9 mit T. 7, T. 10 mit T. 2 usw.).

Die kontrastierende Wirkung dieses Abschnitts geht vor allem von der Harmonik aus, die im Verlauf der Modulation zur Dominante sämtliche Akkorde der Quintenreihe von B-Dur bis zu D-Dur einsetzt. Zu selbständiger Entfaltung, etwa in Gestalt einer Periode, gelangt der Mittelteil jedoch nicht. Er bleibt ein viertaktiger modulierender Zwischensatz, der den melodischen Faden nicht weiterspinnt, sondern sich durch repetierte — und dadurch an Intensität verlierende — Kadenzfloskeln (ε) in der C-Dur-Tonart festfährt.

Den Ausweg zeigt eine Rückmodulation (ζ) zur Grundtonart (T. 14), die die tonale Voraussetzung für die Reprise des Hauptteils (T. 15—22) schafft. Der Rückbezug auf den Anfang verleiht der Form Stabilität und Abrundung. Dieser Aufbau des Themas und sein grundsätzlicher Harmonieverlauf sind maßgeblich für alle Variationen.

Hauptteil	A	Kontrastteil	B	Wiederaufnahme	C
Vordersatz	Nachsatz	Zwischensatz	+ Kadenz	Vordersatz	Nachsatz
a^v	a^n	b	ε ε	a^v	a^n
α β	α γ	δ	ε ε	α β	α γ
4	4	4	+ 1 + 1	4	4

Es gilt als Kriterium anspruchsvoller Variationskunst, das Thema nicht zu überformen, sondern die in ihm ruhenden Möglichkeiten zur Entfaltung zu bringen. In diesem Variationszyklus läßt sich deutlicher als in vielen anderen Fällen verfolgen, wie Beethoven musikalische Merkmale, die im Thema nur angedeutet erscheinen, in den Veränderungen ausformuliert.

So bestätigt sich im Verlauf der Variationenfolge der Eindruck, daß das Thema eigentlich ein Allegretto quasi Andante-Typus ist, dessen Melodik, durch die feierliche Adagio-Anweisung zurückgehalten, dem Hörer am Anfang „fast zu ernst" entgegentritt. In den Variationen 2—6 läßt der Komponist dann dem natürlichen Bewegungsdrang des Themas in verschiedenen Tanzrhythmen freien Lauf, nimmt aber in dem kontemplativen, auf das Vorangegangene emphatisch zurückblickenden Adagio molto der Coda das Zeitmaß noch einmal ganz zurück. Erst in der Abschied nehmenden Geste der drei Schlußtakte, die noch zum Adagio molto gehören, aber in den Tondauerwerten halbiert sind, scheint das Thema seine ihm eigene Bewegungsform gefunden zu haben. Auch hinsichtlich der inneren Dynamik liegt hinter der unprätentiösen Erscheinungsform des Themas ein beträchtliches Spannungspotential, das in den Variationen auf individuelle Weise zur Entfaltung gebracht wird. Der latente Dualismus, der sich im Pulsieren von rhythmisch vorwärtsdrängenden und zurückhaltenden Abschnitten des Themas kundgibt und der in dem gleichzeitigen Wechsel der Melodierichtung eine melodische Entsprechung hat, tritt in mehreren Variationen (2, 4, 5) als Gegensatz von charakteristischem Rhythmus und lebhaft bewegten Passagen in ausgeprägter dialogischer Setzweise an die Oberfläche.

Eine sicher nicht „ganz neue“, aber doch durch ihre Konsequenz neuartige Manier des Werkes ist sein planvoller Ausbau zu einer architektonischen Anlage, deren Geschlossenheit die Reihenhauszeilen der konventionellen Variationenfolgen weit übertrifft: Die breitgelagerten, reichverzierten Adagio-Flügel zu Beginn und am Schluß markieren den Rahmen, dazwischen erstrecken sich die rhythmisch profilierten Einzelbauten der Variationen, während das Thema dem Ganzen als einstimmender Vorbau vorangestellt scheint.

Der affektive Verlauf bildet einen durch dynamische Mittel aufgebauten gestuften Steigerungsbogen, dessen Gipfel in der c-Moll-Variation zu sehen ist. Der hier erreichte expressive Höhepunkt hat, obgleich eine Beziehung zur „Marcia funebre“ der *Sinfonia eroica* offensichtlich ist, schon wegen seines Allegretto-Tempos eher den Charakter einer trotzig-kämpferischen Musik als den eines „Todtenmarsches“, wie er in der Skizze vorgesehen war. In der folgenden Variation scheint die Anspannung sich zunächst in beschwingtem Kehraus-Rhythmus aufzulösen, doch leitet die anschließende Coda zu der Ausdruckssphäre des — nunmehr emphatisch verlangsamten — Themas (Adagio molto) zurück zu einer abrundenden Wiederaufnahme des Anfangs, die gleichzeitig im Begleitsatz Reminiszenzen an vorangehende Variationen enthält: So erinnern das die Melodie umschlingende Rankenwerk an die 1. Variation und der stilisierte Marschrhythmus der Takte 49f. an die 5. Variation.

Beethoven läßt in allen Variationen die Melodik des Themas hinter den Umgestaltungsformen deutlich hervortreten und betont damit, ebenso wie durch das Beibehalten von Harmonik und Struktur, stärker das Prinzip des Beharrens als das der Fortschreitung. Durch den Einsatz unterschiedlicher Gestaltungsmittel wird andererseits mit jeder Variation das Interesse neu geweckt. In das Wechselspiel im übergeordneten Rahmen des großen Steigerungsbogens sind neben den Primärkategorien wie Tonarten und Metren auch subtilere Formen des Ausdrucks, der Satzdichte oder der Setzweise einbezogen. Besonderer Einfallsreichtum zeigt sich in der phantasievollen Anwendung satztechnischer Mittel. Auf die schlicht-akkordisch begleiteten, monologisierenden Arabesken der 1. Variation folgen die „instrumentierten" Dialogszenen der Variationen 2, 4 und 5, welche die Klangmöglichkeiten des Klaviers so anschaulich ausnutzen, daß manche Abschnitte geradezu orchestrale Wirkungen hervorrufen: So scheint in Variation 2 ein Wechselspiel von Hörnern und Klarinetten stattzufinden, wogegen der Anfang der „Marcia" wie ein Posaunensatz klingt. Das „Tempo di Menuetto" (Var. 4) ließe sich als Gruppendialog von Fagotten, hohen Holzbläsern und Streichern deuten. In der Folge der Variationen lösen rhapsodische, monologisierende und dialogische Setzweisen oder spielerische, tänzerische und expressive Charaktere einander ab.

Die das gesamte Werk bestimmende Technik der rhythmischen Umgestaltung des melodischen Materials ruft das Prinzip der barocken Variationen-Suite in Erinnerung (Jürgen Uhde), das Beethoven hier wohl unbewußt wieder belebt (oder sollte man sagen: neu erfunden?) hat. Es bietet einen sinnvolleren Ansatz für eine Zusammenschau des Zyklus als der Versuch, der Gesamtkomposition als Folge von Stimmungsbildern wie „lyrisch", „scherzhaft", „kämpferisch", „tändelnd" oder als Musterbeispiel der Beethovenschen Tonartenästhetik beizukommen. Mit der originalen Bezeichnung „Tempo di Menuetto" ist in dieser Hinsicht ein deutlicher Fingerzeig gegeben; auch die „Marcia" zählt, obwohl stark expressiv aufgeladen, zu den primär vom Rhythmus geprägten Satztypen. Gestützt auf diese Indizien erscheint eine analoge Deutung der übrigen Variationen als durchaus gerechtfertigt. Von den beiden Sätzen im 6/8-Takt läßt sich das Allegro ma non troppo (Var. 2) dem Typus der Passepied oder der Gigue, das Allegretto (Var. 6a) dem pastoralen Siciliano zuordnen. Variation 3 hat den Gestus einer Bourrée; mit ihrer durchgehenden Achtelbewegung entspricht sie genau dem „Double" einer solchen (man vergleiche dazu den Schlußsatz aus Bachs Violinpartita h-Moll BWV 1002). Selbst die mehr am Rande dieses Bezugsfeldes stehende 1. Variation läßt sich nach dem Vorbild der „Galanterien" der barocken Suiten als „Air varié" deuten. Das erneute Aufgreifen gerade dieses Variierungstypus in der Coda (Variation 6b) zeigt aber auch die Grenzen der Analogien auf: Das „zyklische" Prinzip des Rückbezugs auf den Anfang und die expressive Grundhaltung haben letztlich stärkeren Einfluß auf die Gestaltung der Gesamtform als das Modell einer barocken Tanzfolge, der ein beschwingter Kehraus eher angemessen wäre.

Beethovens Veränderungen über ein eigenes Thema op. 34 sind nicht Charaktervariationen im Sinne heutigen Verständnisses, sondern „Figuralvariationen mit Charakter". Das Thema behält trotz aller Veränderungen seine Identität, die Abwandlungen machen aus ihm, auch wenn sie es in unterschiedliche Erscheinungsformen verwandeln, kein anderes Wesen. Es mutiert nicht zu anderen Formen, weder zur ausladenden Fantasie noch zur Miniatur, und auch sein Schlußauftritt erfolgt weder als Fuge noch als Apotheose, sondern als bewegter, aber besinnlicher Rückblick, der die Aneinanderreihung der Variationen zum echten Zyklus rundet.

Beethoven hat die in seinem op. 34 angewandte „neue Manier" des konsequenten Takt- und Tonartwechsels als übergeordnetes Gestaltungsprinzip selbständiger Variationszyklen nicht wieder angewandt.[1] Die konsequente rhythmische Umgestal-

1 Charles Rosen hat auf das Chorfinale der 9. Symphonie hingewiesen, das ja unter anderem auch eine Variationenfolge darstellt. Deren Einzelvariationen sind zusammengefaßt zu Gruppen in: D-Dur 4/4

tung des Themas bei konstanter Beibehaltung der melodischen Gerüsttöne war für ihn ein einmaliges Experiment, kein „neuer Weg". In den ambitionierten späteren Variationsformen kehrte er zur Einheit der Tonart zurück; die nunmehr im Vordergrund stehende stärkere Abwandlung der melodischen Substanz erforderte engere tonale Grenzen.

Emil Platen

15 Variationen Es-Dur für Klavier „Eroica-Variationen" op. 35

ENTSTEHUNGSZEIT: Spätsommer bis Herbst 1802.
ERSTAUFFÜHRUNG: unbekannt.
SKIZZEN: Gesellschaft der Musikfreunde Wien, A 34, Skizzenbuch Keßler; Staatliches M. I. Glinka-Zentralmuseum für Musikkultur Moskau, Skizzenbuch Wielhorsky.
AUTOGRAPH: Beethoven-Haus Bonn, Sammlung H. C. Bodmer.
ERSTDRUCK UND WIDMUNG: Leipzig 1803 (Breitkopf & Härtel); dem Grafen Moritz Lichnowsky gewidmet.
GESAMTAUSGABEN: Alte Gesamtausgabe: Nr. 163 = Serie 17 Nr. 2; Neue Gesamtausgabe: Abt. VII, Bd. 5.

„Um die Recension dieses sehr bedeutenden Werkchens — freylich nicht der Bogenzahl nach; allein wie manche Oper giebt es, über die sich überhaupt nicht halb so viel sagen lässt — nicht zu einem Buche anwachsen zu lassen, muss sich Rec. begnügen, nur das Wichtigste anzuführen [...]."[1] Diese weisen Worte, mit denen Johann Friedrich Rochlitz 1804 seine dennoch ausführliche Besprechung der Erstausgabe von Beethovens Klaviervariationen in Es-Dur, op. 35, zu rechtfertigen suchte, sprechen heute kaum weniger zur Sache als vor fast zwei Jahrhunderten. Eher ist das Gegenteil der Fall, da der gewitzte Herausgeber der Leipziger *Allgemeinen musikalischen Zeitung* damals noch nicht in der Lage war, die Tatsache mit in Betracht zu ziehen, daß Beethovens bereits im Vorjahr vollendete 3. Symphonie sich auf dieselbe Contredanse-Melodie aus dem Finale seines Balletts *Die Geschöpfe des Prometheus* stützte wie eben dieses op. 35. Seitdem aber hat das gegenseitige Verhältnis dieser auf demselben Es-Dur-Thema beruhenden Kompositionen verschiedenster Gattungen die Aufmerksamkeit zahlreicher Musikforscher und Musikkritiker auf sich gezogen, zumal Beethoven in einem viel zitierten Brief an die Musikhandlung Breitkopf & Härtel ausdrücklich darauf bestand, daß seine neuesten Klaviervariationen sich von den üblichen ohne Opuszahlen veröffentlichten, mehr oder weniger lose aneinander gereihten, leicht eingängigen Abänderungen bekannter Melodien grundsätzlich unterschieden. Sie sollten vielmehr „unter die wirkliche Zahl meiner

— B-Dur 6/8 — D-Dur — G-Dur/Es-Dur 3/2 — D-Dur 6/4 — 2/2, doch werden hier die Tonartwechsel durch die Rückkehr zum harmonischen Zentrum D-Dur immer wieder neutralisiert (vgl. Ch. Rosen, *Der klassische Stil,* S. 496).

1 *AmZ* 6 (1803/1804), Sp. 339.

größern Musikalischen Werke aufgenommen" werden, „um so mehr, da auch die Themas von mir selbst sind".[1] Zwei Monate vorher, am 18. Oktober 1802, hatte er denselben Verlegern bereits versichert, „daß die *Manier* in bejden Werken [op. 34 und 35] ganz *neu von mir ist*".[2]

Nicht mehr als acht Tage waren verflossen, seit Beethoven sein von tiefstem Weh erfülltes *Heiligenstädter Testament* abgeschlossen hatte. Da kündigt der scheinbar so schwer deprimierte Komponist plötzlich mit unverblümtem Stolz einen radikalen Stilwechsel an, als hätte er die ganze Zeit an nichts anderes gedacht. Diese scheinbar widersprüchliche Folge von Ereignissen erweist sich, näher betrachtet, jedoch als keineswegs unlogisch oder unverständlich. Beethoven gab in Heiligenstadt zwar „die geliebte Hoffnung" auf, eine normale bürgerliche Existenz führen zu können, war aber gerade darum entschlossen, menschliche Befriedigung von nun an ausschließlich schöpferisch in seiner Kunst zu suchen. Die „ganz neue Manier" der beiden Variationszyklen op. 34 und 35 lieferte gleichsam den ersten öffentlichen Beweis für seinen unerschütterlichen Willen, „auszuharren, bis es den unerbittlichen Partzen gefällt, den Faden zu brechen".[3] Auch war es wohl mehr als reiner Zufall, daß Beethoven seine „neue Manier" nach den verhältnismäßig kurzen 6 Variationen op. 34 ausgerechnet an einem Thema erprobte, mit dem er ein Jahr zuvor den Sieg des Prometheus zum Heil der Menschheit gefeiert hatte. Unter diesen dramatischen Umständen konnte der Komponist tatsächlich die alleinige Urheberschaft des Themas für sich in Anspruch nehmen, obwohl er es zum großen Teil Muzio Clementi verdankte, insbesondere dessen 1782 in Wien veröffentlichter g-Moll-Sonate op. 7, Nr. 3.[4] Der vermeintliche Einfluß von Carl Philipp Emanuel Bachs Rondo in Es-Dur, den Elwood Derr aufzuzeigen versucht hat, macht sich wohl eher im Bereich der Dynamik und gelegentlich in der Faktur einer bestimmten Variation bemerkbar als in melodischen Einzelheiten. Bachs Rondothema mit seinem anfänglichen Sextsprung von der fünften zur dritten Stufe, gefolgt von einer stufenweisen Gegenbewegung, spiegelt einen Grundbestand deutscher Volksmelodik wider, hat andererseits aber mit Beethovens auftaktiger, tänzerischer Durvariante von Clementis Mollthema so gut wie nichts gemein.[5] Beethovens lebenslange Vorliebe für auf- und absteigende Terzen mit unterem Leitton bestimmte dagegen bereits das Kernmotiv des c-Moll-Trios op. 1, Nr. 3. Originelle Neuverbindungen von überlieferten musikalischen Stilelementen finden sich allerdings gerade bei Beethoven in Fülle und erstrecken sich im vorliegenden Fall unter anderem auch auf Johann Sebastian Bachs entfernte Patenschaft der „wirklich ganz neuen Manier".

Die Idee, Variationen über ein eigenes Thema zu schreiben, war nicht mehr ganz so neu, wie Beethoven seinem Verleger gegenüber beteuerte, hatte er doch selbst „Sechs leichte Variationen" (WoO 77) über ein Thema aus dem Rondo-Finale seiner fast gleichzeitigen Sonate op. 22 komponiert. Ähnlich konnte sich die Verbindung einer langsamen Variation mit einem unmittelbar folgenden fugierten Finale auf die allerdings entschieden weniger gewichtige Schlußkombination Adagio molto

1 A. Chr. Kalischer, *Beethovens sämtliche Briefe,* Bd. I, S. 107.
2 Ebenda, S. 98.
3 Ebenda, S. 92.
4 Vgl. A. L. Ringer, *Clementi and the Eroica,* S. 457—462.
5 Vgl. E. Derr, *Beethoven's Long-Term Memory.*

ed espressivo und fugiertes Allegro vivace der noch vor der Jahrhundertwende entstandenen Variationen über Süßmayrs „Tändeln und Scherzen" (WoO 76) berufen.[1] „Wirklich neu" in op. 35 war vielmehr, wie schon Rochlitz bemerkte, die „Form des Ganzen, die so sehr vom Gewöhnlichen abweicht". Sie beruht nämlich einerseits auf einem melodisch-harmonischen „Doppelgerüst" und schmilzt andererseits mehrere Kurzvariationen wiederholt zu größeren Nummern zusammen.[2] Beethoven sprach in seinem ersten diesbezüglichen Brief an Breitkopf & Härtel von nicht weniger als 30 Variationen. Die 1803 erschienene, dem Grafen Moritz Lichnowsky gewidmete Originalausgabe zählt jedoch nur 15 mit Nummern versehene Variationen des eigentlichen „Themas". Diesen aber ist eine „Introduzione col Basso del Tema" vorausgeschickt, die außer dem zunächst allein in Oktaven vorgestellten sechzehntaktigen Baß drei ausdrücklich mit „a due", „a tre" und „a quattro" bezeichnete kontrapunktische Umspielungen desselben umfaßt. Mit anderen Worten, die „Baßkomponente" des thematischen Doppelgerüsts wird mehrfach variiert, bevor das eigentliche „Thema", die Contredansemelodie aus dem *Prometheus*-Finale, schließlich nach Abschluß der „a quattro"-Baßvariation zum ersten Mal zu Gehör kommt. Systematische Intensitätssteigerungen und Neuanfänge kennzeichnen die gesamte subtile, „psychologisch bedingte Formkonzeption" dieses in jeder Beziehung ungewöhnlichen Variationswerkes, dem Rochlitz mit dem Diminutiv „Werkchen" keineswegs gerecht wurde.[3] Weitaus passender sind seine einleitenden Bemerkungen in bezug auf Beethovens „unerschöpfliche Einbildungskraft, originelle Laune, tiefes inniges Gefühl bis zur Leidenschaftlichkeit [...], die Sorgfalt, den einmal gewählten Charakter festzuhalten, das Freyeste mit Reinheit im Satze, und ich möchte sagen, mit kontrapunktischer Eleganz zu verbinden [...]. Alles das eben angeführte Eigenthümliche dieses Künstlers findet man nun in einem ganz besondern Grade an dem oben genannten Werke."[4]

Mit der durchaus seltenen Andeutung Allegretto vivace und einem achtstimmigen Fortissimo-Es-Dur-Fermatenakkord in scharfem Kontrast zum Pianissimo des unmittelbar folgenden „basso" gibt Beethoven gleich zu Anfang einen unverkennbaren Hinweis auf jene „originelle Laune", die das Ganze von Beginn bis Ende durchzieht. Musikalisch launiger als das von Generalpausentakten umrahmte dreifache Fortissimo-B der zweiten achttaktigen Phrase konnte man sich zu Beethovens Zeiten kaum gebärden. Phrasierung und Spielmanier, alles ist auf Überraschung berechnet, gelegentlich bis zur offensichtlichen Willkür. Andererseits bleiben Takt (2/4) und Tonart (Es-Dur) mit wenigen, allerdings bedeutungsvollen Ausnahmen durchgehend unverändert. Beethovens Dialektik läßt tatsächlich keine Dimension dieser außerordentlichen Variationen unangetastet.

Typisch für das Ganze ist auch ein steter Drang nach rhythmischer Beschleunigung, der sich bereits mit den systematischen Verkürzungen der Notenwerte in den ersten acht Takten des „basso del tema" zu kennen gibt, wo auf vier anfängliche Halbenoten (Tonika, Dominante, Dominante, Tonika) drei Viertelnoten (Tonika,

---

1 Vgl. St. M. Whiting, *To the „New Manner" Born,* Bd. I, S. 363.
2 Vgl. R. Flotzinger, *Die barocke Doppelgerüst-Technik,* S. 159—194.
3 Vgl. K. v. Fischer, *Die Beziehungen von Form und Motiv,* S. 261.
4 *AmZ* 6 (1803/1804), Sp. 338.

Leitton, Tonika) folgen. Die letzte dieser Viertelnoten ist punktiert, und das restliche Achtel (E) liefert den Staccato-Auftakt zu den folgenden Staccato-Achteln (F, D, Es, tiefes A). Das letzte dieser Achtel wirkt als Leitton zur Dominante, deren Grundton B dann die gesamte zweite achttaktige Phrase beherrscht. Der Effekt dieser keineswegs besonders pianistischen 16 Baßtakte ist erstaunlich, auch wenn die dynamischen Kontraste auf Beethovens Flügel 1802 bestimmt weniger stark hervortraten. Der entscheidende Faktor ist eine mit den einfachsten musikalischen Mitteln durchgeführte subtile Manipulation der zeitlichen Dimension, wobei dynamische Gegensätze eine nicht zu unterschätzende Rolle spielen.

In starkem Gegensatz zum „basso" steht das Diskantthema im Zeichen einer tänzerisch-metrischen Regelmäßigkeit, so daß das gegenseitige Verhältnis der beiden Komponenten des thematischen Doppelgerüsts etwa dem von Haupt- und Seitenthema eines Beethovenschen Sonatensatzes entspricht. Und aus dieser zumindest um die Wende des 19. Jahrhunderts „wirklich ganz neuen" Konstellation von Gleichzeitigkeit und Aufeinanderfolge oder vielmehr Raum und Zeit als ebenbürtigen musikalischen Bewegungsdimensionen ergeben sich kontrapunktische Variationsmöglichkeiten, die nach Johann Sebastian Bachs *Goldberg-Variationen* fast völlig in Vergessenheit geraten waren. Beethovens 7. Variation, der „Canone all'ottava", erscheint in diesem Licht geradezu als eine bewußte historische Anspielung.

Die drei einleitenden Kontrapunkt-Variationen („a due", „a tre", „a quattro") behandeln das Baßthema im Sinn eines cantus firmus unverändert, jedoch jeweils eine Oktave höher, so daß der Pianist, wenn er schließlich das homophone „tema" zu Gehör bringt, den vollen Umfang seines Instruments bereits durchschritten hat. Das piano und dolce gespielte Diskantthema mit seiner schlichten Tanzbegleitung bildet denn auch nach all den systematischen polyphonen und dynamisch-rhythmischen Steigerungen der Introduzione zunächst eine fühlbare Antiklimax. Zugleich aber verschafft diese typisch Beethovensche Kompositionstaktik der nächsten Forte-Variation (Nr. 2) den nötigen vorbereitenden Atemraum. Das Diskantthema klingt bei seinem Eintritt übrigens nicht mehr völlig neu. Denn die kontrapunktierende Oberstimme des „a due" hat es in einer Diminutionsvariante bereits vorausgenommen.

Aber abgesehen davon erscheint die Bezeichnung „Vorvariation" für alle drei Kontrapunkte der Introduzione durchaus gerechtfertigt. Der für den weiteren Verlauf von op. 35 so charakteristische Verlaß auf gewisse dem Thema entlehnte Motive findet einen frühen Niederschlag unter anderem in dem zweiten Teil des „a quattro" mit seinem gezielten Nachdruck auf die Dominantseptimen-Skala B—As, dem Generalauftakt des zweiten „tema"-Teils. Beethoven sorgte eben mit allen möglichen Mitteln dafür, daß alles, vom Einfachsten bis zum Kompliziertesten, wie aus einem Guß klingt.

In harmonischer Hinsicht bieten die *Prometheus-Variationen* im Unterschied zu den 6 Variationen op. 34, wo jede Nummer außer der letzten in der jeweiligen Unterdominante ihres unmittelbaren Vorgängers steht, wenig Besonderes. Op. 35 verläßt Es-Dur nur zweimal bis zur allernächsten Nachbarschaft: die Mollparallele in der 6. Variation und, wie zu erwarten, es-Moll im Minore. Diese beiden Variationen sind auch die einzigen, deren Charakter wenigstens teilweise chromatischen Alterationen und Durchgängen zu verdanken ist. Beethoven wußte genau, was er tat, als er Breitkopf & Härtel zu verstehen gab, daß zwar beide Werke „auf einer wirklich gantz *neuen Manier* bearbeitet" seien, aber „jedes auf eine *andere verschiedene Art*". Op. 35 spiegelt in dieser Hinsicht deutlich die Unterrichtsmethode von Beethovens Kontrapunktlehrer Albrechtsberger wider, der mit der Zweistimmigkeit begann, um dann über drei und vier Stimmen systematisch zur Fuge und zum Canon fortzuschreiten.[1] Selbst im typischen Gebrauch von parallelen Terzen und Sexten erweist sich Beethoven unverkennbar als Albrechtsbergers aufmerksamer Schüler.

Arnold Schönberg sah im „Canone all'ottava" der 7. Variation ein charakteristisches Beispiel von Beethovens „olympischem Humor".[2] Tatsächlich ist Humor — nicht nur „olympischer", sondern sogar ausgesprochen volkstümlicher — der vielleicht hervorstechendste Aspekt der gesamten Komposition. Beethoven, der Viganòs Prometheus-Geschichte offensichtlich nicht allzu ernst genommen hatte, macht sich hier, ähnlich wie 20 Jahre später in den *Diabelli-Variationen*, auf verschiedenste Weise über alles mögliche lustig. Und op. 35 verdient in diesem bei Beethoven so oft vorherrschenden, von der romantischen Nachwelt jedoch viel verkannten Geist vorgetragen und aufgenommen zu werden. Gleich die erste der 15 numerierten Variationen entpuppt sich als eine Ländler-Parodie. Denn die Oberstimmenfiguration gebärdet sich zwar typisch ländlerisch — man denke nur an das Trio des dritten Satzes von Mozarts Es-Dur-Symphonie KV 543 —, ein echter Ländler bewegt sich aber nicht in zwei, sondern drei Vierteln. Weitaus derber geht Beethoven in der 9. Variation und ihrem Gegenstück, der 13., vor. In beiden Fällen handelt es sich angesichts der durchgehenden Sforzato-Wiederholungen des mit Hilfe von kurzen Vorschlägen zusätzlich verstärkten Dominanttons B, in Nr. 9 im Baß, in Nr. 13 hoch oben im Diskant, fast um Variationen über einen Einzelton.

Ähnliche Motivverflechtungen, obwohl weniger drastischer Art, verbinden interessanterweise auch die 1. Variation mit der 6. und das „a due" der Introduzione mit der 5. Im Fahrwasser ihres Ländler-Beginns stützt sich die 1. Variation vorwiegend auf gebrochene Oktaven in der Oberstimme, die c-Moll-Variation (Nr. 6) dagegen ebenso konsequent auf solche im Baß. Sowohl die Oberstimme des „a due" als auch die der 5. Variation beruht anfangs auf der zweiten Umkehrung des gebrochenen Es-Dur-Akkords, und beide beginnen auftaktig, allerdings mit einem grundsätzlichen Unterschied: Der mittels eines Bindebogens zum ersten vollen „a due"-Takt erreichte Synkopeneffekt weicht in Variation 5 einer einfachen Tonwiederholung.

1 Vgl. G. Nottebohm, *Beethovens Studien*, Bd. I, S. 47—94.
2 A. Schönberg, *Fundamentals of Musical Composition*, S. 171.

Die Variationen 8 und 10 sind ausgesprochene Charakterstücke in Miniatur. Variation 8 beginnt mit gleichmäßig absteigenden Viertelnoten über größtenteils mit dem zweiten Sechzehntel des jeweiligen Taktes anhebenden, fließend gebrochenen Akkordfiguren, die später, tief in den Baß verlegt und mit dem guten Taktteil beginnend, volle zwei Oktaven in Anspruch nehmen, während hoch oben im Diskant über jeglichen Taktstrich hinweg parallele Terzen und Sexten die Nocturne-Atmosphäre dieser an die cis-Moll-Sonate op. 27 erinnernden Variation weiterhin unterstreichen. Die 10. Variation nimmt gewissermaßen Mendelssohns Scherzi voraus mit einer Oberstimme, in der die gebrochenen Akkorde systematisch in zwei gebundene Sechzehntel, eine Sechzehntel-Pause und ein Staccato-Sechzehntel zerlegt sind und zu gleicher Zeit in der linken Hand stakkatierte Dominanttöne über drei volle Oktaven piano und von trennenden Achtelpausen auf die schwächsten Taktteile beschränkt hin und her springen. Derartig kapriziöse Gebärden verleihen dieser Scherzovariation übrigens den Anschein einer Parodie der vorangehenden 9. Variation mit ihren bereits erwähnten „derben" Dominanttonwiederholungen in der tiefen Baßregion.

Das Baßthema selbst verliert im Verlauf der numerierten Variationen stets mehr von seiner ursprünglichen Eigenart, bis in der 13. Variation kaum mehr davon übrig bleibt als jene gnadenlos hoch oben im Diskant kreischenden Dominanttöne. Damit ist es dann aber auch getan. Die nächste und vorletzte mit einer Nummer versehene Variation, ein elegisches Minore, bringt die ersten acht Baßtakte reprisenartig unversehrt zunächst im Diskant und dann wie zu Anfang in der ursprünglichen Lage, aber jeweils mit einer Mollvariante der Tanzmelodie. Der zweistimmige Anfang sowie der Sextsprung zu Beginn der Wiederholung erinnern an das „a due", das Ende beider Phrasen dagegen ans „a quattro". Im Charakter ist das Minore eher ironisch-sentimental als traurig und bewegt sich im parodistischen Bereich insofern, als einer weit verbreiteten frühromantischen Meinung nach „jede Angst, jedes Zagen des schauernden Herzens, athmet aus dem grässlichen *Es moll*".[1] Fortissimo-Tonwiederholungen waren unter diesen Umständen zweifellos unerwünscht, und Beethoven bevorzugte dementsprechend für die zweiten acht Takte der Minore-

1 Chr. Fr. D. Schubart, *Ideen zu einer Ästhetik der Tonkunst,* S. 378.

Atmosphäre angemessenere, zögernde, die schweren Taktteile vermeidende oder aufhebende Dreiklänge, unterstützt von auf der absteigenden kleinen Sekunde des ersten Tanzmotivs fußenden Vorhalten. Von zwei momentanen Sforzati und ein paar kurzen Crescendi abgesehen bleibt die Dynamik beim anfänglichen Piano. Und dasselbe gilt für das unmittelbar folgende Maggiore. Die quasi-improvisatorische Verbindung kommt mittels einer Adagiovariante der Generalauftakt-Skala aus dem Tanzthema (T. 17) zustande.

Das Maggiore, die letzte mit einer Nummer bedachte Variation und die einzige in einer anderen Taktart (6/8), ist ein weit ausholendes Largo voll von Zweiunddreißigstel- und Vierundsechzigstel-Skalen, Einzeltonumspielungen und Tonwiederholungen. So besteht zum Beispiel ein einziger Takt aus nicht weniger als 35 Dominantton-Wiederholungen in stets kleiner werdenden Notenwerten. Und dieses eigenartig stille, aber dennoch kraftvolle Präludium zum „Finale Alla Fuga" verlangt im Vortrag seiner ungeschwächten Intensität ein seltenes Rubato-Verständnis und -Vermögen. Gewisse Einzelheiten gehen zweifellos auf Beethovens oft betonte Bewunderung für Carl Philipp Emanuel Bach zurück, insbesondere dessen Klavierfantasien. Andererseits scheint es zuweilen, als hätte Beethoven hier dem Klavier typische Harfenklänge abgewinnen wollen. In der 5. Nummer des *Prometheus*-Balletts hatte er diesem von ihm sonst kaum beachteten Instrument eine wichtige Rolle zugeteilt, so daß bei der 15. Nummer, dem unbestrittenen Höhepunkt der *Prometheus-Variationen*, in der Tat wiederum eine bewußte Anspielung im Spiel sein mag, zumal das Ballett ebenfalls 15 von einer „Overtura" und eben jenem Rondo-Finale mit dem thematischen Doppelgerüst von op. 35 umrahmte Nummern zählt. Bei der Wiederholung der ersten acht Takte des Themas kommt es bereits im Ballett zu einer Diskantvariation. Hugo Riemann ging sogar so weit, die gesamte Prometheus-Musik als ein Variationswerk über den abschließenden Contredanse zu interpretieren.[1]

Die ausdrücklich als „Coda" bezeichneten letzten acht Largo-Takte beschäftigen sich ausschließlich mit dem Kopfmotiv des Diskantthemas, und zwar stark punktiert in c-Moll, und das Ganze endet mit vier c-Moll-Dominanttakten, deren Dynamik bis zum abschließenden, vollstimmig arpeggierten Fermatenakkord trotz mehrerer Crescendi grundsätzlich im Piano-Bereich verbleibt.

1 Vgl. H. Riemann, *Beethovens Prometheus-Musik,* S. 23.

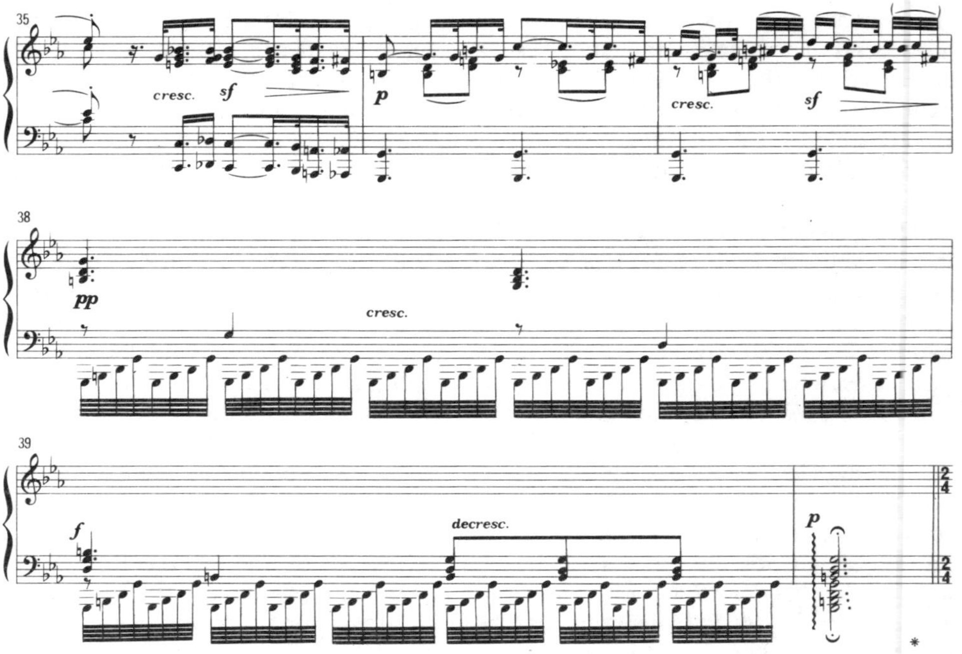

Auch das unvermittelt eintretende Fugato über die vier Anfangstakte des Baßthemas verhält sich zunächst leise. Erst der zweite Dux bedient sich der typischen Sforzati früherer Nummern.

Selbstverständlich kommt in diesem energischen Allegro con brio auch anderes thematisches Material zur Geltung, unter anderem das Diskant-Kopfmotiv und die Sechzehntelskalen. In harmonischer Hinsicht geht das Fugato allein darum weiter als die meisten Variationen, weil Ausweichungen nach verwandten Tonarten nun einmal ein grundlegender Bestandteil der Fugentechnik sind. Der Höhepunkt kommt zunächst mit einem Fortissimo-Orgelpunkt in gebrochenen Oktaven, wie üblich auf der Dominante, zustande. Nach einigen Zwischentakten folgt jedoch ein zweiter in Staccato-Oktaven auf As als Untersekunde des Dominantseptakkords in dritter Umkehrung. Vollstimmig fortissimo und dreimal volltaktig unter Fermaten ruft derselbe Akkord dann das abschließende Andante con moto herbei.

Das eigentliche Verbindungsglied bildet noch einmal die B-Dur-Skalenvariante, die auch von der Minore-Variation attacca zum Maggiore führte, hier wie dort im Adagio und kadenzartig in Piano-Vierundsechzigsteln. In beiden Fällen scheint auch das, was darauf folgt, vorher gestellte Probleme wenigstens zeitweise zu lösen. Das Andante con moto beginnt seinerseits mit einer unverkennbaren Reprise des „tema". Nur haben die Terzen in gleichmäßigen Achtelnoten, mit denen die rechte Hand ursprünglich den Tanzrhythmus unterstrich, scharf rhythmisierten Dominantton-Wiederholungen den Platz geräumt (je zwei Sechzehntel und zwei Achtelnoten), deren Aufgabe sehr bald von Halbenoten-Trillern übernommen wird. Und damit beginnt ein letzter mehrfacher Abwandlungsprozeß, der sich sogar über die abschließenden zehn Tonikatakte erstreckt. Es ist, als hätte Beethoven eigentlich noch nicht enden wollen, wäre aber letzten Endes gezwungen gewesen einzusehen, daß die gewählte Gattung selbst auf seine „ganz neue Manier" keine weitere Entwicklung des Prometheus-Materials mehr zuließ. Am Horizont seiner unerschöpflichen Vorstellungskraft winkte wohl schon die letztlich erlösende Idee einer symphonischen Verwirklichung all dessen, was die Klaviervariationen ungetan lassen mußten.

Das Andante mit seinen das Ganze abrundenden Transformationen des thematischen Doppelgerüstes stellt gewissermaßen den strukturellen Gegenpol zur vierteiligen Introduzione dar. Dieser rein äußerlichen Parallele entspricht auch die weitaus entscheidendere Tatsache, daß in diesem Abschnitt, anders als in der vom „Basso del tema" geprägten Introduzione, das „tema" die Oberhand gewinnt. In seiner letzten vollständigen Inkarnation übernimmt es sogar den Baß, was Kurt von Fischer zu der dialektisch durchaus verantworteten Formulierung veranlaßte: „die Tanzmelodie hat den Bass endgültig überwunden."[1] Ob die das Werk von Anfang bis Ende beherrschende thematische Dialektik auch für eine „gewisse Anlehnung an den Sonatenzyklus" spricht, sei allerdings dahingestellt, zumal harmonische Kontrastwirkungen, geschweige denn Modulationsverfahren, in op. 35 so gut wie keinen Platz haben.

Angesichts seiner zahlreichen Rückblicke auf die verschiedensten im Lauf des Stückes in den Vordergrund getretenen rhythmischen und melodischen Motive und Figuren, dynamischen Eigenarten und kontrapunktischen Kunstgriffe hinterläßt das Andante eher den Eindruck einer umfassenden Supercoda, die zuletzt in eine ruhige, von ostinaten arpeggierten Triolenakkorden begleitete Variation des ersten Tanzmotivs mündet. Mit Ausnahme von einem gelegentlichen Forte, Sforzato oder Crescendo hält sich die Dynamik fast bis kurz vor Ende in bescheidenen Grenzen. Selbst die unerläßliche Schlußsteigerung zum Fortissimo nimmt nur sechs von insgesamt mehr als 70 Takten in Anspruch.

Vier Jahrzehnte sind vergangen, seit Paul Mies für op. 35 mit Nachdruck auf den durchaus passenden Begriff der Doppelvariation 29 „variierte Teile" errechne-

1 K. v. Fischer, *Eroica-Variationen op. 35 und Eroica-Finale,* S. 284.

te.[1] Beethovens erste diesbezügliche Skizzen enthalten in der Tat einige „zu einer Einheit zusammengefaßte kleine Gruppen von Variationen".[2] Dagegen hat der Komponist im sogenannten Wielhorsky-Skizzenbuch „fünfzehn Variationen angedeutet (ausschließlich der Introduktion, des Themas und des abschließenden Andante)".[3] Die 6., 7. und 15. Variation fehlen dort zwar; andererseits aber sind für die „a due"-, „a tre"-, „a quattro"- und „tema"-Unterteile der Introduzione Nummern angegeben. Dasselbe Moskauer Skizzenbuch gibt aber auch Hinweise auf „fünf oder sechs Variationen [...], die in die Druckfassung von op. 35 nicht eingegangen sind".[4] Beethoven war sich des seiner neuartigen Kompositionsweise innewohnenden Problems wohl bewußt und wies Breitkopf & Härtel in einem Brief vom 8. April 1803 ausdrücklich darauf hin, daß zum Beispiel „*Variationen* zusammengeschmolzen sind im *adagio*, und die Fuge frejlich keine *Variation* genannt werden kann, so wie auch der Eingang von diesen großen *Variationen*, welcher wie sie selbst schon gesehen mit dem Baß des *themas* anfängt, dann zu 2 zu 3 und zu vier Stimmen endlich wird und dann erst das *thema* kömmt, welches man wieder keine *Variation* nennen kann etc [...]."[5]

Als wirklich neu betrachtete der Komponist scheinbar vor allem jene „zielgerichtete Entwicklungsform" (Dahlhaus), die „entwickelnde Variation" (Schönberg), die dann aufgrund ihrer symphonischen Realisierung in der demselben Material verpflichteten 3. Symphonie bahnbrechend für die Zukunft wirkte.[6] Inzwischen stellte die Aufspaltung dieses Materials, oder vielmehr seine Integration in ein aus Baß und Diskant bestehendes Doppelgerüst, einen genialen Schachzug dar, der es dem Komponisten erlaubte, „in den Variationen auf immer wieder andere Teilmomente der thematischen Konfiguration zurückzugreifen, statt an ein Schema gebunden zu sein".[7] Op. 35 war das erste größere Resultat dieser „wirklich ganz neuen Manier", eine in sich geschlossene Komposition ohne direkte Vorläufer, die im Gegensatz zu den vorwiegend homophonen Variationen des späten 18. Jahrhunderts zwar von Johann Sebastian Bach inspirierte polyphone Tendenzen aufweist, zugleich aber ausschließlich eigenen, nur sich selbst gegenüber verantwortlichen Formgesetzen Folge leistet. So allein war es möglich, ein Werk zu schaffen, das einerseits seine Zugehörigkeit zu jener ältesten rein instrumentalen Gattung, dem Thema mit Variationen, nicht zu leugnen vermag, andererseits jedoch ästhetische Gefilde durchstreift, für die bis dahin allenfalls die Sonate zuständig war. Nicht zufällig zerfällt op. 35 in zwei unterschiedliche Teile, einen ersten, vornehmlich parodistisch-humoristischen, der aus deutlich voneinander getrennten Variationen besteht, gefolgt von einem eher nachdenklich-ernsten, mit der Minore-Variation beginnenden, der ohne jegliche Unterbrechung mehr als die Hälfte der Gesamtzeit beansprucht.

---

1 P. Mies, *Ludwig van Beethovens Werke über seinen Kontretanz in Es-Dur,* S. 82.
2 Chr. Reynolds, *Beethoven's Sketches for the Variations in E Flat,* S. 57.
3 N. Fischman, *Das Moskauer Skizzenbuch Beethovens,* S. 65.
4 Ebenda, S. 66.
5 A. Chr. Kalischer, *Beethovens sämtliche Briefe,* Bd. I, S. 112.
6 Vgl. C. Dahlhaus, *Beethovens „Neuer Weg",* S. 53.
7 C. Dahlhaus, *Ludwig van Beethoven und seine Zeit,* S. 220.

Von einer „Vorstudie“ oder „Vorstufe“ zur *Eroica* kann unter diesen Umständen kaum die Rede sein. Derartige Charakterisierungen beruhen zumeist auf einem bedauernswerten Mißverständnis in bezug auf Beethovens grundsätzliche, allerdings oft widersprüchliche Arbeitsweise. Op. 35 ist nicht weniger als seine dritte, symphonische Prometheus-Komposition ein Meisterwerk sui generis, das seiner Gattung ohne die geringste Einschränkung der eigenen Individualität „wirklich ganz neue“ Möglichkeiten eröffnete. Diese Erkenntnis war es offenbar auch, die Beethovens keineswegs unkritischen Bewunderer Rochlitz nach aufmerksamem Studium der Erstausgabe dazu bewegte, rundweg zu erklären: „Ich möchte diese Variationen unter den *neuern* Früchten dieser Gattung die Variationen par excellence nennen.“[1]

Alexander L. Ringer

2. Symphonie D-Dur op. 36

ENTSTEHUNGSZEIT: 1801—1802.
ERSTAUFFÜHRUNG: am 5. April 1803 im Theater an der Wien.
SKIZZEN: Staatsbibliothek Preußischer Kulturbesitz Berlin, Landsberg 7, Landsberg 10, Pastoralsymphonie-Skizzenbuch; Deutsche Staatsbibliothek Berlin, Landsberg 12; Gesellschaft der Musikfreunde Wien, A 34, Skizzenbuch Keßler.
AUTOGRAPH: verschollen.
ERSTDRUCK UND WIDMUNG: Wien 1804 (Bureau des Arts et d'Industrie); dem Fürsten Carl v. Lichnowsky gewidmet.
GESAMTAUSGABEN: Alte Gesamtausgabe: Nr. 2 = Serie 1 Nr. 2; Neue Gesamtausgabe: Abt. I, Bd. 1.

Die eigenwilligen und neuartigen Züge der 2. Symphonie konnten nach der „kühnen Tat“ der Dritten, der dem Geist der Revolution verpflichteten, in den Hintergrund treten. In zusammenfassenden Charakterisierungen der Beethovenschen Symphonik wird die Zweite meist nur kurz angesprochen zwischen der im Blick auf Tradition und Fortschritt besondere Aufmerksamkeit fordernden Ersten und dem „Schritt ins Freie“, der in der *Sinfonia eroica* vollzogen werde.[2] Unter einem Aspekt aber hat die Zweite eine besonders ausführliche Behandlung erfahren: Ihre Entstehungsgeschichte ist in ihrer musikalischen Problematik an den überlieferten Skizzen „vom Einfall zur Symphonie“ verfolgt worden, in dem Buch dieses Titels von Kurt Westphal. Aufschlußreich ist, wogegen der Komponist sich jeweils entschieden hat: gegen bestimmte naheliegende Möglichkeiten der Formulierung und Gedankenverknüpfung, gegen die Entlastung des kompositorischen Denkens durch je gefundene Formulierungen. Für die folgende Analyse wird die Frage wichtig sein, wie weit diese Entscheidungen im Werk selbst hörbar und in Besonderheiten der Formung nachweisbar sind. Es geht um die Logizität des Werkzusammenhangs, wie sie sich aus

1 *AmZ* 6 (1803/1804), Sp. 341.
2 W. Riezler, *Beethoven,* S. 147.

den Spuren der kompositorischen Entscheidungen ablesen läßt. Der erste Satz, der langsame Satz und das Finale sind von der Sonatensatzform geprägt, die in drei prinzipiell sich unterscheidenden Entfaltungen das einlöst, was ihr spätere Ästhetik zugeschrieben hat: sie sei „die Form der freien musikalischen Gedankenentwicklung“.[1] Der dritte Satz ist in Beethovens Symphonik der erste als „Scherzo“ bezeichnete und als solches von eigensinniger Formung und Charakteristik.

Ein in der Thematik der Sätze wiederkehrendes „motivisches Merkmal“ ist die Circulatio („Rollfigur“)[2] und der mit ihr verbundene Quartgang; im Hauptthema des ersten Satzes erscheint sie wie folgt:

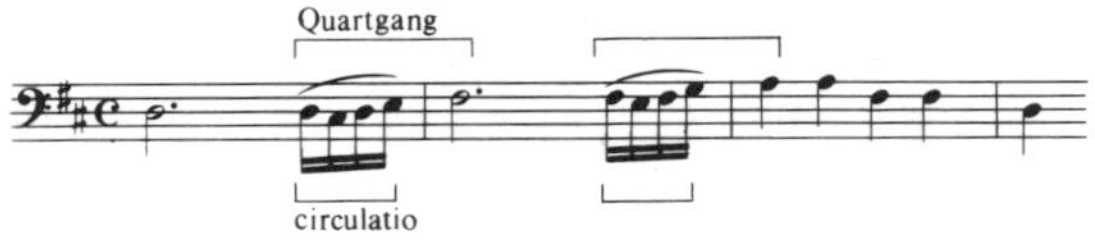

Auch Umkehrungs- und Krebsform der Circulatio werden aufgegriffen. Der Quartgang fis—e—d—cis und a—g—fis—e prägt die Kadenzmelodie des genannten Hauptthemas (T. 44), das Kopfmotiv der Einleitung (mit Weiterführung nach dis wie bei der Kadenzmelodie) sowie auch Hauptmotive der folgenden Sätze: 2. Satz, erstes Thema Takt 3 und 5 ([cis]—e—d—cis—h), zweites Thema Takt 48 (h—cis—h—a—gis), 3. Satz Trio Takt 87, 4. Satz Hauptthema Takt 4.

Das Hauptthema des ersten Satzes erfährt gerade im Moment seiner klanglichen Ausbreitung eine Brechung, die für die kompositorische Logik ein Zeichen setzt: Wo das volle Orchester anhebt, um die Baßmelodie als Thema zu festigen (T. 47) — tatsächlich hatte Beethoven die vollständige Wiederholung skizziert[3] —, wird der thematische Gedanke durch seine eigene Bewegung verändert; seine Rollfigur (Circulatio) führt über seinen Dreiklangsrahmen hinaus zur synkopisch forcierten Sept. Nicht das Thema, sondern dieser Brechungsvorgang, der in energische Kadenzschritte mündet, wird wiederholt und dabei zur Mollvariante gelenkt. Darin liegt ein konktradiktorischer Zug, der das Thema (vorzeitig) beendet, um von seinem neu aufgegriffenen Anfang zu Neuem fortzuschreiten. Dieses musikalische Denken zielt nicht auf Befestigung, sondern auf Abweichung, Differenz.

Daß sich Beethoven — vor der vielgerühmten Kraft der Synthesis — um eine Kraft des Trennens, der Differenz, bemüht hat, läßt sich an der Einleitung des Satzes und an ihrer Entstehungsgeschichte ablesen. Im ersten Entwurf ist das Hauptmotiv der Einleitung mit dem des Hauptthemas identisch (Dreiklangsfigur). Die Identität wird bereits im nächsten Entwurf aufgegeben, doch bleibt in den folgenden vier Entwürfen eine fanfarenartige Dreiklangsmotivik grundsätzlich erhalten.[4] In dieser Gestalt hätte die Einleitung einen „prinzipiellen“ Charakter gehabt, da beide Themen des Allegros motivisch ebenfalls durch Dreiklangsintervalle geprägt sind. Doch hat Beethoven die Idee einer Einleitung als „principium“ der zu exponierenden Thematik aufgegeben und ein „initium“ entworfen, das von der Allegro-

1 Fr. Th. Vischer, *Ästhetik,* Bd. IV, § 790, S. 960.
2 Zu dieser Figur vgl. D. Bartel, *Handbuch der musikalischen Figurenlehre,* S. 119ff.
3 Vgl. K. Westphal, *Vom Einfall zur Symphonie,* S. 49f.
4 Vgl. ebenda, S. 47—49.

Thematik gänzlich unabhängig erscheint und allenfalls sekundäre Züge des Hauptthemas antizipiert, ohne diese als identitätsstiftend hervorzukehren. Das Thema der Einleitung ist eine feierliche Gesangsmelodie, schlicht und differenziert zugleich. Die Schlichtheit liegt in der Verwandtschaft mit der Kadenzmelodie von Oboe und Fagott am Ende des ersten Themas (T. 44—47), die Differenziertheit in der individuellen Gestalt: in der Spannung des dis zu dem zweimaligen Vorhalt d, in der Expressivität des melodischen Aufstiegs Takt 3 und 7, im Unterschied der klanglichen Färbung von Vordersatz und Nachsatz, schließlich in der Kontrastierung der Gesangsmelodie mit der Eröffnungsgeste, dem Unisono-d mit Zweiunddreißigstel-Auftakt. Die Kontrastierung wird nachträglich vermittelt durch den punktierten Rhythmus vor Beginn des Nachsatzes und durch eine „Durchführung“ des Eröffnungsmotivs (T. 9—11), das heißt eine Überleitung auf der Grundlage einer Quintschrittsequenz (Fis^7—h—G^7—C—A^7—d), die nach B-Dur kadenziert.

Im zweiten Teil der Einleitung entfaltet sich über B als Orgelpunkt ein Wechselspiel weiträumiger Zweiunddreißigstel-Ketten, deren Gestalt in Takt 14 und 15 die der Sechzehntel-Kette des Hauptthemas Takt 37 vorwegnimmt. Eine motivische Beziehung zum ersten Teil der Einleitung besteht nicht, allenfalls läßt die die Zweiunddreißigstel-Bewegung kontrapunktierende Figur (1. Violine T. 13 und 15) eine Rückbeziehung zu dessen Momenten punktierter Rhythmik zu. Die chromatische Figur Takt 16 verweist auf Takt 41 des Themas wie die Zweiunddreißigstel-Kette auf Takt 37, beidemal also auf sekundäre Vermittlungsfiguren. Ab Takt 17 weicht der Orgelpunkt einer Folge von Septakkorden im ganztaktigen Abstand (G^7—C^7—F^7—D^7) mit Motivimitationen im Abstand eines Viertels. Das harmonische Ziel d-Moll wird durch ein Unisono von punktierter Rhythmik bestimmt. Der letzte Ton des genannten Unisono-A bietet den Orgelpunkt für den dritten Teil der Einleitung. Ein durch die kleine Sept charakterisiertes Motiv der Violen und Celli wird von Sechzehntel-Triolen der Geigen kontrapunktiert. Im Sinne des doppelten Kontrapunkts werden die Stimmen anschließend umgeschichtet. Der Wechsel eines Trillermotivs zwischen Flöte und erster Geige führt bei festgehaltenem Orgelpunkt vom verkürzten Nonenakkord der Doppeldominante zur Kadenz, auf deren Tonika das Allegro con brio einsetzt.

Das erste Thema wurde bis zu dem Punkt seines Sich-Widersprechens (anstelle Sich-Wiederholens) verfolgt. Eine verkürzte Variante des Themenanfangs (T. 57) eröffnet eine auf den Stufen der Doppeldominante und der Molldominante kreisende Achtelbewegung, die aus der Circulatio hervorgeht (aus deren augmentierter Umkehrung) und zum zweiten Thema überleitet. Das zweite Thema bildet einen Kontrast auf der Grundlage zweier Merkmale, die es mit dem ersten teilt: erstens der Dreiklangsintervalle und zweitens der rhythmischen Figur Takt 74—76 (𝅗𝅥. ♩|♩ ♩ ♩ ♩), durch die es auch dem gerade vorangegangenen Schluß der Überleitung nahesteht. Durch seine Fanfarenmelodik und seine kompakte Periodik hebt es sich vom Hauptthema und dessen lockerer Sequenzstruktur ab. Der Schlußton des Themas ist der Anfangston eines Sequenzmodells, dessen Entfaltung die Geschlossenheit des zweiten Themas verläßt. Auch dieses Modell ist aus der Rollfigur gewonnen (Krebs). Imitation und Motivverkürzung steigern die Sequenzierung, die zu einer auf der Dominante von A-Dur abreißenden Kadenz führt (verminderter Septakkord). Die Strukturierung dieser Kadenz durch den Wechsel von Streicher- und Bläserakkorden erhält eine Pointe durch die Rückbindung an das Eröffnungsmotiv der

Einleitung. Ein zweiter Ansatz zur Beschließung der Exposition nutzt die Rollfigur zu einem Unisono-Aufstieg, der vom Pianissimo zur emphatischen Kadenz führt und zu einer schließenden Variante des ersten Themas, mit Akzentuierung der Mollsubdominante auf der oben hervorgehobenen rhythmischen Figur.

Der erste Entwurf der Exposition ist von auffälliger Einheitlichkeit gewesen: Motividentität von Einleitung und erstem Thema, Dreiklangsumschreibung in Einleitung, erstem und zweitem Thema, Nichtunterscheidung der Motivik des ersten Themas von der der Überleitung zum zweiten. Die endgültige Fassung der Exposition dagegen ist von deutlichen Trennungen geprägt. Diese Trennungen bringen erst die Disposition in der Komposition hervor, das heißt die Disposition ist hier nicht, wie es spätere Formenlehre nahelegt, das Vorgeordnete, welches nur noch auszuformulieren wäre. Die Disposition entsteht erst mit der Durchbildung des Details. Nicht aus einem vorgeordneten Modell, sondern aus der Formung des Einzelnen ergibt sich die Verselbständigung der Introduktion und ihrer Teile, die Formulierung des ersten Themas als satzähnliches Gebilde mit Halbsatz, Sequenz und verkürzter Sequenz, die Weiterführung des Themas durch seine kontradiktorische Variante, die Überleitung zum zweiten Thema. Was im Rückblick als schematisch gegeben erscheint, das Verhältnis der Teile zueinander, mußte vom Komponisten erst gefunden werden: Komponieren erweist sich als Setzen von Differenzen, die der spezifischen Gestalt des Einzelnen zugutekommen.

Wiederholung der Exposition und Beginn der Durchführung werden über die gleiche Schaltstelle erreicht, über die kadenzlogische Disjunktion einer diatonisch absteigenden Folge von Terz-Sext-Akkorden. Als disjunktiv erweist sich diese Stelle auch durch den Rhythmus (𝅗𝅥. ♩|♩ ♩ ♩ ♩), der sowohl auf das erste Thema als auch auf das zweite und auf den Schlußsatz verweist. Das erste Thema kehrt hier, obwohl auf der Mollvariante einsetzend, den dominantischen Charakter hervor, der ihm von Anfang an eignet (da die viertaktige Phase auf g sequenziert wird). Mittel der Hervorkehrung ist die Linie von Oboe und Fagott d—es—fis—g, verbunden mit dem Orgelpunkt D und kontinuierlichem Crescendo. In g-Moll wird eine neue Variante des Hauptgedankens mit einem Kontrapunkt verknüpft, der von der Rollfigur ausgehend (Krebsumkehrung) jene Schaltwendung figuriert. Motivvariante und Kontrapunkt werden über einer Quintschrittfolge kanonisch sequenziert. Durch Motivabspaltung werden die Sequenzen dann verdichtet. Die beschleunigte Bewegung führt in eine insistierende Phase, durch die der im ersten Thema enthaltene kontradiktorische Zug verschärft wiederkehrt. Insistierend ist die engräumige Wiederholung des Rollmotivs über chromatisch absteigendem Baß (T. 158ff.) und das Kreisen dieses Motivs im Rahmen des Septakkords auf D (T. 170ff. in deutlicher Bezugnahme auf T. 47ff.). Als beharrlich auf dem Septakkord festgehaltenes treibt es über sich hinaus: Das zweite Thema erscheint als Ziel, gibt aber im gleichen Moment seine Geschlossenheit auf. Sein Motiv Takt 3f., jenem thematischen Rhythmus entsprechend, wird zum Gegenstand eines Dialogs zwischen zwei Gruppen, Flöten und Oboe einerseits, Streicher und Fagott andererseits, wobei die Geigen eine triolische Variante der Rollfigur einbringen. Der Dialog setzt in G-Dur an und führt über einen chromatisch aufsteigenden Baß nach Cis in ein dominantisch gespanntes Verweilen: Ein fanfarenartiges Motiv der Geigen, wiederum dem thematischen Rhythmus nahestehend, wird im Baß kontrapunktiert durch eine kreisende Achtelbewegung, die der Überleitung Takt 61 entspricht, und in den Bläsern gestützt durch einen Halteton cis, dessen „nachklappende“ Sforzati das Instabile dieses Verweilens signalisieren.

Die Trennungen zwischen den Formteilen und innerhalb der Themen zuspitzend, wird die Reprise geradezu ruckartig eingeführt. Das cis, zuerst durch den Gegenakzent, dann durch den Rhythmus des Eröffnungsmotivs hervorgehoben, wird als nachklingender Grundton durch das hinzutretende Horn zur Terz von A-Dur umgedeutet, welcher Klang, unter Rückgriff auf den letzten Takt der Einleitung, als Dominantseptakkord artikuliert wird. In der Durchführung ist bei beiden Themen derjenige Motivteil verwendet worden, der dem gemeinsamen thematischen Rhythmus entspricht (T. 146ff., T. 186ff.). In der Reprise muß das erste Thema nicht mehr abgebrochen werden durch jene kontradiktorische Wendung; vielmehr führt es durch seine eigene Kadenz bzw. durch deren Disjunktion in die zum zweiten Thema überleitenden Takte, die nun als Tonart des zweiten Themas die des ersten fordern. Die Wiederholung der die Exposition schließenden Phasen reicht nicht aus, um den Satz als ganzen zu schließen. Im subdominantischen Bereich ansetzend wird jene Schaltwendung sequenziert (T. 304) und kontrapunktisch mit der Rollfigur und der chromatischen Übergangsfigur von Takt 41 verknüpft. Takt 3 des Themas mit der Rollfigur als Auftakt führt eine weitausholende Kadenz an: Vom Nonenakkord der Dominante ausgehend (T. 317) und die Tonika zum Nonenakkord umdeutend, durchschreitet diese Kadenz über chromatisch aufsteigendem Baß eine Klangkette, die weit entfernte Stufen umfaßt (c-Moll und dis-Moll T. 330, 332). Das Ziel der Kadenz wird zunächst von dem thematischen Rhythmus (T. 340), dann von dem Hauptgedanken repräsentiert.

In der Reprise erfährt das erste Thema eine Befestigung, die es als exponiertes nicht hat. In der Exposition wird es eingeschränkt durch seine kontradiktorische Wendung, in der Durchführung wird es über sich hinaus geführt, „teleologisch“ auf das zweite Thema gerichtet, das seinerseits seine Geschlossenheit aufgibt; in der Reprise erst erscheinen die Themen kontinuierlich, im Gegensatz zu der trennenden Exposition.

Auch das Larghetto ist als Sonatensatz konzipiert, nicht als einer, der den thematischen Prozeß vorantreibt, sondern als einer, der den Themen Raum gibt, ihre Geanglichkeit zu entfalten. Das Cantabile lädt zum Verweilen ein, die Themen sind auf Wiederholung angelegt, und selbst die sekundären Formteile der Überleitung und des Epilogs haben ein melodisches Eigengewicht, das die Aufmerksamkeit auf sich und von der Formfunktion wegzieht und das thematische Privileg auf Wiederholung für sich beansprucht. Die Überleitungs- und Schlußteile dieser Exposition setzen die Gesanglichkeit der Themen fort, zumal sie sich nicht funktional unterordnen, sondern motivisch selbständig sich entfalten und abrunden.[1]

Das erste Thema ist eine Ausprägung der zweiteiligen Liedform mit zweimal acht Takten, die jeweils wiederholt werden. Der erste Teil ist eine Periode von symmetrischer Ausrichtung — der Beginn des Nachsatzes (T. 4f.) entspricht motivisch dem Ende des Vordersatzes (T. 3f.). Diese „zentrale“ Wendung läßt sich auf das Kopfmotiv der Einleitung zurückführen. Die zweite Periode besteht aus zweitaktiger Phrase (an die der ersten anklingend), Sequenz und kadenzierendem Nachsatz, der

1 Vgl. C. Dahlhaus, *Ludwig van Beethoven und seine Zeit,* S. 120.

in seinen letzten beiden Takten an die Motivik von Takt 5f. erinnert. Die Gesangslinie dieses Liedes erscheint zuerst in den Violinen eines Streichersatzes mit hochliegenden Bässen (Celli und Violen zum Teil unisono), dann in den Klarinetten und Fagotten eines weiträumigen Orchestersatzes, bei dem die Hörner einerseits und die Violinen in ihrer umspielenden Figuration andererseits den Quintton e hervorkehren. Dieser Ton trägt als Orgelpunkt der Hörner und mittleren Streicher die ersten acht Takte der Überleitung. Der Dialog zwischen Klarinetten und Violinen ist, zumal in der Moll-Fassung des Motivs, die die Oboe mit einer Seufzerwendung kontrapunktiert, so eindrucksvoll, daß das funktionale Moment der Überleitung verborgen bleibt. Es macht sich erst geltend, wenn der Dialog auf der Stufe der Doppeldominante von größeren Gruppen übernommen wird mit tonrepetierender Motivik (verbunden mit der Circulatio) und äußersten Kontrasten in der Dynamik.

Das zweite Thema ist eine Periode, deren Nachsatz eine figurierte Fassung des Vordersatzes ist. Das Kopfmotiv des Themas ist wiederum mit dem der Einleitung verwandt. Die Figuration der ersten Geige schließt an eine Umspielung aus der Wiederholung der zweiten Periode des Hauptthemas an (T. 26). Die in der Figuration akzentuierte kleine Sekund „motiviert" die Fortsetzung des zweiten Themas. Das von der ersten Geige intonierte Motiv wird von den restlichen Streichern in paralleler Stimmführung (Terzsextakkorde) sequenziert, kontrapunktisch zu der Motivrepetition der ersten Geige, die auch das Motiv des Nachsatzes dieser Periode antizipiert (mit dem Kopfmotiv des Themas verwandt). Bei der Wiederholung der Periode werden die Sequenzen von der ersten Oboe, die Repetitionen von den Flöten angeführt. Aus dem Motiv des Nachsatzes und seiner gleichzeitigen Umkehrung wird durch metrisch engräumige, dynamisch gesteigerte Wiederholung eine Überleitung zum Schlußsatz. Als solcher weisen sich die folgenden beiden Perioden dadurch aus, daß ihre Halbsätze, harmonisch gesehen, Umschreibungen des Kadenzmodells sind, wobei der Nachsatz jeweils eine Variante des Vordersatzes ist. Ähnlich wie die Überleitung zum zweiten Thema geht dieser Schlußteil über die bloße Formfunktion dadurch hinaus, daß er neue, gegenüber den Themen selbständige Gedanken einführt. Der erste, von punktiertem Rhythmus dynamisch hervorgehoben (T. 75), erfährt im Nachsatz eine Differenzierung: Pianissimo wird das rhythmische Motiv im Abstand eines Achtels imitiert. Der zweite Gedanke, dessen Auftakt die Rollfigur enthält (T. 82), ist von einer Einprägsamkeit, die ihn als eines der Hauptthemen erscheinen lassen könnte.[1]

Während die Exposition viele motivische Gestalten auf nur zwei harmonischen Ebenen bietet, konzentriert sich die Durchführung auf zwei Gedanken, die harmonisch weiträumig entfaltet werden. In a-Moll erklingt das Kopfmotiv des ersten Themas mit vereinfachter Fortführung (vgl. T. 3 mit T. 102), wobei die ganztaktigen Töne durch die Zweiunddreißigstel-Kette der ersten Geige aufgelockert sind. Der Vorgang wiederholt sich in C-Dur mit den Oboen in der Melodieführung. Das repetierte g der Geigen — Zielton des letzten Zweiunddreißigstel-Laufs und Fortsetzung des Haltetons der Flöte — wird zur Bezugslinie eines Motivspiels: Dem (um den ersten Ton) verkürzten Anfangsmotiv im Baß antworten Flöte und Oboe mit Gegenbewegung. Klangraum des Geschehens ist (auf d-Moll bezogen) der verkürzte

1 Vgl. K. Nef, *Die neun Sinfonien Beethovens,* S. 44.

Dominant-Nonenakkord, der durch enharmonische Verwechslung b zu ais in die Kadenz von e-Moll führt. Hier erneuert sich das Motivspiel, auf die Tonrepetition gis—h bezogen, mit der Grundgestalt in den Bläsern, der Umkehrung in den Bässen, im Klangraum des Dominant-Nonenakkordes von a-Moll, dessen enharmonische Verwechslung über den Septakkord auf Des in die Kadenz von F-Dur führt. In F-Dur tritt die Tonrepetition mit daktylischem Rhythmus und oktavierter Stärke hervor. Das Kopfmotiv nimmt in dieser entfernten Region einen affirmativen Habitus an, im Wechsel von Oboen und Fagott einerseits und den Bässen andererseits: vollständig, das heißt viertönig, seine Tonika- und Dominantform ausspielend, der erste viertaktige Abschnitt in F-Dur, der zweite in f-Moll (mit Kadenz auf der Dominante von c-Moll).

Der letzte Abschnitt der Durchführung greift auf jene Fortsetzung des zweiten Themas zurück, in der die Wiederholung eines Sekundmotivs in der 1. Geige von den Sequenzen dieses Motivs in der übrigen Streichergruppe kontrapunktiert wird. Dieses synkopische Spannungsverhältnis wird zunächst im Raum von c-Moll verankert, um sodann als Movens eine Modulation nach Des zu erwirken, welches als Cis — Zwischendominante der Tonikaparallele — die Kadenz von A-Dur einleitet. Aus dem entspannten Nachklang der Kadenz erfolgt der Einsatz der Reprise. Die Durchführung verlief als harmonisch weiträumige Entfaltung eines Haupt- und eines Nebengedankens. In dieser Konzentration mußte sie die Vielheit der exponierten Gedanken zurücklassen. Das Zurückgelassene, gleichsam Vernachlässigte — wozu auch der engere Kontext der beiden durchgeführten Motive gehört — aufzunehmen und zu vergegenwärtigen, ist die Aufgabe der Reprise, die sie mit einer gewissen Zärtlichkeit löst: erhöhte Zuwendung begleitender Umspielungen bei der Wiederkehr des ersten Themas, nachdrückliche Stärkung des Überleitungsmotivs durch Sequenzen, bei denen Violine und Oboe dem Motiv in Gegenbewegung antworten. Diese in der Reprise „nachgeholte" Motivdurchführung hat auch die Funktion, eine weiträumige Harmoniefolge zu durchschreiten (Quintschrittsequenz), bevor das zweite Thema und die Schlußsätze die Tonika in Anspruch nehmen. Die Coda verknüpft das Anfangsmotiv (1. Thema) mit der Figur des Ausklingens (vgl. T. 154ff.) und erinnert bei der Wiederholung ihres Nachsatzes an die Maestoso-Phase der Durchführung.

Die Disposition des Scherzos: erster Teil A mit Wiederholung, zweiter Teil B—A'—B' mit Wiederholung. Nicht A also, sondern Abschnitt B, motivisch von A ausgehend und auf einen kontrastierenden Gedanken zielend, hat im zweiten Teil das Gewicht der schließenden Wiederkehr. Die erste Periode ist ein Spiel mit dem einfachsten Dreitonmotiv. Dieses springt über den Stufen der Kadenz von den Bässen zu den Geigen und Bläsern, so daß der melodische Zusammenhang aus unterschiedlichen Lagen und Klangfarben entsteht: Baß eines Tutti-Klangs — unbegleitete Tonfolge der Geige — Hornduo — Violinduo — verschiedene Koppelungen. Der Scherzo-Charakter bewährt sich durch Übertreibung: durchbrochene Arbeit auf engstem Raum, fortissimo auf den schwachen Schlußtakten der Halbsätze.

Die Mitte des Abschnitts B liegt im entfernten B-Dur (wie die Mitte der Introduktion) und besteht in einem von bisheriger Motivik unabhängigen Gedanken aus retardierender Synkope und fließender Achtelbewegung über dem Orgelpunkt B—F. Nur durch unmittelbare Wiederholung wird die Position dieses in sich und zu seiner Umgebung kontrastierenden Gedankens glaubhaft. Was ihm vorangeht, ist eine

Phrase, die das Dreitonmotiv mit seiner Schlußvariante verbindet, über dem Dominantschritt zur Molltonika, sowie die Sequenz dieser Phrase über dem entsprechenden Schritt zur oben genannten Region. Was ihm folgt, ist eine Kadenzierung mittels des satzübergreifenden Rollmotivs (über die Tonika und die Doppeldominante) zur Dominante, von der sich die Überleitung zu A' ergibt. Das chromatische Überleitungsmotiv Takt 37f. wird in B' an die Stelle jenes „Kontrastgedankens" treten. A' wiederholt den ersten Halbsatz unverändert und läßt den zweiten in eine Motivrepetition auslaufen, aus der sich ein Anhalten auf der Dominante von F-Dur ergibt. Auf ihr setzt Takt 59 B' ein: Die aus dem Dreitonmotiv gebildete zweitaktige Phrase wird sequenziert (A—d) und durch jene chromatische Wendung (aus T. 37f.) ergänzt, die die Kontrastfigur Takt 21—24 substituiert. Die Tonart B-Dur hat nicht mehr die Selbständigkeit der Takte 21ff., sondern wird „klangvertretend" in die Schlußkadenz integriert (T. 71, 75). An den Teil A erinnert allenfalls noch der letzte Takt jener Kadenz (T. 66 und 74 entsprechen T. 7 und 15), also der „Krebs" jenes Dreitonmotivs sowie seine Grundgestalt auf dem letzten Dominanttakt (T. 82).

Im Trio wird die tonartliche Distanz der Teile nach der anderen Seite gezogen: statt D-Dur—B-Dur nun D-Dur—Fis-Dur. Dabei wird das Raffinement der einfachsten Motivik auf die Spitze getrieben. Der Mittelteil D ist ein Unisono der Streicher, das nur das Elementarste der Tonart Fis enthält: Grundton, Leitton und Dreiklangstöne der Tonika. Er ist mehr rhythmisch bestimmt als melodisch: zwei akzentuierte ganztaktige Töne — zwei Takte gebundene Achtelpaare (fis—eis) — zweimal zwei Takte gestoßene Viertel der tiefen Streicher bei gleichzeitiger Achtelunterteilung der Geigen im Rahmen des Fis-Dur-Dreiklanges — vier Takte Achtelrepetition auf fis (decrescendo) — zwei Takte gebundenes fis (pianissimo). Die Periode des Teiles C besteht in der Wiederholung eines Halbsatzes von vier Doppeltakten. Die Melodie bewegt sich im Rahmen einer Quint (Quartgang a—e) als Oberstimme eines schlichten Bläsersatzes. Bei der Wiederkehr, nach jenem pianissimo-fis durch ein fortissimo-A der Bläser und Pauken signalisiert und durch einen Auftakt der Streicher unterstützt, erscheint die Periode C in einer feinen Variante: Kontrapunkt im Fagott, bei der Wiederholung Melodie im Horn und Kontrapunkt als Pizzicato der Bässe. Der Schlußtakt wird mehrfach wiederholt, zuerst im Wechsel (Hörner, Oboen), dann gemeinsam.

Für das Finale der 2. Symphonie steht die Disposition nicht von Anfang an fest. Im Keßlerschen Skizzenbuch ist der Satz eindeutig als Rondo konzipiert.[1] Das zweite Thema, in der vorangegangenen Expositionsskizze als Seitensatz gedacht, erscheint erst nach der Wiederkehr des ersten Themas, welchem die Funktion eines Ritornells zukommt. Die Begriffe, nach denen das thematische Material disponiert und damit erst definiert wird — als Ritornell oder erstes Thema, als Episode oder Überleitung, als Episode oder Seitensatz —, sind nicht von vornherein festgelegt. Die Vorstellung, daß Beethoven der Maxime von der Priorität des Ganzen vor dem Einzelnen verpflichtet sei, muß hier (wie auch schon für die Einleitung und Exposition des ersten Satzes) in Frage gestellt werden. Beethoven hat letztlich das Verhält-

1 S. Brandenburg, *Keßlersches Skizzenbuch,* fol. 17^r—22^r. Vgl. K. Westphal, *Vom Einfall zur Symphonie,* S. 64ff.

nis von Rondo- und Sonatenform selbst zur regulativen Idee des Satzes werden lassen und einen Sonatensatz konzipiert, der das Moment der Reprise multipliziert.

Es finden sich in diesem Werk also drei durchaus unterschiedliche Auffassungen der Sonatensatzform: der auf Auseinandersetzung angelegte erste Satz, der die melodische Entfaltung erwirkende zweite, der die mehrfache identische Wiederkehr fordernde Schlußsatz. Der auffälligste Unterschied in der Sonatenkonzeption der beiden Ecksätze ist freilich der Anfang: die langsame Einleitung einerseits, der Beginn „ex abrupto“ andererseits. In der Rhetorik gibt es das Verbot des „abrupte incohare“.[1] Für den musikalischen Satzbau hat Hugo Riemann bestimmte Abweichungen von der achttaktigen Periode als „Anfänge mit dem zweiten Takt“, „mit der zweiten Zweitaktgruppe“ oder „mit Teilen des Nachsatzes“ beschrieben.[2] Die Energie des Anfangsmotivs stammt nicht allein aus seiner immanenten Gespanntheit (Septakkord, melodischer Gestus), sondern auch aus seiner metrischen Position. In seinen beiden Takten ballt sich das Gewicht eines viertaktigen Vordersatzes, dem ein entsprechender Nachsatz antwortet, oder mit Riemann gesprochen: Es ist ein „Anfang mit der zweiten Zweitaktgruppe“, gleichsam „medias in res“. Tatsächlich hatte Beethoven, worauf wiederum Westphal hinweist, zuerst ein symmetrisches Gebilde notiert, in welchem dem zweitaktigen Motiv eine nur zweitaktige Achtelbewegung folgt, die dessen Impetus abbremst, indem sie das Symmetriepostulat erfüllt.[3] Die viertaktige Achtelgruppe zeichnet sich im übrigen auch dadurch aus, daß sie etwas von der übergreifenden motivischen Substanz enthält, den absteigenden Quartgang, von dem Spitzenton a ausgehend (T. 4), und die Rollfigur (T. 5). Die Achtelkette kadenziert auf der Dominante, die Wiederholung der ganzen sechstaktigen Einheit mit Kadenzierung auf der Tonika läßt das Thema als Periode von zweimal sechs Takten erscheinen. Darauf folgt eine typische Überleitungsphase, deren Ausgangsfigur, das Auftaktmotiv des Satzes aufgreifend, mit Nachdruck zur Dominante geführt wird, als würde der Einsatz eines kontrastierenden Themas vorbereitet.

Das folgende, vom Cello angeführte Thema Takt 26 war im Keßlerschen Skizzenbuch als erste Episode der Rondoanlage konzipiert. Hier wird es zur eigentlichen Überleitung im Sinne des Typus Überleitung mit neuem Thema. Das Eigengewicht seiner Melodik und Textur verdankt es seiner Herkunft als „Episode“. Das Motiv seines imitatorischen Tonsatzes, der Quartgang, wird vom Cello, in der themenübergreifenden Form fis—e—d—cis von der zweiten Geige Takt 27 intoniert. Der Höhepunkt der melodischen Entfaltung Takt 42 ist überdies von der Rollfigur (Krebsumkehrung) geprägt. In den folgenden Takten wird die Überleitung auf ihr funktionales Moment beschränkt, das heißt, sie ist ohne motivische Anbindung, aber von besonderer Stringenz in Kadenzierung und Bewegungscharakter. Der Seitensatz ist ein Gesangsthema von duettierender Stimmführung, Fagott und Klarinette einerseits, Oboe andererseits. Der weite Atem der melodischen Linie verdankt sich nicht nur dem Sichablösen und -stützen der beiden Stimmen, sondern auch den doppeltaktigen metrischen Einheiten und der feinen Asymmetrie innerhalb der Pe-

1 H. Lausberg, *Handbuch der literarischen Rhetorik* ([2]1960), § 343.
2 H. Riemann, *System der musikalischen Rhythmik und Metrik,* S. 213ff.
3 Vgl. K. Westphal, *Vom Einfall zur Symphonie,* S. 67.

rioden. Der Vordersatz der ersten Periode besteht in einem Alternieren zwischen Tonika- und Dominantform des Motivs, der Nachsatz in ganztaktigen Synkopen und einer Kadenz mit der Diminution des Motivs. Gegenüber dem wiegenden Alternieren bringt der Vordersatz der zweiten Periode, in Moll einsetzend, eine Fortschreitung nach C, und der Nachsatz besteht in einem viertaktigen Abschnitt (C-Dur) und in dessen Sequenz (a-Moll), durch welche die Kadenzierung erst auf den folgenden Abschnitt (von sechs plus acht Takten) verlagert wird, dem sich weitere zehn Takte eines kreisenden Klanges (Dominantseptakkord) anschließen, vom Fagott getragen und von den Geigen mit dem Auftaktmotiv erfüllt.

Die Durchführung präsentiert das Hauptthema vollständig, damit den Rondogedanken wachrufend. Die letzten vier Takte erscheinen in der Mollvariante, die die Ebene für den Einsatz der thematischen Arbeit bietet. Über D als Orgelpunkt werden Tonikaform und Dominantform des Kopfmotivs kontrastiert, dann nur dessen Schlußviertel, wobei die Bläser verbindend (T. 120—124) und bestätigend (T. 125ff.) sekundieren. Aus dem Achtelmotiv wird ein zweitaktiges Modell gewonnen, das in den Geigen über einer Quintschrittfolge sequenziert wird, wobei sich Bässe einerseits, Fagott und Oboe andererseits in begleitenden Halben abwechseln. Weiterhin konzentriert sich die Durchführung auf das Kopfmotiv. Von den Bässen angeführt, erfährt es eine imitatorische Verarbeitung in den Bläsern (Einsatz seiner vereinfachten Gestalt nach einem Takt in T. 140, 142, 146 und 148, nach einem halben Takt in T. 143f., 149—156). Diese Verarbeitung erfolgt auf der harmonischen Grundlage einer Klangkette (B—G—C—A—d—H—e—Cis—fis) und mündet in eine Unisono-Linie, deren zweiter Takt durch die Rollfigur geprägt ist.

Die bei dem Unisono ausgesparten Hörner und Trompeten führen durch ihren Halteton (Hörner ab T. 165, Trompeten ab T. 171) die fis-Moll-Kadenz an, die das Auftaktmotiv evoziert, aus dessen Sequenz die Reprise hervorgeht. Wenn nach extensiver Themenaufstellung (motivisch selbständige Überleitung) nur wenige Motive durchgeführt werden, so ergibt sich das Postulat, das von der Durchführung nicht Berücksichtigte zu rekapitulieren. Die Reprise unterscheidet sich hier von der Exposition nur durch ihre Grundeigenschaften: Dem Überleitungsteil ist der modulatorische Charakter genommen, der Seitensatz tritt in der Grundtonart auf. Das thematische Material wird nicht modifiziert, allenfalls in seiner klanglichen Erscheinung (Intonation des Seitenthemas durch das Horn T. 236). Aus der der Exposition entsprechenden Schlußphase der Reprise, durch das Auftaktmotiv geprägt, geht nochmals unverändert, nun die Coda signalisierend, das Hauptthema hervor. Der wiederholende Nachsatz wird durch eine Unisono-Steigerung des Kopfmotivs ersetzt. Die Steigerung ist gleichzeitig metrischer Art durch Verkürzung der Einheiten (2 Takte, 1 Takt, 1/2 Takt) und harmonischer Art durch die Bildung einer chromatischen Baßlinie. Ziel der Steigerung ist das Überleitungsthema, das nun eine nachträgliche Durchführung erfährt: Es wird zu einer durch die Moll-Subdominante bestimmten Melodie, zunächst über A, dann über D als Orgelpunkt; in einem sequenzierenden Anhang mündet sie in das Fortissimo des Dominantseptakkords, dessen Spannung (Fermate) intensiviert wird durch das unmittelbar folgende Piano der Dominante zur Tonikaparallele.

Ein „gehender" Baß gibt dem zweiten Teil der Coda den Charakter einer Stretta. Es sind Quintschrittsequenzen, die durch den Baß strukturiert werden, wobei sich zwischen den Stufen jeweils ein Quartgang ergibt (e—d—cis—h, a—g—fis—e etc.).

Nach acht Takten werden die Quartgänge durch eine Gegenbewegung sowie durch die Repetition des Auftaktmotivs kontrapunktiert. Auf der Stufe der Subdominante wird der Vorgang wiederholt und augmentiert, wobei das Auftaktmotiv zum Halteton d fixiert wird. Die daran anschließende Kadenz forciert die Zwischendominante als verkürzten Nonenakkord mit verminderter Quint. Eine chromatische Sequenz des Auftaktmotivs führt zu einer Kadenz von melodischem Schwung: Mit der Rollfigur setzt sie auf der Septime der Tonika an. Die Bestätigung der Kadenz durch das Kopfmotiv in seiner Tonika- und Dominantform erscheint nochmals zurückgenommen durch eine Fermate auf Fis unisono. Die durch die Zurücknahme rekapitulierte Baßlinie bricht auf der Tonikaparallele ab (Generalpause), ebenso auf der Dominante, bis das Kopfmotiv wiederkehrt, jetzt nur noch die Tonika affirmierend.

Eine Komposition ist das Ergebnis kompositorischer Entscheidungen, die meist nicht als solche dokumentiert sind. Für das vorliegende Werk sind wichtige Entscheidungen in Skizzen notiert, ästhetische Relevanz haben sie, soweit sie sich in der endgültigen Fassung des Werkes — im ästhetischen Gegenstand — als Entscheidungen ausprägen. Einige Entscheidungen sind unmittelbar zu hören: die gegen die Symmetrie von Abschnitten, wie im Finale der Anfang „ex abrupto", im Hauptthema des ersten Satzes das Ausschlagen der Wiederholung, im Scherzo der Sachverhalt, daß der B-Teil das letzte Wort behält. Andere Entscheidungen machen sich mittelbar geltend, darum nicht weniger gravierend: Die Entscheidung gegen die in den Skizzen reichlich dokumentierte motivische Identität von Einleitung und Hauptthema wirkt sich in dem besonderen Freiraum aus, den die Einleitung beansprucht, während sie nur sekundäre Züge mit der Thematik teilt. Die Entscheidung gegen die Rondoform ist als Widerstand spürbar, den das als unverändertes mehrfach wiederkehrende Thema dem Sonatenprozeß entgegensetzt. Entscheidungen, die in den Formprozeß eingreifen, sind, obwohl einsam, nach außen gerichtet. Wie nachdrücklich sie das Interesse des Hörers betreffen, läßt sich aus den frühen Kritiken ablesen. Da ist, bei aller Bewunderung, von „zuweilen höchst seltsam gruppierten Ideen" die Rede und von der Hoffnung, daß mehrmaliges Hören dazu führen werde, „das Einzelne im Ganzen und das Ganze im Einzelnen überall zu verfolgen"[1], vor allem aber von „Bizarrerie"[2]: „und das Finale halten wir, auch jetzt, nach genauer Bekanntschaft, für allzu bizarr, wild und grell".[3] Was als bizarr gilt, hat später Karl Rosenkranz zusammengefaßt, das Bizarre in der Nähe von Willkür, Laune, Bosheit ansiedelnd. „Das Bizarre ist der Eigensinn der Laune. Das Wort kommt vom italienischen bizza her, welches Zorn, auch Bosheit bedeutet. Weil die Bosheit etwas singuläres ist, so ist es dann auch auf das Absonderliche, Seltsame übertragen worden, in dessen Hervorhebungen sich die Laune gefällt [...]. Es verbindet in seiner Laune, was man zu trennen, es trennt, was man zu verbinden pflegt."[4] Die Behauptung, daß ein Werk Züge des Bizarren habe, dient dem Schutz der Hörerwartungen vor den Herausforderungen der Komposition. Sie reagiert auf das Komponieren als auf ein „soziales Handeln". Tatsächlich wurde Beethoven ein-

1 *AmZ* (1804), zit. nach St. Kunze, *Gesammelte Konzertberichte,* S. 35.
2 K. Nef, *Die neun Sinfonien Beethovens,* S. 57.
3 *AmZ* (1804), zit. nach St. Kunze, *Gesammelte Konzertberichte,* S. 36.
4 K. Rosenkranz, *Ästhetik des Häßlichen,* S. 217.

mal direkt gefragt: „Heißt das nicht Handeln bei Ihnen: Componieren?“[1] Er kann nur mit ja geantwortet haben; die angeführten Entscheidungen in der Komposition bestätigen es. Ein solches Handeln kann auch dort wirksam sein, wo es um eine ruhige, in ihrem melodischen Fluß „unproblematische“ Musik geht: Innerhalb des die Sonatenform ausprägenden Denkens darf es als besondere Entscheidung gelten, wenn es — wie im langsamen Satz — zu keiner Unterordnung unter Hauptgedanken kommt: Überleitungs- und Schlußphasen sind hier von individuellem melodischem Anspruch, den Hauptgedanken gleichrangig. Auf der Befreiung dieser Phasen aus ihrer funktionalen Gebundenheit beruht das weittragende Cantabile dieses Satzes. Überhaupt ist das kompositorische Handeln Beethovens auf Befreiung gerichtet. Die Entscheidungen, die als „gegen“ bestimmte Vorgaben gewandt beschrieben wurden, sind positiv genommen solche „für“ größere Freiheit. Fichtes „Tathandlung“, durch die aus Freiheit Zusammenhänge von „innerer Notwendigkeit“ geschaffen werden, trifft das Beethovensche Komponieren. Und wenn Philosophie von Fichte als „System der Freiheit“ intendiert werden konnte, so scheint Beethovens Musik eben dieses Paradox einlösen zu wollen: „den Anspruch auf jene Totalität, in der Vernunft und Freiheit verbürgt sein sollen“ (Adorno).[2]

Adolf Nowak

3. Klavierkonzert c-Moll op. 37

ENTSTEHUNGSZEIT: erste Entwürfe reichen wohl bis 1796 zurück; weitreichende Ausarbeitung des 1. und 2. Satzes 1799/1800, vorläufige Fertigstellung 1802/1803, letzte Überarbeitung 1804; Kadenz zum 1. Satz wahrscheinlich 1809 für den Erzherzog Rudolph.

ERSTAUFFÜHRUNG: am 5. April 1803 in Beethovens Akademie im Theater an der Wien.

SKIZZEN: British Library London, Add. Ms 29801, Kafka Sketchbook; Staatsbibliothek Preußischer Kulturbesitz Berlin, aut. 28, Skizzenbuch Fischhof; Gesellschaft der Musikfreunde Wien, A 34, Skizzenbuch Keßler; Beethoven-Haus Bonn, Mh 71.

AUTOGRAPH: Staatsbibliothek Preußischer Kulturbesitz Berlin; Autograph der Kadenz: Bibliothèque Nationale Paris.

ERSTDRUCK UND WIDMUNG: Stimmen: Wien 1804 (Bureau des Arts et d'Industrie); Partitur: Frankfurt 1834/1835 (Fr. Ph. Dunst); Kadenz: 1864 in der Alten Gesamtausgabe; dem Prinzen Louis Ferdinand von Preußen gewidmet.

GESAMTAUSGABEN: Alte Gesamtausgabe: Nr. 67 = Serie 9 Nr. 3; Neue Gesamtausgabe: Abt. III, Bd. 2, Kadenz: Abt. VII, Bd. 7.

In der Reihe der fünf Klavierkonzerte stellt op. 37 nicht nur zahlenmäßig die Mitte dar. Mit den ersten beiden ist es durch die Gleichzeitigkeit der Konzeption verbunden, hinsichtlich des kompositorischen Standes oder Niveaus wird es mit dem G-

---

1 K.-H. Köhler / D. Beck, *Ludwig van Beethovens Konversationshefte*, Bd. III, zit. nach M. Geck, *Von Beethoven bis Mahler*, S. 2.

2 Th. W. Adorno, *Einleitung in die Musiksoziologie*, S. 72.

und Es-Dur-Konzert zusammengedacht: Wie bei den Symphonien in der *Eroica*, so habe Beethoven bei der Konzertkomposition erst im c-Moll-Konzert seine spezifische Ausdrucksform gefunden. Eine Ausnahmestellung nimmt es durch die Moll-Tonart ein — eine Tatsache, die es für die allgemeine Rezeption häufig nahegelegt hat, das Werk auf eine Ebene mit Mozarts wahrhaft exzeptionellen Moll-Konzerten KV 466 und 491 zu stellen; und daß diese Tonart wie in der 5. Symphonie c-Moll ist, hat für Betrachter, die sich vom Aspekt der Tonartencharakteristik — freilich häufig genug im Sinne trivialer Metaphysik — leiten ließen, die Wertschätzung der Komposition nur größer werden lassen. Unverkennbar freilich ist, daß die kompositorische Rezeption von op. 37 im 19. Jahrhundert, also die Vorbildfunktion für Werke anderer Komponisten, eminent war. Nach Tovey übertrifft sie darin sogar die des 4. und 5. Klavierkonzerts deutlich.[1]

Die Zahl der Sätze, deren Charaktere und die in ihnen ausgeführten Formtypen entsprechen der Norm der Konzertkomposition. Der erste Satz folgt der spezifischen Anlage der Sonatenform im Kopfsatz eines Konzertes mit Orchesterexposition (T. 1—111: T. 1 Hauptthema, T. 50 Seitenthema), Soloexposition (T. 112—249: T. 114 Hauptthema, T. 164 Seitenthema), relativ knapper Durchführung (T. 250—308), Reprise (T. 309—416: T. 309 Hauptthema, T. 340 Seitenthema), Kadenz und Coda (T. 417—443). Der zweite Satz bietet in E-Dur eine dreiteilige Liedform mit Coda (T. 1—24 A, T. 25—53 B, T. 53—81 A', T. 81—82 auskomponierte Cadenza, T. 83—90 Coda), in welcher der Mittelteil allerdings weniger durch den Unterschied des thematischen Materials als vielmehr durch seinen harmonisch schweifenden Tonsatzzustand kontrastiert. Der dritte Satz schließlich ist ein Sonatenrondo (T. 1—55 1. Refrain, T. 56—127 1. Couplet, T. 127—181 2. Refrain, T. 182—297 2. Couplet, T. 298—318 3. Refrain, T. 319—407 dem 1. entsprechendes 3. Couplet, Kadenz und T. 408—463 Coda). Ein besserer Konzertführer, in dem die eben gegebene und zweifellos unverzichtbare Formübersicht auch zu finden sein dürfte, hätte beim dritten Satz noch auf die Besonderheiten hinzuweisen, daß das 2. Couplet mit einem neuen thematischen Gedanken (T. 182—229) und einem Durchführungsabschnitt (T. 230—297) die beiden herkömmlichen Gestaltungsmöglichkeiten dieses Formteils in einem Sonatenrondo verbindet, der 3. Refrain stark verkürzt ist und schließlich die Coda als Stretta Tempo und Tongeschlecht ändert.

In einem Konzertführer ist es nun die Regel, daß jene Formübersicht zum Gerüst einer verbalen Paralleldarstellung des musikalischen Verlaufs genommen wird, die sich um die — in Notenbeispielen dokumentierten — thematischen Hauptgedanken als „highlights" rankt. Die Akzentuierung der Themen ist sicherlich als Verabsolutierung von „schönen Stellen" oder als Nominalismus eines trivialen Musikjournalismus zu kritisieren. Sie hat aber ihren historischen Grund insofern, als die Überbewertung der thematischen Gestalten bereits die Theorie der Sonatenform des 19. Jahrhunderts beherrschte. Die Einsicht, daß die klassischen Ausprägungen dieser Form keineswegs allein oder auch nur vorwiegend auf dem Aspekt der Thematik beruhen (etwa in dem Sinne, daß Haupt- und Seitenthema in der Durchführung in einen Dialog träten oder miteinander vermittelt würden — was selbst bei Beethoven nur ausnahmsweise der Fall ist), sondern noch weit über Beethoven hinaus von der

1 Vgl. D. Fr. Tovey, *Essays in Musical Analysis,* Bd. III (^{14}1978), S. 71.

harmonischen Disposition und Entfaltung getragen werden, trat zwar erst erstaunlich spät ins Bewußtsein, ist aber gegenwärtig zu einer communis opinio geworden. Sie darf jedoch — wovor bereits Charles Rosen gewarnt hat[1] — nicht zu der wiederum einseitigen Haltung verleiten, daß die thematischen Gedanken in ihrer charakteristischen Prägung in den Hintergrund der Aufmerksamkeit geraten. Gerade die Ausbildung geschlossener musikalischer Gedanken, die gleichsam als dramatis personae den musikalischen Verlauf mitbestimmen und den einzelnen Werken ihre unverwechselbare Individualität verleihen, war eine Errungenschaft der Klassik, die es überhaupt erst ermöglichte, daß im späteren Verlauf des 19. Jahrhunderts die zentrale Rolle für die Formbildung von der harmonischen Anlage auf die motivisch-thematische Arbeit überging. Bei Beethoven scheint in dieser Hinsicht ein Schwebezustand zu herrschen, eine sensible Balance zwischen den beiden Ebenen, die in jedem Augenblick zugunsten der einen oder anderen Seite ausschlagen kann. Niemand wird der Behauptung widersprechen, daß Beethoven beiden Aspekten seine ungeteilte Aufmerksamkeit zugewandt hat. In dieser Übereinstimmung allerdings liegt auch die Möglichkeit beschlossen, die thematischen Gestalten für sich einer Betrachtung zu unterziehen, und zwar nicht nur hinsichtlich ihrer spezifischen Charakteristik und ihres formalen Baus, sondern hinsichtlich ihres Sinnes für das Werk insgesamt. Daß solch eine Vorgehensweise besonders fruchtbar sein kann, zeigt das 3. Klavierkonzert exemplarisch.

Das sechzehntaktige Hauptthema des ersten Satzes bildet — in der Terminologie von Erwin Ratz — einen Satz, der in seiner Regelmäßigkeit kaum zu übertreffen ist. Der achttaktige Vordersatz besteht aus zwei parallelen Viertakten, die als Modell und Sequenz deutlich voneinander gesondert sind; der Nachsatz setzt die Sequenzierung des gleichen motivischen Materials mit Zweitaktern, das heißt in rascherer Abfolge, fort, schließt die einzelnen Glieder aber zu einem zäsurlosen Zug zusammen, der — anders als der Vordersatz — zielgerichtet zur Schlußkadenz hinführt.

Inhaltlich gefüllt ist dieser regelmäßige Rahmen durch motivisches Material, das in systematischer Präsentation die wesentlichen Konstituenten der harmonischen Tonalität exponiert. Zur Grundlage der individuellen thematischen Gestalt werden mithin zentrale Elemente des musikalisch Allgemeinen, und zwar sowohl in dessen horizontaler (melodischer) als auch vertikaler (harmonischer) Entfaltung. Auffällig dabei ist vor allem die gleichsam didaktische Stufung: Schritt für Schritt wird ins System der Tonalität eingeführt.

Der erste Halbsatz des Vordersatzes präsentiert die horizontalen Elemente: Unter Verzicht auf akkordische Begleitung werden im Unisono Dreiklangsbrechung, Skalenbewegung und Quartpendel vorgestellt, das für die wichtigste harmonische Fortschreitung Tonika—Dominante steht. Der zweite Halbsatz fügt der sekundsequenzierten Melodie Akkorde hinzu, exponiert mithin Harmonik als solche und stellt der Tonika des ersten Halbsatzes (die trotz der fehlenden Akkorde unverkennbar ist) die Dominante gegenüber. Exponiert sind bis hierher die beiden zentralen Funktionen harmonischer Tonalität sowie mit Dreiklang und Septakkord zugleich deren zwei wesentlichen konkreten Akkordprägungen (als solche waren sie bereits 1722 von Jean-Philippe Rameau im *Traité de l'Harmonie réduite à ses Principes naturels*

1 Vgl. Ch. Rosen, *Sonata Forms* ([2]1988), S. 6.

beschrieben worden). Was noch fehlt, ist die Präsentation der vollständigen Kadenz und aus ihr namentlich die Subdominante. Das geschieht in der Sequenz des Nachsatzes, für dessen durchgehenden Zug die normative Funktionsfolge Tonika—Subdominante—Dominante—Tonika gerüstgebend ist. Das im ersten Viertakter exponierte melodische Material wird dabei auf bemerkenswerte Weise verarbeitet, wobei die dort ausschließliche Sukzessivität in unterschiedlicher Weise in Simultaneität überführt ist: Der Baß des Sequenzzweitakters wird von dem zum Sextakkord geweiteten Dreiklang gestellt, dessen Oberstimme von dem rhythmisch umgeformten fallenden Quintzug; und die in Takt 3—4 exponierte Quarte ist Maßgabe des intervallischen Abstandes zwischen den Sequenzgliedern.

Die beiden folgenden Taktgruppen (T. 17ff. bzw. 24ff.) greifen hinsichtlich ihrer instrumentalen und dynamischen Beschaffenheit auf den Vorder- bzw. Nachsatz des Hauptthemas zurück. Erstere entnimmt dem Vordersatz das gleichsam solistische Respondieren von Streichern und Bläsern, letztere antwortet wie der Nachsatz als Tutti. Dieser Parallelität indes steht die Differenz hinsichtlich des thematischen Inhalts und der sich weiterhin auf Sequenzen stützenden Satzanlage gegenüber. Die Takte 17—24 stellen thematisch einen Kontrast dar, und die wie im Vordersatz viertaktige Sequenz erfolgt nun nicht im Sekund-, sondern im Terzabstand; vorbereitet wird damit der Übergang zur Durparallele Es-Dur, in der in Takt 50 das Seitenthema einsetzen soll (vgl. dazu auch den strukturell analogen Achttakter Takt 56—63 im dritten Satz, der ebenfalls dem Kadenzabschluß des Hauptthemas folgt, also auch formal den gleichen Platz besetzt; dort jedoch ist der Sequenzabstand eine Quart). Die Taktgruppe Takt 24—36 dagegen, die bei „Takterstickung" auf dem letzten Takt der vorangehenden Gruppe einsetzt, kehrt zur Sekundsequenz zurück, die sich zunächst in viertaktigen, ab Takt 32 jedoch in zweitaktigen Gliedern vollzieht; thematisch ist sie auf den Vordersatz bezogen und spinnt dessen ersten Zweitakter durch Insistenz auf der fallenden Skala aus (zur rhythmischen Fassung der Fortspinnung, etwa in Takt 26—27, vgl. den Nachsatz).

In Fortsetzung der Systematik, mit der Konstituenten der Tonalität im Thema präsentiert werden, lotet Beethoven die gesamte Vielfalt der in tonaler Musik möglichen Sequenzabstände aus: die Sekunde im Vordersatz und im zweiten Tutti, die Quarte im Nachsatz, die Terz in der kontrastierenden Taktgruppe. Und die den Hauptsatz abschließende Gruppe ab Takt 37 endlich setzt gleichsam mit der 0-Sequenz, der Wiederholung eines Viertakters an, die zuvor allenfalls beim Quartpendel in Takt 3—4 beobachtet werden kann.

Daß die genannten Aspekte, nun namentlich der Solo-Tutti-Gegensatz als Satzprinzip sowie die Differenzierung der Sequenzabstände, Beethoven als Gestaltungskategorien ganz bewußt waren, zeigt die Wiederaufnahme des Hauptsatzes in der Soloexposition. Hier entsprechen — freilich bei steter figurativer und instrumentaler Variation — Takt 114—130 den Takten 1—16 (mit Dehnung des Kadenztaktes 15 auf die zwei Takte 128—129), Takt 131—138 stimmen mit Takt 17—24 überein, und in Takt 146, der Takt 36 entspricht, schließt sich die Soloexposition wieder dem Verlauf der Orchesterexposition an. Der Abschnitt davor jedoch (T. 138—146) unterscheidet sich strukturell von jenem zweiten Tutti der Takte 24—36. Zunächst wird die vierstufige Sekundsequenz dort durch eine zweistufige Quartsequenz ersetzt, was aber den Anschluß an die Nachbargruppen insofern nicht stört, als die Anfangs- und Endglieder gleich bleiben. Überdies aber entfaltet sich der Abschnitt nicht als durchgehendes Tutti, sondern stellt in zweitaktigem Wechsel Orchestertutti und Solo gegeneinander. Diese satztechnische Änderung indes ist keine punktuelle Variation, sondern signalisiert die hinsichtlich der Kategorie Solo/Tutti grundsätzlich unterschiedliche Anlage der Soloexposition. Für die Orchesterexposition bestimmend ist die zweimalige Abfolge von Solo- und Tuttiabschnitten, bei der die Soli auch zur Darstellung der Orchestergruppen genutzt werden. In der Soloexposition dagegen ist schon im Thema selbst die Differenzierung hinsichtlich der instrumental determinierten Satzdimension eingeebnet: Im Vordersatz wird der Responsion lediglich noch durch die dynamische Differenz entsprochen, und der Nachsatz antwortet trotz der Streicherbegleitung nicht in der klanglichen Dimension eines Tuttis. Erst im kontrastierenden Abschnitt wird wieder an das Alternieren von Klanggruppen erinnert, noch stets jedoch im Solo-Bereich. An dieses Wechselspiel knüpft jener veränderte Abschnitt Takt 138ff. an, funktioniert es aber dadurch um, daß nun nicht zwei Sologruppen als gleichrangige einander gegenübertreten, sondern die für das Klavierkonzert konstitutiven Klangkörper Klavier (als Solo) und Orchester (als Tutti) mit Nachdruck präsentiert werden.

Solche Beobachtungen demonstrieren, wie weitreichend die Konsequenzen sind, die das jeweils gewählte Instrumentarium für die konkrete Ausarbeitung des Sonatensatzes bei Beethoven hat. Weder sind die Symphonien lediglich Sonaten für Orchester, also gleichsam instrumentierte Klaviersonaten (der Anfang der 9. Symphonie wäre in einer Klaviersonate absurd), noch sind die Kopfsätze von Konzerten lediglich Sonaten, bei denen die traditionelle Wiederholung der Exposition dazu genutzt würde, zunächst dem Orchester und dann dem Solisten die Darbietung des gleichen oder modifizierten Verlaufs anzuvertrauen. Vielmehr ist die Sonatenform in einem Konzert eine spezifische Ausprägung des formalen Konzepts, dessen Strukturierung unmittelbar mit den instrumentalen Möglichkeiten verbunden ist.

Der tonale Ort des Seitenthemas in der Orchesterexposition eines Konzertkopfsatzes hat vielen Komponisten Probleme gemacht, die auf die harmonische Grundlage der Form verweisen: Sollte die Entwicklung der Durchführung von dem harmonischen Konflikt zwischen den von Hauptthema bzw. Seitenthema repräsentierten Tonartenebenen initiiert werden, so schien die doppelte Exposition dieses Konflikts — das eine Mal durch das Orchester, das andere durch den Solisten — unlogisch. Die Lösungen des Problems sind vielfältig: Das Seitenthema wurde in der Orchesterexposition — erstens — ganz ausgelassen, es wurde — zweitens — in der Grundtonart oder aber — drittens — in einer anderen als der regulären Seitensatztonart exponiert. Einen vierten — und durchaus ungewöhnlichen — Weg wählt Beethoven im vorliegenden Konzert. Er exponiert den achttaktigen Vordersatz in der regulären Seitensatztonart Es-Dur (T. 50—57), fügt einen thematisch gebundenen Viertakter an (T. 58—61), der modulierend die Molltonika anklingen läßt, und schließt mit dem wiederum achttaktigen Nachsatz in C-Dur (T. 62—69). Der harmonische Konflikt wird mithin nur angedeutet, indem nicht ein geschlossenes Thema, sondern lediglich dessen erste Hälfte die normale Seitensatztonart repräsentiert. Ganz regulär als sechzehntaktige Periode mit Dominanthalbschluß am Ende des Vordersatzes und in Es-Dur erscheint das Thema in der Soloexposition (T. 164—179); dem entspricht in der Reprise die Wiederaufnahme in C-Dur (T. 340—355).

Ob das Thema, wie Wolfgang Osthoff im Anschluß an Arnold Schmitz behauptet[1], eine bewußte Reminiszenz an eine „akkompagnierte Sonate“ von Johann Franz Xaver Sterkel (1750—1817) darstellt, steht dahin. Sicher dagegen ist, daß Beethoven die thematische Gestalt zum Ausgangspunkt einer Weiterbildung genommen hat, daß mithin dem Thema eine weit größere Bedeutung innerhalb des Gesamtwerks zukommt, als seine eher episodische Funktion im Kopfsatz vermuten läßt. Die Melodie des ersten Halbsatzes in seiner Es-Dur-Fassung (etwa T. 164—167) nämlich ist in Kontur und Notenhöhe der Oberstimme am Anfang des zweiten Satzes (T. 1—4) ähnlich. Bemerkenswert dabei ist die Adaption der Tonhöhenkonfiguration an die jeweils zugrundeliegende Skala von Es-Dur im ersten und von E-Dur im zweiten Satz, eine Art von Chromatisierung, die man bislang erst bei Liszt beobachtet hat: Aus der Tonfolge g''—as'' / es'' / f''—f''—f'' / g'' wird gis'—a' / e' / fis'—fis'—fis' / gis'.

Die gestaltliche Vermittlung durch diastematische Substanzgemeinschaft (oder — um mit Arnold Schmitz zu sprechen — kontrastierende Ableitung), die den Anfang des zweiten Satzes mit dem Seitenthema des ersten verbindet, macht Beethoven gleichsam zum Thema des ganzen langsamen Satzes; fast alle Motive und Phrasen können als voneinander abgeleitet beschrieben werden. Der Erfüllung des Begriffs Thema als prägnanter und geschlossener Gestalt dagegen weicht er aus; der Satz entfaltet sich vielmehr in mehr oder minder improvisatorischer Aus- und Umspinnung eines begrenzten motivischen Repertoires und gelangt nur selten in die Nähe eines Tonsatzzustandes, der durch seine Festigkeit die Qualität thematischer Präsentation erreichte (am ehesten gilt das noch für das fünftaktige Tutti Takt 13—17, das aber sogleich in einem harmonisch parallelen — vgl. die Substanzgemeinschaft der Baßlinie — Siebentakter variiert wird). Hier erweist sich die hohe Bedeutung der Kategorie Thema ex negativo; sie stellt den Referenzpunkt dar, im Hinblick auf den Beethoven — eben durch die Verweigerung von Themen — den zweiten Satz für sich individuell prägt und von den anderen charakteristisch abhebt.

Ein wiederum ganz anderer Aspekt tritt beim Hauptgedanken des dritten Satzes, der als Refrain des Sonatenrondos fungiert, in den Vordergrund; hier nämlich läßt sich demonstrieren, wie Beethoven einen ganzen Formteil aus einem einfachen thematischen Modell heraustreibt, um die Dimension zu gewinnen, die der formalen Funktion entspricht. Das Modell, das zwar nirgends unmodifiziert, im 3. Refrain aber (T. 298—318) kaum verhüllt hervortritt, ist das einer sechzehntaktigen Periode, deren Hälften bis auf den jeweiligen Schluß parallel gebaut sind: Takt 298—303 gleichen Takt 306—311. Vordersatz und Nachsatz sind nochmals in zwei analog ansetzende, das heißt hinsichtlich ihrer ersten Zweitakter gleiche Viertakter gegliedert: Takt 298—299 entsprechen im Vordersatz Takt 302—303 ebenso wie Takt 306—307 im Nachsatz Takt 310—311. Erst die Schlußzweitakter unterscheiden sich — ganz der Norm gemäß — voneinander: Der des Vordersatzes (T. 304—305) wendet sich zur Molldominante, der des Nachsatzes (T. 312—313) kehrt zur Tonika zurück. Mit Takt 313 ist das Modell der regelmäßigen sechzehntaktigen Periode abgeschlossen, und Beethoven hätte — wie im Paralleltakt 50 durch die vorangehende Baßführung noch deutlicher wird — das Thema enden lassen können. Er fügt indes noch einige

1 Vgl. W. Osthoff, *Ludwig van Beethoven. Klavierkonzert Nr. 3 c-moll, op. 37,* S. 8f.

bekräftigende Takte an, die in gestaltlicher Variation zweimal die zweitaktige Kadenz wiederholen (T. 314—315 und 316—317 bzw. T. 51—52 und 53—54) und schließlich eintaktig und im Unisono des ganzen Orchesters den Quintschritt von der V. zur I. Stufe herausstellen.

Man könnte nun sagen, daß das Thema also erst beim 3. Refrain „zu sich selbst" käme, weil es erst hier seine periodische Struktur offenbare, die von vornherein mitgedacht sei. Dies aber hieße, das Normale grundsätzlich als das Eigentliche anzusehen, dessen formfunktionale Implikationen zu verabsolutieren und die Variationsbreite gerade in dieser Hinsicht geringzuschätzen. In der formalen Bewegung des Satzes nämlich ist der 3. Refrain keineswegs Ziel eines Prozesses, sondern wirkt als Reduktion, als Verdünnung des vielfältig Besonderen zum einfach Allgemeinen. Ganz anders als im ersten Satz nämlich setzt Beethoven hier nicht die Gestaltwerdung des musikalisch Allgemeinen als Agens des musikalischen Verlaufs, sondern verkürzt den Refrain als Hauptsache des Satzes angesichts von dessen dominierender Rolle im vorangegangenen Durchführungsteil (ab T. 230) auf das Notwendigste, um die Funktion des formalen Ortes als 3. Refrain überhaupt noch erfüllen zu können.

Die Wandlungsfähigkeit identischer Passagen läßt sich besonders deutlich machen durch den Vergleich zwischen 1. und 3. Refrain. In der Tat bietet der letztere keinen einzigen Takt, der nicht schon bei der Refrainexposition gespielt würde: Takt 298—310 nehmen den Tonsatz von Takt 1—13 und Takt 310—318 den von Takt 47—55 wieder auf. Zwar ist die Rolle des jeweils ersten Achttakters in beiden Fällen gleich. Die Takte 9ff. indes leiten nicht den Nachsatz einer ausgewogenen syntaktischen Einheit ein wie Takt 306ff., sondern die bloße Orchesterwiederholung des zuvor vom Klavier exponierten Vordersatzes. Und die Schlußtakte des 1. Refrains gehören keinem syntaktisch determinierten Nachsatz, sondern eher einem kadenzierenden Schlußabschnitt oder Epilog an, dessen Formfunktion auf der höheren Ebene des Formteils zu bestimmen ist (hierauf dürfte auch die Anfügung der tonikabekräftigenden Takte 50—54 zurückzuführen sein).

Der 1. Refrain Takt 1—55 — und ihm entspricht der 2. Takt 127—181 aufs engste — setzt sich aus sechs Abschnitten zusammen, deren Verhältnis zueinander nicht von dem dualen Prinzip Frage—Antwort (wie dann im 3. Refrain), sondern von dem der dreigliedrigen Disposition Anfang—Mitte—Schluß bestimmt wird. Auffällig sind die systematische, das heißt symmetrische Grundkonzeption und die diese Konzeption gleichsam bestätigenden Maßnahmen, welche die Regelmäßigkeit unscharf machen. Grundlage des Ganzen ist ein einziger motivisch-thematischer Bestand, der in insgesamt drei Fassungen in Erscheinung tritt.

Die erste gestaltliche Fassung schließt den ersten Abschnitt (T. 1—8), der im zweiten wiederholt wird (T. 9—16), mit dem letzten (T. 43—55) zusammen; sie stellen den Grundbestand des exponierten Materials dar, der ja — wie beschrieben — im 3. Refrain zur syntaktischen Einheit der Periode zusammengeschlossen wird. Die Abschnitte bilden den Rahmen der Symmetrie; ihre angestammte Taktzahl ist acht, die im letzten Abschnitt nur durch die erwähnten Kadenzbekräftigungen erweitert wird.

Angestammte Taktzahl des dritten bzw. fünften Abschnittes, das heißt der zweiten Fassung des motivisch-thematischen Grundbestandes (T. 17—26 vom Solisten und T. 33—42 vom Orchester vorgetragen) ist sechs; die zweimalige Wiederholung des Schlußzweitakters weitet den Abschnitt, der formal in beiden Fällen als Zwischensatz fungiert und zur Dominante führt, zur Zehntaktigkeit. Dagegen präsentiert der erste Schlußsatz (T. 27—32), der nach dem Eingang des Taktes 26 die Mitte der symmetrischen Anlage darstellt und zum ersten Mal zur Tonika zurückleitet, die Sechstaktigkeit ohne Erweiterungen.

Man könnte mithin eine ursprüngliche fünfgliedrig symmetrische Disposition A—B—C—B—A annehmen, in der die äußeren Rahmenglieder acht, die inneren Rahmenglieder und das Mittelglied sechs Takte umfaßten. In einem ersten Schritt der Verunklarung wird der Anfangsabschnitt durch Wiederholung gedoppelt, in einem zweiten die inneren Rahmenglieder von sechs auf zehn Takte geweitet und in einem dritten die schlußbekräftigenden Takte am Ende angefügt.

Die letzte Maßnahme zur Modifizierung der Beziehungen zwischen den Abschnitten betrifft nun nicht mehr deren Ausdehnung; sie setzt vielmehr im Tonhöhenbereich an und hellt den ersten Viertakter des letzten Abschnitts (d.h. des hinteren äußeren Rahmengliedes, T. 43—46) von Moll nach Dur auf und bereitet solchermaßen den analogen Wechsel vor, den die Presto-Coda (T. 408ff.) vollzieht.

Keine Besonderheiten hinsichtlich der syntaktischen Fügung bietet das Seitenthema, das heißt das Thema des 1. bzw. 3. Couplets (T. 68—83 bzw. 331—346); es stellt eine sechzehntaktige Periode dar, bei der — ganz der Norm entsprechend — in Vorder- und Nachsatz die jeweils zweiten Halbsätze im Blick auf das harmonische Ziel unterschieden sind. Bemerkenswert aber ist, wie Beethoven in der Coda nochmals auf den Kopf des Themas zurückgreift (T. 443—446 bzw. 447—450) und dieses mit einer Schlußbildung verknüpft (T. 446—447 bzw. 450—451), die unmittelbar zuvor (T. 410—411 bzw. 414—415) Teil einer Variante des Hauptthemakopfes war.

Einigermaßen individuell gefügt dagegen ist der thematische Gedanke des 2. Couplets, welcher der anschließenden Durchführungspartie einen geschlossenen Abschnitt in As-Dur voranstellt. Er besteht aus sechs Achttaktern, in denen die Prinzipien der unmittelbaren Wiederholung, der Kontrastierung und der alternierenden Variantenbildung miteinander verbunden sind und deren Disposition sich durch das folgende Schema wiedergeben läßt: A (T. 182) — A (T. 190) — B (T. 198) — A' (T. 206) — B' (T. 214) — A'' (T. 222—229).

Seit sich, wie bereits oben angemerkt, die Einsicht durchgesetzt hat, daß selbst bei Beethoven noch der harmonischen Disposition die zentrale Rolle für die Formbildung zufällt, wird diesem Aspekt auch die angemessene Aufmerksamkeit geschenkt; diese Aufmerksamkeit beschränkt sich allerdings zumeist auf die Zusammenhänge innerhalb der Sätze und läßt den übergreifenden des Gesamtwerks außer acht. Die Frage indes drängt sich auf, ob die harmonische Disposition, wenn sie denn von so zentraler Bedeutung für die Form sein soll, ausgerechnet auf dieser, das heißt der höchsten formalen Ebene von den Komponisten vernachlässigt oder als sekundär angesehen worden ist. Nimmt man die ästhetische Prämisse beim Wort, daß das klassische Kunstwerk als individuelles geschlossen und in sich stimmig, das heißt in allen wesentlichen Aspekten begründet sein soll, so muß die harmonische Disposition auch zwischen den Sätzen im konkreten Zusammenhang ihren Sinn haben.

Im vorliegenden Fall wird immer wieder mit Erstaunen die große Entfernung des E-Dur im zweiten Satz zum c-Moll der Außensätze konstatiert und als (scheinbare) Rechtfertigung allenfalls auf Vorbilder, so auf Haydns Streichquartett op. 74, Nr. 3, verwiesen.[1] Doch gibt es einen längst bekannten Zusammenhang zwischen den Sätzen, der zum Weiterdenken Veranlassung hätte geben müssen: Schon Tovey hat den Blick auf die enharmonische Identität des Spitzentones gis im Schlußakkord des zweiten mit dem Zielton as des Kopfmotivs im dritten Satz gelenkt.[2] Osthoff geht noch weiter, indem er auf das h verweist, das Teil des E-Dur-Schlußakkords vom zweiten Satz ist und mit as dem Kopf des Hauptthemas am Beginn des dritten Satzes den Rahmen gibt. Er erkennt überdies die beim Übergang vom zweiten zum dritten Satz von einem Akkord und zwei Tönen gegebene Folge E-Dur—g—as in Takt 253—274 des dritten Satzes: g—as—E-Dur wieder und spricht dieser Beziehung — freilich ohne nähere Erläuterung — die Qualität „konstruktiv" zu.

Ist man indes bereit, die enharmonischen Varianten gis und as als identisch anzusehen, so ist der Weg frei zu der Auffassung, daß das As-Dur am Anfang des 3. Couplets im dritten Satz Mediante von E-Dur im zweiten Satz ist, und ferner, daß E-Dur in der gleichen Beziehung zur Dur-Variante der Tonika C-Dur steht (siehe den Seitensatz der Reprise im ersten und dritten sowie die Coda des dritten Satzes). Abgesehen von den normalen Quint- und Parallelrelationen durchzieht Beethoven mithin das Stück durch harmonische Stufen, die den Oktavraum im Großterzabstand durchmessen; und für diese Stufen gilt, daß die Terz eines Tonikaakkordes zum Grundton eines anderen wird: C-Dur — E-Dur — As-Dur. Das läßt sich noch weiter verfolgen: Die zweite wesentliche Tonart des zweiten Satzes ist H-Dur; in Es-Dur (= Dis-Dur) entfalten sich die Seitensätze in der Exposition des ersten und dritten Satzes; und Ausgangstonart der Durchführung im ersten Satz ist G-Dur. Sämtliche wichtigen Tonarten des Stückes sind mithin zwei Großterzketten zugeordnet, die einen Halbton voneinander entfernt liegen.

Das lenkt den Blick auf ein weiteres Verfahren der harmonischen Variantenbildung: auf die chromatische Verschiebung. Dies Verfahren wird schon auf der Ebene der Motivik belegt: Jene Sekund g—as am Beginn des dritten Satzes erscheint im Presto der Coda, das heißt bei der Umwandlung des Hauptthemas von Moll nach Dur, als gis—a (vgl. schon T. 42—43 im Refrain); und der Beginn des zweiten Satzes (in E-Dur) ist — wie oben gezeigt — melodisch nichts anderes als die dem neuen Tonvorrat angepaßte Variante des Seitensatzthemas aus dem ersten Satz (in Es-Dur). Das so entfernte E-Dur ist mithin auch als chromatische Verschiebung von Es-Dur in den Tonartenplan des Gesamtstückes eingebunden.

Christian Martin Schmidt

Klaviertrio Es-Dur
op. 38 (→ op. 20)

1 Vgl. ebenda, S. 17.
2 Vgl. D. Fr. Tovey, *Essays in Musical Analysis,* Bd. III (14 1978), S. 73f.

2 Präludien für Klavier/Orgel op. 39

ENTSTEHUNGSZEIT: 1780er Jahre, revidiert um 1789; 1803 durchgesehen für die Drucklegung.
ERSTAUFFÜHRUNG: privat.
SKIZZEN: unbekannt.
AUTOGRAPH: verschollen; Deutsche Staatsbibliothek Berlin, Artaria 128 (überprüfte Kopie).
ERSTDRUCK: Leipzig 1803 (Hoffmeister & Kühnel).
GESAMTAUSGABE: Alte Gesamtausgabe: Nr. 184 = Serie 18 Nr. 2.

Ein durch alle Tonarten modulierendes Werk kam bisweilen auch in früheren Zeiten vor. So schuf John Bull Anfang des 17. Jahrhunderts ein Klavierstück, in dem er die Harmonie des Hexachords durch alle Stufen der chromatischen Tonleiter transponierte (als zwei Ganztonreihen). In Bachs *Musikalischem Opfer* ist der Canon perpetuus super thema Regium „Ascendente Modulatione ascendat GLORIA REGIS" spiralförmig als Canon per tonos durch alle zwölf Tonarten mit kleiner Terz ausgeführt. Das Komponieren modulierender Präludien per tonos war in der Praxis der Kompositionslehre zur Zeit Beethovens verbreitet. (Im Skizzenbuch der Jahre 1802—1803 gibt es Entwürfe für virtuose Passagen und Übungen mit dem Vermerk von Beethovens Hand „per omnibus tonos".[1]) Zu diesem Typ gehören auch die beiden Präludien; die Aufgabe, den ganzen Quintenzirkel zu durchschreiten, stellte er sich selbst.

„Präludium durch die 12 Dur-Tonarten" (stammt der Titel des Stückes in der Überschrift von Beethoven selbst?) ist nach folgendem Plan komponiert: von der Ausgangstonart C-Dur (keine Vorzeichen) über Quinten hinauf bis Cis-Dur (+ 7), dann — in die Been-Seite hinübergehend — hinab bis Des-Dur (- 5) und zurück zu C-Dur:

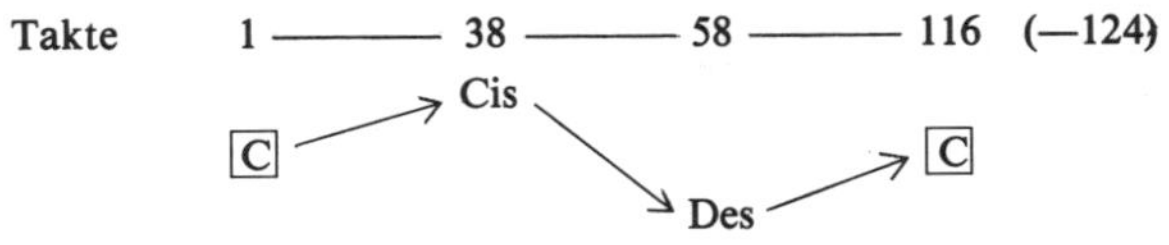

„Durch die Dur-Tonarten" hat hier weder zu bedeuten, daß allein durch Dur-Tonarten, noch, daß in streng arithmetischer Progression in der Zahl der Vorzeichen fortgeschritten würde. So folgen auf dem Wege nach Des-Dur (T. 54—58) c-Moll und b-Moll nach G-Dur. Beethoven wollte in der schwindelnd raschen Modulation offensichtlich einen Effekt erzielen. Überall die zuverlässige authentische Formel D—T verwendend, erreicht er die einfachste Überleitung (um ein Vorzeichen) nicht immer auf die einfachste Weise; manchmal scheint es, als möchte er dies verschleiern. So erfolgt die Modulation von G-Dur nach D-Dur (T. 15—19) durch C—A—Fis—E (—D).

Das Präludium ist eine Übung nicht nur in der Modulation, sondern auch in der Bildung eines Tongewebes. Die klassische, besonders Beethovensche Homophonie

1 N. Fischman, *Das Skizzenbuch Beethovens aus den Jahren 1802—1803,* S. 86.

schließt die ganze Kompliziertheit und Auserlesenheit der polyphonen Arbeit ein. Das homophone Gewebe ist stark mit allerlei Imitationen der einstimmigen Motive, ihrer Variierung, der Umsetzung im doppelten Kontrapunkt, den Umkehrungen, den Vergrößerungen und den Verkleinerungen, den Dopplungen usw. versehen. Stark affiziert davon ist zum Beispiel die erste Seite des ersten Präludiums. Die ständige Durchführung des Anfangsmotivs mit Sechzehnteln gibt dem Ganzen die Schattierung einer unendlichen Fuge.

Analog ist auch das zweite, kürzere Stück, ebenfalls in C-Dur: „Präludium durch die 12 harten Tonarten". Hier wiederum ist die Homophonie von der Polyphonie durchtränkt; im Kopfmotiv ist eine Krebsimitation enthalten:

1 → 2 → 3 → 4
4 ← 3 ← 2 ← 1

Die eintönigeren und schematischeren Modulationen haben hier jedoch eine andere Kompositionsidee zu verwirklichen, einen zweimaligen Kreislauf in einer Richtung. Das erste Präludium führt weit in Richtung der Kreuze und dann der Been, ehe es nach C-Dur zurückkehrt. Im zweiten Präludium erfolgt die Modulation von C-Dur zuerst nach His-Dur (T. 46) und zum Schluß — nach Aisisis-Dur:

Takte	1		21		46		57		62		76
	C	—	Cis = Des	—	C [= His]	—	Des [= Hisis]	—	C [= Aisisis]	—	C

Jurij Cholopow

Romanze G-Dur für Violine und Orchester op. 40

Entstehungszeit: wahrscheinlich um 1800, spätestens jedoch 1802.
Erstaufführung: unbekannt.
Skizzen: nicht bekannt.
Autograph: Beethoven-Haus Bonn.
Erstdruck: Leipzig 1803 (Hoffmeister & Kühnel).
Gesamtausgaben: Alte Gesamtausgabe: Nr. 30 = Serie 4 Nr. 2; Neue Gesamtausgabe: Abt. III, Bd. 4.

Wann die G-Dur-Romanze für Violine mit Begleitung des Orchesters genau entstanden ist, ist unklar. Sie lag jedenfalls im Herbst 1802 abgeschlossen vor, da sie Beethovens Bruder Karl am 18. Oktober 1802 dem Verlag Breitkopf & Härtel in Leipzig zur Drucklegung anbot. Beethoven hat sich schon in den Bonner Jahren immer wieder mit Kompositionen für die Violine beschäftigt, so etwa 1790—1792 mit der Komposition eines Violinkonzertes in C-Dur, dessen erster und einziger Satz allerdings Fragment geblieben ist. Auch hier tritt schon das virtuose Moment zugunsten von Kantabilität zurück, die Violine ist ähnlich wie später im D-Dur-Konzert op. 61 als primus inter pares in die Partitur „eingebettet". Obwohl die G-Dur-Romanze die Opuszahl 40 trägt, ist sie möglicherweise erst nach der Romanze op. 50 komponiert worden. Beide Kompositionen sind als eigenständige Werke zwischen 1798 und 1802 entstanden und nicht etwa als mögliche langsame Sätze eines Violinkonzertes. Es scheint, als habe sich Beethoven besonders mit dem Problem der „Sanglichkeit" beschäftigt und in den beiden Violinromanzen entsprechende „Lösungen" vorgelegt. Inwieweit diese Werke gleichsam als Vorstudien für den langsamen Satz des D-Dur-Violinkonzertes anzusehen sind, sei dahingestellt. Warum Beethoven zur Form der Instrumentalromanze gegriffen hat, ist nicht mehr nachzuvollziehen. Mag sich einerseits auch hier schon eine Neigung zu Frankreich und damit zur französischen „Romance" gezeigt haben, so sind es andererseits vielleicht gerade die charakteristischen Merkmale der Romanze, die Beethovens Intentionen besonders entgegenkamen. Zu diesen Merkmalen gehörte unter anderem, daß die Melodie aus „einem ungekünstelten, aber naiven und rührenden Gesange" bestand[1], daß das Tonstück einen „einfachen etc. Charakter" hat und daß es „meistens in mäßig langsamer Bewegung vorzutragen" ist.[2] Vielleicht war es aber auch die Nähe der Romanze zur Ballade, die es dem Komponisten erlaubte, neben dem episch-lyrischen auch das dramatische Element — zumindest als Kontrast — mit einzubeziehen. Beide Elemente sind in den Violinromanzen Beethovens zu finden: eine episch-lyrische Grundhaltung und ein kurzer dramatischer Abschnitt, gleichsam als „Alternativo", der auch dadurch vom übrigen Geschehen abgehoben wird, daß er in Moll steht. Möglicherweise gibt es sogar einen Zusammenhang zwischen diesen Kompositionen und den Übersiedlungsplänen Beethovens nach Paris, wo sich Werke für Violine und Orchester im Zuge der Entwicklung des Virtuosenkonzertes zunehmender Beliebtheit erfreuten. Auf die zeitliche Nähe zur Entstehung der Violinsonate op. 47 (1802/1803), die Beethoven dem Geiger Rodolphe Kreutzer widmete, sowie auf deren Einleitungstakte sei hier nur hingewiesen.

In der G-Dur-Romanze steht die Solovioline im Dialog mit dem Orchester, sie ist gleichsam der „Vorsänger", dem das Orchester auf seinen Gesang antwortet, ihm aber andererseits ebenfalls als Begleiter zur Verfügung steht. Bemerkenswert und ungewöhnlich ist, daß die Solovioline zunächst alleine den melodischen Hauptgedanken, in doppelgriffigem Spiel sich selbst begleitend, vorträgt. Aber nicht im Zusammenhang erklingt dieses achttaktige „Lied ohne Worte", sondern aufgeteilt in zweimal vier Takte — also in Vorder- und Nachsatz —, wobei das Orchester den jeweiligen Abschnitt unmittelbar wiederholt und damit zugleich bestätigt (Teil A). In vier Takten, die zugleich eine Art Orchesternachspiel und Abschluß dieses Teiles bilden, leitet das Orchester zu einem zweiten Gedanken über, wobei eine bereits in Takt 7 in Fagott und Bässen erklungene rhythmische Figur  wieder aufgegriffen wird. Sie wird auch in der zweiten Hälfte des neuen Abschnitts (Teil B als Binnenteil zu A) als motivisches Material wieder eingesetzt, nachdem der zweite, bewegtere Gedanke zunächst in acht Takten vorgestellt wurde. Die letzten vier Takte dieses insgesamt 16taktigen Abschnitts dienen dem Abschluß bzw. der Über- oder besser Rück-

1 H. Chr. Koch, *Musikalisches Lexikon,* Sp. 1271.

2 G. Schilling, *Universal-Lexikon der Tonkunst,* Bd. VI, S. 37. Von Schilling werden die beiden Romanzen Beethovens im übrigen als „Muster" solcher instrumentaler Romanzen angesehen.

leitung zum Hauptgedanken. Dieser erklingt wiederum im Wechselspiel zwischen Solovioline und Orchester. Während die Melodie unverändert bleibt, wird die Begleitung jetzt durch Auflösung der Viertel- in Achtelfiguren — zunächst in den solistischen Abschnitten der Solovioline vorgeprägt und dann ins Orchester übernommen — bewegter und lebendiger. Gleiches kehrt wieder, aber in anderem Gewand. Damit ist dieser ebenfalls wieder 16 Takte umfassende Abschnitt nicht nur eine Wiederholung des Anfangs, sondern erhält zugleich den Charakter einer ersten Variation. Vier sich anschließende Nachspiel- bzw. Überleitungstakte sind in gleicher Weise gestaltet wie nach Abschluß des ersten Teiles. Hier fügt sich als Kontrast und „Alternativo" ein dramatischer C-Teil in Moll (Tonikaparallele) an. Das rhythmische Motiv ♩. ♫♩ erhält nun gleichsam thematische Bedeutung. Der ganze Abschnitt (wiederum 16 Takte) hat den Charakter eines „all' hongarese", kommt dadurch zugleich aber auch einem balladesken Tonfall nahe. Die Verwendung dieses „Tonfalls", der gerade in Wien sehr beliebt war, könnte vielleicht ein Hinweis darauf sein, daß diese Komposition später als die Romanze op. 50 entstanden ist. Der Moll-Abschnitt ist wiederum in zweimal acht Takte unterteilt, wobei die letzten vier Takte jeweils eine variative Umspielung des in den ersten vier Takten vorgestellten musikalischen Gedankens — des dritten innerhalb des ganzen Werkes — darstellen. Diese variativen Takte ersetzen die aus den beiden A-Teilen gewohnte Orchesterwiederholung, denn der eigentliche musikalische Gedanke dieses Abschnitts besteht wie der Hauptgedanke aus acht Takten (T. 57 mit Auftakt bis T. 60 und T. 65 mit Auftakt bis T. 69), wird jedoch durch die Wiederholung von Vorder- und Nachsatz (wie in A) in zwei Gruppen unterteilt. Die Solovioline leitet dann in nur zweieinhalb Takten, die variative Spielfigur fortsetzend, zur Wiederkehr des Hauptgedankens zurück (T. 75). Wiederum ist die Begleitung verändert, durch Sechzehntel- und Achtelfiguren nochmals belebter, aber auch die Solovioline ziert den musikalischen Hauptgedanken jetzt in virtuoser Weise aus, der erstmals zusammenhängend erklingt. Zugleich könnte hier von einer zweiten Variation des Hauptgedankens gesprochen werden. Ein kurzes zweitaktiges Orchesternachspiel schließt diesen Abschnitt ab und leitet zugleich zu einer achttaktigen Schlußperiode — die durch Verzicht auf die Wiederholung des Hauptgedankens ermöglicht wird, ohne die regelmäßige Grundanlage in jeweils 16taktige Abschnitte zu durchbrechen —, die zum einen aus der rhythmischen Figur ♩. ♫♩ , zum anderen aus den drei Anfangstönen des Hauptgedankens, der in den Holzbläsern im Piano nochmals aufscheint (T. 89f.), gebildet ist. Die Solovioline beschränkt sich hier auf den Abschlußtriller und auf eine Auszierung des Intervallraumes e'''—g'' bzw. d'''—g''. Mit dem leisen Verklingen der Melodie könnte die Romanze ihren Abschluß finden, aber um das Ende nochmals zu bekräftigen und — vielleicht — um die Tonart G-Dur nachdrücklich zu bestätigen, fügt Beethoven zwei Akkordschläge im Fortissimo an und läßt die Komposition mit einem unisono gespielten Ton g ausklingen.

Während die harmonischen Verhältnisse des Werkes den Rahmen der erweiterten Kadenz kaum überschreiten, liegt das Primat eindeutig bei der Melodie. Formal ist die Romanze klar in fünf gleiche (16taktige) Abschnitte gegliedert, wobei der Abschnitt A dreimal, allerdings nie ganz getreu (Begleitung) wiederkehrt. Da somit eine Form A B A C A vorliegt, scheinen verschiedene Interpretationen möglich zu sein. Es könnte sich einerseits um ein Thema mit zwei „Variationen" und jeweils eingeschobene B- und C-Teile handeln (A B A' C A''), andererseits aber auch um eine einfache Rondoform (A B A C A). Da die Bezeichnung „Romanze“ eher auf ein Gesangsstück — jedoch nicht direkt auf die Form der alten französischen „Romance“ (a, a..., b) — hinweist, die ganze Komposition so etwas wie ein instrumentales Lied oder eine instrumentale „Gesangsszene“ — nicht im Sinne einer Opernszene wie in der Tageszeiten-Symphonie *Le midi* (Hob. I, Nr. 7) von Joseph Haydn oder in „Form einer Gesangsszene“ wie bei Louis Spohr, sondern viel einfacher — darstellt, liegt es nahe, hier schon an eine erweiterte Strophenliedform zu denken, wie sie später etwa bei Franz Schubert (z.B. im „Lindenbaum“) zu finden ist.[1] Wäre dies die tragende Idee des Beethovenschen Werkes, so würde sich auch seine regelmäßige periodische Anlage gleichsam von selbst erklären, und die jeweiligen Abschluß- bzw. Überleitungstakte dienen, ebenfalls wie im Lied, dazu, die einzelnen Teile bzw. „Strophen“ einerseits klar voneinander abzusetzen, andererseits aber auch sie untereinander zu verbinden. Und eine solche liedmäßige Anlage läßt vielleicht doch eine Verbindung zur französischen Romance nicht ganz abwegig erscheinen, zumal sich diese im 18. Jahrhundert zu einem einfachen „Liebeslied“ gewandelt hatte. So ist die G-Dur-Romanze nicht nur eine eindrucksvolle, klangschöne und kantable Komposition für Solovioline und Orchester, sondern zugleich auch ein durchaus in die Zukunft weisendes Werk.

Christoph-Hellmut Mahling

Serenade D-Dur für Flöte/Violine und Klavier op. 41 (→ op. 25)

Bratschen-Notturno D-Dur op. 42 (→ op. 8)

1 Auch hier werden die einzelnen Strophen mit veränderter Begleitung wiederholt und wird ein C- als B-Teil eingeschoben. Lediglich der B-Binnenteil ist nicht gegeben.

Die Geschöpfe des Prometheus
Ballo serio
op. 43

ENTSTEHUNGSZEIT: 1800 bis Anfang 1801.
ERSTAUFFÜHRUNG: am 28. März 1801 im Hofburgtheater Wien.
SKIZZEN: Staatsbibliothek Preußischer Kulturbesitz Berlin, Landsberg 7; zur Ouvertüre auch Landsberg 10, Pastoralsymphonie-Skizzenbuch.
AUTOGRAPH: unbekannt; von Beethoven geprüfte Partiturabschrift: Österreichische Nationalbibliothek Wien.
ERSTDRUCK UND WIDMUNG: Klavierauszug: Wien 1801 (Artaria & Co.); Ouvertüre (Stimmen): Leipzig 1804 (Hoffmeister & Kühnel); Ouvertüre (Partitur): Leipzig 1855 (C. F. Peters); Fürstin Maria Christine Lichnowsky gewidmet (Klavierauszug).
GESAMTAUSGABEN: Alte Gesamtausgabe: Nr. 11 = Serie 2 Nr. 2, Ouvertüre auch separat: Nr. 25 = Serie 3 Nr. 8; Neue Gesamtausgabe: Abt. II, Bd. 2.

Daß über Anlaß oder Auftrag zur Komposition dieser Ballettmusik nichts bekannt ist, ist kein Grund, sich mit dem Konstatieren dieses Mangels zufriedenzugeben. Im Gegenteil: Das Werk vereinigt drei außergewöhnliche Momente, deren Durchdenken Erkenntnisse wenn nicht zum Auftrag, so doch zum Anlaß der Entstehung ergeben kann. Diese Momente sind das Prometheus-Sujet selbst, dann die Tatsache, daß Beethoven sich der Gattung Ballett zuwendete, und schließlich die Person des Ballettmeisters Salvatore Viganò, mit dem zusammen Beethoven diese Produktion unternahm.

So unbezweifelbar es ist, daß der Prometheus-Mythos der Symbolmythos der Aufklärung war, indem „in der altehrwürdigen Verkleidung und mit der erborgten Sprache der Antike [...] die neue Weltgeschichte aufgeführt" wurde, um so „dem Bürger sein Zeitalter zu legitimieren (Marx)"[1], und so unbezweifelbar es ist, daß die Genie-Ästhetik des 18. Jahrhunderts zur Rechtfertigung ihres selbstbestimmten Irrationalismus den usurpatorischen Titanen zum Vorbild nahm für ihre Theorien vom „poet" als einem „second maker; a just Prometheus, under Jove"[2], vom „Dichter [...] neuer Geschöpfe"[3] oder vom prometheischen „Schöpfergeist"[4], so überraschend ist es festzustellen, daß die Geschichte vom revoltierenden, menschenbildenden Feuerdieb zwar die französische und deutsche Dichtung des sich emanzipierenden Bürgertums ständig beschäftigt hat — allen voran Goethe —[5], daß aber die musikalische Bühnenkunst sich des Mythos niemals bedient hat, um darin das „Bürgertum als den neuen Beweger und Lenker der menschlichen Gesellschaft" zu feiern.[6] Bis 1800 und noch weit darüber hinaus scheint es für die Oper nur zwei recht

1 H. Goldschmidt, *Die Geschichte des Prometheus.*
2 A. A. C. Shaftesbury, *Solyloquy,* 1710 (zit. nach O. Walzel, *Das Prometheus-Symbol,* S. 12f.).
3 J. J. Bodmer, *Kritische Beyträge* (zit. nach O. Walzel, ebenda, S. 44).
4 Lessing, Herder u.a. (zit. nach O. Walzel, ebenda, S. 32); speziell hierzu auch H. Blumenberg, *Arbeit am Mythos* (³1984), Teil 3/III, IV, Teil 4/I, II.
5 Hierzu neben den genannten Werken K. Kerényi, *Prometheus;* W. Heise, *Bemerkungen zur Funktion und Methode der Antikenrezeption,* und die bei C. Floros, *Beethovens Eroica und Prometheus-Musik,* angegebene Literatur.
6 Fr. Schneider, *„und forme Menschen nach meinem Bild",* S. 801.

sichere Nachweise für Prometheus als Titelgestalt zu geben (J. N. P. Royer, J. A. Fischer), und im Hinblick auf das Ballett muß man schon bis 1627 zurückgehen, um den Herzog von Savoyen als Autor eines einschlägigen Werkes aufzufinden. Speziell im Wien um 1800, wo sowohl in den großen „heroischen" Opern und Balletten als auch in den im Volkstheater geschätzten Travestien der hohen Themen die Heldentaten der antiken Mythenstoffe zum zentralen Repertoire gehörten[1], ist das Thema auch nicht ein einziges Mal vertreten, und — so sehr es erstaunen mag — auch nicht in der französischen Revolutionsoper, obwohl es doch an Vorläufern nicht mangelte, in denen Feuergeister die Menschen durch Vernunft und Leidenschaften erst zu wahren sozialen Wesen machen, so in Beaumarchais' und Salieris *Tarare* von 1787.[2] Die Gründe für diese auffallende Aussparung des Prometheus-Stoffes innerhalb der musikalischen Produktion können hier nicht erörtert werden. Vor dem Hintergrund dieser Indifferenz wird aber deutlich, daß der Autor des Ballettes, der Italiener Salvatore Viganò (1769—1821), und Beethoven als Komponist sich nicht in eine Thementradition eingefügt haben, wie es bei dem Großteil der Ballette jener Zeit gewöhnlich war und wie es Beethoven selbst später im Falle von *Fidelio* tat, sondern daß sie diesen Stoff gezielt suchten und sich der Einmaligkeit ihres Sujets auch bewußt sein mußten.

Dieser Umstand trägt auch zur Klärung der Frage bei, warum Beethoven sich sofort nach der 1. Symphonie — Uraufführung 2. April 1800 —, also nach der Eröffnung seiner epochemachenden symphonischen Produktion, auf die Beteiligung an einem Ballett einließ, das — sieht man von dem Bonner *Ritterballett* (WoO 1) ab — doch in seinem Werk einmalig geblieben ist im Unterschied zu den anderen Gattungen wie Oratorium und Oper, mit denen er in den Folgejahren das Gattungsspektrum seiner Werke zu erweitern suchte und mit denen er in späterer Zeit doch zumindest weitere Absichten und Versuche verband oder sich in einer Parallelgattung wie der Messe betätigte. Genau wie die Wahl des Prometheus-Themas selbst muß die Beteiligung an einem Ballett auf eine ganz besondere und einmalige Absicht und Gelegenheit zurückgehen, die sich später nicht wiederholte und — wiederum im Gegensatz zu Oper und Oratorium / Messe — von Beethoven auch nicht wieder aufgesucht oder herbeigewünscht wurde.

Diese Absicht und Gelegenheit hat offenbar mit der Anwesenheit des Salvatore Viganò in Wien und seinen künstlerischen Intentionen zu tun. Nachdem durch Noverre, Hilverding und Angiolini in Wien eine reiche, stark pantomimisch gefärbte Balletttradition aufgebaut und ab 1791 von Antonio Muzzarelli als Erstem Ballettmeister des Hoftheaters fortgeführt worden war, wurde Viganò, aus Venedig kommend, 1793 als Ballettmeister angestellt und scheint während seiner ersten Wiener Tätigkeitsperiode — bis 1795 — Muzzarellis Konkurrent und auf Grund seiner Bewegungsführung „nach der Natur" Auslöser eines ästhetischen Meinungsstreites im Publikum, ja einer Art Viganò-Mode geworden zu sein, mit der sich die Wiener Fortschrittlichen zu erkennen gaben.[3] Beethoven, nur ein halbes Jahr früher in

1 Vgl. C. Floros, *Beethovens Eroica und Prometheus-Musik,* Kap. II; R. Haas, *Zur Wiener Ballettpantomime um den Prometheus;* M. Dietrich, *Jupiter in Wien.*

2 Vgl. G. Knepler, *Musikgeschichte des 19. Jahrhunderts,* Bd. I, S. 143ff.

3 Hierzu H. Prunières, *Salvatore Viganò;* A. Levinson, *Beethoven et Viganò;* Thayer / Deiters / Riemann, *Ludwig van Beethovens Leben,* Bd. II (^{3}1922), S. 216ff.; M. v. Boehn, *Der Tanz,* S. 103ff.

Wien eingetroffen, deutete mit seinen Klaviervariationen (WoO 68) über ein *Menuett à la Viganò*, Teil eines am 18. Mai 1795 uraufgeführten, von Ballettmeister Cecchi und Komponist Jakob Haibel stammenden Ballettes *Le nozze disturbate*[1], seine Haltung innerhalb dieser Auseinandersetzung an. Nach einer Europatournee kehrte Viganò 1799 nach Wien zurück und wirkte dort weiter bis 1803. Die Planungen und Vorarbeiten zum Prometheus-Ballett müssen sehr bald, wenn nicht sofort eingesetzt haben, denn Beethovens Kompositionstätigkeit dazu erstreckt sich über das Jahr 1800, wie die Skizzen erweisen.[2] Es wirkt so, als habe Beethoven auf die Rückkehr Viganòs schon mit der Absicht gewartet, das Ballett zu beginnen. Daß die Zusammenarbeit daran nicht einem Zufall oder einem beliebigen Auftrag entsprang, erweist die Tatsache, daß es sich unter den zahlreichen Ballettproduktionen, die Viganò Zeit seines Lebens geschaffen hat, um die einzige handelt, in der die Musik nicht als Pasticcio fremder und eigener Kompositionen und Kompositionsteile zusammengestellt ist — etwa im „großen" *Prometheus* von 1813 aus Stücken Beethovens, Haydns, Weigls und von Viganò selbst[3]—, sondern für welche ein einziger Komponist die gesamte Musik neu komponiert hat: „Le cas [...] est ainsi exceptionel."[4] Dies läßt nur einen Schluß zu: Die Übernahme der gesamten Musik war Beethovens Bedingung für die Mitarbeit. Dies würde auch seinem in anderen Situationen gezeigten Selbst- und Kunstverständnis entsprechen. Für Viganò war es der erste und letzte Versuch einer solchen Zusammenarbeit. Was mag diese beiden so unterschiedlichen Menschen hierzu bewogen haben, den flinken und cholerischen Beethoven und „il lento e freddo Viganò", ausgestattet mit einem „flègme inturbable"?[5] Nicht nachprüfbar ist die auf der Viganò-Biographie von C. Ritorni (1838) basierende Annahme, die beiden hätten die Kunstliebe der Kaiserin Maria Theresia, der zweiten Frau von Franz II. und Beschirmerin der Viganòschen Muse, mit dem Prometheus-Thema ehren wollen; schließlich habe Beethoven zum gleichen Zeitpunkt mit der Widmung des Septetts op. 20 an die Kaiserin dieses Bemühen weitergeführt.[6] Etwas plausibler erscheint die Vermutung, der große Erfolg der am 19. März 1799 uraufgeführten *Schöpfung* Haydns könne „einigen Einfluß auf die Wahl des Gegenstandes [...] gehabt haben", die beiden Autoren hätten sich also aus taktischen Gründen mit einer alternativen *Schöpfung* an den Erfolgszug angehängt, — eine Haltung, die Beethoven jedenfalls nicht völlig fremd war, wie die Wahl des Erfolgsstoffes *Léonore* im Jahre 1803 zeigt. Auch das häufig kolportierte Konkurrenzverhältnis Beethovens zu Haydn mag hier von Einfluß gewesen sein. Beide Punkte sind verbunden in der von A. Fuchs überlieferten Anekdote, nach der Haydn, Beethoven auf der Straße treffend, sagte: „‚Nun, gestern habe ich Ihr Ballett gehört, es hat mir sehr gefallen!' Beethoven erwiderte hierauf: ‚O, lieber Papa!

1 Vgl. Thayer / Deiters / Riemann, *Ludwig van Beethovens Leben,* Bd. II (^{3}1922), S. 581; nicht bei R. Haas, *Zur Wiener Ballettpantomime um den Prometheus.*

2 Vgl. G. Nottebohm, *Zweite Beethoveniana,* S. 230 und 246ff.; K. L. Mikulicz, *Ein Notierungsbuch von Beethoven.*

3 Vgl. R. Lach, *Zur Geschichte der Beethovenschen „Prometheus"-Ballettmusik.*

4 A. Levinson, *Beethoven et Viganò,* S. 91.

5 H. Prunières, *Salvatore Viganò,* S. 79 und 90.

6 Vgl. Thayer / Deiters / Riemann, *Ludwig van Beethovens Leben,* Bd. II (^{3}1922), S. 216 und 238, auch für folgende Zitate.

Sie sind sehr gütig, aber es ist doch noch lange keine Schöpfung!‘ Haydn, durch diese Antwort überrascht und beinahe verletzt, sagte nach kurzer Pause: ‚Das ist wahr, es ist noch keine Schöpfung, glaube auch schwerlich, daß es dieselbe je erreichen wird‘ — worauf sich beide — etwas verblüfft — gegenseitig empfahlen.“

Mögen solche Absichten die Planung und Entstehung des Ballettes auch begleitet haben, so ist es doch mit Sicherheit ein politischer Anlaß, der die beiden Autoren sofort nach Viganòs Rückkehr an die Planung des Werkes trieb, nämlich das Auftreten und die Erfolge Napoleon Bonapartes während der Jahre der Abwesenheit Viganòs und im Jahre seiner Rückkehr nach Wien (1799): In den Jahren 1796 und 1797 führte er die französische Armee in Oberitalien gegen Österreich von Sieg zu Sieg, gründete anfangs dieser Jahre zwei demokratische italienische Republiken, denen noch weitere folgten, und beschloß den Feldzug mit dem Frieden von Campoformio (17. 10. 1797). Nach der Rückkehr aus Ägypten im Oktober 1799 machte er sich mit dem Staatsstreich vom 18. Brumaire (9. 11.) zum 1. Konsul auf zehn Jahre und erließ am 13. Dezember die Konsularverfassung, die — nach seiner Interpretation der Ereignisse — die Revolution abschloß und bewahrte. Im Jahre 1800 dann, als Beethoven das Ballett komponierte, rang er den Österreichern die während seiner Abwesenheit zurückgewonnenen Gebiete in den großen Schlachten in Oberitalien (Marengo) und in Süddeutschland (Hohenlinden) wieder ab, und kurz vor der Uraufführung, am 9. Februar 1801, erwies er sich im Frieden von Lunéville als der eindeutige Bezwinger Österreichs und Herrscher Mitteleuropas.

Der Prometheus-Stoff, nach einer französischen Prosa- und dann Vers-Version 1790 in italienischer Übersetzung bereits mit dem Titel *Gli Uomini di Prometeo* erschienen, nimmt seine für das Ballett bestimmende Gestalt in dem Freiheitsgedicht *Il Prometeo* des großen Dichters Vincenzo Monti an, der den ersten Teil davon unter dem Eindruck der militärischen und politischen Taten Napoleons im März 1797 in Florenz schrieb und vortrug, nachdem er mit Bonapartes Adjutanten Marmont aus Rom geflohen war. In der *Prefazione* nennt er als eines seiner Ziele „di meritar bene d'una patria libera, scrivendo finalmente da uomo libero“, und es folgt die *Dedica al cittadino Napoleone Bonaparte Comandante supremo dell'Armata d'Italia*, in welcher der Vergleich zwischen dem Titanen und dem neuen Konsul („Prometeo il vostro amico“) auf verschiedenen Ebenen durchgeführt und gleich einleitend auf die Formel gebracht wird, daß auch Prometheus „combatté lungamente e con valore e con senno contro il despotismo di Giove, e divenne co' liberi suoi sentimenti il flagello perpetuo dei congiurati aristocratici dell' Olimpo“.[1] Man kann als sicher annehmen, daß der 1798 in Venedig sich aufhaltende Viganò und Napoleons Gesandter Bernadotte in Wien 1798 Montis Werk kannten und Beethoven nahebrachten. Nicht nur, daß die Darstellung des Prometheus-Mythos bei Monti derjenigen des Theaterzettels der Ballett-Uraufführung von 1801 teilweise wörtlich entspricht, sondern auch die Tatsache, daß sich Viganò im Textbuch zum „großen“ *Prometheus* von 1813 (Mailand) auf die *Prefazione* als eine seiner Quellen beruft, macht den literarischen und damit auch politischen Zusammenhang zwischen Monti sowie Viganò und Beethoven klar. Die Hoffnung, ein Kriegs- und Freiheitsheld der Ge-

1 V. Monti, *Poesie*, S. 298f.; weiterhin und zentral dazu C. Floros, *Beethovens Eroica und Prometheus-Musik*, Kap. III und VII.

genwart möge ein neues, an antikem Muster gebildetes Reich der Kultur und Humanität errichten, ist im frühen Bürgertum auch aus anderen Zusammenhängen bekannt, etwa dem Türkenfeldzug Josephs II. von 1788, zu dem Mozart das *Deutsche Kriegslied* KV 539 schrieb („Ich möchte wohl der Kaiser sein"), in dem es heißt (J. W. L. Gleim 1776), „wie Rom" solle der Orient erstehen: „Das Alte sollte sich erneu'n! [...] Die goldnen Zeiten führt' ich ein!"[1]

Diese politische Inhaltsbestimmung des Ballettes, welche Harry Goldschmidt bereits 1975 benannt, Constantin Floros aber 1978 erarbeitet hat, kann nur diejenigen zweifeln lassen, die nicht mit der Napoleon-Begeisterung in Italien und Deutschland um 1800 vertraut sind und ihren künstlerischen Fanfaren aus der Feder unter anderem von Jean Paul, Hegel, Hölderlin. Beethoven war hierbei nicht jemand, der ideologisch mitgeschleppt wurde oder den Zusammenhang nicht ganz mitbekam, wie die traditionelle Beethoven-Sicht es sicher gerne hätte, sondern er hat seine Verehrung für den „Prometheus der Epoche" — wie auch Goethe Bonaparte sah — mit musikalischen Mitteln deutlich gemacht und damit für uns die inhaltliche Deutung des Ballettes auch von dieser Seite untermauert, indem er nämlich die offizielle Hymne des französischen Konsulates, *Veillons au salut de l'empire* (auch *Hymne à la liberté*, mit einer Operettenmelodie von Dalayrac von 1787 und einem Text von 1792), nicht nur in jenem Es-Dur-Kontretanz paraphrasierte, der zunächst in das Finale des Ballettes einging, dann die Grundlage für die Variationen op. 35 und das Finale der *Eroica* bildete[2], sondern auch in Nr. 5 des Ballettes in der Cellomelodie, mit welcher Apollo selbst zum Zwecke der Ausbildung der prometheischen Menschenkinder auf dem Parnaß in das Konzert der Musen und Götter eingreift.[3]

Veillons au salut de l'empire

op. 43, Nr. 5

op. 43, Nr. 16 (WoO 14, Nr. 7)

Man wird in dem Ballett eine Huldigung an Bonaparte als den zeitgenössischen Vollender mythischer Menschheitserziehung sehen müssen, wahrscheinlich aber auch einen mythologisch formulierten Aufruf an den französischen Konsul, auch die anderen europäischen, immer noch unter feudalistischer Herrschaft schmach-

1 H. Goldschmidt, *Über die Einheit*, S. 38ff.
2 Vgl. P. Mies, *Ludwig van Beethovens Werke über seinen Kontretanz in Es-Dur*.
3 Vgl. M. Geck / P. Schleuning, *„Geschrieben auf Bonaparte"*, S. 44f. und 69ff.

tenden Völker zu befreien, eine Hoffnung, die zu jener Zeit alle fortschrittlichen Geister hegten.[1] Daß die Notwendigkeit einer Inhaltsverschleierung auch schon in der frühen Phase der napoleonischen Kriege in Österreich auf Grund von dessen ständigen Niederlagen und Verlusten bestand, hat Maynard Solomon plausibel gemacht.[2] Und daß solche Verschlüsselungen, so deutlich sie heute erforschbar sind, von den Zeitgenossen selten durchschaut werden konnten wie auch im Falle der *Eroica*[3], beweist die Klage immerhin von Giuseppe Antonio Carpani (1804) über „l'obscurité excessive des allégories" Viganòs.[4] Unverblümter wird Beethoven die Hoffnungen auf den verehrten Napoleon ausgesprochen haben, als Karl Friedrich Kübeck ihn am 10. Februar 1801 auf der Straße traf — 48 Tage, nachdem der Konsul beim Weg zur Pariser Aufführung der *Schöpfung* (24. 12. 1800) fast einem Attentat zum Opfer gefallen wäre, einen Tag nach dem Frieden von Lunéville und 46 Tage vor der Ballett-Uraufführung (28. 3.). Kübeck berichtet, wie Beethoven „in seinem genialen Rennschritt auf mich loskam, und seine Freude des Wiedersehens mit zu erkennen gab. Wir sprachen allerlei [...] er [...] ging auf sein Lieblingsthema die Politik über, die mich sehr langweilt. Wir trennten uns."[5]

Die Handlung des Ballettes ist aus dem Theaterzettel der Uraufführung, aus Anmerkungen und Titeln in Beethovens Skizzen, in der Partiturabschrift und im Klavierauszug, am ausführlichsten aus der Viganò-Biographie von C. Ritorni (1838) zu erschließen. Ihre ungewöhnliche Behandlung des Prometheus-Mythos geht auf Aischylos und Monti sowie auf drei griechische Mythen zurück (unter anderem Apollo und die Musen), deren Kontaminierung und Weiterführung erstaunliche und teilweise geradezu revolutionäre Wendungen nimmt, die von der Geistesgröße Viganòs zeugen.

Im folgenden seien die Musiknummern unter Angabe der zugehörigen Handlungsabschnitte — auch der strittigen Zuordnungen —, auffallender Stilmittel und interpretatorischer Gedanken durchgegangen.

Die Ouverture, Beethovens erstes Werk dieser Gattung, schließt an den Eingangssatz der 1. Symphonie an, vor allem im Hinblick auf den Anfangsakkord C^7 und das an Rodolphe Kreutzers *Marathon-Ouvertüre* anschließende Hauptthema. Ein Bezug zu Mozarts Ouvertüren ist deutlich, vor allem in der Reduzierung der Durchführung, wobei Beethoven allerdings so weit geht, sie in einem modifizierten ersten Themenblock der Reprise verschwinden zu lassen, der genau so lang ist wie jener der Exposition (32 Takte). Daß das Stück „rebelles à toute exegèse en fonction d'un programme"[6], ist recht unwahrscheinlich, zumal schon Hugo Riemann trotz Deiters Behauptung, daß Beethoven in der Prometheus-Musik „die Klippe programmartiger Gestaltung vermeidet"[7], in der Ouvertüre den „himmelstürmenden

1 Vgl. ebenda, S. 154ff.; P. Schleuning, *Beethoven in alter Deutung,* S. 192f.
2 Vgl. M. Solomon, *Beethoven and Bonaparte,* S. 104.
3 Vgl. M. Geck / P. Schleuning, *„Geschrieben auf Bonaparte",* S. 174ff.
4 H. Prunières, *Salvatore Viganò,* S. 77.
5 G. R. Marek, *Ludwig van Beethoven,* S. 139.
6 A. Levinson, *Beethoven et Viganò,* S. 93.
7 Thayer / Deiters / Riemann, *Ludwig van Beethovens Leben,* Bd. II ([3]1922), S. 226.

Titanen“ zu erkennen meinte.[1] Wenn Floros über die in der folgenden „Introduzione“ erscheinende Fackel des Titanen sagt: „Wo, und mit welchem Feuer er sie angezündet, bekam der Zuschauer nicht zu sehen“[2], so wird man nicht darin fehlgehen, daß er einiges davon in der Ouvertüre hören konnte: Die kühne, heroische, jäh unterbrochene Tat des Prometheus auf dem Olymp (Einleitung), seine rasende Flucht über Stock und Stein (Thema 1) und den göttlichen Funken, den er als Flamme mitträgt (Thema 2).

Die „Introduzione“, zu deren Klängen Prometheus vor dem Götterzorn flieht, die beiden Tonstatuen mit der Fackel belebt und erschöpft auf einen Stein sinkt, beginnt mit einer „Tempesta“, die wie eine Vorübung zum 4. Satz der *Pastorale* wirkt, nicht nur was die Darstellung von Blitz und Donner betrifft, sondern auch den Einsatz des Fagottes für die Situation der Ruhe vor dem Sturm. Im Ballett ist das Fagott paarweise in Terzen geführt, ganz genau — auch harmonisch und am Satzbeginn — wie in der *Leonoren-Ouvertüre* (dies als ein Hinweis darauf, wie nützlich eine minutiöse Analyse der Ballett-Musik für das Verständnis der dramatischen Musikwerke Beethovens sein könnte). Daß die herabsinkende Figur Takt 54ff. den „herniedereilenden Prometheus“ zeigen und begleiten soll[3], ist wenig wahrscheinlich, auch wenn ähnliche Figuren solches darstellen können.[4] Denn unmittelbar zuvor gab es bereits eine zum Übertragen der Funken auf die Kinder passende Figur der Flöte. Nein, diese 13 Takte ab Takt 54 bis Satzschluß zeigen das Niedersinken des Titanen nach vollbrachtem Werk. Überhaupt können, wie Constantin Floros bewiesen hat, bei genauer semantischer Analyse der Partitur und einem Vergleich mit den oben genannten Anmerkungen und Titeln sehr viele der 16 Musiknummern inhaltlich genau benannt werden. Daß solche Arbeit „über Vermutungen [...] nicht hinaus[führt]“, ist ein noch in jüngster Zeit geäußerter Irrtum.[5]

Auch die als Nr. 1 bis 3 geführten, den 1. Akt abschließenden Stücke sind genau auf die Handlung zu beziehen. Nr. 1 zeigt in einem allmählich ineinandergreifenden Wechselspiel das stumpfe, marionettenhafte Umhertappen der Figuren, die jubelnde Freude des Titanen und seine vergeblichen Bemühungen, sie zu sich heranzuwinken. Es ist ein Stück idealer, den Tänzern geradezu auf den Leib geschriebener Ballettmusik, in der Beethovens Kunst, psychische und körperliche Bewegungen treffend zu komponieren, hervorsticht und ihre Abhängigkeit von Mozart nicht verheimlicht, hier etwa in der Nähe der beiden Charakterpole zu dem stammelnden Dialog von Papageno und Papagena in der *Zauberflöte* und zu Blondes Arie „Welche Wonne, welche Lust“ der *Entführung aus dem Serail*.

Nr. 2 zeigt zunächst in Akkordtremoli und Unisono-Schleifern die Verzweiflung und den Zorn des enttäuschten Titanen, dann in einem Allegro, in dem Constantin Floros wesentliche Elemente des Durchführungsbeginnes im ersten Satz der *Eroica* entdeckt hat, das Grübeln, Zweifeln, Drohen des Prometheus, das schließlich in die Absicht mündet, die so unempfindlichen und zu menschlichem, vernünftigem Umgang unfähigen Geschöpfe wieder zu zerstören. „Doch eine innerlich vernommene

---

1 H. Riemann, *Beethovens Prometheus-Musik,* S. 24.
2 C. Floros, *Beethovens Eroica und Prometheus-Musik,* S. 38.
3 P. Bekker, *Beethoven* (^{2}1912), S. 225.
4 Vgl. P. Schleuning, *Beethoven in alter Deutung,* S. 188.
5 Kl. Kropfinger in: L. v. Beethoven, *Werke,* NGA, Abt. II, Bd. 2, S. VII.

höhere Stimme hält ihn davon ab": Eine Akkordfolge der Bläser in ganzen Noten, in den Außenstimmen chromatisch aufsteigend und das Wunderbare des Geschehens zweimal dadurch symbolisierend, daß verminderte Septakkorde in unerwartete Dur-Quartsextakkorde mit Terz im Diskant aufgelöst sind (Es- und F-Dur). In Nr. 3 wird Prometheus wieder von Freude erfaßt, da er eine neue Erkenntnis aus der „höheren Stimme" gezogen hat. Und um diesen neuen Plan auszuführen, erfaßt er die Kinder und stürzt von dannen. Bemerkenswert bleibt auch hier wieder Beethovens Charakterisierungskunst, etwa im Hauptthema, in dem Freude und Erkenntnis sich verbinden:

Hugo Riemann hat die Prometheus-Musik „ein Variationenwerk" genannt, und zwar aufgrund von melodisch-harmonischen Übereinstimmungen und von Fermaten in der Melodiemitte, die sich durch alle Nummern des Ballettes ziehen, in den letzten allerdings schwächer sind, ehe sie in „der letzten Krönung des Ganzen", dem Es-Dur-Kontretanz, wieder deutlich hervortreten. Dies geschehe — so Riemann — jedoch nicht so wie in der *Eroica*, wo vom abschließenden Tanz her alle vorherigen Formen und Melodien gebildet werden, sondern in Art fortlaufender Ausformungen eines Grund-„Schemas" ohne feste Gestalt. Allerdings muß Riemann an einigen Stellen, um diese Variations-These durchzuhalten, für Beethoven eine Variations-Technik beanspruchen, die nicht seiner Zeit und seinen entsprechenden anderen Werken eigen ist, sondern aufgrund ihrer metrisch-rhythmischen Verzerrungen „der deutschen Variationensuite [...] der ersten Hälfte des 17. Jahrhunderts".[1] So hat denn auch Paul Mies Riemanns These zurückgewiesen.[2]

Das Gewicht des Ballettes liegt auf dem 2. Akt, nicht nur der größeren Länge wegen (13 Nummern), sondern auch weil die Erziehung, die die Kinder nun auf Betreiben des Prometheus auf dem Parnaß durchmachen — dies war der neue Plan des Titanen —, das politisch und ästhetisch Neue und Wichtige der Neuinterpretation des Mythos zeigt. Diese Alternative zur bisherigen Bemühung um die Kinder ist Viganòs Erfindung, würdig der fortschrittlichen pädagogischen Theorien und Praktiken der Aufklärung, die schon Leopold Mozart am 24. November 1786 seiner Tochter am Beispiel eines Salzburger Magisters mitteilte, der Kinder durch „andere Beyspiele von jungen Leuten", „mehr mit Worten, und mit Schlägen gar nicht" erzog. Dies erfahren nun die beiden kleinen Statuen auf dem Parnaß durch die besten denkbaren Lehrer, Apollo, die Musen, die Grazien, Orpheus, Arion und Amphion sowie zwei parnaßfremde Gottheiten, Bacchus und Pan, die als „Erfinder" der kriegerischen, „heroischen" Tänze und der komischen und Schäfer-Tänze das Integral der menschlichen Möglichkeiten vervollständigen. Die Wendung von der Gewalt zum guten Beispiel ist eine bisher im Prometheus-Mythologem unbekannte Konta-

1 H. Riemann, *Beethovens Prometheus-Musik,* S. 107.
2 Vgl. P. Mies, *Ludwig van Beethovens Werke über seinen Kontretanz in Es-Dur,* S. 97f.

mination antiker Überlieferungen und wirkt neben seiner allgemeinen aufklärerischen Tendenz wie eine therapeutische Reflexion von Beethovens Krankheitssituation zu jener Zeit, als er seinem manifester werdenden Gehörleiden oft genug mit dem Wunsch zur Selbstzucht oder Selbstzerstörung gegenübertrat (Briefe an Wegeler und Amenda des Jahres 1801; *Heiligenstädter Testament* von 1802), aber zugleich auch mit Hilfe antiker Autoritäten (voran Plutarch) nach einer anderen Art suchte, seine Weiterbildung zu einem humanen Dasein voranzubringen. So würde auch Bonaparte nach dem Krieg Europa befrieden und einer höheren Kultur und Selbstbestimmung zuführen.

Nr. 4, ein ungemein kurzes, nur in Unisono-Gesten andeutendes Stück, zeigt den prächtig besetzten Parnaß, den Auftritt des Titanen und seine Bitte, die Kinder zu erziehen. Diese und die folgenden Nummern 5 (Götterkonzert) und 6 (Terpsichore und die Grazien?) waren offenbar die heikle Phase des Ballettes, die möglicherweise Beethoven in einem Brief an Hoffmeister vom 22. April 1801 veranlaßt hat zu bemerken, „der Ballettmeister" habe „seine Sache nicht ganz zum Besten gemacht". Die *Zeitung für die elegante Welt* vom 19. Mai 1801, die Beethoven vorwarf, seine Musik sei „für ein Divertissement [...] zu groß angelegt" und entziehe dadurch „seinen Zuschauern den Reiz sanfter gefälliger Harmonien" — die Gattung Ballett, nicht das Sujet waren also wichtig —, tadelte den Anfang des 2. Aktes so: „Nun führte Prometheus sie zum Apoll. Der Parnaß machte mit allen seinen Bewohnern eben nicht den angenehmsten Eindruck. Die neun Musen blieben wie leblose Statuen so lange auf ihrem angewiesenen Platz, bis die Reihe zu tanzen auch an sie kam, und Apollo saß auf der höchsten Spitze des Berges, stets unbeweglich."

Die Neuerung Viganòs, den klassischen Tanz zum Tanzdrama auszubauen, indem er ihn um Elemente „natürlicher" pantomimischer Massenaktionen bis hin zum lebenden Bild erweiterte — nicht ohne Einfluß auf die Kunstpraxis im bürgerlichen Salon —, stieß nicht überall auf Zustimmung. „Trop de pantomime, pas assez de danse", urteilte Rossini gegenüber dem Viganò-Verehrer Stendhal.[1] Dem korrespondiert ein Hinweis Ritornis genau zur kritisierten Eröffnungsszene des 2. Aktes: „Man bemerke, daß der Choreograph an dieser Stelle weder Musik noch Tanz im besonderen will; so kann man, wenn diese später als besondere Mittel eingesetzt werden, sofort ihr Einwirken erkennen. Diese Vorbemerkung gilt für alle ähnlichen Fälle!" Beethoven hat sich in Nr. 4 an diese Anweisung gehalten.

In Nr. 5 beginnen nun die hohen Personen, den Schönheitssinn der Kinder zu erwecken, und zwar Orpheus, Euterpe, Arion, Amphion „und schließlich auch der Gott selbst", also Apollo. Dies gestaltet Beethoven in einem von Streichern begleiteten Wechselspiel von Harfe und drei Holzbläsern (ohne Oboe), dem sich „schließlich" das Cello (Apollo) mit einer Kadenz anschließt und ein langes, freies Andante des streicherbegleiteten Soloquintetts durch die bereits zitierte, auf die Napoleon-Hymne bezogene Melodie eröffnet. Dies Andante hat neben der herausragenden politischen Bedeutung noch eine ebenso wichtige ästhetische[2]: Es ist die Apotheose der Instrumentalmusik, der neuen bürgerlichen und von Beethoven auf den Schild gehobenen Symphonik. Von göttlichem Ursprung, ist sie in der Lage, die Menschen

1 H. Prunières, *Salvatore Viganò*, S. 92.
2 Vgl. M. Geck / P. Schleuning, *„Geschrieben auf Bonaparte"*, S. 67ff.

zu moralischen und harmonischen Wesen zu machen. Diese Apotheose hätte Beethoven weder in der Oper noch in der Symphonie vornehmen können, da diese entweder vokal geprägt oder der zu bezeichnende Gegenstand selbst waren. Nr. 5 zeigt, warum er sich auf ein Ballett, nämlich auf dieses Ballett einließ, war er doch der Meinung, daß Kritiker „niemand die Unsterblichkeit nehmen werden, dem sie von Apollo bestimmt ist" — etwa ihm selbst als Instrumentalkomponisten. So schrieb er gerade jetzt, vielleicht bei Komposition der Parnaß-Szene, am 15. Januar 1801 an Franz Hoffmeister.

Während niemand bisher gezweifelt hat, daß die ausgedehnte Nr. 8 mit Paukengedröhn und Fanfarenmelodik den martialischen Kriegstanz des Bacchus und seines Gefolges wiedergibt, an dem sich auch die Kinder beteiligen — auch hier ist wieder an einigen Stellen die *Eroica*-Durchführung vorgebildet —, so ist doch die nicht minder lange Nr. 7 mit ihrer reichen, rhythmisch differenzierten Violinmelodik und dem pompösen Unisono-Beginn das erste Stück, das wie dann auch die Nummern 11 bis 15 immer wieder Schwierigkeiten bei der Zuordnung ausgelöst hat. Ob hier erst Terpsichore und die Grazien auftreten (Riemann) oder — musikalisch schwer nachvollziehbar — die Kinder in Prometheus ihren Wohltäter erkennen und sich dankbar vor ihm niederwerfen[1], wird nicht recht klar. Bei der ersten Lösung bliebe die Nr. 6 unerklärt, die in ihrer freundlichen Polacca-Rhythmik kaum dazu dienen kann, dankbare Emotionen und die Gestik des Niederwerfens zu begleiten. Die zweite steht im Widerspruch zu Ritorni, bei dem Terpsichore erst nach den Dankesbezeigungen der Kinder auftritt. Hier beginnt schon jene Phase der Musik, von der Riemann sagt: „Mehr und mehr macht sich uns nun aber doch das Fehlen eines Bühnenbuches fühlbar."[2]

Die Nummern 9 und 10 sind noch einmal in ihrer Bedeutung klar. In Nr. 9, einer scena tragica, tritt die tragische Muse Melpomene auf, hält nach den kriegerischen Tänzen der Bacchanten und der Kinder eine flammende Rede in Gestalt eines Oboen-Rezitativs und macht dann Prometheus Vorwürfe, weil er die Kinder als die ersten Menschen zugleich auch zum Tode erschaffen habe. Sie bedroht ihn mit dem Dolch und ersticht ihn schließlich zum Entsetzen und zur Trauer der Kinder. Diese Nr. 9 ist ein Meisterwerk von höchster stilistischer und semantischer Intensität.[3] Zur Darstellung des Zorns, der Drohung, des Mordes und Todes bedient sich Beethoven der Stilmittel, die Mozart in den Klavierkonzerten d-Moll und c-Moll, in der Klavierfantasie c-Moll KV 475 und im *Don Giovanni* vorgegeben hat.[4] Die suspiratio-Figuren am Satzende sind die Vorläufer der Seufzer in den Takten 217ff. im Trauermarsch der *Eroica*. Die Wiedererweckung des Prometheus erfolgt in Nr. 10, wo in einem Pastorale Thalia die Kinder tröstet und Pan mit seinem Gefolge in einem komischen Tanz, ähnlich den Bauerntänzen im *Don Giovanni*, den Titanen wieder ins Leben zurückruft. Das Thema Tod und Auferstehung gemahnt an die Passion Christi, die offenbar in Beethovens und anderer Bewußtsein sich mit den Heldentaten der Antike zu einem Bild von Größe und Opfer zusammenschloß: „Socrates und Je-

1 Vgl. C. Floros, *Beethovens Eroica und Prometheus-Musik,* S. 54.
2 H. Riemann, *Beethovens Prometheus-Musik,* S. 113.
3 Vgl. M. Geck / P. Schleuning, *„Geschrieben auf Bonaparte",* S. 69f.
4 Vgl. P. Schleuning, *Beethoven in alter Deutung,* S. 175.

sus waren meine Muster."[1] Aber die Aktualität im Hinblick auf die revolutionäre Zeitgeschichte ist in dieser Handlung nicht ausgespart. Denn allen im Publikum muß bei der Tat der Melpomene Charlotte Corday und ihr Mord an dem an Gewalttaten reichen „Volkshelden" Marat am 13. Juli 1793 in den Kopf gekommen sein, der wie Prometheus die freie Kultur um den Preis des Tötens und des Todes errang. Diese Szene Nr. 9 ist neben der Nr. 5 das Kernstück der politischen und ästhetischen Neubestimmung, die Viganò und Beethoven mit dem Prometheus-Mythos vornahmen. Und sie ist unter der Voraussetzung, daß das Ballett in Verehrung Bonapartes verfaßt wurde, eine hochdifferenzierte, dialektische Analyse und Reflexion der revolutionären bürgerlichen Befreiung, im Hinblick auf den französischen Konsul schon fast etwas wie eine Mahnung, die jener aber weder hörte noch befolgte. Denn er kehrte nicht zu den friedlichen Mitteln zurück, wurde auch nicht wieder belebt.

Die Nummern 11 bis 15 mit zwei Soli des Tänzers des Bacchus, einem „Terzetto Grotteschi" benannten Tanz der Faune sowie je einem Solo des weiblichen und des männlichen Kindes sind von Floros einleuchtend besprochen und entschlüsselt worden, soweit es um die Musik und die Personen geht.[2] Der merkwürdig langatmige und harmlose Eindruck, den diese Stücke trotz mancher Anklänge an Stellen aus den Symphonien Nr. 2, 3 und 7 machen, ist sicherlich auf den Umstand zurückzuführen, daß nicht ein einziges Wort aus Ritornis Programm oder dem Theaterzettel darauf hinweist, wie die Handlung während dieser fünf Nummern weitergeführt wird. Denn der einzige auf Nr. 10 folgende Satz heißt: „Und so endet unter festlichen Tänzen das Stück". Falls diese Tänze nicht schon bei Nr. 11 beginnen, sondern — wie allgemein vermutet — erst im Finale Nr. 16 unter Verwendung der beiden Kontretänze in Es-Dur und G-Dur (WoO 14, Nr. 7 und 11), so bleibt eine große Lücke in unserem Verständnis des Ballettes und der Viganòschen Kunst, deren wissenschaftliche Füllung auch für die Kenntnis von Beethovens Kunstverständnis von großem Wert wäre. Dazu könnten Überlegungen nützlich sein zur Verbindung zwischen Finalmusik und anderen gleichzeitig entstandenen Werken, etwa zwischen dem erstgenannten Tanz und dem Lied „Ich denke dein" (WoO 74)[3] oder dem letztgenannten und dem Variationsthema aus dem Streichquartett op. 18, Nr. 5[4], ferner zur Klärung rätselhafter Strukturen wie der langen liegenden Akkorde kurz vor dem Schluß des Finale. Dann würden wohl auch die seit Ritorni über Grandaur[5] bis in die jüngste Zeit sich hinziehenden abfälligen Bemerkungen über den abrupten und unvermittelten Schluß der Handlung entweder aufhören oder auf einer anderen, konkreten Basis differenziert werden können.

Angeblich war das Ballett ein Mißerfolg. Diese aus den Kritiken zu entnehmende Version scheint auch das Rosenbaumsche Tagebuch zu bestätigen, das vermerkt: „Das Ballett gefiel gar nicht, die Musik wurde [...] ausgezischt."[6] Dem widersprechen aber folgende Tatsachen:

---

1 A. Schmitz, *Das romantische Beethovenbild,* S. 89 (Äußerung von 1820; vgl K.-H. Köhler / Gr. Herre, *Ludwig van Beethovens Konversationshefte,* Bd. I, S. 211).

2 Vgl. C. Floros, *Beethovens Eroica und Prometheus-Musik,* S. 68ff.

3 Vgl. H. Riemann, *Beethovens Prometheus-Musik,* S. 125.

4 Vgl. L. Misch, *Kleine Beethoveniana,* S. 381ff.

5 Vgl. Fr. Grandaur, *Die Handlung des Balletts.*

6 R. Haas, *Zur Wiener Ballettpantomime um den Prometheus,* S. 101; eine weitere Kritik im *Journal des Luxus und der Moden* 16, S. 303.

1. Das Ballett ist in den Jahren 1801 und 1802 23mal[1] oder gar 29mal aufgeführt worden.[2]
2. Teile der Ballettmusik haben eine ganz ungewöhnlich große Anzahl von Bearbeitungen gefunden, und zwar sehr bald nach der Uraufführung, wie das Werkverzeichnis von Kinsky / Halm und die Angaben von Luba Ballová, Imogen Fellinger und Oldrich Pulkert deutlich machen.[3]
3. Karl van Beethoven schreibt am 22. Januar 1803 an Härtel in Leipzig, die Ouvertüre, die Nummern 8, 10 und 16 seien mit großem Beifall und häufig in den Augarten-Konzerten aufgeführt worden, „eine Ehre welche noch keiner Ballettmusiek wiederfahren ist, als Musikstück aufgeführt zu werden" („Musikstück" = ohne Tanz- oder Opernfunktion aufgeführte, quasi symphonische Musik).[4]
4. Anläßlich der Veröffentlichung der Klavier-Variationen op. 35 schreibt Beethoven — ohne Erfolg — an Härtel in Leipzig (Juni 1803), „daß das Thema davon aus einem von mir komponierten Ballett, nämlich: Prometheus oder italienisch Prometeo, welches hätte auf das Titelblatt kommen sollen. Und wenn es möglich ist, bitte ich Sie noch darum, d.h. im Falle sie noch nicht herausgekommen. Müßte das Titelblatt geändert werden, so geschehe es nur auf meine Kosten".

Aus all dem kann nur ein Schluß gezogen werden: Das Ballett war ein großer Erfolg. Und daraus wiederum muß ein anderer Schluß gezogen werden, nämlich wie wenig uns über die Lebens- und Arbeitsweise Beethovens in den frühen Wiener Jahren bekannt ist und wie sehr wir deshalb bei der Analyse und Beurteilung seiner frühen Werke Fehleinschätzungen und dem Weiterschleppen alter Vorurteile aufsitzen können. Dem Ballett *Die Geschöpfe des Prometheus* und seiner Musik wären aus diesem Grunde umfangreiche und genauere Forschungen zu wünschen. Zumindest sollten diese Forschungen jene Intensität erreichen, die die Aufführungstradition des Stückes behalten hat.[5]

Peter Schleuning

---

1 Vgl. R. Haas, *Zur Wiener Ballettpantomime um den Prometheus;* M. Solomon, *Beethoven. Biographie,* S. 136.

2 Vgl. Thayer / Deiters / Riemann, *Ludwig van Beethovens Leben,* Bd. II (^{3}1922), S. 219; A. Levinson, *Beethoven et Viganò,* S. 96.

3 Vgl. K. Dorfmüller, *Beiträge zur Beethoven-Bibliographie,* S. 13, 51f. und 142.

4 Thayer / Deiters / Riemann, *Ludwig van Beethovens Leben,* Bd. II (^{3}1922), S. 616.

5 Vgl. R. Lach, *Zur Geschichte der Beethovenschen „Prometheus"-Ballettmusik;* E. Rebling, *Probleme der Aufführung,* sowie einige Angaben in der *Niederrheinischen Musikzeitung für Kunstfreunde und Künstler* in den Bänden 4 (1856), 9 (1861), 15 (1867).

14 Variationen Es-Dur für Klaviertrio op. 44

ENTSTEHUNGSZEIT: wegen Fehlens wichtiger Primärquellen (Autograph und Skizzen) vorläufig nicht sicher bestimmbar. Nach allgemein herrschender Auffassung um 1800. Nach Ansicht des Verfassers wegen des auf F—f''' beschränkten Klaviaturumfangs vor 1803. Die bisher als Datierungsbeleg für op. 44 herangezogene Stelle aus einem Brief Karl van Beethovens vom 27. August 1803 (siehe Thayer / Deiters / Riemann, *Ludwig van Beethovens Leben*, Bd. II, ³1922, S. 619f. und G. Kinsky / H. Halm, *Das Werk Beethovens*, S. 106: „Variationen für Klavier, Violin et Violoncello mit Introduzzion und großem letzten Stück") ist laut A. Tyson, *Pictorial Beethoven*, S. 1001 viel eher auf die Klaviertrio-Variationen op. 121a zu beziehen. In der Tat hat op. 44 weder eine „Introduzzion" noch (außer der Doppelvariation 14 mit Coda) ein „großes letztes Stück".
ERSTAUFFÜHRUNG: unbekannt.
SKIZZEN: nicht bekannt; siehe aber Thayer / Deiters / Riemann, *Ludwig van Beethovens Leben*, Bd. II (³1922), S. 410 (Anm. 1) und G. Kinsky / H. Halm, *Das Werk Beethovens*, S. 105f.
AUTOGRAPH: verschollen.
ERSTDRUCK: Leipzig 1804 (Hoffmeister & Kühnel).
GESAMTAUSGABEN: Alte Gesamtausgabe: Nr. 88 = Serie 11 Nr. 10; Neue Gesamtausgabe: Abt. IV, Bd. 3.

Ähnlich wie die *Eroica-Variationen* op. 35 für Klavier erwecken auch die Trio-Variationen op. 44 schon wegen der eigentümlichen Themengestaltung besondere Aufmerksamkeit. Die Tatsache, daß beide Variationenwerke in Es-Dur stehen und mit einem lapidaren Unisono eröffnet werden, das nur ein später einzukleidendes Themengerüst vorzustellen scheint, war für Thayer / Deiters / Riemann Anlaß genug, über eine chronologische und ideelle Querverbindung zwischen op. 44 und dem Ideenkreis der Prometheusmusik zu spekulieren.[1] Über Entstehungszeit und konzeptionelle Zusammenhänge mit zeitlich benachbarten Werken ist bei op. 44 wegen des Fehlens wesentlicher Quellengrundlagen (Autograph und Skizzen) wenigstens vorerst keine endgültige Klarheit zu erzielen. Ein Vergleich des Themas von op. 44 mit dem Baß der *Eroica-Variationen* kann daher sinnvollerweise nur den Zweck verfolgen, gerade die Unterschiede besonders hervortreten und die individuelle Prägung des vorliegenden Themas als einen wesentlichen Einheitsfaktor des gesamten Variationenzyklus erkennbar werden zu lassen.

Im Gegensatz zur Eröffnung von op. 35 ist das bloße Unisono hier nicht als Baß oder harmonisches Gerüst eines später erscheinenden Themas zu verstehen, sondern als das Thema selbst, das der Variation unterliegende Substrat. Nur ein einziges Mal im gesamten Zyklus, in der 8. Variation, übernehmen die lapidaren Viertelimpulse (Achtel mit Achtelpause) tatsächlich die Funktion einer satztragenden Baßstimme, während der von ihnen vorgezeichnete melodische Verlauf in allen übrigen Variationen stets mehr oder minder deutlich als liedhaft periodisch durchgestaltete Oberstimme durchscheint und (im Gegensatz zum Thema selbst) ausharmonisiert wird. Während der Baß der *Eroica-Variationen* im wesentlichen auf einer direkten, durch zwei komplementäre Kadenzbildungen verklammerten Gegenüberstellung von I. und V. Stufe beruht und damit gleichsam ein Areal durch zwei gegensätzliche Pole definiert, bahnt sich das Thema von op. 44 in einzelnen aneinandergesetzten Schritten einen Weg: von Es-Dur (T. 1—4) nach B-Dur (T. 5—8), das durch richtiggehen-

1 Vgl. Thayer / Deiters / Riemann, *Ludwig van Beethovens Leben*, Bd. II (³1922), S. 410.

de Modulation über seine eigene Dominante erreicht wird, und von dort über eine Sequenz wieder zurück in die Grundtonart (T. 9—12). Die in Takt 15 nun ganz unvermittelt in vollem Satz (statt unisono) einsetzende Kadenzformel (T. 15—18 und 19—22) gleicht in ihrer Stellung nach einer dominantischen Fermate (T. 14) und in der Baßfolge g—as—b—es (III—IV—V—I) auffallend dem Schluß des Basses der *Eroica-Variationen*. Im Gegensatz zu diesem ist sie aber nicht selbst Teil des zwischen I. und V. Stufe pendelnden zweiteiligen periodischen Grundrisses. Der für das Thema charakteristische, Es-Dur und B-Dur miteinander verknüpfende harmonische Gang ist bereits vorher abgeschlossen. Die eigentümlich separate Stellung der Kadenzformel als Abgesang wird nicht nur im volltaktigen Einsatz und in der Ausharmonisierung sinnfällig, die den Bann des in auftaktigen Viertelimpulsen gesetzten Unisonos bricht. Die Schlußformel bildet den einzigen Teil des Themas, der wiederholt wird (T. 15—18 / 19—22). Weder die erste noch die zweite Periodenhälfte vor der Dominantfermate (T. 1—8 bzw. 9—14) erfährt eine Wiederholung. Diese eigentümliche „Eindimensionalität" im Aufbau ergibt sich nicht nur geradezu zwingend aus der Zielstrebigkeit des melodischen Ganges, der sich gleichsam keinen Rückblick auf den zurückgelegten Weg gönnt, und entspricht nicht nur auffallend der unisonen Gestaltung (die ausharmonisierte Schlußformel wird ja wiederholt), sondern kongruiert auch deutlich mit dem reihenden Formprinzip der Variation. Anders ausgedrückt: Jeder Themendurchgang fordert aufgrund der fehlenden Wiederholungen stets einen neuen heraus.

In der Tat gibt es einen direkten Zusammenhang zwischen Themengestalt und Gliederung des Variationenzyklus, der durch die Plazierung der beiden Mollvariationen (Nr. 7 und Nr. 13) unterstrichen wird. Bereits die 1. Variation, die sich anfangs noch getreu an die im Unisono der Themeneröffnung herausgemeißelte Tonfolge zu halten scheint, beginnt sich bald von der ursprünglichen Themengestalt zu lösen. Die erste bedeutende Abweichung geschieht bezeichnenderweise bei der harmonischen Weichenstellung von Es-Dur nach B-Dur im dritten bis fünften Takt, die hier erstmals (und für fast alle folgenden Variationen verbindlich) als eine klare harmonische und melodische Zäsur ausgeprägt ist. Bereits ab dem neunten Takt ist nur noch der harmonische Gang des Themas wiederzuerkennen, während sich seine melodische Spur vollends verloren zu haben scheint. In allen folgenden Variationen bis zur Mitte des Zyklus verbirgt sich die melodische Gestalt des Themas mehr oder weniger vollständig hinter melismatischen oder diminutiven Verbrämungen. Scheint in einigen Variationen die markante Dreiklangsstruktur des Themenkopfes noch durch, so verläßt spätestens der im fünften Takt einsetzende Tonartwechsel nach B-Dur stets auch den vorgezeichneten melodischen Pfad (besonders deutlich etwa in Variation 6 zu beobachten). Erst in der 8. Variation kommt wieder die ursprünglich exponierte Themengestalt zum Vorschein. Durch die vorangehende Mollvariation in langsamem Tempo ist der Augenblick, in dem die ursprüngliche Tonfolge nun als Baßfundament und in gemäßigtem Tempo („Un poco adagio") wörtlich wiederkehrt, als ein entscheidender Wendepunkt des ganzen Zyklus hervorgehoben. Die 8. Variation eröffnet die zweite Hälfte des Zyklus, in dem der vom Thema vorgegebene melodische Verlauf nicht nur im wesentlichen unangetastet bleibt, sondern entschieden in den Vordergrund gestellt wird. Keine der nun folgenden Variationen entfernt sich jemals wieder so weit von der Themengestalt, wie dies in der 1. und 6. Variation geschah.

Eine ähnliche zäsurbildende Funktion im Gesamtzyklus und im Hinblick auf die Themenbehandlung erfüllt die zweite Mollvariation (Nr. 13), die als eine den gesamten Zyklus zusammenfassende und abschließende Paenultima vor der Schlußvariation angelegt ist. In den beiden ersten Dritteln dieser Variation bis zur charakteristischen Dominantfermate im 14. Takt fällt die beherrschende Rolle des Dominanttons b auf, der ja bereits im Thema selbst einen wichtigen harmonischen und formalen Angelpunkt verkörpert. Schon in den Eröffnungstakten dieser Variation ist er als ein die Tonika es-Moll relativierender Baßton gegenwärtig (Klavierpart, linke Hand, und Violine); durch die anschließende Modulation nach b-Moll wird er als Grundton bestätigt. Auch im 9. bis 14. Takt, während der Rückkehr zur Grundtonart es-Moll bis zur Dominantfermate, weicht die V. Stufe b als beherrschender Faktor des harmonischen Geschehens kaum von der Stelle (Klavierpart, linke Hand). Um so entschiedener tritt die abschließende Kadenzformel (Nr. 13, T. 15—18 und 19—22) als eine Bereinigung dieses harmonischen Schwebezustands auf den Plan, ja, infolge der trugschlüssigen Endung (Nr. 13, T. 18) und in der emphatischen Wiederholung des Kadenzbasses in tiefster Lage wächst sie sich zu einer geradezu pathetischen Abschiedsgeste aus, die nun einen Schlußstrich unter den gesamten Variationenzyklus ziehen zu wollen scheint.

In der Tat: Mit der letzten Variation (Nr. 14), die in gattungsüblicher Weise als ein tanzartiger Kehraus im 6/8-Takt angelegt ist, wird das Thema dem reihenden Variationsprinzip im strengen Sinne enthoben und wächst in eine neue Dimension hinein. War bisher der zweiteilige Aufbau ohne Wiederholungen ein wesentliches, mit dem reihenden Aufbau des Variationenzyklus korrespondierendes Formmerkmal des Themas, so führt nun Variation 14 als Doppelvariation, in der jede Phrase zuerst vom Klavierpart vorgestellt, dann vom Ensemble-Tutti beantwortet wird, das Thema zu einem neuen formalen Gleichgewicht. Erst jetzt gönnt die Musik sich (in Gestalt einer Doppelvariation) die wiederholende Rückschau auf jeden Thementeil. Die Variationenreihe hat ihr Ziel in einem neuen Zustand des Themas erreicht und rundet sich damit zum Zyklus. Der unerwartete c-Moll-Trugschluß, in den diese letzte Variation mündet (Nr. 14, T. 60), löst eine Reminiszenz an die vorangegangene Mollvariation aus (nun allerdings c-Moll statt es-Moll), über die sich eine emphatische Kadenzbildung anbahnt. Die von der großen Trillerkadenz des Klaviers ausgelöste Coda blickt zurück auf den im Es-Dur-Klang verharrenden Themenkopf, der sich nun unter den imitatorischen Einsätzen von Violine, Klavier und Cello zu einer Schlußfanfare zu verfestigen beginnt, um schließlich in einer Folge von ständig sich beschleunigenden Klavierarpeggien im Es-Dur-Klang der Schlußtonika gänzlich zu verschwinden.

Robert Forster

3 Märsche C-Dur, Es-Dur und D-Dur für Klavier zu 4 Händen op. 45

ENTSTEHUNGSZEIT: 1802/1803.
ERSTAUFFÜHRUNG: unbekannt.
SKIZZEN: Biblioteka Jagiellońska Krakau, Landsberg 6, Eroica-Skizzenbuch, siehe G. Nottebohm, *Ein Skizzenbuch von Beethoven aus dem Jahre 1803*, S. 55f.
AUTOGRAPH: verschollen.
ERSTDRUCK UND WIDMUNG: Wien 1804 (Bureau des Arts et d'Industrie); der Fürstin Maria Esterházy gewidmet.
GESAMTAUSGABEN: Alte Gesamtausgabe: Nr. 121 = Serie 15 Nr. 2; Neue Gesamtausgabe: Abt. VII, Bd. 1.

Unter den Skizzen zur „Marcia funebre" der *Sinfonia eroica* befinden sich auch solche für eine Anzahl anderer Märsche, von denen einige zu den drei Märschen op. 45 wurden, die Maria Esterházy gewidmet sind. Diese an sich schon anspruchslosen Märsche für Klavier zu 4 Händen scheinen noch unbedeutender angesichts des monumentalen Marsches aus der *Eroica*, zweifellos des außerordentlichsten Marsches, der bis zu diesem Zeitpunkt komponiert worden ist. Die enge Nachbarschaft der Skizzen weist natürlich stark auf eine mehr oder weniger gleichzeitige Entstehung der Märsche hin, doch sollten etwaige Vergleiche eher zum Nachteil anderer Symphonien aus derselben Zeit angestellt werden. Die Märsche op. 45 verdienen Beachtung innerhalb der Marschtradition; wenn man sie unter diesem Gesichtspunkt untersucht, zeigen sie sich als außergewöhnliche Werke eigenen Rechts.

Nach Ries wurden die Märsche von Graf Johann von Browne-Camus unter etwas kuriosen Umständen in Auftrag gegeben; er stand in Wien in kaiserlich russischen Diensten, und Beethoven hatte ihm bereits die Trios op. 9 und die Sonate op. 22 gewidmet. Eines Abends improvisierte Ries beim Grafen Browne einen Marsch. Man glaubte, das Stück sei von Beethoven, und nahm es dementsprechend mit großem Beifall auf. Am nächsten Tag kam Beethoven zum Grafen und hörte davon, woraufhin Ries seinen Marsch wiederholen mußte, was seinem Bericht nach keine leichte Aufgabe war vor Beethoven, der über ihn gebeugt war und jede Note gespannt erwartete. Als Ries seinen neu erfundenen Marsch beendete, wurde Beethoven von den Zuhörern über die Maßen gepriesen. Er schien gerade im Begriff, in seinen berüchtigten Zorn zu verfallen, als er plötzlich in schallendes Gelächter ausbrach. Ries blieb verschont, und Beethoven erhielt vom Grafen Browne den Auftrag, drei Märsche zu komponieren.[1]

Die drei Märsche unterscheiden sich sowohl durch ihre Taktart als auch durch die Wahl der in der Militärmusik des 18. Jahrhunderts am häufigsten benützten Tonarten C-Dur, Es-Dur und D-Dur. Alle drei haben Trios, wenngleich der Mittelteil des dritten Marsches nicht eigentlich als Trio bezeichnet ist. Nur das Trio des zweiten Marsches steht in einer anderen Tonart als der Marsch selbst.

Das Trio des zweiten Marsches basiert auf einer wiederkehrenden Figur, die eine Militärtrommel nachahmt. Dank ihrer zentralen Position im Mittelteil des zweiten

1 Vgl. Fr. G. Wegeler / F. Ries, *Biographische Notizen*, S. 90f.

Marsches, dem einzigen Trio mit eigener Tonart, scheinen die Trommelimitationen größere Bedeutung für das Werk insgesamt zu gewinnen. Bei ihrem ersten Erscheinen werden sie nach zwei Takten von einer kurzen Figur in der rechten Hand des Secondo beantwortet. Diese Figur, die primär auf einer Folge von Sexten aufgebaut ist und an die Anfangsfigur des letzten Satzes der Sonate op. 26 erinnert, ist ebenso charakteristisch für das Klavier, wie es die frühere Figur für die Trommel ist. Sie wird jedoch im Primo von der Nachahmung eines kurzen Trompetensignals in Triolen unterbrochen. Die Trommelfigur kehrt wieder, und die drei Figuren werden wiederholt. Am Beginn des zweiten Trioteils ist beiden Pianisten eine Passage anvertraut, die auf einer aufsteigenden Skala aufbaut und zu einer Fermate führt, und zwar wieder auf eine höchst charakteristische, ja nahezu parodistische Weise. Wie zuvor aber folgt unmittelbar darauf die Trommelfigur. Dieser humorvolle Konflikt zwischen Figuren, die fürs Klavier typisch sind, und solchen, die Militärinstrumente nachahmen, bestimmt den Aufbau aller drei Märsche.

Das erste, aus drei Noten bestehende Motiv des ersten Marsches findet sich vermutlich in tausenden Märschen aus dem 18. Jahrhundert. Bei Beethoven selbst beherrscht es den Marsch im ersten *Fidelio*-Akt. Hier aber wird es im Secondo von einer Trommelimitation beantwortet. In Takt 5 vertauschen Primo und Secondo dann die Rollen: Das Thema wird eine Oktave tiefer gespielt, die Trommelimitation drei Oktaven höher, das heißt eher auf der Tonhöhe einer Piccoloflöte oder eines Triangels. Der erste Teil endet mit einer kurzen Figur, die dem Repertoire der Militärsignalbläser entstammt. Bemerkenswert ist der Rollentausch zwischen den Pianisten, der übrigens für alle drei Märsche kennzeichnend bleibt. Dieses Mittel, das später von Schubert höchst wirkungsvoll eingesetzt werden sollte, ist in der frühen vierhändigen Klaviermusik nicht sehr verbreitet, wo dem unteren Part gewöhnlich eine Begleitrolle zufällt. Der zweite Teil des Marsches beginnt in D-Dur und führt das Thema kurz durch. Die aus der Wiederholung des Anfangsmotivs hervorgegangene große Terz führt zu einer Folge von fallenden Terzen, auf denen das melodische Geschehen des gesamten Marsches beruht:

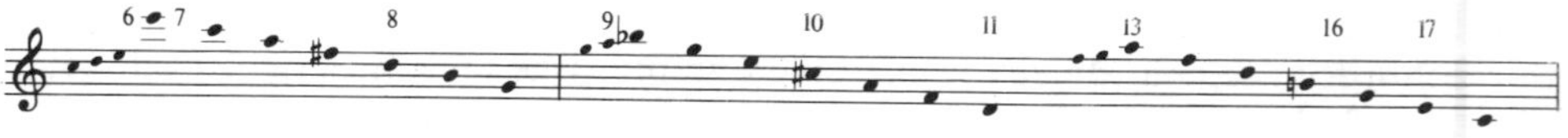

Die letzte große Terz dieser Kette bringt in Takt 17 einen neuen Gedanken hervor, der auf einer der gängigsten Figuren in der Militärmusik, einer Abart des Hornsignals, basiert. Die Wiederkehr des Marschthemas bringt eine verhältnismäßig lange Coda mit sich, in der die absteigende Terz ebenfalls auffällig herausgestellt wird. Der Wechsel zwischen C-Dur und c-Moll in dieser Coda erinnert übrigens an eine ähnliche Stelle im Finale der *Waldsteinsonate*, die ungefähr zur gleichen Zeit entstand wie die Märsche.

Das Trio legt die Marschfiguren vorläufig beiseite, aber die absteigenden Terzen behalten ihre Bedeutung, zum Beispiel im Abstieg vom F in Takt 2 zum C in Takt 5. Die Triolenbegleitung und das entspannte, lyrische Thema des Trios kontrastieren angenehm mit den Militärfiguren des Marsches. Und dieser Gegensatz im Ton des Marsches und des Trios wird von der Tatsache, daß beide in derselben Tonart stehen, sogar noch verstärkt.

Der zweite Marsch enthält wie der erste eine Fülle von Gedanken, die dem Vokabular des Militärmarsches nahestehen. Auch hier betont der Anfangsteil den Rollentausch von Primo und Secondo. In den ersten beiden Takten wird eine punktierte Figur im Secondo von einer Figur im Primo beantwortet, die ein Hornsignal nachahmt. Diese beiden Figuren hält eine Begleitfigur in der rechten Hand des Secondo zusammen, ein einfaches, staccato gespieltes Arpeggio. Wie im ersten Marsch endet der Anfangsteil mit einem Militärsignal. Der zweite Teil beginnt in Des-Dur mit einer legato gespielten Begleitfigur, und die punktierte Figur wird zu einer auf- und absteigenden Melodiephrase erweitert. Das Militärische hat hier einen gedämpfteren, fast lyrischen Charakter. In Takt 20 wird das Militärsignal vom Ende des ersten Teiles umgekehrt und von einer Triolenfigur begleitet, was einmal mehr den militärischen Charakter des Materials untergräbt. Doch bei der Wiederkehr des Marschthemas in Takt 27 kommt dieser wieder zu seinem Recht. In Takt 31, wo die ursprüngliche Begleitfigur des Marsches gegen das wiederholte B im Primo gespielt wird, klingt sie in ihrer Isolierung im Verband mit einem Crescendo wie ein Schlachtruf. Die Coda bringt dieselbe Figur im oberen Part in Takt 45 in einer noch herausgehobeneren Stellung. Diese von Tonartenwechseln oder neuen Begleitfiguren freie Coda endet passenderweise mit einer Marsch-Episode, deren konsequent militärische Haltung in keinem der drei Märsche ihresgleichen findet. Ihr Pianissimo-Schluß läßt die militärischen Nachahmungen des Trios umso auffälliger erscheinen. Die Tonart des Trios, As-Dur, und die Imitation der Harmoniemusik erinnern andererseits an das Trio der „Marcia funebre" von op. 26.

In einem Brief an Breitkopf & Härtel schrieb Beethoven, daß von den drei Märschen „der letztere so groß ist, daß er der Marsch dreier Märsche heißen kann".[1] Wie oben erwähnt, fehlt diesem Marsch, der nicht viel länger ist als die beiden anderen Märsche der Gruppe, die Bezeichnung „Trio" für den Mittelteil. Dieser Teil bringt weder den lyrischen Gegensatz des Trios aus dem ersten Marsch noch den Gegensatz der offenen Nachahmungen einer Militärkapelle des Trios aus dem zweiten. Er ist ganz einfach ein weiterer, etwas gedämpfter Marsch.

Anders als der erste und zweite Marsch beginnt der dritte mit einer einfachen sechstaktigen Phrase, die aus einem anfänglichen Militärsignal und einer kontrastierenden Antwort besteht. Der zweite Teil beginnt in B-Dur und führt zu einem eigentlich neuen Marsch, der auf dem anfänglichen, etwas ähnlichen Material basiert. An eben diesem Punkt, dem Anfang des zweiten Teils, gehen auch die beiden vorhergehenden Märsche zu einer neuen Tonart über, aber nur kurz vorübergehend. Im dritten Marsch dagegen kommt dieser Abschnitt zu einem Ganzschluß in der neuen Tonart; es ist, als ob innerhalb des D-Dur-Marsches ein zweiter in B-Dur interpoliert wäre. Da also dieser D-Dur-Marsch einen zweiten Marsch in B-Dur enthält und dazu noch einen dritten anstelle des Trios, könnte von einem Marsch aus drei Märschen gesprochen werden.

Jeder der drei Märsche von op. 45 hat demnach seinen eigenen Charakter; gemeinsam ist ihnen eine Gedankenfülle, die den viel einfacheren Märschen des 18. Jahrhunderts mit wenigen Ausnahmen fehlt. Tatsächlich sind auch Beethovens andere Märsche, besonders die für Militärkapellen, ganz anderer Art. Die Ausarbei-

1 E. Kastner / J. Kapp, *Ludwig van Beethovens sämtliche Briefe,* S. 72.

tung ist dort viel einfacher. Es gibt, wenn überhaupt, nur wenige Modulationen (ein Merkmal, das zum Teil von den technischen Beschränkungen der Militärinstrumente seiner Zeit bestimmt wurde). Die Dynamik geht im allgemeinen über einfache Wechsel zwischen Piano und Forte nicht hinaus, und das melodische Material scheint weniger militärisch, das heißt es enthält weniger typische Marschgesten.

Die ausgedehnte Verarbeitung und Vielfalt der Ideen in op. 45 mögen das Ergebnis der Umstände sein, unter denen Beethoven den Auftrag erhielt. Angesichts des improvisierten Marsches von Ries hat Beethoven möglicherweise danach getrachtet, diesen mit Stücken, die einen stärkeren Formsinn und einen größeren Gedankenreichtum aufweisen, in den Schatten zu stellen. Man sollte jedoch auch an das Medium denken, für das Beethoven schrieb, nämlich das Klavier zu 4 Händen. Ein Marsch für Klavier hat im wesentlichen seine Funktion verloren. Er repräsentiert eher einen Marsch, als daß er als Marsch seinen Dienst tut. Der militärische Kontext, die Klangfarben der Militärinstrumente, die Marschierenden, ja all die Merkmale, die dem funktionalen Marsch zum Leben verhelfen, müssen von zwei Pianisten an einem Klavier heraufbeschworen werden. Folglich dienen Modulationen, Registerwechsel und sorgsam gewählte dynamische Angaben der Nachahmung der vielen Instrumentalfarben, die in einer Blaskapelle vertreten sind. Die Nachahmungen typischer Militärkapellen-Motive und -Materialien müssen deutlicher und reichlicher sein, um einen wirklich starken Marsch-Eindruck zu vermitteln. Eigentliche Trommeln und Trompeten brauchen keine charakteristischen musikalischen Figuren, um einen Militärklang zu erzeugen.

Ein Bewußtsein für den wichtigen Zusammenhang von Genre und Medium findet sich überall in Beethovens Werken. Die Orchestermärsche wie im *Fidelio* oder in der Serenade op. 8 für Streichtrio weisen Ähnlichkeiten mit den Märschen op. 45 auf: Auch sie sind Beschwörungen oder Repräsentationen von Märschen, und die Faktur jedes dieser Stücke signalisiert das meist sogleich. Am Anfang der „Marcia funebre" aus der *Sinfonia eroica* benutzte Beethoven Kontrabässe für die gedämpften Trommelwirbel bei einem Begräbnis, obwohl Pauken zum Orchester gehörten und daher ohne weiteres verfügbar gewesen wären. Das ist wiederum ein Zeichen dafür, daß es sich um keinen gewöhnlichen Marsch handelt.

Der Marsch nahm in Beethovens Schaffen stets einen wichtigen Platz ein, von diesen relativ frühen Werken über die 5. Symphonie und das Violinkonzert bis hin zu den späteren Werken, wie zum Beispiel der Sonate op. 101, dem Quartett op. 132 und dem Finale der 9. Symphonie. Daß Beethoven viel von seinen Märschen op. 45 hielt, zeigt der Bericht von Ries über deren erste Aufführung. Während Beethoven und Ries sie in einem Privatkonzert beim Grafen Browne spielten, unterhielt sich ein gewisser Graf P. laut mit einer Dame in seiner Nähe. Nachdem Versuche, den jungen Mann zum Schweigen zu bringen, fehlgeschlagen waren, brach Beethoven die Aufführung ab und weigerte sich, sie fortzusetzen, indem er sagte: „Für solche Schweine spiele ich nicht."[1] Dies beruhte weniger auf einem Fehler des Grafen als auf der ihm unbewußten Tatsache, daß Beethoven den Marsch von der Straße und dem Paradeplatz in den Konzertsaal versetzt hatte.

Richard N. Burke
Übersetzung: Gudrun Budde

---

1 Fr. G. Wegeler / F. Ries, *Biographische Notizen,* S. 92.

Klavierlied „Adelaide“ op. 46

GEDICHT: Fr. v. Matthisson.
ENTSTEHUNGSZEIT: 1794—1796.
ERSTAUFFÜHRUNG: unbekannt.
SKIZZEN: Gesellschaft der Musikfreunde Wien, A 35 und A 75; Bibliothèque Nationale Paris, Ms 40; Staatsbibliothek Preußischer Kulturbesitz Berlin, Artaria 149; Beethoven-Haus Bonn, Mh 62 und Mh 99; British Library London, Add. Ms 29801, Kafka Sketchbook.
AUTOGRAPH: verschollen.
ERSTDRUCK UND WIDMUNG: Wien 1797 (Artaria & Co.); dem Dichter Friedrich v. Matthisson gewidmet.
GESAMTAUSGABEN: Alte Gesamtausgabe: Nr. 216 = Serie 23 Nr. 2; Neue Gesamtausgabe: Abt. XII, Bd. 1.

Wie bei so vielen Beethoven-Liedern ist über die Entstehung und frühe Geschichte von „Adelaide“ nur wenig bekannt. Andererseits steht seine Bedeutung sowohl für Beethovens späteres Liedwerk als auch für die Entwicklung der Gattung im allgemeinen außer Frage. Es ist eine seiner ersten in Wien geschaffenen Vokalkompositionen, in welcher der Hauptstrom der deutschen Tradition des späten 18. Jahrhunderts, die er während seiner Gesellenjahre in Bonn in sich aufgenommen hatte — nicht zuletzt von Neefe — den Arbeiten einer schnell anwachsenden Gruppe von Wiener Komponisten begegnete, die bereits ihre eigenen Begriffe formuliert hatten. Auf längere Sicht gewann es noch an Bedeutung als eines der ersten öffentlich vorgetragenen Lieder zu einer Zeit, in der das Gesangsrepertoire sich fast völlig auf einzelne Nummern aus Bühnenwerken beschränkte.

Diese zwei Aspekte mögen kaum etwas miteinander zu tun haben; beide spiegeln jedoch einen starken Operneinfluß wider, der sich nie sehr weit unter der Oberfläche dieses Liedes verborgen hält. In dieser Beziehung näherte sich Beethoven auf unzweideutige Weise den Traditionen seiner Adoptivheimat. Denn im Fahrwasser der ausschlaggebenden Veröffentlichung des ersten Teils von Joseph Anton Steffans *Sammlung deutscher Lieder* aus dem Jahre 1778 entwickelte sich das Wiener Lied auf entscheidende Weise mit Hilfe von Nachahmungen sowohl deutscher als auch italienischer Opernmodelle. In „Adelaide“ identifizierte Beethoven sich durchaus mit dieser Praxis, indem er sie geschickt auf ein Gedicht anwandte, dessen Form und Inhalt bisher nur solche Bearbeitungen inspiriert hatten, die völlig den Liedkonventionen des späten 18. Jahrhunderts entsprachen. Beethovens Vertonung stellt etwas ganz anderes dar, und es ist kein Zufall, daß er sie in ihrer Erstausgabe als „Cantata“ bezeichnete, — ein Wort, das auf eine ausgedehntere, wenn auch oft weniger zusammenhängende Struktur weist.

Der Dichter Matthisson gilt zwar in der Literaturgeschichte als eine der fortschrittlichsten Figuren der Generation, deren Werk der Frühromantik voranging; sein „Adelaide“-Text atmet dennoch größtenteils den Verjüngungsgeist der anakreontischen Bewegung aus der Mitte des 18. Jahrhunderts. Seine erste Veröffentlichung fand denn auch nicht zufällig in Johann Heinrich Voss' *Musenalmanach für 1790* statt, — einer Zeitschrift, deren Seiten dem anakreontischen Geist auf die eine oder andere Weise immer wieder freien Lauf ließen. Vier Jahre später erschien es nochmals in der dritten erweiterten Ausgabe von Matthissons gesammelten Gedichten. Solange das Gegenteil nicht bewiesen ist, scheint die Annahme berechtigt, daß

Beethoven ein Exemplar dieses Bandes zur Zeit seiner Veröffentlichung erwarb und sich wenig später für die Vertonung von „Adelaide“ entschied. Eine Durchsicht der Skizzen spricht deutlich für eine solche Chronologie. Drei Jahre verflossen, bis das Lied schließlich gedruckt wurde. Wieviel Zeit genau die Komposition in Anspruch nahm und wann genau im Laufe dieser Zeitspanne sie erfolgte, ist unbekannt. Der Komponist ließ weitere drei Jahre vergehen, bevor er dem Dichter ein Exemplar seiner ihm gewidmeten Arbeit schickte mit der Bitte um ein weiteres Gedicht, das er ebenfalls zu vertonen gedachte. Diesen Wunsch erfüllte Matthisson nicht, obwohl er im Vorwort zur Neuausgabe seiner Dichtungen 1812 im Zusammenhang mit „Adelaide“ eine Bemerkung über Beethovens Vertonung fallen ließ, die sich ebensogut auf dessen spätere Bearbeitungen von Versen verschiedener Dichter beziehen könnte: „Mehrere Tonkünstler beseelten diese kleine lyrische Phantasie durch Musik: keiner aber stellte, nach meiner innigsten Überzeugung, gegen die Melodie den Text in tiefere Schatten, als der genialische Ludwig van Beethoven in Wien.“

Wie läßt sich Matthissons Kommentar erklären? Wie so vieles, was Dichter von Ruf über bekannte Komponisten ihrer Texte gesagt haben, ist es bewußt zweideutig und läßt sich außerhalb des unmittelbaren Zusammenhangs sowohl positiv als auch negativ interpretieren. Die besondere Situation, in der das deutsche Lied sich damals um die Jahrhundertwende befand, gibt ihm jedoch eine sehr spezielle Bedeutung, da es in einem einzigen Satz darlegt, welche grundsätzlichen Unterschiede die Auffassungen der Liedkomponisten des späten 18. Jahrhunderts von denen ihrer Nachfolger im frühen 19. Jahrhundert trennten. Erstere hatten, wie Zelter, eine Vorliebe für strophische Kompositionen; die Musik war die Dienerin der Dichtung, das Mittel, mit Hilfe dessen die Worte zu Gehör gebracht wurden. Man denkt in diesem Zusammenhang sofort an Goethes bekannten Vergleich mit dem Gas, das man in einen Ballon pumpt, damit er aufsteigt. Für ihn aber hatte die Musik eine andere Funktion: die grundsätzliche Möglichkeit verschiedenster Interpretationen und Fassungen desselben Gedichtes, wobei Übereinstimmungen mit den Proportionen und der Form der ursprünglichen Verse weniger wichtig erschienen als der Wunsch, die ihnen innewohnenden Qualitäten einzufangen und zu bereichern. Beethovens Auffassung von Matthissons „Adelaide“ gehört unzweideutig in letztere Kategorie und darf daher als eine der ersten Annäherungen an Schuberts später sogar noch freiere Auffassung vom Lied betrachtet werden. Diese Auffassung gab schließlich der *Allgemeinen musikalischen Zeitung* Anlaß zu dem berühmten und durchaus gültigen Urteil: Schubert „schreibt keine eigentlichen Lieder und will keine schreiben, sondern freye Gesänge“, eine Differenzierung also, die in Matthissons Kommentar zu Beethovens „Adelaide“ bereits vorgezeichnet ist.

Dennoch ließ Beethoven seinem musikalischen Vorstellungsvermögen in diesem Lied keinen völlig freien Lauf. Obwohl er die Möglichkeiten der Musik für die scharfe Illuminierung des Textes in individuellen Phrasen geschickt ausnützt, ist seine Gesamtauffassung grundsätzlich logisch und ausgeglichen. Vereinfacht ausgedrückt verwirft er das wirkliche Strophenlied nur im Interesse eines zweiteiligen langsam—schnell-Planes, der in der Welt der italienischen Oper längst geläufig war. In der Terminologie eines späteren Zeitalters stellen die ersten drei Strophen den Cantabile-Teil und die vierte die Cabaletta einer Opernarie dar.

Daß diese Textbehandlung sich als so erfolgreich erweist, verdankt sie in hohem Maße der Struktur des Matthissonschen Gedichtes, dessen erste drei Strophen dem

Inhalt nach eine deutliche Einheit formen, von der die vierte und letzte Strophe sich deutlich abhebt. Die erste beschreibt, wie zu erwarten, die Szene; die zweite und dritte charakterisieren die Geliebte mittels eines Vergleiches mit den Wundern der Natur; die vierte beschreibt die Erfüllung dieser Liebe. Ebenso bemerkenswert und womöglich von gleicher Bedeutung für Beethovens Auffassung ist jedoch ein weniger offenbares Steigerungsgefühl, das die Dichtung zu vermitteln scheint: den Eindruck, daß der Dichter sich mehr und mehr in seine Liebe mit der Geliebten verwickelt — etwas, das Beethoven mit größter Sicherheit aufgriff und zu einem sogar noch ekstatischeren Höhepunkt im abschließenden Allegro-molto-Teil steigerte.

In diesem Zusammenhang spielt das Naturbild in der Poesie und seine Nachahmung in Beethovens Musik — jener Aspekt der „Adelaide“ übrigens, der am meisten besprochen worden ist — eine entscheidende Rolle. Obwohl das Naturgleichnis bereits die erste Strophe des Gedichtes beherrscht, zeigt sich das volle Ausmaß von Matthissons schöpferischer Kraft erst in der zweiten. Hier hat der Dichter die Vision seiner Geliebten, unter anderem im Alpenschnee und in Sonnenstrahlen. In der nächsten Strophe weichen visuelle Vorstellungen Hörbarem: dem Rascheln des Grases, dem Toben der Wellen, dem Gesang der Nachtigall. Diese dramatischeren und zugleich unmittelbaren Vorstellungen gaben Beethoven Anlaß zu noch lebendigeren musikalischen Repräsentationen, die dann, wohl unvermeidlicherweise, zu dem unaufhaltsamen leidenschaftlichen Ausbruch der vierten Strophe führen. Mit jeder Strophe dehnt sich die musikalische Behandlung weiter aus. Die erste hat nur zwölf Takte ohne jegliche Wortwiederholung mit Ausnahme des Namens der Geliebten; die zweite Strophe erstreckt sich über 20 Takte und schließt genaue Wiederholungen der zweiten und dritten Linie ein. Die dramatische dritte Strophe ist noch länger — 28 Takte — und voll von Wortwiederholungen. Die letzte Strophe zählt ganze 100 Takte, wenn auch in einem schnelleren Tempo.

Eine ausschließliche Konzentration auf die Makrostruktur der „Adelaide“ und ihr Verhältnis zu der ihr zugrundeliegenden Dichtung bringt die Gefahr der Vernachlässigung von unzähligen kleinen Details mit sich, wie die lebhafte Wiedergabe der Naturvorstellungen in der Klavierpartie, mit der die Klavierbegleitung sich, von allem anderen abgesehen, auf ein neues Niveau erhebt, oder die tonale Struktur, welche das oben beschriebene Gefühl einer andauernden Steigerung konsequent fördert. Dennoch ermöglicht allein eine genaue Betrachtung von Beethovens Gesamtplan ein wirkliches Verständnis für sein Verhältnis zu den Konventionen seiner Zeit und die besondere Rolle, welche „Adelaide“ darin spielte. Einerseits ergibt sich aus der Aufgabe der Strophenform eine radikalere Auffassung, die wahrscheinlich nicht zuletzt der Einsicht zu verdanken war, daß im Gegensatz zu der Liedästhetik des späten 18. Jahrhunderts derartig scharf differenzierte Vorstellungen wie die der zweiten und dritten Strophe von derselben Musik nicht gebührend vermittelt werden konnten. Andererseits ging Beethoven nicht so weit wie später Schubert mit der höchst originellen Struktur von „Gretchen am Spinnrade“, denn seine Wahl einer zweiteiligen Struktur erforderte einen besonderen Plan für die Vertonung.

Eine volle Einschätzung von „Adelaide“ ist in der Tat nur möglich, wenn man, statt sie nur im Rahmen von Beethovens gesamtem Liedwerk zu betrachten, in ihr einen der originellsten Beiträge zu einer im Wachsen begriffenen Wiener Lokaltradition sieht. Diese wurde später so populär in der Stadt, daß ihr die höchste Achtung zufiel, die damit verbunden ist, daß sie zum Objekt gut gemachter Parodie wurde.

Angesichts eines Textes, der ihn zweifellos zutiefst bewegte, wurde sich Beethoven der Beschränkung konventioneller Strophenkompositionen bewußt und suchte nach freieren Ausdrucksmitteln. Die zweiteilige Form hatte zwar viele Vorläufer in den Werken von Wiener Liedkomponisten des späten 18. Jahrhundert, aber keines umfaßte ein derart weites musikalisches und emotionelles Gebiet. Ebenso wie Schuberts „Gretchen“ keine Vorläufer in der Originalität seiner Konzeption hatte, steht Beethovens „Adelaide“ weit entfernt von früheren Vertonungen von Matthissons Sapphischer Ode.

Ewan West
Übersetzung: Alexander L. Ringer

Violinsonate A-Dur „Kreutzersonate“ op. 47

ENTSTEHUNGSZEIT: 1802/1803.
ERSTAUFFÜHRUNG: wahrscheinlich am 24. Mai 1803 durch Beethoven und den Geiger George A. Polgreen Bridgetower.
SKIZZEN: Biblioteka Jagiellońska Krakau, Landsberg 6, Eroica-Skizzenbuch; Staatliches M. I. Glinka-Zentralmuseum für Musikkultur Moskau, Skizzenbuch Wielhorsky.
AUTOGRAPH: verschollen; die als Stichvorlage benutzte überprüfte Abschrift beim G. Henle Verlag München; ein Teil des ersten Satzes („Vorautograph“) im Beethoven-Haus Bonn.
ERSTDRUCK UND WIDMUNG: Bonn 1805 (N. Simrock); Rodolphe Kreutzer gewidmet.
GESAMTAUSGABEN: Alte Gesamtausgabe: Nr. 100 = Serie 12 Nr. 9; Neue Gesamtausgabe: Abt. V, Bd. 2.

Kreutzer soll die Sonate nie aufgeführt, er soll sie „outrageusement inintelligible“ befunden haben, so berichtet Berlioz im Zusammenhang seines Rückblicks auf die Aufnahme Beethovenscher Musik in Paris.[1] Gegenüber der späteren Absegnung der Sonate als Meisterwerk — „Alles ist aus einem Guß, vollendet, abgewogen, geschliffen bis zur letzten Nuance“[2] — kann es für eine aufdeckende Analyse nur gut sein, die negativen Wahrnehmungen der Zeitgenossen aufzugreifen und herauszufinden, was so „auffallend unverständlich“ war, um das Neue, Unerhörte, von Tradition und Hörerwartung Abweichende zu vergegenwärtigen. Das Abweichende wird in der Rezension von 1805[3] mit Nachdruck betont: Nur wer selber in einem „ästhetischen oder artistischen Terrorismus“ befangen sei, werde verkennen, daß Beethoven „aufs willkürlichste“ verfahre, um „nur immer ganz anders zu seyn, wie andre Leute“; das Werk bedürfe einer Einstellung, in der „man auch das Groteskeste geniessen kann und mag“.

---

1 H. Berlioz, *Voyage musical,* Bd. I, S. 264.
2 Art. *Violinmusik* in: MGG, Sp. 1738.
3 *AmZ* 7 (1804/1805), Sp. 769ff., abgedruckt bei St. Kunze, *Gesammelte Konzertberichte,* S. 43f.

Die Auffassung des konzertanten Stils („stile molto concertante“) ist eine durchaus andere als die des Geigers und Komponisten konzertanter Violinmusik. Wünscht sich dieser bestätigt, die Violine sei „geboren zu herrschen“, das Konzert „der Ort, an dem sie als Souverän regiert“ — dies nach Baillot[1], der mit Kreutzer und Rode die Violinschule des Pariser Konservatoriums verfaßte —, so knüpft Beethoven an die Tradition der Klaviersonate mit begleitender Violine an. Diese Tradition hatte Mozart verwandelt, indem er die Violine von der untergeordneten Begleitfunktion zum partnerschaftlichen Mitwirken befreite. Beethoven hat die Partnerschaft im thematischen Prozeß weitergeführt, in der *Kreutzersonate* aber zugespitzt zum konzertanten Zusammenwirken beider Instrumente auf der Ebene höchster Virtuosität.

Die Idee eines virtuosen Duos stand offenbar am Anfang der Entstehungsgeschichte des Werkes. Im Frühjahr 1803 lernte Beethoven beim Fürsten Lichnowsky den mulattischen Geiger George Polgreen Bridgetower kennen und fand sich bereit, eine Sonate zu schreiben, um sie gemeinsam mit ihm in einem vom Fürsten arrangierten Konzert aufzuführen. Auf ein Finale hatte Beethoven zurückgreifen können, es war das ursprünglich für diese Sonate op. 30, Nr. 1 gedachte, wie Ries berichtet und wie später an Beethovens Skizzen bestätigt werden konnte.[2] Die Aussage, daß Beethoven den Satz von op. 30, Nr. 1 abgetrennt habe, weil er „für diese Sonate zu brillant“ gewesen sei[3], bestätigt das Konzept der Virtuosität als des brillanten Stils, das vom vorliegenden dritten Satz nun auf die Komposition des ersten und zweiten Satzes ausstrahlte. Aufgrund der Herausforderung an beide Instrumente als konzertierende Partner nimmt die *Kreutzersonate* eine Mittelstellung ein zwischen den Traditionen des Violinsolos und der begleiteten Klaviersonate und zwischen den Gattungen der Sonate und des Konzerts. Diese bedeutsame Mittelstellung könnte, über die Bezugnahme auf Bridgetower hinaus, Beethoven auf die Titelidee einer „Sonata mulattica“ gebracht haben.[4]

Der Anfang des ersten Satzes (Adagio sostenuto — Presto) widerspricht gleichzeitig zwei Normen: erstens der, im Duo das Thema vom Klavier vortragen oder doch begleiten zu lassen; zweitens der, einen in Moll gehaltenen Hauptsatz nicht in Dur einzuleiten. Hier aber beginnt die Violine allein, und ihr Thema beruht auf dem zweimaligen Durchschreiten der A-Dur-Kadenz. Erst die vom Klavier vorgetragene Wiederholung wird durch die Mollsubdominante bedeutsam umgelenkt. Melodisch beruht das Thema auf einer Terzenfolge (a—fis—d—h—gis—e), deren letztes Glied gis—e so umgestellt ist, daß es mit dem wiederkehrenden a die charakteristische Figur e—gis—a bildet, deren Ableitungen in das Hauptthema des Prestos führen.[5] In der vom Klavier vorgetragenen Variante tritt an dieser Stelle (T. 6) eine Mittelstim-

1 Vgl. E. Doflein, Art. *Violinmusik* in: *Riemann Musik Lexikon,* Sachteil, S. 1043.

2 Vgl. G. Nottebohm, *Zwei Skizzenbücher,* S. 19ff. — W. Engelsmann zeigt die Verbindung der beiden Sonaten aus einem gemeinsamen Fundus von Grundfiguren, die in unterschiedliche Verhältnisse zueinander gesetzt werden, und versucht nachzuvollziehen, wie der erste und der zweite Satz auf das schon vorliegende Finale hin komponiert wurden (vgl. W. Engelsmann, *Beethovens Kompositionspläne,* S. 148ff.). Vgl. auch H. Hollander, *Das Finale-Problem,* S. 182ff.

3 Fr. G. Wegeler / F. Ries, *Biographische Notizen,* S. 83.

4 „Sonata mulattica Composta per il Mulatto Brischdauer / gran pazzo e compositore mulattico“, Vorautograph zit. nach S. Brandenburg in: L. v. Beethoven, *Werke,* NGA, Abt. V, Bd. 2, S. VII.

5 T. 14f.: g (Kl.)—cis—d (V.), T. 16ff.: a (Kl.)—e—f (V.).

me hervor, deren kreisende Bewegung (circulatio) noch thematische Bedeutung annehmen wird[1] und die auf der doppelten Subdominante kadenziert. Diese Region, von Schönberg Subtonika genannt und als indirekt und entfernt charakterisiert, nimmt in der Einleitung den größten Raum ein: Der dritte Abschnitt führt in die gleiche Kadenz (T. 13), der vierte paraphrasiert ihren Abschluß, um über die gleichnamige Molltonart zur Subdominante zu leiten, von der das Hauptthema des Sonatensatzes seinen Ausgang nimmt. Die Funktion des dritten Abschnittes ist, die Trennung des zweiten vom ersten auszugleichen durch metrische Verschränkung und motivisches Wechselspiel (T. 8ff.), das in eine Variante jener erstgenannten Figur ausläuft (gis—a—c—h): Diese nimmt die Kontur des Presto-Kopfmotivs vorweg.[2]

Das Prestothema ist zwar intervallisch vorbereitet, doch unvorhersehbar ist sein merkwürdiger Bewegungscharakter: der motivische Impetus, die steigernde Motiventwicklung, das gedehnte Kadenzieren (auf der Tonikaparallele), das bei der Wiederholung durch das Klavier in ein Arpeggio mündet. Erst ein dritter Anlauf — mit den Partikeln des Kopfmotivs als Einfassung einer chromatischen Steigung (e—f... gis—a) — führt zur Kontinuität: zu dialogisch kadenzierenden Spielfiguren (T. 45ff.), aus denen eine Überleitung dadurch hervorgeht, daß ihre Achtelbewegung als Akkordbrechung gefaßt wird (T. 61ff.), um sequenzierend zur Doppeldominante zu modulieren; eine neue Strukturierung der Achtelketten erfolgt durch die Akzente der Geige, aus denen die erste Figur der Einleitung herausklingt[3], und durch den „unregelmäßigen" harmonischen Rhythmus der Sequenzen[4], der in ein Festhalten der Dominantspannung eingeht. Das zweite Thema wirkt als äußerster Gegensatz, auch wenn jenes „Festhalten" eine gewisse Vorbereitung bringt: Melodisch bewegt es sich kreisend auf engstem Raum (circulatio), rhythmisch ist die ganze Note führend, die Harmonik ist durch einen Halteton gebunden. Die Entwicklung eines Motivs, das an das Schlußmotiv des Hauptthemas anklingt (T. 45ff.), führt zu einem dritten Thema. Dieses, in e-Moll, tritt mit dem Gewicht eines Zieles auf, nicht nur gegenüber der genannten Entwicklung, sondern auch gegenüber der Strebigkeit des ersten Themas und gegenüber deren Negation durch das zweite. Es ist ein in sich geschlossenes Thema, das motivische Merkmale des ersten und des zweiten Themas aufgreift (kleine Sekunde; circulatio) und einen affirmativen Habitus ausprägt: marschartige Rhythmik, stabile Harmonik, Gleichheit von Anfang, Mitte und Ende der Melodie (T. 144, 148, 156). Die durchaus auf die Molldominante zielende Coda schließt auf der Tonika. Diese merkwürdige Zurücknahme dient einerseits der Wiederholung der Exposition und stellt andererseits den benannten Habitus in Frage.

Tatsächlich wird in der Durchführung gerade dieses sich schlüssig und schließend gebende Thema der Veränderung unterzogen. Die Identität seines Anfangs und En-

1 Diese beiden Figuren werden von Engelsmann hervorgehoben als „Schlüsselfigur" und als „Rollschwung" (*Beethovens Kompositionspläne,* S. 160f. und 155ff.).

2 R. Réti (*Thematic Patterns,* Kap. 14) führt die These aus, daß dieses Motiv e—f—a—gis mit seinen Modifikationen die Grundlage für die Thematik des ganzen Werkes bildet. Die ersten beiden Halbsätze des Andante-Themas werden von der Umkehrung der Motivpartikel angeführt: f—e und gis—a. Das erste Thema des Finales ist von der simultanen Modifikation dis—e / a—gis geprägt.

3 T. 63—65: f—h—c, T. 67—69: a—dis—e.

4 T. 61—72: 1—1—2, 1—1—1/2—3/2, 1—1—1/2—2/2—1/2.

des wird aufgehoben, als Brechungen machen sich die Schaltstellen der Modulation geltend (T. 199, 209, 215). Der Schlußabschnitt des Themas wird zur modulierenden Motivimitation (T. 215—225); die Darstellung der Harmonik wird hier von Arpeggien der Geige übernommen (Quintschrittsequenz). Im zweiten Teil der Durchführung wird das über zwei Oktavschritte gespannte Kopfmotiv dieses Themas kontrapunktiert von einer Achtelkette aus der Expositionscoda mit gleichzeitiger Gegenbewegung (Modulation gemäß den Einsätzen des Kopfmotivs: C—f—b—Es). In As-Dur erklingen zu der Achtelkette nur noch Motivteile. Auf die Wiederaufnahme des Themas in Des-Dur / f-Moll erfolgt ein dritter Teil der Durchführung, dessen Gegenstand das Motiv aus dem Entwicklungsteil zwischen den beiden Seitenthemen und das Schlußmotiv der Exposition bilden. Schließlich wird eine melodische Linie entfaltet, die auf dem gemeinsamen Anfangsintervall von Thema 1 und 3 beruht. Auf der Stufe der doppelten Subdominante setzt das Hauptthema ein. Eine Sequenz von dessen Kopfmotiv und dessen steigernde Wiederholung führt den Einsatz der Reprise herbei.

Das erste Thema wird mit seinem Schlußteil enger verbunden, und zwar dadurch, daß die emphatische C-Dur-Kadenz als Modell von Sequenzen dient, die in den Schlußteil hineinführen. Auch die Überleitung zum zweiten Thema scheint zielstrebiger durch ihre halbtaktigen Quintschrittsequenzen (T. 386—393). Das dritte Thema, das in der Durchführung so ausführlich behandelt worden ist, hat dadurch die Schlußfähigkeit verloren, die es in der Exposition gegenüber den vorangegangenen Themen hervorgekehrt hat. Es führt daher über sich hinaus in eine Coda. In B-Dur, der Parallele der doppelten Subdominante, tritt ein spannungsvoller Stillstand ein, durch Haltetöne der Geige und Wiederholungsfiguren im Klavier. Aus ihm erhebt sich das Hauptthema, fortgesetzt durch chromatische Sequenzen, die zu einer wiederholten Kadenzfigur auf der Tonika führen. Doch kommt dieses a-Moll gleichsam zu früh. Es bedarf eines nochmaligen Zurückgreifens in den subdominantischen Bereich. Dafür steht das Noema der Adagiotakte, dessen Anfangsintervall mit dem des wiederkehrenden Tempo 1 die Tonfolge des Kopfmotivs (e—f + gis—a) reproduziert.

Das Thema des zweiten Satzes (Andante con Variationi) ist ein dreiteiliges Lied von einfachster Struktur: Vordersatz mit c als Orgelpunkt und Nachsatz gemäß den Stufen der Kadenz bilden den Teil A. Prägend ist der Synkopenrhythmus des Kopfmotivs, der im fünften Takt in Mittel- und Unterstimme, im sechsten wie zu Beginn als Sforzato wiederkehrt. Der B-Teil führt mit seinem um anderthalb Takte erweiterten Vordersatz zur Dominante und wiederholt, wiederum über einem Orgelpunkt c, die Schlußwendung in drei Varianten, dreimal zwei Takte. In der ersten Variation führt das Klavier, dessen zwei- und dreistimmige Sechzehnteltriolen Außen- und Mittelstimmen des vollstimmigen Satzes erkennen lassen. Die Geige kehrt das Sekundäre — Halteton und Akzentuierungen — hervor: Auf jeweils schwachem Taktteil, dem Ort der Synkopen und Akzente, bringt sie ein Repetitionsmotiv ein, das sich auf die Orgelpunkttöne c und g bezieht. Im Nachsatz von A gibt das Klavier den Akzenten eine Pointe: Sie werden um ein Triolensechzehntel vorverlegt und durch die nachschlagenden Spitzentöne Takt 61 bzw. 80 verdichtet. Auch in der zweiten Variation ist der Satz in kontinuierliche Bewegung aufgelöst (Klavier: Sechzehntel, Violine: Zweiunddreißigstel), wobei die Kontinuität erst recht „lückenlos“ wird: Die Synkopen sind geschwunden bzw. in den nachschlagenden Sechzehnteln verallgemeinert, die diatonischen Schritte der Melodie durch die chromatischen Vorhaltsnoten in der Violinstimme biegsam gemacht. Die dritte Variation, Minore, verändert das Thema nicht durch Diminution, sondern verwandelt es in ein ausdrucksvolles Cantabile. Seine Sechzehntel sind ausharmonisiert (parallele Terzsextakkorde T. 1—3, vorwiegend Gegenbewegung in T. 1f. und 4f. des Mittelteils). Aus den Kadenzen sind expressive Gesten geworden: Takt 113f. und 123ff. An dem Espressivo der Takte 113f. und 132f. ist die Harmonik entscheidend beteiligt: Tonika und Subdominante erscheinen in anderer Perspektive, gleichsam ferngerückt (die Tonika wird durch einen Trugschluß eingeführt, die Subdominante vom neapolitanischen Sextakkord vertreten). In der vierten und letzten Variation, Maggiore, wird das Prinzip der Figuration auf die Spitze getrieben. Der Tonsatz ist aufgelöst in eine Verkettung von Trillerfiguren und Läufen einerseits, Albertibässen und Trommelbässen (in hoher Lage) andererseits. Die Teilnahme der begleitenden Violine enthält Überraschungen: die Pizzicati im jeweils zweiten Abschnitt von A und B, das dialogische Motivspiel zu Beginn von B, die „Übersingstimme" bei A'. Um die letzte Variation als Abschluß der Variationsreihe erscheinen zu lassen, bedarf es, nach dem reich figurierten Satz in hoher Lage, einer Coda. Die kontinuierliche Bewegung wird angehalten, es erklingt ein Rezitativ im Klavier, von der Geige beantwortet. Unter dem Schlußton des Rezitativs, der im Triller der Geige festgehalten wird, tritt in triolischer Brechung, und zwar auf dem jeweils letzten Ton der Triolen, das Thema A hervor, dessen Nachsatz motivisch auf die Geige und das Klavier verteilt ist. Das Schließen wird bekräftigt durch eine Entfaltung des verminderten Septakkordes (auf der Doppeldominante), die in die Reminiszenz der Schlußtakte des Themas mündet.

Das Finale der *Kreutzersonate* (Presto) ist ein Sonatensatz mit drei Themen. Thema 1 und 2 sind miteinander eng verwandt. Ihr rhythmisches Muster geht auf die Tradition jener Presto-Finalsätze zurück, denen der Typus der virtuosen italienischen Giga zugrundeliegt, sowie auch auf das Vorbild des Galopprhythmus aus dem Idiom der Jagdmusik. Dieses Idiom tritt besonders an der Schaltstelle zwischen beiden Themen hervor, im Fanfarenmotiv Takt 28ff., das einerseits als Schluß des ersten Themas, andererseits als Ausgangspunkt der Überleitung erscheint und sich sodann als Kopfmotiv des zweiten Themas erweist. Diese traditionelle Motivik unterwirft Beethoven einer höchst eigenwilligen Formung, die sich den motivisch möglichen Erwartungen eines Kehrausfinales oder einer virtuosen Parforcejagd widersetzt. Ungewöhnlich ist die Exposition des Hauptthemas in seiner akkordlosen Zweistimmigkeit[1] und in seiner Kadenzierung (T. 10 Subdominantparallele, T. 18 Molldominante). Erst das zweite Thema ist tonartlich und periodisch geschlossen; sein Neuansatz auf der Unterdominante verhindert die Ausbreitung der Dominantregion und läßt die Tonika gleichsam zu früh erscheinen. Eine neue Überleitung mittels eines Circulatio-Motivs (T. 100), dessen Sequenzen den verminderten Septakkord der Doppeldominante repräsentieren, führt zum dritten Thema, welches zu den beiden vorangegangenen einen Kontrast bildet. Der jagende Sechsachtelrhythmus bricht ab, es erklingt eine choralmäßig harmonisierte Gesangsmelodie; sie ist so unvorhersehbar wie die zwei Forteschläge, die ihrer Wiederholung vorausge-

1 In ihr ist eine motivische Beziehung zum ersten Satz enthalten, vgl. S. 338, Anm. 2.

schickt werden. Eine Ankündigung der Melodie kann allenfalls hinsichtlich ihres Anfangs mit der Quart in dem emphatischen Quartintervall gesehen werden, das die Sequenzierung jenes Circulatio-Motivs einleitet Takt 108f., 114f. Der Nachsatz der Gesangsmelodie, der die Circulatio-Figur enthält, wird retardiert wiederholt; ein Triller vermittelt zu dem Einsatz der Schlußgruppe, die wiederum ganz auf dem Sechsachtelrhythmus beruht, vornehmlich auf jenem Schlußteil des ersten Themas Takt 28ff., und die in ihrer Verklammerung mit dem ersten und zweiten Thema die wenigen Takte des dritten nunmehr als Episode erscheinen läßt.

In der Durchführung wird der Bewegungsimpuls der Themen 1 und 2 über weite Strecken harmonisch festgehalten, gleichsam gestaut. Am Anfang der Durchführung wird das Kopfmotiv des ersten Themas in mehrfacher Wiederholung auf der Stufe der Mollvariante festgehalten, worauf das zweite Thema deren Parallele, Subdominante und Molldominante durchschreitet, um über eine Quintschrittsequenz mit einem Teilmotiv aus dem Nachsatz einen Orgelpunkt zu erreichen. Über ihm (auf F) wird eine jenem Teilmotiv assoziierte Dreiklangsfigur entfaltet. Die imitatorische Sequenz eines mehrfach determinierten Motivs (2. Thema; T. 28; T. 3) führt zur Affirmation der Dominante, zugespitzt durch den Orgelpunkt E; die Auftakte über ihm können als Verkürzung dieses Motivs gehört werden. Trotz der nachdrücklichen Befestigung der Dominante wird die Reprise nicht von ihr aus erreicht, vielmehr wird am Ende der Orgelpunkt E zum Eis erhöht — vielleicht mit Bezugnahme auf das mit dem E konkurrierende F —, so daß der Einsatz des ersten Themas auf fis-Moll bezogen wird, auf die Tonikaparallele.

Die Beschränkung auf wenige Teile des thematischen Materials und die Phasen einer auf Orgelpunkten gleichsam festgehaltenen Motivik (auf F T. 214ff., auf E T. 267ff.) bieten eine Herausforderung, die thematischen Gestalten in ihrer Vollständigkeit und Aufeinanderfolge noch einmal hören zu lassen. Tatsächlich ist die Reprise eine vollständige Rekapitulation, die sogar den Anfang der Durchführung mit einbezieht und diesen zum Anfang der Coda werden läßt. Nach der Fermate auf dem Dominantseptakkord erfolgt eine Verabschiedung vom ersten Thema als dem Repräsentanten des Satzes. Der Vordersatz des ersten Themas erscheint zweimal als Adagio mit dem Beginn in fis-Moll, unterbrochen durch den Nachsatz in Tempo 1, der nach dem zweiten Erscheinen der Adagiotakte sequenzierend so entfaltet wird, daß die Tonika eine mehrfache Bestätigung erfährt und auf ihrer Grundlage das Fanfarenmotiv das Schlußwort erhält, welches die Gelenkstelle zwischen erstem und zweitem Thema bildet.

Jene für die Sonate früh bezeugten Wahrnehmungen „unverständlich" und „willkürlich" signalisieren den Grad der Abweichung von Tradition und Hörerwartung. Die Abweichung deutet nicht, wie jener Rezensent es möchte, auf Willkür, sondern auf einen Wert, der in Beethovens Gesinnung einen ähnlichen Vorrang hat wie in der Philosophie seiner Zeit (bei Kant und Fichte): auf Freiheit als Selbstbestimmung. Vorgaben der Tradition und des eigenen Schaffens werden zum Gegenstand der Reflexion im Prozeß kompositorischer Entscheidungen. Den Hauptsatz konzipiert Beethoven im Hinblick auf das schon vorliegende (von op. 30, Nr. 1 abgetrennte) Finale als dreithemigen Sonatensatz mit Introduktion. Was die extensive Anlage ermöglicht, ist erstens die Findung themenübergreifender motivischer Merkmale und zweitens ein kompositorisches Procedere, das sich als folgerichtig erweist, ohne einem Schema zu folgen: Das dritte Thema enthält motivische Merkmale des ersten und zweiten, die in der Einleitung bereits anklingen; daß dieses Thema trotz seines schließenden Auftretens und seiner geschlossenen Periodizität zur Veränderung herausfordert und erster Gegenstand der Durchführung wird, ist, gemäß der Struktur selbstbestimmten Handelns, nicht vorhersehbar, wohl aber als folgerichtig einsehbar. Beide Sätze weisen Ähnlichkeiten auf. Ein gemeinsamer Zug — ebenso unerhört wie im Kontext einleuchtend — ist die knappe und elementare Fassung des Gesangsthemas: eine siebentaktige choralartige Periode im Finale, eine viertaktige engräumige Melodie, mehrfach wiederholt, im ersten Satz; aus beiden klingt die Circulatio-Figur heraus. Es ist ein verhaltenes Cantabile inmitten der Prestosätze, korrespondierend mit den eigeschobenen Adagio-Takten als Momenten des Stillstands. Im Variationssatz zeigt sich die Selbstbestimmung auch im Verhältnis zum Sekundären: in der Weise, wie die Orgelpunkttöne in der ersten Variation herausgestellt werden oder in der Weise, wie Spielfiguren und Verzierungen eingesetzt werden für die Kontinuität und Transparenz des Tonsatzes, nicht zuletzt auch für die Virtuosität, die in diesem Opus als Bild erweiterter Handlungsfreiheit dialogisch entfaltet wird.

Adolf Nowak

6 Klavierlieder op. 48

Gedichte: Chr. F. Gellert. Nr. 1 „Bitten“, Nr. 2 „Die Liebe des Nächsten“, Nr. 3 „Vom Tode“, Nr. 4 „Die Ehre Gottes aus der Natur“, Nr. 5 „Gottes Macht und Vorsehung“, Nr. 6 „Bußlied“.
Entstehungszeit: 1798—1802.
Erstaufführung: unbekannt.
Skizzen: Deutsche Staatsbibliothek Berlin, Grasnick 1 (keine Skizzen, aber der Entwurf einer ersten Fassung des Liedes „Vom Tode“ ist erhalten).
Autograph: Beethoven-Haus Bonn, Sammlung H. C. Bodmer, BH 30 und 31 (Autograph der Lieder „Gottes Macht und Vorsehung“ und „Bußlied“).
Erstdruck und Widmung: Wien 1803 (T. Mollo & Co.); dem Grafen Johann Georg v. Browne gewidmet.
Gesamtausgaben: Alte Gesamtausgabe: Nr. 217 = Serie 23 Nr. 3; Neue Gesamtausgabe: Abt. XII, Bd. 1.

Es ist zunächst notwendig, das Augenmerk auf einige biographische Gegebenheiten zu richten: Was hat Beethoven zur Komposition der Gellert-Lieder veranlaßt, und was sind die näheren Umstände ihrer Entstehung? Wenn ein Komponist an der Wende des 18. zum 19. Jahrhundert an die Vertonung von Gedichten aus Christian Fürchtegott Gellerts Sammlung *Geistliche Oden und Lieder* (seit dem ersten Erscheinen Leipzig 1757 in vielen Auflagen gedruckt) herangeht, so entspricht dies keinesfalls mehr dem Zug der Zeit. Die Welle der Gellertvertonungen, die in den 50er und 60er Jahren des 18. Jahrhunderts ihren Höhepunkt hat[1], ist längst abgeebbt, so beliebt auch die Gellertsche Sammlung nach wie vor ist. So gibt es denn auch für

1 Vgl. die Statistik bei M. Friedlaender, *Das deutsche Lied im 18. Jahrhundert,* Bd. II, S. 494.

Beethoven eigene äußere und innere Motive, sich diesen Gedichten zuzuwenden. In der älteren Literatur[1] sah man vor allem den Tod der Gattin des Grafen Browne, dem Beethoven seine Gellert-Lieder gewidmet hat, als Anlaß zu ihrer Entstehung. Joseph Schmidt-Görg wies aber nach[2], daß das gesamte Werk spätestens im März 1802 vollendet gewesen sein muß, wohingegen die Gräfin Browne erst 1803 starb. Die Komposition der Gellert-Lieder ist damit nun in erster Linie in einem inneren Zusammenhang mit der Krise Beethovens in den Jahren 1801/1802 zu sehen, in denen sich der Komponist seiner definitiven und fortschreitenden Ertaubung voll bewußt wird. Wie man weiß, faßt zumal das sogenannte *Heiligenstädter Testament* vom Oktober 1802 dieses für den Menschen und Künstler Beethoven zutiefst erschütternde Erlebnis in Worte, und man kann die in derselben Zeit entstandenen Gellert-Lieder gewiß ganz allgemein als den „frommen, doch kraftvollen Ausdruck des inneren Ringens und Betens, mit dem Beethoven sein Leiden aufnahm", bezeichnen.[3]

Bei diesem Zusammenhang ist bisher offenbar übersehen worden, daß das *Heiligenstädter Testament* seinerseits die Beschäftigung Beethovens mit den Gellert-Gedichten widerspiegelt. Im letzten Abschnitt des *Testaments*, der fast ausschließlich Gedanken über den Tod enthält, während in den vorhergehenden Abschnitten von Beethovens Krankheit und von seinem geistigen und materiellen Vermächtnis die Rede ist, heißt es: „So wär's geschehen. — Mit freuden eil ich dem Tode entgegen — kommt er früher als ich Gelegenheit gehabt habe, noch alle meine Kunst-Fähigkeiten zu entfalten, so wird er mir troz meinem Harten Schicksal doch noch zu frühe kommen, und ich würde ihn wohl später wünschen, — doch auch dann bin ich zufrieden; befreit er mich nicht von einem endlosen Leidenden Zustande? komm, wann du willst: ich gehe dir mutig entgegen — Lebt wohl und Vergeßt mich nicht ganz im Tode, ich habe es um euch verdient, indem ich in meinem Leben oft an euch gedacht, euch glücklich zu machen, seid es —."[4]

In diesen Sätzen verweisen nicht weniger als vier Wendungen auf Gellerts Lied „Vom Tode", das Beethoven als Nr. 3, sozusagen im Zentrum seines op. 48 vertont. Freilich wird man dessen nur gewahr, wenn man die Gesamtheit der sieben Strophen betrachtet, und nicht nur die erste Strophe, die bei Beethoven allein erscheint. Im einzelnen handelt es sich um die folgenden Gedanken: 1. Die christliche Freude im Angesicht des Todes wird bei Gellert so ausgedrückt (5. Strophe)[5]: „Lern nicht nur den Tod nicht scheun, / lern auch seiner sich erfreun", oder auch so: „Dieses Herz, von Gott erneut, / ist des Todes Freudigkeit"; 2. die Vorstellung des Eilens (Beethoven: „Mit Freuden eil ich dem Tod entgegen") heißt bei Gellert (1. Strophe): „Stündlich eil ich zu dem Grabe"; 3. der Indifferenz gegenüber dem Zeitpunkt des Todes, dem „Komm wann du willst" bei Beethoven — das Wort „wann" ist unterstrichen — entspricht bei Gellert (5. Strophe) „Sorge nicht, wie früh du stirbst; / deine Zeit ist Gottes Sache"; 4. den Passus „So wär's geschehen" (am Anfang des

1 So auch bei G. Kinsky / H. Halm, *Das Werk Beethovens,* S. 113.
2 Vgl. J. Schmidt-Görg, *Zur Entstehungszeit von Beethovens Gellert-Liedern,* S. 87ff.
3 Ebenda, S. 91.
4 Zit. nach der Umschrift in: J. Schmidt-Görg / H. Schmidt, *Luwig van Beethoven,* S. 21.
5 Hier und im folgenden zit. nach *C. F. Gellerts sämtliche Werke,* Bd. II, S. 81ff.

Schlußabschnitts) könnte Beethoven vielleicht allein in Anlehnung an das biblische „Consummatum est“ formuliert haben, wenn dieses nicht auch bei Gellert (6. Strophe) zum Ausdruck käme („Er, der rief: Es ist vollbracht! / nahm dem Tode seine Macht“). Selbst wenn man in Rechnung stellen muß, daß solche Gedanken, wie etwa besonders die Todesfreude, in der religiösen Lyrik des 18. Jahrhunderts — und nicht nur dort und damals — weit verbreitete Topoi sind, spricht viel für die Annahme, daß sich Beethoven bei der Niederschrift der letzten Sätze des *Heiligenstädter Testaments* bestimmte Gedanken aus dem Gedicht Gellerts zu eigen gemacht hat. Damit tritt dieser Dichter über seine Rolle als bloßer Textdichter Beethovenscher Lieder hinaus in die Reihe derjenigen Persönlichkeiten von Plutarch über Shakespeare, Schiller und Kant bis hin zu Sturm und Sailer, die die Weltanschauung und Religiosität Beethovens geprägt haben.

Beethoven hat sich mit dem Gellert-Gedicht „Vom Tode“ auch kompositorisch besonders intensiv beschäftigt, jedenfalls mehr als mit den anderen in op. 48 vertonten Texten. Bereits in einem Skizzenbuch von 1798/1799[1] existiert eine Vertonung der ersten Strophe dieses Gedichtes, und in einem Skizzenbuch von 1803 sind ebenfalls Teile des Gellertschen Textes mit Melodien versehen.

Was die Vertonung von 1798/1799 angeht, so sei hier ein kleiner quellenkundlicher Exkurs gestattet. Das Lied ist in der bisherigen Beethovenliteratur und -bibliographie[2] lediglich als Entwurf bzw. Skizze oder Fragment rubriziert, vermutlich weil es nur auf zwei Systemen notiert ist und weil der Klaviersatz auf den ersten Blick fragmentarisch anmutet. Die Notierung von Klavierliedern nur auf zwei Systemen entspricht aber durchaus der Gewohnheit in der zweiten Hälfte des 18. Jahrhunderts. Das gilt besonders für solche Lieder, in denen die Singstimme mit der obersten Stimme des Klaviersatzes im wesentlichen übereinstimmt. Es ist zu beachten, daß auch die zweite (endgültige) Version von „Vom Tode“ sowie die Lieder 1, 2, 4 und 5 im Prinzip zu jenem Typ Klavierlied gehören, obwohl Beethoven ihre Reinschrift schließlich auf drei Systemen angefertigt hat. Auch läßt sich die fragmentarische Gestalt der Vertonung von 1798 unschwer entschlüsseln als eine abgekürzt notierte, aber doch abgeschlossene Komposition ohne auffällige oder satzwidrige Leerstellen.[3] Sie stimmt in der Taktart, im Rhythmus und Metrum und in

---

1 Deutsche Staatsbibliothek Berlin, Grasnick 1 (= Nr. 45 in H. Schmidt, *Verzeichnis der Skizzen Beethovens,* S. 32f.), fol. 13r/13v. Vgl. dazu die Beschreibung von G. Nottebohm (*Zwei Skizzenbücher aus den Jahren 1798 und 1799,* in: ders., *Zweite Beethoveniana,* S. 476f.) und von E. Szabo (*Ein Skizzenbuch Beethovens aus den Jahren 1798—99*). Das Stück ist zum ersten Mal veröffentlicht worden von A. Ebert, *Das Autograph der Gellert-Lieder,* S. 57f. und ist jetzt auch in der NGA der Werke Beethovens zugänglich (Abt. XII, Bd. 1, S. 269f.).

2 Vgl. die in der vorangehenden Anmerkung genannte Literatur sowie auch G. Kinsky / H. Halm, *Das Werk Beethovens,* S. 114 und H. Boettcher, *Beethoven als Liederkomponist* („Übersicht über die Lieder“, Tafel VI).

3 Eine Fassung auf drei Systemen, in der die von Beethoven abgekürzt notierten Stellen ausgeschrieben sind, findet sich in der unten (S. 350, Anm. 4) genannten Studie des Verfassers, S. 86—88. Das Lied kann so aufgeführt werden und macht dann mitnichten jenen fragmentarischen Eindruck, an dem auch noch H. Lühning festhält, nicht zuletzt gestützt auf die merkwürdige Annahme, daß Beethoven „nicht von einem Konzept Melodie — Begleitung“ ausging, „sondern von einem kompakten Satz, aus dem sich die Gesangsstimme herausschält“ (*Kritischer Bericht* zu dem oben genannten Band der NGA, S. 112).

wichtigen Einzelheiten der musikalischen Prosodie mit der später gedruckten Fassung überein. Der andere Beleg für eine weitere Beschäftigung Beethovens mit Gellerts Gedicht „Vom Tode“ im Jahre 1803[1], also nach der Drucklegung des ganzen Zyklus, sind einige wenige einstimmige Melodiefragmente zu den drei letzten Zeilen der ersten Strophe, die musikalisch aber nichts mit den vorangegangenen beiden Fassungen zu tun haben.

Insgesamt kann man aus all dem erkennen, wie stark Beethoven das genannte Gedicht Gellerts und die in ihm ausgesprochenen Gedanken vom Tode in jenen kritischen Jahren bewegen, und gerade der religiöse Aspekt des Todes ist ihm so vertraut, daß er ihm sowohl testamentarisch als auch kompositorisch Ausdruck zu verleihen sich bemüht. Es wäre nun zu überlegen, ob auch die Auswahl der übrigen fünf Gedichte aus den (insgesamt 54) *Geistlichen Oden und Liedern* Gellerts Rückschlüsse auf Beethovens Religiosität ermöglicht. In besonderem Maße ist das offensichtlich der Fall bei der Wahl des Textes von Nr. 4 („Die Ehre Gottes aus der Natur“). Das Gedicht ist in seinen ersten Zeilen an Psalm 18 angelehnt und hat im weiteren Text die Erkenntnis Gottes in der Natur zum Gegenstand. Diese Gedanken, die auch sonst bei Gellert häufig zur Sprache kommen, weisen zweifellos auf Beethovens religiöse Naturauffassung voraus, wie sie bei ihm später, namentlich durch die Vermittlung des protestantischen Theologen Christoph Christian Sturm, ausgeprägt ist.[2] So wird man nicht fehlgehen in der Annahme, daß Beethoven auch die anderen von ihm vertonten Gellert-Texte nicht zuletzt im Blick auf ihre religiöse Substanz ausgewählt hat.

Die Frage nach den religiösen Aspekten der Gellert-Lieder Beethovens ist aber nicht nur hinsichtlich der Werkentstehung und der Textwahl zu stellen. Sie hat sich auch und insbesondere auf die kompositorische Gestaltung zu erstrecken. Zunächst sei daran erinnert, daß im musikalischen Bewußtsein des 18./19. Jahrhunderts gewisse satztechnische Mittel das Signum eines kirchlichen Stils („Kirchenstils“) tragen, und zwar umso deutlicher, je mehr sie sich von einer andersartigen Umgebung abheben. Solcherart bestimmbar ist im Bereich des Klavierliedes der Beethovenzeit bekanntlich die kontrapunktische Schreibweise („polyphoner“, „gearbeiteter“ Stil). Manche Einzelheiten in den Gellert-Liedern lassen sich hier einordnen.[3] Die folgende Passage im zweiten Lied etwa („Die Liebe des Nächsten“), Takt 15ff., mutet wie ein barockes Fugenthema an; speziell ist die Strukturverwandtschaft der Oberstimme mit einem Thementypus unverkennbar, der in den Oratorien Händels in mannigfachen Abwandlungen erscheint[4]:

---

1 Skizzenbuch ehemals Staatsbibliothek Preußischer Kulturbesitz Berlin, Landsberg 6 (= Nr. 60 in H. Schmidt, *Verzeichnis der Skizzen Beethovens,* S. 39f.), S. 116. Beschreibung von G. Nottebohm, *Ein Skizzenbuch.* Wiedergabe der Fragmente bei A. Ebert, *Das Autograph der Gellert-Lieder,* S. 50.

2 Vgl. besonders A. Schmitz, *Beethovens Religiosität,* S. 276f.

3 Man könnte überlegen, ob nicht auch die Verwendung der Taktart „Alla breve“ in vier der Gellert-Lieder in diese Richtung weist, einer Taktart, die ja für die Musiker des 18. und 19. Jahrhunderts als Merkmal des alten Kirchenstils gilt. Jedenfalls ist es auffällig, daß Beethoven in seinen übrigen Liedern diese Taktart fast vollständig ausspart; die seltenen Ausnahmen sind Lieder mit „erhabenen“ Gedanken („Der freie Mann“, „Opferlied“, teilweise „An die Hoffnung“ op. 94).

4 H.-B. Dietz, *Die Chorfuge bei G. F. Händel,* gibt eine Reihe von Beispielen für diesen Typ auch aus Werken anderer Komponisten vor und um Händel (Beispielgruppe Nr. 30, S. 29ff.).

Mit dieser Gestaltung ist wiederum der Anfang des fünften Liedes („Gottes Macht und Vorsehung") verwandt:

Andere charakteristische Züge des kontrapunktischen Stils (strenge Stimmigkeit, Fortspinnungstechnik) sind im Nachspiel des zweiten Liedes zu bemerken.

Eine besondere Bewandtnis hat es mit dem Anfang des Dur-Teils (T. 47ff.) im sechsten Lied („Bußlied"):

Man wäre geneigt, hier an einen kontrapunktischen Topos zu denken, wenn diese Stelle nicht auf einen ganz bestimmten Zusammenhang verweisen würde. Sie erinnert in ihrer rhythmischen und melodischen Struktur an den Beginn des „Recordare" in Mozarts *Requiem*, insbesondere an den ersten Takt und an die Takte 14ff. beim Einsatz der Singstimmen. Beethovens Baßführung entspricht rhythmisch fast genau derjenigen Mozarts:

Man wird diese Entsprechung umso weniger außer acht lassen dürfen, als ja der Text des Gellertschen „Bußliedes" sprachlich und inhaltlich in wichtigen Punkten verwandt ist mit dem Text des „Recordare", das heißt mit den von Mozart zusammengefaßten Strophen 9—15 des „Dies irae". Beide Male haben wir es mit einem persönlichen Gebet des bußfertigen Sünders zu tun. Wir wissen, daß Beethoven das Mozartsche *Requiem* besonders hoch schätzte; seine Stellungnahme im Streit um die Echtheitsfragen dieses Werkes zwischen dem Abbé Stadler und Gottfried Weber (1825/1826) war höchst engagiert.[1] Obwohl es keine direkten Zeugnisse darüber zu geben scheint, seit wann Beethoven das *Requiem* kennt, dürfte es wahrscheinlich sein, daß es ihm schon kurz nach seiner Ankunft in Wien bekannt wird, da es dort im Januar 1793 gleichsam unter seinen Augen zum ersten Mal (wahrscheinlich im Beisein von Salieri) aufgeführt wird.[2] Und just in der Zeit, in der Beethoven an seinen Gellert-Liedern arbeitet, erscheinen die erste Partitur (1801 bei Breitkopf) und der erste Klavierauszug (1802 bei André) des *Requiem*. So wäre denn die „Recordare"-Reminiszenz im „Bußlied" ein Hinweis auf den Zusammenhang der Gellert-Lieder mit jenem Werk, das in der Beethovenzeit als Inbegriff der „religiösen Tonkunst" schlechthin gilt.

Schon lange ist als gemeinsamer Grundzug der Gellert-Lieder das auffällige Vorherrschen des von Arnold Schmitz so genannten deklamatorischen Prinzips bekannt[3], die enge Bindung der Singstimmenmelodik und -rhythmik an die Prosodie der einzelnen Wörter, Wortgruppen und Sätze des vertonten Textes, wie sie in dieser Stärke sonst in Beethovens Vokalmusik nur selten zu finden ist. Damit grenzen sich die Gellert-Lieder auch deutlich von der empfindsamen Liedkomposition des galanten Stils wie von den „Liedern im Volkston" ab. Es sei hier nur auf die melodischen Wendungen am Beginn des vierten und fünften Liedes verwiesen („Die Himmel rühmen des Ewigen Ehre", „Gott ist mein Lied! Er ist der Gott der Stärke"), die im jeweiligen satztechnischen Kontext (Oktavverdoppelung der Singstimme bzw. Unisonoführung, Fermaten bzw. Pause am Schluß der Phrase) so erscheinen, daß die deklamierten Worte den Eindruck eines proklamierten Mottos vermitteln. Gelegentlich ist die Macht des deklamatorischen Prinzips so groß, daß Beethoven auf melodische Bewegung verzichtet und auf längere oder kürzere Strecken hin den Text auf einem Ton deklamiert („Herr, meine Burg, mein Fels [...]" im ersten Lied, aber auch unter anderem „So jemand spricht [...]", „der treibt mit Gottes [...]" im zweiten Lied; „Meine Lebenszeit verstreicht" im dritten Lied).[4]

Allerdings gibt es in der Anwendung dieses Prinzips eine gewisse Abstufung: Es ist in den Liedern 1—5 stärker wirksam als im Lied 6. Das wird schon darin sichtbar, daß allein das „Bußlied" in allen sechs Strophen auskomponiert ist, während Beethoven für die Lieder 1—5 nur die erste Strophe notiert zu haben scheint. Jedenfalls fehlen in dem erhaltenen Bruchstück des Autographs (das nur die Lieder 5 und 6 enthält) und in dem Erstdruck die jeweiligen restlichen Strophen. Diese Beschränkung auf die erste Strophe, obwohl typographisch der Abdruck aller Strophen ohne

---

1 Ausgelöst wird die Kontroverse durch einen Artikel Webers in der von ihm geleiteten *Caecilia* 3 (1825), S. 205ff.; vgl. zu diesem Komplex am ausführlichsten O. Jahn, *W. A. Mozart* ([4]1907), S. 831ff.

2 Vgl. O. E. Deutsch, *Mozart. Die Dokumente seines Lebens,* S. 409.

3 Vgl. A. Schmitz, *Beethoven,* S. 122 und 136.

4 Die Erklärung dieser Stellen aus dem Vorherrschen des deklamatorischen Prinzips scheint für das Verständnis des hier gegebenen Wort-Ton-Verhältnisses bei Beethoven treffender zu sein als etwa ein Hinweis auf den psalmodischen Charakter. Sie hat ja auch Konsequenzen für den gesanglichen Vortrag.

große Schwierigkeiten möglich gewesen wäre, scheint nicht auf Vergeßlichkeit oder Desinteresse Beethovens oder des Verlegers zurückzuführen zu sein.[1] Sie dürfte ihrerseits symptomatisch sein eben für die enge und ausschließliche Bindung der Melodie an den mottohaft komponierten Text der ersten Strophen in den Liedern 1—5.

Läßt sich, wie oben angedeutet, das „Bußlied" in dieser Beziehung von den ersten fünf Liedern abheben, so ist aber doch seine Gestaltung in anderer, zweifacher Hinsicht nicht minder bemerkenswert. Ein beherrschendes Merkmal dieses Liedes ist nämlich erstens der Einsatz der Variationstechnik, mit der jene Mozart-Reminiszenz verarbeitet wird: Den acht Eröffnungstakten im Klavier mit dem ersten Strophenhalbsatz folgen die drei letzten Strophen mit annähernd gleicher Melodie in der Singstimme, während im Klaviersatz die Begleitung figurativ variiert wird, dort also eine „Melodie-Variation"[2] „alla maniera italiana" gegeben ist, die etwa an Händel als Vorbild denken läßt. Dieser Sachverhalt liegt offen zutage und scheint, auch in der einschlägigen Literatur über Beethoven[3] wie über die Variation, keiner besonderen Beachtung wert zu sein. Er ist aber doppelt bedeutsam. Einerseits haben wir hier vermutlich die erste formbildende Verwendung der klavieristischen Variationstechnik in der Geschichte des neueren Sololiedes vor uns. Es braucht hier nicht eigens betont zu werden, welche Rolle diese Technik in der späteren Entwicklung gerade des romantischen Sololieds spielt. Im Liedschaffen Beethovens erscheint Variationstechnik in ähnlicher Breite sonst nur noch in dem Liederkreis *An die ferne Geliebte*, der damit strukturell eng an das „Bußlied" heranrückt. Demgegenüber hat gerade in der Entstehungszeit der Gellert-Lieder das Prinzip der Variation im Bereich der reinen Instrumentalmusik einen Kulminationspunkt in der Entwicklung des Beethovenschen Stils erreicht. Andererseits ist es bemerkenswert, daß Beethoven in den Gellert-Liedern zum ersten Mal überhaupt einen Variationssatz als schlußprägendes Element benutzt und damit schon früh den großartigen Einsatz des Variationsprinzips in der *Eroica* op. 55 und in der 9. Symphonie op. 125 ahnen läßt. Daß dies gerade in Beethovens einzigem geistlichen Liederkomplex geschieht, dem durch die Entschiedenheit der Schlußbildung auch eine zyklische Komponente zuwächst, macht die Gellert-Lieder noch signifikanter für die Beurteilung wesentlicher Grundzüge seines Œuvres.

Ein zweites charakteristisches Merkmal in der Gestaltung des „Bußliedes" ist darin zu sehen, daß dessen erster Teil so stark in der Tradition von Wortausdruck

1 Es hat nicht an Versuchen gefehlt, die restlichen Strophen für die Gellert-Lieder Beethovens nutzbar zu machen. Das liegt auch nahe im Hinblick auf die vor Beethoven berühmteste Vertonung der (= aller) Gellertschen *Geistlichen Oden und Lieder* von C. Ph. E. Bach (Berlin 1758 und öfter), wo die Texte komplett abgedruckt sind. So enthält etwa der Nachdruck der Gellert-Lieder von Simrock (1803) alle Strophen. In der sängerischen Praxis, die sich im allgemeinen ebenfalls auf die betreffenden ersten Strophen beschränkt, hat H. J. Moser einmal die Gellert-Lieder unter Einbeziehung anderer Strophen zu Gehör gebracht, mußte aber erkennen, daß die Textunterlegung sich als „enttäuschend" erwies (vgl. seine *Kleinen Beiträge zu Beethovens Liedern und Bühnenwerken*). Ähnlich urteilt bereits der anonyme Rezensent der Gellert-Lieder, der sich auf die oben genannte Simrockausgabe stützt, in der *AmZ* 6, 1803/1804, S. 608ff.: „weil diese Musik freylich einigen Strophen nicht ganz angemessen ist". Wie dem auch sei, der Abdruck der Gellert-Lieder in der NGA umfaßt jeweils alle Strophen.

2 Vgl. zu diesem Begriff K. v. Fischer, Art. *Variation,* in: MGG 13, Sp. 1276 und passim.

3 So z.B. nicht bei H. Boettcher, *Beethoven als Liederkomponist,* wo häufig von der Technik des Variierens die Rede ist (etwa S. 63ff.).

und -ausdeutung früherer Epochen geistlicher Musik steht, wie es sonst in den Liedern Beethovens und in deren gattungsgeschichtlichen Vorläufern nur selten der Fall ist. Gerade auch hierin hebt sich das „Bußlied“ von den anderen, primär deklamatorisch angelegten Liedern des Gellert-Zyklus ab, obwohl Beethoven etwa im Lied 1 nicht auf den musikalischen Ausdruck der Worte „Herr meine Burg, mein Fels, mein Hort“ durch das wortausdeutende Verharren der Singstimmenmelodik auf einem Ton verzichtet. Im „Bußlied“ werden aber etliche Worte musikalisch in besonderer Weise ausgedrückt, was insbesondere ein Blick auf die Verwendung dissonanter Klänge und Intervalle verrät. So fällt der erste dissonante Akkord des Liedes im Klaviersatz (dis’—a’—h’) auf das Wort „übel“; der Akkord mündet in diesem Takt nach viermaliger Repetition in eine weitere Dissonanz (dis’—a’—c’’) und wird erst dann in eine Konsonanz aufgelöst.

Wenn es erlaubt ist, hier die Termini der barocken Ausdrucksfiguren zu benutzen, könnte man von dem Einsatz der „Cadentia duriuscula“ (nach Christoph Bernhard „etwas seltsame Dissonantzen vor denen beiden Schluß-Noten“[1]) sprechen, die mit einer „Extensio“ („einer Dissonanz ziemlich lange währende Verlängerung“[2]) verbunden ist. Erst recht bietet sich solche Terminologie an der entsprechenden Stelle in der zweiten Strophe an bei dem Text „wie *lang* entfernst du dich von mir“ (T. 27). Ähnlich zielen auch die dissonanten Sprünge — die einzigen des Liedes —, die auf die Worte „Jammer“, „Seufzen nicht“ “nach meinen Sünden“ treffen, auf den Affekt der Worte ganz im Sinne des Bernhardschen „Saltus duriusculus“.[3] Ohne Zweifel steht damit Beethoven auch als Komponist geistlicher Lieder in jener rhetorischen Tradition, die für die *Missa solemnis* von Warren Kirkendale so eindrucksvoll belegt wird.[4] Wenn dem so ist, liegt es nahe, in diesen Zusammenhang auch die starke Anwendung des deklamatorischen Prinzips in den ersten fünf der Gellert-Lieder zu stellen. Mit Recht macht Hildegard Jung darauf aufmerksam, daß Gellert selbst im Vorwort seiner *Geistlichen Oden* das „Nachdrückliche und Kräftige“ in den geistlichen Gesängen betont und daß Beethoven sich in den genannten fünf Liedern ganz diesem Prinzip des Dichters verschreibt.[5] Man braucht nicht

1 Chr. Bernhard, *Tractatus compositionis augmentatus,* 34. Cap., in: J. Müller-Blattau, *Die Kompositionslehre Heinrich Schützens* (²1963), S. 82.
2 Ebenda, S. 83. Vgl. auch G. Massenkeil, *Zur Frage der Dissonanzbehandlung in der Musik des 17. Jahrhunderts,* S. 161f.; dort auch Beispiele für eine ähnliche Hervorhebung des lateinischen „malum“.
3 Vgl. J. Müller-Blattau, *Die Kompositionslehre Heinrich Schützens* (²1963), S. 78.
4 Vgl. W. Kirkendale, *Beethovens Missa solemnis und die rhetorische Tradition.*
5 Vgl. H. Jung, *Das geistliche Sololied im 19. Jahrhundert,* S. 16.

eigens auf die große Bedeutung, die die Figur des Nachdrucks, der „Emphasis", in der sprachlichen und in der musikalischen Rhetorik hat, hinzuweisen, um zu erkennen, daß Beethoven sich in den Gellert-Liedern, und zwar differenziert in den einzelnen Liedern, unmißverständlich als „musikalischer Redner" kundgibt.

Dann muß man schließlich auch bei Beethoven wie bei den älteren Komponisten der musikalisch-rhetorischen Tradition nicht nur nach den kompositorischen Mitteln der Wortdeklamation und des Wortausdrucks fragen, sondern auch nach Absicht und Ziel, oder, um in der Sprache der Rhetorik zu bleiben, nach dem „Scopus" solcher Gestaltung. Beethoven selbst hat sich dazu nicht geäußert; es war ihm aber sicher bewußt, daß die von ihm vertonten Gedichte Gellerts, wie es in der Vorrede der *Geistlichen Oden* heißt, „Lehroden" sind, sie haben nicht „wie die anderen Arten der Poesie das Vergnügen zu ihrer Hauptabsicht".[1] Und Carl Philipp Emanuel Bach betont in der Vorrede zu seiner Vertonung der Gellertschen Sammlung, die Beethoven mit Sicherheit gekannt hat, gerade die „Vortrefflichkeit der erhabenen, lehrreichen Gedanken" Gellerts und betont, daß „Lehroden zur Musik nicht so bequem sind, als Lieder für das Herz".[2]

Übersetzt in das Vokabular der Rhetorik des 17. und 18. Jahrhunderts, in deren unmittelbarer Nähe Gellert und Bach noch stehen, heißt das: Von dem gewöhnlich dreifachen „Scopus" der Rede, dem Docere, Movere und Delectare wird hier das Docere eindeutig in den Vordergrund gestellt. Das aber dürfte auf Beethoven eine besondere Anziehungskraft ausgeübt haben, denn wir wissen, wie sehr er sich auf moralischem, ethischem und eben auch auf religiösem Gebiet als Lehrer verstand.[3] Zwar sind seine dahingehenden Aussagen erst aus seiner späteren Lebenszeit überliefert. Nichts hindert indessen, das religiös-pädagogische Engagement bereits für Beethovens erstes Wiener Jahrzehnt anzunehmen. Dann wäre die eigentümliche musikalische Gestaltung der Gellert-Lieder in dem Maße, wie sie den Text emphatisch und ausdrucksstark in einer neuen Dimension dem Hörer zum Bewußtsein bringen, aufs engste verbunden mit einer religiösen Absicht, nämlich den Hörer zu den im Text ausgesprochenen Glaubenswahrheiten zu erziehen. Diese Absicht kommt in den geistlichen — liturgischen und außerliturgischen — Werken Beethovens wohl nirgends sonst so unumwunden zur Geltung wie in den Gellert-Liedern.

Günther Massenkeil[4]

---

1 *C. F. Gellerts sämtliche Werke,* Bd. II, S. 78.

2 C. Ph. E. Bach, *Geistliche Oden und Lieder* ([4]1771).

3 Vgl. hierzu besonders A. Schmitz, *Beethoven,* S. 60ff.; dort ist auch der Hinweis wichtig, daß Beethovens pädagogische Bestrebungen im Sinne der Aufklärung des 18. Jahrhunderts zu denken sind. Gerade auch Gellert hat ja als Vertreter der Aufklärung zu gelten.

4 Der Beitrag ist die gekürzte und geringfügig ergänzte Fassung eines Aufsatzes, der 1978 in dem Sammelband *Religiöse Musik in nicht-liturgischen Werken von Beethoven bis Reger* erschien (= *Studien zur Musikgeschichte des 19. Jahrhunderts,* Bd. LI, S. 83ff.) und daher in erster Linie die religiösen Aspekte der Gellert-Lieder Beethovens — so der Titel — zum Gegenstand hatte. Der Wiederabdruck hier soll deutlich machen, daß diese Fragestellung auch im Blick auf das Gesamtschaffen Beethovens für das Verständnis der Gellert-Lieder wesentlich ist.

2 Klaviersonaten g-Moll und G-Dur op. 49

ENTSTEHUNGSZEIT: Nr. 1: 1795—1798; Nr. 2: 1796—1798.
ERSTAUFFÜHRUNG: unbekannt.
SKIZZEN: British Library London, Add. Ms 29801, Kafka Sketchbook.
AUTOGRAPH: verschollen.
ERSTDRUCK: Wien 1805 (Bureau des Arts et d'Industrie).
GESAMTAUSGABEN: Alte Gesamtausgabe: Nr. 142 und Nr. 143 = Serie 16 Nr. 19 und Nr. 20; Neue Gesamtausgabe: Abt. VII, Bd. 3.

Die beiden zweisätzigen Sonaten op. 49 (g-Moll und G-Dur), die gelegentlich Sonatinen genannt werden, wurden gleichzeitig mit den monumentalen Sonaten op. 7 und op. 13 geschaffen, aber erst viel später herausgegeben. Deswegen kann man vermuten, daß der Komponist diesen Sonaten keine große Bedeutung beimaß, obwohl er sie nicht als unwürdig betrachtete. Heutzutage gehören sie ins Repertoire jedes Anfängers im Klavierspielen. Dabei ist man schon lange der Meinung, daß diese Sonaten wie die „Bagatellen und andere Kleinigkeiten keiner besonderer Anleitung bedürfen“.[1] Beethoven offenbart sich hier vereinfacht und gezähmt, ist hier sich selbst kaum ähnlich. Aber die ästhetische Natur der geschickten Einfachheit der Sonaten op. 49 erfordert aufmerksame Prüfung: Die äußere Anspruchslosigkeit dieser Werke stellt ein Problem dar. Das absichtliche Vermeiden aller Schwierigkeiten verweist darauf, daß die Sonaten zum Vorspielen durch eine der Wiener Dilettantinnen, eine der Schülerinnen von Beethoven geschrieben wurden. Kaum kann von Kindermusik die Rede sein: Der Inhalt und die musikalische Sprache der Sonaten sind vielmehr auf eine weibliche, auf eine aristokratische Wahrnehmung hin berechnet. Beethoven vermeidet hier alles Übermäßige, sowohl die ihm eigenen scharfen dramatischen Kontraste als auch die süßlichen Zierlichkeiten des aus der Mode gekommenen galanten Stils. Die Sonaten op. 49 entsprechen allen Regeln der weltlichen Etikette und enthalten keine Fehler gegenüber dem „guten Geschmack“. Es ist denkbar, daß Beethoven sie absichtlich für jene Kritiker schrieb, die frühere Werke von ihm wegen ihrer Kompliziertheit, ihrer „Bizarrerien“ und ihrer Geschmacklosigkeit getadelt hatten. Aber Beethoven war sich der Richtigkeit des gewählten Weges zu sicher, um mit den Rezensenten zu polemisieren. Dabei zeugt die bewußte Erfüllung der Regeln der musikalischen Höflichkeit in den Sonaten op. 49 von Beethovens Treue zu den ästhetischen Prinzipien seiner Epoche.

In dem erhaltenen Fragment der Reinschrift des ersten Satzes der Sonate op. 49, Nr. 1 ist dieses Werk als Sonatine bezeichnet.[2] Selbstverständlich bestand zwischen der großen Sonate und der Sonatine ein großer Unterschied. Aber gleichzeitig lag die Sonate, sogar eine kleine und leichte, in der Hierarchie der Genres höher als jede andere Klavierminiatur. Als Zeichen des Unterschieds galt nicht die Form, sondern der Inhalt. In dem von Beethoven geschätzten *Versuch über die wahre Art das Clavier zu spielen* von Carl Philipp Emanuel Bach ist der Begriff des „innerlichen Wer-

1 A. B. Marx, *Anleitung zum Vortrag Beethovenscher Klavierwerke,* S. 10.
2 Vgl. G. Kinsky / H. Halm, *Das Werk Beethovens,* S. 116.

tes“ benützt, der nur zum quantitativen Unterschied der gleichen Noten gehört[1], aber wenn man es tiefer betrachtet, bildet er einen Grundstein der klassischen Musikästhetik. Darum schrieb ein bedeutender, wenngleich nicht so berühmter Theoretiker wie August Friedrich Chr. Kollmann über die Sonaten, sie seien „as long, as they can be expected to engage and entertain our attention, or as short as they can be made without becoming insignificant“.[2] Ausgerechnet das Vorhandensein eines „innerlichen Wertes“ erhebt die Sonaten op. 49 über die Flut sowohl der rein didaktischen Musik als auch der Salonmusik jener Zeit. Ohne Anspruch auf das Schaffen einer sozusagen lyrischen Kosmologie (wie etwa in der Sonate op. 26) zu erheben, enthalten diese beiden Werke einige gebräuchliche und wesentliche Topoi der Klassik: Elegie, Pastorale, Allegro als „trauliches und gesellschaftliches Spiel des Instruments“[3] — und das Menuett.

Im Rahmen der Tradition zu bleiben, ohne in Banalität zu verfallen, die Frische zu erhalten, ohne Neuigkeit zu beanspruchen, das ist eine für jeden Komponisten schwere Aufgabe, erst recht für einen Rebellen, als den man sich Beethoven vorstellt. Die Sonaten op. 49 tragen auf interessante Weise zum Verstehen der Natur des Neuen bei Beethoven bei. Häufig werden zwei Briefe von Beethoven an Gottfried Christoph Härtel vom 18. Oktober und 18. Dezember 1802 zitiert, in denen es um die ganz neue Manier in den Variationen op. 34 und op. 35 geht; dabei wird diese Art der neuen Methode eines Kollegen gegenübergestellt, „welche darin besteht, daß die Fuge keine Fuge mehr ist“.[4] In den letzten Worten spürt man den Geist der brummigen Belehrungen von Albrechtsberger. Aber Beethoven nannte den Namen des Autors der Fugen wahrscheinlich mit Absicht nicht (es war sein Bonner Mitstreiter A. Reicha). Es ging also nicht um eine persönliche Abneigung, sondern um ein Prinzip. Es scheint so, als solidarisierte Beethoven sich mit der maßgeblichen Meinung: „Die unmäßige Lust zum Neuen entsteht oft blos aus Leichtsinn. So müssen Kinder immer neue Gegenstände des Zeitvertreibes haben, weil sie nicht im Stande sind, die vorhandenen zu nützen. [...] Dem Tonsetzer empfehlen wir vornehmlich das Nachdenken über neue Formen, da die gewöhnlichen in der That anfangen, etwas abgenutzt zu seyn.“[5]

Die erneuerten Formen wurden nur durch den Inhalt diktiert. In großen Sonaten mag dies natürlich ausgesehen haben, in kleinen wie in op. 49 wäre es prätentiös gewesen. Die Neuigkeit ist in ihnen durch eine besondere Feinheit im Durcharbeiten der Einzelheiten bei voller Erfüllung der Norm, sogar durch eine Vorbildlichkeit der Form ersetzt. Betrachten wir die Coda des ersten Satzes der Sonate op. 49, Nr. 1. Vertrauensselige, beinahe kindliche Kränkungen dieses Satzes enden plötzlich in einer philosophischen Schlußfolgerung über die Versöhnung mit dem Schicksal und weisen damit auf die Coda des Adagios der Sonate op. 27, Nr. 2 voraus. Diese Episode ist zu kurz, als daß man ihre traurigen Glockentöne ernst nehmen könnte, aber gleichzeitig ist sie auch zu schön und zu vieldeutig, um in ihr ein ironisches Übertreiben zu erblicken. Vom Standpunkt der Gesamtform aus handelt es sich um eine har-

1 C. Ph. E. Bach, *Versuch,* Bd. II, S. 30.
2 A. Fr. Chr. Kollmann, *An Essay,* S. 9.
3 Chr. Fr. D. Schubart, *Ideen zu einer Ästhetik der Tonkunst,* S. 271.
4 E. Kastner / J. Kapp, *Ludwig van Beethovens sämtliche Briefe,* S. 61 und 67.
5 J. G. Sulzer, *Allgemeine Theorie der schönen Künste,* Bd. III (^{2}1793), S. 518f.

monisch und ästhetisch notwendige Modulation von g-Moll nach G-Dur: von der Pastoralelegie zum Pastoralrondeau. Dieses Rondo birgt übrigens ein Geheimnis: Es ist dem Schema nach wie das langsame Rondo im zweiten Satz der Sonate op. 2, Nr. 3 geschrieben, ein für Beethoven einzigartiger Fall (vgl. Schema).

Form	Thema I	Gang	Thema II	Gang	Th. I	Gang	Th. II	Th. I	Erweiterung	Coda
Harmonie:	T	t	tP	t	T		T	T		T
op. 2, Nr. 3, Adagio	E	e	G	e	E		E	E		E
op. 49, Nr. 1, Rondo	G	g	B	g	G		G	G		G

Die Sonate op. 49, Nr. 2 ist auch in ästhetischer Hinsicht interessant. Darin treffen sich der schon vergangene galante Stil und das noch nicht erreichte Biedermeier und lächeln einander zu. Dies ist nicht zufällig: Beide kleinen Stile wuchsen auf dem Boden des häuslichen Laienmusizierens heran, wo dieselben Begriffe wie „das Angenehme", „das Anmutige", „das Niedliche" usw. gepflegt wurden.[1]

Unserer Ansicht nach kommt in der Sonatenform von op. 49, Nr. 2 die Technik der Motiventwicklung der späteren Schreibweise Beethovens zuvor, in der laut Rudolf Réti „a small phrase rather than a full period constitutes the thematic pattern of the composition".[2] Da keine Möglichkeit dazu besteht, diese Technik hier zu analysieren, kann nur auf die interessante Einheit aller Themen der Sonate hingewiesen werden: die des Haupt- und Nebenthemas im ersten und des Refrains im zweiten Satz. Man kann das Risiko eingehen, diese Themen mit dem Anfang der Bagatelle op. 126, Nr. 1 (G-Dur) zu vergleichen, und annehmen, daß diese Bagatelle auf eigenartig meditative Weise an das Menuett erinnert, das im Schaffen von Beethoven allmählich zum poetischen Symbol goldenen Alters wurde. Gerade das Thema des „Tempo di Minuetto" aus op. 49, Nr. 2 ist von Beethoven in einem seiner hellsten Werke, dem Septett op. 20, wieder benutzt worden. Der zweite Satz der Sonate ist indessen nicht Menuett genannt, weil er in Rondoform geschrieben ist, aber er enthält jene Kombination aus Grazie und Würde, die den Charakter dieses Tanzes bestimmte, der „für Gesellschaften der Personen, die sich durch feine Lebensart auszeichnen", diente.[3]

Larissa W. Kirillina

1 Vgl. S. Brandenburg, *Ludwig van Beethoven. Sechs Bagatellen,* Bd. I, S. 53ff.
2 R. Réti, *Thematic Patterns,* S. 137.
3 J. G. Sulzer, *Allgemeine Theorie der schönen Künste,* Bd. III ([2]1793), S. 389.

Romanze F-Dur für Violine und Orchester op. 50

ENTSTEHUNGSZEIT: um 1800 (vielleicht 1798 oder 1799), spätestens jedoch 1802.
ERSTAUFFÜHRUNG: unbekannt.
SKIZZEN: nicht bekannt.
AUTOGRAPH: Library of Congress Washington.
ERSTDRUCK: Wien 1805 (Bureau des Arts et d'Industrie).
GESAMTAUSGABEN: Alte Gesamtausgabe: Nr. 31 = Serie 4 Nr. 3; Neue Gesamtausgabe: Abt. III, Bd. 4.

Als „ein Solo für die Violine mit einiger Begleitung" hat Beethovens Bruder Karl diese Romanze dem Verlag Breitkopf & Härtel in Leipzig am 27. August 1803 nochmals zum Kauf angeboten, nachdem er dies schon einmal am 18. Oktober 1802 getan hatte und eine Anfrage im November 1802 an den Verlag André in Offenbach ebenfalls abschlägig beschieden worden war. Auch jetzt konnte sich der Verlag Breitkopf & Härtel nicht zu einer Annahme des Werkes entschließen. Erst im Mai 1805 erschien dann im Wiener Kunst- und Industriekontor eine erste Ausgabe mit dem Titel: „Romance pour le violon Principal, 2 Violons, Alto, Flûte, 2 Hautbois, 2 Bassons, 2 Cors et Basse, composée par Louis van Beethoven Op. 50 [...]". Schon ein Jahr später kam es zu einem Nachdruck beim Verlag André. Diese Tatsache und die verhältnismäßig rasche Folge weiterer Auflagen (jeweils nach 1815, 1822 oder 1826) scheinen auf eine recht große Beliebtheit des Werkes bei den Zeitgenossen Beethovens hinzuweisen. Vor allem aber war die Romanze jedoch in verschiedenen Formen des Arrangements, so für Klavier zu vier Händen oder für Violine und Klavier, verbreitet. Trotzdem haben öffentliche Aufführungen mit Orchester nicht gerade häufig stattgefunden, worauf auch Wilhelm von Lenz in seinem kritischen Katalog noch 1860 hinweist: „Man hört das mit dem feinsten Geschmack in den Details geschriebene Stück von so kurzer Dauer [...] nur selten."[1] In Wien hat sich offensichtlich der Geiger Ignaz Schuppanzigh gelegentlich der Romanzen angenommen, wie aus einem Eintrag in den Konversationsheften Beethovens hervorgeht.[2]

Wie in einem „Lied ohne Worte" trägt die Solovioline unter Begleitung des Orchesters zunächst die kantable, achttaktige Melodie, den Hauptgedanken der Komposition, vor. Das Orchester greift diesen Gedanken auf und wiederholt ihn. Dabei wird die Melodie unter anderem dadurch noch hervorgehoben, daß sie — in derselben Lage wie zunächst die Solovioline in der Flöte und eine Oktave tiefer in den ersten Violinen — im Unisono erklingt. Dieser erste, 16taktige Abschnitt wird mit einem viertaktigen „Nachspiel" abgeschlossen (T. 16—19). Der sich anschließende achttaktige Abschnitt ist deutlich in zwei Viertaktgruppen unterteilt, wobei die Nähe der ersten vier Takte zu den ersten vier Takten des Hauptgedankens noch latent spürbar ist (sowohl im melodischen wie im harmonischen Bereich), während die zweiten vier Takte zwar die Phrase abschließen, aber zugleich auch freier und eigen-

1 W. v. Lenz, *Kritischer Katalog,* Bd. II, S. 268.
2 Vgl. Gr. Herre, *Ludwig van Beethovens Konversationshefte,* Bd. IX, Hefte 104—113, S. 223. So hat Schuppanzigh eine der beiden Romanzen vermutlich in seinem Augartenkonzert am 11. Mai 1826 gespielt.

ständiger gestaltet sind. Dieses fantasiehafte Moment wird einerseits durch die Modulation in die Tonikaparallele unterstrichen, andererseits dadurch, daß nun die weiteren vier Takte auf ähnliche Weise variativ-umspielend und das harmonische Gerüst auszierend gestaltet werden. Zwei Triller in der Solovioline deuten darauf hin, daß dieser Abschnitt in Takt 33 abgeschlossen ist, was jedoch trügt. Zugleich wird deutlich, daß Beethoven hier die vier Taktgruppen durch fantasiehaften Einschub zweier Takte (T. 29f.) erweitert hat, die im Grunde auch wegfallen könnten, da sich Takt 31 mühelos an Takt 28 anschließen ließe. Dieser B-Binnenteil wird erst wieder durch ein viertaktiges Nachspiel (T. 33—37) zum wirklichen Abschluß gebracht. Beethoven hat in diesem Teil also auch darauf verzichtet, wie das vielleicht zu erwarten gewesen wäre, die acht von der Solovioline vorgetragenen Takte vom Orchester wiederholen zu lassen. Dafür fügt er einen „freieren“ solistischen Abschnitt an. In den drei folgenden Takten führt die Solovioline wieder zum ersten Hauptgedanken zurück. Dieser entspricht wörtlich dem ersten Teil (T. 1—19) des Werkes, allerdings wird die Begleitung in den ersten vier Takten (T. 40—43) durch die Auflösung in Achtel „verändert“. Der „Schlußtakt“ (T. 57) leitet direkt in einen neuen Teil über, der einen zweiten melodischen Gedanken vorstellt. Dieser bringt zunächst eine kurze Episode in Moll, die tonartlich, aber auch in ihrem dramatischen Tonfall, einen Kontrast zu der bisherigen — und späteren —, eher episch-lyrischen Grundhaltung bildet. Die Takte 58—63 dienen der Modulation nach Des-Dur. In dieser Tonart erklingen nun die ersten beiden Takte des Hauptgedankens (T. 64f.), wobei die Melodie durch die verkürzte Punktierung  statt  eine prägnantere Gestalt erhält. Das Motiv des zweiten dieser beiden Takte (T. 65)  wird in Oboe I und Fagott I aufgegriffen und sequenzierend weitergesponnen. Dabei wird zugleich nach C-Dur zurückmoduliert. Diese Tonart und damit die Dominante der Grundtonart der Romanze wird durch die mehrfache Wiederholung des gebrochenen C-Dur-Dreiklangs — zwischen unisono geführtem Orchester und Solovioline als Wechselspiel gestaltet — bestätigt und gefestigt. Der Dreiklang wird schließlich auf die Terz g’’—e’’ verkürzt. Dieses Terzintervall wird von der Solovioline aufgegriffen, dann sequenzierend und schließlich umspielend weitergeführt, gleichzeitig wird das Tempo durch die Verkürzung der Notenwerte von Sechzehnteln zu Zweiunddreißigsteln beschleunigt. Auf diese Weise wird zugleich zur nochmaligen Wiederkehr des Hauptgedankens über- oder rückgeleitet. Dieser erklingt in Takt 79 in der Grundtonart, wobei einerseits die Begleitung wiederum verändert, das heißt durch die Verkürzung auf Achtel- und Sechzehntelwerte unruhiger und drängender gestaltet ist, andererseits jetzt auch die Solovioline die Takte 3 und 4 der Melodie ausziert (T. 81f.). Weiter erklingt in den Takten 5 und 6 des Hauptgedankens im Fagott I (T. 83f.) zusätzlich das Dreiklangsmotiv aus dem vorherigen Teil (T. 69f.). Dieser Teil wird ebenfalls mit einer entsprechenden Schlußgruppe beendet. Beethoven fügt hier eine „Coda“ an, deren erster Abschnitt (T. 89—96) durch die Fortführung des rhythmischen Motivs aus der Schlußgruppe  sowie durch den Rückgriff auf Elemente früherer Überleitungsabschnitte (so z.B. T. 32, 37f., 77) gekennzeichnet ist. Der zweite Abschnitt (T. 96—103) bildet den eigentlichen Schluß, in dem die Grundtonart F-Dur nicht mehr verlassen und damit nochmals bekräftigt wird. Der Part der Solovioline klingt mit einem ruhigen „Ruf“ (oder besser Seufzer?), der, allerdings mit Trillerfigur, bereits Takt 5f. in der ersten Violine vorhanden ist, hier wieder aufgegriffen, aber zugleich auch anders gewichtet wird,

im Pianissimo aus. Dieser „Ruf“ wird, gleichsam als zweifaches Echo, zunächst von den Holzbläsern, sodann von den Hörnern und Streichern jeweils unisono beantwortet

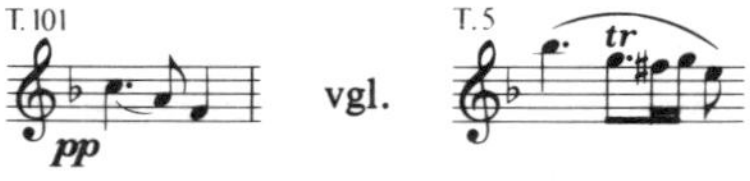

und schließt das Werk im folgenden mit zwei F-Dur-Achtelakkorden endgültig ab.

Formal ist die Romanze in fünf Teile und einen Schlußabschnitt gegliedert (A B A C A Coda / Schluß). Diese Tatsache weist eher auf eine rondoartige Anlage denn auf eine erweiterte Liedform hin. Die einzelnen Teile sind, was den jeweiligen Taktumfang betrifft, viel unregelmäßiger angelegt als in der ganz symmetrisch gebauten Romanze op. 40. Dadurch wird zugleich jedoch das fantasiehaft-improvisatorische, gelegentlich auch rhapsodische Moment stärker hervorgehoben. Die Harmonik ist sehr einfach, bleibt weitgehend auf die Kadenz begrenzt und entspricht damit zugleich der einfachen liedmäßigen Gestalt des Hauptgedankens. Die Solovioline wird bei dieser Romanze von Anfang an stärker in das allgemeine Geschehen eingebunden als in der Romanze op. 40, in der sie ein selbständigeres Gegenüber des Orchesters darstellt. Im übrigen entsprechen sich die Grundanlagen der beiden Romanzen weitgehend, allerdings ist in der vorliegenden Romanze op. 50 der Schlußteil stärker ausgeprägt. Der eingeschobene C-Teil in Moll ist in dieser Komposition eher eine kurze Episode als ein wirklicher Kontrast, zumal ziemlich rasch in den Dur-Bereich zurückgeleitet wird. Die einfache liedhafte melodische wie auch harmonische Gestaltung sowie das Primat der Melodie vermitteln den Eindruck eines instrumental gestalteten „Liedes ohne Worte“. Inwieweit sich Beethoven in dieser Hinsicht an französischen Vorbildern — etwa an Violinkonzerten Viottis oder an der französischen Romance des 18. Jahrhunderts — orientiert hat, muß offen bleiben. Eine derartige Vermutung scheint aber im Hinblick auf die Sympathien, die er diesem Land und auch der sich dort entwickelnden Geigerschule entgegenbrachte, und vielleicht auch im Hinblick auf seine geplante Reise nach Paris nicht ganz abwegig zu sein. Immerhin hat Beethoven mit den beiden Romanzen op. 40 und op. 50 für Solovioline und Orchester den Typus der selbständigen, instrumentalen Romanze für ein Soloinstrument und Orchester begründet.[1]

Christoph-Hellmut Mahling

1 Vgl. etwa entsprechende spätere Kompositionen, so von Hector Berlioz (*Rêverie et Caprice* 1839), von Johann Svendsen (Violinromanze G-Dur op. 26), von Christian Sinding, Carl Nielsen, Wilhelm Stenhammar, Anton Dvořák oder auch von Max Bruch (Violinromanze a-Moll op. 42).

2 Klavierrondos C-Dur und G-Dur op. 51

ENTSTEHUNGSZEIT: Nr. 1: 1796—1797 (kurz nach op. 2); Nr. 2: 1798—1800.
ERSTAUFFÜHRUNG: privat.
SKIZZEN: Nr. 1: unbekannt; Nr. 2: Deutsche Staatsbibliothek Berlin, Grasnick 1.
AUTOGRAPH: Nr. 1: verschollen; Nr. 2: verschollen, Staatsbibliothek Preußischer Kulturbesitz Berlin, Artaria 154 (überprüfte Abschrift, vielleicht Stichvorlage).
ERSTDRUCK UND WIDMUNG: Nr. 1: Wien 1797 (Artaria & Co.); Nr. 2: Wien 1802 (Artaria & Co.); Gräfin Henriette v. Lichnowsky gewidmet.
GESAMTAUSGABE: Alte Gesamtausgabe: Nr. 185 und Nr. 186 = Serie 18 Nr. 3 und Nr. 4.

Wie das früher komponierte Rondo für Klavier und Violine G-Dur (WoO 41) sind die beiden Rondos op. 51 als einzelne Stücke von sorglosem, anspruchslosem, nahezu leichtsinnigem Charakter, besonders im Vergleich mit denen, die der Sonate angenähert sind. Die graziöse Expression und der hauchzarte Klang des Hauptthemas tragen durch das Prisma des Mozart-Schliffs die Reste des alten galanten Stils in sich.[1] In die einfache Melodik wird in op. 51, Nr. 1 das zarte melismatische Schmuckwerk eingeflochten. Der Nebengedanke (ab T. 25) erhebt sich über dem Hauptgedanken dank lebhafterer Bewegung (der Sechzehntel anstatt der Achtel), und gleichzeitig sind die Gedanken durch ihre klare Stimmung verwandt, die auf solche Weise die ganze Exposition des Rondos bis Takt 51 umfaßt.

„Das Rondo" heißt „die Runde", „der Rundgesang". Nachdem eine Entwicklungsrunde unternommen worden ist — die Präsentation des Hauptgedankens, eine Abweichung davon zum Nebenthema und die Rückkehr zum Klang des Hauptthemas —, beginnt das Rondo den zweiten Bewegungskreis (T. 51—91). Plötzlich brechen ein Sturm und eine Bö aus, es toben kalte wälzende Wellen, synkopierte Ausrufe sind zu vernehmen. Das zweite Nebenthema weist etwas Pathetisches (in c-Moll, der Tonart der *Sonate pathétique*), sogar Heroisches auf. Ein stürmischer Affekt erschüttert unsere Wahrnehmung durch seine Plötzlichkeit und seinen Drang, durch eine machtvolle Empfindung von Beethoven. Ähnliche Kontraste können bei Carl Philipp Emanuel Bach angetroffen werden, dem Anstifter der neuen Expression. Das Beethovensche aber kommt psychologisch in strenger Ausgeglichenheit der glühenden Gefühle, in Unterordnung unter ihren eisernen Willen zum Ausdruck, und dies geschieht im krassen Unterschied zu der Welt der Musik von Mozart und Haydn, die eine solche nicht zu bändigende Selbstäußerung nicht haben kennen müssen.

Der rondoartige Rückgang zur graziösen Unbekümmertheit des Hauptthemas (ab T. 91) bedeutet hier am Schluß nicht etwa, daß es einfach wiederholt werden sollte. Um das Rondo würdig zu beendigen, läßt Beethoven hier zwei Gegensätze heftig zusammenprallen: Er wiederholt erstens das Zwischenglied des Rondothemas (T. 9—13; am Schluß T. 100—104), wobei volle Ruhe und Ausgeglichenheit zu bewundern sind (das Zwischenglied steht gewöhnlich auf der Dominante, beginnt und

1 Vgl. V. Zuckerman, *Analis musykal'nych proiswedenij. Rondo w jego istoritscheskom raswitij,* Teil 1, S. 117.

endet hier aber mit der Tonika); danach läßt er zweitens anstatt einer einfachen Reprise eine reizende Verschleierung folgen (T. 105—115), das heißt einen Abgang ins „Dunkel", auf den schwarzen Tasten Des-Dur als Widerspiegelung der tonalen Umnachtung im Mittelteil (dort Es-Dur und As-Dur). Die Reprise umfaßt die größten Kontraste des Werkes, und deswegen besteht die Coda (T. 120—135) nicht aus allgemeinen Worten, sondern ist das Ergebnis der Verallgemeinerung dialektisch entgegengesetzter Tongestalten. Beethoven wäre aber nicht Beethoven gewesen, wenn er die Dramaturgie des Rondos der logischen Entwicklung nicht mit einem mächtigen Schwung untergeordnet hätte. Es gibt drei historische Rondoformen: das Vers-Rondeau des 13.—15. Jahrhunderts, das Alternativ-Rondeau (a b a c a... a) des 17. bis zur Mitte des 18. Jahrhunderts und das klassische (symphonische) Rondo seit der zweiten Hälfte des 18. Jahrhunderts. In Beethovens op. 51, Nr. 1 sind noch Reste der Züge des Alternativ-Rondeaus zu erkennen (das Zwischenglied Takt 9—13 als Couplet; Zäsuren davor und danach). Jenseits davon ist dieses Rondo jedoch eine reine Ausprägung der dritten Form, deren Prinzip nicht die alternative Reihung ist, sondern eine komplizierte Entwicklung (unter Einfluß der Sonatensatzform) mit den Übergängen von einem sich erneuernden Gedanken zu einem anderen, mit der dialektischen Ableitung des Gegenthemas aus dem Hauptthema und mit der durchkomponierten Entwicklung der Komposition.

Wie läßt Beethoven das Gegenthema aus dem Thema hervorgehen?

(Analog dazu findet sich in der Coda eine Synthese der Elemente des Hauptthemas [vgl. die Melodie der Takte 120f. und Takt 1] und des ihm meist kontrastierenden zweiten Hauptthemas [vgl. die Begleitung der Takte 120ff. und 59ff.].)

Das Anwachsen der Kontraste vom Hauptthema zum ersten Nebenthema und vom ersten Nebenthema zum zweiten läßt sich so verdeutlichen:

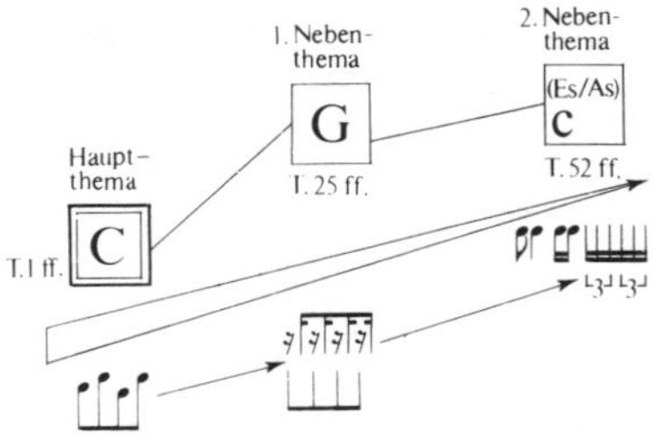

Die Veränderungen in zwei Reprisen des Hauptthemas tragen zur Dynamik der Komposition bei: seine Kürzung von 17 auf 8 Takte beim ersten Rückgang und seine Ausweitung auf 29 Takte beim zweiten.

Besonders charakteristisch ist das Strukturdenken von Beethoven. Die Dynamik und die Biegsamkeit der klassischen Form sind hier im bedeutendsten Maße ausgeprägt. Die Hauptopposition wird von zwei Antagonisten gebildet: der Anfangsauslegung des Hauptthemas und dem Nebenthema (c-Moll). Sie sind beide fest, und ihre Symmetrien (die Übereinstimmung ihrer Teile) sind hier die allerhöchsten, das heißt, sie sind bis auf die Größe des Achttakters geführt[1]:

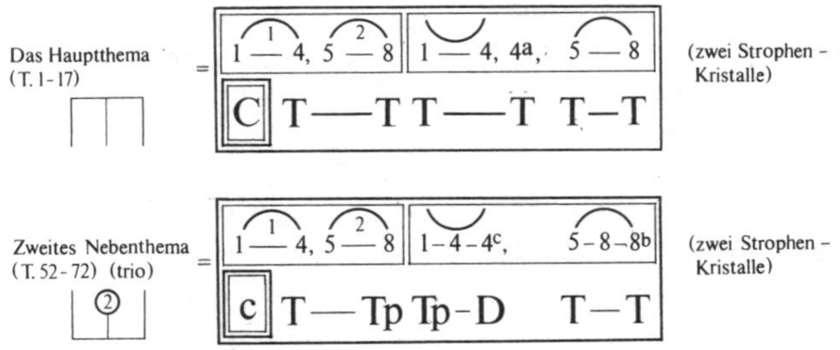

Im „dritten Rondo" wird der Sonatenfluß im Vorhandensein jener Formteile angedeutet, die speziell mit der Entwicklung, der Durchführung der Idee befaßt sind (solche Teile gab es im „zweiten Rondo" — bei den französischen Clavecinisten — nicht). Anstelle der Zusammensetzung aus den großen Strophen-Kristallen sind die Übergangsteile in kleine Aufbausätze zerstückelt, die nicht zu großen Symmetrien neigen (2 + 2; 1 + 1; 1, 1, 1, 1...). Während ihr rasches Wechseln das Empfinden des Fließens, der Freiheit vom metrischen Korsett vermittelt, geht die Entwicklung in ungestümen Wellen voran. Herrscht bei der Darlegung der Themen in „Liedern" eine Tonart vor, so ist in den Gängen meistens keine einheitliche Tonart vorhanden, deswegen fehlt auch die monolithische Ganzheit der Strophen, zum Beispiel im ersten Gang (T. 18—24):

1+1,	1+1,	1,	1,	1
C—G	G—D	D	D	D

1 Zu den Abkürzungszeichen vgl. unten S. 361.

(es gibt weder die Periode noch die Sätze). Die Struktureigenschaften der Teile und die Strukturkontraste sind schematisch so darstellbar:

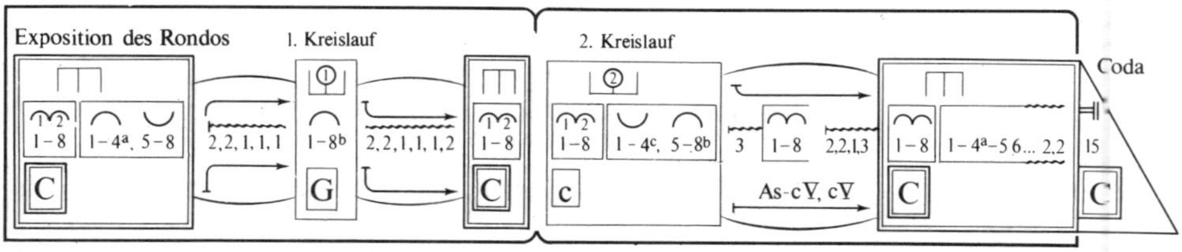

Der mächtige Geist ruht sich aus und unterhält sich in der Musik solcher Art; seinen Hauch aber spürt man in jener Kraft, mit der die künstlerische Idee im Stück entwickelt wird.

Die Vereinigung der beiden Rondos unter der Opuszahl 51 ist willkürlich. Beethoven hatte keineswegs einen Zyklus oder eine Sammlung verfassen wollen. Das Rondo G-Dur op. 51, Nr. 2 bildet ein selbständiges Konzertstück. Sein Umfang ist beträchtlich, der Anzahl der Takte nach zweimal so groß wie das C-Dur-Rondo. Die Tiefe der Idee und eine gewisse Schwerfälligkeit der Form verweisen auf eine andere kompositorische Idee. Während die Teile des C-Dur-Rondos sehr eng aneinander gereiht sind und ihre Entwicklung in einer Linie erfolgt, ist das G-Dur-Rondo freier und enthält im mittleren Teil sogar einen Kontrast der Tempi und des Taktmaßes, als ob ein anderes Werk in seiner Mitte stünde. Entsprechend den größeren Kontrasten neigen die Teile zu größerer Selbständigkeit und Vereinsamung, von den Zusammenhang schaffenden Überleitungen abgesehen.

Seinem allgemeinen Charakter nach gehört das G-Dur-Rondo zu jener Seite des Schaffens von Beethoven, auf der Heroik und Dramatik keinen Platz fanden, hingegen alles vom Geist der Lebensfreude und der lyrischen Liedhaftigkeit durchdrungen ist. Dieser Ton wird vom Hauptthema angegeben, dessen pastoral-lyrische Zärtlichkeit durch Spitzenfäden der Passagen und scharfe rhythmische Stiche betont wird. Die Thematik des Rondos erweist sich unverkennbar als Parallele zum ersten Teil des Streichquartetts op. 18, Nr. 2 — in derselben Tonart, in demselben Zeitmaß und mit ähnlicher Konsequenz der rhythmischen Figuren (vgl. T. 1—4 in den beiden Werken).

Bezüglich der theoretischen Voraussetzungen der Analyse lassen sich in diesem Falle die Ideen von Adolf Bernhard Marx und Hugo Riemann vereinigen; die Probleme der Metrik, der Harmonie und der Form sind vom Verfasser an anderer Stelle weiter ausgearbeitet worden.[1] Wir vereinfachen die Analyse bis zur Tabelle, die alle Grundparameter der Komposition fixiert:

1 Vgl. J. Cholopow, *Metritscheskaja struktura perioda i pesennych form*; ders., *Garmonija*, Kap. 12.

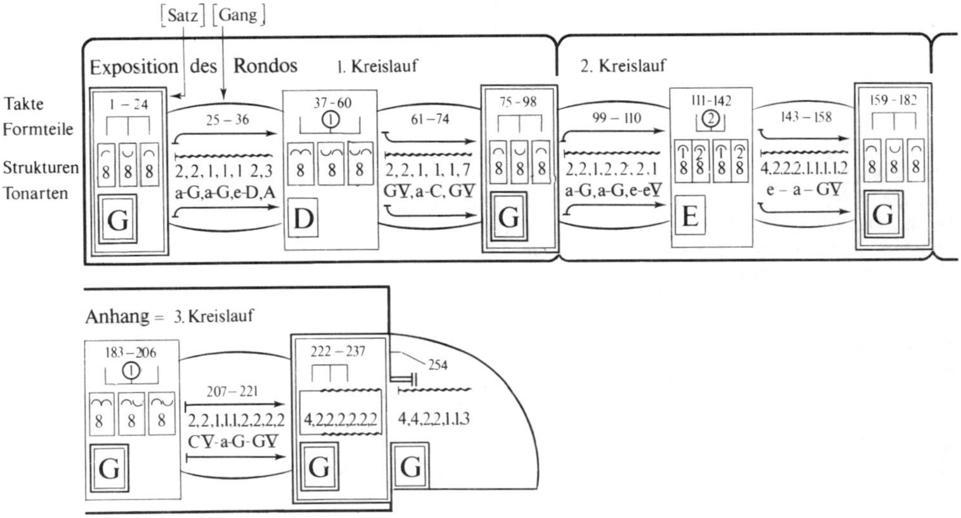

Die Zahlen oben bezeichnen die laufenden Takte. Die Doppellinien markieren das Hauptthema, die einfachen Linien die Nebenthemen, die abgerundeten die Gänge (Überleitungssteile). Im einzelnen: ┌┬┐ = Hauptthema, ① und ② = erstes und zweites Nebenthema, ↱ und ↳ = Übergang und Rückgang; ⌒ und ∪ = Sätze und Zwischenglieder in der Liedform des Themas (ihre Umklammerung weist auf feste Strukturen der metrischen „Kristalle" in den Liedformen hin), ⊢〰 = gegliederte Struktur in den Gängen (ohne Satzformen und Perioden); der Buchstabe im Doppelquadrat = Haupttonart, im einfachen Quadrat = Nebentonika (in den Nebenthemen); Pfeile unten = die Modulationen: aufsteigende Pfeile = Modulation von der Tonika aus, absteigende = zur Tonika zurück; die Buchstaben a—G, e—D—A = die Tonarten bei der Modulation, GV = G-Dur auf der Dominante, ⫤ = Coda. Auf solche Weise gelingt es kurzgefaßt, die feine Sinndifferenzierung der Teile dieser verhältnismäßig komplizierten Komposition, die allgemeine Formgestaltung und den Charakter der harmonischen Entwicklung im ganzen Stück festzuhalten.

Jurij Cholopow

8 Klavierlieder
op. 52

GEDICHTE: Nr. 1 „Urians Reise um die Welt“ (M. Claudius); Nr. 2 „Feuerfarb'“ (S. Mereau); Nr. 3 „Das Liedchen von der Ruhe“ (H. W. F. Ueltzen); Nr. 4 „Maigesang“ (J. W. v. Goethe); Nr. 5 „Mollys Abschied“ (G. A. Bürger); Nr. 6 „Die Liebe“ (G. E. Lessing); Nr. 7 „Marmotte“ (J. W. v. Goethe); Nr. 8 „Das Blümchen Wunderhold“ (G. A. Bürger).
ENTSTEHUNGSZEIT: nicht sicher feststellbar, wohl in der Mehrzahl vor 1795.
ERSTAUFFÜHRUNG: unbekannt.
SKIZZEN: zu Nr. 1: Staatliches M. I. Glinka-Zentralmuseum für Musikkultur Moskau; zu Nr. 2 (Skizze zum Nachspiel): Staatsbibliothek Preußischer Kulturbesitz Berlin, aut. 28, Skizzenbuch Fischhof; zu Nr. 3: British Library London, Add. Ms 29801, Kafka Sketchbook; zu Nr. 6: Stiftung Julius Wegeler Koblenz.
AUTOGRAPH: Nr. 2, 1. Fassung: Gesellschaft der Musikfreunde Wien; Nr. 2, 2. Fassung: British Library London.
ERSTDRUCK: Wien 1805 (Bureau des Arts et d'Industrie).
GESAMTAUSGABEN: Alte Gesamtausgabe: Nr. 218 = Serie 23 Nr. 4; Neue Gesamtausgabe: Abt. XII, Bd. 1.

„Das Genie“, schreibt Denis Diderot 1757 in dem gleichnamigen Artikel des siebten Bandes der *Encyclopédie*, „erregt Erstaunen selbst noch durch seine Fehler“. Und so beeindruckt zeigt Diderot sich von seinem Aperçu, daß er es noch einmal heranzieht, um die entscheidende Differenz in einem Vergleich zu bestimmen, durch welchen er den Begriff des Genies, diesen Rätselbegriff seines aufgeklärten Zeitalters, weiter zu erläutern sucht.[1]

Dem Rezensenten der *Allgemeinen musikalischen Zeitung* mag diese Stelle vor Augen gestanden haben, als er 1805 drei Werke Ludwig van Beethovens bespricht und bei dem Übergang zu dem dritten Werk Beethoven einen „ausgezeichneten, selbst in seinen Verirrungen oft bewundernswürdigen Künstler“ nennt.[2] Auch der Rezensent greift zu einem Vergleich; anders als Diderot stellt er nicht verschiedene Autoren einander, sondern Beethoven sich selbst gegenüber. Besprochen werden die Violinsonate op. 47 (die *Kreutzersonate*), das Trio op. 38 und die acht Lieder op. 52. In diesem Triptychon nimmt das Trio die mittlere Position ein: „eine der schönsten [...], der angenehmsten und freundlichsten Kompositionen“. Ein Stück abseits von diesem dem Leibarzte dedizierten Werk des Behagens findet die Violinsonate ihren Platz: „seltsam“, „wunderlich“ und „bizarr“, nur für Virtuosen spielbar und bestimmt für jene Stunde, „wo man auch das Groteskeste genießen kann“. Nachdem er so die Seiten des Kühnen und des Behaglichen abgehandelt hat, wendet sich der Rezensent der dritten Seite Beethovens, des „genialischen Mannes“, zu: „Begreif' es, wer es kann, dass von solch einem Manne etwas so durchaus Gemeines, Armes, Mattes, zum Theil sogar Lächerliches — nicht nur kommen kann, sondern sogar *ins Publikum* gebracht werden mag!“ Erschrocken über das eigene Urteil gibt er als Indiz und Rechtfertigung das achte der Lieder op. 52, „Das Blümchen Wunderhold“, in Noten bei. Der Rezensent mag sich umso mehr über die Publikation

1 Vgl. D. Diderot, Artikel *Génie,* in: *Encyclopédie,* Bd. VII, S. 583a: „il étonne encore par ses fautes“; vgl. ebenda, S. 583b.
2 Rezension von op. 47, 38 und 52 in: *AmZ* 8 (1805), Sp. 769—772, zit. nach St. Kunze, *Gesammelte Konzertberichte,* S. 43f. Dort auch die folgenden, nicht einzeln nachgewiesenen Zitate.

der Lieder erstaunt haben, als Beethoven auf die unter seinem Namen erscheinenden Werke argwöhnisch wachte und etwa mit dem Trio op. 38 auf eine fremde Bearbeitung seines Septetts op. 20 reagierte.[1]

Der Rezensent sucht die von Beethovens Werk ausgehende Irritation durch ein regelpoetisches Lob der Mitte zu bannen. Fast 100 Jahre später ist es die Entwicklungslehre, die Hugo Riemann sich in derselben Absicht zunutze macht. Riemann greift zu dem Motiv des kompositorischen Lebensweges und verteidigt die Lieder mit dem Hinweis auf ihre frühe Entstehung.[2] Wie wird man die unter der Opuszahl 52 versammelten acht Lieder heute betrachten? Es scheint sich bei diesen Liedern um die Hauptbestandteile einer geplanten ersten Liedersammlung zu handeln, für welche Beethoven zu so verschiedenen Autoren wie Bürger, Claudius, Lessing und Goethe griff. Offenbar unschlüssig über die Anzahl und die Auswahl der aufzunehmenden Lieder zögerte er mit der Herausgabe.[3] In ihrer 1805 erschienenen Gestalt wird die Sammlung von einem erzählenden Gedicht und einer Allegorie eingeleitet und mit einem entsprechenden Gedichtpaar beschlossen. Derart umrahmt finden sich vier „Liebesgedichte". Bei dem einleitenden Stück handelt es sich um „Urians Reise um die Welt", eine Persiflage des Voltaireschen *Candide*, deren Eingangsworte „Wenn einer eine Reise tut, dann kann er was erzählen" sich bis heute als Redewendung erhalten haben. Der Erzähler berichtet von den Stationen seiner Reise; am Ende jeder Strophe wird er vom Refrain der Zuhörer angefeuert „Verzähl er doch weiter", bis er endlich das desillusionierende Fazit seines Reisens zieht und ein „Verzähl er nicht weiter" zu hören bekommt. Wie dieses Liedchen von der Candide-Mode, so lebt das zweite erzählende, das siebte Stück von seiner Spielbestimmung: „Marmotte" ist das Lied eines Burschen, der ein dressiertes Murmeltier zur Schau stellt. Mit seiner Drehleierbegleitung und seinem französischen Refrain ist es zugeschnitten auf einen Auftritt in Goethes Spiel *Jahrmarktsfest zu Plundersweilern* (1774, 2. Fassung 1778). Die beiden Allegorien (Nr. 2 und Nr. 8) sind einander vom Gestus her durchaus entgegengesetzt: Entsprechend der Farbe Weiß als der Farbe der Unschuld und Grün als der Farbe der Hoffnung wird die „Feuerfarb" als „Farbe der Wahrheit" vorgestellt. Schon aufgrund der vielen farbigen Bilder trägt das Gedicht sich nicht so frostig vor, wie der zugrundeliegende Gedanke es erwarten ließe. Beethoven unterstützt diese sinnliche Seite des Gedichts: Er faßt es lebhaft auf, nimmt die vierhebigen Daktylen des Gedichtes in einen Sechsachteltakt und spart nicht an melodischen Verzierungen, Seufzerwendungen und Zieraten der Begleitung. Hinter dem „Blümchen Wunderhold" verbirgt sich die Tugend der Bescheidenheit. Beethoven findet zu ihrem Lob eine Melodie von kunstvollster Simplizität. Besonders ihren Tonwiederholungen verdankt das Gedicht ein Gutteil seiner unwiderstehlichen Wirkung. Das „Liedchen von der Ruhe", das erste der „Liebesgedichte" und dritte Stück der Sammlung, greift voraus auf ein Motiv, das im Werk Georg Büchners notorisch werden wird: die Verwandtschaft von Liebesruhen und

---

1 Vgl. Beethovens Spott über unautorisiert erscheinende „Übersetzungen" seiner Werke (Thayer / Deiters / Riemann, *Ludwig van Beethovens Leben,* Bd. II, ²1910, S. 206, Fußnote 1).

2 Vgl. ebenda, Bd. I (³1917), S. 304—307; besonders S. 306, Fußnote 2.

3 Zu Beethovens Plänen für eine Liedersammlung vgl. H. Lühning, *Kritischer Bericht* zu L. v. Beethoven, *Werke,* NGA, Abt. XII, Bd. 1, S. 7.

Todesschlaf. „Im Arm der Liebe ruht sich's wohl, wohl auch im Schoß der Erde."[1] Mit den fahlen Anfangstakten seines Liedes scheint Beethoven sich auf den todessüchtigen Tenor des Gedichtes einzulassen. Doch mit einem nach Dur sich wendenden Nachspiel nimmt er dessen Larmoyanz so gut wie vollständig hinweg. Auch „Mollys Abschied" führt uns an ein offenes Grab, in das Molly — Adagio con espressione — Vergißmeinnicht, Locken und Schnürbänder hinabwirft. „Die Liebe" besingt die übliche Allegretto-Tändelei zu Lebzeiten: „Schmachten lassen, / Sei der Schönen Pflicht! / Nur uns ewig schmachten lassen, / Dieses sei sie nicht."

Während diese Gedichte verblaßt sind, hat sich ein weiteres Stück bis heute als lebenskräftig, ja als mehr erwiesen: Das „Mailied" wird als ein Höhepunkt von Goethes früher Lyrik betrachtet.[2] Im folgenden soll zu zeigen versucht werden, daß auch Beethovens Vertonung dieser Veränderung des Blickes standhält, ja vielleicht auf sie gewartet hat.

In seinem Aufsatz *Goethes Verskunst* von 1925 schreibt Andreas Heusler über Goethes „Mailied": „Das freundliche Liedchen dürfen wir nicht, mit Beethoven, als Vierheber behandeln:

Wie hérrlich léuchtet mír die natúr!
Wie glä́nzt die sónne! wie lácht die flúr!

Dem fehlt der Fluß, den wir von einem Goetheschen *Liede* erwarten dürfen. Auch das Absetzen der vier kurzen Zeilen deutet auf eine andere Fährte:

× | ×́ × || –́ | ×̀ × | ×̀ × || –́
Wie herr – lich leuch – – tet mir die na – tur! ∧
Wie glänzt die son – – ne! wie lacht die flur! ∧

Ein weniger bekannter Musiker, Gabler, hat dies in seiner Vertonung 1798 erfaßt [...]."[3]

Heuslers Gegenüberstellung der Vertonungen des „Mailiedes" durch Beethoven und durch Christian August Gabler (1770—1839)[4] beleuchtet den Unterschied zwischen Gesang und Rezitation, ja zwischen lyrischer und musikalischer Komposition. So wertvoll die Interpretation des Metrikers und Musikers Heusler[5] für das Lesen des Gedichtes sein mag, so wenig wird sie Beethovens Komposition gerecht. Wohl

1 Vgl. G. Büchner, *Dantons Tod* (1835), 1. Akt 1. Szene: „Nein, Julie, ich liebe dich wie das Grab"; ders., *Leonce und Lena* (1836), 2. Akt, 4. Szene: „Der Tod ist der seligste Traum" (G. Büchner, *Werke und Briefe*, ⁴1983, S. 8 und 109).

2 In dem Kapitel „Naturphantasie" seiner erfolgreichen *Gedanken über Goethe* (1887, ²1888, ⁴1900) sieht V. Hehn ausschließlich Konventionelles in Goethes „Mailied": „Ein Jugendgedicht, das ‚Mailied' [...] übergehen wir, weil es nur aus den seit Hagedorn geläufigen Ausrufen besteht und auch von Gleim, Uz, oder J. G. Jacobi hätte gedichtet sein können" (⁷⁻⁹1909, S. 336). Schon 1848 hatte Hehn dagegen mit dem im 20. Jahrhundert dann einhelligen Enthusiasmus von dem „jubelnden Frühlingslied" gesprochen (vgl. V. Hehn, *Über Goethes Gedichte*, S. 92). — Zur Interpretation des „Mailiedes" vgl. J. W. v. Goethe, *Werke*, Bd. I (¹⁴1989, Hamburger Ausgabe), S. 462.

3 A. Heusler, *Kleine Schriften*, Bd. I (1969), S. 478.

4 Vgl. Chr. A. Gabler, „Mailied", in: M. Friedlaender, *Gedichte von Goethe in Kompositionen*, Bd. I (1975), Nr. 6, S. 8.

5 Vgl. A. Heusler, *Kleine Schriften*, Bd. II (1969), S. 7 und 9.

stellt Gabler durch einen ostinat mit drei Achteln Auftakt rhythmisierten Dreivierteltakt

das metrische Schema, das Heusler den Gedichtzeilen zugrundelegt, überdeutlich heraus, während Beethovens auftaktiger Zweivierteltakt einen regelmäßig jambischen Gang einschlägt. Aber auch wenn man Heuslers metrischer Analyse beistimmt — als Kompositionen sind die beiden Lieder doch nicht zu vergleichen. Beethovens „Mailied" mit seinen nicht auf ausgeschriebene Wiederholungen reduzierbaren 125 Takten stehen zwölf Gablersche Takte gegenüber, deren Eckigkeit erst recht deutlich wird, wenn man sie mit einem ähnlich klein intendierten Gegenstand, etwa mit den 20 Takten von Beethovens „Blümchen Wunderhold" (op. 52, Nr. 8), vergleicht. Beethoven, der das von Heusler dem „Mailied" zugrundegelegte rhythmische Modell in dem dritten Lied aus op. 52, dem „Liedchen von der Ruhe", wirkungsvoll einsetzt,

scheint mehr beabsichtigt zu haben als eine metrische Studie.[1]

Wollte man den Unterschied zwischen den beiden Vertonungen des „Mailieds" indessen darin erblicken, daß Beethoven durch sein Eingehen auf die Eigenheit der einzelnen Strophen das Gedicht als Ganzes ins Auge fasse, so müßte man sehr überzeugend argumentieren. Zu entkräften wäre ein weiterer Vorwurf von der Seite der Literaturwissenschaft: „Es gibt viele Vertonungen des Mailiedes. Sie wirken fast alle quälend. Dieser Eindruck drängt sich vor allem dann auf, wenn sich der Musiker an den äußeren Aufbau hielt und strophig, zweistrophig oder dreistrophig komponierte. Der wahre Aufbau des lyrischen Vorgangs wird damit zerstört."[2] Wolfgang Kayser spricht im allgemeinen, aber sein Vorwurf trifft auch Beethoven und Gabler, die beide je drei Gedichtstrophen zu einer Liedstrophe zusammenfassen. Vielleicht genügten die acht Takte von Reichardts „gänzlich mißglückter" Vertonung[3], um Kayser zu seinem Verdikt gegen die Möglichkeiten der Musik zu führen und ihm den Gedanken nahezulegen, das Verhältnis von äußerer, strophischer Gliederung des Gedichtes und „lyrischem Vorgang" ausschließlich als Gegensatz darzustellen. Jedenfalls erblickt Kayser im „Mailied" geradezu die Vorstufe zu Gedichten, in denen Goethe die feste Strophik aufgibt. Den unbekümmert um Strophengrenzen sich entfaltenden „lyrischen Vorgang" beschreibt er als Ablauf dreier Phasen ungleicher Länge, die jeweils aus einem Anruf und einer Darstellung bestehen und denen als

1 Anders als Heusler gliedert W. Kayser Goethes „Mailied" nach zweihebigen Jamben (vgl. ders., *Geschichte des deutschen Verses,* S. 85).

2 W. Kayser, *Das sprachliche Kunstwerk* (^{20}1992), S. 165.

3 Vgl. M. Friedlaender, *Gedichte von Goethe in Kompositionen,* Bd. I (1975), S. 132b zu Nr. 6; Reichardts Lied ist abgedruckt in: *Das Erbe deutscher Musik,* Bd. LVIII, S. 45 (Nr. 50).

Abschluß ein selbständiger Ausruf folgt.[1] Mit seiner Unterscheidung verschiedener Schichten des Gedichtes bietet Kayser weitere Ansatzpunkte für den Vergleich der beiden Vertonungen.

Gabler unterlegt jeder Gedichtstrophe vier Takte Melodie. Die erforderlichen zwölf Takte erhält er, indem er die ersten vier Takte eines achttaktig angelegten Satzes wiederholt. (Aus a b wird a a b.) Auch bei Beethoven findet sich eine Wiederholung. Beethoven verteilt die ersten beiden Strophen auf acht und acht Takte und wiederholt letztere für die dritte Strophe. (Aus a b wird a b b.) Während Gablers Wiederholung nur die Kleingliedrigkeit seiner Vertonung sichtbar macht, erzielt Beethoven eine nachdrückliche Wirkung. Durch die energischeren Schritte der Melodie, durch die rhythmische Prägnanz ihres Ganges, durch die entschiedene Wendung zur Subdominante auf dem durch Oktavsprung erreichten Spitzenton, durch eine auf taktweise wechselnde Akkorde in weiter Lage zurückgenommene Begleitung, die alle diese Momente hervortreten läßt und sie harmonisch unterstützt: Durch solche Mittel sind die zweiten acht Takte von Beethovens Lied steigernd angelegt. Beethoven muß diese acht Takte nur wiederholen, um die Steigerung in der dritten Strophe fortzuführen. Um zu zeigen, wie genau Beethoven dem Duktus der drei Goetheschen Strophen folgt, sei auf das Enjambement zwischen zweiter und dritter Strophe hingewiesen. Diesem engen Anschluß entspricht es, daß die von Kayser konstatierte Zäsur in der Mitte der dritten Strophe durch eine doppelt erfüllte Reimerwartung überspielt wird: Nicht nur die zweite und vierte, sondern auch die erste und dritte Zeile reimen sich. Ein einheitlicher Zug geht durch die ersten drei Strophen des Gedichtes, und Beethoven realisiert ihn durch die Anlage seiner musikalischen Strophe. Nicht jede Wiederholung, so zeigt sich dabei, läßt sich auf bloßes Repetieren reduzieren.

Wie Gabler den ersten beiden Gedichtstrophen dieselbe Wendung unterlegt, so läßt er die zwölf Takte seines Liedes dreimal hintereinander unterschiedslos ablaufen, um die neun Gedichtstrophen zu vertonen. Beethoven dagegen trennt die drei musikalischen Strophen, indem er auf die dritte und auf die sechste Strophe ein ausführliches Zwischenspiel folgen läßt. Beethovens Zwischenspiel trennt den in der Mitte der dritten Strophe beginnenden zweiten Ausruf in zwei Teile:

III, 3 O Erd, o Sonne!
4 O Glück, o Lust!

IV, 1 O Lieb, o Liebe!
2 So golden schön...

Man wird nicht sagen können, daß Beethoven sich über ein durch Alliteration eng geknüpftes Enjambement nur hinwegsetzt. Das die ersten drei Strophen regierende Gefühl findet am Beginn der vierten Strophe zu seinem Begriff: „Liebe" allein, nicht „Erde, Sonne, Glück, Lust und Liebe" ist das Subjekt der vierten und fünften Strophe. Beethoven stellt dieses Subjekt deutlich an den Anfang seiner zweiten musikalischen Strophe. Andererseits schwenken die vielgerichteten Evokationen so leise auf den Begriff der Liebe ein und erhebt dieser sich erst bei seiner Wiederholung

1 Vgl. W. Kayser, *Das sprachliche Kunstwerk* ([20]1992), S. 165.

von dem bloßen Glied einer Assoziationskette zu einer selbständig tragenden Vorstellung, daß kein besseres Beispiel dafür gegeben werden kann, wie Strophik und Diktion in Goethes Gedicht ineinanderspielen. Dieses Ineinander kann in der von Beethoven gewählten Anlage des Liedes nicht dargestellt werden. Vielleicht deshalb setzt Beethoven eine entschiedene Zäsur und gibt dem Zwischenspiel zwölf Takte Raum. Nach der Regel 4 + 4 + 4 ist das Zwischenspiel melodisch und harmonisch in die drei Teile c d d gegliedert; es unterstützt durch diese Einteilung das a b b der Liedstrophen.

Neben entschiedenen setzt Beethoven auch sehr subtile Zäsuren. Auch die Entsprechung zwischen dem Beginn der vierten und dem Beginn der sechsten Strophe („O Mädchen, Mädchen“ nach „O Lieb, o Liebe“) wird in Beethovens Einteilung vorderhand nicht sichtbar, denn die sechste Strophe wird nicht als Beginn der dritten musikalischen Strophe, sondern als dritter Achttakter der zweiten musikalischen Strophe vertont. Beethoven trägt dem Parallelismus dennoch Rechnung. Die Zäsur zwischen syntaktisch abschließender fünfter und emphatisch neu einsetzender sechster Strophe steht im Ablauf der musikalischen Strophe an derselben Stelle wie das Enjambement zwischen zweiter und dritter Strophe. Beethoven unterscheidet die beiden Stellen durch eine melodische Abstufung nach „Halb“- und „Ganzschluß“, — eine Unterscheidung, die er zwischen dem Ende der zweiten und dem Ende der dritten Strophe, das heißt zwischen dem Schluß des zweiten Achttakters und dem Schluß seiner Wiederholung eingesetzt hatte: Anders als nach der zweiten läßt Beethoven die Melodie nach der fünften Strophe nicht auf der Terz enden, sondern führt sie zum Grundton der Tonika zurück:

Strophe	1	2	3	4	5	6
Achttakter	a	b^3	$\overset{\downarrow}{b_1}$	a	$\overset{\downarrow}{b_1}$	$\overset{\downarrow}{b_1}$

Walter Koller hat die Sonderstellung des „Halbschlusses“ am Ende des zweiten Achttakters nur beiläufig vermerkt. Er weist darauf hin, daß Beethoven diese Differenzierung ausglättete, als er das Lied in die zur Singspiel-Einlage bestimmte Arie „O welch ein Leben“ (WoO 91, Nr. 1) umarbeitete.[1] Wolfgang Kaysers Reserve gegenüber den Verfahrensweisen der Musiker wird ein Stück weit verständlich, wenn man den Gegenstand von Kollers Untersuchung betrachtet. Die Arie beruht ja überhaupt nur auf der allgemeinen, auf der parodierbaren Schicht des Gedichtes, und wie der Arientext das Goethesche Gedicht vergröbert, so sind aus der Musik mancherlei Differenzierungen herausgenommen zugunsten des Bühnenhaft-Plakativen: Der erste Ausruf des Gedichtes, „Wie herrlich leuchtet / mir die Natur!“, lautet in der Arie „O welch ein Leben!“; die letzten beiden Zeilen, „Sei ewig glücklich, / wie du mich liebst!“, werden zu „Seid auch so glücklich und freuet euch!“; die im Vorspiel des Liedes eingeschobenen Takte 11 und 12 sind in der Arie ausgefallen, wofür der Schluß der Einleitung durch fünf weitere kadenzierende Takte befestigt wird; die Taktverschränkung zwischen dem zweiten und dem dritten Viertakter, die in der Einleitung des Liedes durch die rhythmische Übereinstimmung und die melodische

1 Vgl. W. Koller, *Aus der Werkstatt der Wiener Klassiker*, S. 108.

Ähnlichkeit der Oberstimme hergestellt wird, ist in der Arie getilgt; die „Stretta“ bringt vier Wiederholungen der Schlußwendung.[1] Koller geht bei seinem Vergleich von den musikalischen Strophen als von dem Gegebenen aus. Dagegen erscheinen die von Koller beiseite gesetzten „geringfügigen Unterschiede in der Zäsurbildung an den Zeilenenden“[2] als die unverwechselbaren Kennzeichen eines Liedes, das durch seine Gliederung dem lyrischen Vorgang des Gedichtes folgt. Das wird besonders deutlich an einer Stelle, die Kaysers Argumente gegen eine regelmäßig-strophische Gliederung des Liedes geradezu herbeiruft. Das Enjambement zwischen der achten und der neunten Strophe erscheint als ein nahtloser Übergang:

VIII, 3	Die du mir Jugend
4	Und Freud' und Mut
IX, 1	Zu neuen Liedern
2	Und Tänzen gibst...

Für Beethoven handelt es sich um die Zäsur vor der Wiederholung des b-Teiles, die hier zum dritten Mal wiederkehrt. Beethoven erfindet eine neue Zäsur-Variante, die aus dem betrachteten „Halbschluß“ hervorgeht. Er läßt die ersten vier Takte der mit dem Beginn der neunten Strophe zu erwartenden Wiederholung des zweiten Achttakters ausfallen. Die zweiten vier Takte des Achttakters setzen auftaktig mit g'→f' ein und fügen sich nahtlos an den „Halbschluß“ es'→f'→as'→g' an:

„Mailied“, T. 29—34: Ende der zweiten und Beginn der dritten Strophe

„Mailied“, T. 103—108: Ende der achten und Beginn der neunten Strophe

Der Achttakter b und seine gekürzte Wiederholung verschmelzen zu einer neuen, zwölftaktigen Figur:

Strophe	7	8	9
			↓
	a	b³ ↑	1
Takte	8	8	4

Koller hat die Stelle einfacher beschrieben: „Die fünfte Zeile der letzten Strophe wird wie sonst die sechste vertont.“[3] Aber nur im buchstäblichsten Sinn ist seiner

1 Vgl. L. v. Beethoven, *Werke*, GA, Serie 25, Supplemente-Band, Nr. 270, S. 199—205.
2 W. Koller, *Aus der Werkstatt der Wiener Klassiker*, S. 108.
3 Ebenda, S. 109. — Koller gliedert durchweg nach drei Gesangsstrophen.

Darstellung zuzustimmen, wenn er an der zitierten Stelle weiterfährt: „Die Musik für die fünfte Zeile der ersten und zweiten Strophe verschwindet dadurch." Koller will zeigen, wie der junge Beethoven sich in die Allgemeinheit des Wiener klassischen Stils hineinarbeitet; so muß am Ende Beethovens Musik „verschwinden" zugunsten einer Wendung aus Mozarts *Zauberflöte*, die Koller in Beethovens Arie zitiert sieht.[1]

Fragt man dagegen, wie Beethoven Goethes Gedicht realisiert, so wird man darauf geführt, daß die ausgesparten vier Takte nicht zugunsten von etwas Neuem verschwinden: Nachdem der zweite Achttakter b bisher durch Wiederholung gesteigert wurde und nachdem der Unterschied zwischen Enjambement und syntaktischem Strophenschluß durch „Halb"- und „Ganzschluß" dargestellt worden war, wird der Achttakter nun durch Verlängerung um vier Takte gesteigert und wird das Enjambement nun auch von der Folgeseite her angeschlossen. Aber damit nicht genug. Wie Goethe der Gliederung des „lyrischen Vorgangs" nach Ausruf und Darstellung bleibt Beethoven dem Ablauf a b b treu: Auch der verlängerte und intensivierte b-Teil wird wiederholt. Und wie Goethe sein Gedicht beschließt, indem er am Ende Ausruf und Darstellung in einen „selbständigen Ausruf [...] in der Form eines Wunsches" zusammenfaßt[2], so könnte man hier, anstatt nur die Wiederholung hervorzuheben, davon sprechen, daß Beethoven den Vorgaben des veränderten b-Teils entsprechend mit Intensivierung und Verlängerung antwortet. Das betrifft zunächst die Melodie. Bei dem Vergleich mit Gabler hatte sich die entschiedene Wendung zur Subdominante beim Erreichen des Spitzentones als das wesentliche Kennzeichen des zweiten Achttakters herausgestellt. Der bisher in zwei Takten vollzogene Schritt T S erhält nun durch eine noch genauer zu beschreibende Vergrößerung zusätzliches Gewicht, gleichzeitig werden der Tonika- und der Subdominant-Abschnitt der Melodie durch Achtelbewegung belebt. Auch eine explizite Zusammenfassung läßt sich beobachten: Die Baßfigur der Zwischenspiele wird als Begleitung herangezogen. Das c d d der dreimal vier Takte, das bisher nur als Entsprechung zu dem a b b der Strophen erschien, zeigt nun noch eine weitere Bedeutung: Die vier und vier Takte der beiden d-Teile der Baßfigur nehmen dieselbe Wendung zur Subdominante wie die elidierten vier Anfangstakte des zweiten Achttakters: Der harmonische Gang T S D D der Begleitung entspricht dem ausgefallenen T S T D. In der solcherart begleiteten Melodie indessen findet die für den Einsatz des Zwischenspieles charakteristische Taktverschränkung nicht statt; die Melodie setzt einen Takt später ein. Der Eintritt der Subdominante wird dadurch auf den ersten Schlag des ersten Taktes des Viertakters, auf seinen Schwerpunkt, verschoben. Während der harmonische Gang der Begleitung dem dominantisch endenden Vordersatz der Melodie entspricht, zeigt die neue Melodie den Gang D T D T S D D T S D D T, reiht also — die vorausgegangene, unmittelbar anschließende Wiederholung des Nachsatzes steigernd — drei Nachsätze aneinander:

1 Koller erblickt den Hauptunterschied zwischen Lied und Arie darin, daß die eine Quinte hindurch absteigende Melodie, die in der „Stretta" des Liedes auftritt, in der Arienfassung bereits in den Zwischenspielen erscheint, und vermutet, daß das Zwischenspiel von Papagenos Arie „Der Vogelfänger bin ich ja" aus Mozarts *Zauberflöte* Beethoven zu dieser Änderung bewegt haben könnte (vgl. ebenda, S. 118f.).

2 W. Kayser, *Das sprachliche Kunstwerk* ([20]1992), S. 165.

	a b^3↑ b_1↓		a b_1↓ b_1↓		a b^3↑ $_1$↓	b'	
x		y		y		y'	z
	8 8 8		8 8 8		8 8 4	4 4 4	5
14		4 4 4 2		4 4 4 2		4 4 4	2 2 2
Vorspiel	Strophen 1—3	Zwischen-spiel	Strophen 4—6	Zwischen-spiel	Strophen 7—9	Zwischenspiel als Begleitung	Schlußtakte

Koller beschreibt diese letzten zwölf Melodietakte als „eine kleine Schlußstretta mit den typischen Textwiederholungen". Wolfgang Kayser dagegen hätte sich angesichts des Schlußwunsches

> Sei ewig glücklich
> wie du mich liebst!

wohl gegen alles melodische Wiederholen gewandt. Beide Argumente scheinen recht eigentlich nur für die Arie WoO 91, Nr. 1 zuzutreffen, die Beethoven durch ihren vierfachen Kehraus sorgfältig von dem Lied unterschieden hat.

Michael Maier

Klaviersonate C-Dur „Waldsteinsonate" op. 53 (zusammen mit dem Andante favori F-Dur WoO 57)

ENTSTEHUNGSZEIT: Skizzen von op. 53 (ohne Introduzione) und Andante WoO 57: um Dezember 1803 bis Anfang Januar 1804 (nach R. W. Wade, *Beethoven's Eroica Sketchbook*, S. 270f.); Angebot der Sonate op. 53 an Breitkopf & Härtel in Leipzig am 26. August 1804.
ERSTAUFFÜHRUNG: unbekannt.
SKIZZEN: zum ersten Satz, dem Andante WoO 57 und dem letzten Satz in der Biblioteka Jagiellońska Krakau, Landsberg 6, Eroica-Skizzenbuch; zur nachkomponierten Introduzione sind keine Skizzen überliefert.
AUTOGRAPH: op. 53: Beethoven-Haus Bonn, Mh 7; Faksimileausgabe: Bonn 1954 (dazu D. Weise, *Zum Faksimiledruck*); WoO 57: unbekannt.
ERSTDRUCK UND WIDMUNG: op. 53: Wien 1805 (Bureau des Arts et d'Industrie); WoO 57: Wien 1806, vermutlich aber schon im Herbst 1805 (Bureau des Arts et d'Industrie); op. 53 ist Graf Ferdinand v. Waldstein gewidmet.
GESAMTAUSGABEN: Alte Gesamtausgabe: op. 53: Nr. 144 = Serie 16 Nr. 21; WoO 57: Nr. 192 = Serie 18 Nr. 10; Neue Gesamtausgabe: Abt. VII, Bd. 3.

„Sonata grande" lautet die Überschrift des Autographs. Groß ist die Sonate C-Dur in ihrer Ausdehnung, in erster Linie nach der Dauer, doch auch nach dem Tonumfang, der die üblichen fünf Oktaven vom Kontra-F in der Höhe um eine große Terz bis zum a''' überschreitet; groß ist sie in ihrer brillanten Virtuosität, die sie zum Prüfungsstück avancieren ließ. Die Größe erschreckte die Zeitgenossen, gerade solche, die dem Komponisten nahestanden. Wie die Anekdote festhält, stießen sie sich an der Dauer und befanden, die Sonate sei zu lang. Beethoven beugte sich, nahm den langsamen Mittelsatz, ein „Andante grazioso con moto" in F-Dur, heraus und ersetzte ihn durch eine „Introduzione" zum letzten Satz. So erschien die Sonate im Druck mit zwei Sätzen, dem eröffnenden „Allegro con brio" und dem schließenden, mit einer Einleitung „Adagio molto" versehenen Rondo „Allegretto moderato", das in einem „Prestissimo" ausklingt. Das eliminierte „Andante" folgte separat und erhielt wegen seiner Beliebtheit bald den Zusatz „favori". Die Originalausgabe der beiden anderen Sätze kündigt indessen noch immer eine „Grande Sonate" an. Trotz der Kürzung blieb die Sonate groß.

Dieser Größe sei hier hauptsächlich nachgegangen, und zwar ihrem grundlegenden Aspekt: der Ausdehnung. Die Frage lautet: Wie hat Beethoven die Sonate und ihre einzelnen Sätze groß gemacht? Wie hat er ihre damals ungewöhnliche Ausdehnung konstruiert? Ausdehnung wird meßbar in Takten. Doch mißt Beethoven nicht rein quantitativ nach Takten, sondern nach der qualitativen Einheit von Taktgruppen. Diese übergeordnete Einheit besteht im Ansatz, wo nicht immer, so doch meist, aus vier Takten. Aber es gibt ein flexibles Repertoire von Möglichkeiten, diesen Ansatz aktuell zu verändern, vorwiegend zu erweitern. So wichtig und lehrreich indessen die Bildung der Taktgruppen im einzelnen ist, sie ist nicht der Punkt. Das Ziel der Untersuchung ist vielmehr zu zeigen, daß Beethoven die Formglieder und Formteile der drei Sätze und die drei Sätze des Werks in seiner ungekürzten Fassung am qualitativen Maßstab der Einheit von Taktgruppen aufeinander bezogen, zueinander ins Verhältnis gesetzt hat.[1]

Der erste Satz, ein Sonatenhauptsatz, umfaßt 65 Taktgruppen. Davon entfallen auf die Exposition 20, auf die Durchführung 15, auf die Reprise, wie auf die Exposition, 20, auf die Coda 10. Tabelle 1 gibt für jeden Formteil die Zuordnung von Formgliedern, Taktgruppen und Takten.[2]

1 Vgl. U. Siegele, *Beethoven. Formale Strategien,* wo dies für die ersten Sätze der Quartette op. 127, 130, 132 und 135 ausgeführt ist; außerdem A. Förster, *Grande Sonate.*

2 Angefügt seien hier die internen Schemata der Taktgruppen, die eine andere Anzahl als 4 Takte umfassen. In Klammern stehen die Takte, die die Basis der Vierzahl erweitern; 4 = 1 meint, daß der vierte Takt einer Taktgruppe mit dem ersten Takt der nächsten zusammenfällt. Exposition 1: (1) 1 2 (2) (3) 3 4 (4); 2: 1 (1) 2 3 4; 3: (1) 1 2 (2) (3) 3 4 (4) (4); 10: 1 2 3 4 = 1. Durchführung 1: (1) 1 2 (2) 3 (3) 4 = 1; 12 und 14: 1 2 (1) (2) 3 4. Reprise 1 = Exposition 1; 2: 1 (1) 2 3 4 (3) (4); 3: 1 2 3 4 = 1; 4: (1) 1 2 (2) (3) 3 4 (4) (4) (4); 11 = Exposition 10; 20: 1 2 3 4 (3) (4). Coda 1 = Durchführung 1; 3: (1) (1) (1) 1 2 (2) (3) 3 4 (4) (4) (4) (4); 8: 1 2 3 (3, auf zwei Takte gedehnt) (3, desgleichen) 4 = 1; 9: (1) 1 2 3 4 = 1.

Exposition			Reprise		
Erster Hauptsatz	1	1— 8	Erster Hauptsatz	1	156—163
	2	9— 13		2	164—170
Modulation	3	14— 22	Einschub	3	171—173
	4	23— 26	Modulation	4	174—183
	5	27— 30		5	184—187
Einleitung	6	31— 34		6	188—191
Zweiter Hauptsatz	7	35— 38	Einleitung	7	192—195
	8	39— 42	Zweiter Hauptsatz	8	196—199
Wiederholung	9	43— 46		9	200—203
	10	47— 49	Wiederholung	10	204—207
Schlußsätze	11	50— 53		11	208—210
	12	54— 57	Schlußsätze	12	211—214
	13	58— 61		13	215—218
	14	62— 65		14	219—222
	15	66— 69		15	223—226
	16	70— 73		16	227—230
Überleitung	17	74— 77		17	231—234
	18	78— 81	Überleitung	18	235—238
	19	82— 85		19	239—242
	20	86— 89		20	243—248
Durchführung			**Coda**		
Eröffnung	1	90— 95	Eröffnung	1	249—254
Erste Modulation	2	96— 99		2	255—258
	3	100—103	Solokadenz	3	259—271
	4	104—107		4	272—275
	5	108—111		5	276—279
Zweite Modulation	6	112—115		6	280—283
	7	116—119	Zweiter Hauptsatz	7	284—287
	8	120—123		8	288—294
	9	124—127	Stretta	9	295—298
	10	128—131		10	299—302
	11	132—135			
	12	136—141			
Rückleitung	13	142—145			
	14	146—151			
	15	152—155			

Tabelle 1: Formglieder, Taktgruppen und Takte des ersten Satzes

Allerdings wäre es voreilig, aus den auf die einzelnen Formteile entfallenden Zahlen auf eine Proportionierung nach der Einheit von 5 Taktgruppen im Verhältnis 4:3:4:2 zu schließen. Die Skizzen zum ersten Satz lassen zwei Phasen der formalen Disposition erkennen. Barry Cooper, der eine luzide Analyse dieser Skizzen vorge—legt hat, schätzt den ersten Entwurf des Satzes auf 190, die einzelnen Formteile auf 61, 38, 63 und 28 Takte.[1] Diese Zahlen liegen erstaunlich nahe bei den Zah-

1 Vgl. B. Cooper, *The Evolution,* S. 176.

len des ersten Satzes des F-Dur-Quartetts op. 135, der insgesamt 193, dessen einzelne Formteile 62, 41, 60 und 30 Takte umfassen. Das sind 14, 8, 14 und 6, zusammen also 42 oder 3mal 14 Taktgruppen.[1]

Erster Hauptsatz	1	Erster Hauptsatz	1
	2		2
Modulation	3	Modulation	3
	4		4
	—		5
Einleitung	5	Einleitung	6
Zweiter Hauptsatz	6	Zweiter Hauptsatz	7
	(7)		8
	—	Wiederholung	9
	—		10
	—	Schlußsätze	11
	—		12
	—		13
	—		14
Schlußsatz	9		15
	10		16
Überleitung	11	Überleitung	17
	12		18
	(13)		19
	(14)		20

Tabelle 2: Exposition des ersten Satzes, Anfangs- und Endphase

In der Tat nun scheint das im Skizzenbuch S. 122/1—10 skizzierte Material eine Exposition von 14 Taktgruppen zu intendieren. Wie Tabelle 2 zeigt, sind Anfang und Ende der Exposition vorhanden (die in Klammern gesetzten Taktgruppen sind mit den unmittelbar vorhergehenden gegeben). Cooper nimmt an, daß Beethoven in dieser Phase dazwischen nicht mehr als 4 oder 5 Takte, also eine Taktgruppe, die dann als achte die Schlußsätze eröffnet, zu ergänzen beabsichtigte.[2] Somit ist in der Anfangsphase die Gesamtzahl der Taktgruppen vor dem Beginn der Schlußsätze halbiert. Da in jeder Hälfte dieselbe Anzahl von 3 Taktgruppen hinzugefügt wird, gilt das auch für die Endphase.

Die erste Verlaufsskizze der Durchführung, S. 122/15—18 und 124/1—2, umfaßt 8 Taktgruppen.[3] Wie Tabelle 3 zeigt, gehören der Eröffnung und ersten Modulation 3, der zweiten Modulation 2 und der Rückleitung 3 Taktgruppen. Die 3 Taktgruppen der Eröffnung und ersten Modulation, die in F-Dur, g-Moll und c-Moll beginnen, besitzen den harmonischen und thematischen Duktus der Endphase. Die 2 Taktgruppen der zweiten Modulation, die auf f und c (eher Moll als Dur) beginnen, führen die Akkordbrechungen in Achteltriolen ein, die dann auf die ersten beiden Taktgruppen der Schlußsätze von Exposition und Reprise übertragen werden. Die

1 Vgl. U. Siegele, *Beethoven. Formale Strategien,* S. 114—177.
2 Vgl. B. Cooper, *The Evolution,* S. 174.
3 Anders als bei Cooper (ebenda, S. 174f.) ist für die Lücke am Beginn von Zeile 18 die Wiederholung in der Unterquart nicht aller, sondern nur der ersten beiden der vorhergehenden 4 Takte anzunehmen, die Fortsetzung S. 124/1—2 als zur Durchführung, genauer: zu ihrer Rückleitung gehörig zu betrachten und in Zeile 3 eine eigene Skizze zu sehen, die nicht unmittelbar an Zeile 2 anschließt.

erste und dritte Taktgruppe der Rückleitung stehen auf der V. Stufe, während die zweite Taktgruppe, mit der I. Stufe beginnend, thematisch auf die Eröffnung zurückgreift.

Eröffnung	1	Eröffnung	1
Erste Modulation	2	Erste Modulation	2
	3		3
	-		4
	-		5
Zweite Modulation	4	Zweite Modulation	6
	5		7
	-		8
	-		9
	-		10
	-		11
	-		12
Rückleitung	6	Rückleitung	13
	7		14
	8		15

Tabelle 3: Durchführung des ersten Satzes, Anfangs- und Endphase

Von der Reprise gibt es in dieser Phase keine Verlaufsskizze; doch liegt es nahe, für sie, wie für die Exposition, 14 Taktgruppen anzusetzen. Die Verlaufsskizze der Coda S. 124/7b—11[1] ist zu fragmentarisch, um daraus die Zahl der Taktgruppen bestimmen zu können; doch spricht nichts dagegen, die Zahl 6 anzunehmen.

Die Erweiterung zur Endphase setzt bei der Durchführung ein und geht Abschnitt für Abschnitt vor. Die Skizze S. 127/8—12 fügt den 3 Taktgruppen der Eröffnung und ersten Modulation die vierte und fünfte Taktgruppe an. Die erste und zweite Taktgruppe der zweiten Modulation beginnen wie zuvor in f-Moll und c-Moll. Dann wird der Verlauf unklar, vor allem aber dadurch revidiert, daß auf Zeile 15 eine neue erste Taktgruppe vorangestellt wird, deren triolische Akkordbrechungen in C-Dur beginnen. Die Skizze S. 128/1—2, 4—6 gibt der zweiten Modulation den Duktus der Endphase, erweitert sie also auf 7 Taktgruppen. Die Skizze S. 128/10—13 bringt eine etwas veränderte Version der letzten 4 Taktgruppen der zweiten Modulation und fügt die 3 Taktgruppen der Rückleitung an, die im Prinzip auf die Endphase zielen, also harmonisch durchgehend auf der V. Stufe stehen und thematisch auf einen Rückgriff auf die Eröffnung verzichten.[2] Allerdings war der Gedanke eines solchen Rückgriffs noch nicht völlig verworfen; die alternative Skizze der Rückleitung S. 128/16—18 (dazu S. 129/18 der Baß für den viert- bis vorletzten Takt) führt ihn in der ersten Taktgruppe extensiv aus. Damit stand die Erweiterung der Durchführung von den 8 Taktgruppen der Anfangs- auf die 15 Taktgruppen der Endphase fest. Die Arbeit an der Durchführung war der Ansatz für die Vergrößerung der formalen Disposition.

Hierauf wird S. 129/1—14 die Endphase der Reprise niedergelegt. Sie umfaßt hier 21 Taktgruppen, also eine Taktgruppe mehr als die Endphase der Exposition.

1 Vgl. B. Cooper, *The Evolution*, S.176.
2 Vgl. ebenda, S. 181.

Das rührt daher, daß gegenüber der Exposition an dritter Stelle eine (schon zuvor S. 127/1 skizzierte) Taktgruppe eingeschoben ist. Im Autograph wird das dann dadurch kompensiert, daß die Zahl der Taktgruppen der Überleitung gegenüber der Exposition von 4 auf 3 vermindert wird. In der Skizze stehen die Takte 245—246 doppelt; ihre Verdoppelung bildet mit den Takten 247—248 eine eigene, die 21. Taktgruppe. Im Autograph unterbleibt die Verdoppelung; infolgedessen rechnen die Takte 247—248, als Korrektur des Tongeschlechts, zur vorhergehenden 20. Taktgruppe.

Von der Coda gibt es zwei Skizzen der Endphase, S. 130/1—9 und S. 130/15—18, 131/16—18, 132/1—4.[1] Die eine Skizze (A) umfaßt 10, die andere (B) 11 Taktgruppen. Hier ist zwischen zweitem Hauptsatz und Stretta eine Taktgruppe eingeschoben. Gegenüber Skizze A ist Skizze B die maßgebende Alternative für die Taktgruppen 3—6, während ihr Vorschlag für Taktgruppe 1, Taktgruppe 8 und die danach eingeschobene Taktgruppe nicht weiter berücksichtigt wird, sie in den Taktgruppen 2, 7 und 9—10 keine eigenen Wege geht.[2]

Aus der anzunehmenden Anfangsphase mit 42 Taktgruppen in der Unterteilung 14, 8, 14 und 6 ist die Endphase mit 65 Taktgruppen in der Unterteilung 20, 15, 20 und 10 geworden. Die Idee der Endphase scheint zu sein, die Anfangsphase im Ganzen und in jedem Teil um die Hälfte ihrer Taktgruppen zu erweitern. Das bedeutet zunächst im Ganzen 63, in den Teilen 21, 12, 21, 9. In einem nächsten Schritt wird die Anzahl der Taktgruppen in Exposition und Reprise um 1 vermindert, zum Ausgleich in Durchführung und Coda um 1 vermehrt: 20, 13, 20, 10.

Die Durchführung wird dann, ohne Ausgleich innerhalb des Satzes, um 2 Taktgruppen über den gegebenen Rahmen hinaus erweitert, so daß die Anzahl ihrer Taktgruppen auf 15, die Anzahl der Taktgruppen des ganzen Satzes auf 65 steigt. Es könnte scheinen, als sei diese Annahme abstrakt und entbehre jeder Grundlage im kompositorischen Tatbestand. Aber einerseits werden, wie noch zu zeigen sein wird, diese 2 Taktgruppen im letzten Satz wiedererstattet, also zwischen den Sätzen und im Rahmen des ganzen Werks ausgeglichen, andererseits läßt sich diese innerhalb des Formteils und des Satzes überschießende Erweiterung lokalisieren. Denn es läge nahe, daß in der Endphase die zweite Modulation der Durchführung, ebenso wie ihre Eröffnung und erste Modulation, 5 Taktgruppen umfaßt. Die 2 hier überschießenden Taktgruppen gehen aufs Konto der überschießenden Modulation. Diese Modulation, die in zwei Halbtonschritten steigt und sich dabei in der Notation der enharmonischen Verwechslung bedienen muß, überschreitet mit der Grenze des Quintenzirkels auch den zur Verfügung stehenden Rahmen der Taktgruppen.[3]

Die Erweiterung einer Grundzahl von Taktgruppen zur tatsächlichen Zahl des ausgeführten Stücks kann beim ersten Satz mit Hilfe der Skizzen als Differenz zwi-

1 Die erste Skizze bei B. Cooper, *The Evolution,* S. 183, die zweite von Taktgruppe 7 an bei G. Nottebohm, *Ein Skizzenbuch*, S. 60 (im drittletzten Takt ist die zweite Note g'' zu lesen).

2 Das Schlußpaar schon S. 126/17 (B. Cooper, *The Evolution*, S. 178, Ex. 8).

3 Wird in Taktgruppe 9 zwischen den beiden Harmonien es-Moll in Quartsext- und Fis-Dur in Sextstellung die reguläre Auflösung des es-Moll nach b-Moll in Grundstellung angenommen und dieses b-Moll als Ausgangspunkt, das c-Moll am Beginn von Taktgruppe 11 als Ziel betrachtet, dann zeigt sich, daß hier dasselbe Modulationsmodell vorliegt, das am Anfang der Durchführung des ersten Satzes der *Sinfonia eroica* op. 55, T. 178ff., von c-Moll über cis-Moll nach d-Moll führt.

schen Anfangsphase und Endphase gezeigt werden. Die Größe der Ausdehnung wird also nicht als solche gesetzt, sondern methodisch hergestellt. Diese Methode der Herstellung von Größe der Ausdehnung ist im ursprünglichen zweiten Satz, dem Andante F-Dur, WoO 57, und im letzten Satz, die beide in der Form eines Rondos stehen, ohne Hilfe der Skizzen noch im ausgeführten Stück erkennbar.

Der Refrain des Andante umfaßt 6 Taktgruppen, von denen die erste und zweite als fünfte und sechste variiert wiederholt werden. Von den beiden mittleren ist die dritte auf 8 Takte gedehnt. Sie führt in die Ferne, aus der während der vierten Taktgruppe der Hörnersatz pianissimo in Des-Dur erklingt; ihm sind 2 Takte angefügt, die die Entrückung zurückholen ins Hier und Jetzt. Der Refrain (T. 1—30) wird zweimal in figurativer Variation wiederholt (T. 52—81 und 102—131). Dazwischen stehen die beiden Couplets. Das erste (T. 31—51) umfaßt 4 Taktgruppen, von denen die letzte um 3 Takte eines Trugschlusses mit Korrektur (T. 46—48) und 2 Takte einer Rückleitung (T. 50—51, die Takte je auftaktig gerechnet) erweitert ist. Das zweite Couplet (T. 82—101) umfaßt 5 Taktgruppen. Sie sind gegliedert in die zweimal 2 der Wiederholungsteile (deren durch Zeichen geforderte Wiederholungen nicht eigens rechnen) und eine der Rückleitung. Diese fünf Formglieder sind das Rondo im engen Sinn. Wie Tabelle 4 zeigt, umfassen die drei Auftritte des Refrains 18, die beiden Couplets 9, das Rondo im engen Sinn 27 Taktgruppen. Die Auftritte des Refrains beanspruchen doppelt soviele Taktgruppen wie die Couplets.

Die Coda, die folgt, ist die Erweiterung. Sie umfaßt einen zweigeteilten, im Klangraum und in der Zeit gedehnten Widerhall des Refrains und zwei Fantasien, die die klavieristische Virtuosität weiter steigern. Die Coda beginnt mit einer Fantasie; sie umfaßt 6 Taktgruppen (T. 132—156), deren erste um einen Takt gedehnt ist. Hierauf folgen 2 Taktgruppen des Refrains (T. 157—160 und 161—166), in deren zweiter jeder der drei ersten Takte auf das Doppelte gedehnt ist. Der Eintritt des vierten Takts wird von der mit einem Trugschluß eingeführten Fantasie, die 3 Taktgruppen (T. 167—178) umfaßt, verzögert (bis T. 179). Dann klingt noch einmal der Refrain in 4 Taktgruppen auf (sie setzen in den Takten 180, 188, 194 und 199 ein). Der Widerhall des Refrains umfaßt 6, die Fantasien umfassen 9, die Coda 15 Taktgruppen. Die Fantasien beanspruchen anderthalbmal soviele Taktgruppen wie der Widerhall des Refrains.

Grundbestand Rondo		Erweiterung Coda	
Refrain	Couplets	Refrain	Fantasien
6			
	4		
6			
	5		
6			
			6
		2	
			3
		4	
18	9	6	9
27		15	

Tabelle 4: Andante, Formplan

Das Rondo im engen Sinn umfaßt 27, die Coda 15 Taktgruppen. Nach den Beobachtungen über das Verhältnis von Anfangs- und Endphase des ersten Satzes liegt die Vermutung nahe, daß dem Rondo im engen Sinn eine Taktgruppe mehr, der Coda eine Taktgruppe weniger zukomme (und tatsächlich könnte ja zum Rondo im engen Sinn am Ende eine Taktgruppe mehr, etwa die letzte des Stücks, gehören). Dann wäre, wie im ersten Satz, die Grundzahl der Taktgruppen, 28, um die Hälfte, 14, auf 42 erweitert. Um die beiden Sätze in Beziehung setzen zu können, sind Taktart und Tempo in Betracht zu ziehen. Czerny überliefert für den ersten Satz, unter dem Zeichen des undurchstrichenen Halbkreises im Vierviertel- oder besser Zweihalbetakt, Halbe 88, für das Andante im Dreiachteltakt Achtel 92, zwei Tempi, die für den vorliegenden Zweck gleichgesetzt werden dürfen.[1] Von diesem Maß kommen auf eine Taktgruppe des ersten Satzes 8, auf eine Taktgruppe des Andante 12 Schläge. Eine Taktgruppe des Andante rechnet also das Anderthalbfache einer Taktgruppe des ersten Satzes. Bezogen auf den ersten Satz ergibt sich somit rechnerisch für das Andante eine Grunddauer von 42, eine Erweiterung von 21, eine Gesamtdauer von 63 Taktgruppen. Bleiben die 2 überschießenden Taktgruppen des ersten Satzes außer Betracht, sind der erste Satz und das Andante identisch disponiert.

Der letzte Satz, ebenfalls ein Rondo, steht im Zweivierteltakt; er beginnt mit einem Refrain, der 6 Taktgruppen umfaßt und sogleich variiert wiederholt wird (T. 1—62). Der Refrain selbst besteht aus zweimal 2 Taktgruppen; die prima volta endet in 2 Taktgruppen eines freien Halbschlusses, die seconda volta in 2 Taktgruppen eines thematischen Ganzschlusses. Die vierte Taktgruppe, die letzte des Refrains selbst, ist in der prima volta auf 10, in der seconda volta auf 12 Takte gedehnt. Für die formale Disposition rechnet die Wiederholung, wiewohl variiert, nicht eigens. Der Refrain ist deshalb mit 6 Taktgruppen anzusetzen. Das erste Couplet (T. 63—113) in der Parallele a-Moll umfaßt 11 Taktgruppen; davon gehören 2 der Einleitung, 6 dem Couplet selbst (davon die letzte auf 7 Takte gedehnt), 3 der Rückleitung (davon die letzte auf 8 Takte gedehnt). Hierauf folgt der Refrain (T. 114—175). Das zweite Couplet in der Variante c-Moll (T. 176—220) umfaßt 5 Taktgruppen; davon werden die erste und zweite im Anschluß, desgleichen die dritte und vierte variiert wiederholt, die fünfte auf 13 Takte gedehnt. Wie stets, rechnen auch hier die Wiederholungen einer Gruppe von Taktgruppen, wiewohl variiert, für die formale Disposition nicht eigens. An dieses zweite Couplet könnte der Refrain unmittelbar anschließen. Statt dessen aber folgt eine Erweiterung von 17 Taktgruppen (T. 221—312). Sie sind drei zu drei gegliedert; nur die letzten beiden bilden ein Paar. Die Taktgruppen 3 und 12 sind auf 10, die Taktgruppe 17 ist auf 8 Takte gedehnt; die Taktgruppen 7, 8, 9 und 15 scheinen genuine Sechstakter zu sein. Nach dieser Erweiterung tritt der Refrain, den sie aufgeschoben hat, ein, doch, da die Erweiterung mit einem Halbschluß endet, nur seine seconda volta und diese sogleich fortissimo (T. 313—344). Fehlte die Erweiterung, ginge selbstverständlich auch hier der seconda volta die prima volta voraus.

Die Coda wird von einer Einleitung eröffnet, die zu den Erweiterungen gehört und wie die Einleitung zum ersten Couplet anhebt (T. 345—402). Ihre 14 Taktgrup-

1 Vgl. C. Czerny, *Über den richtigen Vortrag* (1963), § 28 und 40; R. Riehn, *Beethovens originale* [...] *Metronomisierungen*, S. 91 und 95.

pen sind in 8 und 6 gegliedert, davon die achte auf 6 Takte gedehnt. Die Fortsetzung steht unter dem Zeichen des durchstrichenen Halbkreises im Zweihalbe- oder besser Ganzetakt. Die 16 Taktgruppen der Coda selbst werden nach der neunten Taktgruppe von einer Erweiterung unterbrochen; diese Erweiterung wird mit einem Trugschluß eingeführt, umfaßt 18 Taktgruppen und hat den Charakter einer breit ausgeführten Solokadenz. Der Coda selbst gehören die Takte 403—440 und 515—543, der Erweiterung die Takte 441—514. Drei Taktgruppen sind auf 6 Takte gedehnt: 8 und 12 der Coda (T. 431—436 und 523—528), 16 der Erweiterung (T. 501—506); der vierte Takt der letzten Taktgruppe des Stücks, ein Pausentakt, ist nicht eigens notiert.

Für die Betrachtung der formalen Disposition ist zunächst das Verhältnis des Zweivierteltakts Allegretto moderato und des Ganzetakts Prestissimo zu bestimmen. Czerny überliefert für den einen Viertel 88, für den anderen Ganze 88. Das bedeutet, daß eine Taktgruppe des Prestissimos soviel wie eine halbe Taktgruppe des Allegro moderatos rechnet und unter dieser Voraussetzung später die Taktgruppen des letzten mit den Taktgruppen des ersten Satzes gleichgesetzt werden können. Wie Tabelle 5 zeigt, summieren sich der erste Eintritt des Refrains und das erste Couplet auf 17, der zweite Eintritt des Refrains, das zweite Couplet und der dritte Eintritt des Refrains ebenfalls auf 17 Taktgruppen. Die Erweiterung, die zwischen zweitem Couplet und drittem Eintritt des Refrains eingefügt ist, zählt wieder 17 Taktgruppen. Die Taktgruppen des Prestissimos summieren sich auf 34, sind aber für den Vergleich zu halbieren und rechnen deshalb als 17. In diesem Zusammenhang sind die 14 Taktgruppen der Einleitung zur Coda als 17 minus 3 zu verstehen. Der Grundbestand setzt sich aus den drei Eintritten des Refrains 18, den beiden Couplets 16 und der Coda 8 zusammen, umfaßt also 42 Taktgruppen. Die Erweiterungen summieren sich auf 40 Taktgruppen. In diesem Zusammenhang sind die 14 Taktgruppen der Einleitung zur Coda als 16 minus 2 zu verstehen. Hier sind die 2 Taktgruppen eingespart, die im ersten Satz überschießen. Den 42 Taktgruppen des Grundbestands stehen 42 minus 2 Taktgruppen der Erweiterungen gegenüber.

Grundbestand Refrain	Couplets	Coda	Erweiterungen
6			
	11		
6			
	5		
			17
6			
			14
		9:2	
			18:2
		7:2	
18	16	8	40
	42		42-2

Tabelle 5: Letzter Satz, Formplan

Alle drei Sätze gehen von demselben Grundbestand von 42 Taktgruppen aus. Bleibt der Ausgleich der 2 überschießenden Taktgruppen des ersten Satzes im dritten Satz unberücksichtigt, dann erweitern der erste und der zweite Satz den allen gemeinsamen Grundbestand je um die Hälfte, während der dritte Satz ihn verdoppelt. Auf Einheiten von 21 Taktgruppen bezogen, ergibt sich dieses Bild:

Satz	Grundbestand	Erweiterung	Summe
I	2	1	3
II	2	1	3
III	2	2	4
I—III	6	4	10

Die Methode zur Herstellung von Größe der Ausdehnung ist die proportionale Erweiterung des Grundbestands. Hätte Beethoven eine Sonate in der Ausdehnung des Grundbestands von 6 Einheiten komponiert, wäre sie von normaler Dauer gewesen und hätte in dieser Hinsicht bei den Zeitgenossen keinen Anstoß erregt, allerdings auch der eindrücklichsten Abschnitte entbehrt. Die Erweiterungen von 4 Einheiten machten die Ausdehnung groß, für die Zeitgenossen zu groß, schufen Raum für innere Größe. Beethoven nahm den zweiten Satz, der für sich gefiel, heraus und reduzierte dadurch die Ausdehnung gerade um die 3 Einheiten, um die der Grundbestand der beiden anderen Sätze erweitert war, auf 7 Einheiten, also immer noch eine Einheit mehr als der Grundbestand aller drei Sätze zusammen. Die „Introduzione" zum letzten Satz, die er statt dessen einfügte, ist gegenüber dem gebundenen System von erstem und letztem Satz als exterritoriale Erweiterung zu betrachten. Sie beginnt merkwürdigerweise mit F-Dur, als ob das Andante, das doch getilgt ist, vorherginge, und ist, wie Carl Dahlhaus sagt, substantiell durch den chromatisch fallenden Quartgang mit dem ersten, funktional durch den Halbschluß mit dem letzten Satz verknüpft.[1] Zudem endet sie auf dem dritten Takt einer Taktgruppe, deren vierter Takt sodann mit dem Beginn des Rondos zusammenfällt.[2]

Das Ergebnis ist eindeutig. Trotzdem bestünden Bedenken, es als Ziel dieser Analyse zu wählen, wenn nicht die *Sinfonia eroica* op. 55 dieselben Prinzipien formaler Konstruktion erkennen ließe. Obwohl die Betrachtungsweise an Bachschen Fugen entstand[3], wird hier nicht Beethoven mit dem Maßstab Bachs gemessen. Vielmehr ist der Blick auf beide an der seriellen Musik geschult. Sowohl Bach als auch Beethoven halten diesem kompromißlosen musiktheoretischen Denken des gegenwärtigen Jahrhunderts stand.

Ulrich Siegele

1 Vgl. C. Dahlhaus, *Ludwig van Beethoven und seine Zeit*, S. 40.

2 Von den 6 Taktgruppen sind die ungeradzahligen unveränderte Viertakter; die internen Schemata der geradzahligen lauten: 1 2 (2) 3 4, 1 2 3 4 = 1, 1 (1) (1) (1) (1) 2 (2) 3 4 = 1. — Eine Taktgruppe der Grundform umfaßt 4 Sechsachteltakte, also 24 Schläge. Für den Vergleich ist also mit dreimal 6 = 18 Taktgruppen zu rechnen. Czerny überliefert als Tempo Achtel 56. Das ist etwa zwei Drittel von 88. Für den Vergleich sind folglich die errechneten 18 Taktgruppen auf das Anderthalbfache, auf 27 zu erhöhen. Von den 63 rechnerischen Taktgruppen, die durch die Herausnahme des Andante gespart werden, werden 27 rechnerische Taktgruppen von der Introduzione in Anspruch genommen. So bleibt eine Ersparnis von 36 rechnerischen Taktgruppen. Das ist eine Taktgruppe mehr als der sechste Teil der ungekürzten Gesamtdisposition von zehnmal 21 = 210 Taktgruppen.

3 Vgl. U. Siegele, *Zur Analyse der Fuge c-Moll*.

Klaviersonate F-Dur op. 54

ENTSTEHUNGSZEIT: 1804.
ERSTAUFFÜHRUNG: unbekannt.
SKIZZEN: 2. Satz: Staatsbibliothek Preußischer Kulturbesitz Berlin, Mendelssohn 15, Fidelio-Skizzenbuch.
AUTOGRAPH: unbekannt.
ERSTDRUCK: Wien 1806 (Bureau des Arts et d'Industrie).
GESAMTAUSGABEN: Alte Gesamtausgabe: Nr. 145 = Serie 16 Nr. 22; Neue Gesamtausgabe: Abt. VII, Bd. 3.

Daß die zweisätzige F-Dur-Klaviersonate unter die problematischen Werke Beethovens gerechnet werden muß, zeigt ihre überaus wechselvolle Rezeption. Seit der Erstveröffentlichung im Jahre 1806 stieß sie nicht selten auf dezidierte Geringschätzung, wurde von anderen eher widerwillig nur unter Einschränkungen als eine einigermaßen gelungene Komposition Beethovens akzeptiert und fand erst in jüngerer Zeit auch einige ausdrückliche Befürworter. Sucht man nach einer Erklärung für dieses Schattendasein, das die auch im Konzertsaal wenig gespielte und nicht zuletzt deshalb relativ unbekannt gebliebene Sonate bis auf den heutigen Tag führt, dann genügt es freilich nicht, sich mit dem Hinweis auf den äußerlichen Umstand zufriedenzugeben, daß sie von zwei scheinbar übermächtigen Nachbarwerken — C-Dur op. 53 (*Waldsteinsonate*) und f-Moll op. 57 (*Appassionata*) — eingerahmt wird; zwar wäre es töricht, deren Dominanz leugnen zu wollen, die aber ebensowenig genau zu bestimmen sein dürfte, wie sie als hinreichende Begründung zufriedenstellt. Vielmehr ist davon auszugehen, daß es der kompositorische Charakter der Sonate op. 54 an sich ist, der von Anfang an selbst Enthusiasten der Musik Beethovens irritierte, ihnen Rätsel aufgab und sie zu einer ästhetischen Minderbewertung bewog. Das zwiespältige Echo auf das Werk ist Indiz dafür, daß die Sonate offensichtlich die Erwartungshaltung der meisten Hörer nicht erfüllte, und zwar eine Erwartungshaltung, die auf tradierten Gattungsnormen basierte, denen sich Beethoven in dieser Komposition entzog.

Aufschlußreich ist bereits der Tenor einer anonymen, in der Leipziger *Allgemeinen musikalischen Zeitung* 1806 publizierten Partitur-Rezension, in der es unter anderem heißt: „Diese Sonate bestehet nur aus einem Tempo di Minuetto und einem eben nicht langen Allegretto, beyde schwer auszuführen, beyde in originellem Geiste und mit unverkennbarer gereifter, harmonischer Kunst geschrieben, [...] aber beyde auch wieder voller wunderlicher Grillen."[1] Die einschränkende Feststellung, daß das Werk mit seinen lediglich zwei Sätzen von der allgemein üblichen Dreisätzigkeit einer Sonate abweiche, mag hier noch neutral aufgefaßt werden, zumal die kompositorische Originalität lobend hervorgehoben wird; die neben dem hohen Schwierigkeitsgrad der Ausführung konstatierte „harmonische Kunst" trifft kaum auf den ersten, „In Tempo d'un Menuetto" überschriebenen Satz zu, der — abgesehen von einem jähen As-Dur-Einbruch (T. 39—54) — vorwiegend in F-Dur verharrt, sondern auf die reichhaltigen, oft überraschenden Modulationen, die den Figurationen

1 Zit. nach St. Kunze, *Gesammelte Konzertberichte,* S. 49.

des abschließenden Allegrettos zugrundeliegen. Indes bot die zweisätzige Form der Sonate manchen Autoren, die darin ein ausgesprochenes Manko erblickten, Anlaß zu wilden Spekulationen. Wilhelm von Lenz setzte das haltlose, nichtsdestoweniger von anderen eifrig kolportierte Gerücht in die Welt, die Komposition sei aufgrund äußerer Einflüsse ein „Torso" geblieben: „Von einem Verleger, von der Noth gedrängt, was oft synonym ist, mochte der Künstler sich veranlaßt gesehen haben, ein Studienfragment der Oeffentlichkeit zu übergeben."[1] Und Wilibald Nagel ergänzte diese Ansicht durch die Vermutung, zur Entstehungszeit des Stückes sei Beethovens Schaffenskraft von der Oper *Leonore* (1. Fassung) absorbiert gewesen, „weshalb für die Sonate nichts rechtes herauskam".[2]

Zudem wird in der oben zitierten Rezension ein zusätzliches Moment berührt, das die Rezeption der Sonate op. 54 geprägt hat, wenn von Beethovens „wunderlichen Grillen" die Rede ist, — ein Topos, der kein freundliches Amüsement signalisiert, sondern hinter dem sich ästhetisches Mißfallen verbirgt, das der anonyme Verfasser im weiteren beim Namen nennt; das Werk sei ein erneutes Beispiel dafür, daß Beethoven „ganz wirkungslose Sonderbarkeiten und gesuchte Schwierigkeiten selbst in kleinern Stücken" anbringe, indem „er seinen Stoff, ganz und auf alle nur mögliche Weise zu wenden und zu erschöpfen sucht".[3] Zwar kann man dieser Äußerung indirekt entnehmen, daß sich in der Sonate negativ niederschlage, was in umfangreicheren Kompositionen durchaus angezeigt — und somit positiv einzuschätzen — sei, wobei die inkriminierten Sachverhalte nicht eindeutig gekennzeichnet sind; es hat den Anschein, als gehe es primär um die ausgefeilte thematische Arbeit und um Details wie die differenzierten Sforzato-Vorschriften, die etwa in Takt 25—38 des ersten Satzes der gleichförmigen Achteltriolen-Bewegung sozusagen einen zweiten, insgesamt gesehen aperiodischen Akzent-Rhythmus überlagern. Doch bleibt zunächst einmal die pejorative Absicht festzuhalten, die mit dem Vorwurf der „Grillen" verknüpft ist und die vielleicht am rückhaltlosesten Ernst von Elterlein vertrat, der die Sonate in Bausch und Bogen verdammte: „eines der seltsamsten Werke Beethovens" sei sie, „eine Grille", der zweite Satz „einer der schwächsten, die Beethoven je geschrieben hat", nur „Figurenwerk, [...] leer und bedeutungslos", und bedauernd resümierte er: „Gewiß paßt darauf das Wort ‚auch Homer schläft ja zuweilen', und Begeisterung hat sicherlich das Werk nicht eingegeben."[4]

Was beim ersten Satz viele Rezipienten besonders verstörte, das hat Carl Czerny 1842 nüchtern konstatiert: „Dieser Satz weicht ganz von der gewöhnlichen *Sonatenform* ab, und ist in einem gewissermassen alterthümlichen, aber doch originellen geistvollen Style geschrieben."[5] Offensichtlich sah Czerny in der Überschrift „In Tempo d'un Menuetto" weniger einen formalen Hinweis als vielmehr eine Vortragsbezeichnung, die — wie er unmittelbar anschließend notierte — dem „ziemlich ernsten *Character*" des Satzes korrespondiere (und ähnlich hat bemerkenswerterweise Arnold Schönberg auf diesen Satz als Beispiel für den Unterschied zwischen

1 W. v. Lenz, *Kritischer Katalog*, Bd. II, S. 279 und 281.
2 W. Nagel, *Beethoven und seine Klaviersonaten*, Bd. II ([2]1924), S. 100.
3 St. Kunze, *Gesammelte Konzertberichte*, S. 49.
4 E. v. Elterlein, *Beethovens Clavier-Sonaten* ([4]1875), S. 92f.
5 C. Czerny, *Über den richtigen Vortrag* (1963), S. 52.

musikalischem „Charakter“ und „Form“ verwiesen[1]). Daß Czerny es allerdings nicht vermochte, die abweichende Form begrifflich näher zu fassen, wirft ein bezeichnendes Licht auf die Schwierigkeit, den in der Alternation zweier kontrastierender Teile bestehenden Aufbau des Satzes anhand eines bestimmten, überlieferten Schemas zu beschreiben: Den Beginn bildet ein piano, aus tiefer Lage zögernd aufsteigendes, viertaktiges Synkopen-Thema (mit Ganzschluß), das unverändert wiederholt wird (T. 5—8). Danach entsteht in gleicher Bewegungsrichtung eine variierte viertaktige Themengestalt (T. 9—12), die durch eine Fortspinnung in hoher Lage (T. 13—16) zu einer achttaktigen Periode (ebenfalls mit Ganzschluß) vervollständigt wird. Und auch diese Periode wird — wie anfangs die ersten vier Takte — wiederholt (T. 17—24). Auf diesen in sich geschlossenen, melodischen Teil A (T. 1—24), der trotzdem nicht den Eindruck eines restlos entwickelten musikalischen Gebildes erweckt, folgt unvermittelt — fast so, als werde die bisherige thematische Entwicklung gewaltsam unterbunden — „sempre forte e staccato“ ein ausgedehnter Kontrast-Teil B (T. 25—69), der auf fortlaufenden, imitatorisch durchgeführten und sequenzierten Achteltriolen-Oktavketten basiert; in zwei Unterabschnitten (T. 25—38 und 39—54 mit anschließender Überleitungs-Episode) wird in beiden Stimmen der anfängliche Oktavambitus verengt und wieder erweitert, woraus ein spezifischer, drängender Klangrhythmus resultiert. Der weitere Satzverlauf ist komponiert aus einem durch Figurierung und sporadische harmonische Nuancen leicht veränderten Teil A’ (T. 70—93), einem verkürzten Teil B’ (T. 94—105), einem um eine siebentaktige Kadenz verlängerten Teil A’’ (T. 106—136) und einer Coda (T. 137—154), die hinsichtlich ihrer thematischen Substanz als A’’’ gekennzeichnet werden kann.

Analytiker, die sich anders als Czerny auf eine bestimmte Satzform festgelegt haben, sind zu unterschiedlichen Ergebnissen gelangt. So sprechen Adolf Bernhard Marx und Wilibald Nagel von einem „Rondo“, letzterer freilich mit der Bemerkung, daß solche Benennung „in keiner Weise befriedigt“[2]; überhaupt vertritt Nagel einen sehr dogmatischen Standpunkt und will „dem ganzen Werke den Titel Sonate [...] kaum zugestehen [...], da ihr deren Wesenskern, eben ein Satz in ausgesprochener Sonatenform abgeht“.[3] Andere Autoren wie Paul Bekker nehmen die Überschrift des ersten Satzes in formaler Hinsicht wörtlich und reden schlicht und einfach von einem „Menuett“[4], das Donald Francis Tovey folgendermaßen gliedert: A = Menuett, B = Trio, A’ = Erstes Da Capo, B’ = Allusion auf das Trio, A’’ = Zweites Da Capo, Coda[5]; und Erwin Ratz interpretiert in gleicher Weise den Satz als eine „Synthese der Reihenfolge Menuett—Trio—Menuett und der Scherzoform“.[6] Darüber hinaus sind auch Auslegungen im Sinne einer Sonatensatzform

1 A. Schönberg, *Fundamentals* (1970): „Differences of character may have an influence on the structure, but no particular character can be said to demand a particular form. Though one would scarcely write a waltz in the form of a symphony, Beethoven wrote the first movement of a sonata (Op. 54) ‚In tempo d’un Menuetto‘“ (S. 94).

2 A. B. Marx, *Ludwig van Beethoven*, Bd. I (⁶1902), S. 137; W. Nagel, *Beethoven und seine Klaviersonaten*, Bd. II (²1924), S. 101.

3 Ebenda, S. 106.

4 P. Bekker, *Beethoven* (²1912), S. 171.

5 D. Fr. Tovey, *A Companion*, S. 162ff.

6 E. Ratz, *Einführung in die musikalische Formenlehre*, S. 148.

nicht ausgeblieben. Jürgen Uhde deutet (unter unzutreffender Berufung auf Ratz) die Möglichkeit einer Einteilung in A = Exposition, B = Durchführung, A' = Reprise, B'/A'' = Wiederholung von Durchführung und Reprise, Coda an[1], und Edwin Fischer, der offenbar den Anfang des B-Teiles (T. 25—38) als zweites Thema der Exposition zurechnet, hat als eine durchaus einleuchtende Lösung zu bedenken gegeben: „Man könnte von einer richtigen Sonatenform sprechen, wenn man Takt 39 bis 70 als Durchführung betrachtet."[2]

Der kursorische Blick auf verschiedene Erklärungsmodelle, die für die Form des ersten Satzes der Sonate op. 54 entworfen wurden — und deren eingehende Erörterung ins Uferlose zu führen droht —, kann an dieser Stelle abgebrochen werden. Entscheidend ist jedoch die Einsicht, die daraus gezogen werden kann und die darauf hinausläuft, daß der Satz ein Paradigma formaler Ambivalenz — eingedenk der skizzierten drei Formauffassungen wäre man fast versucht, den Ausdruck Tripelvalenz zu gebrauchen — repräsentiert. Und eben dieser Umstand, daß hier „keine konventionelle Form in Sicherheit" wiegt[3], hat offenkundig die Rezipienten bis heute ebenso verunsichert wie unermüdlich nach vertrauten Formschemata suchen lassen. Nimmt man aber von einem solchen Sekuritätsbedürfnis einmal Abschied, dann genügt es vollauf, als formbildendes Prinzip des Satzes das Mittel des musikalischen Kontrasts hervorzuheben. Denn die mit der Konfrontation der Teile A und B zu Beginn erzeugte Spannung wird zum Impuls der drängenden Dynamik des weiteren Formverlaufs, wie sie auch für andere Kompositionen Beethovens aus dieser Zeit so charakteristisch ist. Und nach einem Prozeß der gegenseitigen Einwirkung, der mit der anschließenden Alternation der Kontrastteile einhergeht, erreicht die zunächst abrupt unterbundene thematische Anfangsentwicklung in der Coda ihr eigentliches Ziel: Das nach Kantabilität strebende Thema kommt erst hier gleichsam zu sich selbst und erblüht in einer suggestiv-sanglichen Gestalt. (Und am Rande kann angemerkt werden, daß solche Form in Einklang steht mit dem Begriffsfeld ‚Leiden — Wollen — Überwinden', das Hans Heinrich Eggebrecht als gehaltliche Konstante der Beethoven-Rezeption nachgewiesen hat.[4])

Das Prinzip des Kontrasts ist außerdem konstitutiv für die Einheit des gesamten Werkes, das in dieser Hinsicht auch paradigmatisch die Möglichkeit einer Sonate verwirklicht, „sich schon in *zwei* Sätzen derart [zu] erfüllen, daß sie einen dritten oder vierten Satz geradezu ausschließt".[5] Daß dabei die Form des zweiten Satzes von op. 54 sich ebenfalls einer eindeutigen Festlegung entzieht — die unternommenen Bestimmungsversuche schwanken zwischen Rondo, Sonatensatzform und Toccata —, hat bei den Rezipienten für zusätzliche Irritation gesorgt. Einigkeit herrscht hingegen über den besonderen musikalischen Charakter des Allegretto-Satzes, der vom Vorhergehenden durch seine rastlos fließende Sechzehntelbewegung abgehoben ist. Indem bereits Carl Czerny „dieses interessante *Finale* in gleich rascher Bewegung" als „ein ziemlich schweres, brillantes Tonstück, das sich durch seine geistreichen Modulationen und seinen stets gesteigerten Effekt auszeichnet, und auch

---

1 J. Uhde, *Beethovens Klaviermusik,* Bd. III ([3]1986), S. 180, Anmerkung.
2 E. Fischer, *Ludwig van Beethovens Klaviersonaten* (1958), S. 94.
3 A. Brendel, *Form und Psychologie in Beethovens Klaviersonaten* ([6]1982), S. 56.
4 Siehe H. H. Eggebrecht, *Zur Geschichte der Beethoven-Rezeption.*
5 Cl. Kühn, *Formenlehre der Musik,* S. 178.

für jeden guten *Pianisten* als eine treffliche *Etude* dienen kann", umschrieb[1], gab er mit dem — wohlgemerkt uneingeschränkt positiv verstandenen — Begriff der Etüde[2] ein Stichwort, das bis heute tradiert wird; daneben begegnet häufig die wohl von Carl Reinecke ersonnene Kennzeichnung als „perpetuum mobile".[3]

Darüber hinaus lassen sich Aspekte wie die im ersten Satz zu beobachtende Kontrastierung scheinbar verselbständigter Formteile, die kompositorische Anspielung auf das archaische Modell eines Menuetts oder die ansatzweise isolierte Behandlung einzelner Elemente des musikalischen Satzes (neben den weiter oben erwähnten Sforzati etwa Ornamente und Figurationen) als ein Vorschein von Beethovens Spätstil interpretieren. Während in diesem Sinne Wilhelm von Lenz 1852 abschätzig, doch nichtsdestoweniger hellsichtig feststellte, das „ungestalte Erzeugnis" habe „die Fehler der dritten Manier ohne ihre Schönheiten"[4], haben spätere Analytiker vor einem gewandelten ästhetischen Horizont denselben Gesichtspunkt positiv akzentuiert: „Die *F-Dur Sonate Op 54* weist in hohem Maße Stilmomente auf, die wir dann in den Werken der letzten Periode so sehr bewundern", verkündet Erwin Ratz 1951[5], der sich in besonderer Weise um eine höhere Anerkennung des Stückes bemühte; provokatorisch forderte er 1949 sogar, zur Erkenntnis des ‚wahren Beethoven' Werke wie „die Pathétique, die Mondscheinsonate" für eine gewisse Zeit „auszuschalten und einmal die unbekannteren, aber künstlerisch weitaus bedeutsameren wie etwa Op 54 [...] an ihre Stelle zu setzen"[6], und zählte 1970 ebenso ostentativ die Sonate zu „den bedeutendsten Werken Beethovens" überhaupt.[7]

Von der Absicht einer ästhetischen Aufwertung der lange als mißraten gescholtenen Komposition sind auch Bekundungen motiviert, die ihr erklärtermaßen Modernität zusprechen: Walter Riezler nimmt „fast so etwas wie eine rein ‚motorische' Musik im Sinne der Moderne" wahr[8], und Jürgen Uhde betont, „daß poetische oder dramatische Assoziationen hier wohl kaum angebracht sind. Hört man nicht strukturell, wird man das Stück verfehlen; gerade das unterstreicht seine Modernität."[9] Indes ist Uhdes Plädoyer für bloß strukturelles Hören in seiner Einseitigkeit ein fragwürdiges Argument, das allein schon durch die bisherige Rezeption des Werkes — sofern man ihr nicht rundweg jeden Wahrheitsgehalt abstreiten will — widerlegt wird. Denn gerade Autoren, die sich für eine wohlmeinendere Einschätzung der Sonate engagierten, haben ihr Vorhaben poetisierend zu untermauern versucht. So

1 C. Czerny, *Über den richtigen Vortrag* (1963), S. 52.

2 Noch unberührt vom Prestigeverlust, den der Begriff der Etüde seit der Mitte des 19. Jahrhunderts erlitt, verbindet Czerny mit ihm nicht zuletzt eingedenk Fr. Chopins und Fr. Liszts „grosse und schwierige Tonwerke", die meist „grossartige Bravoursätze" darstellten (*Briefe über den Unterricht auf dem Pianoforte,* S. 44f.). Vgl. auch die von M. Bandur für das Handwörterbuch der musikalischen Terminologie verfaßte Begriffsmonographie *Étude / Etüde.*

3 C. Reinecke, *Die Beethoven'schen Clavier-Sonaten* ([7]1917), S. 70.

4 W. v. Lenz, *Beethoven et ses trois styles,* Bd. I, S. 263: „Cette informe production a les defauts de la troisième manière sans en avoir les beautés."

5 E. Ratz, *Einführung in die musikalische Formenlehre,* S. 144.

6 E. Ratz, *Der wahre Beethoven,* S. 66.

7 E. Ratz, *Analyse und Hermeneutik,* S. 37.

8 W. Riezler, *Beethoven* ([7]1951), S. 193.

9 J. Uhde, *Beethovens Klaviermusik,* Bd. III ([3]1986), S. 170.

verglich Paul Bekker den ersten Satz mit „einer feinen Dialogkomödie"[1], glaubte Hugo Riemann darin „das leibhaftige Konterfei des Komponisten erkennen" zu müssen[2] und assoziierte Richard Rosenberg ein Aufeinandertreffen von „La Belle" und „La Bête"[3]; und über den zweiten Satz schrieb Edwin Fischer: „Man muß sich an die Ufer eines Flusses denken, der in wechselnder Beleuchtung freundlich, zuweilen mit einigen Strudeln, rastlos vorüberzieht; Beleuchtung, Formen wechseln, aber es ist das ewige Wasser, das in immer neuen Formen wiederkehrend, ein Symbol des unendlichen Lebens ist — ohne Anfang, ohne Ende."[4]

Mehr noch als andere Kompositionen Beethovens scheint die sowohl formal als auch in ihrem musikalischen Wesen insgesamt ambivalente F-Dur-Klaviersonate op. 54 eine undogmatische, gleichsam offene Interpretationshaltung zu verlangen, die damit nicht zuletzt die in sich schillernde Rezeption des Stückes reflektiert (eine Rezeption, für deren weites Spektrum unterschiedlicher Auffassungen es auch signifikant ist, daß der eingangs zitierte, abwertend gemünzte Topos einer kompositorischen „Grille" im 20. Jahrhundert schließlich positiv in „tiefen Humor" und „sokratische Ironie" umgedeutet wurde[5]). Und vielleicht ist es nicht unangebracht, das letzte Wort Beethoven selbst zu überlassen in Gestalt einer — freilich wiederum durchaus rätselhaften — Notiz auf einem Skizzenblatt am 2. Juni 1804, also während der Arbeit an der hier in Rede stehenden Sonate sowie der Oper *Leonore*, auf die sich der Anfang bezieht: „Finale immer simpler. Alle Klaviermusik ebenfalls."[6] Was mag das Attribut simpel bedeuten? Wohl kaum ‚einfältig', sondern vielmehr ‚einfach' — aber in welcher Hinsicht, wenn man es in einen direkten Zusammenhang mit op. 54 zu bringen versucht? Einfach im Blick auf die Zweisätzigkeit, das zugrundeliegende Bauprinzip des Kontrasts? Oder im Sinne einer kompositorischen Reduktion zugunsten musikalischer Prägnanz, die unrhetorisch in einem relativ eng begrenzten Zeitraum eine sinnfällige Konzentration des Ausdrucks bewirkt? Oder welche anderen Interpretations-Möglichkeiten könnten sich noch anbieten? Sollten am Ende mehr Fragen offen bleiben als dezidierte, vermeintlich endgültige Antworten gefunden werden, so wäre dies möglicherweise nicht der unglücklichste Ausweg, einen vorläufigen Schlußpunkt hinter die Erörterung der eigenartigen, in ihrer musikalischen Vielschichtigkeit ebenso faszinierenden wie hintergründigen ästhetischen Qualität der Sonate op. 54 zu setzen.

Christoph von Blumröder

1 P. Bekker, *Beethoven* (^{2}1912), S. 172.
2 Thayer / Deiters / Riemann, *Ludwig van Beethovens Leben,* Bd. II (^{2}1910), S. 453.
3 R. Rosenberg, *Die Klaviersonaten Ludwig van Beethovens,* Bd. II, S. 282.
4 E. Fischer, *Ludwig van Beethovens Klaviersonaten* (1958), S. 94.
5 Siehe D. Fr. Tovey, *A Companion,* S. 161.
6 E. Kastner / J. Kapp, *Ludwig van Beethovens sämtliche Briefe,* S. 78.

3. Symphonie Es-Dur
Eroica
op. 55

ENTSTEHUNGSZEIT: Mitte 1802 bis Mitte 1803.
ERSTAUFFÜHRUNG: halböffentlich: am 20. Januar 1804 im Sonntagskonzert der Bankiers Würth und Fellner in Wien; öffentlich: am 7. April 1804 im Theater an der Wien.
SKIZZEN: Biblioteka Jagiellońska Krakau, Landsberg 6, Eroica-Skizzenbuch; Staatliches M. I. Glinka-Zentralmuseum für Musikkultur Moskau, Skizzenbuch Wielhorsky.
AUTOGRAPH: verschollen, überprüfte Abschrift in der Bibliothek der Gesellschaft der Musikfreunde Wien.
ERSTDRUCK UND WIDMUNG: Stimmen: Wien 1806 (Bureau des Arts et d'Industrie); Fürst Franz Joseph v. Lobkowitz gewidmet.
GESAMTAUSGABE: Alte Gesamtausgabe: Nr. 3 = Serie 1 Nr. 3.

Die Analyse dieser Symphonie kann weniger noch als die anderer Werke Beethovens ohne die Kenntnis ihrer Entstehungs- und Wandlungsgeschichte auskommen, da diese wegen ihres außergewöhnlichen Facettenreichtums und ihrer großen Dauer für das Verständnis der Absichten, welche Beethoven mit der Material- und Sinnorganisation des Werkes verfolgte, von eminenter Bedeutung ist, allerdings häufig derart lücken- und fehlerhaft mitgeteilt worden ist, daß es nicht nur in der öffentlichen, sondern auch in der Fachmeinung zu einem Auseinanderklaffen zwischen Struktur- und Bedeutungsbild des Werkes und damit zu einem Zerrbild von Beethovens Absichten und allgemein von den Möglichkeiten und Funktionen der großen symphonischen Musik gekommen ist.

Die Symphonie hat bis zum Druck drei Geschichten: die der Entstehung, die der Proben und der Widmung und die der Aufführung und Veröffentlichung. Alle drei haben mit der Struktur des Werkes zu tun und zugleich auch mit seiner semantischen und ideologischen Bedeutung. Sie fließen teilweise ineinander, wo sie sich chronologisch oder auch inhaltlich überlagern. Trotzdem seien sie gesondert dargestellt.

ENTSTEHUNG (MITTE 1802 BIS MITTE 1803). Anlaß und Gründe für die Komposition sind unbekannt, können aber teilweise erschlossen oder vermutet werden. Anekdotischer Art und daher wenig vertrauenswürdig sind alle jene Hinweise, welche sich auf Anregungen zu einer Bonaparte-Symphonie durch General Bernadotte oder Rodolphe Kreutzer (1798) beziehen, einen Anstoß durch Ferdinando Paers Oper *Achille* (1801) und deren Trauermarsch betreffen oder Heldentode aus den napoleonischen Kriegen bemühen. Es gibt lediglich zwei Fakten, die Aufschlüsse über die inhaltliche Absicht zulassen, ohne aber bisher mehr ergeben zu können als Hypothesen, auch wenn deren Wahrscheinlichkeitsgrad hoch ist.

Hypothese 1: Die Übereinstimmung des Finale-Themas mit dem letzten Kontretanz des 1801 uraufgeführten Ballettes *Die Geschöpfe des Prometheus* op. 43 sowie die von Constantin Floros bemerkten Übereinstimmungen zwischen kleinen, aber wesentlichen Abschnitten aus anderen Teilen von Symphonie und Ballett[1] geben Anlaß zu dem Schluß, daß zwischen beiden Werken über die strukturellen Parallelen hinaus auch inhaltliche bestehen. Ob der Gattungstitel des Ballettes (heroisch-allegorisch) diesen Schluß stützen kann, da doch die Symphonie bei ihrer Veröffentlichung den Titel *Sinfonia eroica* erhielt, ist zweifelhaft. Denn die Erstveröffentlichung erfolgte im Spätherbst 1806, also erst fünfeinhalb Jahre nach Uraufführung des Ballettes, und die Symphonie führt in keiner vorangehenden Quelle diesen Beinamen. Floros hat nachgewiesen, daß das Ballett eine in den umgeformten Prometheus-Stoff eingekleidete Huldigung auf Bonaparte ist, den „Prometheus der Epoche".[2] Die genannten Übereinstimmungen zwischen Ballett und Symphonie, vor allem aber die Tatsache, daß die Teil- und Satzfolge der Symphonie architektonisch und inhaltlich genau der Balletthandlung entspricht[3], machen es so gut wie sicher, daß der Inhalt des Ballettes in der Symphonie nochmals, nun aber in anderer musikalischer Gestalt, bearbeitet ist. Dies hat bereits Paul Bekker geahnt[4], und Harry Goldschmidt hat es klar, wenn auch kurz und von der Forschung unbemerkt, ausgesprochen.[5] Daß damit schon zum Zeitpunkt der Komposition auch der Lobpreis auf Bonaparte mitgemeint und erneuert wurde, ist plausibel, auch weil die Fakten der Proben- und Widmungsphase eindeutig eine Verbindung der Symphonie zu Bonaparte herstellen. Jedoch hatte sich Beethovens Verhältnis zum Ersten Konsul Frankreichs seit der Komposition des Ballettes (1800) zwar nicht grundsätzlich, aber doch graduell verändert, wie der Brief an Hoffmeister vom 8. April 1802 mit abfälligen Bemerkungen über Bonapartes Konkordat mit dem Papst zeigt, vor allem aber mag die 1801 und 1802 eintretende Erkenntnis von der Unabwendbarkeit der Ertaubung für Beethoven bei der inhaltlichen Konzeption der Symphonie schwergewichtiger gewesen sein als seine politischen Gedanken.

Hypothese 2: Beethoven hat die Symphonie, offenbar von hinten her planend und konzipierend, aber von vorne her skizzierend, in jenem Sommer 1802 entworfen und zu komponieren begonnen, während dessen er in Heiligenstadt bei Wien, gleichzeitig mit den Abschlußarbeiten unter anderem an den Klaviervariationen op. 34 und op. 35, in einer Art Selbsttherapie seine große existentielle, von Selbsttötungsabsichten begleitete Lebenskrise überwand. Hilfen waren ihm dabei unter anderem die antiken Moral- und Lebenslehren, etwa die von Plutarch, wie man aus Briefen der vorangegangenen Zeit schließen kann, und die Arbeiten an der 3. Symphonie und an dem literarischen Dokument dieses Sommers, dem sogenannten *Heiligenstädter Testament*, welches er in einem längeren Zeitraum parallel zur 3. Symphonie entwarf, nicht etwa erst Mitte Oktober spontan niederschrieb.[6] Dies Dokument ist nicht nur das zeitliche, sondern auch das inhaltliche Seitenstück zur Symphonie, da es in Bild- und Argumentationsfolge die Gedankenfolge des Ballettes

1 Vgl. C. Floros, *Beethovens Eroica und Prometheus-Musik*, Kap. VI.
2 Ebenda, Kap. III und VII.
3 Vgl. P. Schleuning, *Beethoven in alter Deutung.*
4 Vgl. P. Bekker, *Beethoven* ([2]1912), S. 225ff.
5 Vgl. H. Goldschmidt, *Die Geschichte des Prometheus,* zit. bei M. Geck / P. Schleuning, *„Geschrieben auf Bonaparte"*, S. 384f.
6 Vgl. M. Solomon, *Beethoven. Biographie*, S. 143f.

und damit auch den Inhalt der Symphonie aufnimmt.[1] Da von politischen Themen in dem Schriftstück nicht die Rede ist, dürfte es die eher „persönliche“ Seite der Symphonie verdeutlichen im Sinne der neuen Menschwerdung Beethovens nach prometheischem, zugleich aber auch stoischem Vorbild. Dabei ist zu betonen, daß sich die politische Deutungsmöglichkeit der Hypothese 1 und die eher selbsttherapeutische der Hypothese 2 keineswegs ausschließen müssen, sondern sich ergänzen können, da ja der Prometheus-Mythos als Symbol-Mythos der Aufklärung sowohl politisch-bürgerlich als auch individuell-therapeutisch zu verstehen ist: Erzeugung des neuen Menschen und Menschenbildes durch die Ablegung der Gewalt über andere und durch Hinwendung zu Schönheitssinn und Vernunft.[2]

Beethoven versinnlicht diesen in den beiden Hypothesen angedeuteten Zusammenhang kompositionstechnisch auf eine derart radikale und umstürzlerische Weise, daß nicht nur die Entwicklungsgeschichte der Gattung Symphonie, sondern der gesamten Kunstmusik durch diese Symphonie einschneidend verändert und für die weitere Zukunft beeinflußt wird.[3] Das Werk bezeichnet einen der großen Wendepunkte in der Entwicklung der europäischen Komposition und eröffnet den Weg zur Neuen Musik, ist zugleich auch im Sinne des von Beethoven selbst so benannten „neuen Weges“ (1802) das erste instrumentalmusikalische Ideenkunstwerk der Musikgeschichte, und zwar — als Wiedergabe der prometheischen Menschenbildung — das inhaltliche und musikalische Gegenstück zu Haydns *Schöpfung*. Die in den kompositorischen Strukturen materialisierten Neuerungen des Werkes lassen sich überall an der Partitur aufweisen und sollen hier an acht Merkmalen aufgezeigt werden.

1. Schon vor der 3. Symphonie gibt es in der Geschichte der Komposition Satzzyklen, deren Teile untereinander thematisch und motivisch verknüpft sind, und zwar auch schon mit einem aus dem Finale entwickelten bzw. auf dieses hinzielenden Zusammenhang. Aber es gibt davor nicht einen solchen Zyklus, in dem die Sätze durch einen variativen Entwicklungszug kontinuierlicher Motiventfaltung vom Zerrissenen und Amorphen hin zur ausgewogenen, langen Melodiegestalt zusammengeschlossen und mit dem Ziel der Darstellung dieses Fortschreitens aufeinander angewiesen sind. Ausgangspunkt ist das unfertige, unabgeschlossene und gestörte Pastoralmotiv des Werkbeginns, entwickelt aus dem Baßbeginn jenes Kontretanzes aus dem Ballett, das als „Humanitätssymbol“ den Schlußsatz bestimmt[4] und dort in fugierter und variierender Bearbeitung das Ziel des langen Weges aus dem rohen Urzustand darstellt.

Diese motivischen Zusammenhänge mit ihrer finalen Richtungstendenz durch alle Sätze sind mehrfach minutiös untersucht worden, sowohl was den Anfangssatz

1 Vgl. M. Geck / P. Schleuning, *„Geschrieben auf Bonaparte“*, S. 93ff. und 108ff.
2 Vgl. H. Blumenberg, *Arbeit am Mythos*.
3 Vgl. P. Schleuning, *Schönberg und die „Eroica“*.
4 Th. Antonicek, *Humanitätssymbolik im Eroica-Finale*.

alleine betrifft[1] als auch alle vier Sätze[2], dies auch mit dem Ergebnis motivischer Ableitungstabellen.[3]

Der „neue Weg" besteht aber nicht darin, durch solche motivischen Verbindungen eine Technik zu beherrschen, mit deren Hilfe musikalische Beweisstücke einer Ideologie von Einheit und Wachstum vorgeführt werden können, sondern „gerade bei Beethovens Arbeitsweise dürfen wir die Möglichkeit nicht von vornherein ausschließen, daß der musikalischen Werkidee eine gedanklich übergreifende Idee zugrunde liegt. Läßt sie sich einwandfrei ermitteln, dann bemerken wir auch, daß die so oft gerühmte ‚organische' Einheit von ihr den inhaltlichen Sinn empfängt[4], in unserem Falle von der „übergreifenden Idee" des prometheischen Weges von der noch ungeformten, kulturlosen Ursprungsgestalt der Menschenkinder über die gewalttätigen, aber fruchtlosen Erziehungsbemühungen des Prometheus und dessen Bekehrung durch eine „höhere Stimme" (e-Moll-Thema der Durchführung), ihren gemeinsamen Aufstieg zum Parnaß und die dort erfolgende Unterweisung durch Apoll und die Musen (Coda) bis hin zum Erscheinen und Wirken der Menschen in ihrem vollgültigen und vernunftbegabten Idealzustand (Finalthema), der bereits in ihrem ursprünglichen Wesen angelegt war (Anfangsmotiv). Trauermarsch und Scherzo mit Hörner-Trio greifen den kathartischen Moment des Prometheus und damit auch Beethovens auf dem Parnaß auf, nämlich seine Tötung durch Melpomene und seine unter Pans-Tänzen und auf Betreiben Thalias erfolgende Auferstehung, welche, sobald sie als Wiedererstehung des Prometheus in der Gegenwart gedeutet wird, sowohl auf Beethoven als auch auf Bonaparte zu beziehen ist. Für diese beiden Sätze hat Beethoven die bisher nur einmal zur Kurz-Melodie (e-Moll) ausgebaute Fetzenmelodik des ersten Satzes sich zu vollen Melodien entwickeln lassen als Vorboten und Vorzeichen der Zielmelodie im Finale, und zwar als deren Moll- und Dur-Varianten.

Wie umfassend Beethoven seine thematische Metamorphose auf alle Elemente der Komposition übergreifen läßt und wie er die aus dem Kontretanz gezogenen Kleinmotive des Werkbeginns alle wesentlichen Satzstrukturen prägen und dadurch wiederum zum Kontretanz hinwachsen läßt, sei hier nur an einigen der Entwicklungsmomente eines winzigen, aber für die Symphonie wesentlichen Kurzmotives vorgeführt, nämlich des chromatischen Dreiton-Abstiegs es—d—cis, der dem anfänglichen Pastoralthema den Garaus macht, ehe es sich noch entfalten kann wie im Finale der 6. Symphonie.

Daß dieses Abbruch-Motiv wie alle anderen auch aus dem Kontretanz entnommen bzw. entwickelt worden ist, und zwar als Umkehrung jenes dort vom Fermatenton as über a zu b sich emporziehenden Einganges zum Melodieschluß (4. Satz, T. 95f.), wird bald nach dem Beginn deutlich (T. 22f.), wo nach Sequenzierung des

---

1 Vgl. A. Lorenz, *Worauf beruht die bekannte Wirkung der Durchführung im 1. Eroica-Satze*; A. Halm, *Über den Wert musikalischer Analysen*; W. Riezler, *Beethoven*; R. B. Meikle, *Thematic Transformation*; L. Lockwood, *‚Eroica' Perspectives*; A. I. Klimowitzkij, *Über das Hauptthema.*

2 Vgl. P. Hauschild, *Melodische Tendenzen*; P. Gülke, *Introduktion als Widerspruch im System*; A. L. Ringer, *Clementi and the Eroica*; Ph. G. Downs, *Beethoven's „New Way"*; H. Schenker, *Beethovens Dritte Sinfonie.*

3 Vgl. W. Engelsmann, *Beethovens Werkthematik*; P. Schleuning, *Beethoven in alter Deutung.*

4 H. Goldschmidt, *Zur Methodologie der musikalischen Analyse,* S. 13.

zweiten Themenmotives der chromatische Abgang wieder auftaucht, periodisch genau am gleichen Ort wie zu Beginn, nun in der Gestalt c—ces—b und auf schwachem Taktteil nachschlagend, zugleich in der Oberstimme gespiegelt durch eben jenes Motiv as—a—b aus dem Finaltanz. Hier gibt der chromatische Abgang seine Herkunft preis. Aber welchen Zuwachs an Funktion zeigt er nun darüber hinaus! Einmal ist die Kombination von Originalform (Oberstimme) und Umkehrung (Baß) zugleich auch das Außenstimmenpaar einer vierstimmigen Modulation über den übermäßigen Terzquartakkord nach B-Dur (entsprechend T. 44f. nach F-Dur). Die chromatische Floskel erhält also zusätzlich zu ihrer melodischen Funktion als themenstörende Fernverbindung zum Kontretanz noch eine harmonische.

Zum anderen wird dem Motiv dabei die wichtigste harmonische Aufgabe übertragen, die nach traditionellem Verständnis der Sonatensatz-Exposition in diesem Teil zu leisten ist, nämlich die Modulation in die Nebentonart. Hier in Takt 23 ist sie praktisch schon erfolgt und enthebt die weiteren 130 Expositionstakte jeden weiteren modulatorischen Zwanges, eröffnet ihnen dadurch einen Weg ungestörter Gestaltenvielfalt. Dort und an vielen anderen Stellen der Symphonie sind die erstaunlichen Funktions- und Gestaltwandlungen zu beobachten, die das kleine Motiv und auch seine „richtige", also aufsteigende Gestalt erleben, ehe diese an ihrem angestammten Platz gegen Ende der Kontretanz-Melodie anlangt, worauf die absteigende Variante gleich wieder (4. Satz, T. 174f.) als Baßstütze für eine wichtige Modulation in Dienst gestellt wird, diesmal eine enharmonische über Septakkord bzw. übermäßigen Quintsextakkord (von G^7 nach h-Moll).

Ehe das Motiv nach seinem Weg durch die Symphonie an seinem endgültigen und prästabilierten Platz angekommen ist, erfährt es — wie auch alle anderen Motive auf ihrem Weg zum Fernziel — ein Wachsen seiner Funktionsmenge je Auftritt. In der Durchführung des ersten Satzes erscheint es bereits in melodisch nicht störender, sondern tragender Funktion, und zwar als Verbindungsglied innerhalb der e-Moll-Cellostimme (T. 286), welche Beethoven gleich in den ersten Skizzen entwarf — nicht jedoch die Oberstimme[1] —, wie er auch sonst besondere Extremismen, etwa den sogenannten Cumulus vor der Reprise (T. 394f.), nicht als schmückende Zusätze angefügt, „[nicht] nebenbei in Erwägung gezogen" hatte[2], sondern als zentrale Inhaltsträger von vornherein festlegte. Später im Scherzo taucht das Motiv dann wieder auf, aber bereits in aufsteigender Gestalt und innerhalb einer Oberstimmenmelodie, sogar schon in der originalen Tonhöhe as—a—b, nämlich unmittelbar vor der Pans-Melodie der Flöte bzw. Oboe (T. 6f., 21f.).

1 Vgl. G. Nottebohm, *Ein Skizzenbuch,* S. 31.
2 Ebenda, S. 29.

Ich empfehle die Verfolgung anderer solcher Kurzmotive der ersten Symphonietakte durch das ganze Werk bis hin zum Finale, zum Beispiel des Dreiklangsaufstiegs oder der synkopierten Tonrepetitionen.

2. Die Symphonie hat eine bis dahin in der Geschichte der Instrumentalmusik unbekannte Länge von 2325 Takten, die bei Ausführung aller verlangten Wiederholungen etwa eine volle Stunde dauern, was bei der öffentlichen Uraufführung Unmut erregte. (Bachs *Kunst der Fuge*, die noch länger dauert, kann wohl nicht als Gegenbeweis gelten, da sie vermutlich nicht mit dem Ziel einer Gesamtaufführung komponiert ist.) Diese Riesenmaße bezeichnen einen Einschnitt im Verhältnis zwischen Komponist und Publikum, da nun endgültig ein auf interessierte Distanz und belehrende Unterhaltung abgestelltes Publikumsverhalten gegenüber einem nicht textgeleiteten Musikwerk nicht mehr möglich ist, sondern eine Entscheidung zwischen Auslieferung oder Abwesenheit sich aufzwingt. Die Instrumentalmusik in der Gestalt des Ideenkunstwerks hat die Rolle der großen Volksrede übernommen und übernimmt auch deren eingreifende, zupackende und rücksichtslose Gestik.

3. Die Besetzung enthält nicht — wie üblich — zwei, sondern drei Hörner, was Beethoven mehrfach als Besonderheit hervorhebt. Dadurch können die Hörner im Unterschied zu den anderen Bläsern ohne fremde Baßstütze ein selbständiges Trio bilden, was sie im so benannten Scherzo-Mittelteil auch vorführen. Überhaupt ist das Horn durch das ganze Stück mit zentraler Bedeutung eingesetzt. Der Hornvirtuose Wenzel Stich (Punto) war der Vermittler von Beethovens ausgezeichneten Kenntnissen über die Verwendungsmöglichkeiten dieses Instrumentes. Zu dessen speziellen Aufgabenstellungen in der Symphonie dürfte sein Verständnis als Symbol für Ursprünglichkeit, Natur und Wandlungsfähigkeit geführt haben.

4. Der erste Satz hat im Verhältnis zwischen Exposition und Durchführung neuartige Proportionen, wie ein Vergleich mit einem anderen, auch als Final-Symphonie zu charakterisierenden Werk deutlich macht, Mozarts sogenannter *Jupiter-Symphonie*. Ist dort das Verhältnis der Takte 120 zu 68, also etwa wie 5 zu 3, so in Beethovens Symphonie 155 zu 246, also etwa wie 2 zu 3. Dieser Umstand sowie die unten in Punkt 6 behandelten Ausmaße der Coda sind nicht durch irgendwelche formalen oder motivischen Notwendigkeiten zu erklären. Vielmehr kann man beobachten, wie Beethoven in der Durchführung an mindestens zwei Stellen, die sich durchaus für einen Übergang in die Reprise eignen würden — kurze Modulationen vorausgesetzt —, neue Bögen aufbaut und immer größere Dimensionen anstrebt, ohne daß es dabei immer zu jenen Themenverarbeitungen oder Motivbehandlungen fortschreitender Art käme, die nach traditioneller Ansicht den Fortgang der Durchführung legitimieren. Alle diese Fakten, vor allem aber das unmotivierte und für ein formalistisches Hören geradezu störende Auftreten der e-Moll-Melodie in der Durchführungsmitte sind wesentliche Wortführer für die Richtigkeit der Hypothese 1, nämlich der vollständigen Abhängigkeit der formalen Bedingungen der Symphonie und der Maße und Verhältnisse ihrer Sätze von der Handlungsfolge des Ballettes op. 43. Denn in diesem Fall würde die Durchführung jene Phase verkörpern, in der Prometheus die schwer erkämpfte und von der „höheren Stimme“ in e-Moll vermittelte Einsicht gewinnt, daß die wahre menschliche Veränderung und Erziehung nicht

durch Härte und Zwang zu erreichen ist, sondern nur durch gute Beispiele und die Weckung des Sinnes für Schönheit und Vernunft.

5. Ganz in diesem Sinne der Konzentration auf die wesentlichen Züge der „übergreifenden Idee“ (Goldschmidt) ist die Symphonie die erste ihrer Gattung, aber wohl auch das erste Instrumentalstück der „klassischen“ Musikperiode überhaupt, das nur aus Melodiebildung und Themenbearbeitung besteht und der üblichen traditionellen Passagen und Kadenzläufe sowie modulierenden Akkordbrechungen, die Richard Wagner an Mozarts Musik störten, enträt. Die fast unmerkliche Kürze, mit der die in Punkt 1 beschriebene Modulation in die Nebentonart innerhalb der Exposition abgehandelt wurde, um dann Raum für Gestalten erster Ordnung zu lassen, ist bereits ein Hinweis auf dieses Novum.

6. Den ersten Satz schließt eine riesige Coda von 134 Takten ab, länger als die Hälfte der Durchführung. Schon die die Coda eröffnenden Akkordrückungen Es-Dur / Des-Dur / C-Dur kündigen etwas Außergewöhnliches an, im Lichte der Hypothese 1 den Aufstieg auf den Parnaß, wo dann unter tänzerischen Klängen (Walzer, Polonaise, Ländler) die Musen unter Apollos Leitung ihr Erziehungswerk an den von Prometheus bisher nicht zu Kulturwesen zu verwandelnden Menschenkindern verrichten. Ohne diese Interpretation muß die Rechtfertigung der Coda-Maße rein formalistisch bleiben, wie es auch schon geschehen ist. So hat Theodor W. Adorno in seiner häufig geführten Polemik gegen das Reprisenunwesen „als Wiederkehr des Gleichen“, das den „Prozeß als sein eigenes Resultat bestätigen“ wolle, „wie es bewußtlos in der gesellschaftlichen Praxis geschieht“, auch „BEETHOVENS erzwungene[n] Tribut ans ideologische Wesen“ gebrandmarkt, da auch bei ihm „der affirmative Gestus der Reprise in einigen der größten symphonischen Sätze [...] die Gewalt des repressiv Niederschmetternden [...] annimmt“.[1] Aber: „In einigen der größten Sätze, wie dem ersten [...] der Eroica [...] hat er [...] an die Reprise eine fast zur zweiten Durchführung erweiterte Coda angefügt. Sie behauptet am Ende den Primat der Entwicklung über alles musikalisch bloß Seiende.“[2] Diese Sichtweise, wenn ihre Basis auch die ideologiekritische Gesellschaftsanalyse ist, bleibt in ihren Untersuchungsmitteln doch formalistisch, da sie sich durch den Verzicht auf die semantische Analyse des Sonatensatzes auf ein Abwägen seiner Formteile und deren vermeintlicher Fort- und Rückschrittstendenzen beschränken muß. (Eine vermittelnde Position nimmt bei der Bewertung gerade dieser Coda C. Dahlhaus ein, übrigens auch in Hinsicht der von ihm als „biographische Methode“ behandelten Fragen der Entstehungsgeschichte, der Widmung und der Werksemantik.[3])

Ein Prüfstein für die unterschiedlichen Analysemethoden dürfte auch jene Stelle kurz vor Satzschluß sein (T. 673ff.), wo unvermutet mitten in die Schlußapotheose des immerhin zum achttaktigen Halbsatz gewachsenen Hauptthemas das stille Klarinettenduo aus den Anfangszeiten der Exposition hineinklingt (T. 57ff.), das dort durch einen Fagottbaß zum Trio ergänzt wurde, welcher wiederum eine neue Va-

1 Th. W. Adorno, *Einleitung in die Musiksoziologie,* S. 224f.
2 Th. W. Adorno, *Der getreue Korrepetitor,* S. 49.
3 C. Dahlhaus, *Ludwig van Beethoven und seine Zeit,* S. 145ff. und 48ff.

riante des chromatischen Abstieges verkörperte. Meikle: „Beethoven presents the most important single catalyst among the various subjects, whose texture and shape prefigured the E minor theme [...]. The presence of the upper part [...] *in its final form* in the first sketch of the complete exposition (Nottebohm, *op. cit.*, pp. 6—7) emphasizes its importance."[1] Hierdurch ist der strukturelle Wert dieses Trios und seine motivische Verbindung zu den zentralen Themen des Satzes markiert, aber die Frage danach, warum es gerade kurz vor Satzschluß nochmals auftaucht, kann auf diese Art nicht beantwortet werden. Hilfreich ist es aber, zu diesem Zweck eine Verbindung herzustellen zwischen der „Genrestruktur" (Klimowitzkij) des Trios, die sich durch Siciliano-Charakter und Instrumentation als Abbild von Ländlichkeit, Natürlichkeit und einer naiven Ursprünglichkeit ausweist, und der Situation bzw. den Personen, die das Trio bei seinem ersten Auftreten repräsentieren könnte, wenn man die Ballett-Handlung als form- und themenbestimmende Schicht dem Symphoniesatz unterlegt. Dann erweist sich das Klarinetten-Duo Takt 57ff. als Bild der ersten selbständigen Bewegungen des Menschpaares, nachdem der Titan ihnen die Fackel ans Herz gelegt und ihre ersten Lebenszeichen beobachtet hat. Folgt man diesem der Hypothese 1 entsprechenden Analyse-Muster auch im Falle des Themenauftritts kurz vor Satzschluß, so könnte das Klarinetten-Duo dort inmitten des prometheischen Jubels in der Bedeutung jenes Satzes aus dem Libretto zu verstehen sein, der die Erziehungserfolge an den beiden Menschenkindern auf dem Parnaß charakterisiert: „Als sie vor Prometheus angelangt sind, erkennen sie in ihm den Gegenstand ihrer Dankbarkeit und Liebe, sie werfen sich vor ihm nieder und umarmen ihn leidenschaftlich."[2]

7. Der zweite Satz ist als „Marcia funebre" bezeichnet, der erste Fall eines auf diese Weise programmatisch bzw. — nach damaligem Wortgebrauch — charakteristisch betitelten langsamen Satzes in einer ursprünglich nicht programmatisch betitelten Symphonie. Daß Beethoven die neue französische Gattung des Trauermarsches zu offiziellen staatlichen Totenfeiern genau kannte, ist aus der „Marcia funebre sulla morte d'un eroe" aus der 1800 komponierten Klaviersonate op. 26 zu erkennen. Im Trauermarsch der 3. Symphonie aber zeigt sich stärker noch als in allen anderen vorangegangenen Werken Beethovens seine enge Vertrautheit mit der Revolutionsmusik Frankreichs, denn praktisch alle wesentlichen Gestalten des Satzes basieren auf französischen Totenmärschen, Triumphliedern und Hymnen.[3] Vor allem der Einfluß Cherubinis und Gossecs ist groß. Mit diesen Stilmitteln, die die Zeitgenossen als Zeichen purer Frankophilie verstanden haben müssen, gestaltet Beethoven ein Kaleidoskop von Todesbildern und Sterbephantasien, deren motivischer Zusammenhang im Untergrund fast noch enger ist als an anderen Stellen der Symphonie[4] und deren wechselnde Schreckensszenen sich gleichermaßen auf die Strafrede und -tat der Melpomene an Prometheus, auf Beethovens eigene Todesängste, aber auch auf die großen Toten der napoleonischen Kriege beziehen lassen.[5] Die musikalische

1 R. B. Meikle, *Thematic Transformation,* S. 217. Quellenhinweis vgl. oben S. 390, Anm. 1.
2 Zit. nach C. Floros, *Beethovens Eroica und Prometheus-Musik,* S. 41f.
3 Vgl. Cl. V. Palisca, *French Revolutionary Models.*
4 Vgl. C. Dahlhaus, *Ludwig van Beethoven und seine Zeit,* S. 58f.
5 Vgl. M. Geck / P. Schleuning, *„Geschrieben auf Bonaparte",* S. 124ff. und 147ff.

Abhängigkeit des Hauptthemas und vieler weiterer Teile von den entsprechenden Partien des Ballettes ist evident, unter anderem auch im Falle der Seufzer- und Zerfallsmotivik der Coda, wobei Beethoven an den entsprechenden Stellen in den Ballett-Skizzen angemerkt hat „les enfants pleurent", „Promethe mort" und „piangendo".[1]

8. Das Finale ist das wagemutigste formale Experiment der gesamten Symphonie-Geschichte. Es zeigt, daß die Finalidee des Werkes komplementär angelegt ist. Wenn nun endlich die motivischen Entwicklungsgänge der vorigen Sätze sich zum alles auslösenden Kontretanz zusammengefunden haben, bietet diese sichere und harmonische Basis für Beethoven offenbar die Möglichkeit, nun in formaler Hinsicht jene Grenzen zu verlassen, welche er in den drei ersten Sätzen, wenn auch teilweise nur mit Mühe, eingehalten hat, nämlich diejenigen der traditionellen Satzformung. Wenn auch der zweite Satz mit seiner Durchdringung von Sonatenhauptsatz, Variation und langsamem Liedsatz schon an diesen Grenzen angelangt ist, so betritt der vierte mit seiner Überlagerung von Variationen- und Fugenarbeit im Allegro molto, dem darüberhinaus noch vor dem abschließenden Presto 82 Variationen-Takte in fast dreifacher Verlangsamung eingeschoben sind (Poco Andante mit 𝅗𝅥 = 27 statt davor 76), Neuland. Ein solches Final-Modell, das sich nur auf wenige Ansätze dieser Art bei Haydn und Mozart stützen kann, entstammt, wie auch die von Rachel W. Wade minutiös untersuchten Skizzen zeigen[2], keineswegs den „Vorstudien" der Klaviervariationen op. 35, wie häufig behauptet wird, da diese lediglich die Idee und auch einige Ausführungen einer gesonderten Variations-Bearbeitung von Baß und Melodie des Kontretanzes mit dem Symphonie-Finale gemeinsam haben. Die Konstruktion des Satzes, die auf das endliche Erreichen der hymnischen Melodie reagiert, ist eine genuine Erfindung Beethovens, und es ist keine auf die Situation um 1802 beschränkte Erfindung, da sie genau in dieser Art und vermutlich auch mit ähnlichen inhaltlichen Absichten in der 9. Symphonie wieder auftritt. Daß die 3. Symphonie dazu das Vorbild ist, zeigt nicht nur die Analyse, sondern auch die Beteuerung Beethovens im Jahre 1817, als er mit der 9. Symphonie begann, von allen bisherigen seiner Symphonien sei ihm die dritte immer noch die liebste — so zu Kuffner.[3]

Die Anlage dieses Finale ist besonders stark dazu angetan, den Inhalt der „politischen" Hypothese 1 zur Gewißheit zu machen. Man muß sich vor Augen halten, welche symbolhaltigen musikalischen Gestalten darin zusammentreffen und aufeinander bezogen sind: die alles Bisherige aufsaugende, die Wiederauferstehung oder gar die Reinkarnation des Prometheus feiernde Hymne, dann zwei Fugenblöcke über den Baß, die beide höchst angestrengt arbeiten und in mißtönigen, von Kampfgestik geprägten Figuren enden, und zwischen und nach diesen Fugen zwei Variationsblöcke, deren erster ungarische, deren zweiter deutsch-österreichische National- bzw. Volksmusik wiedergibt und aufgreift, schließlich als Coda ein Geschwindmarsch. Es dürfte sich wohl um die aktualisierte Fortsetzung des Prometheus-

1 Ein Vergleich bei C. Floros, *Beethovens Eroica und Prometheus-Musik,* S. 93 und 138.
2 Vgl. R. W. Wade, *Beethoven's Eroica Sketchbook.*
3 Vgl. Thayer / Deiters / Riemann, *Ludwig van Beethovens Leben,* Bd. IV, S. 29.

Stoffes handeln, die im Ballett nur angedeutet wurde, nämlich um die Befreiungshoffnungen für das deutsche Reich, die Beethoven mit vielen deutschen Republikanern teilte, und zwar unter dem Schutzschild und mit der tätigen Hilfe der napoleonischen Armee. Die auf diesem Wege endlich zu befreiende deutsche Kultur und Größe wird in dem langsamen Teil, den die Kritik der öffentlichen Uraufführung als „Pastorale im größten Styl durchgeführt" bezeichnete[1], nicht nur durch Variationen hervorgehoben, die die Kontretanz-Melodie in die Stilistik des deutschen Bläserchorals, dann österreichischer Volksmusik einkleiden, sondern endlich auch durch jene Variation Takt 381ff., in welcher er die Melodie als Baßthema in doppelter Vergrößerung auftreten läßt, eine Technik, die Beethoven fast sicherlich der ihm zugänglichen Bach-Kantate Nr. 80 („Ein feste Burg ist unser Gott") entlehnt hat und mittels derer er einen dritten Eckpfeiler deutscher Größe errichtete.

Proben und Widmung (Mitte 1803 bis Ende 1804). Am 12. Februar 1805 schreibt Beethovens Bruder Karl, neben dem Schüler Ferdinand Ries Beethovens Verbindungsmann jener Zeit zu den Verlagen, an den Leipziger Verleger Härtel: „Mein Bruder glaubte anfangs, ehe er die Simpfonie noch gehört hatte, sie würde zu lang seyn, wenn der erste Theil des ersten Stücks wiederholt würde, aber nach öfterer Aufführung derselben fand es sich, daß es sogar nachtheilig sey wenn der erste Theil nicht wiederholt würde." Wie nah wird uns Beethoven durch seine Unsicherheit! Er war sich also klar über das Riskante und Unerhörte seines Vorhabens, unerhört, also zum hörenden Prüfen und Abwägen bestimmt, für einen Ertaubenden wahrlich bemerkenswert. Wenn man schon Beethovens Zähigkeit und Wagemut bewundert, so muß man auch in gleicher Weise seine Fähigkeit anerkennen, sich für diese Haltungen immer wieder die materiellen Voraussetzungen zu schaffen, zum Beispiel in diesem Falle ein Probenorchester, das ihm die unerhörte Symphonie vorführte. Und da zahlte sich eine weitere seiner Fähigkeiten aus, nämlich die, reiche Adlige von sich abhängig zu machen, in diesem Fall den Fürsten Lobkowitz, der ihm sein erst jüngst aus den Leuchten der Wiener Musiker zusammengestelltes Orchester in Aussicht stellte.[2] Zu diesen Proben konnte es aber nur kommen, wenn ein politisches Problem gelöst war.

Der österreichische Patriot Lobkowitz muß im Herbst 1803 erfahren haben, daß die um die Jahresmitte fertiggestellte Symphonie Bonaparte, dem ehemaligen und vermutlich auch zukünftigen Kriegsgegner, gewidmet werden sollte, wie wir aus Briefen von Ries an den Bonner Verleger Nikolaus Simrock von ebendiesem Herbst wissen, und darüberhinaus noch, daß Beethoven kurz nach Ausbruch des dritten Koalitionskrieges (Mai 1803), also wohl ebenfalls seit der Jahresmitte, den Plan gefaßt hatte, in eineinhalb Jahren, demnach zum Jahreswechsel 1804/1805, nach Paris umzuziehen. Und im Dezember 1803 schreibt Ries an Simrock, Beethoven wolle die Symphonie keinem deutschen Verlag übergeben, sondern nach Paris mitnehmen, wohin er einen reichen, leider wohl verschollenen Briefwechsel unterhielt und wo er einen in eigener Regie geführten, seinen Werken vorbehaltenen Musikverlag

1 *Der Freimüthige* vom 26. April 1805.
2 Vgl. T. Volek / J. Macek, *Beethoven und Fürst Lobkowitz*; J. Macek, *Franz Joseph Maximilian Lobkowitz*.

aufbauen wollte.[1] Diese politisch und wirtschaftlich hochbrisanten Pläne müssen Lobkowitz alarmiert haben. Er mischte sich ein und bot Beethoven im Herbst 1803 400 Gulden für einen halbjährigen Vorbesitz der Partitur an. Die Widmung an Bonaparte sollte dann, wie Ries berichtet, durch eine bloße Betitelung der Symphonie ersetzt werden: Bonaparte.

Beethoven war einerseits fest entschlossen, den Parisplan und die Bindung der Symphonie an Bonaparte aufrecht zu erhalten, aber andererseits auf das hörende Prüfen und Korrigieren der Symphonie mit einem Probenorchester angewiesen. Offenbar war er dafür an Lobkowitz gebunden. Gleichzeitig zum Monatswechsel Mai/Juni 1804 treffen drei Ereignisse zusammen und lösen das Problem: In Wien langt die Nachricht an, Bonaparte wolle sich zum Kaiser krönen lassen; Beethoven zerreißt empört das Titelblatt der Symphonie, auf dem angeblich nur oben geschrieben stand „Bonaparte", unten „Beethoven", und damit auch den Gedanken der Betitelung; die Proben mit dem Lobkowitzschen Orchester beginnen, wie die Forschung erst jüngst herausgefunden hat.[2] Man ist gezwungen, Beethovens Empörung teilweise als taktischen Schachzug zu begreifen, wenn man erfährt, daß auf dem Titelblatt der Partitur vom August 1804 zwar „intitulata Bonaparte" ausgekratzt ist, in heute nicht mehr lesbarem Bleistift aber von Beethoven darunter gesetzt war „geschrieben auf Bonaparte", und daß Beethoven im gleichen Monat an Härtel schrieb: „Die Simphonie ist eigentlich betitelt Ponaparte."[3] Nun war der Weg für die Proben und für die Überprüfung der Länge des ersten Satzes frei, ein Prozeß, der sich an dem originalen Aufführungsmaterial verfolgen läßt.[4] Lobkowitz dehnte die Dauer seines Vorbesitzes „späterhin [...] auf einige Jahre" aus, wie Ries sich später erinnert, und verschaffte sich mit einem Geldgeschenk auch die Option auf eine Widmung der Veröffentlichung an ihn (Oktober 1804 für ersteren 700 Gulden zu den erwähnten 400 vom Vorjahr, zum gleichen Zeitpunkt für letztere 80 Golddukaten). Denkt man darüber nach, welche Personen die Proben verfolgt und mit Beethoven die Frage der Expositionswiederholung des ersten Satzes besprochen haben könnten, so kommen in Frage außer den engsten Freunden und Schülern der Fürst Lobkowitz selbst, dann dessen Orchestermusiker mit Kapellmeister Anton Wranitzky, aber auch Beethovens verehrter Musikerfreund, der Prinz Louis Ferdinand von Preußen, welcher in der Absicht, die österreichischen und preußischen Armeen gegen Bonaparte zu vereinigen, im Herbst 1804 einen inoffiziellen Besuch bei der österreichischen Regierung und den österreichischen Herbstmanövern bei Wien und Prag machte, sich auf dem Lobkowitzschen Sommersitz im böhmischen Raudnitz die neue 3. Symphonie vorspielen ließ, angeblich gleich dreimal hintereinander — einmal vielleicht ohne Expositionswiederholung? —, und sich vielleicht dort, auf jeden Fall aber in Wien mit Beethoven traf und das Problem erörtert haben dürfte, zweifellos unterstützt von seinem musikalischen Intimus Jan Ladislav Dussek, der ihn stets begleitete. Es ist nicht auszuschließen, daß der Prinz eine der treibenden

1 Vgl. M. Geck / P. Schleuning, *„Geschrieben auf Bonaparte"*, S. 138ff.; P. Schleuning, *Kann eine Sinfonie revolutionär sein?*

2 Vgl. R. Brinkmann, *Kleine „Eroica"-Lese*; T. Volek / J. Macek, *Beethoven's Rehearsals at the Lobkowitz's.*

3 Zum Titelblatt M. Solomon, *Beethoven and Bonaparte,* S. 97f.

4 Vgl. M. C. Tusa, *Die authentischen Quellen der „Eroica"*.

Kräfte zugunsten der Expositionswiederholung war, aber auch zur patriotischen Rückbesinnung Beethovens, mithin zur Aufgabe des Parisplanes und zur endgültigen Abkehr von der Bestimmung der Symphonie für Bonaparte zugunsten der Widmung an Lobkowitz (vgl. Oktober-Honorar).

Die Gründe für die traditionsgemäße Wiederholung liegen auf der Hand, und zwar speziell bei dieser Symphonie: Für die Riesenmaße der folgenden Teile des ersten Satzes konnte nur ein wiederholter erster Teil ein gleichgewichtiges Fundament bilden, das das Material und die Voraussetzungen für die folgenden Teile ausführlich und doppelt ausbreitete und den Hörern eine gewohnte Sicherheit vor den Hörsensationen der Folge bot. Für die Alternative, also für die Streichung der Wiederholung, welche Beethoven erst „nach öfterer Aufführung" aufgab, sprach nicht nur die von Bruder Karl wiedergegebene Befürchtung, „sie würde zu lang seyn", auch wenn diese schon ausreichend ist, Beethovens Verhältnis zu seinem Publikum in einem anderen Lichte erscheinen zu lassen als dem üblicherweise verbreiteten. Aber ein Verzicht auf die Wiederholung hätte zugleich die innere Handlung des Satzes, ob prometheisch oder nicht, ohne den Bruch, den eine Wiederholung der Anfangsgedanken bedeutet, in kontinuierlicher Folge fortlaufen lassen. (Seltsam, daß Adorno sich nirgends ideologiekritisch über das „formalistische Residuum" der Expositionswiederholung geäußert hat, sondern immer nur der Reprise: offenbar zu früh im Satz für den Fortschrittsdenker.) Es wäre der erste Fall eines Sonatenhauptsatzes ohne Doppelstrich und mit freiem Fortgang der Teile gewesen. Beethoven hat dies — symphonisch — erst in der 9. Symphonie getan. Was er in deren Vorbild, der 3. Symphonie, noch scheute, leuchtete ihm im Nachfolgewerk ein, und nicht nur, weil es sonst „würde zu lang seyn". Der Zweifel, ob man sich der Traditionsnorm der Teilwiederholung unterordnete oder nicht, war im Grunde bereits die Frage, ob man sich der „klassischen" Norm unterordnete oder dem inneren Programm, der Idee der komponierten Musik. Er läßt bereits die späteren Auseinandersetzungen zwischen „absoluter" und Programmusik aufscheinen. (Daß Beethovens Entscheidung problematisch, vielleicht halbherzig war, beweist jedes Hören der wiederholten Exposition, insbesondere des nachkomponierten Verbindungsgliedes: Er wagte den Schritt noch nicht.)

ERSTAUFFÜHRUNG UND VERÖFFENTLICHUNG (ANFANG 1805 BIS HERBST 1806). Beethoven hätte nach seinem Plan spätestens Anfang 1805 nach Paris umziehen müssen. Jedoch war die für seinen Auftritt in Paris bestimmte Oper *Fidelio*, auf die er sich seit Abschluß der 3. Symphonie Mitte 1803 konzentriert hatte, nicht fertig und harrte — wie vorher die Symphonie — einer Wiener Bewährungsprobe. Was seit Mitte 1803 an Verlagsverhandlungen über die 3. Symphonie zunächst mit Simrock, dann nur noch mit Härtel vor sich ging, spottet jeder Beschreibung, wenn man moralisch argumentiert — Beethovensche Versprechungen, Verzögerungen, Euphemismen und Drohungen, die den Verleger zugleich als Opfer und als überlegenen Taktiker erscheinen lassen, Beethoven zugleich als klugen Manager und als lügnerischen Großsprecher. Aber diese Verhandlungen können auch als Spiegel von Beethovens Schwierigkeiten interpretiert werden, den Umzugsplan aufzugeben und sich erneut auf Wien zu konzentrieren. Um die Jahreswende 1804/1805 entstand gar ein Nervenkrieg zwischen den Parteien, wobei Härtel die Zahlung des Honorars von dem Empfang der Partitur in einem bestimmten Zeitraum abhängig machte, dann aber, als die Noten nicht ankamen, die Verhandlungen abbrach, während Beethoven in scheinbarer Unschuld und Großmut die Noten als auf dem Postwege meldete und seine guten Absichten gegenüber Härtel beteuerte, dann in moralische Empörung ausbrach zum Schutz seines von Härtel verdächtigten Bruders Karl, gleichzeitig aber offenbar schon im Frühling Verhandlungen mit dem Wiener Kunst- und Industrie-Kontor anbahnte. Dies war wohl auch der Zeitpunkt, zu dem er den Parisplan schon aufgegeben hatte. Jedenfalls fand eine im Vorherbst für das Frühjahr geplante Reise mit Fürst Lichnowsky nach Paris nicht statt, stattdessen die Uraufführung der Symphonie in Wien, am 20. Januar halböffentlich im Sonntagskonzert der Bankiers Würth und Fellner[1], am 7. April öffentlich im Konzert des Geigers Franz Clement im Theater an der Wien, dirigiert vom Komponisten, wie wahrscheinlich auch die Januar-Aufführung. Georg August Griesinger, Kontaktmann Härtels und sächsischer Attaché in Wien, berichtet: „Für ein geniales Werk höre ich sie von Verehrern und Gegnern Beethovens rühmen", was den eher negativen Meinungen der offiziellen frühen Musikkritik widerspricht. Und der Volksschriftsteller Eipeldauer (Joseph Richter) schreibt Ende April 1805: „Am Palmsonntag ist aufn Theater an der Wien ein wunderschöne Akademi gebn worden, und da habn s' besonders einen Herrn zuklatscht, der einen Theil der Musik gmacht hat, weil er aber für den Beyfall nur mit ein klein Kopfducker dankt hat, so habn sich einige drüber aufghalten, und habn das Ding für ein Künstlerstolz ausglegt, aber die Herrn werden 's halt nicht gwußt habn, das der brave Herr Kompositor grad denselben Tag ein Rematismi in Gnack ghabt hat, und da hat er sich ja nicht tiefer bucken können."[2]

Die Symphonie war von einer Veröffentlichung noch weit entfernt, und weitere öffentliche Aufführungen fanden zunächst nicht statt, offenbar weil sie immer noch im Vorbesitz von Lobkowitz war. Die Verzögerung scheint auch zu tun zu haben mit der Lösung aus dem Parisplan und — diese wohl bestimmend — mit den Kriegsereignissen des Jahres 1805, also dem Kriegseintritt Österreichs, der Niederlage der Österreicher und Russen bei Austerlitz im November und der Besetzung Wiens im Dezember. Die Erkenntnis, daß Bonaparte seine Siege keineswegs dafür nutzbar machte, die Bevölkerung der besiegten Staaten der demokratischen Befreiung näherzubringen und ihre Herrscher zu entmachten, sondern daß er mit diesen Großmachtpolitik trieb und sie auf den Thronen erhielt, hat offenbar in Beethoven jenen franzosenfeindlichen Patriotismus bestärkt, den fast alle alten frankophilen Fortschrittlichen entwickelten. Treibende Kraft in dieser Bewegung war die preußische Opposition, die König Friedrich Wilhelm III. bewegen wollte, sich gegen Bonaparte zu wenden und damit die Schande zu tilgen, die Preußen durch seine Nichtbeteiligung bei Austerlitz sich zugezogen hatte. Wie schon 1804 war Prinz Louis Ferdinand ein Führer dieser Opposition, die im Juli 1806 ihr Ziel erreicht sah: Preußen machte gegen die Franzosen mobil. Als die Stimmenausgabe der 3. Symphonie in Wien im Kunst- und Industrie-Kontor beim Druck lag und Beethoven einen Sommerurlaub auf Fürst Lichnowskys Schloß Graetz beim schlesischen Troppau verbrachte, traf nicht nur die Nachricht von der preußischen Niederlage bei Jena und Auer-

---

1 Vgl. P. Schleuning, *Das Uraufführungsdatum von Beethovens „Sinfonia eroica"*.
2 R. Brinkmann, *Kleine „Eroica"-Lese*, S. 634.

städt Mitte Oktober ein, sondern auch jene, welche Beethoven und alle deutschen Patrioten zugleich wie ein vernichtender Schlag treffen mußte, aber auch wie eine Verpflichtung zum verstärkten Widerstand: Prinz Louis Ferdinand, der deutsche Symbolheld der antinapoleonischen Kriege und der Motor des patriotischen Widerstandes, war am 10. Oktober 1806 bei einem Vorgefecht bei Saalfeld (Thüringen) gefallen.

Am 29. Oktober erschien in der *Wiener Zeitung* die Anzeige des Verlages über die musikalischen Neuerscheinungen, darunter zum ersten und einzigen Male fast das gesamte Werk von Louis Ferdinand, „Prince de Prusse", vier Positionen darüber in der gleichen Spalte die 3. Symphonie Beethovens, erstmals mit dem neuen Titel: *Sinfonia Eroica* [...] *composta per festiggiare il sovvenire di un grand Uomo e dedicata A Sua Altezza Serenissima il Principe di Lobkowitz da Luigi van Beethoven. Op. 55 No. III delle Sinfonie.*

Hypothese 3: Unter dem Eindruck des Heldentodes seines großen Freundes und deutschen Patrioten ließ Beethoven nach seiner überstürzten Abreise aus Graetz in Wien noch kurz vor Erscheinen das Titelblatt ändern, machte die Symphonie zum Tombeau für den Prinzen, erhob dadurch den Trauermarsch zu neuer, aktualisierter Funktion und nahm so eine ideologische Parodie an seiner einst für Bonaparte bestimmten Symphonie vor. Jedoch blieb, genau wie bei dem Meister der textlich-musikalischen Parodie, Johann Sebastian Bach, trotz dieses Vorganges die innere Haltung des Komponisten und seines Werkes erhalten: Das Ziel eines republikanischen deutschen Reiches, zunächst mit Bonapartes Unterstützung, dann ohne ihn, schließlich gar gegen ihn. Den Namen des Prinzen offen zu nennen, hätte im französisch beherrschten Europa die Verbreitung der Symphonie verhindert und hätte für Beethoven gefährlich werden können. Der patriotische Mitstreiter Ernst Moritz Arndt, der offen gegen Bonaparte agitiert hatte, floh nach der Schlacht von Jena sofort nach dem schwedischen Rügen.

Alle diese teils erwiesenen, teils hypothetisch erschlossenen Entstehungs- und Wandlungsbedingungen der Symphonie haben nach dem Erscheinen des Werkes nirgends mehr Erwähnung gefunden. Daß dies eine dem politischen Klima des antifranzösischen Patriotismus bzw. der politischen Zensur der französischen Besatzer entstammende Eliminierung ist, erweist sich durch die spätere Reduzierung der Fakten und der Erinnerung auf einen einzigen, zum Klima des Vormärz stimmigen Vorfall: das Zerreißen des Titelblattes. So spiegelt die Beschränkung der Beschäftigung der folgenden Generationen mit dem Werk entweder auf die Noten- und Formanalyse oder auf die Vernebelung der Semantik ins Allgemeine und Höhere jenen Weg der Musikanalyse in die Ideologie von der „absoluten" Musik, der die Abstinenz gegenüber dem Konkreten oder gar Politischen immanent ist, so daß sie sich auch ihrer eigenen Herkunft aus den Repressionsängsten und Anpassungszwängen der Franzosenzeit und des Vormärz nicht bewußt werden kann. Erst Forschungsansätze der letzten zwanzig Jahre haben die Weichen zu einer anderen Sicht von Werkanalyse gestellt, auch im Hinblick auf eine Rezeptionsforschung im Sinne einer sammelnden und interpretierenden Sichtung der Urteile und Meinungen zu der Symphonie in der Öffentlichkeit und in der Fachwelt. Was aber immer noch aussteht, ist eine andere Art der Rezeptionsforschung, nämlich jene, in der die Schlüsselwerke der Neuzeit wie die *Eroica* in ihrer prägenden Wirkung auf die folgende Geschichte der

Komposition untersucht werden. Ein solcher Forschungszweig, in dem die Konzeptionen, Spuren, Übernahmen und Zitate von großen Einzelwerken in den Kompositionen der Nachfolgegenerationen ermittelt, gesammelt, systematisiert und analysiert würden, könnte als Seitenstück zur Gattungsforschung der auf Biographik oder Einzelœuvres konzentrierten Forschung ergänzend und kritisierend an die Seite treten.[1]

Peter Schleuning

Konzert C-Dur für Klavier, Violine, Violoncello und Orchester „Tripelkonzert“ op. 56

ENTSTEHUNGSZEIT: 1803/1804 (nach A. Schindler, *Biographie*, ³1860, S. 147 für Erzherzog Rudolph, den Geiger Carl August Seidler und den Violoncellisten Anton Kraft).
ERSTAUFFÜHRUNG: im Mai 1808 in einem Wiener Augartenkonzert.
SKIZZEN: Biblioteka Jagiellońska Krakau, Landsberg 6, Eroica-Skizzenbuch; Staatsbibliothek Preußischer Kulturbesitz Berlin, Mendelssohn 15, Fidelio-Skizzenbuch, Leonore-Skizzenbuch (G. Nottebohm, *Zweite Beethoveniana*, S. 418f.).
AUTOGRAPH: Aufbewahrungsort unbekannt; Abschrift des dritten Satzes: ehemals (seit 1901) in der Deutschen Staatsbibliothek Berlin, Artaria-Sammlung.
ERSTDRUCK UND WIDMUNG: Stimmen: Wien 1807 (Bureau des Arts et d'Industrie), Partitur: Frankfurt 1836 (Fr. Ph. Dunst); dem Fürsten Joseph v. Lobkowitz gewidmet.
GESAMTAUSGABEN: Alte Gesamtausgabe: Nr. 70 = Serie 9 Nr. 6; Neue Gesamtausgabe: Abt. III, Bd. 1.

Von allen Konzerten Beethovens gilt das Tripelkonzert, das in den Erstausgaben „Grand Concerto Concertant“ heißt, als am wenigsten gelungen. Selbst Donald Francis Tovey, der das Werk zu verteidigen sucht[2], bestreitet nicht, daß es „a less powerful and less definite impression on us than others“ mache und Beethoven hier „below his full powers“ schreibe. Gerade daraus jedoch sei „a valuable experience not obtainable from greater things“ zu gewinnen, nämlich die Erkenntnis einer Station auf Beethovens Weg zur Bewältigung der Gattung Konzert: „Without the Triple Concerto Beethoven could not have achieved the Pianoforte Concertos in G and E flat, nor the Violin Concerto.“ Mit dieser Argumentation indes verschiebt Tovey die Ebene des Werturteils und verschärft damit — zweifellos unbeabsichtigt — die Kritik an dem Werk. Denn indem er den Wert der Komposition vor allem in deren Funktion für die Lösung einer Gattungsproblematik sieht, unterminiert er für sie den Anspruch, der grundlegend für den Werkbegriff der Klassik war; der

1 Vgl. P. Schleuning, *Schönberg und die „Eroica“*.
2 D. Fr. Tovey, *Essays in Music Analysis*, Bd. III (1972), S. 96.

Anspruch des einzelnen Werkes nämlich, als geschlossenes, individuelles, allein für sich stehendes wahrgenommen und nicht als Muster einer Gattung oder gar als Dokument der Metierbewältigung des Komponisten angesehen zu werden.

Die Behauptung Toveys, das Tripelkonzert habe Beethovens spätere Solokonzerte positiv vorbereitet, impliziert, daß man — unabhängig von der Besetzung — von einem einzigen Strang der Konzertkomposition ausgehen könne, der sich eben mehrheitlich in Solokonzerten manifestiertkument der Metierbewältigung des Komponisten angesehen zu werden.

Die Behauptung Toveys, das Tripelkonzert habe Beethovens spätere Solokonzerte positiv vorbereitet, impliziert, daß man — unabhängig von der Besetzung — von einem einzigen Strang der Konzertkomposition ausgehen könne, der sich eben mehrheitlich in Solokonzerten manifestiert hat. Dem widerspricht Beethoven mit dem oben zitierten Werktitel, gleichermaßen mit dessen deutscher Version „Konzertant Konzert“, die er in der eigenhändigen Überschrift einer verschollenen Klavierstimme gebraucht hat.[1] Schon daran ist abzulesen, daß Beethoven die Komposition als etwas Besonderes betrachtete: Er gab ihr einen Titel, der in seinem Œuvre einmalig ist, und ordnete sie durch ihn einer Gattung zu, die es nicht gab. Gleichzeitig bezieht er — durch „Konzertant“ — das Werk auf eine sehr wohl existierende Gattung, die Symphonie concertante, und setzt es sogleich wieder — durch „Konzert“ — von ihr ab. Tatsächlich entspricht das Tripelkonzert in einigen Aspekten der Symphonie concertante, so in der Mehrzahl der konzertierenden Solostimmen, in dem Bezug zu der dort vorherrschenden Zwei- oder Dreisätzigkeit, die allerdings in einer bemerkenswerten Doppeldeutigkeit aufgehoben ist, und in der Selbstverständlichkeit der Rondoform im Schlußsatz.[2] Dennoch wollte Beethoven das Stück nicht als Symphonie gelten lassen, für deren Begriff ihm die eben fertiggestellte *Sinfonia eroica* stand. Das hat seinen Grund in der individuellen Faktur des Stückes: Sie akzentuiert das Moment des Konzertierens, der Entfaltung der drei Soloinstrumente, und das in einem weit höheren Maße als in den anderen Konzertkompositionen Beethovens, jedenfalls seit op. 37 — deshalb die zunächst recht merkwürdige Wortdoppelung in jenem Titel.

Auf dieser Akzentsetzung bzw. auf den konkreten kompositorischen Entscheidungen, die Beethoven traf, um das Ensemble der drei Solisten konzertierend in den Vordergrund zu rücken, beruhen nun auch die unüberhörbaren Schwächen der Komposition. Genannt wird immer wieder die Unausgewogenheit der Satzdimensionen, wird auf die — gerade angesichts der Blässe seiner Themen — Länge des ersten und die extreme Kürze des zweiten Satzes hingewiesen. Als einigermaßen gelungen gilt der dritte Satz, das wohl namentlich wegen des tänzerischen Schwunges, den der Polonaise-Charakter gewährleistet. Doch auch hier bleibt die Grundproblematik des ganzen Stückes bestehen, die von jenem Schwung lediglich überspielt wird.

In dem Maße nämlich, in dem er die spieltechnische und klangliche Präsentation der drei Soloinstrumente dominieren läßt, verzichtet Beethoven darauf, seine avancierten Verfahren der motivisch-thematischen Arbeit, die — wie namentlich die

1 Vgl. G. Kinsky / H. Halm, *Das Werk Beethovens*, S. 132.

2 Vgl. dazu *Riemann Musik Lexikon*, Sachteil, S. 926, wo das Stück tatsächlich zur Gattung der Symphonie concertante gezählt wird.

schon erwähnte 3. Symphonie zeigt — zur weitestgehenden Differenzierung der Formteile hinsichtlich ihres Tonsatzzustandes führte, auch hier Geltung zu verschaffen. Dieser Verzicht hat unmittelbare Konsequenzen für die Qualität der formalen Bewegung; freilich weniger, weil die instrumentale Entfaltung allzuoft in hohle Virtuosität umschlüge und der musikalische Diskurs allzuoft durch Leerstellen unterbrochen würde. Entscheidend ist vielmehr, daß Beethoven die drei Soloinstrumente im Grundsatz mit gleichen Rechten ausstattet, die Präsentation des thematischen Materials folglich oft genug mindestens dreimal erfolgt. Das wirft — namentlich im ersten Satz — das Problem der Dimension auf; im Zusammenhang damit jedoch — und das ist noch wichtiger — führt die quantitative Ausbreitung des für die thematische Präsentation grundlegenden festen Tonsatzzustandes dazu, daß locker gefügte Partien, namentlich durchführende Passagen so sehr an Gewicht verlieren, daß selbst der Hinweis auf die traditionell reduzierte Rolle der Durchführung in Konzerten keine Rechtfertigung mehr bietet. Der Tonsatzzustand wird also — und das gilt sowohl für den ersten als auch für den dritten Satz — in Richtung auf den festen Zustand hin nivelliert, und Beethoven beschneidet mit der Durchführung gerade den Formteil, in dem eine seiner wesentlichen kompositorischen Errungenschaften, die motivisch-thematische Arbeit dynamischen Charakters, in erster Linie ihren Platz hat.

Der erste Satz folgt zwar dem üblichen Schema einer Sonatenform im Kopfsatz eines Konzertes: Orchesterexposition (T. 1—75) — Soloexposition (T. 76—246) — Durchführung (T. 246—325) — Reprise (T. 325—506) — Coda (T. 506—531). Die konkrete Ausfüllung dieses Schemas jedoch verschiebt den formalen Bau in Richtung auf die barocke Konzertform, das heißt auf eine architektonisch geprägte Refrainform, die sich vom Rondo nur insofern unterscheidet, als das Ritornell auf unterschiedlichen Tonartenstufen erscheinen kann: Das Hauptthema, das am Anfang von Orchester- und Soloexposition ebenso wie am Reprisenanfang in der Tonika steht, wird zu Beginn der Durchführung nochmals in voller Ausdehnung, nun aber in A-Dur präsentiert. Diese Wiederaufnahme des Hauptthemas, die zumal durch ihre Unverstelltheit ungewöhnlich genannt zu werden verdient, tangiert die formale Funktion des dritten Teils in jenem traditionellen Formschema: Mit Takt 248—276 des Hauptthemas steht mehr als ein Drittel von ihm im festen Tonsatzzustand, der im übrigen in Takt 300—307 aufs neue ausgeprägt ist; von „Durchführung" kann also nur in einem sehr eingeschränkten Sinn gesprochen werden.

In der Tat scheint es sinnvoller zu sein, in Anlehnung an die barocke Konzertform von einer vierteiligen Formanlage plus Coda zu sprechen, die mit Zügen der Sonatenform versetzt ist. Das wird namentlich dadurch nahegelegt, daß mittels der spezifischen Einrichtung des Ritornells (Hauptthemas) am Anfang der Teile ein weiteres architektonisches Formprinzip, das der Symmetrie, ins Spiel gebracht wird: Die äußere Entsprechung der symmetrischen Anordnung stellen die Anfänge des ersten und vierten Teils (Orchesterexposition und Reprise) durch die „Orchesterform" des Themas, die innere die des zweiten und dritten Teils (Soloexposition und Durchführung) durch die „Soloform" dar. So betrachtet ergibt sich eine Gliederung, die zwischen annähernd gleich kurzen und annähernd gleich langen Teilen alterniert: 75 — 171 — 80 — 182 Takte (+ 26 Takte Coda), und in der gleichsam chiastisch der erste kurze und der zweite lange bzw. der erste lange und der zweite kurze durch ihren Anfang Entsprechungen bilden.

Bei jenen Einrichtungen des Hauptthemas in Orchester- und Soloform zeigt sich Beethovens Tendenz zur Ausgewogenheit oder Gleichverteilung ebenso wie die Aufmerksamkeit, die er dem Solo und Tutti als satztechnischer Kategorie widmet — auch dies ein Moment, das in der barocken Konzertform seine Wurzeln hat. Die Verdreifachung des Themas in der Soloform rührt von der Dreizahl der Soloinstrumente her (T. 77ff. und 248ff.); bewerkstelligt wird sie nicht durch einfache Wiederholung, sondern durch das harmonische Dispositionsmodell von Fugenexpositionen: Das Violoncello exponiert den Dux (Tonika), die Geige beantwortet mit dem Comes (Dominante), das Klavier schließt mit dem Dux (Tonika). Sind diese Präsentationen des Themas auch satztechnisch durchgängig als Solo charakterisiert, so wird bei der Orchesterform hinsichtlich dieses Aspekts differenziert. Zu Beginn des Satzes ist das Thema vom Orchester als Solo exponiert, am Reprisenbeginn (T. 325) dagegen — ganz dessen Gestus erfüllend — als Tutti und dynamischer Höhepunkt hervorgehoben. Die Soloexposition läßt — auch durch den offenen Schluß des thematischen Neuntakters — eine „counterexposition" erwarten; Beethoven jedoch stellt dem Tutti (T. 21) ein breites Steigerungsfeld voran, das von den Motiven des Hauptthemas abgeleitet ist, vermittelt also sukzessiv zwischen den beiden Kategorien Solo — Tutti. So schlüssig diese Bewegung am Anfang des Satzes erscheint, so wenig überzeugt die Variante am Reprisenbeginn. Die vermittelnde Steigerungspartie (T. 337ff.) wirkt, da ihr schon ein Tutti vorausgeht, unmotiviert; anders gewendet: Die Emphase des Reprisenbeginns, die allein dem Schema der Sonatenform zuliebe bemüht zu werden scheint, wirkt auch von der Fortsetzung her betrachtet aufgesetzt. Zu diesem Eindruck trägt freilich schon die Vorbereitung über dem Dominantorgelpunkt ab Takt 307 bei, deren Ausdehnung und extreme Konventionalität wiederum auf die Absicht zurückzuführen ist, allen Soloinstrumenten gleiches Recht zukommen zu lassen. Erkennbar am Reprisenbeginn und seiner Umgebung wird die Grundproblematik des Stückes, deren Beethoven nicht Herr zu werden vermochte: Die Vermittlung der Prinzipien der Sonatenform einerseits und der Momente des Konzertanten (gleichberechtigte Entfaltung von drei Soloinstrumenten, Solo-Tutti-Gegensatz) andererseits.

Auch der Soloform des Themas antwortet bei seiner Exposition im Sinne der satztechnischen Komplementierung ein Tutti (T. 114ff.), das allerdings bei der Wiederaufnahme jener Themaform am Anfang des dritten Teils (Durchführung) entfällt. Damit ist eine besondere Qualität dieses dritten Teils bezeichnet. Sie beruht freilich nicht auf durchführender Verarbeitung, die dem Formteil in einer Sonatenform angemessen wäre (wie bereits gesagt, prägen Takt 248—276 und 299—307 den festen Tonsatzzustand aus, Takt 307—324 bereiten die Reprise dominantisch vor; lediglich Takt 277—299 ist der harmonisch schweifende Charakter einer Durchführung zu eigen, aber auch hier findet keine motivische Entwicklung statt). Die Besonderheit des dritten Teils ist vielmehr darin zu sehen, daß er sich im Gegensatz zu allen anderen Formteilen durchweg als Solo entfaltet — ein Moment des Konzertanten verdrängt mithin aufs neue ein formbestimmendes Element der Sonatenform.

Die formale Anlage des Satzes gründet sich nicht — wie sonst in Beethovens Sonatensätzen — auf die Differenzierung der Abschnitte hinsichtlich ihres Tonsatzzustandes, nicht auf dessen vielfältige Abstufungen zwischen fest und locker als Grundlage eines entwickelnden Prozesses, der ungeachtet der individuellen Qualität der thematischen Gestalten die nachvollziehende Aufmerksamkeit in Anspruch nehmen könnte. Die Form beruht vielmehr auf der architektonischen Balance nebeneinandergestellter Gedanken, für deren Kontrastierung allem voran die satztechnische Präsentation, der Unterschied zwischen Solo und Tutti in den Vordergrund tritt. Damit aber rückt die gestaltliche Qualität der Gedanken selbst, ihre charakteristische Fügung in besonderem Maße ins Blickfeld; durch Vielfalt der individuellen Bildungen nämlich könnte der konzertanten Reihung inhaltliche Substanz verliehen werden, wie das Bach in so vielen seiner Konzertsätze gelungen ist.

Beethoven indes schlägt den geradezu gegensätzlichen Weg ein, indem er die zentralen Themen aus dem gleichen, vor allem rhythmisch gleichen Material entwickelt: dem Baustein punktierte Achtel + Sechzehntel, der den ganzen Satz beherrscht, und der durchlaufenden Viertelbewegung. In unterschiedlicher Verteilung sind davon sowohl das Hauptthema, das Seitenthema (T. 33ff., 157ff., 394ff.), der erste Schlußgedanke (T. 53ff., 462ff.) und — hier mit ausschließlicher Insistenz auf dem punktierten Motiv — der zweite Schlußgedanke (T. 182ff., 419ff.), also sämtliche formtragenden thematischen Gestalten, geprägt. Vergleicht man dagegen den mehr und mehr Kontur annehmenden melodischen Gedanken, den Beethoven in Takt 170—178 (bzw. T. 407—415) aus der harmonisch bestimmten Überleitungsgruppe von Takt 44—52 zu entwickeln weiß (Tovey hat sie treffend „purple patch" genannt), so kann man einschätzen, in welch engem Rahmen der gestaltlichen Charakteristik sich Beethoven bei den entscheidenden Themen des Satzes hält. Die Rezeption hat nicht zu Unrecht auf deren Blässe hingewiesen.

Ein kurzer Blick muß hier noch auf die Tonartendisposition des Satzes geworfen werden, dies vor allem deshalb, weil in ihr eine Besonderheit angelegt ist, die von satzübergreifender Bedeutung ist: Neben der üblichen Quintbeziehung nämlich stellt Beethoven hier an formal exponierter Stelle, bei der Wiederaufnahme der Soloform des Hauptthemas am Anfang des dritten Teils, mit A-Dur die Terzbeziehung heraus. Diese wird in unterschiedlicher Variation maßgebend sowohl für die Tonartenverhältnisse zwischen den Sätzen (der zweite Satz geht von As-Dur aus) als auch dann im dritten Satz mit a-Moll für den neben Tonika und Dominante dritten wesentlichen Bereich der harmonischen Disposition.

Es ist bei analytischen Besprechungen mehrsätziger Werke — und das nicht immer mit hinreichendem Grund — zur Gewohnheit geworden, den Mittelsätzen weniger Aufmerksamkeit als den Ecksätzen zu schenken. Daß dies auch im vorliegenden Fall geschieht, hängt mit der spezifischen Gestaltung des Largos zusammen, das die Mitte zwischen einem Satz und einer langsamen Einleitung zum Schlußsatz hält. Im Überblick gesehen, ist die formale Ebene des Satzes durch die ersten 40 Takte und deren Tonart As-Dur vertreten, die der Einleitung durch die letzten 14, die sich nach nur kurzem Übergang auf der Dominante von C-Dur festsetzen, das heißt der Tonart, die als Grundtonart des ganzen Konzerts auch im dritten Satz Tonika ist. Solchermaßen verbindet Beethoven — wie schon oben angesprochen — die übliche Zwei- oder Dreisätzigkeit der Symphonie concertante in einer Doppeldeutigkeit der formalen Funktion des zweiten Satzes.

Unterschieden sind die beiden Abschnitte, genau ihrem formalen Sinn entsprechend, auch hinsichtlich der Festigkeit des Tonsatzes. Der Schlußabschnitt prägt mit Spielfiguren, Wiederholungen und Motivsequenzen exemplarisch den lockeren Zustand aus, dem mehr und mehr die Bedeutung eines Doppelpunktes zuwächst. Demgegenüber ist den ersten 40 Takten, die aus zwei parallelen Gliedern zu 20 Takten bestehen, die Festigkeit thematischer Präsentation zu eigen: Eine viertaktige Einleitung, die bereits wesentliches motivisches Material exponiert (vgl. den Umriß der Oberstimme von T. 1—4 mit dem der Solomelodie T. 5—7, 8. Zweiunddreißigstel), führt zum achttaktigen, aus zwei viertaktigen Halbsätzen bestehenden Vordersatz Takt 5—12; ihm antwortet in jeder Hinsicht regelmäßig der achttaktige Nachsatz Takt 13—20, der als durchgehende Linie auskomponiert ist. Die Takte 21—40 stellen eine lediglich figurativ und instrumental variierte Wiederholung dar.

Die erwähnte Ähnlichkeit der Oberstimme von Takt 1—4 mit der von Takt 5—7 schärft den Blick für derlei diastematische Beziehungen, und tatsächlich sind sogar solche zu konstatieren, die das Verhältnis zwischen zweitem und drittem Satz in ein neues Licht treten lassen. Die gesamte Melodie des ersten Halbsatzes in Takt 5 (mit Auftakt)—7 nämlich ist in Kontur und Notenhöhe dem Anfang des Rondothemas im dritten Satz (bis T. 3, 8. Sechzehntel) ähnlich. Bemerkenswert dabei ist die Adaption der Tonhöhenkonfiguration an die jeweils zugrundeliegende Skala von As-Dur im zweiten und von C-Dur im dritten Satz, eine Art von Chromatisierung, die man bislang erst bei Liszt beobachtet hat: Aus der Tonfolge g'—as'—b'—c'' / des''—es'' / c''—b'' / f''—es'' wird g'—a'—h'—c''—d''—e''—c''—h' / f''—e''. Der zweite Satz fungiert also nicht nur durch seine Kürze und seinen Schlußabschnitt als Vorbereitung und Einleitung des Rondos, er exponiert zugleich — wenn auch noch in anderer Fassung — wesentliches motivisch-thematisches Material des Schlußsatzes.

Der dritte Satz ist mit „Rondo alla Polacca“ überschrieben. Damit sind ineins der spezifische Charakter als Polonaise bezeichnet und der Formtypus angegeben. Tatsächlich entfaltet sich der Satz — der Norm der Zeit entsprechend — als Sonatenrondo; allerdings erfüllt er diesen Begriff nur in der Tonarten- und Themendisposition. Der weitergehenden Implikation der Sonate indes, daß nämlich die motivisch-thematische Arbeit wesentlich für die formale Entfaltung sei, entspricht er keineswegs; sie spielt allenfalls am Rande eine Rolle.

Das Gerüst des Rondos als einer Refrainform stellt ein Hauptgedanke dar, der durch seine regelmäßige Wiederkehr in der Tonika dem formalen Ablauf auch harmonisch Halt verleiht. Diese Funktion erfüllt er im vorliegenden Stück — nach mehr oder minder ausführlichen doppelpunktartigen Vorbereitungen — in Takt 1—16 und 34—41 zum ersten, in Takt 119—134 und 152—159 zum zweiten, in Takt 237—252 zum dritten und schließlich von Takt 337 an in mehrfach variierter Form zum vierten Mal. Der Sonatenform entspricht zunächst die Tatsache, daß der erste größere Formteil (T. 1—61) nicht nur dieses Hauptthema (wie es nun heißen muß) präsentiert, sondern zu einer Hauptsatzgruppe erweitert ist. Sie exponiert unter anderem auch einen Nebengedanken (T. 50—52), der zwar im Kern der Form nicht wiederkehrt, von Takt 451 an aber mit seinen verschiedenen Fortsetzungen den Schluß des Stückes prägt.

Kennzeichnend für ein Sonatenrondo ist in erster Linie, daß die Couplets, die dem ersten bzw. dritten Refrain folgen, wie der Seitensatz in einer Sonate dasselbe thematische Material auf unterschiedlichen tonalen Stufen bieten: Der Tonsatz von Takt 62—108 kehrt in Takt 255—301 lediglich insofern verändert zurück, als die Überleitung in Takt 255—269 nicht wie in Takt 62—76 zur Dominante führt, sondern (nach dem Umweg über die Subdominante) in der Tonika verbleibt. Auf diesen Stufen setzt in Takt 76 bzw. Takt 269 das Seitenthema ein, und die Fortsetzungen der Seitensatzgruppen (oder des ersten bzw. dritten Couplets) sind dem und der Norm entsprechend nur durch den Transpositionsabstand der Quart voneinander unterschieden.

In einem Rondo, das den Implikationen der Sonatenform vollauf Rechnung trägt, leitet der zweite Refrain einen Formteil ein, der sich durch motivisch-thematische Arbeit und harmonisch schweifende Bewegung als Durchführung ausweist. Darauf verzichtet Beethoven im vorliegenden Fall; er präsentiert ein wirkliches zweites Couplet, das mit zwei unterschiedlichen thematischen Gedanken (T. 171ff. und 203ff.) eine weitere tonale Ebene, die Tonika-Parallele a-Moll, einführt. Das entspricht in jeder Hinsicht einem älteren Entwicklungsstand des Rondos; was mit diesem — und mit allen anderen in Betracht kommenden Formkonzeptionen, also auch der Sonate — jedoch nicht übereinkommt, ist die Tatsache, daß Teile des zweiten Couplets im weiteren Verlauf der Komposition nochmals aufgenommen werden, und das nicht etwa in der Coda, deren Gestaltung weithin unreguliert war, sondern im Kern der Form: Die Takte 203—223 werden als Takt 307—327 der Reprise des Seitensatzes (oder dem dritten Couplet) angefügt. Sie sind zwar in einigen satztechnischen Details modifiziert, bleiben aber ansonsten, namentlich hinsichtlich der Tonstufe, unverändert. Dies läßt Rückschlüsse auf die Konzeption der Gesamtform zu.

Schon im thematischen Bereich ist — wie beim ersten Satz — die Parataxe der einzelnen Gedanken deutlich; die thematischen Gestalten sind zwar in ihrer Ausdehnung und Prägnanz unterschieden und werden variativen Veränderungen unterworfen. Keine von ihnen jedoch wird hinsichtlich des Tonsatzzustandes angetastet, wird aus dem Modus thematischer Präsentation in den einer verarbeitenden Analyse überführt. Im harmonischen Bereich hat der Gegensatz von Tonika und Dominante im Refrain und im ersten Couplet — anders als in der Sonatenform — keine auf das Ziel der Reprise gerichtete (durchführende) Entwicklung zur Konsequenz, auch hier steht die parataktische Gegenüberstellung verwandter Tonarten im Vordergrund. Dem trägt Beethoven — dies nun anders als im ersten Satz — Rechnung, indem er die Tonika der Reprise nicht als endgültige Lösung des harmonischen Konflikts vorgibt, sondern dieser mit dem a-Moll des zweiten Gedankens aus dem zweiten Couplet nochmals eine andere Tonstufe gegenüberstellt. (Die Festigkeit dieser Tonstufe ist zwar unverkennbar gering, unüberhörbar akzentuiert allerdings ist die „Wende" vom F- zum a-Akkord in Takt 301f., die in der Erinnerung an das Gleichbleiben des C-Akkords in Takt 108f. wahrgenommen wird; und die Tatsache, daß die unerwartete Wiederaufnahme jenes Coupletgedankens nun die Stelle vertritt, die in Takt 119 dem Hauptthema zukam, verleiht ihr und damit auch ihrer Tonart besonderes Gewicht.) Die Tonstufendisposition, die auch zu Zeiten von Beethoven noch als Grundlage der musikalischen Form angesehen werden muß, wäre mithin als zweigliedrig zu beschreiben, wobei der zweite Durchgang auf das Ausgreifen zur Dominante und auf Wiederholungen der Tonika verzichtet:

I: Tonika (T. 1) — Dominante (T. 76) — Tonika (T. 119) — Tonikaparallele (T. 171) — Tonika (T. 237)
II: Tonika (T. 237) — Tonikaparallele (T. 307) — Tonika (T. 337)

Wie die parataktische Anlage der Form im großen, so ist auch die Themenbildung direkt von der Besetzung des Werkes beeinflußt, das heißt, sie ist auf die Möglichkeit hin ausgerichtet, sowohl die drei Soloinstrumente als auch das Orchester angemessen zu beteiligen: Entweder sind die Gedanken selbst so formuliert, daß sie zur Wiederholung offen sind bzw. sie direkt herausfordern, oder sie werden auf eine solche repetierende Entfaltung hin eingerichtet.

Bemerkenswert ist zunächst jedoch, daß die thematischen Gedanken, die die entscheidenden formalen Positionen, nämlich den Anfang des Refrains, des ersten und zweiten Couplets besetzen, in ihrer Gestalt miteinander verbunden sind; wie im ersten Satz strebt Beethoven also auch hier die Vereinheitlichung des thematischen Materials an; stützt er sich dort aber in erster Linie auf den Rhythmus als verbindendes Element, so hier auf die Diastematik, konkret auf die Kontur, die die Gedanken als ganze oder in ihrem Kern bestimmt: Ein gleichmäßig gestufter Aufstieg wird durch einen kürzeren Abstieg beantwortet. Im ersten Couplet, wo der Zweitakter Takt 76f. das gesamte thematische Material bietet, hält sich der Aufstieg an den gebrochenen Dreiklang, eine fallende Sekunde antwortet; beim thematischen Viertakter Takt 171—174 im zweiten Couplet orientiert sich der Aufstieg an der bis zur Duodezime erklommenen Skala, der Abstieg an der Terzlinie; Ausgangspunkt des Refrainthemas schließlich ist der Zweitakter Takt 1f., in dem sich die Skala des Aufstiegs auf die Sexte beschränkt und die Antwort Terz und Sekunden kombiniert. Nur der Schlußgedanke der Hauptsatzgruppe und der zweite des zweiten Couplets, also formal gesehen Nebengedanken, sind hinsichtlich der Kontur anders gebildet: Ersterer (T. 50—52) beruht auf einem Anderthalbtakter, der im Auf- und Abstieg den Dreiklang abschreitet, und verknüpft dessen metrisch verschränkte Varianten durch Schritte unterschiedlicher Richtung und Größe; der Eintakter des letzteren (T. 203 und folgende) wird durch einen nach oben gerichteten Auftakt eröffnet und fällt im Niederschlag mit Quart oder Terz auf einen Reperkussionston, der zumeist auch Zentrum der Sechzehntelumspielung des folgenden Auftakts ist.

Bei allen Gedanken mit Ausnahme des Hauptthemas ist damit die vollständige thematische Substanz genannt. Das verweist auf die grundlegende Kleingliedrigkeit der thematischen Anlage und auf die wesentliche Rolle des Wiederholungsprinzips bei der Bildung größerer Einheiten, deren Zusammenhalt nahezu ausschließlich durch harmonische Mittel gewährleistet wird. Die Art, wie diese größeren Einheiten geformt werden, ist bedingt durch die formale Funktion, die sie zu erfüllen haben, läßt aber zugleich auch die verpflichtende Bindung erkennen, die das gewählte Instrumentarium dem Komponisten auferlegt.

Der Nebengedanke des Hauptsatzes (T. 50—52) ist von vornherein durch gestaltliche Formulierung und das bloße Pendeln zwischen Tonika und Dominante als Schlußgedanke ausgezeichnet. Als solcher dient er sowohl am Ende der Hauptsatzgruppe als auch — auf höherer formaler Ebene — am Ende des Satzes (von T. 451 an). Dem Unterschied der formalen Funktion entspricht, daß er an jener Stelle nur zweimal, an dieser viermal erscheint. Die Anzahl der Einsätze indes reflektiert auch das Instrumentarium, wobei beide Male eine Steigerung durch Anwachsen des klanglichen Volumens angestrebt wird: Im Tutti am Ende der Hauptsatzgruppe wird der nur leicht gestützte Streichersatz vom vollen Orchester beantwortet, in der Coda des Satzes wandert die Hauptstimme von Solo-Violine über Solo-Violoncello und Klavier zum Orchestertutti.

Auch beim zweiten Gedanken des zweiten Couplets (T. 203ff.) wird der thematische Eintakter zunächst in einem Zweitakter gedoppelt, der sich harmonisch auf

Dominante und Tonika stützt; anders aber als bei jenem Schlußgedanken wird der Satz nicht kadenzierend geschlossen, sondern der Zweitakter öffnet sich zu seiner kanonartig ansetzenden Wiederholung, welche durch die Neufassung des zweiten Taktes zur Oberterz moduliert. Durch Vervielfachung des thematischen Eintakters ist mithin in Takt 203—206 ein wiederum offener Viertakter gebildet, der anschließend wie ein Durchführungsmodell verarbeitet wird; das Modell wird zweimal sequenziert (T. 207—210 und 211—214), und der letzte Takt des zweiten Sequenzgliedes ist zugleich erster einer Abspaltung, die sich gemäß der Ausdehnung der thematischen Substanz in eintaktigen Stufen über einer Quintschrittsequenz entfaltet. Freilich kann hier von motivisch-thematischer Arbeit im Sinne einer Durchführung keine Rede sein. Formaler Zweck ist vielmehr die Rückführung vom a-Moll des zweiten Couplets zum C-Dur des folgenden Refrains.

Der in Frage stehende Gedanke steht als zweiter des zweiten Couplets an keiner formal ausgezeichneten Stelle. Dem wird zum einen durch die wenig feste Gestaltung, aber auch dadurch Rechnung getragen, daß — wie schon beim Nebengedanken der Hauptsatzgruppe — zur Präsentation seiner Hauptstimmen eine Auswahl aus dem zur Verfügung stehenden Instrumentarium getroffen ist: Er entfaltet sich als Duett zwischen Solo-Violine und Solo-Violoncello. Doch wie bei dem Schlußgedanken der Hauptsatzgruppe wird auch hier durch die Wiederholung ab Takt 307 ein Ausgleich geschaffen; nun wird das Duett auf die oktavierten Stimmen von Klavier einerseits und Violine bzw. Violoncello andererseits verteilt. Es wäre sicher zu einseitig anzunehmen, daß diese — ja untransponierte — Wiederholung, die, wie schon bemerkt, mit keinem formalen Schema übereinkommt, nur im Sinne einer gleichmäßigen instrumentalen Verteilung eingefügt wurde. Vielmehr macht sich Beethoven zu diesem Zwecke eine schon zuvor angelegte Besonderheit der individuellen Formanlage zunutze, nämlich das gleichsam innehaltende Hinauszögern des Refraineinsatzes. Diesem fällt eine zunehmend größere Rolle zu: Sind es zunächst und immer wieder nur einfache oder verzierte Tonrepetitionen, die den Themeneintritt doppelpunktartig vorbereiten, so ist dem Repriseneinsatz — obwohl die Tonika längst erreicht ist — mit Takt 223ff. noch eine retardierende, c-Moll berührende Passage aus unthematischem Material vorangestellt. Und der letzte Eintritt des Refrains wird — obwohl auch hier keine Notwendigkeit hinsichtlich des stimmigen harmonischen Fortgangs vorliegt — mit jener Wiederholung sogar durch eine thematische Passage hinausgezögert, welche nach der schon erreichten Subdominante nochmals zur Tonikaparallele ausgreift.

Der erste Gedanke des zweiten Couplets reicht in acht viertaktigen bzw. vier achttaktigen Gliedern von Takt 171 bis 202. Seine ausgedehnte Behandlung in diesen 32 Takten, die sich ja allein auf eine viertaktige thematische Substanz beziehen, ist Grund für die oder Konsequenz aus der Tatsache, daß er tatsächlich und auch gemäß dem formalen Schema nur an dieser Stelle erscheint. In Übereinstimmung mit seiner gewichtigen formalen Position sind alle Soloinstrumente an seiner Präsentation beteiligt, dem Orchester allerdings fällt eine nur begleitende Rolle zu.

Formal entfaltet sich das Thema als Ineinanderschachtelung von Perioden auf zwei Ebenen. Auf der niederen Ebene der Achttaktigkeit wird der Vordersatz der Violine (T. 171—174), der sich von der Tonika a-Moll zu dessen Tonikaparallele wendet, durch den Nachsatz des Violoncellos beantwortet (T. 175—178), der sich als bloße Oberterztransposition des Vordersatzes erweist und demgemäß auf der

V. Stufe endet. Der ganze Achttakter wird in lediglich variativer Umspielung, aber bei gleicher instrumentaler Verteilung wiederholt (T. 179—186). Erst auf der höheren Ebene der Sechzehntaktigkeit indes erhält das Thema seine tonale Geschlossenheit: Der achttaktige Vordersatz, der nur wegen der variativen Veränderung wiederholt wird, wendet sich zur (Moll-)Dominante, der ebenfalls achttaktige und wiederholte Nachsatz kehrt zur Tonika zurück. Er nimmt bei leichter Weitung der thematischen Kontur von der Duodezime zur Tredezime im ersten Halbsatz (T. 187—190 bzw. 195—198) den Weg von der Dur-Tonika als Zwischendominante zur Subdominante, im zweiten (T. 191—194 bzw. 199—202) den von der (Dur-)Dominante zur Tonika. Die Doppelbödigkeit der Anlage wird indes auch instrumental widergespiegelt: Im ersten und zweiten Achttakter alternieren Solo-Violine und Solo-Violoncello, diesen insgesamt antwortet das Klavier als durchgängig melodieführendes Instrument im dritten und vierten Achttakter.

Das achttaktige Hauptthema endlich, das aus zwei parallel anhebenden Viertaktern besteht, kennt mehrere Varianten, die sich in erster Linie durch ihren harmonischen Gang voneinander unterscheiden. Zwei davon fügen sich zur gedoppelten Exposition zusammen, gedoppelt auch zum Zweck der Präsentation der beiden Solostreicher. Takt 1—8 (Violoncello) bzw. Takt 9—16 (Violine) fungieren als Vorder- und Nachsatz auf höherer Ebene; ersterer wendet sich im letzten Zweitakter nach E-Dur, von dem sich letzterer ebenfalls erst im letzten Zweitakter löst, um zur Tonika C-Dur zurückzukehren (auch bei der Themenkombination also wird von der Terzbeziehung Gebrauch gemacht). Instrumental voneinander abgehoben sind Vordersatz (alle Solisten) und Nachsatz (Tutti) auch beim dritten Einsatz (T. 34—41), wo das Thema nicht nur durch die harmonische Stabilität, sondern auch durch die nun prägnant herausgestellte Viertaktigkeit seiner korrespondierenden Glieder gewissermaßen zu sich selbst kommt.

Während der zweite Refrain die thematische Präsentation des ersten lediglich wiederholt, faßt der Anfang des dritten Refrains die instrumentale und tonale Vielfalt im Sinne eines Reprisenbeginns zur Einheitlichkeit zusammen. Zwar wird das Thema auch hier zweimal geboten, es erscheint aber beide Male in der Tonikaversion, zunächst von der Solo-Violine (T. 237—244), dann vom Tutti vorgetragen (T. 245—252) — das korrespondierende Verhältnis von Vorder- und Nachsatz schrumpft mithin zum reihenden der Wiederholung; eine dritte Präsentation des Themas, bei der die beiden anderen Refrains ja überhaupt erst zur Tonikaversion fanden, entfällt als überzählig.

Christian Martin Schmidt

Klaviersonate f-Moll Appassionata op. 57

ENTSTEHUNGSZEIT: 1804/1805 (—1806?).
ERSTAUFFÜHRUNG: unbekannt.
SKIZZEN: Staatsbibliothek Preußischer Kulturbesitz Berlin, Mendelssohn 15, Fidelio-Skizzenbuch.
AUTOGRAPH: Bibliothèque Nationale Paris.
ERSTDRUCK UND WIDMUNG: Wien 1807 (Bureau des Arts et d'Industrie); dem Grafen Franz v. Brunsvik gewidmet.
GESAMTAUSGABEN: Alte Gesamtausgabe: Nr. 146 = Serie 16 Nr. 23; Neue Gesamtausgabe: Abt. VII, Bd. 3.

Im Blick auf die Form ist im schulmäßigen Sinne der klassischen Sonate alles normal: drei Sätze — schnell (f-Moll), langsam (Des-Dur), schnell (f-Moll); erster Satz bestehend aus Exposition (Hauptsatz — Überleitung — zweitem Thema — Schlußgruppe), Durchführung, Reprise und Coda mit Stretta; zweiter Satz komponiert als Thema mit drei Variationen und variierter Themenwiederholung; dritter Satz abermals als Sonatensatz angelegt. Und man kann im Blick auf die Klarheit und Normalität der Formdisposition noch weitergehen, zum Beispiel: Die Proportionen der vier Teile des Allegro assai sind ausgeglichen; sie stehen im Verhältnis 65 : 79 : 68 : 59 Takten. Das Hauptthema dieses Allegros besteht aus drei Formgliedern zu je acht Takten, die Überleitung umfaßt dreimal vier Takte, das Seitenthema acht Takte, die Schlußgruppe exponiert zunächst zwei viertaktige Sinneinheiten und so weiter. Aber die Form, ihr Traditionelles, Normales und Ausgeglichenes, ist in dieser f-Moll-Sonate erfüllt und durchdrungen von jenem Höchstmaß an existentieller Eruption, das diesem Werk in Beethovens Sonatenschaffen eine Sonderstellung einräumt. Und man kann hier fragen, ob es die Sonatensatzform ist, die die Expression ermöglicht, oder ob es die Form ist, die sie bändigt. In dieser Sonate gibt es keinen Optimismus, keine Apotheose, keine Überwindung der Negativität. Und doch ist sie ein tief ethisches Werk im Beethovenschen Sinne. Optimismus, Apotheose, Lösung, die Befreiung aus der Betroffenheit ist hier die Bändigung des Aufbegehrens durch die Form.

Was diese Sonate ausdrückt und als Form bändigt und bewältigt, wurde mit dem Titel *Sonata appassionata* schlagwortartig angesprochen, den der Hamburger Verleger Cranz diesem Werk verlieh, als er es 1838 in einer Bearbeitung zu vier Händen herausbrachte, und der sich — trotz mancher Abweisungen in der Literatur — bis heute unausrottbar behauptet hat. Eine innerhalb Beethovens Sonatenwerk besonders „leidenschaftliche", ein Leiden zum Ausbruch bringende Musik ist dieses Werk in der Tat, und die verbale Rezeption hat die Art dieses Leidens und Ausbruchs in einem durchaus konstanten Begriffsfeld zur Sprache gebracht, das in einzelnen, heute zum Teil als veraltet erscheinenden Formulierungen vielleicht anfechtbar, im Kern seines Besagens jedoch zutreffend und keinesfalls beiseite zu schieben ist.

„Aufschrei der Angst", „Hineinschrei der Harmonie", „Wut und Klage, Fessel und Flucht", „Sturm der Seele" gehören zu den Beschreibungswörtern bei Adolf

Bernhard Marx.[1] Beethoven führt uns in dieser Sonate in „eine Welt düsterer Leidenschaft, tiefer seelischer Qual, heißen Hoffens und stärksten wildesten Trotzens [...] Kampf von allem Anfang an, furchtbare, wilde Ausbrüche, ein riesenhaftes sich Aufbäumen gegen dämonische Gewalten, bitteres Weh eines zuckenden Menschenherzens", heißt es bei Wilibald Nagel.[2] „Hier wird die Geschichte eines großen Willens geschrieben, der die bestehenden Verhältnisse verändern möchte, aber der Kampf führt nicht zur Befreiung", resümiert Jürgen Uhde.[3] Diese Sonate „bringt zum Erzittern, läßt keinen Trost zu [...] berauschende, finster-grelle Untergangssüchtigkeit [...] In einzigartiger Weise gehen die drei Sätze der Appassionata über alles hinaus, was bisher Klaviersonate war [...] Dissoziation und Sturm erschüttern die Selbstsicherheit der Darstellenden, der Zuhörenden und der Form", so beschreibt es Joachim Kaiser.[4]

Man kann auch diese Sonate unter verschiedenen Blickpunkten analysieren, zum Beispiel in Hinsicht auf die metrische Form, wie Hugo Riemann es tat[5], oder unter dem Gesichtspunkt der motivischen Verwandtschaften und Ableitungen, die bei Richard Rosenberg im Vordergrund stehen[6], oder als Untersuchung des dichten Geflechts der „Prime Cells" (der intervallischen Substanzen), dem Rudolph Réti sich widmete[7], oder im Blick auf die Interpreten, deren verschiedene Auffassungen Joachim Kaiser kritisch beschrieb, oder auch in einer Verbindung von Formanalyse und musikalischer Aussage, wie beispielsweise Jürgen Uhde es durchgeführt hat.

Zweifellos ist Beethoven bei dieser Sonate von einer Idee ausgegangen, die sie als Form zur Darstellung bringen soll und die die Erscheinung der Form in jedem Augenblick gehaltlich bestimmt. Und die Idee ist — ebenso zweifellos — auf eine zutiefst negative Befindlichkeit gerichtet, eine existentielle Betroffenheit, aus der das Subjekt ausbrechen möchte, ohne sich von ihr befreien zu können, wobei — wie gesagt — die Musik ihren ethischen (wenn man so will: klassischen im Sinne von unromantischen) Grundzug und zugleich ihre Berühmtheit gewann einerseits durch die hochgradige Intensität, mit der sich der Wille zum Ausbruch hier darstellt, und andererseits durch die Form (einschließlich der Motivableitungen und des Spiels der Hände), mit der dieser Ausbruch zugleich beherrscht, die Unbändigkeit gebannt ist. Dies kann auf dem hier verfügbaren Raum nicht vollständig, nicht entlang der ganzen Sonate verfolgt werden, sondern soll nur in exemplarischer Weise, nur im Blick auf den Anfang des Werkes und einige markante Stellen, zur Sprache kommen, wobei keine Scheu davor besteht, die Form von dem Ideengehalt her zu verstehen und anzusprechen, der ihr Movens ist, und den Gehalt — so riskant das auch sein mag — in Worte zu fassen, wennzwar es sich dabei beständig um das Ansprechen eines im Grunde Unaussprechlichen handelt.

Entscheidend sind schon gleich die ersten drei Töne, dieses im Molldreiklang kraftlos zum langruhenden Grundton absackende Unisonomotiv (das zu Beginn der

1 A. B. Marx, *Anleitung zum Vortrag Beethovenscher Klavierwerke*, S. 132ff.
2 W. Nagel, *Beethoven und seine Klaviersonaten*, Bd. II ([2]1924), S. 109 und 114.
3 J. Uhde, *Beethovens Klaviermusik*, Bd. III, S. 191.
4 J. Kaiser, *Beethovens 32 Klaviersonaten*, S. 394 und 420.
5 Vgl. H. Riemann, *L. van Beethovens sämtliche Klavier-Solosonaten*, Bd. III, S. 86ff.
6 Vgl. R. Rosenberg, *Die Klaviersonaten Ludwig van Beethovens*, Bd. II.
7 Vgl. R. Réti, *Thematic Patterns*, S. 97ff.

Durchführung, Takt 65f., als isoliertes Motiv exponiert ist), das jedoch den innerst gespannten scharf punktierten Rhythmus schon in sich trägt. Dann bricht, im währenden, die innere Geladenheit steigernden Pianissimo, die Spannung aus, macht sich Luft im Aufstieg durch zwei Oktaven, der durch einen Oktavsprung abwärts abgebremst wird, um in eine Gegenposition zu münden, eine volltaktige, akkordische und engschrittige Folge Dominante — Doppeldominante — Dominante, die geprägt ist durch zweifachen Halbtonwechsel in der linken und Ganztonwechsel in der rechten Hand und durch die Erzitterung des Trillers — ein Zustand der Pathopoiia, des In-Sich-Zusammengezogenen, des Leidens, der den vorhergehenden Ausbruch begründet und in den er zurückkehrt. Dies ist das „Thema" dieser Sonate, dasjenige, worüber sie sprechen wird, und das nun zunächst — wie um es rhetorisch zu verdeutlichen — in einer anderen Färbung (Ges-Dur) wiederholt wird, gefolgt von einer Wiederkehr des pathopoietischen Motivs, jetzt in enger Lage und mit einer dynamischen Inskription, die den Halb- und Ganztonwechsel und den Triller hervorkehrt.

Im Baß nun erscheint (T. 10) — das „Thema" ergänzend — ein drittes Motiv, das in der Literatur fast einmütig als „Klopfmotiv" bezeichnet wird. Es bringt die Achtelunterteilung des Takts ins Spiel und ist mit dem pathopoietischen Motiv (T. 7) durch den Halbton abwärts verbunden. Gleichwohl ist es wie von außen gesetzt, eine fremde Macht, die „anklopft" und als solche die Leidensbefindlichkeit des Subjekts begründet. Im „poco ritardando" wird dieses Klopfmotiv (in Terzen und aufwärts gewendet) auf das Subjekt bezogen, aus dem „a tempo" und nur erstmals forte in der Passage des Dominantseptakkords die Betroffenheit ausbricht, um nach einem Forte-Schlag (und über den Halbtonschritt abwärts des Klopfmotivs) in die Piano-Gespanntheit der Dominante zurückzusacken. — Welche extreme Ausbruchsgeladenheit bereits in den beiden ersten Takten des Pianissimo-Themas beschlossen lag, zeigen die in dessen Wiederholung eingeschobenen Fortissimo-Synkopenakkorde, die nun auch das Pathopoiia-Motiv als solches grell beleuchten.

Die Überleitungspartie (T. 24—34) ist gekennzeichnet durch Unruhe und Schmerz. Unruhe bekunden die das Klopfmotiv aufnehmende Achtelbewegung der linken Hand und die Zerklüftetheit des Satzes, und schmerzvoll sind die viermaligen vorhaltartigen Bildungen in der rechten Hand, in deren Mittelpunkt die extrem leidensvolle, aus je dreifachen Halbtonschritten abwärts bestehende Figur der Takte 26f. und 30f. steht und die im Diminuendo in je einen chromatischen Gang der Ober- und der Unterstimme einmünden, um im Pianissimo ins Schweigen zu geraten. Zu beobachten ist, daß der motivische Zusammenhang mit dem Vorhergehenden (Klopfmotiv und pathopoietischer Halbton abwärts) als formale oder organische Einheitlichkeit Geltung hat, zugleich aber — wie bei Beethoven immer — einen Zusammenhang und Fortgang der Expression stiftet. Oder sollte nicht umgekehrt gesagt werden, daß der Gang der Expression es ist, der den motivischen Zusammenhang motiviert? Und bezeichnend für Beethoven ist auch, daß die Funktion des Satzteils als Überleitung zur As-Dur-Sphäre des zweiten Themas zugleich eine gehaltliche Überleitung ist, indem Unruhe und Schmerz, die aus dem Hauptsatz resultieren, zunächst hervortreten und dann abgebaut werden, um das Gegenbild zu provozieren.

Dieses, das zweite Thema, erklingt pianissimo und dolce und in Dur, auf weichem Akkordgrund, periodisch, gesanglich als Lied mit Begleitung — ein Zustand der Ruhe und Schönheit. Aber innerlichst ist auch dieses Thema mit dem Hauptsatz verbunden durch die Dreiklangsbewegung und den scharf punktierten Rhythmus und durch die Achtelführung der Begleitung. Und das wohl zentralste Ereignis dieses Sonatensatzes ist, daß dieses Thema, die einzige wirkliche Themengestalt in den beiden Ecksätzen, keinen Bestand hat, sondern in seiner scheinbar ruhigen Schönheit mitten in sich und aus sich heraus umkippt ins Forte, ins Moll, in die Sforzato-Dissonanz: in seine Zerstörung, aus der die pathopoietische Wendung und die Erzitterung der aufsteigenden Triller und das Abfallen ins as-Moll der Schlußgruppe hervorgehen. Diese ist geprägt durch eine im Sechzehntelspiel hervortretende Willensgeste der rechten Hand (zuerst T. 51: ces'—b—as—as) und einer Verbindung von Klopfmotiv und vorhaltartiger Bildung in der linken Hand (T. 54 und 58), während anschließend die vorhaltartigen Halbtonschritte abwärts in ihrem Leidensausdruck herrschend sind, bis sich der Satz am Ende der Exposition ins Pianissimo des in fünf Oktaven auseinanderliegenden As_1—a''' gleichsam auflöst, um am Beginn der nun folgenden Durchführung in den Zustand des Eröffnungsmotivs zurückzukehren.

Die Durchführung besteht vorwiegend aus einer variierenden und modulierenden Beleuchtung des viertaktigen Haupt-„Themas" der Exposition (Ausbruchsgestus und pathopoietisches Motiv), wobei das Klopfmotiv zunächst ausgespart bleibt und das viermal hintereinander erscheinende pathopoietische Motiv dementsprechend in eine augenblicklich beruhigte E-Dur-Kadenz überführt wird (T. 74—75 und 77—78). Das zweite Thema wird auch hier wieder gestört (T. 113 und 117) und ab Takt 119 zerstört, und auf die Zerstörung folgt ein sieben Takte währendes Fortissimo-Getön des verminderten Septakkords. Zum Ereignis wird danach das bisher ausgesparte und nun die Durchführung beendende Klopfmotiv, das hier fortissimo und im achtmaligen Erscheinen seine Bedeutung als Movens des Gesamtgeschehens bekundet und, indem es in die orgelpunktartige Tonrepetition einmündet, den währenden Untergrund bildet für das Erscheinen der Reprise.

Auch die Coda (ab T. 204), die nochmals das erste und zweite Thema exponiert, mündet — nach einem im Fortissimo aufbegehrenden Arpeggiospiel beider Hände — in das Klopfmotiv ein: Diminuendo und ritardando erklingt es dialogisierend in der linken Hand in der originalen Gestalt und in der rechten Hand als Reagieren des Subjekts, dann — adagio — in der Verbundenheit beider Hände, um — die Stretta (più allegro) eröffnend — in dieser Verbundenheit wild auszubrechen. Aus diesem Ausbruch heraus wird nochmals und wieder vergeblich das zweite Thema beschworen; die Vergeblichkeit hat einen Wirbel des Klopfmotivs zur Folge (ab T. 249). Doch ohnmächtig schließt der Satz mit dem durch fünf Oktaven im Moll-dreiklang kraftlos zum Grundton absackenden Dreitonmotiv, mit dem er begann.

Das Variationenthema des zweiten Satzes, „dolce" zu spielen, ist in seiner sonoren Akkordik und periodischen Metrik, seiner äußerst ruhigen Melodik, seiner tiefen Lage und seinen an- und abschwellenden Expressionsgesten ein Gesang aus der Seele heraus, die das friedvoll Schöne empfindet und ersehnt. Und die drei Variationen dieses Themas sind nichts anderes als eine verschiedenartige Beleuchtung dieses Singens, wobei die wechselnde, in ihrer äußeren und inneren Bewegung sich steigernde Figuration die latente Polyphonie des akkordisch vorgestellten Themas zum Klingen bringt. Friedrich Silcher hat sich durch das Thema dieses Satzes dazu animieren lassen, es für vierstimmigen Chor und (einschließlich der zweiten Variation) als Klavierlied zu bearbeiten mit der Überschrift „Hymne an die Nacht" und dem Textbeginn „Heil'ge Nacht, o gieße du Himmelsfrieden in dies Herz!"

Aber die Isolierung dieses Andante con moto, die dessen beiden letzten Takte abstoßen muß, führt zu einem Irrtum gegenüber seiner Intention als Teil eines Ganzen. Die Friedensempfindung und -sehnsucht wird hier beschworen, um sie als Erreichbares in Frage zu stellen und zu zerstören. Dieser Satz ist die zu einem Sonatensatz vergrößerte Idee des zweiten Themas des ersten Satzes, das jedesmal, wenn es erschien, sich in seinem Dolce-Charakter und seiner gesanglichen Schönheit selbst zerstörte. So auch ereignet sich die Appassionata-Aussage des Variationensatzes in dessen letzten Takten: Statt des erwarteten ruhig ausatmenden Tonika-Akkords kippt der Satz um in die Dissonanz, in den pianissimo, arpeggiert und mit Fermate zu spielenden neuntönigen Septimenakkord — ein Umkippen ins innerlich Verzweifelte, ins schmerzliche Sich-Zusammenziehen der Seele, gefolgt von dem Ausbruch dieses Schmerzes im Fortissimo des in die höhere Lage versetzten gleichen Akkords.

Diese beiden Akkorde haben — mitten aus dem Andante-Gesang heraus — die Form und Aussage des Schlußsatzes zur Folge. Er wird — attacca anschließend — eröffnet durch eben diesen verminderten Septimenakkord, der die Verzweiflung und den Aufschrei in den Satz hineinträgt, aber als dessen Devise einen völlig anderen Charakter gewinnt: Indem er im sich beschleunigenden punktierten Rhythmus dreizehnmal hintereinander im Fortissimo angeschlagen (gehämmert) wird, gewinnt er den Ausdruck des Trotzes, des aus der Verzweiflung geborenen Widerstands. Und von daher wäre dieser Schlußsatz zu beschreiben und zu deuten: Formal an die Grenzen der Form eines Sonatensatzes führend, sie in seinem weitgehend monothematischen Duktus immer wieder gleichsam überrennend, ist er in jene unablässige, beständig neu ansetzende, ausweglose Bewegung zwangshaft eingespannt, die sich ab Takt 6 in Szene setzt und, von dem Hauptgedanken (ab T. 20f.) ausgehend und von Leidensmotiven durchsetzt (z.B. T. 29ff., 143ff.), alles beherrscht. Gegen die Unablässigkeit der Bedrängnis jedoch rebelliert das Subjekt, mit einem Versagen der Kraft (am Ende der Durchführung, T. 176—212), doch immer fort aufs neue, besonders in dem Presto-Schluß (T. 308—325) — wenn auch beständig vergeblich. Das Beethovensche, das ethische Moment dieses Satzes, der wie diese ganze *Sonata appassionata* keine Befreiung, keine Lösung kennt, ist der Impetus, mit dem in diesem — wie Joachim Kaiser es nennt[1] — „Virtuosenstück der Verzweiflung" der Weg gesucht wird aus der Verzweiflung heraus, auch wenn oder gerade weil er nicht gefunden zu sein scheint.

Hans Heinrich Eggebrecht

1 J. Kaiser, *Beethovens 32 Klaviersonaten,* S. 418.

4. Klavierkonzert G-Dur op. 58

ENTSTEHUNGSZEIT: 1805/1806.
ERSTAUFFÜHRUNG: im März 1807 im Palais des Fürsten Lobkowitz mit Beethoven als Solisten.
SKIZZEN: Staatsbibliothek Preußischer Kulturbesitz Berlin, aut. 19e, Wagenerscher Sammelband, Landsberg 10, Pastoralsymphonie-Skizzenbuch; Biblioteka Jagiellońska Krakau, Landsberg 6, Eroica-Skizzenbuch.
AUTOGRAPH: verschollen; überprüfte Abschrift: Gesellschaft der Musikfreunde Wien, vgl. G. Nottebohm, *Zweite Beethoveniana*, S. 74—77; Überleitung zum Finale und Kadenzen: Beethoven-Haus Bonn.
ERSTDRUCK UND WIDMUNG: Wien und Pest 1808 (Bureau des Arts et d'Industrie); dem Erzherzog Rudolph von Österreich gewidmet.
GESAMTAUSGABEN: Alte Gesamtausgabe: Nr. 68 = Serie 9 Nr. 4; Kadenzen zum 1. und 3. Satz: Alte Gesamtausgabe: Nr. 70a = Serie 9 Nr. 7 / 6—8; Neue Gesamtausgabe: Abt. VII, Bd. 7.

Die Uraufführung des G-Dur-Konzerts fand bei einem der Subskriptionskonzerte mit Werken Beethovens statt, die im März 1807 im Palais Lobkowitz gegeben wurden. Beethoven spielte es noch einmal bei der berühmten Akademie im Dezember 1808. Von anderen Aufführungen zu Lebzeiten des Komponisten ist nichts bekannt. Das Autograph ist verschollen, aber Paul Badura-Skoda hat eine Abschrift in der Gesellschaft der Musikfreunde, Wien, als die Stichvorlage für den ersten und letzten Satz identifiziert.[1] In dieser Quelle enthalten die beiden Sätze auch umfangreiche, wiewohl etwas unsystematische Revisionen von Beethovens Hand, wobei „theils der erweiterte Umfang [für ein Klavier, das bis zum viergestrichenen F reichte], theils, ohne Rücksicht auf solche Erweiterungen, eine andere Fassung, theils der Vortrag ins Auge gefasst ist".[2] Das Dokument, das möglicherweise für eine geplante Aufführung des Konzerts durch den Pianisten Friedrich Stein 1809 angefertigt wurde, gibt ein lebhaftes Zeugnis von der Flüssigkeit des Notentextes in virtuosen Kompositionen zur Lebenszeit Beethovens. Es deutet stark darauf hin, daß alle seine Konzerte durchaus mit viel freien Verzierungen, Revisionen der virtuosen Figuren usw. gespielt werden konnten.

ZUR EINFÜHRUNG. Es ist allgemein bekannt, daß in Beethovens letzten beiden Klavierkonzerten das Soloinstrument gleich zu Beginn einsetzt, statt das Ende des ersten Orchesterritornells abzuwarten wie in Mozarts Schema für erste Konzertsätze. Es versteht sich ebenso, daß dies kein Zeichen einer grundlegenden Unzufriedenheit mit jenem Schema war und erst recht nicht ein Schritt hin zur Eliminierung des Ritornells, wie er später von der Generation Schumanns und Mendelssohns vollzogen wurde. Die ästhetischen Voraussetzungen für das Konzert-Ritornell unterscheiden sich im Grunde nicht von denen für das Ritornell in Opernarien. Das Orchester präsentiert zur Vorbereitung auf einen wirkungsvollen Einsatz des Solisten das dem Satz oder der Arie zugrundeliegende Material (oder dessen größten Teil) in komprimierter Form. Wenn der Solist dann das Material aufnimmt, gibt es immer Gelegenheit, etwas anderes, Besseres oder für das Instrument besser Geeignetes vorzutra-

1 Vgl. P. Badura-Skoda, *Eine wichtige Quelle zu Beethovens 4. Klavierkonzert.*
2 G. Nottebohm, *Zweite Beethoveniana,* Nr. X.

gen: Das Solo tritt im Licht der früheren Orchesterausführung besonders hervor. Moduliert der Solist zum Beispiel oder führt er neues Material ein, so wird das im Kontext der Tatsache erlebt, daß das Orchester es unterlassen hat.

Beethovens späte Konzerte sind immer noch von dieser Ästhetik her konzipiert und leiten einige ihrer besten Züge daraus ab. Warum also bringt Beethoven den Solisten früher ins Spiel? Möglicherweise aus keinem erhabeneren Grund als dem Wunsch, den Solisten besser und eher herauszustellen. Das würde nicht nur in Einklang stehen mit seinem Bild von sich selbst — natürlich war er selbst der Pianist in seinen Klavierkonzerten —, sondern auch mit dem viel emphatischeren Stil, den er im Jahrzehnt von 1800 bis 1810 entwickelte. Ein Konzert ist eine Abmachung zwischen Solist und Orchester, und von einem mit der *Waldsteinsonate* großgewordenen Pianisten war kaum anzunehmen, daß er zahm am Bühnenrand wartete, während sich das Orchester weitschweifig im Stil der *Eroica* erging. (Bevor Beethoven dem Solo den Einsatz am Anfang eines ersten Konzertsatzes gestattete, hatte er bereits beschlossen, ihm das letzte Wort nicht zu verwehren; nach der Kadenz im ersten Satz des 3. Klavierkonzerts op. 37 spielt das Solo bis zum Schluß weiter — und ebenso in allen späteren Konzerten.) Im 4. Konzert — mehr als im 5. — brachte die Einführung des Solos am Satzanfang eine radikale Revision der Konzertprinzipien mit sich, und zwar um so dringender, als er sich auch noch auf das paradoxe Unterfangen eingelassen hatte, ein ruhiges Konzert zu komponieren — genauer gesagt ein Konzert mit einem ruhigen Anfangssatz. Dieser Gedanke mag Beethoven durch das eine G-Dur-Konzert von Mozart, KV 453, gekommen sein, das außer einem ziemlich zurückhaltenden Allegro zu Anfang noch eine Anzahl anderer Parallelen mit op. 58 aufweist — wie etwa den ungewöhnlich dramatischen langsamen Satz. Wie wir sehen werden, brachte der ruhige Anfangssatz Beethoven dazu, insbesondere die traditionelle Gewichtsverteilung zwischen den drei Sätzen des Konzerts zu revidieren.

Der Plan für den ersten Satz war folgender: Das Solo eröffnet das Konzert, indem es ruhig mit einem Thema beginnt; das Orchester beantwortet es, ohne die Stimme anzuheben, auf eine Weise, die seine Ruhe naiv erscheinen läßt. Daß das Solo während des nachfolgenden Orchester-Tuttis am Bühnenrand abwartet, wird somit rationalisiert; zwar hat das Solo das Anfangsargument im Orchester ausgelöst, kann oder will sich aber nicht weiter daran beteiligen. Überdies erreicht das Tutti einen besonderen Spannungsgrad dadurch, daß wir nicht den Einsatz eines unbekannten Solos erwarten, sondern, mit größerer Intensität, die Wiederkehr eines schon bekannten. Das Solo ist an diesem Punkt einfach greifbarer als in einem traditionellen Konzert, denn es war bereits zu hören. Auch hat es durch den ungleichen Tausch mit dem Orchester ein gewisses Pathos erworben.

Zweifellos erholt sich das Solo in Beethovens Allegro moderato von der anfänglichen Zurücksetzung: Das bezeugt seine kühne Einführung neuer Themen in den entfernten Tonarten B-Dur und cis-Moll sowie sein unbeirrbarer dekorativer Kommentar zu den beiden Hauptthemen des Orchesters und seine kühne Aneignung der Reprise. Gleichwohl ist dies ein Konzertsatz, in dem die virtuose Schreibweise ungewöhnlich knapp gehalten ist, und woran wir uns zuletzt erinnern, dürfte wohl sein sanfter, unaufdringlicher lyrischer Charakter sein. Ein kleines Detail kann vielleicht als emblematisch genommen werden: In der Coda zum ersten Satz, dort, wo das Solo zwei der Kadenz-Themen im Orchester übernimmt, übernimmt es auch die aus dem Rahmen springende erniedrigte VI. Stufe (Es); sie hatte schon viermal vorher das

Kadenzgeschehen im Satz verzögert, jedesmal mit einem Sforzato, das jetzt im Solo zu einem Pianissimo gemildert ist.

ALLEGRO MODERATO. Der Anfang des G-Dur-Konzerts ist einer der originellsten und schönsten bei Beethoven überhaupt. Auf einer Ebene ging es dem Komponisten offensichtlich darum, den Austausch zwischen Solo und Orchester hervorspringen zu lassen, der beim Konzert den Kernpunkt der Ästhetik ausmacht, und das Verhältnis zwischen beiden so direkt und scharf wie möglich zu definieren. Auf einer anderen Ebene präsentiert er eine deutlich kalkulierte Progression von zunehmender musikalischer Komplexität und Stärke. Die drei Stadien dieser Progression bilden die Solophrase im Klavier (A1), eine längere Antwortphrase in den Streichern ohne Bässe (A2) und eine noch längere Fortführung im Orchester (A3).

Das Erstaunen darüber, daß ein Konzert mit einem Solo anfängt — und noch dazu einem leisen, piano dolce —, vermischt sich mit der Phantasievorstellung, daß wir dem Solisten vielleicht vor dem eigentlichen Anfang des Stücks beim „Präludieren" zuhören. (Saint-Saëns wiederholte diesen Effekt in seinem 3. Klavierkonzert und Rachmaninow in seinem 2.) Man weiß, daß Pianisten der modernen Richtung — in der Nachfolge Czernys — dieser Vorstellung Vorschub geleistet haben, indem sie den Anfangsakkord des Konzerts arpeggierten. Was das Klavier jedoch spielt, ist nichts Loses oder Rhapsodisches, sondern eine leise vorausgehende fünftaktige Phrase, die mit bedeutsamem Material angefüllt ist: einem ausgehaltenen Anfangston H, der zu neuerlicher harmonischer Interpretation bestimmt ist, motivischem Material in Achteln, das das Versprechen einer reichen und flexiblen Verarbeitung in sich trägt, und einem kadenzierenden Tetrachord D C H A, das in anderen Kadenzsituationen wiederkehren wird.

All das wird erst später klar; zunächst wird die Phrase A1 als eine einzige Geste oder Äußerung erfahren. Als solche eröffnet sie einen Dialog von bemerkenswerter Subtilität (nur wenige Konzertdialoge laden so unwiderstehlich ein zur Interpretation im Sinne eines Austauschs zwischen Personen; im zweiten Satz geschieht dies noch zwingender). A1 meditiert zuerst ziemlich schlicht über den Ton H, wird dann expansiver und endet darauf vorzeitig mit einem plötzlichen Verlust an Vertrauen. Während der beschwörenden Pause in Takt 5 bittet das Klavier anscheinend um Führung. Der Einsatz der Orchester-Streicher ist demzufolge ruhig, sicher und so schön gemessen, als ob sie erwogen hätten: eher eine Lektion als eine Antwort. A2 korrigiert A1 und bereichert es zugleich. Anders gesagt, die Streicherphrase vervollständigt oder erweitert die Klavierphrase weniger, als daß sie sie neu interpretiert — angefangen mit der harmonischen Umdeutung des Tons H und dann mit der wundervollen Augmentation der Kadenzfigur D C H A einen Ton höher. Man spürt nichts von einem Konflikt, im Gegenteil, die Dialogpartner bleiben in einem Zustand vollkommener Sympathie. Gleichwohl genießen die Streicher eindeutig Vorrang. Abgesehen von der größeren Ausdehnung, der melodischen und harmonischen Reichweite und dem kadenziellen Gewicht von A2 verglichen mit A1 spricht schon allein das Material, von den Streichern gespielt, eine viel angemessenere Eigensprache. Das Selbstvertrauen der Streicher steht im Gegensatz zur Zaghaftigkeit des Klaviers. Es ist kein Wunder, daß das Klavier nach A2 in Schweigen verfällt und immer noch gedämpft klingt, wenn es 70 Takte später zum nächsten Mal erscheint.

Der auffällige H-Dur-Akkord im Pianissimo, mit dem A2 beginnt, deutet auf das Andante con moto in e-Moll voraus. Und wenn A2 sich durch einen gemächlichen Quintenzirkel abwärts zurück nach G-Dur bewegt, blickt es zugleich den Modulationen der anderen Hauptthemen des ersten Satzes entgegen. Im Ritornell moduliert das zweite Thema (B) weit den Quintenzirkel aufwärts: a-Moll — e-Moll (C-Dur) — h-Moll — (G-Dur — fis-Moll). In der Solo-Exposition bewegt sich auch das neue lyrische Orchesterthema (C) mit zunehmenden Kreuzen von D-Dur nach h-Moll.

Ein modulierendes zweites Thema ist ungewöhnlich; vielleicht ist Beethoven durch Mozarts KV 453 dazu angeregt worden. Noch ungewöhnlicher ist es, wie das Thema später verlegt wird. Indem Beethoven das Thema B im Ritornell auf der II. Stufe beginnen läßt, hält er die verschiedenen Tonarten, die berührt werden, ganz in der Nähe von G-Dur; und tatsächlich sitzen die Dreiklangsfiguren in den Bläsern, die die drei (im folgenden Notenbeispiel mit 1, 2 und 3 markierten) Phrasen verbinden, direkt auf der Subdominante und der Tonika:

1

In der Exposition jedoch, wo B auf ein anderes Thema in der Dominante (C) folgt, läßt Beethoven es auf der Molldominante beginnen (das heißt er transponiert das Tutti eine Quarte statt einer Quinte aufwärts). Infolgedessen schweifen die Modulationen jetzt viel weiter aus. Offenbar hielt Beethoven es nicht für nötig, diese entfernten Modulationen in der Reprise, die genau dem Tonartenplan der Exposition folgt, zu stabilisieren.

2

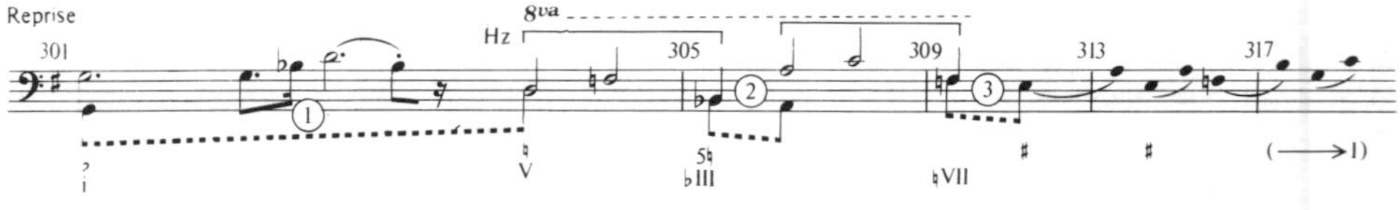

Was das Ritornell betrifft, folgt auf den Abschluß von A2 kadenziert eine neue, aus dem motivischen Material von A1 entwickelte Passage (A3). In dieser urtypischen Orchesterpassage — Verdoppelungen in den Holzbläsern, durchgehaltene Oktaven in den Hörnern und schnellere Figurationen in der zweiten Violine — treten zum ersten Mal im Konzert Kontrapunkt und Dissonanzen in Erscheinung.

3

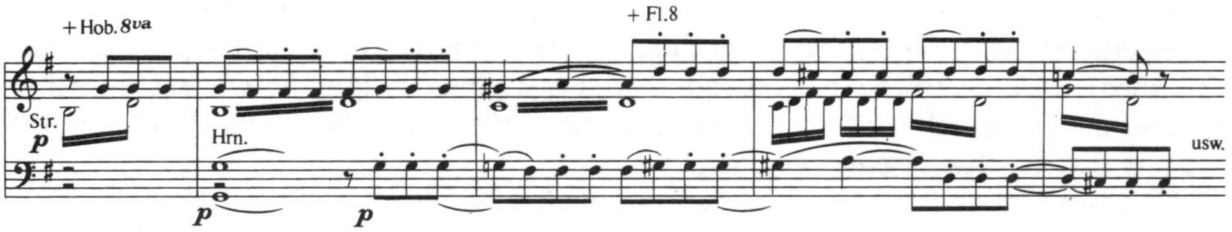

Die Entwicklung ist bisher vom Soloklavier über das Streichquartett weiter zur vollen Orchesterbesetzung verlaufen und von der einfachen Diatonik über den homophonen Modulationsfluß bis hin zur komplexen Textur. Nur ein Element musikalischer Intensität bleibt hinzuzufügen, die Lautstärke. Diese liefert die Steigerung von A3 zu einem Fortissimo-Tutti, das mit der großartig emphatischen Neuformulierung des zögernden D C H A-Halbschlusses aus der ursprünglichen Klavierphrase endet.[1]

Dem neuerlichen Halbschluß folgt ein anderer unerwarteter Akkord. Anstelle des leuchtenden H-Dur-Dreiklangs, der die nachfolgende Phrase A2 einleitete, findet sich jetzt ein kaum weniger schöner a-Moll-Dreiklang, der das modulierende zweite Thema (B) einführt (siehe Notenbeispiel 1). Die Harmonien bewegen sich so schnell und unaufdringlich, daß die in einem Konzert-Ritornell verlangte Stabilität der Grundtonart nicht ernsthaft gestört wird, selbst wenn das Thema B vier Takte lang in einer Fis-Dur/h-Moll-Region zur Ruhe kommt. Weitere Verarbeitungen von A führen zu einem kadenzierenden Abschnitt, der drei Themen (K1, K2, K3) umfaßt; jedes davon ist aus der dreifachen Darstellung einer zweitaktigen Einheit gebaut. In K2 wird die dritte Darstellung durch brüske Gesten auseinandergerissen, deren letzte in den unteren Streichern auffallend das Andante con moto vorhersagt. Dabei erfährt die erniedrigte VI. Stufe Es im Baß, mit Sforzato markiert, momentan starke Betonung:

4

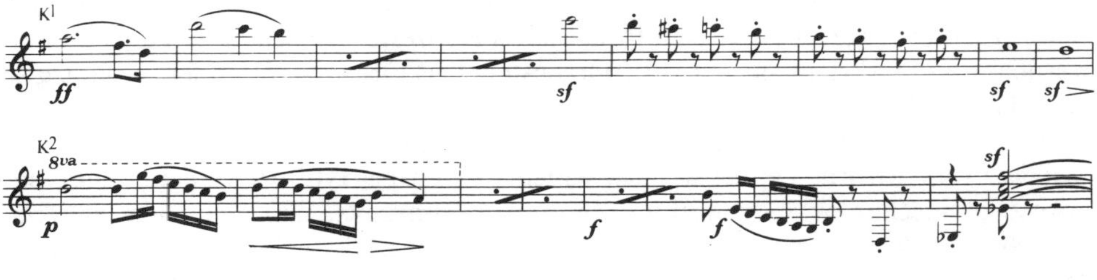

Dieses Sich-Eindrängen der erniedrigten VI. Stufe, das vielleicht ebenfalls auf Mozarts KV 453 zurückzuführen ist, wird nicht nur in der Solo-Exposition betont, sondern auch im Schlußsatz. Das Es entspricht dem Dis des allerersten Orchesterakkords und weist voraus auf einen verblüffenden Effekt im Andante con moto.

1 Vgl. Ch. Rosen, *The Classical Style,* S. 387—389.

Das Klavier setzt ruhig, ja zögernd, mit motivischen Bruchstücken von A ein, doch lösen sich diese alsbald in freieres, mehr improvisatorisches Material auf (darunter eine Figur in fallenden Sexten, deren Textur in der Durchführung wiederkehren wird). In dieser Eingangspassage — die fast genauso lang ist wie A1 + A2 — scheint das Solo mehr auf die Bestätigung der Kadenz des Ritornells erpicht zu sein als auf den Nachweis eines eigenen Profils.

Und tatsächlich wird Material des ersten Themas, wenn es eingeführt wird, vom Orchester eingeführt. (A3. In diesem Konzert kommt das normale erste Thema — A1—A2 — in der Solo-Exposition nicht zu Gehör. War A1 demnach doch nur ein „Präludieren"?) Auch wenn dies die Solo-Exposition ist, sind alle Hauptthemen zuerst im Orchester zu hören, bevor sie ein paar Takte später vom Klavier aufgenommen werden, dem die Führung bei der Modulation zur Dominante vorbehalten ist, und zwar in einer ostentativ erhabenen Passage in B-Dur, der erniedrigten VI. Stufe. Eine rhapsodische Melodie — „espressivo" in der Partitur, in der Wiener Abschrift „ritardando" — erklingt in der obersten Klavierlage mit Begleitung der linken Hand weit darunter.

Sobald die Dominante befestigt ist, präsentiert das Orchester ein kurzes neues Thema C, das an ein Thema aus Mozarts KV 488 erinnert. Die spielerische, verzierte Fassung dieses Themas führt im Klavier zu einer kurzen virtuosen Passage; es folgt Thema B mit besonders schönen ruhigen Verzierungen in dessen späteren Phrasen und Fortsetzungen.

Ebenfalls sehr ruhig ist der Schluß dieser Solo-Exposition. Es gibt keinen neuen, der Virtuosität geweihten Abschnitt, wie Beethoven ihn sonst in all seinen anderen Konzerten an dieser Stelle der Form eingefügt hat. Stattdessen ergeht sich das Klavier in begleitenden Figuren zu einer Bläserversion von K1. Da diese Version aber eine Ausweichung zur erniedrigten VI. Stufe enthält, die an K2 erinnert, dort, wo sich das Klavier auf einem langen Triller niederläßt, scheint der kadenzierende Abschnitt drastisch beschnitten zu sein — und damit die übliche Gelegenheit zur virtuosen Entfaltung.

Beethoven hat etwas anderes im Sinn. Anstatt den Triller aufzulösen, läßt er das Klavier wieder mit K1 anfangen, aber nun „dolce e con espressione". Diese Episode — gänzlich unerwartet an diesem Punkt eines Konzerts — beginnt gerade lauter zu werden, da unterbricht sie das volle Orchester. Das Orchester beendet K1 laut und geht dann weiter zu K2 (so daß der Einbruch der erniedrigten VI. Stufe ein zweites Mal zu hören ist) und zu K3, wie im ersten Ritornell.

Das zweite Ritornell endet so nach seinem keineswegs typischen Beginn mit einer ebenso atypischen Widerspiegelung des ersten Ritornells, was in keinem anderen Konzert von Beethoven (oder Mozart) geschieht. Der nächste Solo-Einsatz, mit dem die Durchführung beginnt, erinnert an den der Exposition. (Er erinnert auch an die Parallelstelle in noch einem anderen Mozart-Konzert, KV 503.) Das Klavier hat wiederum modulierende Bruchstücke von A und dann eine Sextenfigur — viel beredter als zuvor —, die vom Orchester als Grundlage einer stürmischen, modulierenden Sequenz mit Klavier-Arpeggien als Hintergrund aufgegriffen wird. Von dieser etwas konventionellen Episode befreit sich das Klavier mit der einzigen wirklich brillanten und ungestümen Passage des ganzen Satzes, einer 15-taktigen Vorbereitung auf die außergewöhnliche Tonart cis-Moll. Was mit einer Aura des höchst Geheimnisvollen daraus hervorgeht, ist ein neues Thema — dem Wesen nach sehr leise, fragmentarisch, meditativ und improvisatorisch. (In der Wiener Abschrift ist es nochmals mit „ritardando“ bezeichnet.)

Bis hierher ist der Durchführungsteil knapp und intensiv, und zwar in einem für einen Konzertsatz ungewöhnlichen Maße. Jetzt wechselt die Stimmung. Die Rückführungspassage ist von einem leichtbeschwingten Sinn fürs Spielerische beseelt, der später auch den Schlußsatz kennzeichnet. Die Musik kehrt sehr schnell nach G-Dur zurück, angekündigt durch die Hörner. Es entwickelt sich ein phantastisches kleines Fugato:

5

Die freie Diminution von Teilen von A und ihre beschwingten Kontrapunkte, alles piano oder sempre pianissimo, erscheinen wie die Skizze eines Mendelssohn-Scherzos avant la lettre. Ebenso absonderlich ist das plötzliche Crescendo und der Hornruf, der mit unerwartetem Pomp die Reprise ankündigt.

Hier wird A1—A2 in der Stimmung völlig transformiert. Die ursprünglich nachdenkliche und ziemlich ernste Klavierphrase beginnt kräftig — der synkopische Einsatz[1] ist von den Synkopierungen im Fugato-Thema vorbereitet worden — und endet mit einer extravaganten Verzierung. Es ist seltsam, wie der so wichtige Ton H von dem Hornruf in der Rückführung vorweggenommen wird. Man hat kaum noch das Gefühl eines Wechsels zwischen Klavier und Orchester, da hoch über der Streicher-Antwort die ganze Zeit Klavierfiguren zu hören sind.

Die übrige Reprise folgt der Exposition, mit einigen Auslassungen, ziemlich genau. Das erhabene Klavierthema erscheint in Es-Dur. K1 tritt wie zuvor zweimal auf, zuerst in den Bläsern (mit der Ausweichung zur erniedrigten VI. Stufe) und dann dolce im Klavier, unterbrochen vom vollen Orchester — das jetzt allerdings K2 und K3 überspringt und direkt die Kadenz ansteuert. Indem Beethoven die Kadenz einfach mit den Takten 9 und 10 von K1 vorbereitet, kann er die üblichen rhe-

1 In der Erstausgabe und allen späteren Ausgaben setzt das Solo im ersten Takt der Reprise (T. 253) nach einer Viertelpause auf dem zweiten Schlag ein — eine sehr fragliche Lesart, wie F. Kullak in seiner Ausgabe (Steingräber, 1881) bemerkte. Czerny (*Vollständige theoretisch-practische Pianoforte-Schule*) druckte den ersten Schlag von Takt 253 mit einem Groß-G im Fortissimo in der linken Hand (Achtelnote mit nachfolgender Achtelpause);

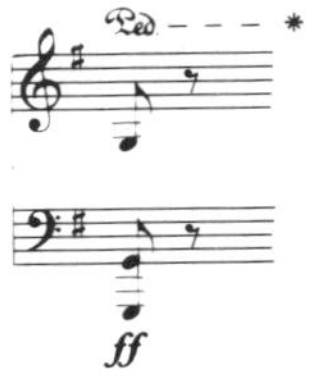

diese Lesart wird von der Wiener Abschrift gestützt (vgl. P. Badura-Skoda, *Eine wichtige Quelle zu Beethovens 4. Klavierkonzert*).

torischen Orchesterpassagen vermeiden — ein weiteres „ruhiges“ Merkmal dieses Konzerts.

Wie in op. 37 zögert Beethoven, den Schluß des ersten Satzes dem Orchester allein zu überlassen. Der Schlußtriller der Kadenz wird nicht aufgelöst. Stattdessen bringt das Klavier noch einmal K1, auf eine neue, nostalgische Weise: Der Verlauf der Dynamik ist jetzt piano dolce — poco crescendo — pianissimo (letzteres bei dem Es-Dur-Einbruch), und das Klavier wird nicht durch das Orchester abgeschnitten, das zu diesem späten Zeitpunkt noch einen neuen Hauch von Espressivo beisteuert mit einem Thema, das es zuvor nicht gespielt hat, nämlich K3. Und da K3 eine kadenzierende Neuformulierung motivischen Materials von A ist, „löst“ das Klavier seine zögernde Infragestellung eben dieses Materials am Beginn der Solo-Exposition und der Durchführung „auf“. Das beharrlich Sanfte dieser Coda kann das hastige viertaktige Crescendo, womit sie schließt — ein Widerhall des Durchführungsschlusses — nicht vertreiben.

Von den beiden wohlbekannten Kadenzen Beethovens zu diesem Satz wird die brillante längere (100 Takte) öfter gespielt als die exzentrische kürzere (51 Takte). Die sehr schlichte elftaktige Kadenz, die erstmals 1967 veröffentlicht wurde, ist einer ernsthaften Betrachtung wert.

ANDANTE CON MOTO (E-MOLL). Daß dieser ungewöhnliche kurze Satz im Solokonzert den Status eines Archetyps errungen hat, ist ein Tribut an Beethovens unheimliche Art, musikalisch Wesentliches zu entwerfen. Ein Orchester ist unvermeidlich anders und von Natur aus stärker als ein Soloinstrument — wenngleich sich diese Unterschiede leicht verwischen lassen wie beim anfänglichen Zusammentreffen im Allegro moderato dieses Konzerts. Man verwische sie jedoch nicht, konfrontiere vielmehr stark mit schwach unter Verwendung völlig unterschiedlichen Materials. Lasse beide derart rigoros abwechseln, daß auf einen Wettstreit, einen Agon, zu schließen ist. Lasse nach und nach eines das andere verdrängen, bis es allein singend übrigbleibt.

Das Grundkonzept ist so starr und simpel, daß Beethoven, nachdem er es einmal verwirklicht hatte, in einem anderen Konzert kaum darauf zurückkommen konnte. César Franck ahmt Beethoven in der unentschlossenen Einleitung zu seinen *Variations symphoniques* nach. Und ähnliches kommt, wenn auch weniger radikal, in Bartóks 2. und 3. Klavierkonzert vor.

Beethovens Andante con moto mag zwar kurz sein, aber Rosen hat bestimmt unrecht, wenn er sagt, daß „viel von der Poesie dieses langsamen Satzes seiner Unvollkommenheit zuzuschreiben ist: er bestimmt und setzt nicht sich selbst, sondern etwas Kommendes“.[1] Nach dem anfänglichen Agon findet das Drama sein vollkommenes Ende in zwei weiteren, deutlich abgesetzten Phasen, die das klassische Drama zum Vorbild haben könnten. Eine auffällige ausgeschriebene Kadenz sorgt für eine Peripetie, und die außergewöhnliche Schlußphrase hat das ganze Gewicht eines klassischen Exodos.

Beethovens Agonisten, das Klavier und das Streicherorchester, sind scharf differenziert. Die Gewalttätigkeit der Streicher ist nahezu grotesk: Ihre zerrissenen gesti-

1 Ch. Rosen, *The Classical Style,* S. 392.

schen Rhythmen in leeren Oktaven beschwören das „ballet d'action" herauf, die Duell-Nummer in Glucks *Don Juan*, den „Pas d'action" im zweiten Akt seines *Orfeo* oder das Grave des zweiten Aktes in Beethovens eigenem *Prometheus* (Nr. 7). Das Klavier antwortet darauf mit ruhigen, einfach harmonisierten Melodielinien — sogar noch einfacher harmonisiert als in Beethovens empfindsameren Bagatellen. Der Agon durchläuft vier Stadien: 1. Einer vollen Phrase in den Streichern tritt eine ruhige Antwort im Klavier entgegen. 2. Eine emphatischere Streicherphrase, die sich nach D-Dur wendet, wird von einer expressiveren Klavierphrase erwidert. 3. Die Streicher nutzen ihren Vorteil, doch wird das wechselseitige Engagement der Agonisten enger und enger, bis das Klavier am Ende seinen noch trotzenden Antagonisten drei Takte lang zum Schweigen bringt. 4. Bei dem Versuch, das Geschehen des dritten Stadiums zurückzuverfolgen, bröckeln die Streicher allmählich weg. Sie verlieren ihre beherrschende Lautstärke (sempre forte fällt ab zu pianissimo) sowie ihr rauhes Idiom (der Schritt C—Dis wird zu Dis—Cis), ihre Textur (arco weicht dem pizzicato) und ihren Klangcharakter (leise Akkorde ersetzen die Oktaven).

Bei diesem letzten Punkt stellte Tovey eine Beziehung zur Szene der Furien aus Glucks *Orfeo* her, wo die flehentlichen Bitten des Helden „Phrase für Phrase auf ein donnerndes *Nein* der Furien im Unisono treffen, bis das letzte Nein ein Akkord ist, der zeigt, daß sie schließlich nachgeben werden".[1] Dies ist der beredte Beweis dafür, daß Beethoven Orpheus im Sinn hatte, als er diesen Satz schrieb. Den vagen Gedanken an ein Orpheus-„Programm" zu diesem Satz hat es seit Adolph Bernhard Marx Zeiten gegeben.

Das heißt aber nicht, daß Beethoven einem aus dem Orpheus-Mythos genommenen „heimlichen Programm" folgte. In allen vier Stadien des Agon versuchen die Streicher zu modulieren, mit immer weniger Erfolg im jeweils nächstfolgenden Stadium, während das Klavier die Tonalität wiederholt in die Tonika zurückführt.[2] Wenn also eine Orpheus-Parallele zum musikalischen Geschehen gesucht werden muß, dann eher in dem standhaften und treuen Sänger, der bewirkt, daß die wilden Tiere nicht mehr so widerspenstig sind, als in dem aktiven Sänger voller Überzeugungskraft, der den Starrsinn der unbeugsamen Furien erweicht.

E. T. Cones Analyse des tonalen Geschehens im Andante con moto läßt sich um eine Analyse der Tonregister erweitern. Die Streicher beginnen jedes Stadium des Agon auf demselben Ton, dem eingestrichenen E, und ihre Phrasen liegen im allgemeinen tiefer als die des Klaviers. Tatsächlich wird die Kluft zwischen den Registern weiter, bis sich das Klavier auf dem Höhepunkt des vierten Stadiums zum dreigestrichenen G aufschwingt, um eine Peroratio von unvergleichlicher Beredsamkeit und Anmut zu beginnen. Doch obschon das Klavier den Sieg über die Streicher davongetragen hat, scheint es auf Schwierigkeiten beim anschließenden Kadenzieren zu stoßen — bei seinem Versuch, das zweieinhalb Oktaven tiefere E der Streicher zu erreichen. Es schießt vielleicht zu schnell hernieder, da es das tiefe E auf einem 6/4-Akkord erreicht, der es in einem Rückprall wieder nach oben treibt; und nun werden seine heiteren Akzente zunehmend von einer angsthaften Chromatik überschattet.

---

1 D. Fr. Tovey, *Essays in Musical Analysis*, Bd. III, S. 81.
2 Vgl. E. T. Cone, *Beethoven's Orpheus — or Jander's?*

Schließlich entlädt sich das Klavier in die außergewöhnliche, ausgeschriebene Kadenz. Unter einem Fortissimo-Triller a tre corde werden krude Ausfälle nach Dis vom C—D des Trillers sowie von einem schroffen, widerhallosen Gis—A darüber zerrissen. Ist das eine Rückblende auf die ersten dissonanten Klänge im Allegro moderato (siehe Notenbeispiel 3)?

6

Für die Heftigkeit all dessen gibt es keine Erklärung. Sie kommt völlig unerwartet, selbst angesichts der ominös beklemmenden chromatischen Passage. Rosen spricht von einer „kurzen Kadenz höchster Verzweiflung". Vielleicht kommen Hoffnungslosigkeit, Enttäuschung, Verlust der Selbstbeherrschung und Zusammenbruch dem Gefühl näher. Diese Peripetie könnte übrigens — O. Jander zum Trotz[1] — nichts mit einem Eurydike wiedergewinnenden und dann verlierenden Orpheus zu tun haben. Obgleich ihre Heftigkeit nicht vorauszusehen ist, entsteht die Kadenz zweifellos als Reaktion auf den Agon — nicht auf eine neue wirkende Kraft oder einen neuen Handlungsträger, wie etwa eine neu eingeführte Eurydike. Die Kadenz ist der Preis, den das Solo für seine ursprüngliche Überlegenheit zahlt.

Wie kann sich diese exzessive Gefühlsregung entladen? Wie kann Beethoven, technisch gesprochen, die unmäßige Dissonanz auflösen — Dissonanz hier im weitesten Sinne gebraucht, wobei texturmäßige und rhythmische Spannungen ebenso eingeschlossen sind wie harmonische —, die die Kadenz in den Satz hineingebracht hat. Das Klavier bringt die Auflösung nicht allein zustande. Das ist ein wichtiger Punkt. Zuviel unbändige Energie hat in den Trillern und den dissonanten Diskantfiguren gesteckt, als daß sie durch Beethovens harmonische Fortschreitungen in den Takten 62—64 beseitigt werden könnte, wo zwei sehr dicke Akkorde in ein hohles Doppeloktav-E übergehen (siehe Notenbeispiel 6). Was diese Auflösung so stichhaltig und außerordentlich schön macht, ist der Wiedereinsatz der Streicher auf ihrem ursprünglichen Ton, dem niedrigen E — markiert, freilich, mit ppp und ohne daß der Doppeloktave im Klavier neue Töne hinzugefügt werden. Was aber tatsächlich

1 Vgl. O. Jander, *Beethoven's „Orpheus in Hades"*.

hinzugefügt wird, nämlich die Textur mit den durchgehaltenen Tönen, ist wesentlich. Und sobald sich die Streicher — wie schwach auch immer — wieder behauptet haben, vermögen sie einen neuen Zustand des Gleichgewichts mit dem nunmehr geschwächten Klavier zu erreichen.

Kl. Körner hat den „Ausgleich" betont, der in diesen wenigen letzten Takten zuwege gebracht wird, wenn er auch nicht alle technischen Einzelheiten erwähnt, mit denen er zustandekommt.[1] In dem neuen gemeinsamen Motiv (T. 67—70) absorbieren die Streicher die für das Klaviermaterial charakteristische Appoggiatur, und das Klavier eignet sich die Tonwiederholung an, die für das Streichermaterial charakteristisch ist, beides zum ersten Mal. Die letzte Seufzerfigur im Klavier umreißt das charakteristische Streicherintervall G—E, selbst wenn sie das Streicher-F (T. 67) mit Fis neutralisiert (siehe oben Notenbeispiel 6).

Dieser Exodos hat die Wirkung einer Versöhnung, einer erneuten Feststellung von Gemeinsamkeit. Nicht länger feindlich, erreichen die Antagonisten zusammen ein gedämpftes beiderseitiges Ziel. Wenn wir geneigt sind, im anfänglichen Teil des Satzes von einer metaphorischen Konfrontation zu sprechen, können wir uns vielleicht auch vorstellen, daß sich die Streicher und das Klavier am Ende gegenseitig trösten. Der Romancier E. M. Forster, ein eifriger Musikliebhaber, hatte seine eigene Version des Orpheus-Programms für diesen Satz. „Sobald die Musik beginnt, begebe ich mich immer zum Eingang der Hölle und steige von Gluck geführt unter nachlassendem Widerstand zu den Elysischen Gefilden hinab", schrieb er. „Das Klavier verwandelt sich in Orpheus, und die Streicher, die ihre Schlangenlocken immer weniger schütteln, sinken schließlich in Ergebung hin vor der treuen Liebe".[2]

Beethoven läßt am Ende des Klavierparts peinlich genau eine Sechzehntelpause stehen, so daß die Streicher am Schluß für nur einen Augenblick allein zu hören sind. Plötzlich fangen sie, auf einem einzelnen Akkord, an zu rascheln oder zu trommeln; der Schlußsatz hat ohne Pause begonnen. Doch wenn auch deutlich eine neue Welt dämmert — munter, leicht-beschwingt und (wie wir sehen werden) luftig, frei, heiter und unbesorgt —, ist die alte Welt nicht vergessen. Der trommelartige Rhythmus formt die jambisch punktierten Rhythmen des Andante con moto zu Daktylen um. Der wiederholte Ton E ist die frühere Tonika, die jetzt harmonisch uminterpretiert wird als Terz des C-Dur-Dreiklangs.

RONDO. VIVACE. Das Rondo-Thema, das auf diese Weise begonnen hat, ist ein weiterer subtiler und origineller Einfall, der sorgsam im Hinblick auf die früheren Sätze gestaltet ist. Wie wir uns erinnern, fing das Allegro moderato mit einer ähnlichen harmonischen Uminterpretation an: Der Ton H wird vom Klavier als Terz des Tonikadreiklangs G-Dur behandelt und von den Streichern als Grundton eines H-Dur-Dreiklangs. Natürlich besteht zwischen beiden Uminterpretationen ein grundlegender Unterschied. Damals wurde ein Klang frisch eingeführt und lud zur Erforschung ein, wogegen jetzt die Tonika, von der der zweite Satz kaum abgegangen ist, beseitigt werden muß. Der C-Dur-Akkord trommelt vier Takte lang weiter,

1 Vgl. Kl. Körner, *Formen musikalischer Aussage.*
2 E. M. Forster, *Abinger Harvest,* S. 105.

ehe er sich als Subdominante zu erkennen gibt und, nach weiteren sechs Takten, zu einem Ganzschluß in G-Dur fortschreitet.

(Die Phrase insgesamt verrät schemenhafte, aber unverkennbare Parallelen mit der ersten Äußerung der Streicher im Andante con moto. Man beachte den Ambitus, die insistierende Figur mit Wechselnote, absteigende Dreiklangsmodelle, aufsteigende Oktavbewegung und die überstürzte Kadenz aus drei Tönen. Und wenn das Klaviersolo die Phrase leicht abgewandelt wiederholt, ist ein Element der Variierung eine melodische Verzierung, die von der Seufzerfigur im letzten Takt des Andante abgeleitet ist.)

Als nächstes kommt, höchst überraschend, eine weitere, sogar noch kürzere Phrase, die wiederum von den Streichern gespielt und vom Solo wiederholt wird (die besondere Beziehung zwischen Streichern und Klavier ist noch in Kraft). Diese zweite Phrase ist freier, schlichter und volkstümlicher als die erste. Da beide Phrasen nicht als eine Art syntaktische Einheit zusammenhängen, klingt die zweite besonders pikant und paradox — ein Effekt, zu dem Beethoven später im Satz nur einmal zurückkehrt; danach ist die zweite Phrase nie wieder zu hören. Gegenwärtig verleiht die komisch wirkende Wiederholung ihrer Kadenz auf der Dominante der Subdominante, auf der das volle Orchester seine Fortissimo-Version der ersten Phrase beginnt, zusätzlichen Schwung.

Obwohl die Wiedergabe im Orchester sehr eindrucksvoll ist — zum ersten Mal im Konzert setzen die Trompeten und die Pauken ein —, dauert sie nicht länger als ein paar Takte, bevor sie vom Solo abgeschnitten wird, womit ein lebhafter Dialog in Gang kommt. Das alles ist sehr gedrängt. Es ist vorstellbar, daß das Solo dem Orchester heimzahlt, daß es seine Dolce-Ausführung der Kadenzwendung K1 im ersten Satz unterbrochen hat. Im jetzigen Satz hat man wirklich zum ersten Mal das Gefühl, daß das Verhältnis von Solo und Orchester unproblematisch ist, so daß sie wie gleiche Partner aufeinander reagieren können. Der Dialog ist tatsächlich ein Messen der Kräfte, doch schließlich bringt das Solo das Orchester zum Schweigen und trifft gemächliche Vorbereitungen für ein kontrastierendes zweites Thema.

Dieses ist wiederum ein schlichter Gedanke in einer lichten, transparenten Setzweise. Wenn das Orchester ihn jedoch wiederholt, verwandelt er sich in ein reiches, geschmeidiges Kontrapunktgewebe, das beträchtlich dichter ist als sein Vorbild, ein Thema aus dem Finale der 2. Symphonie (das seinerseits nach einem Thema aus Haydns 104. Symphonie geformt ist). Die Instrumentation ist hier verschwenderischer als irgendwo sonst im ganzen Konzert. Davon unangefochten beginnt das Klavier mit einfachen kadenzmäßigen Arpeggien, die sich auf einem ausgedehnten Dominantseptakkord von C-Dur festsetzen. Trommelschläge, aus dem ersten Thema abgeleitet, helfen, die erste Wiederkehr des Rondoteils vorzubereiten.

Bei Haydn waren Themen zum Warenzeichen geworden, die auf einem anderen Akkord als der Tonika anfangen und deren Wiederkehr von langen — wirklich übertrieben langen — Dominanten antizipiert wird, die eigentlich Zwischendominanten sind. Zu den Beispielen bei Beethoven gehören die Cellosonate g-Moll op. 5, Nr. 2 und das Streichquartett e-Moll op. 59, Nr. 2. In op. 58 geschieht die Vorbereitung mittels einer Zwischendominante dreimal, jedesmal auf verschiedene Weise. Beim ersten Mal ist die Wirkung ziemlich raumgreifend, beim letzten Mal überstürzt schnell. Dazwischen wird in der Vorbereitung auf den C-Dur-Dreiklang mit obenliegendem E die Nachbarschaft von E sowohl zu Es (Dis) als auch zu F betont — eine weitere Erinnerung an das Andante con moto, insbesondere an die oben wiedergegebene Schlußphrase.

Nach der Exposition und dem zweiten Auftritt des Hauptthemas führt das dialogische Kräftemessen nach Es-Dur. Dieser Tonartbereich, im ersten Satz vorangekündigt, wird im Schlußsatz zu einem Hauptfaktor. Wie häufig in den Sonatenrondos beginnt das zweite Zwischenspiel wie ein unabhängiges Couplet, aber nach acht Takten sind einige spielerische Verarbeitungen von Bruchstücken des Hauptthemas zu hören. Sie sind ein Ansporn für die obligatorischen Modulationen, beherrschen allmählich das Geschehen und führen zu einer getreuen Reprise des zweiten Themas in der Tonika.

Von Mozart her kennen wir einen Typ des Sonatenrondos, bei dem die Reprise unter Auslassung des ersten Themas, das erst später, in der Coda, kommt, mit dem zweiten Thema beginnt. Wenn das auch nicht Beethovens Lieblingsschema für die Anlage eines Rondos ist, benützt er es gelegentlich doch. Auch hier?

Ja — und nein. An diesem Punkt des Finales beginnt sich der Horizont merklich zu weiten. Tovey nannte den Satz zu Recht ein „kühnes Meisterwerk von gigantischen und unerschöpflich abwechslungsreichen Proportionen“[1], ohne die rein spielerische Gesinnung genau zu bestimmen, die scheinbar die Expansion der Dimensionen und der Stimmung ermöglicht hat. Eine neue Stimmung tritt ins Bewußtsein, oder zumindest eine Stimmung, die vorher nur angedeutet worden ist. Es ist eine Stimmung komödiantischer Inspiration, intellektuellen Vergnügens an musikalischen Manipulationen und vor allem der Verherrlichung spielerischer Spontaneität. Indem sich Beethoven dieser Stimmung mehr und mehr überließ, kam dabei ein Finale heraus, das großartiger, heiterer, entspannter, brillanter und betörender war als alle, die er bisher geschrieben hatte und womöglich je schreiben würde.

Zunächst einmal geht es zurück nach Es-Dur. Arpeggien im Klavier versuchen eine Weile, Zeit zu gewinnen, bis sie von Trommelfiguren untermauert werden, die aus dem Rondothema abgeleitet sind. Diese bereiten, wie wir wissen, das erste Thema vor. Aber mit einem Unterschied: Was auftaucht, ist eine erstaunlich geglättete B-Dur-Version dieses Themas, gespielt von seidenweichen geteilten Bratschen und einem einzigen Violoncello. Unerwartete Sequenzen aus der dreitönigen Kadenzfigur des Themas werden unerwartet heftig — und setzen den verminderten Septakkord wieder ein, der beim ausbruchartigen Auftritt von Es im Allegro moderato viel emphatischer zu hören war (siehe Notenbeispiel 4).

Nun erscheint eine verkürzte Fassung des Rondothemas — eine federleichte Variation der ersten Phrase für Klavier und Solo-Klarinette plus einer martialischen für volles Orchester. Ist dies nun endlich der Auftritt des Rondothemas als „Coda“, wie ihn das Mozartsche Rondo-Schema voraussagt?

Ja — oder nein. Auf das Thema folgt das dialogische Kräftemessen, das wie ursprünglich (aber viel hastiger) zu noch einem weiteren Auftritt des zweiten Themas nach Art einer phantasmagorisch-komischen Collage führt. Es ist mit einem neuen kindlichen Eingang und einer ebenso kindlichen Begleitung versehen. Wenn sich die ganz und gar nicht plausible Tonart Fis-Dur nach C-Dur hin korrigiert, interveniert

1 D. Fr. Tovey, *Essays in Musical Analysis,* Bd. III, S. 84.

Takt 5 des ersten Themas — der jenes von der Subdominante zur Tonika hingeführt hatte —, um Thema 2 wieder in G-Dur zuzulassen, das vom Orchester in seiner eigenen neuen einfachen Fassung gespielt wird.

„La cadenza sia corta", schrieb Beethoven — und komponierte eine großartige kurze Kadenz, die unter anderem ein ausbruchartiges Es ganz kurz vor der Schlußwendung enthält. Wie im ersten Satz weigert er sich, den letzten Triller des Solisten aufzulösen. Bald darauf ist die geglättete Version von Thema 1 in den Holzbläsern noch einmal zu hören, neuerlich vervollkommnet mit einem Pedalton auf der Tonika und um einen genauen Kanon mit dem Klavier. Aus einem Überfluß an Narretei beginnt das Klavier als nächstes mit einer Passage, die wie eine sehnsüchtige kleine Tonleiter-Etüde klingt.

Das abschließende Presto bringt noch einen weiteren Auftritt des Rondothemas — den sechsten im gesamten Satz und den fünften in der Tonika. Der ganze letzte Teil des Finales quillt über von allerlei „witticisms", wie Tovey sie nennt — von geistreichen Einfällen, die insbesondere auf der dreitönigen Kadenzfigur des Hauptthemas basieren.

DAS KONZERT ALS GESAMTWERK. Die Hauptskizzen zu op. 58 sind verschollen, doch haben ein paar „concept sketches" (Tyson) überlebt, und zwar schon seit dem Eroica-Skizzenbuch von 1803, das heißt aus einer beträchtlich früheren Zeit — ein ungewöhnlicher Umstand.[1] Diese Skizzen erscheinen zusammen mit ebenso bruchstückhaften Skizzen zur 5. Symphonie, einem anderen Werk, das ebenfalls sehr viel später vollendet wurde und das mit dem Konzert ein berühmtes rhythmisches Motiv gemeinsam hat. Als diese beiden Werke schließlich vollendet waren, vermittelten sie und andere im Gefolge der *Eroica* ersonnene Werke — wie etwa die *Appassionata* — den auffälligen Eindruck einer logischen Aufeinanderfolge der Sätze oder eines Wachstumsprozesses oder einer psychologischen Reise von Satz zu Satz. Die Sätze eines Werkes auf diese Weise zu verknüpfen, stellte ein kompositorisches Problem dar, mit dem Beethoven in der *Eroica* zu ringen begonnen hatte. Man kann darüber spekulieren, ob die Schwierigkeiten bei der Lösung dieses Problems — besonders, da ein Programm oder außermusikalisches Stimulans fehlte — erklären können, warum das Konzert und die Symphonie so lange bis zur Vollendung brauchten.

Das G-Dur-Konzert vermittelt sicher nicht so emphatische „Seelenzustände" (A. B. Marx) wie die Sonate (Tragödie) oder die Symphonie (Triumph). Es gibt auch keine programmatischen Bezüge wie in der *Eroica* — denn falls Beethoven Orpheus im Sinn hatte, als er den zweiten Satz komponierte, hielt er es für richtig, dies nicht in der Partitur zu erwähnen. Doch ob die Musik Ereignisse oder Handlungen andeutet oder nicht, sie beschwört in starkem Maße Gedanken an handelnde Kräfte oder Schauspieler. Besonders die Anfänge des ersten und zweiten Satzes verlangen geradezu danach, als Zusammentreffen zweier Individuen oder eines Einzelnen und einer Gruppe ausgelegt zu werden. Das Beziehungsdrama in diesem Konzert ist nicht weniger zwingend und kohärent als anders geartete Dramen, die in anderen Kompositionen Beethovens nachgezeichnet werden.

1 Vgl. G. Nottebohm, *Ein Skizzenbuch,* S. 69; ders., *Beethoveniana,* Nr. V.

Am Ende des ersten Satzes bleibt das beklommene Verhältnis des anfänglichen Treffens noch immer ungelöst. Das Geschehen war komplex, lebhaft, faszinierend und unentschieden; die Antagonisten liegen sich am Ende weniger in den Haaren, als daß sie einander unabsichtlich zuwiderhandeln. Sie haben sich ernsthaft aufeinander eingelassen, und trotzdem sind sie — bis auf einen kurzen Augenblick in der Rückführung — immer voreinander auf der Hut. Und wenn der erste Satz mit einem so ruhigen Anfang überrascht, schockiert der zweite, indem er so aufgebracht beginnt. Die Wiederkehr derselben Akteure im Dialog — Klavier und Streichorchester — markiert deutlich die Rückkehr zu einer unerledigten Angelegenheit, die gleich zu Anfang des Konzerts zur Sprache gebracht wurde.

Allerdings hat sich das Verhältnis jetzt sehr verschlechtert. Die Streicher klingen schroff, das Klavier gefährlich kühl (es ist fast durchweg mit „una corda" gekennzeichnet). Dem beklemmenden Anspiel des Allegro moderato folgt im Andante con moto ein Rückspiel als Konfrontation. Das Ungewisse des ursprünglichen Verhältnisses tritt jetzt offen als Konflikt zutage, der vom Eingeständnis übers Leiden bis zur Versöhnung ausgetragen wird. Die Peripetie in der heftigen Klavierkadenz wird als zentrale Krise des ganzen bisherigen Verhältnisses erfahren, nicht nur als Krise der Episode, die der langsame Satz darstellt. Die Versöhnung am Schluß löst nicht nur das quasi orpheische Drama, sondern die ganze Kette von Ereignissen auf, die mit dem anfänglichen Zusammentreffen im Allegro moderato in Gang gesetzt wurde. Das in diesem Treffen ausgedrückte Mitgefühl findet nun in der gedämpften Intimität ganz am Ende des Andante con moto zum ersten Mal eine Entsprechung.

Der Schlußsatz antwortet darauf mit seiner Verkörperung eines gemeinsamen spontanen Spiels. Die Geschichte ist erzählt, und was bleibt, ist, den daraus hervorgegangenen neuen Stand des Verhältnisses zu bestimmen. Zum ersten Mal fühlen sich die Akteure völlig miteinander wohl. Konzerte enden gern ziemlich einfach. Schumann schrieb in seinen Konzertbesprechungen mißbilligend über die „lustige Rondoweise". Doch fand Beethoven im G-Dur-Konzert Verwendung für die schlichten Züge des Rondos. Viele Konzerte, Symphonien usw. lösen ihre anfänglichen Spannungen am Ende des ersten Satzes auf, und vielfach wird der langsame Satz als eine Art utopische Abschweifung behandelt. Indem Beethoven die Auflösung des anfänglichen Konflikts bis ganz ans Ende eines immerzu konfliktgeladenen zweiten Satzes hinauszögerte, fand er einen Weg, die ganze Idee des Rondo-Finales zu rationalisieren und damit wiederzubeleben. Das Spielerische sorgt für eine angemessene dramatische Entspannung nach den aufgestauten Spannungen der früheren Sätze.

Psychologisch erscheint recht und billig, daß die Entspannung nicht ganz unmittelbar erfolgt. Da der langsame Satz ohne Pause ins Finale übergeht, hört man die Streicher mit einem rätselhaften Trommeln auf einem C-Dur-Dreiklang. Dieser muß sich als Subdominante von G-Dur rechtfertigen und durch Auflösung zur Tonika normalisieren. Dieses Miniaturgeschehen, das wiederholt erfahren wird, wenn das Rondothema wiederkehrt, birgt das ganze Drama in sich.

Joseph Kerman
Übersetzung: Gudrun Budde

3 Streichquartette F-Dur, e-Moll und C-Dur „Rasumowsky-Quartette" op. 59

ENTSTEHUNGSZEIT: 1804 bis Ende 1806.
ERSTAUFFÜHRUNG: privat: vermutlich im Wiener Palais des Bestellers oder in Beethovens Wohnung auf der Wollzeile; öffentlich: spätestens am 9. April 1807 in Wien, vermutlich durch das Schuppanzigh-Quartett.
SKIZZEN: Skizzenblatt zu op. 59, Nr. 3 (langsamer Satz) in Privatbesitz; Royal College of Music London, Ms. 2175; British Library London, Add. Ms 47853; Staatsbibliothek Preußischer Kulturbesitz Berlin, Landsberg 10, Pastoralsymphonie-Skizzenbuch, Mendelssohn 15, Fidelio-Skizzenbuch; Deutsche Staatsbibliothek Berlin, Grasnick 20b; Gesellschaft der Musikfreunde Wien, A 36.
AUTOGRAPH: Nr. 1 und 2: Staatsbibliothek Preußischer Kulturbesitz Berlin; Nr. 3: Beethoven-Haus Bonn; Faksimile-Ausgabe von Nr. 1 und 2, hg. von A. Tyson, London 1981; Einband von Nr. 3 in rotem Samt abgebildet bei R. Bory, *Ludwig van Beethoven*, S. 122f.
ERSTDRUCK UND WIDMUNG: Wien 1808 (Bureau des Arts et d'Industrie); Graf Andreas Kyrillowitsch Rasumowsky gewidmet.
GESAMTAUSGABEN: Alte Gesamtausgabe: Nr. 43—45 = Serie 6 Nr. 7—9; Neue Gesamtausgabe: Abt. VI, Bd. 4.

Das von Beethoven als das Opus 59 Bestimmte setzt sich zusammen aus der Trias von sowohl in sich integren, mehrsätzigen Einzelwerken als auch der durch diese gebildeten, gegliederten Einheit von ein Bezugssystem ausmachenden Stücken. Diese nehmen im mittleren Œuvre des Komponisten einen gewichtigen Platz ein, da sie im Zeichen des 1802 angedeuteten „neuen Weges" einen angehobenen Rang an weiterhin bedingter künstlerischer Autonomie repräsentieren mit einem deutlich ausgestalteten gesellschaftlichen Gehalt, der verbunden ist mit bemerkenswerten Fürbeziehungen, die dieses Opus in seinem Sosein prägend mitbestimmt haben. Denn während auch andere Kompositionen der Jahre um 1806/1807 dem zweckfreien Spiel überantwortet sind, ohne direkt auf die damalige Mitwelt und nähere Umstände zu verweisen, sind die drei Streichquartette tiefer reichend verknüpft sowohl mit der Person des Adressaten als auch dem Spielvermögen der ersten Interpreten. Gewidmet sind sie nämlich dem Fürsten Andreas Kyrillowitsch Rasumowsky (1752—1836), der bis 1806 russischer Gesandter am kaiserlichen Hofe in Wien war, als Violine spielender Kenner seit 1796 zu den „Gönnern" Beethovens gehörte und der in seinem glanzvollen Palais ideale Bedingungen für die unbeschwerte Realisierung einer anspruchsvollen Kammermusik auch noch zu Zeiten bot, als wegen der Besetzung Wiens durch die Truppen Napoleons andernorts in dieser Stadt schockartig die gepflegte Haus- und Palaiskultur ausgesetzt wurde. Rasumowsky hingegen offerierte ungebrochen der Welt des Geistes und der Kennerschaft in Sachen elitärer Musikausübung eine Zufluchtstätte, zu welchem Zwecke er das damals leistungsfähigste Quartett mit Ignaz Schuppanzigh (1776—1830) als Primgeiger engagierte. Mit Hilfe dieser vier Streicher war es ab 1804 möglich geworden, Streichquartette in „Academien" vorzuführen, sie damit öffentlich zu machen als gesellschaftlich emanzipierende „Konzertquartette", die sich aus dem hausmusikalischen Milieu der „Galanterie-Quartette" (Johann Georg Albrechtsberger) für Liebhaber entfernten. Die Dedikation an „son Excellence Monsieur Le Comte de Rasumoffsky" war daher nicht von äußeren Zwängen diktiert, sondern vielmehr Ausdruck einer Dankesbezeugung, um damit auch das Andenken an den eine produktive Atmosphäre verbreitenden Mäzen „für alle Zeit bewahrt zu wissen". Die aus dieser Gegebenheit resultierende Dichotomie von einem mit dieser Hilfe möglich gewordenen exklusiven ästhetischen Anspruch sowie den Bedürfnissen eines breiteren Publikums im Konzert machte am 27. Februar 1807 bereits der Wiener Korrespondent der *Allgemeinen musikalischen Zeitung* (Sp. 400) deutlich, indem er das op. 59 ankündigte als „sehr lang und schwierig, tiefgedacht und trefflich gearbeitet, aber nicht allgemeinfasslich". Ob dieser Außerordentlichkeit schmähten die einen sehr bald und durch Jahrzehnte hindurch diese Quartette ratlos als „verrückte Musik" oder „Flickwerk eines Wahnsinnigen", während andere hingegen — wie etwa Richard Wagner, Johannes Brahms (in seinem op. 51) oder Arnold Schönberg — diese zu wegweisenden Mustern erwählten oder zu bedeutsamen Ausdrucksvermittlern machten, so etwa 1964 Luc Godard in dem Film *La femme mariée*. Durch diese Nutzung oder Verfremdung ist deren komplexe Rezeptionsgeschichte ebenso mitbestimmt worden wie etwa durch die Deutungsversuche von Arnold Schering aus dem Jahre 1936[1], der diese drei als „Roman-Quartette" nach Werken von Cervantes, Goethe und Jean Paul inhaltlich zu bestimmen trachtete.

Op. 59 spannt den herkömmlichen Bogen weiter: vom Satzverbund innerhalb eines Werkes zum Werkzyklus; es weitet die zeitliche Erstreckung aus über 1335 + 956 + 991 Takte, es umgreift alle verfügbaren Mittel von der fugierten Technik über die thematische Arbeit und den freigesetzten Klang bis hin zum Zitat von Volksliedern. Auch darin erweisen diese sich als klassisch. Die Intimität des die Privatheit ansprechenden Kammertones wird hierin konfrontiert mit dem Antönen symphonischer Größe, weswegen Romain Rolland den Eindruck gewann: „On sent l'orchestre à tout moment"; man sprach deswegen auch von Quartettsymphonien.[2] Diesen Gehörseindruck muß bereits das Schuppanzigh-Quartett um 1808 vermittelt haben, denn einigen Zeitgenossen fiel auf, daß dieses oft das Forte in der Stärke eines Kammerorchesters kräftig zu spielen vermochte, ohne freilich darauf zu verzichten, das Cantabile „oft recht singend und rührend" (Johann Friedrich Reichardt, 1808) vorzutragen.[3] Von beiden Qualitäten der Wiedergabe hat offensichtlich die Konzeption dieser Quartette als mitprägenden Faktoren unmittelbar profitiert, denn noch zog sich Beethoven hiermit nicht gänzlich aus der gesellschaftlichen Praxis in die autonome Kontemplation zurück, wie dies radikaler im Spätwerk geschehen ist.

Das Streichquartett op. 59, Nr. 1 steht in F-Dur, also in der Unterdominante vom C-Dur der Nr. 3, während die Nr. 2 auf der Dominantparallele e-Moll basiert. Diese „Drei-Einheit" verbindet somit ein tonales Verwandtschaftsverhältnis, welches verdichtet wird durch übergreifende strukturelle und motivische Verflechtungen bzw.

---

1 Vgl. A. Schering, *Beethoven und die Dichtung*.
2 Vgl. J. Fr. Reichardt, *Vertraute Briefe* (1915), S. 164.
3 In der *AmZ* 13 vom 22. 5. 1811 bemerkte man auf Sp. 349 zu op. 59: „Der Verf. hat sich hier ohne Rücksicht den wunderbarsten und fremdartigsten Einfällen seiner originellen Phantasie hingegeben, das Unähnlichste phantastisch verbunden, und fast alles mit einer so tiefen und schweren Kunst behandelt, dass in dem düstern Geist des Ganzen auch das Leichte und Gefällige des Einzelnen schier untergegangen ist."

Rückbezüge sowie die Einvernahme russischer Liedweisen im Volkston, welche Beethoven einem modischen Trend folgend[1] — auch als eine Geste der Huldigung gegenüber dem großen Rasumowsky — der 1806 in zweiter erweiterter Auflage erschienenen Sammlung *Sobranije narodnych russkich pesen* von Ivan Prác entnahm. Hierbei inkorporierte er in den Nummern 1 und 2 zwei „airs" aus der Umgebung von St. Petersburg, indem er diese zu „thèmes" umfunktionierte, während er im Andante von Nr. 3 dieses zitierte russische Idiom eigenständig nachgestaltete, er also abrückte vom Vorgegebenen zugunsten eines Originalitätsanspruchs, der auch im Bereiche des simpel Liedhaften zur Geltung gebracht wurde.

Unvermittelt auftaktlos setzt das erste der drei Quartette in F-Dur ein, welches sich auch ansonsten in einer irregulären Satzfolge und anderen Formanten vom traditionell Eingewöhnten, von Schemata wie Konvenablem weit entfernt. Das Hauptthema überrascht insofern, als es nicht metrisch bündig, energisch pointiert vorgestellt wird, sondern vielmehr kantabel „dolce", harmonisch unbestimmt auf der Quinte schwebend, lang gedehnt über 16 Takte und dreieinhalb Oktaven hinweg. Eine als Gestalt gefestigte thematische Setzung ist dies nicht. Thematisches wird zwar exponiert, jedoch so, als sei die Kantilene kein zur Durchführung bestimmtes Postulat, sondern bereits selbst in einem linear zusammenhängenden Prozeß von Entwicklung befindlich. Dies erscheint wie ein Widerspruch zum Üblichen, zumal der Exposition keine Wiederholung mehr als Vorschrift mitgegeben wird und eine Fülle melodischer Einfälle, Kantilenen gereiht werden, die den konventionellen Rang von Haupt- und Nebenthema in Frage stellen. Arthur Honegger vermeinte gar „neun durchaus verschiedene Themen" ausfindig machen zu können. Das Stimmengewebe fluktuiert in Permanenz und trägt dazu bei, die als Gerüst erhalten bleibende Sonatensatzform eher zu verschleiern als zu profilieren. Figurales wird in diesem Spiel der Ab- und Weiterleitungen ebenso verselbständigt wie stationäre Klänge, ins Leere weisende Tupfakkorde, und auch geballte Akkordsäulen erhalten als Farben ein Eigenleben. Das Quartettspiel bekam damit eine neue Qualität in nuancierterer Vielheit der Mittel und extensiven zeitlichen Erstreckungen. Dieser neuen Werkidee werden alle verfügbaren Materialien und Verfahren dienstbar gemacht, also auch ein doppelthematisches Fugato (T. 185ff.), Imitationen gelöst von den alten Mustern kunstgerechter Stimmführung, die Suspendierung von Kadenzen, die Korrespondenz von Abschnitten und deren Verflößung, metrisches Unisono (T. 349), asymmetrische Periodenbildungen, die Prägung von dem Thema unterworfenen fortspinnenden Überleitungen, rückbildende Verarbeitungen thematischer Motive (T. 387ff.), die thematische Verwendung von Tonleiterfiguren, die Neubestimmung der Coda und ihrer strukturellen Funktion des Zuendebringens weit gespannter Steigerungswellen sowie apotheotischer, bis zum Spitzenton c'''' hochgetriebener Gesten.

Das anschließende Allegretto vivace e sempre scherzando auf der Subdominante B-Dur gemahnt an das bereits 1804 von Beethoven (abgesehen von op. 106) aufgegebene Genre des „Scherzos". Es verbindet eine fünfteilige Anlage mit der Sonatenhauptsatzform. Die Vortragsbezeichnung „scherzando" wird im 3/8-Takt in seiner adverbialen Bedeutung voll auskomponiert: beginnend mit dem verabsolutierten

1 Vgl. W. Salmen, *Zur Gestaltung der „Thèmes russes"*, S. 397ff.

Rhythmus der volltaktig beginnenden ersten Takte (), der aus einer anapästischen ostinaten Begleitfigur durch deren Bloßlegung und Entlassung aus dieser Funktion hervorgegangen ist, so daß das Thema in einen rhythmischen und melodischen Teil sowie eine anschließende Kantilene aufgegliedert ist. Es ist ein auch mit Pathos ausgestatteter, an ironischen Überraschungen, dynamischen Kontrasten, thematischen Zergliederungen, tonalen Verschiebungen bzw. Umdeutungen und willkürlichen Gegenüberstellungen reicher Satz mit der obigen Rhythmusphrase als integral das Ganze durchwirkender Präsenz.

Vom Pathos des Tragischen durchwirkt ist das dazu betont konträr gesetzte Adagio molto e mesto in f-Moll. Auch hier wird die Sonatensatzform zwecks eindringlich thematischer Arbeit angewendet, verbunden mit barocken Trauergesten, die an den aria-Stil in der Opera seria erinnern. Biographisches hat diesen Tonfall mitbestimmt, denn auf einem Skizzenblatt vermerkte der Komponist, daß es ihn bewege, „einen Trauerweiden- oder Akazienbaum aufs Grab meines Bruders" setzen zu wollen, der sich am 25. Mai 1806 vermählt hatte und seither von ihm distanzierte. Altertümlich an dieser musikalischen Klage ist der Rückgriff auf Verzierungen, Seufzer-Figuren, Umspielungen aus dem spätbarock-affektuösen Repertoire, dies freilich nicht in dem Sinne, wie etwa in der *Missa solemnis* verfremdende alte Satzpraktiken eingesetzt werden. Spielfiguren von einst werden auch hier als entwicklungsfähige Motive qualifiziert und somit zum unverzichtbaren, nicht mehr lediglich ornamentalen Bestandteil eines angereicherten Beziehungsnetzes gemacht.[1]

Eine Violinkadenz in C-Dur führt „attacca" von dieser Ausdrucksphäre über in das bis dahin im Werke Beethovens einzigartige Finale in F-Dur. Dieses bricht nämlich in seiner Sonatensatzanlage sowohl mit dem üblichen Rondo als auch mittels der motivischen Verarbeitung eines russischen Liedes mit dem gängigen salonbezogenen Umgang mit popularer Melodik zu seiner Zeit. Beethoven distanziert sich damit kritisch vom Etablierten. Aus dem modalen Lied „Ach! talan di moj" („Ach, mein Schicksal")[2], in g-Moll Molto Andante notiert, in welchem der schwere Soldatendienst angeklagt wird, macht der Komponist sentimentalisch frei verfügend ein Allegro in äolisch F-Dur. Entwicklungsmotivisch bewegende Trillerketten verschleiern diesen tonalen „Exotismus". Statt eines „air" wird daraus ein produktiv adaptiertes, semantisch völlig verändertes „thème russe" im idealistischen Sinne der Teilnahme an einer „edlen Simplizität" gemacht, die als bleibend Natürliches und zu Formendes eine ständige Aufgabe für den Musiker ist. Beethoven zeichnet mit diesem transformierten Zitat eines nationellen Idioms kein banales Genrebild, er holt nicht einen attributiven Reiz als Fremdkörper zu sich heran, um sich etwa damit einer schmeichlerisch popularen Mode anzubequemen. Vielmehr geht es hier auch um einen gesellschaftlichen Gehalt, der in einem mehrschichtig angelegten esoterischen Kunstwerk die Ineinsfügung des Einfachen mit dem Komplizierten, des Präformierten mit dem autonom Singulären, von Natur und Kunst, dem Fremden mit dem Eigenen, Mimesis mit Rationalität intendiert. Alexander L. Ringer hat nachgewiesen, daß diese russische Liedweise nicht ein beziehungslos eingelagertes Fremdes ist, sondern vielmehr „von größter formgesetzlicher Wichtigkeit für das gesamte

1 Details siehe bei L. Hübsch, *Ludwig van Beethoven. Die Rasumowsky-Quartette op. 59,* S. 55ff.
2 Vgl. Vl. Karbusicky, *Grundriß der musikalischen Semantik,* S. 23.

Quartett"; aus diesem zum idealisiert liedhaften Thema Gestalteten, streicherisch Artikulierten wird im gesamten Werk Material abgeleitet.[1] Es bot somit Rohstoff für eine umgreifende Einheitsgestaltung, worin drängend-dynamisierende Elemente sich mit in sich ruhenden Mikrogestalten ergänzend ausgleichen. Sinnfällig wird dies insbesondere am Schluß des Finalsatzes, wo in Takt 399 die Coda pianissimo einsetzt mit einem Fugato, dessen Thema aus der Umbildung des „thème russe" resultiert. Daran anschließende weiterbildende Reminiszenzen an die Coda des Eingangssatzes machen zudem deutlich, daß Beethoven dieses Werk nach einer „zugrundegelegten Idee" als ein integres Ganzes verstanden wissen wollte.

Das e-Moll-Quartett Nr. 2 ist auf das vorangestellte F-Dur-Quartett hin angelegt als ein dazu kontrastierendes. Es ist ein dem in dieser Gattung traditionell Vorgegebenen am ehesten verbunden bleibendes Werk. Die Satzfolge (Allegro = 255 Takte, Molto Adagio = 157 Takte, Allegretto = 135 Takte und Presto = 409 Takte), die weniger weitflächige Strukturierung und Gehalte, die einheitlich durchgehaltene Tonart e-Moll / E-Dur, der insgesamt stillere Tonfall sind mehr als in op. 59, Nr. 1 der Konvention verpflichtet, was vermutlich mit dazu beitrug, daß dieses zum Beispiel in Berlin um 1830 bei den „Möserschen Quartett Versammlungen" bevorzugt aufgeführt wurde entgegen der Feststellung in der *Allgemeinen musikalischen Zeitung* von 1821 (Sp. 111f.), dieses Quartett sei zwar „bedeutend [...] aber noch unpopulair". Diesem Werk sind assoziativ mancherlei Inhalte zugesprochen worden, reichend von der angeblichen Inspiration Beethovens durch den Anblick des „gestirnten Himmels über ihm" bis hin zu der Annahme einer vermeintlichen „Nachdichtung" von Szenen aus Jean Pauls *Flegeljahren.*[2] Unmittelbar erfahrbar und nachprüfbar ist im Unterschied zu derartigen Anmutungen, daß der Allegro-Satz im 6/8-Rhythmus ein knapp formulierter Sonatensatz ist; sowohl seine Exposition als auch die Durchführung mit Reprise sind zu wiederholen. Das bis zum 19. Takt reichende Thema beginnt — in der Tradition einer während des 18. Jahrhunderts konvenabel gewordenen Manier befindlich — mit zwei Akkordschlägen, welche durch die Tonika und Dominante prägnant und energisch herausfordernd die Tonart festlegen. Wenn Hugo Riemann in seiner Analyse vermeinte, diese Akkorde seien wie so oft zuvor dazu bestimmt, „nur Silentium zu gebieten"[3], so übersieht er offensichtlich, daß diese nebst der darauf folgenden Generalpause (im Unterschied etwa zum Beginn der 3. Symphonie) später in die Durchführung miteinvernommen sind, diese somit Teil des Themas sind, ja daß der Quintenschritt aufwärts in Takt 3, Takt 6 sowie später thematisch bestimmend wird. Die Akkordfolge entläßt somit aus sich heraus, zur Auseinandersetzung zwingend, das Charakteristische dieses Gebildes sowie den durch die drei Generalpausen gespannt mitbewirkten Prozeß von Umwandlungen, der bereits in Takt 3 einsetzt und im Pianissimo angesetzt zum Forte gesteigert ausgefaltet wird. Bemerkenswert ist die ungewohnte Dynamik von in Takt 3 und Takt 6 nebeneinander stehenden Pianissimo-Angaben, die klanglich sublimierend hier nur sehr leise und noch leiser bedeuten können. Das nach einer Überleitung (T. 31ff.) vorgetragene Seitenthema hat die Funktion einer kurzen

1 Vgl. A. L. Ringer, *Klassisches Formbewußtsein und strukturelle Vielfalt,* S. 324ff.
2 Vgl. A. Schering, *Beethoven und die Dichtung,* S. 239ff.
3 H. Riemann, *Beethoven's Streichquartette,* S. 64.

kantablen Episode mit dem deszendenten Duktus einer Skalenmelodie, die aufgeteilt auf die 1. und 2. Violine vorgetragen wird. Ein mittels sforzato zu spielender Akkorde verdichteter Epilog schließt sich an, in dem Rückverweise an das erste wie zweite Thema enthalten sind, welche in Akkordzerlegungen ausklingen.

Die Durchführung wird begonnen mit einer dreimaligen Transposition der bei den Einleitungsakkorde, gefolgt von Phasen enharmonischer Umdeutungen und harmonischer Gespanntheiten[1], die nach Lösungen suchen, von Umwandlungen, Abspaltungen sowie Verknüpfungen von Motiven beider Themen, die zweimal zur dynamischen Steigerung im Fortissimo führen. Mit Fortissimo-Schlägen setzen auch die Reprise sowie die Coda ein.

Der in E-Dur stehende ernste zweite Satz verlangt von den Spielern, im Tempo „Molto Adagio [...] con molto di sentimento" zu musizieren. Dieser ist ebenfalls in der Sonatensatzform angelegt. Er beginnt mit einem hymnischen Hauptthema im alla-breve-Stil, welches an die B-a-c-h-Thematik gemahnt und bis zum Takt 8 die Grundtonart nur unklar antönt. Daß Beethoven dieser Bezug bewußt war, geht aus dem Petterschen Notierbuch hervor, worin sich der Komponist diese Buchstaben als programmatische Vorlage für ein daraus selbständig zu gestaltendes Thema notiert hatte. Dieser anspruchsvoll-feierliche Satz lebt aus der Vielfalt des Zusammenwirkens unter anderem von ostinaten Rhythmen und allbekannten Spielfiguren, die hier eigentümlich verwendet werden, mit gewichtigen fünfstimmigen Klängen und kontrapunktisch-motivischer Arbeit. Auf das Seitenthema wird durch ein verbindliches Hinführen behutsam vorbereitet. Mit dem Thema des ersten Satzes ist dieser Satz dadurch hintergründig verknüpft, daß die Themen beider Sätze auf demselben harmonischen Grunde basieren.[2]

Der dritte Satz in e-Moll ist rondoförmig fünfteilig angelegt. Dieser ist — im 3/4-Rhythmus gesetzt — weder ein Menuett noch ein Scherzo. Die pointierten Allegroteile in e-Moll korrespondieren mit dem Maggiore-Abschnitt in E-Dur, welcher hier die Stelle eines Trios einnimmt. Auf die intensivste Verinnerlichung und Versponnenheit des Adagios antwortet dieses Stück mit dem Rekurrieren auf das natürlich Einfache in der Welt, auf das Lied, den Tanz, die Redundanz in kreisend bewegter Selbstgenügsamkeit. Hierzu wählte Beethoven als Vorgegebenes ein „Thème russe" aus, nämlich den Gesang „Sláva Bogu na nebe" (= „Ehre sei Gott im Himmel"), den er sinnverwandelt adaptiert.[3] Aus dem in seiner Quelle angegebenen Andante-Tempo machte er beschleunigend ein Allegretto (𝅗𝅥. = 69), die sangbar gebundene Liedweise formte er mittels Pausen und Staccato-Vorschriften um in ein gegliedertes humoriges Instrumentalstück im 3/8-Takt, welches er wie ein Intermezzo in den Satz einlagert, zwölfmal wiederholt (davon viermal in H-Dur), um daraus cantus firmus-gebundene, variative Umspielungen mit „fugatoartigen Einkleidungen" (auch kanonischen Engführungen) abzuleiten. Diese Repetitionen ergeben eine eintönig wirkende Redundanz, welcher sich Beethoven ansonsten zu enthalten pflegt. Arnold Schönberg legte dies als einen in der Sache Volkslied veranlagten

1 Vgl. J. Kerman, *The Beethoven Quartets,* S. 124.
2 Vgl. P. Gülke, *Zur musikalischen Konzeption der Rasumowsky-Quartette,* S. 408.
3 Vgl. I. Prác, *Sobranije narodnych russkich pesen,* Nr. 2.

Mangel an Möglichkeiten aus.[1] Erst in der Schlußperiode (T. 118) zitiert der Komponist das Lied „legato“ gemäß der Vorlage.

Das Finale ist ein Sonatenrondo mit einem Thema im all' ungharese-Gestus.[2] Es beginnt nicht in der Grundtonart, sondern „in einer Art C-Dur, die aber fortwährend nach e-Moll hinübergreift“; für Schönberg war dies eines der „klassischen Muster“ der von ihm so benannten „schwebenden Tonalität“.[3] Dieses wird elfmal in wechselnder Begleitung intoniert, es ist somit der das Seitenthema dominierende Hauptgedanke. Dieses ungewöhnliche Verfahren läßt an eine Fortwirkung des im Maggiore-Abschnitt des dritten Satzes angewandten Repetierens denken, welches in letzter Konsequenz zur Ausgestaltung einer monothematischen Finalfuge als dem zielstrebig das Ganze einfangenden Beschluß führen muß (siehe das Finale von op. 59, Nr. 3).

Der *Allgemeinen musikalischen Zeitung* von 1807 zufolge hebt sich das dritte Quartett in C-Dur von den anderen dadurch ab, daß dieses auch als „allgemeinfasslich“ gelten kann. Die Rezeptionsgeschichte hat die Annahme bestätigt, denn besonders der zweite Satz wurde beispielsweise 1819 in Wien für Klavier und 1820 für zwei Gitarren bearbeitet und in dieser Verkürzung den Musikliebhabern angeboten. Während das e-Moll-Quartett auftaktlos energisch mit zwei Akkordschlägen beginnt und damit etwas definiert Vorgefertigtes signalisiert, wird das C-Dur-Quartett hingegen mittels einer „Introduzione“ in Gang gesetzt. Diese Einleitung ist in Tempo (Andante con moto), Taktart, Vortragsweise und einem Doppelstrich deutlich vom Allegro vivace abgesetzt. Ein Vergleich mit Mozarts Streichquartett KV 465 drängt sich auf; über einen von fis bis Kontra-H chromatisch absteigenden Baß werden ohne die Bedeutung von Kraft und Größe „sempre pp“ verminderte Septakkorde gereiht, deren erster (fis—c—es—a) indifferent das intendierte C-Dur verschleiert. Ohne betonte Prägnanz enthält es keinen sich gleichsam vor dem Vorhang darbietenden thematischen Kern oder Bezug zum darauf Folgenden. Es läßt gegliedert Bestimmtes erwarten und bereitet die Hörerwartung mehrend nach Art der italienischen Concerti grossi darauf vor. Auch hier wird speziell der Konzerthörer auf etwas Gewichtiges eingestimmt, der ästhetische Anspruch des Esoterischen wird durch die Verhaltenheit der Intonierung komplizierter harmonischer Zusammenhänge manifestiert.[4] Die musikalische Zeit wird aus der Normalität durch einen zu Gestalten hinführenden Prozeß abgesetzt, der ohne Programm oder Ankündigungen von später zu Definierendem rein aus der harmonischen Spannung heraus geschieht. Nach dem Doppelstrich wird gar dieser tonal vage bleibende Einschwingungsprozeß fortgesetzt, indem nämlich zunächst eine vor-thematische Gestalt in Erscheinung tritt, also in einer zweiten Phase eines quasi improvisatorischen Violinsolos weiterhin vorbereitet wird, als schrittweise weiterführende Sondierung der kleinen Sekunde e—f auf verschiedenen tonalen Ebenen, welche konstitutiv ist für die motivische Arbeit in diesem Satz. Ein Thema als nach herkömmlicher Erwartung auszuarbeitender Gegenstand wird somit nicht sogleich vorgestellt. Erst nach

1 Dazu A. Schönberg, *Stil und Gedanke,* S. 135.
2 Vgl. L. Hübsch, *Ludwig van Beethoven. Die Rasumowsky-Quartette op. 59,* S. 77ff.
3 A. Schönberg, *Harmonielehre* (³1922), S. 459.
4 Dazu siehe P. Gülke, *Introduktion als Widerspruch im System,* S. 19ff.; C. Dahlhaus, *Beethovens „Neuer Weg“,* S. 56ff.; L. Finscher, *Beethovens Streichquartett op. 59, 3,* S. 122ff.

Takt 43ff. bricht ein solches in C-Dur vital — durch Sforzati zusätzlich markiert — herein, darin gleichsam das vorangegangen Zögernde, Suchende, als gedankenschwer Ausgewiesene beiseite drängend. Dieses knüpft sichtlich weiterführend an das Finalthema von op. 59, Nr. 2 an. Es scheint in seiner tänzerischen Beschwingtheit und Einfachheit in Analogie zu rhetorischen Prozessen eine Antwort geben zu wollen auf die wie eine Frage wirkenden verminderten Septakkorde der „Introduzione". Metrisch ist dieses Thema in seiner Gliederung von 4 + 5 + 2 Takten keineswegs derart simpel-trivial, wie es sich exoterisch gerichtet anbietet. Das Seitenthema (T. 77) in G-Dur ist ebenso lapidar auf einer Dreiklangsbasis aufgebaut. Der traditionelle Themabegriff paßt zu diesem, auf dem „neuen Wege" befindlichen Werk ebenso wenig mehr wie andere konventionelle Kategorien der musikalischen Form, deren Ambiguität eine Detailanalyse deutlich werden läßt. Dies erhellt allein etwa das Vorkommnis, daß Beethoven nach dem Doppelstrich der Exposition mit jener vor-thematischen Phrase des Violinsolos wieder einsetzt, also auf das vermeintlich zur Vorbereitung eines öfters ab Takt 43 angenommenen Hauptthemas funktional Gesetzte, auch „zweites Introduktionsthema" Bezeichnete, revoziert wird. In der knapp gehaltenen Durchführung geschieht kaum mehr eine motivische Arbeit im herkömmlichen Sinne, denn zu sehr erweist sich — bei Wahrung der traditionellen Disposition des Satzes — in diesem Abschnitt die Ambiguität des „noch nicht"-Themas im Verhältnis zu dem wegen seiner Armut an gestalteten Motiven „nicht mehr"-Thema.

Das nachfolgende, kontrastarme Andante in a-Moll rekurriert insofern auf die beiden vorangestellten Quartette, als hier nicht ein „thème russe" zitiert wird, vielmehr innovativ eine romanzenartige Melodie erklingt, die genereller als ein „à la russe" zitiertes Gebilde Fremdartigkeit im Volksliedton des romantisierten Moll andeutet.[1] Auch das zweite, aus dem ersten heraus weitergebildete Thema (oder Lied) sowie die als Stilelemente an die Popularmusik gemahnenden Orgelpunkte und organalen Klänge verweisen den wissenden Hörer auf den „Schein des Bekannten" aus dem Bereich der Folklorismen und Exotismen.[2] Rudimente des Sonatensatzes und die erweiterte Liedform gehen hierin eine Verbindung ein, die in ähnlicher Weise auch bei Schubert zu finden ist. Beethoven nahm den Volkston an als Aufgabe künstlerischer Sublimierung und Individualisierung. So wie er sich verfremdend der Techniken der Alten Musik bemächtigte, ebenso machte er sich souverän nachgestaltend die Modelle europäischer Volksmusiktraditionen zu eigen.

Auch der dritte Satz, ein „Menuetto Grazioso" mit Trio in C-Dur bzw. F-Dur, tönt Vergangenes eigenwillig an, denn das konventionell galante Menuett galt längst nicht mehr als zeitgemäß.[3] Beethoven war mit diesem Figurentanz als Tänzer nicht sonderlich vertraut. Er gemahnt damit verabsolutierend an eine spielerische Eleganz von gestern, indem er diesem Satz durch Befrachtungen, wie zum Beispiel den Fugato-Einsatz (T. 23), eine das Tänzerische zersetzende Coda mit Sequenzierungen des Anfangsmotivs durch entfernte Tonarten, Reminiszenzen an die Introduzione

---

1 Dazu siehe R. Bruce, *The lyrical Element in Schubert's instrumental Forms,* S. 132ff.

2 Möglicherweise hat sich Beethoven hierbei an einen Liedtypus ukrainischer Provenienz erinnernd angelehnt, dazu siehe L. Hübsch, *Ludwig van Beethoven. Die Rasumowsky-Quartette op. 59,* S. 32.

3 Vgl. W. Salmen, *Tanz im 19. Jahrhundert,* S. 134.

des Quartetts und anderes, eine an Facetten reichere Bedeutung gibt nebst der Funktion, „attacca subito“ in das eilig huschende Finale überzuleiten. Dieser Zusammenhang erscheint als paradox und erhöht damit den Verfremdungseffekt, die Ironie der „Grazioso“-Vorschrift.

Dieses nach Art der Rhetorik als confutatio wie auch als peroratio angehängte Perpetuum mobile in affirmativem C-Dur ist keine Fuge, vielmehr eine Verflechtung von Fuge und Sonatensatz zu einem ins Orchestrale gesteigerten fugierten Finale von 429 Takten Ausdehnung, in dem das gesamte op. 59 aufgehoben zu sein scheint. Befreit von herkömmlichem Regelwerk wird hier in scheinbar spielerischer Unbekümmertheit strenge Polyphonie mit freibeweglicher Stimmigkeit und Unisonoballungen, Homophonie und Kontrapunktik, Monothematik mit episodenhaften quasi-Gegenthemen, also das Prinzip der Einheit mit dem des Kontrapunktes verquickt. Fortspinnung und Durchführung werden als gegenseitig sich Ergänzendes einander nahe gebracht. Auslaufend in einer rasanten Stretta wird aus all dem — sowie den vorangegangenen Problematisierungen — ein positiv befreiender Schluß gezogen, der mit seiner an die äußerste Grenze gesteigerten breitflächigen Klanglichkeit einem tatsächlich „allgemeinfasslichen“, auch einer breiteren Öffentlichkeit zumutbaren Ziele zustrebt. Ein kontinuierlicher, aus dem scheinbar unprägnant endlos sich erstreckenden Thema sich ergebender Stimmstrom brüskiert nicht mit unerwarteten Einbrüchen oder anderen Widerborstigkeiten, sondern hebt vielmehr alles durchgemacht Kontrastierende in einem Kraftakt auf und stellt damit die zeitweise gestörte Kommunikation versöhnend wieder her.

Die Trias op. 59 umspannt das umgreifende Kunstwollen eines souveränen Autors, der Kunst um ihrer selbst willen mit gesellschaftlichem Gehalt zu setzen bestrebt ist. Einheit aus der Vielfalt sich selbst aufgegebener Gegensätze zu gewinnen, Denk- und Spielprozesse in Verfahren tönender Abhandlungen zu entfalten, gehörte ebenfalls zu den Werkproblemen. Der sich absondernde Autonomieanspruch war ebenso stark bestimmend wie die direkte Fürbeziehung zum Mäzen und Widmungsträger sowie die Überführung der Gattung Streichquartett aus dem intimeren Milieu der Gesellschaftsmusik in den Bereich der geistig Erarbeitetes vermitteln sollenden Vorführkunst im Konzertsaal. Fragen der Materialintegration beschäftigten den Komponisten hierbei ebenso wie die der Materialbloßlegung oder der verwandelnden Kritik. Musikalische Zeit wird hierin durch ein an Widersprüchen reiches, teilweise ungewöhnlich gegliedertes Geschehen erfüllt, wobei subtilstes Aushorchen von Streicherkunst mit massivem Vollklang die Extreme bilden. Im Umkreis der *Eroica* gelang es Beethoven mit diesen vielfachen Grenzüberschreitungen, seinen drei Quartetten den Rang eines Authentischen zu geben aus der errungenen Einheit von Subjektivität und Objektivität heraus.

Walter Salmen

4. Symphonie B-Dur
op. 60

ENTSTEHUNGSZEIT: Spätsommer/Herbst 1806.
ERSTAUFFÜHRUNG: privat: März 1807 im Palais Lobkowitz; öffentlich: um Neujahr 1808 bei einem „Liebhaber-Concert" in der Aula der Universität Wien.
SKIZZEN: Deutsche Staatsbibliothek Berlin, Landsberg 12.
AUTOGRAPH: Staatsbibliothek Preußischer Kulturbesitz Berlin, Mendelssohn-Stiftung 12.
ERSTDRUCK UND WIDMUNG: Stimmen: Wien 1808 (Bureau des Arts et d'Industrie); Partitur: Bonn und Köln 1823 (N. Simrock); Graf Franz v. Oppersdorff gewidmet.
GESAMTAUSGABE: Alte Gesamtausgabe: Nr. 4 = Serie 1 Nr. 4.

Unverkennbar ist es, daß die 4. Symphonie in B-Dur, wie die geringere Präsenz im Konzertleben und das geringere Interesse in der Beethoven-Literatur deutlich zeigen, doch sehr im Schatten ihrer berühmteren Nachbarsymphonien steht. Die Auszeichnung durch einen charakterisierenden Namen wie „Eroica" oder „Schicksalssymphonie" wurde ihr nicht zuteil, so daß Hörer wie Interpret ohne Fluchtmöglichkeit zu weitertragenden Ideen auf das rein Musikalische angewiesen sind. Wenn sich dann auch musikalisch keine spektakulären Probleme in den Weg zu stellen scheinen, dann entsteht unversehens eine Tendenz zur Verharmlosung des Werks, die in Prädikaten wie „heiter", „glückselig" oder „in Sonnenschein getaucht" gipfelt. Merkwürdige Züge und Stellen der Komposition, die aus dem allgemeinen Wohlklang herausfallen, lassen sich mit einem Verweis auf Beethovens Humor und Witz bequem in das Ganze einordnen.

Arnold Schering hat neben anderen Arbeiten zur Deutung Beethovens in einem 1934 erschienenen Aufsatz versucht, auch der 4. Symphonie durch das Heranziehen einer poetischen Idee gerecht zu werden. Er glaubte, in drei Gedichten Schillers Beethovens poetisches Vorbild für die ersten drei Sätze entdecken zu können, den vierten Satz deutete er als einen „Spaziergang am Bach".[1] Wie kaum anders zu erwarten, wurde Scherings Deutung entschieden abgelehnt, seine Funde wurden gewiß zu Recht als unverbindliches Produkt einer privaten Phantasie angesehen. Abgesehen von dem Vorwurf des Privaten ist der These Scherings aber entgegenzuhalten, daß er durch das Heranziehen von drei verschiedenen Gedichten — sei es auch eines einzigen Autors — und ein zusätzliches Naturbild die zyklische Einheit und den satzübergreifenden Charakter, wodurch erst eine Symphonie als ein geschlossenes Werk gerechtfertigt ist, mißachtet.

Genau hier aber ist anzusetzen, wenn man heute den Versuch unternimmt, Beethovens 4. Symphonie erneut durchzugehen. Man muß die gängige Abstempelung als heiter und humoristisch — und damit implizit als weniger bedeutsam — ignorieren und darangehen, die Einheit des Werkcharakters aus der Einheit des Symphonischen heraus zu verstehen. Ob dahinter auch eine poetische Idee stehen könnte, ist dann eine weitere Frage, die man keineswegs dem Dogma von der absoluten Musik aufopfern sollte.

---

1 A. Schering, *Zur Sinndeutung der 4. und 5. Symphonie von Beethoven,* S. 65—83.

Von den allgemeinen Bedingungen einer Symphonie im Zeitalter Beethovens braucht hier nicht weiter die Rede zu sein. Vorauszusetzen ist, daß eine Symphonie aus vier Sätzen in verschiedenen Satztypen und verschiedenen Tempoabstufungen besteht, wobei bestimmte Formtypen, wie etwa der Sonatensatz, zugrunde gelegt werden, und daß die Stilhöhe des Symphonischen, abgesehen von bestimmten Satzprozeduren, mit der charakteristischen Zusammensetzung und den damit gegebenen Möglichkeiten des Orchesters zusammenhängt.[1] Bei den Satztypen mag man auch daran denken, daß sich in ihnen allgemeine, nicht nur auf unsere komponierte Musik beschränkte menschlich-musikalische Phänomene und Erfahrungen niedergeschlagen haben. So beruht ein langsamer Satz meist auf dem Phänomen des Gesangs, ein Scherzo auf dem Phänomen des Tanzes, beides genuine musikalische Äußerungen des Menschen. Im Kopfsatz verkörpert sich wohl der ausgeprägte Typus eines Aufbauens von Musik aus mehreren verschiedenen Zellen, im Finalsatz spielt vielleicht eine ferne Analogie zum Abschluß eines Theatergeschehens mit.

Neben den allgemeinen Vorbedingungen symphonischen Komponierens war für Beethoven selbstverständlich auch die Überlieferung konkreter symphonischer Werke von Haydn, Mozart und von Komponisten wie Cherubini oder Méhul ein nicht zu unterschlagender Bezugspunkt, doch sollen die damit zusammenhängenden Fragen bei der Besprechung der 4. Symphonie außer Betracht bleiben.

Von der Tradition nicht einseitig festgelegt und deshalb bereits als Teilaspekt der Komposition zu werten ist die Entscheidung, ob der Allegro-Hauptsatz durch einen langsamen Satzteil einzuleiten sei. Beethoven verfuhr bekanntlich in dieser Frage sehr individuell. Wenn wir bei den ersten beiden Symphonien mit ihren langsamen Einleitungen vielleicht noch an eine Übernahme der beim späten Haydn normalen Praxis denken dürfen, so muß die Entscheidung für das einleitende Adagio bei der 4. Symphonie, das ja im Verhältnis zu den einleitungslosen Nachbarsymphonien eine Ausnahme bildet, als ein relevantes Merkmal des Werks verstanden werden.

Die Adagio-Einleitung zur 4. Symphonie beginnt mit einem vier Oktaven umspannenden Pianissimo-b, pizzicato in den Streichern, durchklingend in Flöte, Klarinette, Fagott und Horn.[2] Mit diesem noch leeren Klang scheint Beethoven zu sagen: Gegeben sei der Ton b! Welche Klangwelten und Strukturen sind in ihm verborgen? Welche Art von Symphonie kann aus ihm entstehen? Als zweites, Zusammenklang konstituierendes Tonelement tritt dann im zweiten Takt ganz unerwartet ges auf den Plan, nicht d oder f, wie der naive Hörer wohl angenommen hätte. Dieses ges impliziert Bewegung, nicht ruhiges Verweilen in einem Dreiklang, und wirklich kommt diese Bewegung sogleich in Gang, zunächst in fallenden Terzschritten, durch die gleichsam der Sextabstand zwischen dem ges und dem Grundton b ausgelotet wird, sodann als ein Halbtonschritt zwischen ges (ganze Note mit Schwelldynamik) und f (Achtelnote, zäsurbildend). Danach ändert sich die Faktur erheblich: An Stelle der bisherigen Legato-Haltung tritt nun ein langsames Détaché der ersten Violinen, zu dem das erste Fagott einen dreitönigen Bogen fügt; beide Stimmen stellen erneut das ges heraus, als Element des verminderten Dreiklangs ges—es—c oder als verminderten Terzschritt ges—e, der zum in der Mitte liegenden f führt. Dieses Ge-

1 Entgegen der Norm der doppelten Holzbläser besetzt die 4. Symphonie die Flöte nur einfach.
2 Es ist im gegebenen Rahmen nur möglich, einzelne, für das Werkganze wichtig erscheinende Gesichtspunkte herauszugreifen.

schehen wird Takt 8—10 oktavversetzt wiederholt, zu einem vollen Dominantklang f mit bekrönender kleiner None ges ausgebaut und folgerichtig zu einem Schluß nach b geführt. Daß es freilich kein Schluß ist, hört man sofort, stattdessen wiederholen sich die Anfangstakte 1—5 notengetreu. Nun ereignet sich aber etwas wiederum ganz Unerwartetes: Der Vollzug des Halbtonschritts ges—f von Takt 6 wird unterdrückt, es bleibt bei ges, das enharmonisch zu fis umgedeutet wird, so daß der folgende Abschnitt der Wiederholung einen Halbton höher, im übrigen aber notengetreu vor sich geht, als Ziel zeichnet sich nun h statt b ab, die Baßklausel fis—h wird aber nur vom Fagott vollzogen, die Streichbässe bewegen sich trugschlüssig nach g, von wo aus über die Klänge C—A^7—d—$B^{6\ \text{neap.}}$—E^7—A^7—d—A ein Unisono-a erreicht wird, mit dem Takt 35, 1. Achtel, die eigentliche Einleitung schließt.

Je mehr man sich nun in die Partitur der Adagio-Einleitung vertieft, desto drängender wird die über alle kompositorischen Details hinausreichende Frage, unter welchem übergeordneten Aspekt das ganze, von Beethoven so eindringlich vorgeführte musikalische Geschehen zu verstehen ist, vor allem ob und wie es mit dem Kopfsatz oder sogar mit dem Ganzen der Symphonie verknüpft ist.

Jedenfalls wird die B-Tonalität, sei es nun b-Moll oder B-Dur, idealiter umschrieben, doch ist sie realiter nicht durch ihre Tonika repräsentiert. Einzig in Takt 29f. ist ein B-Dur-Klang, aber eben nur als Sextakkord und zudem nur in synkopischer Position zu hören, und schon im folgenden Takt wird dieser Akkord als neapolitanische Subdominante zu A-Dur verstanden. Wie wichtig Beethoven immerhin dieses synkopische Anklingen der B-Dur-Tonika war, zeigen die vorbereitenden synkopischen Ansätze der Klarinette in Takt 26—28 und das Sforzato bei der Synkope selbst, übrigens das einzige Sforzato in der Einleitung überhaupt.

Als ein sehr spezielles Element der B-Tonalität ist der Ton ges in den Vordergrund gestellt, sowohl als direkter (ges—f) oder indirekter (ges—e—f) Halbtonschritt zu f, wie auch als Oberterz zu es (T. 2), es—c (T. 7) oder es—c—a—f (T. 12).

Ein noch spezielleres Moment der in der Einleitung aufscheinenden B-Tonalität macht sich darin bemerkbar, daß b auch als eine Mitte zwischen den im Halbtonabstand entfernten Tönen h und a definiert wird. Wenn wir Liegetöne, wie sie besonders typisch in den Bläsern auftraten, als ein Indiz für wichtige Ton- und Klangkoordinaten nehmen dürfen, so sind es hier gerade die Töne b (T. 1—5 und 13—17), h (Liegeton T. 25f.) und a (Liegeton T. 32—35), die in dieser Weise ausgezeichnet sind. Nicht zu übersehen ist es auch, wie das schon erwähnte Anklingen der B-Tonika Takt 29f. im Taktverlauf ziemlich genau die Mitte zwischen den Liegetönen h und a einnimmt. Solche Bezüge definieren offenkundig nicht nur eine Tonalität, sondern sie sorgen auch für eine übersichtliche Gliederung des formalen Verlaufs; und tatsächlich kann man das formale Geschehen der Adagio-Einleitung ohne weiteres von den Liegetönen aus mit b b h (B^6) a kennzeichnen.

Wenn wir nun nach dem zusammenfassenden Blick auf die Tonalität der Einleitung vorausblickend den Allegro vivace-Satz durchgehen, dann ist es kaum zu übersehen, daß die dort beobachteten tonalen Charakteristika auch hier, wenngleich weniger komprimiert, ihre Rolle spielen: Das spezielle Tonelement ges[1] erscheint Takt

1 Das auffallende Hervortreten von ges innerhalb der ganzen Symphonie vermerkte bereits O. Neitzel, *Beethovens Symphonien*; er nannte ges die „elegische Note". L. Misch (*Die Faktoren der Einheit,*

77—79 zugleich als Terzbau c—es—ges wie auch als fallender Halbtonschritt ges—f, die enharmonische Duplizität von ges und fis kehrt in der Durchführung (T. 281 und 304) wieder, dabei entsteht durch den Septakkord von fis auch ein Bezug auf h, das allerdings nicht eintritt; eine a-Achse ergibt sich Takt 113—120, ebenso in der Durchführung Takt 203ff.

Vom Hauptsatz aus betrachtet könnte man die Einleitung ein Entwurfsfeld nennen, in dem bestimmte tonale Möglichkeiten gewissermaßen für sich und in langsamem Tempo erprobt und exemplarisch festgelegt werden, — Möglichkeiten, die dann im Hauptsatz großflächig und in Allegro-Haltung zur Geltung kommen. Es ist, als ob der Hauptsatz durch die Einleitung harmonisch entlastet würde, was freilich vom Hörer voraussetzt, daß die Erinnerung der Einleitung den Hauptsatz hindurch lebendig bleibt.

Ob auch die weiteren Sätze der Symphonie von dem Entwurfsfeld der Einleitung zehren, wird an Ort und Stelle zu prüfen sein. Dies betrifft auch eine weitere Entsprechung: Das Satzbild der Einleitung ist geprägt durch ein auffälliges Kontrastieren von legato und détaché; es genügt ein oberflächlicher Blick in die Partitur, um zu sehen, daß für den Allegrosatz das gleiche gilt. Auch hier ist die Fragestellung bei den übrigen Sätzen im Auge zu behalten.

Zu den unüberhörbaren Eigenheiten der 4. Symphonie zählt es, daß Adagio-Einleitung und Hauptthema des Allegro-Satzes nicht direkt aneinanderstoßen oder ineinanderfließen, vielmehr eine sehr markante Übergangszone dazwischengeschaltet ist: Das die Einleitung abschließende Pianissimo-a (T. 35) repetiert in den Violinen um eine Oktave höher noch dreimal, nun aber mit einem starken Crescendo, das zu einem Fortissimo-Septakkord des vollen Orchesters in F führt — dem a wurde also ein neues Baßfundament unterlegt; mit diesem Akkord ist B-Dur schon greifbar nahe, doch braucht es noch weitere acht Akkordschläge in sich verkürzenden Abständen und mit dazwischenliegendem Wechsel von Taktart und Tempo (C zu ₵, und Adagio zu Allegro vivace), bevor sich das erste Thema des Kopfsatzes wirklich herauslöst. Die überleitenden Akkordschläge werden durch auftaktige Schleifer der Violinen — in der Violinschule Leopold Mozarts „Aufstreich" genannt — noch besonders markiert, so daß das Ganze eher gewaltsam anmutet, jedenfalls vom nachfolgenden, eher grazil einsetzenden Thema scharf absticht. Läßt sich aber eigentlich so streng zwischen Übergangsakkorden und Thema trennen? Wo immer nämlich das Thema auftritt, sind derartige Akkorde, zumindest aber der „Aufstreich" vorgeschaltet (mit einer einzigen Ausnahme am Beginn der Durchführung), bei der Wiederholung der Exposition sogar die ganze Übergangsgruppe, diesmal ohne Taktwechsel notiert, aber dafür mit proportional genau entsprechenden verlängerten Werten mitsamt einer Generalpause[1]; ähnlich verhält es sich beim Einsetzen der Coda (T. 461); in der Durchführung werden Übergangsakkorde und eigentliches Thema sogar kombiniert.

Diese Beobachtungen warnen uns, den Begriff des Thematischen zu eng zu fassen, zumal wir als Thema bisher ohnehin nur seine erste Hälfte ins Auge gefaßt ha-

S. 54ff.) sieht mehr in dem verminderten Septakkord, dessen Teil ges ist (a-c-es-ges), den einheitsbildenden Faktor; damit ist aber nur ein einzelner, wenn auch wichtiger satztechnischer Aspekt dieses Tons erfaßt.

1 Zur Frage der Proportionen vgl. R. Bockholdt, *Proportion der Tempi*, S. 127ff.

ben. Denn auch das Thema im engeren Sinn, also ohne die vorgesetzten Akkordschläge, besteht in sich aus zwei sehr heterogenen Hälften, einem Gebilde aus Akkordfiguren der Streicher, die eine I—IV—V—I-Kadenz umschreiben, und einem durch die Bezeichnung dolce deutlich abgesetzten, in einen Vorhalt mündenden Terz-Sextgang der Holzbläser. Diese Zweigliederung hat ihre formalen Auswirkungen. Die Durchführung wird zunächst nur auf der Basis des ersten Thementeils bestritten, der Übergang zur Reprise aber mit dem Abwärtsgang des zweiten Thementeils eingeleitet.

Nicht zu überhören ist, wie alle thematisch-gestalthaften Gebilde in ein Umfeld von starker Dynamik eingebettet sind, so daß sie beinahe als Inseln der Beschaulichkeit wirken und erst bei der darauf folgenden Forte-Wiederholung einiges an Energie dazugewinnen. So geht dem zweiten Thema eine ausgedehnte synkopische Stauung voraus (T. 95—102), die nach einem Höhepunkt mit zwei Sforzati allmählich abgebaut wird und schließlich das Thema selbst freigibt (T. 107); dem zweiten Thema folgt eine unisono ansetzende und mit Crescendo in ein Orchestertutti führende Passage, die sich, ähnlich einer Dissonanz in die Konsonanz, in das zweistimmig kanonisch angelegte und mit dolce bezeichnete dritte thematische Gebilde löst; aus der Forte-Wiederholung wächst nochmals eine schroff Pianissimo und Fortissimo konfrontierende Partie heraus, die wiederum in eine Synkopenstauung ausläuft.

Wenn wir die Frage der übergeordneten symphonischen Einheit im Auge behalten wollen, ist nun das bereits aus dem Blickwinkel der Adagio-Einleitung vermerkte Auskomponieren des speziellen Tones ges näher zu beschreiben. Ein erstes Mal im Allegro vivace stoßen wir auf dieses charakteristische Element zwischen der Tutti-Wiederholung und einem dritten Ansetzen des Hauptthemas (T. 53 bzw. 81), wo eine 16taktige Episode eingeschaltet ist, die von einem Pianissimo subito ausgehend einen großen Bogen zum folgenden Fortissimo spannt. Als Scheitelpunkt des in den Figurationen des Fagotts besonders deutlich hervortretenden Bogens sticht ausdrucksstark das ges hervor, das wir zugleich als kleine Sext zum Liegeton des Basses wie als Bestandteil des a-c-es-ges-Klangs hören. Darf man bei der melodischen Folge e—ges—f in Flöte, Oboe und Fagott an das — umgekehrte — ges—e—f des Fagotts in Takt 7 der Einleitung denken? Und ist beim Fagott auch der figurative Anlauf g—b—des—e (T. 76), der einen verminderten Septakkord (Quintsextlage) umschreibt, strukturell bedeutsam? Es gibt jedenfalls zu denken, wie nachdrücklich hier ges exponiert wird.

Im Zentrum der Durchführung ist der entscheidende Knotenpunkt ganz durch das Geschehen um den Ton ges und seine enharmonische Kehrseite fis bestimmt. Zunächst verläuft die Durchführung allerdings in gewohnten Bahnen, dann läßt eine wie ein Notabene wirkende Rückung zum rezitativartigen A-Dur-Sextakkord aufhorchen (T. 203). An diesen Klang heften sich Repetitionen des „Aufstreichs" und eines Thema-Relikts, bis mit D-Dur die Musik wieder in Bewegung kommt, wobei sich unversehens eine in der Exposition nicht vorgestellte gestalthaft-melodische Wendung herausbildet, die sozusagen die Figuration des Hauptthemas als Begleitfigur ausnützt (T. 221). Wiederholungen dieser Gestalt folgen auf den Klangebenen von g-Moll und Es-Dur. Mit G-Dur ist dann in Takt 249 ein wichtiger Ausgangspunkt erreicht. Zwar ändert sich rasch der klangliche Oberbau und damit das funktionale Umfeld, doch klingt der Baßton g realiter oder idealiter bis Takt 269 (oder sogar bis Takt 276?) durch. Dann geschieht etwas, was zunächst nur in der Notation sinnfällig, aber wohl doch im nachhinein als Komposition faßbar wird: Die auf die obere Terz reduzierte Klangfiguration der Violinen b—des wird enharmonisch zu ais—cis umgedeutet und damit auf ein neues Klangzentrum bezogen, das mit dem vollen Fis-Dur-Klang in Takt 281 auch tatsächlich eintritt. Daß Beethoven das Artikulieren dieses Klangs als etwas außerordentlich Subtiles ansah, zeigt das dreifache Piano, das innerhalb der ganzen Symphonie nur für diesen einen Klang gefordert ist. Die sogleich zum Fis-Dur-Klang hinzukommende Sept verweist auf die latente, jedoch nicht wirklich als Tonika erscheinende H-Tonalität. Genau gleichzeitig mit der Sept setzt die Pauke auf einem b ein, das — jedenfalls vordergründig — als enharmonisch gleichklingend mit der großen Terz ais gehört wird. Die Fis-Ebene, im weiteren artikuliert durch den Abwärtsgang des Hauptthemas (vgl. T. 47ff. und T. 289ff.), bleibt nun über 21 Takte aufrechterhalten, wird sodann aber, wiederum nur im klanglichen Oberbau, enharmonisch zu b-des-e zurückverwandelt, wodurch im Baß ein ges, das den Oberbau zum übermäßigen Quintsextakkord vervollständigt, hervorgerufen wird, der sich dann auch konsequent zum Quartsextakkord über f (= B-Dur) löst.

Die bis jetzt einzeln erfaßten kompositionstechnischen Stationen gehören zu einem übergeordneten großflächigen Geschehen: Es werden zwei im chromatischen Halbtonabstand stehende Tonartebenen Fis (H) und F (B) nebeneinandergestellt, wobei das mit Fis enharmonisch identische Ges die Vermittlerrolle spielt. Dieses Nebeneinanderstellen bildet eine genaue Entsprechung zu dem Geschehen in der Adagio-Einleitung, allerdings in umgekehrter Folge; dort ging ja F voraus, und Fis folgte nach. Wir können aber noch einen Schritt weitergehen und festhalten, daß dort Fis trugschlüssig nach G gelöst wurde, wogegen hier der Weg von G nach Fis geht. Einleitung und Hauptsatz sind durch dieses weitgreifende tonale Band von F—Ges(= Fis)—G und dann G—Fis(= Ges)—F zu einer staunenswerten Einheit zusammengeschlossen.[1]

Durch welche Merkmale gibt sich im vorliegenden Fall die reale Enharmonik zu erkennen? Es gibt zwar keinen Grund, das angebundene Achtel ges in Takt 18 der Einleitung in fis umzudeuten; wenn dann aber die Fortsetzung (T. 18—24) genau einen Halbton höher liegt als die satzidentischen Takte 6—12, muß jeder aufmerksame Hörer den Übergang von F zu Fis mitvollziehen; das Höherrücken ergibt satztechnisch jedenfalls ein Fis, nicht ein Ges — Ges wäre eine Tieferrücken von G —, entsprechend einen tonalen Bezugspunkt h, nicht ces; unzweifelhaft ist auch der vom Fis-Septakkord ausgehende Trugschlußschritt Takt 24f. nur als fis—g sinnvoll, ein chromatisches ges—g in Trugschlußfunktion wäre widersinnig. Ebenso verkörpern die Durchführungstakte 281—301, gemessen am diatonischen Hintergrund, ein Höherrücken in die Fis-Lage, nicht ein Absenken von G zu Ges, wie auch ein Vergleich der Takte 36—39 und 47—51 zeigt. Aufschlußreich ist auch ein Seiten-

1 Die Beschreibung läßt erkennen, daß hier wie auch schon bei der Adagio-Einleitung — beide Stellen sind als Zusammenhang zu sehen — an satztechnisch und ästhetisch ernstzunehmende, nicht nur orthographisch bedingte Enharmonik zu denken ist. Dies steht in Widerspruch zu Walter Riezler und Carl Dahlhaus, die beide nur mit einer Variante der Schreibung, nicht mit einem eigenständigen Moment der Komposition rechnen. Vgl. W. Riezler, *Beethoven* ([7]1951), S. 312: „Selbstverständlich ist es hier nur eine orthographische Enharmonik"; C. Dahlhaus, *Beethoven — IV. Symphonie,* S. 15: „Die Schreibung von Ges-Dur als Fis-Dur ist ein graphisches Moment ohne musikalische Bedeutung als reale Enharmonik".

blick auf ähnliche enharmonische Stellen bei Mozart.[1] Kompositionsästhetisch bedeuten die Fis-Stellen eine von der harmonischen Schwerkraft der F-Lage gelöste Inselsituation, einen temporären Schwebezustand, der dann wieder über den Trugschluß fis—g oder über fis = ges—f in eine diatonische Normallage zurückgeführt wird.

Jenseits einer Bestandsaufnahme und Beschreibung auf der kompositionstechnischen Ebene gibt es dann noch weiterreichende Fragen, die ihrer Natur nach nicht eindeutig zu beantworten sind, die aber wenigstens als Fragen etwas von dem weiten Horizont Beethovenschen Komponierens aufscheinen lassen. Eine solche Frage verbindet sich mit dem Paukenwirbel auf b in Takt 283 und 287. Dieses b verträgt sich mit dem gleichzeitigen Fis-Septakkord, weil es, wie schon gesagt, als enharmonische Terz ais gehört werden kann. Erschöpft sich die volle Bedeutung dieses Paukenwirbels jedoch in einem derart pragmatischen Zurechthören? Oder sollten wir das enharmonische Konsonieren als eine nur äußere Bedingung dieses Pauken-Einsatzes nehmen und das b als ein wirkliches b, als einen von der Idee her dissonierenden Vorausgriff auf das später in analoger Weise eintretende b in Takt 307 und 311 (b im Quartsextakkord als Grundton von B-Dur) und letztlich auf das B-Dur der Reprise verstehen? Bedeutet dieses Pauken-b zum Fis-Septakkord eine Art ideeller Bitonalität, vergleichbar dem berühmten, die Tonika vorwegnehmenden Horneinsatz in der *Eroica*?

Eine weitere Frage richtet sich auf den überaus merkwürdigen Quartsextakkord ab Takt 305. Merkwürdig ist nicht sein Eintreten — als Lösung des übermäßigen Quintsextakkords —, sondern daß er sich, obwohl ihn unser Hören doch als Vorhaltsakkord registriert hat, nicht weiter in den Dominantakkord löst. Stellen wir unser Ohr aber versuchsweise auf das im klanglichen Mittelfeld signifikant hervortretende d-b der Hörner ein, zu dem die Pauke nachfolgend auch den Grundton b beisteuert, so fasziniert uns ein sonderbar zwischen Quartsext- und Grundakkord schwebender Gehöreindruck. Überraschend zieht sich in Takt 311 der ungelöste Quartsextakkord und ebenso die Hörnersext d-b zurück, übrig bleibt nur der die nächsten 24 Takte überbrückende Paukenwirbel auf b[2], zu dem sich, zögernd beginnend und über die verschiedenen Streicherstimmen verteilt, die „Aufstreich"-Figur gesellt. Obgleich diese Figur selbstverständlich immer nach oben führt, geht die Gesamtbewegung zunächst nach unten, vor Erreichen des Grundtons B (große Oktav) im Cello kehrt sich die Bewegung um, in mehreren Wellen und in einem mächtigen Crescendo wird endlich auch der Grundton B in Cello (T. 329) und Kontrabaß (T. 331) fixiert und der volle B-Dur-Dreiklang als Grundstellung wie auch die Reprise herbeigeführt.[3] Hat es die im „Aufstreich" unermüdlich wiederholte Aufwärtsbewegung von f nach b bewirkt, daß der noch im Raum stehende Quartsextakkord zu einem bodenständigen Grundakkord wurde, der keiner Auflösung mehr bedarf? Wie dem auch sei, Beethoven führt jedenfalls genau die gleiche Quartsextsituation noch einmal in geradezu spektakulärer Weise herbei (T. 447ff.: übermäßiger Quint-

---

1 Vgl. R. Schlötterer, *Beobachtungen zur Enharmonik bei Mozart.*

2 Als welche Aufgabe man früher die musikalische Gestaltung dieses ausgedehnten Wirbels empfand, läßt eine Notiz Robert Schumanns erkennen, der den Verlust eines renommierten Paukers im Gewandhausorchester bedauert: „Sein Wirbel in der B-dur-Sinfonie, einige Stellen in Mendelssohnschen Ouvertüren usw. sind bis jetzt schwerlich übertroffene Meisterstücke."

3 Einen abgesehen vom Quartsextakkord ähnlichen Übergang zur Reprise hat die *Waldsteinsonate*.

sextakkord, Baßschritt ges—f, Vorhaltsquartsextakkord), löst diesmal aber den Doppelvorhalt ohne Umschweife in die Dominante mit nachfolgender Tonika.

Damit ist der Weg frei für den Satzschluß, auch die bisher vom Sextgang des Hauptthemas aus vorwärtstreibenden Quartvorhalte b—a (T. 49, 59, 291, 347) sind nun in ein schlußfähiges a—b (T. 477, 481) umgekehrt, der „Aufstreich" als eine schließende Figur genutzt.

Der langsame Satz einer Symphonie, das heißt eines instrumental konzipierten Werks, ist zumeist durch Melodie, durch Kantilene bestimmt. Doch ist Melodie nichts primär Instrumentales, Melodie wurzelt im Singen, und im Singen wiederum verkörpert sich Sprache. Wie die Verse der Sprache ist auch Melodie etwas übersichtlich, oft symmetrisch Gebautes, die Einheit von acht, in vier und vier unterteilten Takten eine weithin gültige Norm. Im Gegensatz zur Melodie lebt ein Symphoniesatz aber gerade von der Weiträumigkeit, so daß die Frage entsteht, wie beides, das Abgegrenzte von Melodie und das Großflächige des symphonischen Baus, zugleich zur Geltung kommen kann.

Die das Adagio der 4. Symphonie bestimmende Melodie läßt sich wirklich vom Singen her verstehen — Beethoven verlangt von den Violinen ein Cantabile —, sie umfaßt auch einen üblichen Achttakter, aber schon in dem überaus langsamen Tempo ihres Voranschreitens geht sie über das einfache Singen hinaus und läßt symphonischen Atem spüren. Symphonisch ist auch, wie ein liegender Baß die ersten sechs Töne der Melodie überbrückt und wie eine Gegenstimme der Viola die Melodie abstützt. Vor allem aber sind der Melodie so ausgeprägte Begleitrhythmen und -figuren zugeordnet, daß sie als eine tragende Schicht der Komposition ernstgenommen werden müssen.

Weil diese originäre Melodie etwas in sich Geschlossenes ist, das sich gegen die Prozeduren motivischer Arbeit sperrt, zieht sie eine besondere Art von Symphoniesatz nach sich: Sie selbst bleibt unangetastet, wird also nur wiederholt (T. 10), ornamentiert (T. 42, 65) oder als Fragment zitiert (T. 50, 61, 63, 96) und steht deshalb im übrigen Satzgeschehen beinahe wie eine unberührte Insel da. Dieses übrige Satzgeschehen umfaßt einen „heroischen" Abschnitt mit hervortretenden Pauken und Trompeten, an den sich ein merkwürdiges Gebilde aus Tonrepetitionen und Terzfiguren anschließt (T. 17, 72), eine zweite, wiederum cantabile bezeichnete Melodie (T. 26 in B, T. 81 in Es stehend), eine seltsame Espressivo-Stelle der beiden Violinen (T. 54), eine leibhaftige, wie es sich ziemt durch Quartsextakkord eingeleitete Kadenz (T. 98) und schließlich eine alles durchdringende Begleitfigur, die man, weil sie an zwei Schlüsselstellen (T. 64 und 102) der solistisch hervortretenden Pauke anvertraut ist, „Paukenfigur" nennen kann.

Für welche Art von formaler Einheit sprechen diese einzelnen Satzbestandteile? Immer wieder hat man sich am Schema des Sonatensatzes orientiert, wofür als Argumente eine Parallelität von Anfangsteil und dessen Wiederholung, das Auftreten eines Seitensatzes mit entsprechender Dominante/Tonika-Differenzierung und die Annahme einer Durchführung in Takt 50—64 dienen. Doch kann hier, verglichen mit den charakteristischen Durchführungen Beethovens, von einer Durchführung kaum die Rede sein, auch tritt im Gesamthabitus des Satzes kaum etwas von der typischen Prozeßhaftigkeit der Sonatenanlage hervor, so daß die Etikettierung als Sonatensatz doch recht äußerlich bleibt und eigentlich nichts Positives zum Verstehen gerade dieses Satzes beiträgt.

Wer diesen Satz unbefangen und ohne Etikettierungszwang hört oder die Partitur durchgeht, wird sich wohl unwillkürlich an den vier „Durchgängen" der Melodie orientieren: Das erste Mal folgt auf die Melodie zunächst eine genaue Wiederholung in reicherem Orchestersatz, dann ein von Pauken und Trompeten beherrschter, durch viele Sforzati dynamisch geschärfter Abschnitt und ein breit angelegtes melodisches Ausklingen. Im zweiten Durchgang ist die Melodie ornamentiert, statt einer Wiederholung hören wir nun eine vom Melodieanfang abgeleitete gewichtige — jeder der absteigenden Sextakkorde ist mit einem Sforzato markiert — Mollepisode und in stärkstem Kontrast dazu ein spielerisches Duo der beiden Violinen, danach zwei tastende Versuche, zur Melodie zurückzufinden. Der dritte Durchgang lehnt sich an den ersten an, nur daß die Melodie ornamentiert bleibt, aber nicht wiederholt wird. Dem vierten Durchgang gehen drei Zwischentakte vorauf, in denen die Musik aber nicht anschwillt wie bei der vergleichbaren Stelle Takt 39—41, sondern sempre perdendo abnimmt und dazu noch, aufgeteilt auf Violinen, Viola und Cello, von es'' bis Es absinkt. Die Melodie bleibt diesmal Fragment, doch zieht der Quartsextakkord des dritten Melodietakts (vgl. T. 4 und 98) eine Art Konzertkadenz nach sich, an die drei den Satz beschließende Takte anknüpfen.

Als Ganzes scheint dieser Satz sehr stark von der Formidee der Reihung getragen, doch in einer so individuellen Weise, daß man nicht gleich an ein Rondo oder Sonatenrondo zu denken braucht. Die Paukenfigur fungiert als das wichtigste, über die Grenzen der Melodie hinausgreifende symphonische Element. Sie eröffnet den Satz, übernimmt eine Strecke der Melodiebegleitung, verklammert Melodieeinsätze, sie verwandelt sich in eine Zweiunddreißigstel- oder Triolenfigur (T. 17, T. 69) und führt auch zum Abschluß des ganzen Satzes. Mit der Paukenfigur verbinden sich grundlegende Fragen des metrischen Satzbaus, der Dialektik von geschlossener Periode und offenbleibenden metrischen Gliedern.[1] Zweifellos bildet die Melodie eine in sich geschlossene Periode von acht Takten, eindeutig gegliedert in Vorder- und Nachsatz. Ist dann aber der vorangehende Paukenfigur-Takt, der den Satz eröffnet, ein metrisch exterritorialer Voraustakt, oder beginnt schon mit ihm der metrische Zusammenhang, so daß der Melodieeinsatz auf einen metrisch zweiten Takt fiele? Haben wir es möglicherweise mit einer Überlagerung zweier metrischer Schichten zu tun?[2] Weil sich für beide Sichtweisen einiges an Pro und Contra vorbringen läßt, sei nicht ausgeschlossen, daß wir dabei vor einer echten Aporie — des Fragens, nicht des Werks — stehen, — einer Aporie, die festzuhalten eher werkgetreu erscheint als eine erzwungene Lösung. Nichtsdestoweniger lohnt es wohl, noch einige Einzelbeobachtungen zur Sprache zu bringen: Melodie und Paukenfigur stehen nicht auf der gleichen rhythmischen Ebene. Die Melodie und alle weiteren Formteile gehorchen dem Maß der Viertel, im Gegensatz dazu gliedert die Paukenfigur durch ihr Repetitionsschema gleichmäßig in Achtel. Daß nun Viertel und nicht Achtel das für die Vorstellung der Musik und ihre Ausführung bestimmende Maß sein müssen, hat kein Geringerer als Richard Strauss aus seiner profunden, auf die

1 Die Bedeutung harmonisch offenbleibender Satzglieder für die Musik der Wiener Klassik hat Thr. Georgiades herausgestellt in: *Kleine Schriften* sowie *Schubert. Musik und Lyrik.*

2 Eine Gleichzeitigkeit zweier metrischer Schichten (melodischer Vordergrund / harmonischer Hintergrund) hält A. Feil für gegeben: *Zur Satztechnik in Beethovens Vierter Sinfonie.* Gegen eine derartige Schichtentrennung argumentiert C. Dahlhaus: *Beethoven — IV. Symphonie,* S. 18.

Zusammenarbeit mit Hans von Bülow zurückgehenden Erfahrung mit dem Werk bezeugt.[1] Da das Anschlagen der Achtel nur an wenigen, umso mehr auffallenden Stellen aussetzt (T. 27, 53, 54—57, 82, 96), kommen durchgehend beide rhythmischen Ebenen zur Geltung, ähnlich etwa der Gleichzeitigkeit von Atem und Puls. Als einen berührenden Augenblick empfindet man es dann, wenn am Schluß die Melodie bzw. nur ihr Anfang zum ersten Mal ohne untergliedernde Achtel zu strömen beginnt; die anschließende Kadenz lebt ohnehin vom metrisch freien Figurenwerk. Dann allerdings meldet sich noch einmal die Paukenfigur als Solo der Pauke, einzig hier erst mit dem zweiten Achtel einsetzend und einzig hier in den Dominantgrundton (mit Crescendo-Wirbel) mündend, worauf der Satz in reinem Viertelmaß schließt.

Die Gültigkeit einer Komposition ruht gewiß auf dem Fundament des satztechnischen Handwerks und der Sinnhaftigkeit des formalen Geschehens, beides ermöglicht das, was wir autonome Musik nennen. Bei der unbefangenen und offenen Interpretation von Musik kann sich aber auch der Eindruck ergeben, daß die Bedingungen des Autonomen nicht hinreichen, um der ganzen Fülle einer Komposition gerecht zu werden. Dann ist zu fragen, was über die innere musikalische Autonomie hinaus in die Musik eingeströmt sein könnte, ob die kompositionstechnische Stimmigkeit nicht etwas legitimiert und absichert, was eigentlich nicht der autonom musikalischen Vorstellungskraft entsprungen ist.

Angesichts der Beziehung von Melodie und Paukenfigur — vor allem am Schluß —, einer Orchesterkadenz, eines überaus seltsamen Duos der beiden Violinen, einer Ornamentierung der Melodie mit typischen Seufzerfiguren und was derlei Beobachtungen mehr sind, kann man sich des Eindrucks nicht erwehren, daß hinter dem Ganzen auch eine besondere poetische Idee steckt.[2] Darin läßt sich Übereinstimmung mit Arnold Schering erzielen, freilich ohne die Hoffnung darauf, daß dieser Eindruck durch irgendeine literarische Zuschreibung untermauert werden könnte.

In diesem Zusammenhang erinnert man sich auch wieder des im ersten Satz so eigentümlich behandelten Tones ges. Zwar steht der zweite Satz in der Subdominant-Tonart Es-Dur, und insoweit haben sich die klanglichen Bezüge verschoben, doch bleibt es bei dem Merkmal des auffällig Herausgestellten. Auf ges stoßen wir erstmals bei der zweiten Cantabile-Melodiegestalt (T. 26ff., Dominant-, also B-Lage). Nachdem es schon in einer durch die Streicherstimmen laufenden Triolenfigur als Klangbrechung a-c-es-ges aufgetaucht war — zum ersten Mal in diesem Satz Triolen, und durch die Bezeichnung legato von dem vorausgehenden détaché scharf abgehoben —, erscheint es in der Klarinette als melodische Ausbiegung f—ges—f, wobei der Schritt ges—f von der Viola oktaviert mitvollzogen wird. Diese Ausbiegung registriert das Ohr zudem besonders aufmerksam, weil der Achtelpuls plötzlich zum Stillstand gekommen ist (T. 27, 3.—5. Achtel; Parallelstelle T. 82). Auch der ganze, mit dem Mollsextakkord von es einsetzende und bis zum zweiten Melodiezitat in Takt 63 reichende Abschnitt ist so eindeutig von dem Ton ges regiert (Terz von es-Moll; Bestandteil der es-Moll-Skala, dabei Tetrachord ges—f—es—des

1 Vgl. R. Strauss, *Anmerkungen zur Aufführung von Beethovens Symphonien* (1964), S. 254
2 Das Ineinander von poetischer Idee und Komposition in einem langsamen Satz Beethovens ist herausgearbeitet bei B. Edelmann, *Die poetische Idee.*

im Baß; Paukenfigur in ges-Lage; Melodieelement und begleitende Achtel in Takt 61 und 63), daß man kaum umhin kann, dies alles als einen bedeutsamen Rückbezug zur Adagio-Einleitung und zum Allegro-Hauptsatz zu werten. Man muß aber auch ernstlich daran denken, in ges, über seine Funktion für die symphonische Einheit hinaus, dem Repräsentanten einer poetischen Idee zu begegnen.

Hinter dem dritten Satz — nur mit „Allegro vivace" bezeichnet, de facto aber ein echtes Beethovensches Scherzo — steht das menschliche Urphänomen Tanz, konkret wohl der „Deutsche Tanz", wie er damals musiziert und getanzt wurde und wie ihn Beethoven auf dem Lande als etwas Selbstverständliches erlebte; Beethoven hat auch „Deutsche" als Gebrauchstänze für Redouten geschrieben. Sobald freilich der schlichte Gebrauchstanz mit dem Anspruch des Symphonischen konfrontiert wird, gelten für ihn konsequenterweise nicht mehr die Gebote einer Praxis, sondern die denkbar verschiedenen Bedingungen werkhafter Verbindlichkeit. Was geschieht dabei mit dem Typus des „Deutschen"?

Auf den ersten Blick könnte man vielleicht den viertaktigen Vordersatz von Beethovens Scherzo noch mit einem traditionellen „Deutschen" verwechseln, die sofort ins Auge fallende Zweierbrechung des Dreiertaktes ist der Tanzpraxis durchaus nicht fremd. Genau betrachtet zeigt sich aber ein gravierender Unterschied: Im einfachen Tanz steckt die typische Dreivierteibegleitung durchgehend und schon von Anfang an den Takt ab, sie bildet die Folie, von der sich die Zweierbrechung als ein Gegenrhythmus abhebt. Bei Beethoven dagegen ist die Brechung absolut gesetzt, als gemeinsamer Rhythmus (Auftakt)—kurz—lang—lang—kurz in allen Stimmen, auch der dritte Takt, der eine eher konventionelle Tonfigur enthält, ist durch das artikulatorische Absetzen der Drei geschärft. Das gegenüber der Tanzpraxis ins Atemlose übersteigerte Scherzotempo bewirkt ein Weiteres, um den Unterschied zwischen einem Gebrauchstanz und einem Symphonietanz klarzustellen. Vollends weggewischt wird alle bäuerliche oder bürgerliche Vorstellung von Tanz dann durch die auf- und abwärts hetzenden Unisonolinien, die von einem an die ersten zwei Takte angelehnten, aber nun erweiterten (kurz—viermal lang—kurz), in Dezimkopplung aufwärtsführenden Viertaktgebilde abgefangen werden, worauf ein wiederum viertaktiger Dominantblock den ersten Teil des Scherzos beschließt.

Ausgehend von einem Des-Klang knüpft der zweite Teil durchführungsartig an den Satzbeginn an, unterliegt danach einer auskomponierten harmonischen Beschleunigung (vier Zweitaktgruppen T. 35—42 und sieben Einzeltakte); der nach Takt 49 erwartete achte Takt ist zu einer Dreitaktgruppe in Zweierbrechung geweitet, womit der Anschluß zur Wiederholung des Scherzobeginns hergestellt ist.

Bei dieser Wiederholung ist der Abschnitt mit den Unisonolinien ausgedehnt, vor allem aber werden wir ein weiteres Mal auf ges als ein besonderes Satz- (und Bedeutungs-?)element aufmerksam gemacht. Ges war bereits Takt 5—9 in die Unisonolinien integriert, und zwar sowohl als Halbtonschritt f—ges oder ges—f wie als Klangbrechung ges—es—c—a. Nun aber gerät, nach dem zu Takt 12 analogen Takt 66, die Vorwärtsbewegung ins Stocken, Streicher und Horn schaffen mit der durchgehaltenen Sexte a-f eine Art Klanggrund, aus dem, mit Crescendo angesteuert und mit Sforzato markiert, ein zweimaliges b—ges herausragt; Bläserstimmen überwölben diesen Klanggrund mit einem zweifachen Bogen, bei dem ges als Bekrönung oder als Basis einbezogen ist. Takt 75 springt, als ob es keine ges-Episode gegeben hätte, auf Takt 66 oder — großflächig betrachtet — auf Takt 12 zurück, zitiert geradezu exemplarisch noch einmal den hart gefügten Rhythmus kurz—lang—lang—kurz, bevor die Tonfolge des Anfangs notengetreu, nun aber in glatter hemiolischer Fassung (Anfang: b—f—d—b—f—d, T. 79ff.: b—f—d—b—f—d) und zu einem Alternieren von Tonika und Dominante ausgebaut den schließenden Tonikablock herbeiführt.

Verkörpert das vom Rhythmus beherrschte Scherzo symphonisch überhöhten Tanz, so tritt im Trio wieder das Melodische in den Vordergrund, diesmal jedoch nicht mit dem großen Atem der kunstvollen Kantilene wie im zweiten Satz, vielmehr in einer liedhaften, an Volksgesang erinnernden Haltung. Volkstümlich schlicht ist der Gang der Melodie — Terzmelodik, dreihebig jambischer Rhythmus[1], liedhafte Wiederholungen —, die satztechnische Einbindung des Melodischen — Sextkopplung, Bordun, einfache Kadenzharmonik — und die Serenadenbesetzung der Bläser — Oktett der Oboen, Klarinetten, Hörner und Fagotte. Nur langsam steigert sich das Geschehen zum vollen Orchester und zu symphonischem Format: Nach isolierten Einwürfen der Violine (T. 94, 98; 109, 113) und einem hemiolischen Zwischenglied der Streicher (T. 105f.) schaltet sich, gestützt von zwei Pizzicato-Akkorden, zunächst die Flöte ein; dann formieren sich die Streicher zu einer ostinaten Begleitfigur, die nichts anderes ist als der in Bebung geratene Bordun des Anfangs und eine im Verlauf integrierte Baßlinie (vgl. T. 99—101 und T. 149—151); diese Figur begleitet mit einem langgestreckten Crescendo, gleich einem Anschwellen des Volksgesangs, die Wiederholung der Melodie bis zum vollen Orchestertutti (ab T. 157 Pauken, Trompeten und Kontrabaß). Ein solches Melodie-Tutti verlangt nach einem symphonischen Ausklingen, wie es Beethoven in den Takten 163—175 realisiert hat, bevor sich der Rhythmus des Scherzobeginns zurückmeldet (T. 175—178) und das Scherzo selbst wieder einsetzt.

Ergab sich auch im Trio ein Kristallisationspunkt für das bisher stets einbezogene Tonelement ges? Im schlichten klanglichen Rahmen der Melodie wäre ges fraglos ein nicht nur auffälliger, sondern verfälschender und zerstörerischer Ton. Aber auch die Bebungsfigur scheint in ihrer Normallage b—a ein ges auszuschließen. Folgedessen baut Beethoven ges bereits im Vorfeld dieser Figur als eine Bebung ges—f im Abstand der Obersext ein, was auch einen Rückbezug zu Takt 70—75 des Scherzos ergibt, wo die Sextrelation b-ges—a-f als Außenstimmen-Kopplung von Violine und Baß gesetzt ist.[2]

Ob offen gehört oder nur unterschwellig registriert, kommen solche Zusammenhänge dadurch besonders zum Tragen, daß das Trio nicht nur als ein einmaliges Intermezzo zwischen dem Scherzo und seiner Wiederholung erscheint, sondern in eine fünfgliedrige Folge von Scherzo—Trio—Scherzo—Trio—Scherzo eingereiht und damit der Gegensatz von Scherzo und Trio gleichsam thematisiert ist. Der mehrfache Wechsel von Scherzo und Trio zieht freilich auch eine entsprechende formale Konsequenz nach sich: Damit das Abwechseln der Teile nicht ad infinitum weiterläuft, bedarf es einer auskomponierten Gegenkraft, wie sie Beethoven mit den Tak-

1 Dieser Rhythmus erinnert an die metrische Prägung des Alexandriners, vgl. etwa Angelus Silesius, *Der cherubinische Wandersmann*: „Die Gottheit ist ein Brunn', aus ihr kommt alles her / Und läuft auch wieder hin, drum ist sie auch ein Meer".

2 Vielleicht sind auch die Achtel ges—e—f in Takt 137 (315) als eine entfernte Anspielung auf die melodische Wendung des Fagotts in Takt 7 der Adagio-Einleitung zu verstehen.

ten 395—397 einsetzt; die beiden Hörner fangen die erneut zum Trio weiterstrebende Bewegung auf, wonach ein mächtiges Crescendo auf der Dominant-Quint den abschließenden Tutti-Akkordschlag herbeizieht.

Bei dem vierten Satz „Allegro ma non troppo" besteht die Gefahr, über den schwirrenden Sechzehnteln und der Perpetuum mobile-Haltung, die — abgesehen vom Seitensatz und seinem Umfeld — durchweg vorherrschen, den tektonischen Überbau, der die Sechzehntelfiguration zusammenhält, zu vergessen. Bereits die ersten vier Takte sind aber durch ein typisches Ineinander von figurativer (Sechzehntel) und tektonischer (Viertel) Ebene bestimmt, und wenn man bei diesem Satz überhaupt von Thema sprechen will, so gehört gerade dieses Ineinander der Ebenen zu den wesentlichen Charakteristika. Um mit dem Tektonischen zu beginnen: Durch einen trocken skandierten Viertelrhythmus (immer als Achtel mit Achtelpause notiert) werden wir unwillkürlich zu einem stillen Mitzählen verführt (1-2-3 / Pause 4-5 / 6-7-8), wobei der Gegensatz von volltaktigem Setzen (1-2-3) und auftaktigem Weiterführen (6-7-8) sich uns elementar einprägt, verdeutlicht noch durch den Gegensatz von Piano und Forte nebst einer Unterscheidung der räumlichen Ebenen (die Viertelschläge liegen anfangs unten, dann oben). Auch in dem Tonhöhenverlauf der Sechzehntel ist eine tektonische Komponente realisiert: zunächst das Nebeneinanderstellen einer Vier-Sechzehntel-Figur im Ganztonabstand b—(f)—c[1], dann ein im Skalenverlauf steckender Quintenabstieg g—c—f—b plus Unterquart f. Harmonisch hören wir Tonika—Subdominante (II. Stufe) / Dominante—Tonika—Dominante.

Die Sechzehntelfiguration geht aus von einer bestimmten viertönigen Wendung (zuerst Ausbiegung nach unten, dann nachschlagende Oberterz), die wir, da sie als ein figuratives Grundelement den ganzen Satz durchzieht, „Grundfigur" nennen dürfen. Grundfigur, Skalenbewegung abwärts und der schon erwähnte tektonische Viertelhintergrund bilden das viertaktige Signum des Satzbeginns, das dann im weiteren Verlauf noch zweimal einen Anfang markiert, nämlich beim Einsetzen der Reprise und in einer reprisenartigen Situation der Coda, das aber, überraschend und mit einem wesentlichen Unterschied, auch den Abschluß des Satzes herbeiführt.

Die figurative Grundfigur, so unscheinbar sie als melodisches Element sein mag, erweist sich auch abgesehen von den Anfangsstellen als ein überaus wirksamer satzbildender Faktor. Dies beruht darauf, daß mit ihr durch Wiederholung, stufenweises Versetzen oder durch Verwandlung zu ähnlichen oder auch weiter abliegenden Figuren horizontale Fortspinnung möglich wird (zum ersten Mal etwa T. 5ff.), daß sie sowohl im Vordergrund stehen wie auch als Begleitfigur zurücktreten kann (z.B. T. 88ff.) und daß das immanente Intervall der Terz außer als Grundton/Terz auch als Terz/Quint (so T. 107, oder bei Austerzung z.B. T. 5), als Quint/Sept (z.B. T. 161) oder als Sept/Non (z.B. T. 169) figurieren kann; sogar als Baßfundament ist sie geeignet (T. 319ff.). Schließlich unterliegt die Grundfigur auch einer Differen-

1 Man möchte zunächst den kurzen Vorschlag vor der c-Lage der Figur als eine rein ornamentale Zutat abtun, doch erfüllt er offenkundig die satztechnische Funktion eines deutlichen Absetzens von I. und II. Stufe, wodurch das c in Takt 2 und an den späteren Stellen nicht als Ziel (Quinte) der mit f einsetzenden Skalenbewegung, sondern als Neuansatz zu hören ist. Konsequenterweise fehlt der Vorschlag, wo Beethoven die gleiche Tonfolge als Wechselbaß b—f / c—f einsetzt (T. 319ff.); nun ist c tatsächlich Quinte von f geworden, ein Vorschlag wäre, abgesehen von der Mühe für die Kontrabässe, satztechnisch sinnwidrig.

zierung in der Artikulation; als Norm herrscht ein Spiccato der Sechzehntel, gegen das sich die besonderen Legatobindungen dann deutlich abheben (z.B. T. 169ff.); der Übergang von der Durchführung zur Reprise — ebenso die analoge Situation in der Coda Takt 297 — ist auch durch einen Übergang von legato zu spiccato kenntlich.

Je mehr nun ein Satz auf das Moment der figurativen Sechzehntel gestellt ist, desto stärker fällt jedes melodiöse Gebilde auf Viertelebene aus seiner Umgebung heraus. Dies gilt bereits für den melodischen Ansatz in Takt 12ff.[1], erst recht aber für das zweite Thema mit seiner Triolenbegleitung. Wir empfinden solche Stellen beinahe als eine melodische Oase, die aus dem Figurenwerk auftaucht und ebenso wieder in ihm verschwindet. Auch die vor Schluß des Satzes in ihren Notenwerten verdoppelte Grundfigur (T. 345) wirkt plötzlich melodisch und nicht mehr rein figurativ.

Berühmt — bei Fagottisten berüchtigt — ist der vierte Satz durch seinen als humoristisch abgestempelten Repriseneinsatz. Vom Fagott ist dabei verlangt, daß es einen Halbtakt zu früh einsetzt, so als hätte der Spieler die Taktorientierung verloren oder der Kapellmeister einen vorzeitigen Einsatz gegeben. Dieser „Scherz" kehrt in der Coda noch einmal wieder, nun ist es die Klarinette, die scheinbar zu früh kommt. Das Satzgeschehen im größeren Zusammenhang verfolgt, möchte man sich allerdings kaum mehr bedenkenlos auf das Schlagwort Scherz oder Humor festlegen. Bereits in den Sforzato-Takten 177—180 — und vorher schon 169—172 — ist die Grundfigur auf die zweite Takthälfte verlagert und läßt zum F-Septakkord noch die kleine Non erklingen. Dieses intervallisch geschärfte und dynamisch hervorstechende Klanggebilde wird in den folgenden Takten sowohl durch ein Diminuendo als auch durch ein Absinken der Intervallspannung (es-ges—d-f—c-es—b-c) zurückgenommen, doch bleibt es bei dem Nachschlagen der Figur dergestalt, daß eine neue Tonhöhenlage jeweils auf die Zwei eintritt und auf der nachfolgenden Eins nur wiederholt wird. Von der Figuration aus gesehen hat sich der Takt gewissermaßen zu einem 2/1-Takt anstelle des wirklichen 1/2-Taktes verschoben. Wenn dann auf der Eins von Takt 185 statt der zu erwartenden Wiederholungsfigur sich der Satzanfang als Reprise zurückmeldet und durch seine innere Prägung den verschobenen 2/4-Takt zurechtrückt, so ist das ein gewichtiges musikalisches Ereignis, das nur wegen seines äußerlich bescheidenen Auftretens (Solo des Fagotts, piano, dolce) Gefahr läuft, überhört zu werden.[2] Um die Satzsituation unmißverständlich herauszu-

---

1 Diese melodische Gestalt erscheint jedesmal (T. 12, 120, 320) in einem merkwürdigen metrischen Zwielicht: In sich bildet sie geschlossene Viertaktgruppen, die jedoch gegen das metrische Substrat um einen Takt verschoben sind, so daß der melodische Ansatz immer auf einen zweiten Takt im metrischen Gerüst fällt (innerhalb der Durchführung, Takt 120ff., ist die metrische Situation noch verwickelter). Man erinnert sich auch an die metrische Problematik im Adagio-Satz.

2 Das heute für den vierten Satz fast zur Norm gewordene überzogene Tempo gibt den Solisten beim Reprisen- bzw Codaeinsatz (Fagott bzw. Klarinette) kaum eine Chance, die verdoppelte Grundfigur im Sinne von Nachschlagen und Neuansatz zu differenzieren. Dieser Finalsatz hat jedoch, abgesehen vom „ma non troppo" in der Tempovorschrift, schon im Notationsbild etwas von typischer Allegretto-Haltung; Richard Strauss schlägt sogar ein „gemütliches Allegretto" vor (*Betrachtungen und Erinnerungen*, ³1981, S. 56). — Übrigens tritt das Fagott nicht erst bei der Reprise im Finalsatz solistisch hervor, sondern schon in der Adagio-Einleitung (T. 7 und 19), bei dem zweiten Thema im Kopfsatz (T. 107 und 381) sowie als Paukenfigur im Adagio (T. 60); sehr „fagottgeprägt" ist auch eine Passage à 2 (T. 65—80) im Kopfsatz. Daß die Klangfarbe des Fagotts mehr zur Geltung kommt als etwa die der Trompete, gehört mit zu den Charakterzügen der 4. Symphonie.

stellen, folgt der ereignishaften stillen Reprise noch eine „normale" Tutti-Reprise auf dem Fuße nach.

Nach den Erfahrungen der ersten drei Sätze verwundert es nicht im geringsten, auch im Schlußsatz einem auffälligen Hervortreten des Tones ges zu begegnen. Auffällig ist dabei nicht nur der Ton für sich, sondern auch die rhythmische Stauung, die er im Kontext fließender Sechzehntel verursacht. Nachdem ges in der Exposition ausgespart geblieben war, bricht es in Takt 165 fast gewaltsam mit einem aufgelösten Klang ges-es-c-a über dem synkopisch gestauten Baßfundament f in die Durchführung ein, — eine Klangsituation, die weitere vier Takte lang vermittels der nachschlagenden Grundfigur aufrechterhalten und in ihrer achttaktigen Einheit wiederholt wird, bevor sich die klangliche Spannung, wie schon beschrieben, in die Reprise löst.

Ohne die abrupt wirkenden Klangbrechungstakte, sondern durch ges als Terz der Mollsubdominante eingeleitet (T. 288f.), ist ein ähnliches Klanggeschehen auch dem reprisenartigen Klarinetteneinsatz in der Coda vorgeschaltet; eine besondere Intensität entsteht hier dadurch, daß in einem fünffachen Hin und Her zwischen 1. und 2. Violine die Grundfigur als f—a (= Grundton und Terz) und es—ges (= Sept und Non der F-Dominante) gegeneinander gestellt wird, um dann über d—f und c—es zur b-d-Lage als dem Ansatzpunkt der Klarinette abzusinken.

Ein letztes Mal — in diesem Satz und in der ganzen Symphonie — kulminiert ges nach einem den Satzanfang in klanglicher Steigerung und formaler Erweiterung rekapitulierenden Orchestertutti; ausgehend von einer extremen Klangballung (b—des—f in Quartsext-Lage und des—e—g werden in Takt 311ff. aufeinandergetürmt) entsteht durch Halbtonverschiebung von des—e—g nach c—es—ges und Eliminieren von b—des ein F-Septakkord mit dem Vorhalt der kleinen Non ges, der in der Oktave f und dem durch eine Fermate verlängerten Septakkord sein endgültiges Ziel findet. Danach herrscht nur noch ungetrübte B-Dur-Harmonie.

Ein Satz, der so stark durch feinmaschige Sechzehntelbewegung geprägt ist wie gerade dieser vierte Satz, kann zu einem überzeugenden Schluß nur kommen, wenn die Bewegung vorher durch ein retardierendes Moment abgefangen wurde. Eher dies — und nicht bloß ein humoristischer Einfall Beethovens — scheint mit der augmentierten und durch Fermaten gegliederten Wiederkehr des Anfangs„themas" gemeint zu sein.[1] Diese Verlangsamung und das Innehalten bei den Fermaten kann als eine Art Luftschöpfen vor dem Anlauf zum definitiven Schluß empfunden werden. Dieser letzte Anlauf erreicht etwas Erst- und Einmaliges: Bisher brach an allen analogen Stellen (T. 4, 192, 301; Takt 305 ist ein besonderer Fall) der nach oben zeigende melodische und metrische (Auftakt-)Impuls a—b—c unerfüllt vor Erreichen seines Ziels ab; nun aber zieht die Bewegung zum d und zum metrischen Ziel durch, und auch harmonisch findet die bisher dominantisch offenbleibende Viertaktgruppe eine schließende anstatt einer neu ansetzenden Tonika. Zwei weitere Takte mit Secco-Akkordschlägen auf Dominante und Tonika besiegeln den Abschluß der Symphonie.

1 Als retardierendes Moment wirken bereits das „stockende" Auftreten der Grundfigur im Zweitaktabstand (T. 327ff.) und die beiden Generalpausen Takt 342 und 344.

Unsere Beschäftigung mit Beethovens 4. Symphonie setzte bei drei verschiedenen Fragen an, die dann auch mehr oder minder einen Leitfaden für den Streifzug durch die einzelnen Sätze bildeten; diese Fragen sollen nun noch einmal zur Sprache gebracht werden. Es sind die Fragen nach der symphonischen Einheit des Zyklus, nach dem das Werk kennzeichnenden Charakter und schließlich nach einer möglicherweise versteckten poetischen Idee.

Daß es neben aller Individualität des Einzelsatzes auch gemeinsame, im ganzen Zyklus hervortretende musikalische Merkmale gibt, ist wohl evident. Besonders ins Auge gefaßt wurde die Rolle des Tones ges, zu den gemeinsamen Merkmalen zählen aber ebenso auch das prononcierte Gegenüberstellen von détaché und legato (z.B. im Hauptthema des Kopfsatzes, im Gegensatz von Paukenfigur und Melodie des Adagios, von scharf artikuliertem Rhythmus und gebundenen Unisonolinien im Scherzo oder in der Relation von abgesetzten Vierteln und Spiccato-Sechzehnteln im Finalsatz) oder etwa die Aufteilung eines kontinuierlichen Satzgeschehens auf mehrere Stimmen und Instrumente (z.B. Kopfsatz T. 312ff., Adagio T. 26, Scherzo T. 24ff., Finalsatz T. 1—4). Daneben gibt es auch Merkmale, die kleinere Einheiten zusammenfassen, so die halbtonerhöhten Dominantflächen (Enharmonik) bei langsamer Einleitung und Durchführung im Kopfsatz und so die — trotz abweichender Tonart und konträrem Satztypus — nahe verwandten Satzschlüsse im zweiten und dritten Satz (auffallendes Crescendo der Hörner auf der Dominantquint des Paenultimataktes).

Die kompositionstechnischen Merkmale, die zur Verstrebung der Sätze untereinander und zur symphonischen Einheit beitragen, sind zugleich immer auch ästhetische Momente, die den allgemeinen Charakter des Werks mitbestimmen. Charakter in diesem Sinne entspringt aus allen kompositionstechnischen Besonderheiten, die sich von einem noch ungeprägten Satzsubstrat abheben, wie es etwa durch die Schablone der Musiklehre einer Epoche definiert ist. Um ein Beispiel anzuführen: Das von Beethoven vielfältig zur Geltung gebrachte ges gehört nicht zum regulären Tonbestand von B-Dur, entsprechend färbt es das Klangbild der Grundtonart in charakteristischer Weise um, es dunkelt gewissermaßen das „natürliche" B-Dur ab.

Aufbauend auf einem Fundus möglichst vieler, satztechnisch und ästhetisch verstandener Einzelcharakteristika mag es dann vielleicht auch gelingen, eine innere Synthese des Ganzen, von Einzelsatz und Zyklus, zu vollziehen, wobei sich freilich niemand der Illusion hingeben wird, den Charakter des Werks je in seiner vollen Eigenart erfassen zu können. Und es ist leicht einzusehen, wie sehr jede innere Synthese vom Vorstellungsvermögen des einzelnen Menschen abhängt und wie wenig davon in das Medium des Worts übertragen und an andere weitervermittelt werden kann. Einzig dem Dirigenten ist es vergönnt, seine persönliche Vorstellung des Werkcharakters mit einem Orchester zur Geltung zu bringen und in Gestalt einer Aufführung an Zuhörer weiterzugeben.

Hinter dem Charakter des Werks verbirgt sich vielleicht auch eine satzübergreifende poetische Idee, wie sie ja schon für das Adagio als Einzelsatz vermutet wurde und wie sie aufgrund gemeinsamer Charakteristika bei den übrigen Sätzen nicht ausgeschlossen scheint. Wir wissen durch viele Zeugnisse aus Beethovens Umkreis, „daß er sich zu vielen seiner schönsten Werke durch ähnliche aus der Lektüre oder aus der eigenen regen Fantasie geschöpfte Visionen und Bilder begeisterte, und daß wir den wahren Schlüssel zu seinen Compositionen und deren Vortrag nur durch die sich're Kenntnis dieser Umstände erhalten würden, wenn dieses noch überall möglich wäre".[1] Bedeutet das für uns den Auftrag, einer poetischen Idee der 4. Symphonie nachzuforschen, wie es Arnold Schering versuchte? Abgesehen von der Aussichtslosigkeit eines solchen Versuchs kam es Beethoven aber, wie eine Anmerkung Carl Czernys zu der oben zitierten Stelle zeigt, auf etwas anderes an: „Aber er wusste, dass die Musik von den Hörern nicht immer so unbefangen gefühlt wird, wenn ein bestimmt ausgesprochner Zweck deren Einbildungskraft fesselt."

Unsere musikalische Einbildungskraft soll also nicht durch einen Zweck — sprich einen konkreten, durch Literatur, Natur oder wie immer bestimmten Vorwurf — gefesselt, sondern unbefangen auf die dahinter stehende, im Werk aufgegangene Empfindung gerichtet sein. Ob freilich in unserer Zeit überhaupt noch ein Hören und Verstehen möglich ist, das außer einem Erfassen von symphonischer Einheit und Charakter auch der Empfindungswelt dieser Musik gerecht wird, mag offen bleiben.

Reinhold Schlötterer

Violinkonzert D-Dur op. 61

Entstehungszeit: op. 61: 1806; Übertragung des Violinkonzertes als Konzert für Klavier: 1807.
Erstaufführung: op. 61: am 23. Dezember 1806 in Wien; Übertragung: unbekannt.
Skizzen: Staatsbibliothek Preußischer Kulturbesitz Berlin, Landsberg 10, Pastoralsymphonie-Skizzenbuch (Anfangsteil des 1. Satzes und Rondothema des Finales) und aut. 28, Skizzenbuch Fischhof (Skizzenblätter).
Autograph: op. 61: Österreichische Nationalbibliothek Wien; Übertragung: unbekannt; endgültige Fassung beider Konzerte: als Partiturabschrift in der British Library London, Add. Ms. 47851, die wahrscheinlich im Frühjahr oder Sommer 1807 entstand.
Erstdruck und Widmung: op. 61 und die Übertragung: Wien und Pest 1808 (Bureau des Arts et d'Industrie); op. 61 ist Stephan v. Breuning gewidmet, die Übertragung Julie v. Breuning.
Gesamtausgaben: op. 61: Alte Gesamtausgabe: Nr. 29 = Serie 4 Nr. 1; Neue Gesamtausgabe: Abt. III, Bd. 4; Übertragung: Alte Gesamtausgabe: Nr. 73 = Serie 9 Nr. 10; Neue Gesamtausgabe: Abt. III, Bd. 3.

„Der vortreffliche Violinspieler Klement spielte unter andern vorzüglichen Stücken, auch ein Violinconzert von Beethhofen, das seiner Originalität und mannigfaltigen schönen Stellen wegen mit ausnehmenden Beyfall aufgenommen wurde. Man empfieng besonders Klements bewährte Kunst und Anmuth, seine Stärke und Sicherheit auf der Violin, die sein Sclave ist, mit lärmendem Bravo. [...] Ueber Beethhofens Concert ist das Urtheil von Kennern ungetheilt, es gesteht demselben manche Schönheit zu, bekennt aber, daß der Zusammenhang oft ganz zerrissen scheine, und daß die unendlichen Wiederholungen einiger gemeinen Stellen leicht ermüden könnten. Es sagt, daß Beethhofen seine anerkannten großen Talente, gehöriger verwen-

1 C. Czerny, *Über den richtigen Vortrag* (1963), S. 62.

den, und uns Werke schenken möge, die seinen ersten Symphonien aus C und D gleichen, seinen anmuthigen Septette aus Es, dem geistreichen Quintette aus D dur, und mehreren seiner frühern Compositionen, die ihn immer in die Reihe der ersten Componisten stellen werden. Man fürchtet aber zugleich, wenn Beethhofen auf diesen Weg fortwandelt, so werde er und das Publikum übel dabey fahren. Die Musik könne sobald dahin kommen, daß jeder, der nicht genau mit den Regeln und Schwierigkeiten der Kunst vertraut ist, schlechterdings gar keinen Genuß bey ihr finde, sondern durch eine Menge unzusammenhängender[1] und überhäufter Ideen und einen fortwährenden Tumult einiger Instrumente, die den Eingang charakterisieren sollten, zu Boden gedrückt, nur mit einem unangenehmen Gefühl der Ermattung das Koncert verlasse. Dem Publikum gefiel im allgemeinen dieses Conzert und Clements Phantasien außerordentlich [...]."

Dieser ausführliche Bericht von Johann Nepomuk Möser über die Uraufführung des Violinkonzertes op. 61 am 23. Dezember 1806 im Theater an der Wien erschien zu Beginn des Jahres 1807 in der *Wiener Theater-Zeitung*.[2] Nicht nur weil auf diese Weise das genaue Datum der ersten Aufführung dieses Konzertes feststeht, ist dieser Bericht von Interesse, sondern weil er zugleich einerseits auf das Unkonventionelle, andererseits auf die Schwächen dieser Komposition, die später zum Teil eliminiert wurden, hinwies. Inwieweit diese Schwächen durch die rasche Fertigstellung des Werkes mitbedingt waren, mag dahingestellt bleiben. Durch Zeitgenossen ist überliefert, daß das Violinkonzert „in sehr kurzer Zeit" entstand[3] und erst so knapp vor der von dem Geiger Clement veranstalteten Akademie fertig geworden ist, daß dieser „sein Solo ohne vorherige Probe a vista spielte".[4] Eingehende Untersuchungen Shin Augustinus Kojimas im *Beethoven-Jahrbuch*[5] machen deutlich, daß Beethoven sogar frühestens erst im letzten Drittel des Novembers 1806 mit der Niederschrift des Autographs begonnen haben kann, ihm also für die Fertigstellung, das heißt bis zu besagter Akademie von Clement, höchstens noch fünf Wochen zur Verfügung standen. An Skizzen, die als Vorarbeiten gewertet werden könnten, ist nur ein Blatt mit dem Anfangsteil des ersten Satzes und mit dem Rondothema des Finales erhal-

1 In dem Abdruck des Berichtes bei Thayer / Deiters / Riemann, *Ludwig van Beethovens Leben,* Bd. II (^{2}1910), S. 538f., heißt es „unzusammenhängender", in dem Abdruck bei St. Kunze, *Gesammelte Konzertberichte,* S. 80, „zusammenhängender". Vom Sinn her ist hier der Version Thayers wohl der Vorzug zu geben.

2 Abdruck nach St. Kunze, *Gesammelte Konzertberichte,* S. 80. Vgl. hierzu auch J. Joachim / A. Moser, *Violinschule,* Bd. III: *Vortragsstudien,* S. 180. — Im Programm des Konzertes von Franz Clement ist im übrigen vermerkt: „Ein neues Violinconcert von Hrn. Ludwig van Beethoven, gespielt von Hrn. Clement." Zit. nach Thayer / Deiters / Riemann, *Ludwig van Beethovens Leben,* Bd. II (^{2}1910), S. 538. — Ein Hinweis auf das Violinkonzert sowie auf die Akademie von Clement findet sich auch in der *AmZ,* Leipzig 1807, unter dem 7. Januar 1807: „Den Verehrern der Beethovenschen Muse dürfte die Nachricht interessant seyn, dass dieser Komponist ein Violinkonzert — soviel ich weiß, das erste — komponiert hat, welches der hiesige beliebte Violinspieler, Klement, in der zu seinem Vortheile gegebnen Akademie mit seiner gewöhnlichen Eleganz und Zierlichkeit vortrug." — Franz Clement (1780—1842) war ein hervorragender, technisch versierter Geiger, Konzertmeister und Orchesterdirektor am Theater an der Wien. Vgl. hierzu auch W. J. v. Wasielewski, *Die Violine und ihre Meister* (^{5}1910), S. 536ff. und A. Moser, *Geschichte des Violinspiels,* S. 506ff.

3 C. Czerny, *Über den richtigen Vortrag* (1963), Anmerkung S. 109.

4 Eine entsprechende Mitteilung stammt von Dr. Bartolini [Bertolini]. Vgl. Thayer / Deiters / Riemann, *Ludwig van Beethovens Leben,* Bd. II (^{2}1910), S. 538.

5 Vgl. Sh. A. Kojima, *Die Solovioline-Fassungen und -Varianten.*

ten. Offenbleiben muß daher auch, ob sich Beethoven möglicherweise schon während seines Aufenthaltes auf dem dem Fürsten Carl von Lichnowsky gehörenden Schloß Grätz bei Troppau in Schlesien in den Monaten September und Oktober 1806 mit dem Violinkonzert beschäftigt hat.

Die autographe Partitur des Violinkonzertes ist in der Österreichischen Nationalbibliothek Wien erhalten. Sie trägt auf Blatt 1^r noch die Widmung an Clement, wobei sich Beethoven eines sinnigen Wortspiels bediente: „par Clemenza pour Clement primo Violino / e direttore al theatro a vienna / Dal L V Bthvn / 1806“. Diese Partitur weist mehrere Besonderheiten auf[1]:

1. Die Fassung der Solo-Violinstimme entspricht nicht der im Erstdruck erschienenen und heute in der Regel gespielten Fassung.
2. Es finden sich in der Partitur zusätzliche Eintragungen mit unterschiedlichen Tinten und Bleistift, die zum Teil mit der späteren Umarbeitung des Konzertes zum Klavierkonzert zusammenhängen.

Alle diese Eintragungen, soweit sie nicht Korrekturen der ersten Niederschrift betreffen, sind nach der Uraufführung des Violinkonzertes vorgenommen worden. Dadurch werden bisher angestellte Überlegungen, ob der Geiger Clement möglicherweise an der Gestaltung des Violinparts beteiligt gewesen sein könnte, hinfällig. Ebenfalls kann kein Zweifel bestehen, daß Clement bei der Uraufführung die in der autographen Partitur enthaltene Solo-Violinstimme gespielt hat.

Die heutige Fassung der Solo-Violinstimme ist das Ergebnis einer Überarbeitung, die Beethoven offensichtlich im Zusammenhang mit der Erstellung der Klavierfassung des Konzertes im Jahre 1807 vornahm. Muzio Clementi in London hatte mit Beethoven am 20. April 1807 über die Aufnahme mehrerer Werke, unter anderem des Violinkonzertes, in die Verlagsproduktion einen Vertrag geschlossen und ihm zugleich eine solche Umarbeitung vorgeschlagen.[2] Das Violinkonzert und seine Klavierfassung sollten demnach gleichzeitig und gemeinsam mit dem Klavierkonzert op. 58, den Streichquartetten op. 59, der 4. Symphonie op. 60 und der *Coriolan-Ouvertüre* op. 62 in London erscheinen. Die neue Solo-Violinstimme berücksichtigt zum Teil die in der autographen Partitur später eingetragenen Varianten, stellt aber weitgehend eine eigene Fassung dar. Ein Autograph dieser Fassung ist nicht vorhanden, sie findet sich jedoch zum größten Teil schon in der von Beethoven überprüften Partiturabschrift, die auch die Klavierstimme enthält. Diese Partiturabschrift wird heute im British Museum aufbewahrt und ist vermutlich als Druckvorlage für die Ausgabe Clementis anzusehen. Gegenüber dieser Partiturabschrift finden sich in der letztlich früher gedruckten und erschienenen Wiener Originalausgabe von 1808 nur noch geringfügige Abweichungen. Der Solo-Violinpart in dieser Ausgabe ist demnach als eine zweite authentische und verbesserte Fassung der Solo-Violinstim-

---

1 Vgl. ebenda.

2 Vgl. den Wortlaut des Vertrages in E. Kastner / J. Kapp, *Ludwig van Beethovens sämtliche Briefe,* S. 101f. Hier heißt es unter 1e und 1f: „1e. un concert pour le violon N.B. Le premier qu'il a composé, 1f. ce dernier concert arrangé pour le piano avec des notes additionelles“ (S. 101). Siehe hierzu auch die Briefe an N. Simrock in Bonn und an J. Pleyel in Paris vom 26. April 1807, ebenda, S. 102f. Eine Publikation durfte laut Vertrag mit Clementi eigentlich nicht vor dem 1. September 1807 erfolgen.

me des Violinkonzertes anzusehen. Sie ist zugleich identisch mit der heute in der Regel gespielten Fassung des Konzertes.[1] Mit der Umarbeitung des Violinkonzertes zum Klavierkonzert und damit auch mit der Überarbeitung der Violinstimme hat Beethoven erst nach dem Vertragsabschluß mit Clementi, also gegen Ende April 1807 begonnen. Von der Solo-Klavierstimme liegt wie von der neuen Solo-Violinstimme kein Autograph mehr vor. Im folgenden sei die Quellenlage, basierend auf den Untersuchungen von Shin Augustinus Kojima, stichwortartig dargestellt[2]:

A. Autographe Partitur in der Österreichischen Nationalbibliothek Wien.
Ia: Solo-Violinstimme in der autographen Partitur (nicht identisch mit der heute in der Regel gespielten Fassung).
I Ib: Varianten mit gleicher hellbrauner Tinte wie Ia geschrieben = Korrekturen während der Niederschrift. Dabei ersetzt Ib stets Ia.
II Andere Varianten in A mit dunklerer Tinte. Hierbei handelt es sich eher um „Alternativen", zumal Ia und Ib in diesen Fällen nicht gestrichen sind (= Entwürfe zur verbesserten Umarbeitung von I).
III Fassung der Solo-Violinstimme. Steht weder mit I noch mit II in Verbindung, stellt aber gleichsam das Ergebnis der Umarbeitung von I dar und zeigt weitgehende Übereinstimmung mit der heute allgemein bekannten Fassung. Diese Solo-Violinstimme findet sich erstmals in
B der von Beethoven überprüften Partiturabschrift (British Museum) sowie in
C der gedruckten und im Kunst- und Industriekontor Wien erschienenen Originalausgabe, allerdings mit einigen geringfügigen Abweichungen.

Eine autographe Vorlage zu B ist unglücklicherweise nicht erhalten. Aus dieser Quellenlage ergibt sich, daß für die Solo-Violinstimme zumindest zwei verschiedene authentische Fassungen vorliegen (I und III), wobei Fassung III gegenüber derjenigen von I vielfach neu und eigenständig ist. Im Gegensatz zur Solo-Violinstimme sind die Orchesterstimmen der Uraufführung (also von A) auch für den Druck übernommen worden und — abgesehen von einigen Nachträgen in A und in der Londoner Clementi-Ausgabe — weitgehend unverändert geblieben.

Vergleicht man die verschiedenen Fassungen miteinander, so zeigt sich, daß sich Varianten und Veränderungen vornehmlich im ersten und dritten, kaum jedoch im zweiten Satz finden. Es hat den Anschein, als habe sich Beethoven die kritischen Anmerkungen der *Wiener Theater-Zeitung*, wonach „die unendlichen Wiederholungen einiger gemeinen Stellen leicht ermüden könnten", zu Herzen genommen. So betreffen die Veränderungen oder Verbesserungen insbesondere die Gestaltung der Lauffiguren. Die allzu häufige Wiederholung gleicher oder sich ähnelnder Figurationen wird durch eine größere Differenzierung der Figurengestaltung vermieden. Auch der Gefahr allzu „mechanischer" Sequenzierung, etwa bei Akkordbrechungen, begegnet Beethoven unter anderem dadurch, daß er die Sequenzkette unterbricht und in entgegengesetzter Richtung, also in Gegenbewegung fortführt. Einige Änderungen in der Solo-Violinstimme dienen der Verdeutlichung von Strukturzu-

1 Rudolf Kolisch hat sich mit gewissem Erfolg dafür eingesetzt, auch die erste, autographe Fassung, die bei der Uraufführung erklang, neben der zweiten Fassung wieder aufzuführen. Eine entsprechende neue Einspielung mit Christian Tetzlaff und Michael Gielen liegt im Rahmen der Gielen-Edition bei Intercord 1991 (Int. 860912) vor.

2 Vgl. Sh. A. Kojima, *Die Solovioline-Fassungen und -Varianten.*

sammenhängen, andere der Verbesserung der Applikatur und der Vereinfachung spieltechnischer Anforderungen. Manche Korrektur erscheint musikalisch so logisch, daß eher die erste, konventionellere, als die spätere Fassung überrascht. Dies gilt etwa für Takt 101 des ersten Satzes, in dem der ursprüngliche Sechzehntelaufschwung durch eine Achteltriole ersetzt wurde. Auf diese Weise wird die in der kadenzartigen Einleitung durch den Wechsel von Achteltriolen zu Sechzehntelfiguren erzielte Beschleunigung nicht in den ursprünglichen Oktavlauf von a'' zu a''' fortgesetzt, sondern wieder zurückgenommen und so ein organischerer Übergang zum Erklingen des ersten Themas in der Solovioline (T. 102) geschaffen.

Sowohl unter philologischen wie musikalischen Aspekten ist demnach die heute „gültige" III. Fassung des Violinkonzertes der I. Fassung vorzuziehen, zumal in der Überarbeitung auch schon von den Zeitgenossen beanstandete „Mängel" hinsichtlich einer allzu mechanischen Verfahrensweise bei der Gestaltung der Solo-Violinstimme weitgehend beseitigt wurden.

In der kurzen Besprechung der Uraufführung des Violinkonzertes wird auch das Problem der formalen Anlage angesprochen. Der „Zusammenhang" erscheine „oft ganz zerrissen", und der Kunstgenuß sei eingeschränkt durch „eine Menge unzusammenhängender und überhäufter Ideen und einen fortwährenden Tumult einiger Instrumente, die den Eingang charakterisieren sollten". In der Tat mag die Zeitgenossen irritiert haben, daß sich Beethoven in diesem Konzert nicht an die gewohnte Form gehalten, das heißt sich nicht auf die Gegenüberstellung von zwei Themen im ersten Satz beschränkt hat. Andererseits war dies so ungewöhnlich wiederum nicht, da, insbesondere in der Gattung des Violinkonzertes, die Concerto-Form noch lebendig war, wie unter anderem auch die Violinkonzerte von Wolfgang Amadeus Mozart belegen. Die Aneinanderreihung verschiedener Gedanken, allerdings zumeist aus einem zentralen thematischen Gebilde abgeleitet, war hier nichts Besonderes. Beethoven selbst hatte sich schon in den dem Konzert zeitlich nahestehenden Symphonien Nr. 3 und 4 nicht nur auf zwei Hauptthemen allein begrenzt, und so kann die Verwendung mehrerer musikalischer Gedanken im ersten Satz des Violinkonzertes nicht erstaunen, sie ist im Grunde eine logische Konsequenz der bisherigen Entwicklung.

In der Orchesterexposition des ersten Satzes (Allegro ma non troppo) des Violinkonzertes finden sich fünf unterschiedlich gewichtete Gedanken, die aneinandergereiht werden und jeweils acht Takte umfassen.

Der erste Hauptgedanke — das erste Thema —

wird zunächst von den Holzbläsern vorgetragen, sodann von den Streichern weitergeführt (T. 1—17). Sie leiten zugleich über zu einem zweiten, ebenfalls den Holzbläsern anvertrauten Gedanken (T. 18—26):

Ihm folgt ein dritter, in seiner scharf akzentuierten Rhythmik sowie in der Dynamik gegensätzlicher Gedanke (T. 28—39),

von dem eine im Piano gehaltene Sechzehntelfigur in den ersten Violinen (T. 39—42) allein zum nächsten Hauptgedanken, dem zweiten Thema, überleitet. Dieses unterscheidet sich von den anderen Gedanken dadurch, daß es latent mit dem ersten Thema verwandt zu sein scheint[1] und daß es zweimal hintereinander, das zweite Mal allerdings nach Moll gewendet — zuerst in den Holzbläsern, dann in den Streichern — erklingt und dadurch entsprechend hervorgehoben wird (T. 43—58).

Dieser vierte Gedanke wird mittels motivisch-thematischer Arbeit weitergeführt (T. 59ff.) und mündet in einer großen dynamischen Steigerung in einen die Orchesterexposition abschließenden fünften Gedanken (T. 77f.):

Diese „Menge unzusammenhängender und überhäufter Ideen", diese Aufeinanderfolge von fünf *verschiedenen* Gedanken in einem Konzert, in dem man in der Regel nur ein Haupt- und ein Seitenthema erwartete, war neu, überraschend und ungewohnt. Sie erschwerte vor allem die Orientierung beim Hören. Scheinbar zusammenhanglos und potpourriartig sind die einzelnen Gedanken aneinandergefügt, wenngleich etwa zwischen dem ersten und vierten sowie dem zweiten und fünften Gedanken vielleicht doch eine engere Verbindung besteht als nur die Substanzgemeinschaft der Töne und die ab- bzw. aufsteigende Linie. Übersehen wurde dabei die Tatsache, daß das in den ersten zwei Takten in den Pauken[2] vorgestellte rhythmische Motiv

1 Variierte Krebs-Umkehrung.

2 P. Mies hat darauf hingewiesen, daß die Pauke hier nicht nur ein gleichberechtigter Partner zu den anderen Instrumenten, insbesondere auch zum Soloinstrument (Violine bzw. Klavier), ist und daß ihr

gleichsam den Grund- oder Leitgedanken des gesamten Satzes darstellt und vor allem die unterschiedlichen Gedanken miteinander verklammert. Dieser Grundgedanke ist nahezu ständig, wenn auch in Abwandlungen, präsent und somit bestimmend für den ganzen Satz. Es ist genau das Phänomen, das der Berichterstatter in der *Wiener Theater-Zeitung* kritisch als „einen fortwährenden Tumult einiger Instrumente, die den Eingang charakterisieren sollten", bezeichnete. Dieses Motiv gibt den Grundrhythmus an, der den ganzen Satz durchzieht und dabei auch durch die verschiedenen Stimmen wandert. Die Pauken beginnen mit diesem rhythmischen Motiv in Viertelnoten, die Streicher übernehmen es, auf Achtel ♪𝄾♪𝄾♪𝄾♪𝄾 bzw. Sechzehntel ♬♬♪𝄾𝄽 verkürzt, zur „Begleitung" des zweiten und dritten Gedankens. In der Überleitung zum zweiten Thema (= vierter Gedanke) und zu dessen „Begleitung" erklingt es in den ersten Violinen ♪𝄾♪𝄾♪𝄾♪𝄾 | 𝅝 , später in Pauke, Hörnern und Trompeten ♩ ♩ ♩ ♩ | 𝅝 . Auch in der „Überleitung" zum letzten, fünften Gedanken steht es am Beginn sowie auf dem Höhepunkt der dynamischen Steigerung. Lediglich im Schlußabschnitt der Orchesterexposition mit dem fünften Gedanken ist es nicht präsent. Ähnlich wird auch in der Solo-Exposition verfahren, die die Soloviolline mit einem kadenzartigen Eingang einleitet (D—T). Das Hauptthema erklingt, allerdings in durch Umspielungen variierter Gestalt, in hoher Lage in der Solovioline, begleitet von Holzbläsern und Pauke. Der zweite Gedanke erscheint zunächst im Orchester, wird dann aber vom Soloinstrument aufgegriffen und durch Figurenwerk — Oktavpassagen, Tonumspielungen etc. — variiert. Das zweite Thema erklingt nun abermals, allerdings hälftig aufgeteilt auf Orchester und Solovioline (4 + 4 Takte / T. 144—151), wird dann im Orchester in Moll wiederholt, wobei die Solovioline die Melodie des Themas umspielt. Dies gilt ebenfalls für den nach einer kurzen Überleitung einsetzenden Abschnitt, in dem der fünfte Gedanke im Orchester aufgegriffen und fortgesponnen wird. Eine Trillerkette der Solovioline, begleitet durch das Rhythmusmotiv des Satzanfangs, und ein kadenzartiger Abschnitt mit Passagenwerk über gehaltenen Akkorden führen zu einem Orchestertutti — diesmal nach F-Dur versetzt —, das nicht nur den rhythmischen dritten Gedanken, sondern auch das zweite Thema, dessen Wiederholung in Moll sowie die Überleitung zum fünften Gedanken und diesen selbst ähnlich wie in der Orchesterexposition bringt, sondern auch damit zum zweiten großen Einsatz der Solovioline, mit dem zugleich der Durchführungsteil beginnt, hinführt. Nach einer fantasie- oder kadenzartigen Einleitung der Solovioline wird die Durchführung (T. 301ff.) insbesondere mit dem rhythmischen Anfangsmotiv — sowohl in der ♪𝄾♪𝄾♪𝄾♪𝄾 als auch in der ♩ ♩ ♩ ♩ Form —, aber auch mit dem Motiv des dritten Taktes des ersten Themas gestaltet. Dabei wird deutlich, welches Gewicht Beethoven dem rhythmischen Motiv beigemessen hat, zumal keines der anderen Themen in der Durchführung wirklich verarbeitet wird. In Takt 300—357 kommt das Motiv in nur 15 Takten

eine charakterisierende, dramatische Bedeutung zukommt (vgl. P. Mies, *Die Bedeutung der Pauke*). In diesem Zusammenhang ist auch auf die Verwendung der Pauke in den Symphonien Nr. 3—5 hinzuweisen.

nicht vor.[1] Die Solovioline bringt zunächst erstmals das Hauptthema unverändert in seiner Urgestalt (T. 301—304), ergeht sich dann aber in Figurationen — Dreiklangs- und Akkordbrechungen, Tonumspielungen, chromatisch-ansteigenden Sequenzketten etc. —, bis sie in Takt 331ff. einen neuen, ebenfalls figurierten, „lyrischen“ Gedanken vorträgt. Zugleich erklingt das rhythmische Grundmotiv in Hörnern, Fagotten und später auch in den Pauken. Die Reprise setzt in Takt 365 mit dem ersten Thema fortissimo im vollen Orchester ein. Die Solovioline trägt den zweiten Gedanken in der figurativ aufgelockerten Form vor (T. 386ff.), dieser erscheint aber auch in Originalgestalt in den Takten 400ff. Die Solovioline leitet sodann zur Wiederkehr des zweiten Themas, des vierten Grundgedankens, über. Dessen erste Hälfte erklingt über einem Triller der Solovioline zunächst in den Holzbläsern, die zweite Hälfte wird dann von der Solovioline übernommen und zum Abschluß gebracht. Das Orchester wiederholt dieses zweite Thema wiederum in Moll, die Solovioline umspielt es mit bewegtem Figurenwerk. Der nächste Tutti- und Solo-Abschnitt ist durch den fünften Gedanken und insbesondere durch das Motiv seines zweiten Taktes bestimmt. Der Solo-Abschnitt wird wiederum durch eine Trillerkette in der Solovioline, zu der gleichzeitig das rhythmische Grundmotiv erklingt, abgeschlossen. Eine Passage der Solovioline leitet zum Orchestertutti, gebildet aus dem dritten Gedanken, über, an dessen Ende der Dominantschluß zur Kadenz der Solovioline steht. Nach dieser Kadenz bringt die Solovioline das zweite Thema in seiner ganzen Breite, danach erklingt der fünfte Gedanke im Wechselspiel zwischen Fagott und Violoncello nochmals im Orchester. Eine Passage der Solovioline führt zum Abschluß des Satzes, auf ein Tutti-Nachspiel des Orchesters wird verzichtet.

Der zweite Satz Larghetto ist eigentlich eine Romanze, gehört also einer Gattung an, zu der Beethoven schon früher mit seinen beiden Violinromanzen op. 40 und op. 50 einen Beitrag geleistet hat. Liedform, Durchführungstechniken des Sonatensatzes und Variationsprinzip sind hier gleichsam ineinander verschlungen. Die schlichte, liedhaft-gesangliche Melodie,

die den Hauptgedanken bildet, erscheint nicht weniger als viermal unmittelbar nacheinander: in den Streichern, die mit Dämpfer pianissimo zu spielen haben; zweimal in den Bläsern, wobei einmal die Klarinette, das andere Mal das Fagott die Führung übernimmt; schließlich in einem breit angelegten Orchestertutti (T. 1—39). Die Solovioline umspielt in den beiden Bläserabschnitten den Hauptgedanken variativ-rhapsodisch, wobei sie durch die mit einer Fermate gekennzeichneten Haltepunkte nicht nur die Möglichkeit zu improvisatorischer Ausgestaltung hat, sondern zugleich auch die Melodie selbst in einen Vorder- und Nachsatz gliedert. Das Orchestertutti (T. 31 mit Auftakt) bildet einen dynamischen Kontrast zu den bisher

---

1 Es wäre natürlich auch möglich, das in diesen 15 Takten vorherrschende rhythmische Motiv ♫♫ ♩ als eine vorwärtsdrängende Variante des Motivs ♩ ♩ ♩ ♩ | ♩ anzusehen.

im Piano gehaltenen Abschnitten und zugleich auch einen Höhepunkt, zumal es — rechnet man die fünf überleitenden Takte der Solovioline (T. 40—44) mit — die erste Hälfte des ganzen Satzes abschließt.[1] Ab Takt 45 erklingt in der Solovioline eine zweite Melodie,

die jedoch nur als eine eingeschobene achttaktige „Episode" anzusehen ist, in der allerdings der Solovioline die melodisch-thematische Führung in vollem Umfange überlassen bleibt. Die nach einer zweitaktigen Überleitung folgenden 16 Takte greifen den ersten melodischen Gedanken im Wechsel zwischen Solovioline und Streichern wieder auf und leiten nochmals zum zweiten melodischen Gedanken über. Dieser erklingt in variierter und ausgezierter Form unter Begleitung der Holzbläser (Klarinetten und Fagotte) in der Solovioline. Daran schließen sich vier Takte an, die wie die analogen Takte 65f. einerseits einen Abschluß des ersten Gedankens, andererseits den Beginn einer Überleitung zum nachfolgenden Geschehen kennzeichnen. Der Bezug zum ersten musikalischen Gedanken wird zusätzlich durch die rhythmische Figur ♫♩ in den Hörnern sinnfällig gemacht. Mit einer dynamisch immer mehr zurückgenommenen Spielfigur der Solovioline endet der Satz im dreifachen Piano (T. 88). Die den Anfangsrhythmus des Satzes wieder aufnehmenden, von den Streichern ohne Dämpfer gespielten Akkorde im Forte bzw. Fortissimo führen aus der Verträumtheit recht abrupt in die Realität zurück und leiten zu jener Kadenz der Solovioline über, die diesen langsamen mit dem nachfolgenden dritten Satz „attacca" verbindet.

Das symmetrisch angelegte, tanzartige Thema des Rondos

wird zunächst von der Solovioline auf der G-Saite im Piano mit einfacher, zum Teil nachschlagender Begleitung der Violoncelli vorgetragen. Nach Abschluß des achttaktigen Themas greift das Orchester motivisches Material auf und leitet mit zwei Takten zur Wiederholung des Themas durch den Solisten, jetzt allerdings von erster und zweiter Violine begleitet sowie zwei Oktaven höher und „delicatamente" vorzutragen, über. Wieder werden die beiden Überleitungstakte des Orchesters angefügt. Danach wird das Thema vom ganzen Orchester im Fortissimo aufgenommen. Orchester und später auch die Solovioline führen zum ersten Couplet, das zwischen Orchester und Solovioline jeweils im Wechsel von zwei Takten aufgeteilt ist. Mit virtuosen Spielfiguren dominiert die Solovioline das weitere Geschehen, wobei ein plötzliches Ausweichen nach es-Moll auffällt, von dem aber ebenso rasch wieder zur Dominanttonart A-Dur zurückgekehrt wird. Im Orchester erklingt gleichzeitig motivisches Material des Rondothemas. Dieses Thema wird von der Solovioline, nach-

1 Die Aufteilung ergibt sich wie folgt: 44 + 44 Takte + 3 Takte Schlußgruppe.

dem sie das erste Couplet mit einem langen Triller und einer Fermate abgeschlossen hat, aufgenommen, und der gesamte A-Teil des Rondos wird wiederholt. Mit nur wenigen Takten leitet die Solovioline zum zweiten Couplet über, das in seiner Kantabilität und dadurch, daß es in der Moll-Subdominante steht, als Kontrast zu dem heiteren Rondothema erscheint (T. 127 mit Auftakt). Nachdem die Solovioline den neuen Gedanken vorgetragen hat, wird er vom Fagott übernommen, während die Violine diesen variierend umspielt. Dieses „Zwiegespräch" wiederholt sich in einem weiteren aus diesem Gedanken sich entwickelnden Abschnitt. Nachdem Violine und Oboen den zweiten Teil dieses Gedankens nochmals aufgegriffen haben, wird mit motivischem Material des Rondothemas in den Streichern, das dann von der Solovioline umspielend übernommen wird, zum A-Teil des Rondos zurückgeleitet. Der Überleitungssatz führt nicht in die Dominante, sondern zur Haupttonart D-Dur zurück, in der nun das erste Couplet wieder erscheint. Zum Figurenwerk der Solovioline erklingt das Anfangsmotiv des Rondothemas. Wiederum schließt die Solovioline diesen Abschnitt mit einem Triller ab. Das im Tutti einsetzende Orchester leitet zur Kadenz der Solovioline über. Diese mündet in einen sich über elf Takte erstreckenden Triller auf e'', zu dem in den Violoncelli und Bässen zunächst das Ganze, dann das verkürzte Anfangsmotiv des Rondothemas erklingt, wobei gleichzeitig nach As-Dur moduliert wird. Die Solovioline trägt in dieser Tonart zunächst das Rondothema vor, geht aber dann in Figurenwerk über, das das Thema umspielt, und leitet mit diesem, über den chromatisch absteigenden Bässen verschiedene Tonarten durchlaufend und wieder durch einen Triller das Ende dieses Abschnittes verdeutlichend, schließlich zur Grundtonart zurück. In dem nun folgenden Schlußabschnitt, der Coda, erklingt zunächst das Rondothema im „Wechselgespräch" zwischen Oboe und Solovioline, allerdings mit verändertem zweiten Teil, es bleibt aber auch im Verlaufe des weiteren Geschehens durch ständige motivische Anklänge präsent. Wie bestimmend das Kopfmotiv des Rondothemas

für den gesamten Satz ist, wird noch einmal am Schluß deutlich. Hier wird es — fast geheimnisvoll — im Pianissimo von der Solovioline allein dreimal nacheinander vorgetragen, bevor der Satz[1] und damit zugleich das ganze Konzert mit zwei Fortissimo-Akkordschlägen endet.

Das Violinkonzert Beethovens hat sich nur langsam in der Musikpraxis durchgesetzt. Schon bei der Uraufführung war ihm nicht sehr viel mehr als ein Achtungserfolg zuteil geworden, woran sicher die Beliebtheit des Geigers Clement einen nicht zu unterschätzenden Anteil hatte. Hierzu mag einerseits die ungewohnte formale Anlage des Konzertes, etwa die Erweiterung der Zweithematik im ersten Satz, andererseits die wenig exponierte Stellung der Solovioline, die eher als ein primus inter pares in das symphonische Geschehen eingebettet bleibt, beigetragen haben. Die technischen Anforderungen an den Solisten halten sich dagegen, auch im Vergleich

1 Die formale Anlage des Rondo-Satzes erweist sich im übrigen als geradezu schulmäßig: A—B—A—C—A—B—A—Coda.

mit anderen Violinkonzerten der Zeit, durchaus im Rahmen des Üblichen, waren also sicher kein vorrangiger Grund für die langsame Verbreitung des Konzertes. Da Beethoven selbst Geiger und Bratscher war, ist anzunehmen, daß er eine klare Vorstellung davon hatte, was einem Solisten zugemutet werden konnte. Außerdem kannte er die Fähigkeiten Clements, der schon eine der ersten halböffentlichen Aufführungen von Beethovens 3. Symphonie, der *Eroica*, geleitet hatte. Die Schwierigkeiten bei der Wiedergabe des Konzertes liegen demnach nicht so sehr im technischen, sondern vielmehr im musikalischen Bereich. Peter Benary hat darauf aufmerksam gemacht, daß die Solovioline im ersten Satz des Konzertes nur in insgesamt 75 von 535 Takten „thematischen Vorrang" habe oder „maßgeblich den kompositorischen Verlauf" bestimme.[1] Sie sei zwar stets am klanglichen, aber nur wenig am thematischen Verlauf beteiligt. Es sei daher auch falsch, „dem Beiläufigen und Untergeordneten, den Begleitfiguren und Umspielungen, den Auszierungen und Füllseln eine Bedeutsamkeit zu geben", die diese gar nicht beanspruchen. Gerade dieses Einreihen der Solovioline in das musikalische Gesamtgeschehen macht eine Wiedergabe des Konzertes so schwierig. Es ist eben kein spektakuläres Virtuosenkonzert. Dies dürfte ein wesentlicher Grund dafür gewesen sein, daß diejenigen Geiger, die sich des Konzertes nach der Uraufführung wieder angenommen haben, nicht mehr als Achtungserfolge erzielen konnten. Zu nennen sind hier unter anderen:

1812	L. Tomasini d. J. in Berlin
1828	P. Baillot in Paris
1834	H. Vieuxtemps in Wien
1836	Uhlrich in Leipzig (Gewandhaus).

Am 26. April 1839 erklang das Violinkonzert in einer Veranstaltung, die Hofkapelle und Singakademie in Dessau „zum Besten des Beethoven-Denkmals" gaben.[2] Einer kurzen Notiz in der *Allgemeinen musikalischen Zeitung* zufolge[3] hatte Habeneck das Konzert auf dem Programm seines ersten Konzertes am Conservatoire in Paris mit Alard als Solisten. In London hatte dann mit dem Beethovenschen Violinkonzert der erst dreizehnjährige Joseph Joachim am 27. Mai 1844 unter dem Dirigat Felix Mendelssohns einen durchschlagenden Erfolg. Hierüber berichtet die *Neue Zeitschrift für Musik* unter dem 22. August 1844: „Im 5ten philharmonischen Concerte spielte der sehr jugendliche Jos. Joachim, und nicht blos die Kunstfertigkeit, sondern mehr noch die Reife und Tüchtigkeit der Auffassung, des Geschmacks, mit welcher er das Beethoven'sche Violin-Concert vortrug, erregte die lebhafteste Sensation".[4] Joachim debütierte mit diesem Konzert auch am 13. Dezember 1852 in einer Veranstaltung des Sternschen Gesangvereins in Berlin und spielte es im Mai 1853 beim 31. Niederrheinischen Musikfest in Düsseldorf unter der Leitung Robert Schumanns. Über das Konzert in Berlin wird ebenfalls in der *Neuen Zeitschrift für Musik* berichtet: „Den Glanzpunkt des Abends bildete das Beethoven'sche Violinconcert. Der Erfolg, welchen Herr Joachim sich mit demselben errang, beweist wieder

1 P. Benary, *Zur Wiedergabe des Violinkonzerts,* S. 447.
2 *AmZ* 41, 8. 5. 1839, Sp. 378.
3 *AmZ* 49, 17. 2. 1847, Sp. 118.
4 *NZfM* 21, Nr. 16, 1844, S. 63.

einmal recht deutlich den Satz, daß das Berliner Publikum, welches so gern Alles bekrittelt und bewitzelt und deßhalb das blasirteste von der Welt genannt wird, zugleich des aufrichtigsten Enthusiasmus fähig ist, sobald es einmal dem Einflusse einer überwältigenden Erscheinung erliegt. Kein Wunder, wenn es mißtrauisch geworden ist, nachdem es von so vielen sogenannten ersten Kunstgrößen belogen und betrogen worden; kein Wunder aber auch, wenn es mit Begeisterung einer Persönlichkeit zujauchzt, die ihm den in den Annalen der Berliner Kunstgeschichte fast unmöglich gewordenen Beweis lieferte, daß es noch einen Künstler giebt, welcher die höchste Vollendung in der Technik nicht seinem persönlichen Ehrgeize, sondern, der Idee des Kunstwerks, dessen Organ er ist, dienstbar macht. Als solch einen seltenen Künstler lernte es Joachim kennen, welcher das Beethoven'sche Concert in einer Erhabenheit der Auffassung und mit so vollkommener Besiegung aller nur denkbaren Schwierigkeiten zu Gehör brachte, daß man den Spieler und Alles ringsum vergaß und nur im Kunstwerke lebte — und das ist gewiß der höchste Triumpf der Technik, daß sie sich selbst vergessen macht. Wenn es irgendwo nöthig war, den Gedanken an die rechte, echte Kunst wieder zu erwecken, so war es hier in Berlin, und wenn dies irgendwem möglich war, so war es Joachim [...].“[1]

Bezüglich der Ausführung und Interpretation des Violinkonzertes von Beethoven werden jedoch schon in damaliger Zeit nicht nur solche überschwenglichen, sondern auch durchaus kritische Töne angeschlagen. So heißt es etwa in einer Besprechung in der *Allgemeinen musikalischen Zeitung* vom Dezember 1846 über die Konzerte in Leipzig: „Der für den Cyclus dieser Concerte gewonnene Herr v. Königslöw hatte sich an den Vortrag des grossen Violinconcertes von Beethoven gewagt, und wir bedauern das umso mehr, als es dem jungen Künstler bei einer angemesseneren Wahl gelungen sein dürfte, sich reichen Beifall zu erwerben. Ist das Concert in Rede an und für sich schon für ein grösseres Publicum keine leicht verdauliche Speise, so verlangt es, um nur zu einiger Wirkung zu kommen, vor allen Dingen grossen Ton, vollendete Beherrschung der Technik, und eine geistreiche Durchdringung, welche die Idee des grossen Tonmeisters durch den Vortrag zu reproduciren vermag. Herr v. Königslöw liess da nun sehr Vieles zu wünschen [...] der Vortrag zeugte keineswegs von tieferem Verständniss oder geistiger Beherrschung des Stoffes [...]. Es gibt sehr viele, sonst ganz tüchtige Virtuosen, die Beethoven nicht zu spielen vermögen [...].“[2] Zu ihnen gehörte offensichtlich auch Pablo Sarasate, der zum ersten Mal zu Anfang der 80er Jahre das Violinkonzert von Beethoven in Berlin spielte und keinen Erfolg hatte, da man sein Spiel mit demjenigen Joseph Joachims verglich. Seit Joachim gehört dieses Konzert unverzichtbar zum Repertoire eines Geigers, dem es auf mehr ankommt als nur auf Virtuosität. Die musikalischen und künstlerischen Fähigkeiten eines Geigers werden sich neben dem technischen Können vor allem an einer angemessenen Interpretation des Violinkonzertes von Beethoven immer wieder zu bewähren haben.

1 *NZfM* 38, Nr. 2, 1853, S. 19, 7. Januar 1853.
2 *AmZ* 48 (1846), Sp. 885.

Probleme der Aufführungspraxis des Violinkonzertes sind immer wieder diskutiert worden.[1] Dabei geht es häufig darum, Sachverhalte, die sich in der Interpretationstradition seit der Mitte des 19. Jahrhunderts verfestigt haben, „völlig festgefroren sind", wie Leibowitz bemerkt, jedoch keineswegs dem Notentext entsprechen, zu korrigieren. Hierzu gehören etwa die „stereotype" Anwendung des Rubatos an bestimmten Stellen oder die zu vordergründig-virtuose Ausführung von nichtthematischen Spielfiguren. Von besonderer Bedeutung aber ist die Wahl des Tempos, da dieses den Charakter des Werkes wesentlich mitbestimmt. Und in diesem Zusammenhang sind wiederum die beiden Anfangstakte des Violinkonzertes mit den Paukenschlägen von Wichtigkeit. Dieses Motiv prägt den ersten Satz in seiner rhythmischen Gestalt, hält ihn zusammen und gibt zugleich das Grundzeitmaß. Es ist daher immer im gleichen Tempo zu spielen. Das Motiv bildet so etwas wie einen rhythmischen Ostinato, an dem sich jedoch nahezu alle Instrumente beteiligen. Auf diese Weise wird zum Beispiel das zweite Thema durch dasselbe Motiv eingeleitet wie das erste Thema, allerdings wird es hier von den ersten Violinen anstatt von der Pauke gespielt (T. 42). Ob dieses zweite Thema tatsächlich auf ein schlesisches Volkslied mit dem Text „O Freude über Freude, ihr Nachbarn kommt und hört" zurückgeht, wie Eduard Melkus andeutet, sei dahingestellt.[2] Die Melodie weist jedenfalls Ähnlichkeiten auf, und auch unter semantischen Gesichtspunkten könnte ein solcher Hinweis in diesem Konzert sinnvoll sein.

Was nun das Tempo betrifft, so darf es keinesfalls zu langsam genommen werden. Der einmalige Fall, daß ein Komponist zwei originale Fassungen desselben Konzertes nahezu gleichzeitig fertiggestellt und zum Druck gegeben hat, ist auch für die Tempofindung sehr nützlich. Zum einen hat Carl Czerny die Übertragung des Violinkonzertes auf das Klavier mit Metronomzahlen versehen, zum anderen sind zu der Klavierübertragung vier Kadenzen Beethovens erhalten, von denen derjenigen zum ersten Satz eine besondere Bedeutung zukommt. Beethoven bezieht hier die Pauke mit ihrem Motiv mit ein und verdeutlicht damit, welches Gewicht er diesem Motiv zumißt. Bemerkenswert ist weiter der ungewöhnlich große Umfang der Kadenz. Kolisch ist in diesem Zusammenhang aufgefallen, daß „die Kadenz 141 Takte lang ist, was die Taktzahl der Durchführung genau wiederholt. Die strukturelle Idee ist also offenbar die einer zweiten Durchführung. Welch ein grandioser Einfall, dadurch ein Gegengewicht zu den zwei Expositionen herzustellen!"[3] Die Pauke be-

1 So unter anderem von R. Kolisch, *Tempo and Character*; ders. / R. Leibowitz, *Aufführungsprobleme im Violinkonzert*; E. Melkus, *Zur Interpretation des Violinkonzertes*; P. Benary, *Zur Wiedergabe des Violinkonzerts.*

2 Vgl. E. Melkus, *Zur Interpretation des Violinkonzertes,* S. 168.

3 R. Kolisch / R. Leibowitz, *Aufführungsprobleme im Violinkonzert,* S. 154. — Versuche, etwa von W. Schneiderhan und O. Novacek, diese Kadenz auf die Violine zu übertragen, sind mit Erfolg unternommen worden, jedoch hat sich diese Kadenz in der Praxis bisher nicht durchgesetzt. Neuerdings hat Christian Tetzlaff auf einer Einspielung mit Michael Gielen und dem SWF-Symphonieorchester diese Kadenz Beethovens wieder auf die Violine übertragen. Andere Solisten, wie zum Beispiel Ulf Hölscher,

stimmt den Rhythmus — und damit auch das Tempo — insbesondere in dem im Rahmen einer Kadenz ungewöhnlichen, 16 Takte umfassenden „Marcia“-Abschnitt mit der Tempobezeichnung „Più vivace“. Dieser geschwindere Marsch könnte einen Hinweis auf das Tempo des ganzen ersten Satzes geben.

Dieses ist jedenfalls wesentlich schneller zu nehmen, als dies gewöhnlich getan wird. Darauf deuten auch die Metronomzahlen, die Czerny mit ♩ = 126 (später korrigiert in ♩ = 138) für den ersten Satz, mit ♩ = 60 für das Larghetto[1] und ♩ = 100 für den Schlußsatz angibt.[2] Rudolf Kolisch plädiert beim ersten Satz sogar für ein noch rascheres Tempo, das etwa bei ♩ = 144 liegen könnte. Würde ein solches Tempo durchgehalten, so bedürfte es keiner Accelerandi oder Ritardandi mehr. Außerdem würde dann sinnfällig werden, daß es sich bei dem von der Pauke vorgegebenen Motiv nicht um den Grundrhythmus eines preußischen Präsentiermarsches, sondern um denjenigen eines „französischen Geschwindmarsches“ handelt.[3] In einem solchen Tempo wirkt das Violinkonzert leichter, „spritziger“, und die Gefahr, allzu-

---

verwenden die etwas kürzere, aber ebenfalls an die Kadenz Beethovens angelehnte Kadenz Ferruccio Busonis.

1 Das Tempo entspricht eher einem „Andante“. Beethoven merkt bei der Kadenz zur Überleitung vom zweiten zum dritten Satz für die Klavierfassung selbst an: „Eingang vom Andante zum Rondo“. — P. Benary, *Zur Wiedergabe des Violinkonzerts,* S. 448, hält ein Tempo des ersten Satzes mit ♩ = 116, des zweiten Satzes mit ♩ = 54 für angemessen.

2 Vgl. W. Mohr, *Beethovens Klavierfassung seines Violinkonzerts,* S. 511.

3 Vgl. hierzu auch E. Melkus, *Zur Interpretation des Violinkonzertes,* S. 167f. In diese Richtung deutet ebenfalls der „Marcia“-Abschnitt in der Klavierkadenz. Es ist eben kein „feierlich erwartungsvoller, von edlem Pathos getragener Marsch“, wie P. Bekker, *Beethoven* (²1912), S. 167, meint.

sehr ins Pathetische abzugleiten, ist wesentlich geringer als bei den normalerweise gewählten Tempi.[1]

Die Entscheidung für ein rascheres Tempo führt zu einer weiteren Frage: Ist die Diktion eines französischen, also eines rascheren Marsches, die den ganzen ersten Satz des Violinkonzertes bestimmt, zugleich Ausdruck einer besonderen Sympathie Beethovens für Frankreich? Ist das Violinkonzert möglicherweise als eine „hommage“ an Frankreich zu verstehen? Oder werden nur Elemente des französischen Violin- und Virtuosenkonzertes übernommen, nicht nur, weil Beethoven mit diesen offensichtlich recht gut vertraut war, sondern auch, weil sie als die „moderneren“, „fortschrittlicheren“ angesehen wurden? Carl Dahlhaus hat verschiedentlich auf den „musikalischen Humanitäts- und Revolutionston“, den Beethoven in der von Romain Rolland als „heroische Periode“ bezeichneten Zeit zwischen 1802 und 1814 angeschlagen hat, hingewiesen.[2] Dieser sei unter anderem durch eine Vermittlung zwischen „Rationalität des musikalischen Diskurses“ und höchster Expressivität gekennzeichnet und verweise so auch allgemein auf das Verhältnis der musikalischen Klassik zur Revolution bzw. entsprechender Zusammenhänge. An anderer Stelle hat Dahlhaus bemerkt, daß in einem musikalischen Text durchaus „eine Bedeutung aufbewahrt“ sein könne, die es gelte, durch die „tönende Darstellung sinnfällig zu machen“, das heißt, daß „ein musikalisches Gebilde ein ‚Ideenkunstwerk‘ sein kann.“[3] Es mag vielleicht als weit hergeholt erscheinen, aber diese Feststellungen treffen nicht zuletzt auch auf das Violinkonzert Beethovens — insbesondere auf dessen ersten Satz — zu. Da ist einmal der rationale, verhalten aggressive, vorwärtstreibende „Revolutionston“, der durch das ständig präsente rhythmische Grundmotiv ♩ ♩ ♩ ♩ | ♩ bzw. ♪.♪.♪.♪. | ♩ , das den ersten Satz bestimmt, sinnfällig ge-

1 Neuerdings haben Christian Tetzlaff und Michael Gielen verhältnismäßig angemessene Tempi gewählt: erster Satz ♩ = 126/127; zweiter Satz ♩ = 52/54; dritter Satz ♩. = 90/93. Vgl. hierzu die folgende Tabelle:

Interpreten	**Tempoangabe**
Fr. Kreisler / L. Blech (1926)	1. ♩ = 84, Beschleunigung zum Solo ♩ = 120/126; 2. ♪ = 60; 3. ♩. = 96.
W. Schneiderhan / W. Furtwängler (1953)	1. ♩ = 84/88, Beschleunigung zum Solo ♩ = 96; 2. ♪ = 60 und langsamer; 3. ♩. = 96.
W. Schneiderhan / P. v. Kempen	1. ♩ = 106/108 [107].
S. Borries / Fr. Rieger	1. ♩ = 108 und schneller, Solist ♩ = 108; 2. ♪ = 63; 3. ♩. = 92.
E. Grünberg / J. Horenstein	1. ♩ = 109. Schwankungen Allegro [ma non troppo] 104 bis 97/98.
Y. Menuhin / C. Silvestri (1960)	1. ♩ = 103 (104).
D. Oistrach / A. Gauck (1969)	1. ♩ = 108.
A. Grumiaux / C. Davis (1974)	1. ♩ = 112, Solist ♩ = 116; 2. ♪ = 54; 3. ♩. = 92.
A.-S. Mutter / H. v. Karajan (1979)	1. ♩ = 112/116, Solistin ♩ = 104/108; 2. ♪ = 60; 3. ♩. = 96.
Chr. Tetzlaff / M. Gielen (1989)	1. ♩ = 126/127; 2. ♩ = 52/54; 3. ♩. = 90/93.
Tempo nach Czerny:	1. ♩ = 126; 2. ♩ = 60; 3. ♩. = 100.
Tempo nach Kolisch:	1. 𝅗𝅥 = 72 (♩ = 144) bzw. 84/88; 2. 𝅗𝅥 = 30 (♩ = 60); 3. ♩. = 104.

2 So unter anderem in: *Die Musik des 18. Jahrhunderts,* S. 337 und 372.

3 Ebenda, S. 9.

macht wird. Den Kontrast hierzu, also den „Humanitätston“, bilden die fünf — allerdings unterschiedlich gewichteten — melodisch-thematischen Gedanken. Zwischen beiden Momenten besteht ein hoher Grad der Vermittlung, ohne daß es jedoch zu einer wirklichen Durchdringung und damit zu einer „Auflösung“ oder einem „Ineinanderaufgehen“ der beiden Elemente kommt. Dies konnte letztlich auch nicht die Intention sein. In dem rhythmischen Grundmotiv — das angemessene Tempo vorausgesetzt — ist zugleich aber auch der Hinweis auf die Idee „Frankreich—Revolution—Humanität“ enthalten. Allerdings gibt es für diese Idee von Beethoven selbst — etwa im Gegensatz zur *Eroica* — keinen entsprechenden Fingerzeig.[1] Aber auch unabhängig von der Frage, ob das Violinkonzert möglicherweise als ein der Verherrlichung Frankreichs dienendes Ideenkunstwerk anzusehen ist, ist die Nähe zum französischen Virtuosenkonzert und zur französischen Geigerschule unverkennbar. Hierzu haben verschiedene Aspekte beigetragen, so unter anderem, daß Beethoven sich — nicht nur als Komponist, sondern auch als interessierter Geiger — für die Kompositionsweise der zeitgenössischen französischen Virtuosen interessierte, daß er sowohl Rodolphe Kreutzer (19 Violinkonzerte) als auch später Pierre Rode (13 Violinkonzerte) persönlich kannte[2], Kontakte zu Pierre Baillot hatte und daß die virtuose französische Schreibweise als modern angesehen wurde. Als Anschauungsmodelle waren in dieser Hinsicht offenbar die Violinkonzerte von Giovanni Battista Viotti, dem Lehrer der oben genannten Violinvirtuosen, besonders wichtig. So fällt etwa auf, daß die ersten Sätze der Violinkonzerte Viottis häufig marschartigen Charakter haben.[3] Vielleicht ist Beethoven dadurch zur Gestaltung des ersten Satzes seines Violinkonzertes angeregt worden. Bei Viotti finden sich außerdem gebrochene Oktaven, wie sie im ersten und dritten Satz des Beethovenschen Konzertes vorkommen, oder auch das Verfahren der Umspielung oder Verarbeitung einer Melodielinie in Triolenpassagen. Hinzu kommen Techniken wie die Benutzung hoher Lagen auf der G- und D-Saite oder die Wiederholung des ersten Themas in Oktavversetzung, also in hoher Lage. Diese Spielweisen finden sich auch im Violinkonzert von Beethoven, wobei im ersten Satz bei der Wiederholung des ersten Themas in hoher Lage durch die ausschließliche Begleitung mit Holzbläsern und Pauke noch ein zusätzlicher Klangeffekt erreicht wird. Eine „französische Manier“ war es offensichtlich auch, Soloteile mit einer Trillerkette abzuschließen, wie es Beethoven im vorliegenden Konzert ebenfalls tut. Im zweiten Satz des Konzertes weist die melodische Erfindung, nicht jedoch die formale Anlage auf den Typus der französischen „Romance“.[4] Hans Engel hat darauf aufmerksam gemacht, daß der dritte Satz dem Typus der in französischen Konzerten beliebten Jagdsätze, also einer Chasse, entspreche und dies auch durch den Einsatz der Hörner unterstrichen

---

1 In diesem Zusammenhang wäre allerdings auch noch einmal nach der möglichen semantischen Bedeutung der Ähnlichkeit zwischen schlesischer Volksliedmelodie und zweitem Thema zu fragen. Zum Usus der Übernahme von Volksliedmelodien als Themen vgl. auch die sogenannten russischen Quartette op. 59. Wollte man der Hypothese P. Schleunings folgen, so hätte Beethoven allerdings zu dieser Zeit seine Bewunderung für Frankreich bereits aufgegeben. Vgl. P. Schleuning, *Kann eine Sinfonie revolutionär sein?*, insbesondere S. 74.

2 Kreutzer widmete er seine Sonate op. 47, für Rode schrieb er die Sonate op. 96.

3 Vgl. B. Schwarz, *Beethoven and the French Violin School*.

4 Bei Viotti z.B. gibt es meist nur ein von Orchesterritornellen eingerahmtes Solo, allerdings wirkt der Solist auch in den Ritornellen „verzierend“ mit.

werde.[1] Die Anlage des Rondofinales zeigt im übrigen keine Abweichungen von der üblichen Form. Harry Goldschmidt schließlich hat auf Parallelen in Beethovens eigenem Schaffen der Zeit, etwa zur 3. und 4. Symphonie oder zu *Leonore* bzw. *Fidelio*, hingewiesen[2], die aber hier nicht zur Diskussion gestellt werden können.

Es wäre sicher falsch, das Violinkonzert von Beethoven in die Reihe der französischen Violinkonzerte einreihen zu wollen. Dagegen spricht etwa, daß Beethoven durchaus auch italienische Spieltechniken, wie sie bei Tartini oder Nardini zu finden sind, beispielsweise die Anwendung kurzer Bogenstriche, verlangt. Im Hinblick auf spieltechnische und stilistische Fragen war die Bekanntschaft Beethovens mit Geigern wie seinem Lehrer Ferdinand Ries, Franz Clement oder Ignaz Schuppanzigh bestimmt ebenfalls sehr nützlich. Außerdem lag der Reiz gerade darin, die Gegebenheiten des klassischen Stils mit den Errungenschaften der „modernen" französischen Geigenschule zu verbinden, das heißt symphonischen Stil und Virtuosität, musikalischen Gehalt und äußeren Glanz organisch zu vereinen. Dies bedeutet letztlich jedoch auch, daß der Part der Solovioline teilweise auf die Dominanz im musikalischen Geschehen verzichten muß und dem Orchester dafür ein gewichtigerer Anteil zukommt. Die in der Zeit wieder verstärkt wirksame Idee des „primus inter pares" findet auch hier einen musikalischen Ausdruck. Vielleicht ist das Violinkonzert in D-Dur letztlich doch, und damit sei die eingangs gestellte Frage nochmals aufgegriffen, Beethovens „hommage" an das in vieler Hinsicht als fortschrittlich bewunderte Frankreich; es ist aber — dafür ist die Einbindung in den Stil der Wiener Klassik zu stark — sicher nicht sein „französisches" Violinkonzert, sondern steht vermittelnd zwischen deutsch-österreichischer Tradition und französischem Fortschritt in der musikalischen Entwicklung.

Christoph-Hellmut Mahling

Ouvertüre zu „Coriolan" *op. 62*

Entstehungszeit: 1807 (autographe Datierung).
Erstaufführung: März 1807 in einem Subskriptionskonzert im Palais Lobkowitz, zusammen mit op. 58 und op. 60.
Skizzen: unbekannt.
Autograph: Beethoven-Haus Bonn.
Erstdruck und Widmung: Stimmen: Wien 1807 (Bureau des Arts et d'Industrie), vgl. H.-W. Küthen, *Kritischer Bericht* zu L. v. Beethoven, *Werke*, NGA, Abt. II, Bd. 1, S. 8 und 10f.; Partitur: Bonn 1846 (N. Simrock); dem Dichter Heinrich Joseph v. Collin gewidmet.
Gesamtausgaben: Alte Gesamtausgabe: Nr. 18 = Serie 3 Nr. 1; Neue Gesamtausgabe: Abt. II, Bd. 1.

---

1 Vgl. H. Engel, *Das Instrumentalkonzert*, Bd. II, S. 191.
2 Vgl. H. Goldschmidt, *Motivvariation und Gestaltmetamorphose*, S. 228ff.

Die Ouvertüre zu Collins *Coriolan* ist Beethovens erste Schauspielouvertüre und neben den beiden Festouvertüren op. 115 und op. 124 die einzige ohne nachfolgende Musik. Wie mit der Ouvertüre zum Ballett *Die Geschöpfe des Prometheus* op. 43 (der frühesten von insgesamt elf Ouvertüren) und mit den verschiedenen Versionen zur Oper *Fidelio* (*Leonore*) betritt Beethoven auch mit dieser Neuland. Als Gattung hat die Schauspielouvertüre eine schon in die erste Hälfte des 18. Jahrhunderts zurückreichende Tradition. Und die Ästhetik, die zwischen Ouvertüren zu Opern und Schauspielen kaum unterschied, verlangte zunächst nichts mehr, als daß sie einen „Charakter haben, der den Zuhörer in die Gemüthsverfassung setzt, die das folgende Stük im Ganzen verlangt".[1] Eine „charakteristische Ouvertüre", wie man sie auch nannte, sollte den „Charakter des Innhalts der folgenden Handlung im Allgemeinen anzeigen".[2] Zu Beginn des 19. Jahrhunderts aber wurde der Ausdruck des „Charakteristischen" auf Eröffnungsstücke eingeschränkt, „wenn sie auf den Hauptinhalt, auch wohl bloß auf einzelne wichtigere Theile der darauf folgenden Oper etc. Beziehung" haben, „oder wenn eine gewisse unmittelbar vorhergehende Handlung [...] ausgedruckt wird".[3] Solche Ouvertüren waren, anders als jene, infolge ihrer speziellen Beziehung zum Nachfolgenden nicht mehr austauschbar. In diesem Sinne muß auch Beethoven die Bezeichnung benutzt haben, als er seine 1. *Leonoren-Ouvertüre* op. 138 so bezeichnete.[4] Seit Christoph Willibald Gluck war die Ouvertüre[5] bekanntlich einsätzig und auf die Form eines ersten Symphoniesatzes, also auf die Sonatensatzform, normativ festgelegt.[6] Erst gegen Ende des 18. Jahrhunderts kam, wie bei der Symphonie auch, die langsame Einleitung hinzu.

Die enger werdenden Beziehungen der Ouvertüre zur eingeleiteten Handlung aber wirkten sich nicht nur auf ihren Charakter, sondern auch auf ihre Form aus. Bei Mozart zum Beispiel geschah dies noch in umfassendem Sinne. In der *Zauberflöte* etwa sind die Verwendung der längst veralteten Fuge, das heißt die Versöhnung des alten und neuen Tons, oder die Vorwegnahme der Ankündigungsklänge aus der Oper am Anfang und in der Mitte der Ouvertüre Momente, die einen allgemeinen Sinn der Handlung, den Geist der Oper treffen. Gleiches gilt für die *Figaro-Ouvertüre*, die als Ankündigung eines „tollen Tages" von der Exposition gleichsam über die (ausgelassene) Durchführung hinweg direkt in die Reprise stürzt. Selbst Beethovens *Fidelio-Ouvertüre* von 1814 ist, bei aller Neuartigkeit der Mittel, gerade in diesem allgemeinen, durchaus klassischen Sinne zu verstehen.

Die zeitgenössische Ästhetik aber sah auch Grund zu der Warnung, in die Ouvertüre „schon die ganze Folge von Empfindungen zu legen, welche während des Verlaufs der Handlung bey dem Zuhörer rege gemacht werden" sollen; denn ohne Kenntnis der nachfolgenden Handlung seien sie nicht zu verstehen.[7] Zugleich stellte man fest, daß die „anjetzt gewöhnlichern Einleitungssätze [...], denen man den Na-

---

1 J. G. Sulzer, *Allgemeine Theorie der schönen Künste*, Bd. IV (^{2}1794), S. 479.
2 J. N. Forkel, *Musikalisch-kritische Bibliothek*, Bd. I, S. 65f.
3 D. G. Türk, *Klavierschule* (^{2}1802), S. 440.
4 Vgl. G. Nottebohm, *Beethoveniana*, S. 60.
5 Auf eine Differenzierung in die italienische Sinfonia- und die französische Ouvertüre-Tradition muß hier verzichtet werden.
6 Vgl. S. Steinbeck, *Die Ouvertüre*, S. 14.
7 D. G. Türk, *Klavierschule* (^{2}1802), S. 440, Anm. Vgl. auch J. de Ruiter, *Der Charakterbegriff*, S. 114.

men Ouvertüre giebt, eine unbestimmte und willkürliche Form“ haben können, zumal die Komponisten versuchten, „sie so interessant zu machen, als möglich ist, um die Aufmerksamkeit der Zuhörer zu reizen“.[1] Später sprach man abschätzig vom „Ouvertürenstil“[2] und seinem geringen Anspruch an Einheit und formale Strenge.

Das Problem, die Ouvertüre sehr viel konkreter an die eingeleitete Handlung heranzubringen, hat bei Beethoven in der 2. und 3. *Leonoren-Ouvertüre* von 1805 und 1806 seine markantesten Lösungen gefunden. Und es ist die Sonatensatzform, die dort zur Disposition stand. Die Auseinandersetzung damit liegt also unmittelbar vor der Entstehung des *Coriolan*. Um so bemerkenswerter ist es, daß es bei der Komposition dieses im Grunde parallelen Werkes nicht die geringsten Schwierigkeiten gegeben zu haben scheint. Die Partitur ist in der für Beethoven extrem kurzen Zeit von nur zwei Monaten in einem Zuge entstanden.[3] Skizzen dazu sind nicht bekannt, ebenso wenig schriftliche Zeugnisse zu seiner Entstehung. Es war ein ‚Wurf‘, und mit ihm geht Beethoven nicht nur einen erheblichen Schritt weiter als mit den *Leonoren-Ouvertüren*: Mit ihm wird auch ein neues Kapitel in der Geschichte zumindest der Ouvertüre aufgeschlagen.

Warum Beethoven die Tragödie von Collin wählte, läßt sich nur — im positiven Sinne — spekulativ begründen. Das Werk wurde 1802 in Wien erstmals und bis 1805 häufig aufgeführt.[4] Seit 1804 lag es im Druck vor. Mit Heinrich Joseph von Collin (1772—1811), k.u.k. Hofsekretär und „weit bekannter, talentvoller Dichter“ in Wien[5], stand Beethoven, der sich damals intensiv mit weiteren Opernplänen befaßte, wegen mehrerer Libretti in Kontakt (u.a. wegen eines *Macbeth*-Textes). Den Shakespeareschen *Coriolan* hat Beethoven nicht gekannt.[6] Und im übrigen bietet die von Shakespeare völlig unabhängige Fassung des Coriolan-Stoffes durch Collin geradezu Beethovensche Züge: den Konflikt von Ethos und subjektiver Unzulänglichkeit. Anders aber als wir es sonst von Beethoven gewöhnt sein mögen, führt die Auseinandersetzung nicht zum Sieg, sondern zum Untergang des Helden. Und genau dieser Konflikt ist es, den Beethoven zum Sujet oder besser: zur Idee seiner Ouvertüre macht. Und daß sie in c-Moll steht (und auch in c-Moll endet), verweist schon äußerlich auf das Tragische des Stoffes.

Coriolan, Held Roms, aus der Heimat verbannt, weil er sich, ehedem umjubelt und verehrt, über den Willen des Volkes herrisch hinwegsetzte, will voller Trotz und im unheiligen Bund mit den Feinden an der Vaterstadt Rache nehmen. Schon vor den Toren Roms angelangt, sind es zwei liebende und geliebte Frauen, die Mutter und die Gattin des Abtrünnigen, die ihn mit flehentlichem Bitten in Zweifel am eigenen Tun stürzen und zur Umkehr bewegen. Der Held, ausweglos im Konflikt zwischen Vaterlandsliebe und selbstgerechtem Hochmut, scheitert. Er stürzt sich ins eigene Schwert.

Das Drama ist heute vergessen. Aber auch damals, zum Zeitpunkt der Komposition, war es längst vom Spielplan abgesetzt. Warum aber schreibt Beethoven eine

1 H. Chr. Koch, *Musikalisches Lexikon*, Sp. 1131f.
2 Vgl. z. B. G. Weber anläßlich der Rezension von C. M. v. Webers 1. Symphonie in der *AmZ 15* (1813), Sp. 555.
3 Vgl. den *Kritischen Bericht*, S. 5f.
4 Vgl. G. Kinsky / H. Halm, *Das Werk Beethovens*, S. 152.
5 Th. v. Frimmel, *Beethoven-Handbuch*, Bd. I, S. 98.
6 Vgl. ebenda, S. 100.

Ouvertüre zu einer nicht mehr aufgeführten Tragödie? Die Antwort liegt im Werk selbst (siehe weiter unten), ist wohl aber auch aus bemerkenswerten äußeren Umständen abzuleiten. Ungesichert ist, ob die Ouvertüre zu einer (letzten) Aufführung des Dramas Ende April 1807 überhaupt erklang (das dann womöglich nur wegen Beethovens Musik gegeben wurde). Fest steht dagegen, daß sie erstmals im März in einem reinen Konzert erklang. So sicher Beethoven voraussetzen konnte, daß den Zuhörern zum damaligen Zeitpunkt das Drama noch gegenwärtig war, so evident ist auch, daß er eine gemeinsame Aufführung nicht als erforderlich ansah. Aufführungsgeschichtlich ist der *Coriolan* also eine (die erste?) Konzertouvertüre.

Aber selbst die Kenntnis des Stoffes schien Beethoven nicht notwendige Bedingung gewesen zu sein. Hierauf mag ein eigentümlicher Umstand im Autograph verweisen: Die Angabe „Zum Trauerspiel Coriolan" in Beethovens eigenhändiger Überschrift hat er nämlich ebenso eigenhändig und sofort (bei frischer Tinte) wieder ausgewischt, so daß der gültige Titel lapidar lautet: „overtura Composta da L. v. Beethoven".[1] Freilich wird in der Originalausgabe ebenso wie in den Briefen der Hinweis auf Collins Tragödie stets gegeben. Was man aus diesem Befund auch immer schließen mag: Der *Coriolan* ist zwar, im Blick auf Tradition und Konzeption, eine Ouvertüre, aber sie eröffnet nichts mehr, jedenfalls kein Drama. Und sie ist ohne dessen Kenntnis aus sich allein nicht nur aufführbar (wie z.B. die *Figaro-Ouvertüre*), sondern in wesentlichen Zügen des Sujets auch unmittelbar verständlich. Schon Ernst Theodor Amadeus Hoffmann stellte in seiner Rezension von 1812 fest, daß „die Composition ganz dazu geeignet" ist, „die bestimmte Idee zu erwecken: eine grosse, tragische Begebenheit werde der Inhalt des folgenden Stücks seyn. Ohne den Comödienzettel [mit Inhaltsangabe der Handlung] gelesen zu haben, kann niemand etwas anderes erwarten" als ein „höheres Trauerspiel, in welchem Helden auftreten und untergehen".[2]

Der Titel einer Handlung, die ursprünglich Ausgangspunkt und Anregung für die Musik war, macht nur das musikalische Geschehen ‚konkret'. Die der Musik eingestaltete „bestimmte Idee" ist und wird durch ihn sprachlich benennbar und bildlicher Vorstellung zugänglich. Anlage, Charakter und Ausdruck der Musik sind zugleich so beschaffen, daß sie nach verbaler Konkretion verlangen, stärker noch als die *Pastorale* und erst recht als die anderen Symphonien Beethovens. Das hört man — vor aller Erläuterung. Gleichwohl aber wird der musikalische Prozeß nicht abhängig von einer (Bühnen-)Handlung. Vielmehr ist die Musik selbst dramatische Handlung in dem Sinne, daß ihr Ablauf auf der Austragung eines (musikalischen) Konflikts beruht, der in seinen (musikalischen) Themen nicht nur ‚Gestalt' gewinnt, sondern auch durch sie bestimmt wird. In dieser allgemeinen Formulierung steckt sowohl die Sinngebung eines rein musikalischen Formverlaufs als auch die Voraussetzung für seine bildhaft konkrete ‚Besetzung'. Dies freilich erschließt sich erst durch die genauere Untersuchung, die interpretierende Analyse des Werkes, die hier allerdings nur an exemplarischen Ausschnitten durchgeführt werden kann.

Wenn Beethoven sich in der 2. und 3. *Leonoren-Ouvertüre* mit der dramatischen Nutzung und sinnstiftenden Bedeutung der Sonatensatzform auseinandergesetzt

1 Vgl. den *Kritischen Bericht*.
2 E. Th. A. Hoffmann, Rezension des *Coriolan* in: *AmZ* 14 (1812), Sp. 522.

hatte, so scheint dies im *Coriolan* eine besondere Lösung gefunden zu haben. Unzweifelhaft sind im Konflikt der Themen, in ihrer Tonartenanordnung sowie in ihrer Zusammenfassung zu einer abgegrenzten Exposition (bis T. 118) wesentliche Momente der Sonatensatzform zu erkennen. Den Anfang bildet ein Abschnitt, der wie eine langsame Einleitung klingt, ohne sich als solche bestimmen und damit aus der (Haupt-)Form ausgrenzen zu lassen. Sie ist musikalische Eröffnung (z.B. offene Kadenz), die auf ein Thema hinführt, das wie der Beginn des Hauptsatzes anhebt (langsames — schnelles Aktionstempo, T. 15), und ist doch schon dessen erster Teil (gleicher Grundschlag; vgl. die Tuttischläge der *Eroica*). Auf das Thema wird nicht zugeführt, es hat vielmehr seinen bezeichnenden Auftritt: herrische Geste aus schneidendem, langgezogenem Streicherunisono und auffahrendem, abgerissenem Tuttischlag, dreimal, dazwischen Totenstille. Dann setzt Bewegung ein, eine unbeholfen-drängende Bewegung, so scheint es, zu ‚falscher', willkürlicher (Takt-)Zeit anhaltend, abrupt abbrechend (T. 20) und metrisch unklar geordnet, zugleich in schmerzlich-ruhelosem Ton (verminderte Quintsprünge, pochende Seuzfervorhalte und kleine obere Wechselnoten, insgesamt aufwärtsführend, crescendo, auf gespannter Dominante endend). Die Einheit wird im Sinne klassischer Paarigkeit zwar wiederholt, jedoch nach dem unheimlichen Schweigen der Generalpause gänzlich unvorhersehbar in die noch dunklere Tonart b-Moll verrückt. Dann aber wandelt sich der Tonfall allmählich. Zunächst greift die Bewegung die letzten Takte wieder auf (T. 29), mündet aber nach unruhig-treibenden Synkopierungen und gleichsam schwankendem Stadium der Wiederholung des Wechselnotenmotivs (as/f—g/g in Hörnern und Bässen, T. 32) in eine nach solchem Anfang fast sehnsuchtsvolle Tuttipassage (zunächst Sextakkordketten, T. 34, dann Weitung durch Gegenbewegung und chromatischer Anstieg, T. 36). An ihrem Höhepunkt erwartet man die Lösung der Spannung. Freilich fuhr bis auf die hohen Streicher das ganze Orchester immer wieder mit harsch abgesetzten Akkorden hinein. Und so bringt der Höhepunkt keine erlösende, sondern den Ausbruch einer erneuten, auftrumpfend-herrischen Geste (T. 40) mit verminderten Akkorden, die ihrerseits unaufgelöst bleiben. Motivisch ist dies die Zusammenziehung des Eröffnungs- und des Unruhemotivs (aus T. 15), also ein kompositorischer Kunstgriff thematischer Höhepunktgestaltung. Formal ist dies die Stelle der Wende zur parallelen Durtonart der Exposition. Und im Blick auf den musikalischen Prozeß ist die größte Öffnung im bisherigen Satzverlauf erreicht. Nirgendwo war das Thema eigentlich zu Ende, stets mündete der Prozeß in einen neuen (freilich motivisch vermittelten) Ansatz mit zunehmender Bewegung. Im Blick auf das Sujet schließlich hörten wir verschiedene Seiten, verschiedene Äußerungsformen des Titelhelden: herrisch, ruhelos, düster, aber auch schmerzlich-suchend.

Aus dem Höhepunktabschnitt und dem chromatischen Abstieg der dissonierenden Klänge löst sich als Oberstimme die schon vielfach gehörte kleine Wechselnote in seufzerartigem, klagendem Sehnsuchtston und verharrt, im ‚Disput' mit dem kontrastierenden Unruhemotiv, in Wiederholung. Was daraus nun hervorgeht, ist die langersehnte Spannungslösung: Einmünden in weiche, strömende Kantilene. Formal ist es der Seitensatz, der nun einsetzt: lyrisch-sangliche Oberstimmenmelodik, mit typischen Begleitfiguren unterlegt, metrisch einfach gegliedert, Dur: Ausdruck eines runden, schönen, ja schwärmerischen Tons (Beginn auf der aus dunklem Moll aufgehellten Dur-Terz, Dreiklangsmelodik, langer Legatobogen, emphatischer Oktavsprung usw.). Der Themenkopf erweist sich als die Dur-Version der Seuzferbildungen zuvor, die wiederum Grundbestand des Hauptthemas sind (T. 52f.: g—as—g; T. 46: f—ges—f). Zweimal wird die fragend-offene Viertakteinheit durch eine schwelgerisch ‚aufgehende' Instrumentierung gesteigert[1], beim letzten Mal in einer noch weiter ausholenden, emphatischen Modulationswendung. Wir hören die Innigkeit flehender Bitten, den leidenschaftlich-mitreißenden Gesang der Frauen. Und der ganze dreigliedrige Satz wird seinerseits zweimal wiederholt, durch Kürzung um jeweils einen Teil sowie den stufenweisen Tonartenanstieg gesteigert (f-Moll T. 67, g-Moll T. 72) und doch durch seine Wendung nach Moll getrübt, um schließlich — in den Kürzungen vorbereitet — ganz zu verstummen. Wir sind in g-Moll, der Molldominante der Grundtonart, angelangt, und die Überleitung zum Schlußsatz folgt (T. 78).

Es sind die bekannten unruhig-treibenden Synkopierungen des Übergangs, die auch hier die Steigerung zum Höhepunkt tragen. Und er folgt als Ausbruch leidenschaftlich-drängender Insistenz (wiederholte, dominantische Klangpendel, erneut auf ‚falscher' Zählzeit endend, aufsteigende Modulation, volle Kraft des Orchesters, T. 84) und anschließend eckiger, unwirsch dreinfahrender Tuttischläge (in bekannter synkopischer Taktverschiebung mit gedehnter Vorhaltsbildung der oberen kleinen Wechselnote auf ‚falscher' Zählzeit). Unnachgiebigkeit des Hauptthemas, Unerbittlichkeit der Haltung der ‚Hauptfigur' in Musik und Drama war es, die den Gesang verstummen ließ.

Den Schlußsatz (T. 102) bildet ein merkwürdig schwankendes, zusammengesetztes Thema: oberstimmenbetont mit einer klagenden Arpeggio-Begleitung (Molldreiklang mit oberer kleiner Wechselnote), aber mit abgerissen punktierter Hauptstimme und stechend-schmerzlichen Dissonanzen zur Begleitung, ebenfalls aus dem Wechselnotenmotiv gebildet (T. 102, 1. Vl.: es—d, zugleich Bratschen und Celli: d—es, etc.), durchsetzt von unwirschen, gleichsam rechthaberischen (dominantisch kadenzierenden) Tuttiakkorden. Es ist, als ob Zweifeln und Zaudern, das sich auch durch abrupte Gebärden nicht ausräumen läßt, die Oberhand gewönnen. So endet in großer Steigerung die Exposition (mit deutlicher Schlußbildung, gleichwohl unmittelbarem Anschluß ans Folgende).

Rein musikalisch erweisen sich Seiten- und Schlußsatz als strukturell und motivisch-thematisch ‚begründete' Konsequenz des komplexen Hauptsatzes. So erkennen wir die gesamte Exposition als Prozeß vielschichtigen Öffnens, der zu einem lyrisch-sanglichen Mittelteil und zu einem zusammenfassenden Schluß führt. Die motivische ‚Trägerschicht' des Verlaufs ist dabei eines der besten Beispiele der für Beethoven so typischen „kontrastierenden Ableitung". Durch dieses Satzprinzip werden die Themen in ihrer Gegensätzlichkeit verbunden und der Prozeß zwischen ihnen als ihre Entwicklung legitimiert. Selbst das erste Thema muß nicht gesetzt werden: Hier jedenfalls ‚inszenierte' es sich selbst. — Im Blick auf das Sujet hören wir in der Exposition das Gegenüber des herrischen, unruhig-suchenden Helden und seine Gegenmacht: die liebenden, flehenden Frauen sowie das Nebeneinander schroffen Drängens und zaudernden Schwankens. Und im Blick auf die Idee des

1 Auf Erläuterung der im ganzen Werk eigentümlich archaischen Instrumentierung muß hier verzichtet werden.

Werkes wird die Bitte der Frauen (der Seitensatz) die Konsequenz aus Charakter und Tat des Titelhelden (des Hauptthemas). Bei solcher Art muß es so kommen, wie es kommt, und der flehentliche Gesang, motivisch und im Satzprozeß direkt aus dem Hauptthema abgeleitet, steigt zugleich aus der eigenen Brust, rührt von innen und kann auch deshalb nur in Zweifel stürzen und damit seine — letztlich tragische — Wirkung tun. Das ist großartig, subtil und zugleich ungemein komplex ausgeschöpfte musikalische Form, Eingestaltung einer ‚Handlung', die sich als Konkretion rein musikalischen Sinns erweist.

So geht es mit dem ganzen Werk, das wir hier nur noch aus weiterer Perspektive betrachten können. Der unmittelbar aus dem Schlußsatz hervorgehende Teil (T. 118) ist dessen Fortführung, nicht aber eigentlich eine Durchführung. Er besteht überhaupt nur aus dem schwankenden, stechend dissonierenden Schlußsatzmotiv, eingebunden in einen allerdings typisch mittelteilartigen Modulationsgang von g-Moll nach schließlich f-Moll über zweimaligem, gleichförmig wiederholtem Baßabstieg (T. 136 u. T. 144). Es ist, als ‚arbeite es', in brütender, lastender Stimmung, die etwas hervorzubringen sucht und schließlich in großer Kraftanstrengung auch etwas hervorbringt: das herrische Thema vom Werkbeginn (T. 152). Der Abschnitt ist Mündung, jedoch nicht auf entspannter Tonika, sondern auf ihrer Subdominante f-Moll. Die Hauptfigur (das Hauptthema) macht Schluß mit dem treibenden Prozeß zuvor und ist zugleich ihr Resultat. Was wir hören, ist aber eine auf nur 16 Takte zusammengedrängte Variante des Hauptthemas. Und sofort bricht, noch deutlicher als früher unmittelbar aus ihm hervorgehend, die klagende Überleitung aus und sinkt in den schwärmerischen Ton des erlösendenden Seitensatzes — in C-Dur. Nun wird klar, warum das Hauptthema nicht in der Grundtonart stand: Erst hier, und zwar in ihrer strahlenden Dur-Variante kann und soll sie und mit ihr das Ziel erreicht werden. Absichtsvoll kommt die Erlösung von der Mollsubdominante her, nicht dominantisch-‚herrschend' also, sondern im Gegenteil ‚beherrscht'.[1] Tragische Ausweglosigkeit bahnt sich an, in der der Held (das Hauptthema), von dem alles seinen Ausgang nahm, zum Beherrschten wird (die Reprisen-Variante ist rückblickend durchführungsartiges Themenkonzentrat).

So verläuft der Seitensatz (T. 178) wie in der Exposition bis hinein in den zögerlichen Epilog (T. 230) und zu seinem plötzlichen Abbruch (T. 240). Und wiederum erklingt, als Auslöser des Abbruchs, der schöne Gesang der Frauen (des Seitensatzes) in C-Dur. Dieses Thema ist es, das den Prozeß gewendet hat (der Seitensatz hat stets diese — formale — Funktion der Wende im harmonischen Prozeß der Form), dieses Flehen ist es, das den Abtrünnigen zur Umkehr bewegt — und damit in den Tod treibt (die Molltrübung, T. 248, scheint das Schmerzliche des Endes schon vorauszunehmen). Und als sollte nochmals gezeigt werden, von wem und wodurch alles seinen Ausgang nahm, zielt eine große Steigerung (in übrigens gefestigter Punktierung) wiederum auf den Anfang (T. 275): Es war das Herrische, das zur Katastrophe, zum eigenen Ende führte. Und mit ersterbendem Unruhe-(Coriolan-)Motiv schließt der Satz.

---

1 Subdominantische Verbindungen wurden und werden oft als inaktiv, hinnehmend, dominantische als aktiv, beherrschend eingesetzt und aufgefaßt (man denke z.B. an die sakrale Wirkung plagaler Schlüsse).

Der Held scheitert, — der Musik aber ist ein neues Terrain eröffnet: die programmatische Konzertouvertüre, wie man sie später nennen wird. Sie ist die bildhafte Konkretion einer Idee durch reine musikalische Form und die ‚Erfüllung' musikalischer Handlung durch eine imaginierte. Das Bühnenstück brauchen wir dazu nicht, nur die Kenntnis von Titel und Stoff, der später nicht einmal mehr der einer Bühnenhandlung sein muß, sondern, wie etwa in Mendelssohns *Hebriden-Ouvertüre*, auch ein ‚Naturschauspiel' sein kann. Es gibt vielleicht tatsächlich, wie Adolf Bernhard Marx meinte, „kein Werk, das Beethovens männliche und künstlerische Energie in engem Raum so voll bewährte, wie der Koriolan".[1] Mit diesem Werk werden wir Zeuge eines Ereignisses von epochaler Bedeutung: Eine aus ihrer Funktion gelöste Ouvertüre „eröffnet" die Geschichte der programmatischen Instrumentalmusik im 19. Jahrhundert.

Wolfram Steinbeck

Klaviertrio Es-Dur
op. 63 (→ op. 4)

Cellosonate Es-Dur
op. 64 (→ op. 3)

Szene und Arie „Ah! perfido" für Sopran und Orchester
op. 65

GEDICHT: 1. Teil: P. Metastasio; 2. Teil: Autor unbekannt.
ENTSTEHUNGSZEIT: 1796.
ERSTAUFFÜHRUNG: am 21. November 1796 in Leipzig.
SKIZZEN: British Library London, Add. Ms 29801, Kafka Sketchbook; Bibliothèque Nationale Paris, Ms 79.
AUTOGRAPH: verschollen; ein Bruchstück in der Bibliothèque Nationale Paris.
ERSTDRUCK UND WIDMUNG: Leipzig 1805 (Hoffmeister & Kühnel), der Gräfin Clari gewidmet.
GESAMTAUSGABE: Alte Gesamtausgabe: Nr. 210 = Serie 22 Nr. 1.

---

1 A. B. Marx, *Ludwig van Beethoven*, Bd. II (^{6}1902), S. 55.

Angesichts der offensichtlichen Schwierigkeiten, die Beethoven mit dramatischer Musik hatte — am deutlichsten lassen sie sich an der verwickelten Entstehungsgeschichte des *Fidelio* ablesen — erregt jede Komposition besondere Aufmerksamkeit, die ihm opernhafte Verfahren oder bestimmte Ausdruckscharaktere, die vornehmlich mit diesem Genre verbunden sind, abverlangte. Zweifellos hatte Beethoven, als er *Fidelio* komponierte, beträchtliche Probleme damit, seine dramatischen Absichten den besonderen Beschränkungen der Oper anzupassen; zugleich ist seine offensichtliche Abneigung gegen die Stoffe und Inhalte der meisten Libretti gut dokumentiert und bezeugt. Betrachtet man Beethovens Werk als ganzes, so verwundert es, daß er so wenig opernhafte Werke komponierte; die Kenntnis seiner Schriften und dessen, was er Freunden und Kollegen gegenüber äußerte, hat jedoch den gegenteiligen Effekt. Verwunderlich erscheint demnach vielmehr, daß Beethoven sogar eine Vertonung des *Leonore*-Librettos in Angriff nahm, abgesehen davon, daß er so große körperliche und geistige Energien auf dessen verschiedene Revisionen verwandte.

Doch Beethovens größtes Problem im Zusammenhang mit der Oper hing letztlich nicht mit den in ihr behandelten Gefühlen zusammen, sondern eher mit dem erzählenden Rahmen, in den diese eingefaßt wurden — der Handlung des Librettos also —, und mit den Beschränkungen, die zeitgenössische dramatische Konventionen dem Bühnengeschehen auferlegten. Die einzelnen Emotionen, die in der Oper zum Tragen kamen — Liebe, Haß, Leidenschaft, Rache, Freundschaft, Verrat —, reizten Beethoven durchaus. Sobald er diese unabhängig behandeln konnte, gelang es ihm zumeist hervorragend; und es überrascht daher nicht, daß seine kurzen dramatischen Stücke, so wenig Beachtung sie in den letzten Jahren auch gefunden haben, zu ihrer Zeit offenbar sehr wirkungsvoll und beliebt waren. Hier finden wir die grundlegende Kompositionsweise des Opernkomponisten Beethoven, unverfälscht durch die Anpassung an dramatische Konventionen, die ihm in größer angelegten Werken so viele Probleme bereitete. Jene Konzentration des Ausdrucks auf kleinem Raum ist sicherlich ein hervorstechendes Merkmal der Konzertarie „Ah! perfido“, einer Komposition, die zugleich verdeutlicht, wieviel Beethoven seinen Vorgängern in der Operntradition verdankt.

Der Text des Anfangsteils zu „Ah! perfido“ ist weitgehend aus der dritten Szene des dritten Aktes aus Metastasios Libretto *Achille in Sciro* entnommen; allerdings ist der Autor des Textes der Arie unbekannt. Es geht um ein allgegenwärtiges Opernthema: die verratene Liebe. (In diesem Zusammenhang haben viele Kommentatoren auf die Ironie hingewiesen, die die ersten Aufführungen der Arie begleitet. Während die erste Aufführung von der umjubelten Madame Dussek gesungen wurde, widmete Beethoven die Komposition bei ihrer Veröffentlichung im Jahre 1805 der Gräfin Clari, einer bekannten Amateursängerin, die ebenso wie Madame Dussek Objekt amouröser Aufmerksamkeiten durch den Grafen Christian Clam-Gallas gewesen war.)

Die Entdeckung von Emotionen, wie sie der Text beschreibt, ist für dieses Thema absolut typisch. Wir beginnen mit der Verbannung des treulosen Geliebten — „Va, scellerato!“ —, dabei wird die Rache der Götter auf ihn herabgerufen — „congiureranno a gara tutti a punirti!“ Es dauert allerdings nicht lange, bis die verschmähte Geliebte der Wunsch nach Versöhnung überkommt. Sie bittet jetzt darum, daß ihr früherer Geliebter verschont werden möge — „Fermate, vindici Dei!“ — und daß die Strafe sie an seiner Stelle treffen möge, denn ohne ihn erscheint ihr das Leben nicht lebenswert — „Per lui vivea, voglio morir per lui!“ Mit diesen Worten endet die einleitende Szene, und die Arie beginnt. „Per pietà, non dirmi addio, di te priva che farò?“, singt sie, „Tu lo sai, bell'idol mio, io d'affanno morirò“. Nachdem sie sich jedoch eine Weile in diesen Gefühlen ergangen hat, ändert sich ihr Duktus und wird, verbunden mit einem Wechsel in Tempo und musikalischem Ausdruck, noch anklagender: „Ah, crudel! crudel! Tu vuoi ch'io mora! Tu non hai pietà di me?“ Warum, fragt sie, haben selbst in dieser quälenden Situation die Götter kein Erbarmen mit ihr? „Dite voi, se in tanto affanno non son degna di pietà?“

Obgleich die beiden Textteile, die in dieser Reihenfolge die Szene und die Arie bilden, offenbar das Werk zweier verschiedener Autoren sind, passen sie nahtlos zusammen. Ein logischer Gedankengang zieht sich vom Beginn des Rezitativs zum Ende der Arie, und auf grausame Weise unausweichlich erscheint die Gefühlslage, die schließlich erreicht wird. Das ist insofern wichtig, als Beethovens musikalische Struktur deutlich darauf ausgerichtet ist, diese textliche Kontinuität zu unterstreichen und zu verstärken. Oberflächlich betrachtet, folgt Beethoven einfach dem üblichen Muster Szene—Arie; die detaillierte Untersuchung aber zeigt, wie er sich nach feinsten Nuancen des Textes richtet.

Am deutlichsten wird dies in der Eröffnungsszene; der kompositorische Stil eines begleiteten Rezitativs legt hier eine enge Anlehnung an den Text und seine Inhalte schon selbst nahe. Nehmen wir zum Beispiel die beiden Zeilen „Ove s'intese tirannia più crudel? Va, scellerato!“ Die erste Hälfte dieser Phrase bewegt sich langsam, mit Sechzehnteln in Streichern und Fagott, die sich allmählich aufwärts schieben und eine Art Fragemotiv bilden. Plötzlich ändert sich das Tempo bei „Va, scellerato!“; mit entschiedenen vollen Akkorden wird der neue Geist der Entschlossenheit unterstrichen, der nun erreicht ist. Ebenso schnell schlägt die Stimmung dann wieder um; düstere Streichertremoli begleiten den Vortrag einer harsch formulierten Drohung: „Se v'è giustizia in Ciel, se v'è pietà, congiureranno a gara tutti a punirti!“

Diese einfühlsame Interpretation des Textes war natürlich nicht neuartig. Im Grunde befolgt Beethoven hier hauptsächlich die Konventionen und formalen Vorgaben des begleiteten Rezitativs, wie sie durch die Werke Glucks, Mozarts und anderer überliefert sind. Es gibt allerdings einige eindrucks- und wirkungsvolle Details, nicht zuletzt die harmonische Verbindung zwischen dem begleiteten Rezitativ und der folgenden Arie. Indem es der Bewegungsrichtung des „voglio morir per lui!“ folgt, spielt das Orchester die übliche perfekte Kadenz. Sie steht jedoch in g-Moll, während die zentrale Tonart der Arie Es-Dur ist — ein harmonischer Wechsel, der über den Ton g erreicht wird: G ist zugleich der höchste Ton im Streicherakkord am Ende des Rezitativs und die erste Note des Auftaktes der Arie. Die generelle Wirkung dieser Modulation ist die eines „Sinkens“ der Musik in eine andere Tonalität hinein, die im Vergleich zum Vorangegangenen sehr warm klingt, angemessen der neuen versöhnlichen Stimmung, die der Text ausdrückt.

Die folgende Arie entspricht einem konventionellen zweiteiligen Schema. Ihr erster Abschnitt, in Es-Dur, hat einen dreiteiligen Aufbau und bildet damit gewissermaßen insofern eine „Arie innerhalb der Arie“, als dieser Abschnitt — sowohl von seinem poetischen Inhalt her als auch durch seine musikalische Form — auch völlig allein stehen könnte. Es folgt ein schneller Abschnitt, dessen musikalisches Material sich von zwei Grundideen — einer in c-Moll und einer in Es-Dur — ableitet. Jene zweite Idee, zu der die Worte „Dite voi, se in tanto affanno non son degna di pietá?“ erklingen, erhält ganz am Ende der Komposition besondere Bedeutung. Nachdem sie sich in ihr Schicksal ergeben hat, kann die Sängerin die Frage nicht zurückhalten, warum die Götter sie so sehr zu hassen scheinen. Sie stellt diese Frage mehrmals, doch nie so wirkungsvoll wie gerade ein paar Takte vor dem Ende, wenn das Allegro assai durch die Interpolation des zweiten Themas des Abschnitts, diesmal im Adagio-Tempo, in seinem Verlauf unterbrochen wird. Flehentlich ruft die Sängerin die Götter an, aber auch diese Bitte scheint wie die vorigen ungehört zu verhallen und wird durch das wiedereinsetzende Allegro-Tempo fortgefegt. Wenn sich sodann ein klangvolles Es-Dur festigt und die Sängerin ihre letzte Phrase beendet, stellt sich allerdings unweigerlich das Gefühl ein, daß sie es ist, die schließlich aus dem Ganzen als Siegerin hervorgeht, da sie gelernt hat, ihre Gefühle der Zurückweisung und Verzweiflung zu überwinden.

„Ah! perfido“ ist nicht so sehr aufgrund seiner Originalität bedeutsam — wenngleich der Genius des Komponisten sich in einigen kleinen Details zeigt, ist es doch ein Werk, das in seiner Wirkung großenteils auf die Nachahmung früherer Modelle zurückgreift —, sondern eher dadurch, daß es uns über Beethovens Umgang mit der Operntradition Aufschluß gibt und überdies als ein Lehrstück dramatischen Komponierens angesehen werden kann. Verschiedene „Phantome“ der Operntradition lassen ihre Anwesenheit fühlen. Im begleiteten Rezitativ ist das Modell des Gluckschen Reformstils deutlich zu erkennen, sowohl in seiner ursprünglichen Form als auch in der Reflexion durch spätere Komponisten; im langsamen Teil der folgenden Arie wird der Geist der Mozartschen Melodieführung übernommen — mit einem Thema, dessen Großzügigkeit und lyrischer Ausdruck beim frühen Beethoven unübertroffen sind. Charakteristisch für Mozarts Komponieren ist auch die sensible Behandlung der Bläser in ihren genau berechneten Einwürfen zwischen den Phrasen der Gesangsmelodie.

Von gleicher Wichtigkeit ist allerdings die Rolle, die „Ah! perfido“ — zusammen mit einigen anderen Werken — als Vorversuch für Beethovens meisterhafte Oper spielt. Schon lange, bevor er sich der Komposition der *Leonore* zuwandte, war Beethoven natürlich mit dem Gedanken beschäftigt, eine Oper zu schreiben; und er unternahm mehrere gut dokumentierte gescheiterte Versuche dazu. Vielleicht an keiner anderen Stelle aber verwandelte er derart erfolgreich musikalische Expressivität — und Konvention — in dramatisch kraftvollen Ausdruck. *Leonore* zeigt im Grunde, wie Beethoven jenem schwierigen, mancher würde sagen: unlösbaren Problem begegnete, innerhalb einer vollständigen Oper einzelne dramatische Momente zu einem kohärenten und überzeugenden Ganzen zu verbinden. Wie jedoch „Ah! perfido“ so anschaulich verdeutlicht, hatte Beethoven keinerlei Schwierigkeiten, in einem überschaubaren, kleineren Rahmen dramatisch zu komponieren.

Ewan West
Übersetzung: Lydia Jeschke

12 Variationen über Mozarts „Ein Mädchen oder Weibchen" F-Dur für Klavier und Cello op. 66

ENTSTEHUNGSZEIT: vermutlich 1796 (vgl. J. Kerman, *Ludwig van Beethoven. Autograph Miscellany*, Bd. II, S. 281).
ERSTAUFFÜHRUNG: unbekannt.
SKIZZEN: einige Skizzen in der British Library London, Add. Ms 29801, Kafka Sketchbook (Faksimile und Übertragung siehe J. Kerman, *Ludwig van Beethoven. Autograph Miscellany*, Bd. I, fol. 71r und Bd. II, S. 66—67).
AUTOGRAPH: unbekannt.
ERSTDRUCK: Wien 1798 (J. Traeg).
GESAMTAUSGABEN: Alte Gesamtausgabe: Nr. 111 = Serie 13 Nr. 7; Neue Gesamtausgabe: Abt. V, Bd. 3.

Über die *Zauberflöten*-Variationen *Ein Mädchen oder Weibchen* bemerkt Hans Mersmann, daß hier das Thema nicht so sehr als „musikalischer Kern", sondern als immer neue „Quelle für Farbe und Stimmung" hinter jeder Variation stehe[1]; die Gestalt Papagenos bleibe sichtbar. So treffend diese Beschreibung ist, ihre Gültigkeit scheint sich dennoch auf die erste Hälfte des Zyklus, die Variationen 1—6, zu beschränken, während die zweite Hälfte gerade durch den Kontrast der unterschiedlichen Charaktere der Variationen bestimmt wird. Eine besondere Stellung innerhalb dieser formalen Anlage kommt der in der Mitte stehenden 7. Variation zu, in der, so scheint es, geradezu die Vermeidung des Charakteristischen angestrebt wurde.

In der 1. Variation mag man einen Anklang an die Arie Papagenos in der Nachahmung des Glockenspiels erkennen, welches Papageno in der Oper während seines Gesangs spielt; die Liedmelodie wird in ein exakt und ohne Unterbrechung ablaufendes, (fast durchgängig) einstimmiges Figurenwerk im Klavier-Diskant aufgelöst (Vcl. tacet), das wie ein Nachspiel zum Thema die Melodietöne der Arie umspielt und insofern das Glöckchen-Nachspiel in der Oper nachzuahmen scheint. Doch hinter der nur scheinbaren Gleichförmigkeit der Figuren verbirgt sich auf weitaus raffiniertere Weise eine Charakterisierung Papagenos: In Takt 22—24 (vgl. auch T. 26—28 und 31) wird gleich zweimal das Figurations-Modell und damit auch das Metrum durchbrochen, es klingt, als ob nach dem zu lang geratenen Aufstieg in Takt 22 versucht wird, die verlorene Zeit im folgenden Takt einfach durch Verdopplung der Schnelligkeit wieder einzuholen; es entsteht der Eindruck des Komischen, des Rührend-Naiven. Genauer betrachtet geschieht folgendes: Das in den ersten beiden Takten der Variation aufgestellte Figurierungs-Modell plaziert den Melodieton jeweils auf dem durch Sechzehntel-Auftakt erreichten und baßbegleiteten ersten und zweiten Viertel (T. 17) bzw. ersten Viertel (T. 18);

1 H. Mersmann, *Führer durch den Konzertsaal. Die Kammermusik*, Bd. II, S. 13.

1

zwischen diese melodietragenden Figuren, die zugleich auch Träger des Harmoniewechsels sind, ist jeweils eine weitere Figur (bzw. in T. 18 drei) gestellt, ohne jedoch Melodieträger zu sein. Nun wird zunächst Takt 22 um zwei nicht melodietragende Figuren gedehnt (bis T. 23 3. Sechzehntel), um dann drei melodietragende Figuren hintereinander, ohne Zwischenfiguren, folgen zu lassen (T. 23 4. Sechzehntel bis T. 24 1. Sechzehntel).

2

Es entstehen also anstelle der 2/4-Takte ein 3/4- und ein 1/4-Takt, ab Takt 24 findet sich dann wieder das ursprüngliche Modell. Noch eine zusätzliche Komplikation ist Ursache für den Eindruck dieser Passage — es ist, als ginge die hinter der Figuration verborgene Melodie erst zu langsam, dann zu schnell und dann wiederum zu langsam weiter: In der zweiten Hälfte des Taktes 23 (siehe Notenbeispiel 2) verbirgt sich jetzt hinter jeder der Figuren ein Harmoniewechsel, aber nur jede zweite ist baßbegleitet, so daß die Figur a''—b'' einerseits als Zwischenfigur gehört wird, andererseits — wegen des ihr innewohnenden Harmoniewechsels — als melodietragende Figur. Da sich ab Takt 23, zweites Viertel, sozusagen ein neues Modell etabliert hat, wirkt der melodische Fortgang ab Takt 24 — der wieder zum Modell des Anfangs zurückkehrt — dagegen als zu langsam. Die Erwartung des Hörers wird also gleichzeitig getäuscht und bestätigt; ermöglicht wird dies durch die Vieldeutigkeit des nur scheinbar Gleichen. Die Bedeutung, die den Partikeln des musikalischen Satzes zukommt, wird im zeitlichen Ablauf verändert, und die Art und Weise, in der diese Änderung hier vollzogen wird, bewirkt die spezifische Charakterisierung der Wesensart Papagenos.

Auf ganz andere Weise gelangt das Wesen Papagenos in der folgenden Variation zur Darstellung. Diese ist durch einen starken Kontrast geprägt, der durch die unvermittelte Gegenüberstellung zweier verschiedener Arten des musikalischen Satzes zustandekommt: Im ersten Teil liegt ein strikt dreistimmiger kontrapunktischer Satz vor, im zweiten Teil ein homophoner Satz aus Oberstimme mit Begleitung. Setzt man diese Zweiteilung mit dem Thema des Zyklus bzw. mit der Opernarie in Beziehung, so stellt sich heraus, daß die unterschiedlichen Satzweisen in der Variation als Bedeutungsträger eingesetzt werden; die beiden Teile entsprechen nämlich der Andante—Allegro-Gliederung der Opernarie und stehen dort bereits für inhaltlich Verschiedenes. Denkt man an die erste Strophe (und im Hinblick auf diese könnte die Konzeption entstanden sein), so wird im Andante-Teil — sozusagen in moderatem Tempo — ein Wunsch geäußert („Ein Mädchen oder Weibchen wünscht Papageno sich"), im Allegro-Teil dagegen wird die vorweggenommene Wunscherfüllung — sozusagen in freudigem Allegro — ausgemalt („Dann schmeckte mir...", „dann könnt' ich..."). Bei Beethoven werden Wunsch und Wunschphantasie in übertriebener Verzerrung dargestellt und charakterisieren somit in komischer Weise den, der sie äußert: Die kontrapunktisch und chromatisch sich verstrickenden Linien und bedeutungsschweren Sforzati sind musikalischer Ausdruck für die nun von eifrig bemühtem (aber vergeblichem) Ernst geprägte Äußerung des Wunsches, die spielerisch-konzertant verschnörkelten Passagen des Cellos (Takt 42f. bringt gar eine virtuose Kadenz auf dem Quartsextakkord) sind musikalischer Ausdruck für die darauffolgende, nun von kindlich-alberner Naivität geprägte Phantasie der Wunscherfüllung.

Diese beiden Charakterisierungen Papagenos werden übrigens dann — so ließe sich im Anschluß an das Gesagte deuten — in der 4. Variation in ständigem Wechsel dargestellt. In dieser Variation wird die Glockenspiel-Nachahmung noch einmal in der Figurierung der 1. Variation eingesetzt, nun allerdings — wie auch in der Arie — in stetem Wechsel mit dem Gesang.[1]

Auf tonmalerische Nachahmung des Glockenspiels zielt im übrigen auch die glitzernde Figuration der 3. und 6. Variation; ob in der 3. Variation die in Synkopen sich ausdrückende Melodie an das Stottern des Papageno erinnern soll (vgl. das Finale der Oper), mag dahingestellt bleiben — jedenfalls wird das, was die Melodie in immer neuen, sogar „richtig", das heißt auf betonter Zeit beginnenden Anläufen „sagen" will, durch die „klingelnden" Kaskaden der Figuration zugedeckt. In der 6. Variation gibt es dann nicht einmal mehr eine zugedeckte Melodiestimme: Die Melodietöne sind hier in die Figuration eingegangen, und auch das Cello spielt, bis auf ein paar melodische Bruchstücke, nur noch Figuren.

Wie bereits angedeutet, sind die Variationen der zweiten Hälfte des Zyklus von der Darstellung allgemeinerer Charaktere gekennzeichnet, haben sich also von der charakterisierenden Nachzeichnung des Mozartschen Vorbilds entfernt. So sind die 5. und 8. Variation recht freie, vom Marsch-Charakter geprägte Variationen. Zu letzterer ist im Kafka-Skizzenbuch eine Skizze überliefert[2], die durch ihre Differenz zur Endfassung auf einen strukturellen Aspekt des formalen Gesamtablaufs des Zyklus aufmerksam macht. Die Cellostimme lautet in der Skizze:

3

In der Endfassung dagegen ist die melodische Umspielung des Themas verschwunden und durch eine beliebige Begleitfigurierung ersetzt. Betrachtet man nun die übrigen Skizzen — es handelt sich dabei um die Niederschrift einer Reihe von ein bis zweitaktigen Einfällen —, so zeigt sich, daß überwiegend melodische Figurationsmodelle notiert wurden, die dann jedoch in dem Werk keine Verwendung fan-

---

1 In einer kurzen Skizze zu dieser Variation (vgl. J. Kerman, *Ludwig van Beethoven. Autograph Miscellany,* Bd. II, S. 67) wird die zweistimmige Führung (vgl. Vcl. T. 65ff.) noch bis zum Ende des Vordersatzes weitergeführt.

2 Vgl. ebenda, S. 66.

den. Dort findet sich die Melodievariation (also die ausgezierte Beibehaltung der Melodie des Themas) vorwiegend bei den Papageno charakterisierenden Variationen der ersten Hälfte des Zyklus, während die Variationen der zweiten Hälfte als eher freie Charakter-Variationen zu bezeichnen sind, die sich eines Variationsmotivs bedienen (5., 9. Variation) oder einen musikalischen Charakter zum Ausdruck bringen (z.B. 8. Variation und die Mollvariationen 10 und 11). Die 9. Variation basiert einzig auf dem Thema-Auftakt als Variationsmotiv (und knüpft damit im übrigen an die 1. Variation an), ist also gänzlich motivisch durchkonstruiert. Die 11. Variation ist nur noch Klangentfaltung, vom Thema geblieben ist lediglich das harmonische Gerüst, allerdings nach Moll gefärbt und im Affekt gesteigert.

Zwischen den figurativen, Papageno charakterisierenden und den freieren Charakter-Variationen steht, wie erwähnt, die mittlere 7. Variation, die etwas eigenartig Unspezifisches hat, so als ob die Darstellung eines Charakters geradezu umgangen werde. Der Satz setzt sich zusammen aus einer typischen Begleitstimme (Vcl.), Begleitakkorden und einer melodischen Linie ohne nennenswerte motivische Prägung, die ausgiebigen Gebrauch von Skalenausschnitten und sogar von der ungeformten chromatischen Skala macht und daher gleichsam wie ein Kontrapunkt zu einer (nicht vorhandenen) Hauptstimme klingt. Anders als etwa die 8. oder 10. Variation, deren „musikalische Logik“ immanent ist, ist die 7. Variation sozusagen nicht autonom, sondern Musik über Musik, ihr musikalischer Sinn bestimmt sich ausschließlich aus einer Relation; sie ist Variation von etwas, nämlich eines mitgedachten Themas, gar nicht unbedingt im engeren Sinne des vorliegenden Themas, da kaum spezifische Gestaltungsmerkmale, die aus gerade diesem Thema abgeleitet werden müßten, vorhanden sind. Die 7. Variation ist sozusagen allgemeiner als das Thema, eben da es melodischer oder motivischer Gestalten und damit der individualisierenden Charakterisierung entbehrt. Gerade aufgrund dieser Eigenschaften aber vermag sie die formale Vermittlerrolle zwischen den Variationen des ersten und zweiten Teils einzunehmen. Die Gestaltung der 7. Variation, insbesondere ihr Verhältnis zum Thema, erinnert im übrigen an die der 7. Variation in den *12 Variationen über ein Thema aus Judas Makkabäus* (WoO 45), wenn diese Variation auch dort eine andere formale Funktion innehat.

Die 12. und letzte Variation bietet eine umtaktierte, tänzerische Version des Themas (vgl. die Polacca im Streichtrio op. 8) mit einer Coda, in der, nach einer abenteuerlichen, über mehrere Takte ausgedehnten chromatischen Modulation[1], unschuldig einige Takte des Themas in der Mediante D-Dur erklingen, um dann in einer äußerst kurzen, überraschenden Wendung in die Grundtonart F-Dur zurückzukehren. Doch erinnert nicht die komische Unverhältnismäßigkeit in der Zeiteinteilung der Hin- und dann der Rückmodulation an die oben geschilderten Mittel der Charakterisierung Papagenos in der 1. Variation? Und gerade die das Glockenspiel nachahmenden Figuren der 1. Variation werden in der Coda nach der Rückmodulation wiederaufgenommen (T. 252ff.), allerdings mit einer entscheidenden Veränderung: Aus der lieblichen Auftaktfigur ist eine trotzig-freche Vorhaltsfigur geworden.

Martina Sichardt

---

1 Hierzu schrieb der Rezensent M. der *AmZ* (zit. nach St. Kunze, *Gesammelte Konzertberichte,* S. 92): „Ich mag dergleichen Uebergänge ansehen und anhören, wie ich will, sie sind und bleiben platt, und sind und bleiben es nur desto mehr, je prätensionirter und ankündigender sie seyn sollen.“

5. Symphonie c-Moll op. 67

Entstehungszeit: Die Skizzen entstanden zwischen 1803 und 1805, die Ausarbeitung fällt in die Jahre 1807—1808, die Fertigstellung erfolgte wahrscheinlich im März 1808.

Erstaufführung: am 22. Dezember 1808 in Beethovens Akademie im Theater an der Wien, zusammen mit der 6. Symphonie (*Pastorale*), dem 4. Klavierkonzert op. 58, Teilen der Messe C-Dur op. 86 sowie der Chorfantasie op. 80.

Skizzen: Staatsbibliothek Preußischer Kulturbesitz Berlin, aut. 19e, Wagenerscher Sammelband, Landsberg 10, Pastoralsymphonie-Skizzenbuch, Mendelssohn 20; Deutsche Staatsbibliothek Berlin, Landsberg 9 und Landsberg 12; Biblioteka Jagiellońska Krakau, Landsberg 6, Eroica-Skizzenbuch; Bibliothèque Nationale Paris, Ms 44; Gesellschaft der Musikfreunde Wien, A 37, A 38A und A 59; Skizzenblatt „Un groupement lyonnais" in Lyon; Skizzendoppelblatt in New York, Privatbesitz (vgl. O. E. Albrecht, *Beethoven Autographs in the United States*, S. 3).

Autograph: Staatsbibliothek Preußischer Kulturbesitz Berlin, Mendelssohn 8; Faksimile-Edition: *Beethovens Fünfte Symphonie. Nach der Handschrift im Besitz der Preußischen Staatsbibliothek*, hg. von G. Schünemann, Berlin 1942; von Beethoven als Stichvorlage überprüfte Kopistenabschrift der Partitur (nach A. Tyson, *Notes on Five of Beethoven's Copyists*, von Kopist „D" und nicht, wie bei G. Kinsky / H. Halm, *Das Werk Beethovens*, S. 158 u.ö. angegeben, von Schlemmer) mit autographen Korrekturen sowie mit Korrekturnachträgen fremder Hand gemäß Beethovens brieflich an den Verlag übermittelten Korrekturwünschen (nach Dorfmüller ehemals Breitkopf & Härtel, 1943 vernichtet, einige fotographische Reproduktionen sind im Beethoven-Haus Bonn erhalten); Stimmensatz mit autographen Korrekturen: Gesellschaft der Musikfreunde Wien (eine Abbildung der Cello/Baß-Stimme des 3. Satzes in H. C. R. Landon, *Beethoven*, S. 104f.).

Erstdruck und Widmung: Erstdruck der Stimmen: Leipzig 1809 (Breitkopf & Härtel), vgl. G. Kinsky / H. Halm, *Das Werk Beethovens*, S. 159; Originalausgabe der Partitur: Leipzig 1826 (Breitkopf & Härtel), vgl. ebenda, S. 160 und L. Weinhold, *Die Erst- und Frühdrucke von Beethovens Werken*, S. 218; die 5. Symphonie ist dem Fürsten Franz Joseph v. Lobkowitz und dem Grafen Andreas v. Rasumowsky gewidmet.

Gesamtausgaben: Alte Gesamtausgabe: Nr. 5 = Serie 1 Nr. 5; Neue Gesamtausgabe: Abt. I, Bd. 3.

„Wir werden uns nicht dahin verirren, hier noch erläutern zu wollen, was nur gehört zu werden braucht, um von Allen verstanden zu sein."[1] Für den musikliterarischen Stil seiner Zeit stellt die Phrase, mit der Adolf Bernhard Marx seine Behandlung des Finales von Beethovens 5. Symphonie einleitete, zwar kaum mehr als eine Präteritio dar, auf ihre sinngemäße Wiederholung verzichtete allerdings tatsächlich kaum einer der späteren Kritiker und Kommentatoren gerade dieses Werkes. Selbst Hugo Riemann, eine Kapazität für musikalische Zergliederung, befand, angesichts der vergleichsweise regulären Behandlung von „Sonatenform" und „Modulationsordnung" erübrige sich eine eingehendere Analyse dieser Symphonie[2], und noch George Grove glaubte, Ernst Theodor Amadeus Hoffmanns epochemachende Rezension vom Juli 1810, welche auf neue Weise zeitgemäß poetisierende Kunstkritik in der Erörterung kompositorischer Details zu fundieren suchte[3], mit der Versicherung in Schutz nehmen zu müssen, es handele sich beileibe nicht um eine „mere cold analysis".[4]

Die Absage an die Relevanz technischer Analyse läßt sich für diese Symphonie durchaus positiv begründen und sollte nicht als Resignation vor ihren kompositori-

1 A. B. Marx, *Ludwig van Beethoven,* Bd. II (²1863), S. 66.
2 Vgl. Thayer / Deiters / Riemann, *Ludwig van Beethovens Leben,* Bd. III (²1911), S. 93f.
3 *AmZ* 12 (1809/1810), Sp. 630—642 und 652—659.
4 G. Grove, *Beethoven and his nine symphonies* (²1896), S. 139.

schen Komplexionen mißdeutet werden. Aufgrund des erdrückend beschwerten „moralischen“ Gewichts der Fünften, das sub specie des Erhabenen eine adäquate kunstkritische Bewertung eher unter den Aspekten einer Theorie der Tragödie als unter denen von Tonsatz, Phrasierung und Formbehandlung zu gestatten schien, haftet schon der bloßen „Beobachtung“ kompositionstechnischer Details dieses Werks ein Moment des Inadäquaten an. Die Emphase, mit der die frühzeitig formulierte schaffensbiographische Deutung das Werk als „eine Schicksalstragödie für Weltbühnen. Kampf. Sieg“[1] zunächst ins Allgemeinmenschliche, darauf ins Politische und wenig später dann ins Nationale überhöhte, mündete in jene Scheu vor deren analysierender Betrachtung ein, als würden durch sie geheiligte Kunstbezirke profanisiert.

In der Tat stand überhaupt kaum ein anderes Werk der Instrumentalmusik so sehr im Zentrum öffentlichen Interesses, und kein zweites wurde so weitgehend zum Gegenstand einer welt- und kunstanschaulichen Ideologisierung wie Beethovens Fünfte. Seit ihrem Erscheinen ist sie — im Grunde bis heute — ein Identifikationsobjekt für breiteste Hörerschichten geblieben, und so ließe sich an ihr am ehesten Paul Bekkers These diskutieren, nach der sich an „der“ Beethovenschen Symphonie „eine neue Form der musikalischen Öffentlichkeit“ heranbildete[2], sich gar „die neue Menschheit der Jahrhundertwende zur künstlerischen Form organisierte und ihr damit Gelegenheit gab, sich als gefühlsmäßige Einheit zu erkennen“.[3]

Die ebenso allgemeine wie unmittelbare Verständlichkeit, welche Beethovens Fünfter von Anfang an zugedacht wurde, steht jedoch in eigentümlicher Spannung zu dem ebenfalls als selbstverständlich empfundenen Anspruch, nach dem dieses Werk einen „Höhepunkt nicht blos der Beethoven'schen, sondern überhaupt der Instrumentalmusik bezeichnet“.[4] Als solcher nämlich steht die Fünfte für ein Höchstmaß kompositorischer Meisterschaft, deren Einzelheiten aber zur adäquaten Schätzung des Ganzen gar nicht erfaßt zu werden brauchen. Über die grundsätzlich schwer zu beantwortende Frage hinaus, ob es dem Komponisten in diesem speziellen Fall gelungen sei, die prinzipielle Wertantithetik von Tiefe und Breite einmal aufzuheben, entsteht mithin noch die Schwierigkeit, die eigenartige und höchst individuelle Wirkung gerade dieser Symphonie („über deren Gewalt alle einig sind“[5]) in „beobachtend“ technischer Analyse so zu ergründen, daß der allgemein anerkannte Anspruch höchster kompositorischer Qualität auch dann als gerechtfertigt dasteht, wenn die unmittelbare Verständlichkeit des Ganzen (virtuell für jeden) gar nicht in Frage gestellt wird.

Die einfache Alternative, ob Beethovens Fünfte exemplarisch ein Höchst- oder ein Mindestmaß an kompositorischer Komplexion repräsentiere, ist nicht ohne weitgehende Konsequenzen für die Methodik der Analyse selbst zu entscheiden. Eigenartigerweise scheinen Anlage und Ausgestaltung dieses Werks für jeden der beiden

---

1 W. v. Lenz, *Kritischer Katalog*, Bd. III, S. 71. Vgl. hierzu die umfassende Untersuchung von M. Fuchs, *„So pocht das Schicksal an die Pforte“*, S. 117—155.

2 P. Bekker, *Beethoven*, S. 159.

3 P. Bekker, *Die Sinfonie von Beethoven bis Mahler*, S. 18.

4 So H. Kretzschmar in seinem zwar überaus sachkundigen, jedoch primär popularisierenden *Führer durch den Konzertsaal*, S. 87.

5 Ebenda.

konträren Fälle zunächst nur die Einstufung als Extrem zu rechtfertigen.[1] Die für Beethovens Symphonik einmalig konsequente Einschränkung der thematisch-motivischen Substanz im Kopfsatz fiel zeitgenössischen Hörern vor allem des Fehlens kontrastierender „Episoden" wegen auf, wie sie sich besonders ausgeprägt in den beiden vorausgegangenen Symphonien Beethovens finden, „deren erste Sätze ihren Glanz hauptsächlich dem Reichthum und der Mannichfaltigkeit der Episoden verdanken".[2] In der Tat reduzieren sich diese im Kopfsatz der Fünften auf die melodischen Legatoviertel (T. 63ff.), die den Nachsatz des zweiten Hauptgedankens in einem „Seitensatz" bilden, dessen Kontrastwirkung sich überdies eigentlich nur harmonisch auswirkt, da er motivisch von dem die Tonikaparallele Es-Dur (bzw. -variante C-Dur in der „Reprise") kadenzhaft befestigenden Horn-Vordersatz und danach erneut von den ebenfalls „pochenden" Begleitfiguren des Beginns bestimmt wird, welche schon nach wenigen Takten wieder in den Vordergrund gelangen. Der mit „piano dolce" bezeichnete Charaktergegensatz kann sich also gar nicht deutlich ausprägen, geschweige denn auf die „Form" des Satzganzen auswirken. Demgemäß ist die auffällige Phrasierung eingerichtet. Durch den Bindebogen über 3 + 1 Takten, welcher den jeweils vierten Takt zum Schwerpunkt macht, wird deutlich, daß der zweite Hauptgedanke dem ersten, dessen Entwicklung die nämliche Gliederung (3 + 1) beherrscht, eher parallelisiert als kontrastierend entgegengesetzt wird. Darüber hinaus läßt die Phrasierung der Takte 63—66 weitere strukturelle satzübergreifende Übereinstimmungen im „Satzbau" der Hauptgedanken hervortreten:

Dem Widerspruch zwischen einem Höchstmaß an kompositorischem Gehalt und einem Mindestmaß an Spezialkenntnis, die zu dessen Erfassung nötig ist, entspricht

1 In diesem Sinne zählte August Halm es zu den Werken Beethovens, von denen niemand „ernstlich glauben noch auch wünschen" werde, daß sie einmal „Schule machen" könnten (*Beethoven,* S. 81).
2 A. Ulibischeff, *Beethoven, seine Kritiker und seine Ausleger,* S. 207.

ein Gegensatz, der gerade von kompetenteren zeitgenössischen Hörern zur Begründung ihrer Schwierigkeiten mit dieser Symphonie als ganzer auf die Formel des unaufgelösten Gegensatzes zwischen Chaos und Ordnung, Kampf und Formerfüllung, Phantastik und Kontrolle gebracht wurde. Führte Hoffmann seine Bewertung noch auf die spezifische „Besonnenheit" kompositorischer Details zurück, so läßt sich die für die Fünfte obligatorische Rede vom „Kampf" bis hin zur ambivalenten Formel einer „robespierrischen Unerbittlichkeit des *Allegro con brio*" verfolgen[1], welche — näher besehen — doch beiden Seiten der Alternative von chaotischer Zerrissenheit (zumal des ersten Satzes) und überlegter Formgestaltung des Ganzen ihr Recht lassen will. Wieder scheint nur das Extrem als solches sicher. Keine andere Symphonie Beethovens, ja kein anderes seiner in Sonatenform komponierten Werke[2] weist — zumindest an der Außenseite — so weitgehende „Reduktionen" auf wie diese. Mit Bezug auf alle vier Sätze läßt sich viel eher sagen, worauf der Komponist verzichtet hat, als daß sie mit seinem eigenen, bis 1808 erreichten kompositorischen Standard zur Deckung gebracht werden könnten: Reduktionen auf allen Ebenen der Komposition machen das Individuelle der 5. Symphonie Beethovens aus, und hieraus erwuchs wohl auch ihre buchstäblich „unerhörte" Wucht. Diese beruht eben nicht nur auf der vergleichsweise tatsächlich kurzen Dauer des ganzen Werks und insbesondere seines ersten Satzes, der — aller gegensätzlichen subjektiven Hörerfahrung zum Trotz — der kürzeste Kopfsatz überhaupt ist, den Beethoven je für eine Symphonie komponiert hat[3], sondern auch auf den Ausdünnungen in allen Materialschichten sowie in der Verfahrensweise und ganz besonders deutlich in der Formgestaltung. Dies läßt sich an allen vier Sätzen zeigen.

Der Charakter des ersten Satzes beruht insgesamt weniger auf Substanzgemeinschaften motivischer Zusammenhänge als vielmehr auf einer durchgehenden Motorik, die vor allem der äußerst reduzierten Rhythmik unter gleichzeitiger Ausweitung zusammenhängender syntaktischer Einheiten wegen als fortgesetzte Steigerung empfunden wird. Im ganzen Kopfsatz kommt kein einziger punktierter Rhythmus vor, keine Triole und keine Sechzehntelnote; die Dauernwerte bleiben fast gänzlich auf die Verwendung von Achteln, Vierteln und Halben beschränkt. Dem entspricht

---

1 P. Gülke, *Zur Neuausgabe der Sinfonie Nr. 5,* S. 65.

2 Daß Beethoven seine Symphonien und Sonaten „zusammenzählte", berichtet C. Czerny einmal (*Vollständige theoretisch-practische Pianoforte-Schule,* Bd. IV, S. 60) mit Bezug auf die Bezeichnung der Klaviersonate F-Dur op. 54 als „51. Sonate". Die Folgerung hieraus, „daß Beethoven die Numerierung auf alle Werke bezogen wissen wollte, die Sonatenform hätten" (G. Kinsky / H. Halm, *Das Werk Beethovens,* S. 127), wurde erst vor wenigen Jahren durch Hans Werner Küthen richtiggestellt, der nachweisen konnte, daß es sich um eine Verlagsnumerierung (bezogen auf das Sortiment der Sonaten für oder mit Klavier) des Bureau des Arts et d'Industrie (Kunst- und Industrie-Comptoir) handelt; vgl. H. W. Küthen, *Pragmatic instead of Enigmatic.*

3 Völlig diesseits des Problems aufführungspraktischer Fragen ergeben sich unter Zugrundelegung der Beethovenschen Tempo- und Metronomisierungsangaben für die Symphonien 1—8 bei Berücksichtigung aller vorgesehenen Wiederholungen rechnerisch ungefähr folgende Dauerrelationen (in Minuten):

Nr.	1.	2.	3.	4.	5.	6.	7.	8.
Dauer	25'	30'	41'	25'	29'	39'	38'	23'
Kopfsatz	8'	11'	14'	10'	6'	10'	13'	7'
Relation	33%	37%	34%	39%	20%	25%	36%	31%.

eine Reduktion kompositorischer Verfahrensweisen — wieder in allen vier Sätzen. Ebenso wie der Mittelteil des ersten Satzes weder als „working out" eines harmonischen Potentials thematischer Hauptgedanken noch überhaupt als enthüllendes „développement" motivischer Substanz aufgefaßt werden kann, verzichtet der langsame Satz auf die kunstgerechte Behandlung eines Themas im Rahmen einer Folge von Variationen — geschweige denn einer „Doppelvariation" — im Strukturellen wie im Formalen.[1] Schon Louis Spohr, der auch nach wiederholtem Hören dieser Symphonie einer ihrer schroffsten Kritiker blieb, empfand gerade diese Eigentümlichkeit durchaus als Mangel: „Das Adagio in As ist teilweise sehr schön, doch wiederholen sich dieselben Gänge und Modulationen, obgleich immer reicher figuriert, gar zu oft und werden dadurch zuletzt ermüdend."[2] Der dritte Satz stellt in erster Linie die Verbindung zum Kopfsatz wieder her, indem er dessen Charakteristik — unter motivischer Anknüpfung — wieder aufnimmt. Daß Beethoven in dieser Symphonie die einzige Phase kontrapunktischer Arbeit in seinen Mittelteil — also an den förmlichen Ort eines Trios — verlegt, erscheint unter dem Aspekt „inadäquater" Behandlung des viersätzigen Sonatenzyklus als durchaus belangvoll. Ebensowenig nämlich, wie der erste Satz dem Standard Beethovenscher Sonatensätze und der langsame Satz dem eines Variationssatzes entspricht, ist der dritte Satz ein „Scherzo" (oder gar „eine Menuett", wie frühe Rezensenten ihn mißverstehend bezeichneten[3]), entbehrt er doch sowohl der für diesen Satztyp unerläßlichen Dacapo-Anlage[4] als auch — wegen seiner überleitenden Coda samt deren Reprise im Finale — des erforderlichen Eigengewichts, sei es als „aphoristische" Zusammenfassung der „Haupt-Idee" des viersätzigen Zyklus (oder auch nur des Kopfsatzes), sei es auch nur als „Intermezzo" vor dem Finale. Als Vorbereitung der dramaturgisch zentralen Stelle, nämlich des Umschlags eines Verlaufs in sein Gegenteil[5], gehört dieser dritte Satz — vom besonderen Fall der *Pastorale* abgesehen (dazu weiter unten) — enger zum vierten als in jeder anderen Beethovenschen Symphonie, und so erscheint es nur als folgerichtig, wenn ihn der eine oder andere zeitgenössische Rezensent — bei durchaus unterschiedlicher Bewertung — tatsächlich als Teil des letzten Satzes verstand. Lobte der eine den „Anfang des Finale, noch in weicher Tonart, (zwar ziemlich schneller 3/4 Takt, aber darum doch nichts weniger als *Scher-*

1 William Meredith hat unter Hinweis auf zwei parallel, jedoch weitgehend unabhängig voneinander verlaufende Variationsstränge zweier kontrastierender melodischer Themen von einem auf Variationsverfahren beruhenden Satz gesprochen, der zum ersten Mal in der Symphonik Beethovens auf kein schon bestehendes Modell zurückgeführt werden könne (*Forming the New from the Old,* bes. S. 105f.).

2 L. Spohr, *Lebenserinnerungen* (1968), Bd. I, S. 203.

3 Damit steht Hoffmann nicht allein, wie z.B. folgende Aufführungsrezensionen belegen: *AmZ* 16 (1814), Sp. 395f. (= St. Kunze, *Gesammelte Konzertberichte,* S. 114); *AmZ* 26 (1824), Sp. 299 (ebenda, S. 94); sowie *Revue Musicale* 2 (1828), S. 274 (ebenda, S. 95).

4 Daß Beethovens Erwägungen, den Satz mit zweifachem Da capo spielen zu lassen, wiewohl sie ihre Spuren im Erstdruck der Stimmen hinterlassen haben, heute kaum mehr ein philologisches Problem darstellen als allenfalls ein aufführungspraktisches, ist hinreichend oft untersucht worden; vgl. nach Cl. Canisius, *Quellenstudien und satztechnische Untersuchungen* und Gülkes Plädoyer für eine „wieder in ihre Rechte eingesetzte Wiederholung" (*Zur Neuausgabe der Sinfonie Nr. 5,* S. 55): E. Voss, *Zur Frage der Wiederholung;* S. Brandenburg, *Once again: On the Question of the Repeat;* Kl. Kropfinger, *Überlegungen zum Werkbegriff.*

5 So lautet die Definition der Peripetie aus dem 11. Buch der aristotelischen *Poetik*.

zo)"[1], so tadelte der andere „die ungeheure Länge der Abtheilungen (Bestandtheile) besonders des fast *endlosen* dritten oder Schlusssatzes".[2]

Es hat zwar gewiß mit den völlig neuen Dimensionen und vor allem der ungewohnten Intensität der Beethovenschen Symphonik überhaupt[3] zu tun, daß das Finale der c-Moll-Symphonie, auch ohne Hinzuziehung des dritten Satzes[4], als außerordentlich lang empfunden wurde. Tatsächlich ist es auch der längste aller Schlußsätze in den acht vergleichbaren Symphonien Beethovens, sowohl relativ zur jeweiligen Gesamtdauer als auch absolut; nur der zweiteilige Schlußsatz der *Eroica* dauert — mit allen Wiederholungen — etwa gleich lang.[5] Mit Bezug auf die beiden Ecksätze der Fünften läßt sich also von einer Disproportion sprechen, solange ein Beethovensches „Normalmaß" des viersätzigen Zyklus — und eine diesem entsprechende Hörerwartung — vorausgesetzt wird. Daß jedoch tatsächlich der Eindruck der Überlänge für die c-Moll-Symphonie als ganze und gar für ihren Kopfsatz entstanden ist (und noch besteht, wie aufführungspraktisch belegt werden kann[6]), wirft ein Schlaglicht auf das Charakteristische in der Formgestaltung des Ganzen. In allen vier Sätzen werden alle denkbaren Gestaltungsmittel — vor allem aber die Reduktionen im Strukturellen, im Formalen und in der Verfahrensweise — eingesetzt, um einen auf das Ende hin ausgerichteten „Total-Eindruck"[7] dieser Symphonie zu erzielen.

Dies lenkt den Blick auf den Anfang, der — eher noch als die Peripetie am Ende des dritten Satzes und der Triumph des Finales — die Wirkung der Fünften wesentlich bestimmte. Konzertberichte zu frühen Aufführungen heben die geradezu elektrisierende Wirkung des Beginns hervor, die auch mit dem schnell wachsenden Bekanntheitsgrad des Werkes nicht nachließ. Zu der unmittelbaren, gleichsam sinnlichen Wirkung der Anfangstakte kam eine Bewertung ihrer kompositorischen Be-

1 *AmZ* 14 (1812), Sp. 383 (= St. Kunze, *Gesammelte Konzertberichte,* S. 93).

2 *Allgemeiner musikalischer Anzeiger* 1 (1826), S. 207 (= St. Kunze, *Gesammelte Konzertberichte,* S. 95).

3 Diese eine Symphonie — so stellte Reichardt anläßlich der Uraufführung der *Pastorale* fest — „dauerte [...] schon länger, als ein ganzes Hofkonzert bei uns dauern darf" (J. Fr. Reichardt, *Vertraute Briefe,* 1915, S. 206).

4 Die Leipziger *AmZ* berichtet, nicht ohne scharfe Kritik, von einer separaten Aufführung noch zu Beethovens Lebzeiten: „Ein sonderbarer Missgriff war es, [...] diesen Schlusssatz, welcher bekanntlich mit der Menuet zusammenhängt, *ohne* die letztere, als einzelnes Musikstück aufzuführen. Man mochte wohl fühlen, dass eine Menuet keinen schicklichen Eingang geben kann: aber warum gab man nicht die ganze Symphonie?" (*AmZ* 26, 1824, Sp. 299 = St. Kunze, *Gesammelte Konzertberichte,* S. 94).

5 Hier wieder die — rein rechnerischen (vgl. S. 489, Anm. 3) — Vergleichszahlen, die sich für die 6. Symphonie allerdings auf die letzten *beiden* Sätze beziehen:

Nr.	1.	2.	3.	4.	5.	6.	7.	8.
Dauer	25'	30'	41'	25'	29'	39'	38'	23'
Finale	5'	6'	10'	6'	11'	(13')	9'	6'
Relation	21%	20%	24%	23%	37%	33%	23%	27%

6 Dies gilt sowohl für die meist gewählten Tempi als auch für die bezeichnende Tatsache, daß man, wie Peter Gülke sehr richtig hervorhob, in der falschen Einschätzung dieser „Disproportion" zwischen der Dauer der Ecksätze als eines „versehentlich eingetretenen Übelstands" durch die „Gepflogenheit" entgegenzuwirken suchte, „die Exposition des ersten Satzes zu wiederholen, die des Finales aber nicht" (*Zur Neuausgabe der Sinfonie Nr. 5,* S. 55).

7 So der Rezensent der *AmZ* 14 (1812), Sp. 383 (= St. Kunze, *Gesammelte Konzertberichte,* S. 93).

deutsamkeit, die schon frühzeitig diesen Beginn zum Musterbeispiel für eine Zelle machte, aus der sich alles Folgende organisch entfalte und daher auch gleichsam analytisch zu entnehmen sei. Nachrichten von einer außerordentlich langen Kompositionszeit, welche offenbar mit der Skizzierung dieser ersten Takte einsetzte[1], unterstützten diese Sicht noch, und so lag es nahe, daß besonders engagierte Beethovenkenner dazu übergingen, einer Überbewertung des Beginns entgegenzutreten: Hugo Riemann aus Gründen des „Inhalts"[2], Donald Francis Tovey aus innermusikalischen, formalen Gründen: „Some good, however, may be done by denouncing the heresy which preaches that 'the whole first movement is built up of the initial figure of four notes'. [...] No great music has ever been built from an initial figure of four notes [...], you might as well say that every piece of music is built from an initial figure of *one* note."[3]

Es mag sein, daß in diesem Dissens über die wahre Bedeutung des Beginns für das Ganze das vielzitierte Verdikt Louis Spohrs, es fehle „sogleich dem Thema des ersten Satzes die Würde, die der Anfang einer Sinfonie [...] doch notwendig haben muß"[4], schlüssiger zu begründen ist, als wenn man es als Fehleinschätzung einem altmodischen, an den Kriterien des 18. Jahrhunderts orientierten Hörer zurechnete, welcher nur deshalb auf das Detail achtet, weil er noch nicht das große Ganze hören kann. Selbst diesen Kriterien nämlich entsprechen Beethovens Symphonien weitgehend, wie sich an den Bestimmungen belegen läßt, die Johann Abraham Peter Schulz zum Stichwort „Symphonie" in Sulzers *Allgemeiner Theorie der schönen Künste* zusammenstellte. Auch die Fünfte dient vorzüglich „dem Ausdruk des Großen, des Feyerlichen und Erhabenen", sie hat eine „feurige Schreibart", zuweilen auch eine „volltönige, glänzende", und sie weist insbesondere all die anderen Merkmale auf, die schon Schulz mit der pindarischen Ode in Verbindung brachte[5]: „große und kühne Gedanken, freye Behandlung des Satzes, anscheinende Unordnung in der Melodie und Harmonie, stark marquirte Rhythmen von verschiedener Art, kräftige Baßmelodien und Unisoni, concertirende Mittelstimmen" sowie vor allem „plötzliche Uebergänge und Ausschweifungen von einem Ton zum andern, die desto stärker frappiren, je schwächer oft die Verbindung ist, starke Schattirungen des Forte und Piano, und vornehmlich des Crescendo, das, wenn es zugleich bey einer aufsteigenden und an Ausdruk zunehmenden Melodie angebracht wird, von der größten Würkung ist".[6] Nein, jener Mangel an „Würde" betrifft — dem Gefühle Spohrs nach — vor allem wohl den unverschämten, marktschreierischen Auftritt, der wichtigtuerisch gleich mit etwas herausplatzt, das, für sich genommen, noch gar nichts ist. Der Sache nach wirkt das Verdikt — freilich in bezeichnender Umwertung

1 „Die ersten Züge zur Symphonie in C-moll" — so teilte Gustav Nottebohm 1887 mit — „geschahen, so viel bekannt ist, im Jahre 1803. Fertig war sie [...] spätestens im März 1808. Beethoven hat also mehrere Jahre und, wie die Skizzen ergeben, mit Unterbrechungen daran gearbeitet" (*Zweite Beethoveniana*, S. 534); vgl. auch Thayer / Deiters / Riemann, *Ludwig van Beethovens Leben*, Bd. III (^{2}1911), S. 89.

2 Vgl. ebenda, S. 91.

3 D. Fr. Tovey, *Essays in Musical Analysis*, Bd. I (^{14}1972), S. 38.

4 L. Spohr, *Lebenserinnerungen* (1968), Bd. I, S. 203.

5 Vgl. hierzu C. Dahlhaus, *Ludwig van Beethoven und seine Zeit*, S. 100ff., sowie E. E. Bauer, *Wie Beethoven auf den Sockel kam*, S. 136ff.

6 J. G. Sulzer, *Allgemeine Theorie der schönen Künste*, Bd. IV (^{2}1794), S. 478f.

— noch bis heute fort: „das Motiv selbst — fast trivial und nicht gerade originell — ist nichts, die Verarbeitung ist alles"[1], so ließe sich hinsichtlich des Gegensatzes zwischen Erfindung und Ausarbeitung, zwischen gegebenem Material und „künstlich" gemachter Musik das formulieren, was nach einer Pointierung Toveys als Gegensatz zwischen „real composition and mere manufacture"[2] die wahre Größe des Komponisten Beethoven betrifft.

Spohrs Kritik ließe sich recht gut am Abstand zwischen den Anfängen der beiden großen Mollsymphonien Mozarts und Beethovens exemplifizieren, zumal sie beide, vor allem in den Kopfsätzen, eine wichtige strukturelle Gemeinsamkeit aufweisen, nämlich jene motivische Kleingliedrigkeit, die zu immer längeren „Sätzen" — also syntaktisch zusammengehörigen Abschnitten — führt. Für den Kopfsatz der Fünften wies auch Hoffmann schon hierauf hin: „Alle Sätze sind kurz, nur aus zwey drey Takten bestehend [...]. Man sollte glauben, dass aus solchen Elementen nur etwas Zerstückeltes, schwer zu Fassendes entstehen könnte."[3] Hierin, und nicht so sehr in der oft herausgestellten diastematischen Übereinstimmung der Anfänge des Finales von Mozarts g-Moll-Symphonie und des dritten Satzes der Beethovenschen in c-Moll, liegt ein Gemeinsames in Charakter und Verfahrensweise zwischen diesen beiden besonders berühmt gewordenen Symphonien, und in diesem Punkt sind sich Kritiker und Ausleger auch der Sache nach einig. Spohrs Vorbehalt bleibt tatsächlich auf den Mangel an „Würde" des Anfangs beschränkt, und darüberhinaus ist auch für ihn „das kurze, leicht faßliche Thema allerdings zur thematischen Durchführung sehr geeignet und vom Komponisten mit den übrigen Hauptideen des ersten Satzes auch sinnreich und zu schönem Effekt verbunden".[4] Im übrigen nahm Hoffmann mit Bewunderung wahr, wie Beethoven „alle Nebengedanken, alle Zwischensätze, durch rhythmischen Verhalt jenem einfachen Thema so anzureihen wusste, dass sie nur dazu dienten, den Charakter des Ganzen, den jenes Thema nur andeuten konnte, immer mehr und mehr zu entfalten".[5]

Läßt man sich auf den hier entstehenden Widerspruch zwischen so verschiedenen kompositorischen Maßnahmen wie „thematischer Durchführung" und „rhythmischem Verhalt" ein, so stellen sich von neuem dieselben alten Fragen, wie sie doch längst zum Gegenstand kultursatirischer Erheiterung geworden sind.[6] Wie ist dieser Anfang zu hören? Steht dem Satz ein „Motto", eine „Devise", eine „Introduktion" voran? Beginnt er mit einem „Motiv" im Sinne der aristotelischen Bewegungslehre, also mit nicht viel mehr als einem Bewegung auslösenden Impuls? Oder hören wir sogleich ein „Thema", den ersten Hauptgedanken des Satzes, die Substanz folgen-

1 W. Konold, *Ludwig van Beethoven, Sinfonie Nr. 5 c-Moll,* S. 183.
2 D. Fr. Tovey, *Essays in Musical Analysis,* Bd. I ([14]1972), S. 38.
3 E. Th. A. Hoffmann in: *AmZ* 12 (1809/1810), Sp. 638f.
4 L. Spohr, *Lebenserinnerungen* (1968), Bd. I, S. 203.
5 E. Th. A. Hoffmann in: *AmZ* 12 (1809/1810), Sp. 640.
6 Vgl. z.B. jene P. D. Q. Bach-Einspielung einer von zwei Sportreportern wie ein Footballmatch kommentierten Aufführung von *Beethoven's Fifth:* Zu den unter starker Anfeuerung aus dem hörbar ausverkauften Stadion ausgeführten Takten 1—5 entspinnt sich — bei dramatisch erhöhter Stimmlage — folgender Kommentardialog: „Tell me, Bob, do you call that four-note idea a theme or a motif? — Well, Pete, the technical term would be motif which he uses to build a theme. — I see, thanks for setting me straight about that, Bob!" (Platte *Report from Hoople: P. D. Q. Bach on the air with Professor Peter Schickele,* Vanguard VSD - 79268).

der Verarbeitung? Diese und derartige Fragen galten, so oft sie auch gestellt wurden, von Anfang an nicht primär dem musikalischen Sachverhalt als vielmehr dem Problem seiner adäquaten Beschreibung. Eine durch Unisono und Fermaten — welches einer internen Aufhebung von Raum und Zeit des Tonsatzes gleichkommt — überdeutlich herausgehobene Markierung buchstäblich sämtlicher tektonischen Punkte in der formalen Anlage dieses Satzes wäre weder „Devise" noch „Motto" zu nennen, und die Frage, ob Thema oder Motiv, stellt sich überhaupt nur diesseits der kompositorischen Absicht — nämlich der Darstellung eines Zeitverlaufs, innerhalb dessen die Details gar nicht mehr als in sich selbst sinnvoll wahrgenommen werden sollen. Als Verfahren bloßer Auflösung eines Ganzen in seine Einzelheiten steht „Analyse" mit Konzept und Faktur der Fünften, in der es von Anfang an um das Ganze eines musikalischen „Panoramas" geht, das eigentlich erst dann adäquat wahrgenommen werden kann, wenn man alles schon gehört hat, in einem methodisch nicht aufzuhebenden Widerspruch.

Die unterschiedlichen Auffassungen über die musikalische Bedeutung dieses Symphoniebeginns können die Irritation der Wahrnehmung belegen, die das grundsätzlich Neue an Beethovens Fünfter hervorrief, stellt er doch nicht nur die mehr oder weniger geläufigen Unterscheidungen zwischen Thema und Motiv, Motto, Devise und Hauptgedanken („erstem Thema") in Frage; auffällig bleibt, auf wie vielen verschiedenen Ebenen Beethoven ein ganzes Bündel von Unbestimmtheiten und Ambivalenzen in diesem bemerkenswerten Satz- und Symphoniebeginn auskomponiert. Alle wirken sich auf das Ganze aus, und sie betreffen tatsächlich alle Schichten des musikalischen Materials. Das Tempo und selbst der Zeitpunkt des „eigentlichen" Beginns einer Entwicklung klären sich erst mit dem sechsten Takt; was davor erklingt, steht — gleichsam in Anführungszeichen — für sich selbst, ist scheinbar (noch) nicht Teil des dramatischen Ablaufs. Nicht anders steht es um den Rhythmus (bei der Tonrepetition des dreifachen Auftaktes könnte es sich auch um eine Triole wie im vierten Satz, z.B. zu Takt 45, handeln), das Metrum, dessen Identifikation durch die als Takt 5 nachträglich eingefügte zusätzliche Haltenote noch zusätzlich erschwert wird (bis Takt 5 wäre der Beginn auch als schneller Dreivierteltakt wie im dritten Satz, Takt 19ff., zu hören), die Tonart und das Tongeschlecht (die schon von Hoffmann herausgestellte Offenheit zwischen Es—Dur und c—Moll könnte in beiden Fällen solange als Folge von Dominante und Tonika gehört werden, bis sich durch die für die Reprise „ausformulierte" Quartsextlage weniger die „eigentlichen" harmonischen Verhältnisse klären, als daß eine weitere Hörmöglichkeit eröffnet wird[1]) und schließlich die Instrumentation und den Klang (der Außenseite nach handelt es sich zwar um ein Streicher-Unisono, jedoch gehen, kaum wahrnehmbar, als gleichsam unterschwellige Andeutung von „Mittelstimmen", einzig die beiden Klarinetten mit, — eine Eigentümlichkeit, die ebenfalls erst in Reprise und Coda ihre Klärung erfährt).

1 Mit Recht hat Halm (*Beethoven,* S. 145) kritisiert, daß Heinrich Schenker diese und derartige Stellen kommentarlos mit „V" bezeichnet, als ob Quartsextakkordlagen bei Beethoven ipso facto dominantisch gemeint wären. Zudem bleibt die Frage nach dem Akkordfundament angesichts der Alternative zwischen dem Paukenwirbel auf G und dessen Unterschreitung in Celli und Bässen (Es bzw. D) akademisch, da Beethoven in der letzten Wiederaufnahme dieser Stelle in Takt 478—482 die Verhältnisse wirklich klarstellt: Dort sind die Bässe nochmals eine Oktave tiefer notiert.

Hoffmanns Auffassung, daß in der Reprise „der erste Theil [...] mit geringen Abweichungen wiederholt“ würde[1], zeugt von einem grundsätzlichen Mißverständnis eigentlich der ganzen Symphonie. Nichts nämlich kehrt so wieder, wie es war; jene Abweichungen im dritten und vierten Teil des Kopfsatzes berühren sämtlich die Substanz, und sie sind insgesamt darauf ausgerichtet, dem stabilisierenden Effekt wirklicher Wiederholung entgegenzuwirken. Von der eigentümlich diffusen Instrumentation des Anfangs, wo nur die Klarinetten in der Funktion „klanglicher Mittelstimmen“ mit dem Streicher-Unisono gehen, und der Einspannung der nämlichen motivischen Terzen in die „note dominante“ der Außenstimmen in Takt 248—252 (vom großen G der Pauke bis zum g''' der ersten Flöte) war schon die Rede. Der Beginn der förmlichen „Reprise“ stellt sich somit alles in allem weniger als Wiederholung des Anfangs dar denn als Etappe zum Ende der Coda hin: Erst die Takte 478—482 sind eine wirklich wiederholende Reprise (die allerdings zu spät kommt, um die Form noch als schließende Abrundung ausbalancieren zu können).

Mit vergleichbarer Auswirkung sind die übrigen Abweichungen disponiert. Die Reprise des Hauptsatzes in Takt 253ff. dient nun nicht ein zweites Mal der klanglichen, gleichsam räumlichen Entfaltung des symphonisch besetzten Streichorchesters, wie sie in der Exposition zum Aufbau vollständiger Dreiklänge führte, sondern sie tritt nun in klanglich reduzierter, jedoch motivisch weiterentwickelter Form auf. Die tiefen Streicher (einschließlich der Bratschen) deuten pizzicato nur noch die Fundamenttöne c und h an, während alle anderen beteiligten Stimmen nun als linear gebunden erscheinen, also gleichsam Melodietöne spielen. Nur für die Klarinetten bleibt es mit der Stützung der Harmoniewechsel zu Takt 258 und 262 wegen der für beide Violinen in den Takten 256 und 260 eingefügten Viertelpausen bei der rein klanglichen Funktion. Im Ganzen aber geht es nicht um eine Reprise der Klangwechsel von Takt 11 und 15, sondern um die lineare, man ist versucht zu sagen „thematische“ Entwicklung des Bläsersatzes, der genau an den neuen Zäsurstellen der Violinen vermittels der beiden in Oktaven gekoppelten Fagotte in Bewegung gerät. Vollends deutlich wird die kompositorische Intention einer substantiell veränderten Reprise an der 14 Takte langen Vorbereitung ihrer wohl grundsätzlichsten und folgenreichsten Modifikation, nämlich zu jenem Adagiotakt 268 hin, der nächst dem Beginn bedeutungsvollsten und meistkommentierten Stelle des Kopfsatzes. Dieses sogenannte „Oboenrezitativ“[2] stellt seinerseits wieder eine Verbindung „nach vorn“ her, nämlich dorthin im dritten Satz, wo es zur Wiederkehr des Hauptgedankens aus dem ersten Satz kommt. Erst von hier aus wird die ganze Auswirkung jener überhaupt nicht „geringen Abweichung“ ganz verständlich, die der rezitativische Adagiotakt im ersten Satz darstellte. Folgte nämlich in der Exposition dem Forte-Halbschluß von Takt 21 das noch weiter öffnende Fortissimo-Unisono as—f, so besteht für dessen Wiederholung in der Reprise keine Notwendigkeit mehr, da der erste Satz ja doch keine andere Wendung (wie z.B. etwa auf eine Befestigung des C-Dur am Reprisenschluß hin) mehr nehmen wird: Dem scheint die Oboe nachzusinnen. Zu Recht hat man hervorgehoben, daß der Oboentakt das „andere“, eigent-

1 E. Th. A. Hoffmann in: *AmZ* 12 (1809/1810), Sp. 639f.

2 Olivier Messiaen nannte die Stelle — welche nach Kretzschmar die einzige Kontrastpartie des Satzes („wo das Herzeleid zu Worte kommt“) bildet — „eine Art von vokalisiertem Lamento ad libitum“ (*Entwicklung durch Verkürzung,* S. 25).

lich das einzige wirklich kontrastierende Element des ganzen Kopfsatzes darstellt. Der Funktion und dem Charakter nach, jedoch auch mit Bezug auf die motivische Anknüpfung und die harmonische Einbindung findet er seine Fortsetzung erst mit der Wiederaufnahme des ersten Hauptgedankens in Takt 19ff. des dritten Satzes.[1]

So ereignet sich hier, im dritten Satz, die erste eigentliche „Wiederkehr" des Werks, von der — als einem „der Feste, welche die Musik der Sonate verdankt" — nach einer beherzigenswerten Einsicht August Halms nur dann die Rede sein sollte, wenn sich ein Hauptgedanke wirklich behauptet hat: „Ein Thema kann durch Wiederholung bekräftigt, gekräftigt, es kann glaubhafter, eindringlicher werden" — und genau das geschieht im ersten Satz der c-Moll-Symphonie — „durch die Wiederkehr aber, d.i. durch Wiederholung auf Distanz, erlebt es einen [...] Triumph. Eine Zeitlang unsichtbar geworden, erscheint es wieder wie ein Strom, der, eine Strecke weit unter der Erde fliessend, gewaltiger und prächtiger an die Oberfläche dringt".[2]

Auch die Coda des Kopfsatzes ist in der nämlichen Differenziertheit und um der nämlichen Ziele willen ausgestaltet. Ihre auffällige Ausdehnung — tatsächlich hat Beethoven die Taktmengen aller Kopfsatzabschnitte so gegeneinander ausgewogen, daß sich eine Abfolge fünf fast gleichlanger Abschnitte von ||: 124 :|| + 123 + 126 + 129 Takten ergibt — entspricht ebenfalls der Hauptidee der Symphonie. In der Konsequenz aller Maßnahmen, die verhindern sollten, daß die Reprise des Kopfsatzes als Ort schließender Formerfüllung erlebt wird, liegt es, daß am Schluß nicht Errungenschaften des Satzes befestigt werden. Der bestimmende Hauptrhythmus selbst wird, als Erledigung eines in der Durchführung (T. 168—179) nur vorläufig erfolgten Ansatzes, zum zweiten Mal — und nun erfolgreicher — aufgelöst (T. 382ff.), was zumindest den Ansatz eines weiteren neuen und wieder neu entwicklungsfähigen Hauptgedankens zur Folge hat (T. 423ff.), und in der letzten Andeutung einer — abermals entwickelten — Reprise des Hauptsatzes (T. 483ff.) befestigt sich nur dessen c-Moll für den Satzschluß.

Da sich das dem Es-Dur der Exposition förmlich entsprechende C-Dur der Reprise nicht behauptet, endet der Kopfsatz unerlöst, aufgeladen, wenn man so will: „in

1 Dies legt auch schon eine der ersten Skizzen von 1803 nahe (vgl. G. Nottebohm, *Ein Skizzenbuch*, S. 70f.), wozu Irving Kolodin einmal sehr treffend anmerkte: „Bereits in der Methode des Skizzierens [...] werden also Tonart, rhythmische Artikulation und thematischer Impuls für zwei verschiedene, aber kongruente Sätze genau fixiert" (*Beethoven und die Symphonie*, S. 13, dort auch eine Reproduktion des Skizzenblattes; zur Datierung vgl. Johnson / Tyson / Winter, *The Beethoven Sketchbooks*, S. 141).

2 A. Halm, *Die Symphonie Anton Bruckners*, S. 13.

offener Verzweiflung".[1] Die dynamische Spannung, die dieser Satzschluß hinterläßt, könnte sich nun im As-Dur-Andante lösen. Daß dies nicht geschieht, ergibt sich aus zumindest drei Faktoren: aus der Ungeschlossenheit eines „Themas", das gewiß kein Variationsthema ist und dessen Variationen genaugenommen auch keine kunstgerechten Variationen sind — schon gar nicht gemessen an dem inzwischen erreichten Standard Beethovenscher Variationsverfahren[2] —, aus der Anordnung der Satzabschnitte, gemäß welcher sich die Anlage einer nach variierten Strophen gegliederten Reihungsform mit Elementen einer geschlossenen dreiteiligen Reprisenform mischt, — und schließlich aus der formalen Disposition des harmonischen Hauptgedankens, welcher als charakteristischer Übergang von As-Dur nach C-Dur im ersten Teil des Satzes exponiert und wiederholt wird, jedoch in dessen reprisenhaftem Schlußteil nicht mehr wiederkehrt. Daß nach der einleitenden Liedmelodie[3] die Erwartung, es werde in einem regulären Variationssatz ein gegebenes Thema ausgeschöpft, überhaupt entsteht (und dann ebenfalls unerfüllt bleibt), ist durch das Ineinandergreifen aller dieser Faktoren bedingt. Schon die Entgegensetzung einer syntaktisch und klanglich wie ein Variationsthema exponierten Melodie, die von Mal zu Mal — anfangs hauptsächlich durch immer schnellere Ausfigurierung — gesteigert wiederholt wird, mit einer kontrastierenden Reihung mehrerer primär von fanfarenhafter Motivik bestimmter Vordersätze, welche den harmonischen Wechsel von As-Dur nach C-Dur als das bestimmende Ereignis des Satzes hervortreten lassen, neben dem alles andere gleichsam zu „Beiwerk" wird, wirkt einer geschlossenen Abschnittbildung innerhalb jener „Strophen" entgegen, von denen schon Wilhelm von Lenz sprach.[4] Zudem weckt jede einzelne von ihnen die Erwartung auf die nächste, da eine Wiederkehr des zentralen harmonischen Ereignisses nicht mehr erfolgt und auch nirgends ein Abschluß zwischen den Abschnitten auskomponiert ist. Das zentrale harmonische Ereignis erfährt überdies keine Reprise mehr. Wie im ersten Satz bleibt es gleichsam bei einer Ablenkung von C-Dur nach Es-Dur (das nunmehr als Dominante fungiert), und so bleibt der „befreiende Durchbruch" nach C-Dur erneut aufgeschoben.

Soll somit auch der langsame Satz eher ein Ungenügen bewirken als Erwartungen erfüllen, so verfährt Beethoven im dritten Satz ganz entsprechend. Dieser stellt sich ebenfalls als formal destabilisiert dar, ermangelt er doch durchaus der gewohnten Da-capo-Form, da diese mit Mitteln kontrastierender Charakteristik und Dynamik zum Verschwinden gebracht wird. Auch motivisch-thematisch und harmonisch trägt er die bisher aufgebauten Spannungen weiter, statt sie zu lösen. Erneut wird der harmonische Konflikt zwischen c-Moll und dem C-Dur des kontrastierenden Zwischenteils eher abgebogen als ausgetragen, und die Herstellung der unüberhörbaren Verbindung zu Motivik, Bewegungsform und Charakteristik des Kopfsatzes steigert nur das Zeiterlebnis eines letzten retardierenden Moments, bevor der Satz

1 Vgl. M. Fuchs, *„So pocht das Schicksal an die Pforte"*.

2 Vgl. zum Stand der Komposition und der Theorie von Variationsthemen, Variationen und Variationsformen Beethovens und der Beethovenzeit: H. Weber, Art. *Varietas, variatio / Variation, Variante,* S. 27—48.

3 U. Jung-Kaiser hat 1991 — mit weitreichenden Konsequenzen für ein „ideelles Programm" der Fünften — das „Küchenlied" „Müde kehrt der Wandersmann zurück" als Vorlage für das „Thema" des langsamen Satzes ausgemacht (*Ein Bänkelsang als Vorlage?,* S. 8f.).

4 W. v. Lenz, *Kritischer Katalog,* Bd. III, S. 74.

und die Symphonie als ganze peripetetisch ins C-Dur-Finale übergeht. Jener späte und, wie Spohr befand, „glückliche Einfall", der Lösung aller Spannungen im Verlauf des Schlußsatzes eine Reminiszenz zukommen zu lassen, stellt unter Beweis, daß nicht die Formdisposition geschlossener Einzelsätze intendiert war, sondern die einer auf ihr Ende hin ausgerichteten zyklischen Gesamtform. Sie erschließt sich nicht der Zergliederung in Details und auch nicht der Zerteilung in unterschiedliche Satzcharaktere, sondern nur einer aufs Ganze gerichteten Hörweise, die treffend als „long distance listening" bezeichnet wurde.

Man hat die verschiedensten Züge dieser einerseits befremdenden, andererseits aber doch auch bald schon sehr populären Symphonie als spezifische Charakteristika herausgestellt, um ihre außerordentliche Attraktivität zu erklären. So benannte George Grove folgende Gründe: „the prodigious originality, force, and conciseness of the opening — which, while it copied nothing, has itself never been copied; [...] the mysticism of the *Scherzo*, [...] the truly astonishing grandeur, impetuosity, spirit, and pathos of the *Finale*, [...] the way in which, throughout the work, technicality is effaced by emotion"[1], und er faßte entwaffnend zusammen: „the C minor Symphony always fills the room."[2] Gerade diejenigen Hörer — dies ist gemeint —, die auf einer, gelinde gesagt, sehr allgemeinen Ebene Musik hören, haben an der Fünften ihr Genügen; sie unterhält auch den nicht sehr spezialisierten Musikliebhaber, der Symphonien hört, „pour passer le temps".[3] Daß aber gerade der „Zeitvertreib" — allerdings in einem strikteren Sinn — das Thema der Fünften ist, dies zeigt sich deutlich an einem direkten Vergleich mit ihrem Gegenstück, der *Pastorale*. Bringt die Fünfte in der konsequenten Ausrichtung auf ihr Ende den „Sturmlauf der Zeit" zu dramatischer Darstellung, so ist damit ihr Gegensatz zur Sechsten genau bezeichnet, welche wahrlich weniger auf eine „Überhöhung des Wetters"[4] abzielt als auf die musikalische Gestaltung von Stillstand und Dauer. Diese Ausrichtung betrifft nicht nur die kompositorische Faktur — die hier auf das große Ganze und dort aufs Detail, hier auf den stringenten Ablauf und dort auf die Dauer des Augenblicks hin angelegt ist —, sondern auch jenen grundsätzlichen, alle Sinnessphären betreffenden Wandel der Wahrnehmungsweisen der Beethovenzeit. Daß das Experiment der Fünften, ein Experiment mit „moderner" Musik für das internationale große Publikum, so überaus folgenreich verlief, begründet sich aus den Rezeptionsbedingungen für diese Symphonie, die „den Nerv der Zeit" — nämlich eine grundsätzlich veränderte Wahrnehmungsweise von Musik[5] — getroffen hatte.

Beherrscht die Tendenz „vorwärts" die bekannteste von allen Symphonien Beethovens restlos, so daß jede Einzelheit hinsichtlich von Künftigem, also Erwartung weckend, wirkt, so „bleibt" in der Sechsten alles, ist Bild, Bestehendes, in sich rund und geschlossen. Nichts im Kopfsatz der *Pastorale*, der einem ersten Rundblick nach der „*Ankunft* auf dem Lande" (und eben nicht bei der Reise aufs Land) samt der mit ihr verbundenen „heiteren Gefühle" gilt, läßt — verkürzt gesagt — ahnen, daß es später zu Tanz oder Gewitter kommen wird; alle Szenenwechsel erfolgen

1 G. Grove, *Beethoven and his nine Symphonies* (²1896), S. 138.
2 Ebenda, S. 137.
3 Ebenda.
4 Vgl. J. Kerman, Art. *Beethoven* in: *The New Grove Dictionary* (§ 14: *The symphonic ideal*), S. 381.
5 Vgl. U. Schmitt, *Revolution im Konzertsaal,* passim und besonders S. 207f.

„von außen“, kompositorisch unvermittelt, und resultieren nicht wie kulminierende Lösungen der im Inneren der Komposition aufgebauten Spannungen. Dies gilt vor allem für die andere Stelle, an der in der Sechsten etwas von gerichtetem Zeitverlauf zu spüren ist, nämlich zum Schluß, der „frohe und dankbare Gefühle *nach* dem Sturm“ zum Anlaß der musikalischen Gestaltung macht. Ganz anders der Schlußteil der Fünften: Durch den letzten, triumphierenden Satzübergang wird alles andere, Vorgängige zu einem Weg zu diesem Finale hin.

Welche Ideen Beethoven mit der c-Moll-Symphonie immer verfolgt haben mag, — eines wollte er sicher nicht: daß sie, isoliert und für sich selbst genommen, als sein Hauptwerk angesehen würde. Wenn die Nachwelt sie dazu machte, so mit der nämlichen subjektiven Notwendigkeit, mit der die Bedeutung jener anderen, zur nämlichen Zeit und in dialektischer Entgegensetzung komponierten Sechsten heruntergespielt wurde, die Ende 1808 nicht dem fernen Donner von den Siegen und Niederlagen der napoleonischen Epoche sowie den respektiven heroischen Empfindungen im Theater an der Wien Gehör verschaffte, sondern vielmehr der näheren sommerlichen Umgebung des noch immer aristokratischen Wiens, wo in der freien Natur, etwa bei Mödling oder Heiligenstadt, auch wenn es gelegentlich einmal donnerte, die Zeit durchaus stillezustehen schien. Die sichere Überzeugung, daß gerade die c-Moll-Symphonie am ehesten etwas über die moralische Natur des Menschen aussagt, gehört zum festen Bestand dessen, was wir über diese Musik gelernt haben und zu wissen glauben. Und daß dagegen die F-Dur-Symphonie „nur“ Natur, allenfalls „heitere Empfindungen“ zur Darstellung kommen läßt, erscheint — auch heute noch — als nicht minder gewiß. In der Sechsten geht es nicht um Schicksalsbewältigung und Menschenwürde. Selbst die im Finale zum Ausdruck gebrachten frohen und dankbaren Gefühle bleiben im einmal gesetzten Rahmen einer Natürlichkeit, die sich zur Idee moralischer Größe gegensätzlich verhält; bezeichnenderweise bleibt es auch hier eben „nur“ das Landvolk, das sein Gottseidank dafür singt, wenn es nicht eingeschlagen hat.

Beruht somit der Gegensatz zwischen Beethovens 5. und 6. Symphonie im öffentlichen Bewußtsein auf einer sozusagen auf Sujetebene erfolgten Entgegensetzung, nach der die eine das Erhabene und die andere das Idyllische zum Gegenstand hier musikalischen Ausdrucks und dort musikalischer Darstellung macht, so ist deren ganze wohldisponierte Antithetik auf der Ebene kompositorischer Verfahrensweise bis hinein in die formale Disposition beider Werke fast unsichtbar geworden. In der Fünften *die* zentrale Symphonie Beethovens zu erblicken, entsprach offenbar einem übermächtigen Bedürfnis der Hörerschaft des 19. Jahrhunderts nach Erhebung durch die Kunst, und dies ließ dieses Werk zu jener — wie Richard Wagner sagte — „Symphonie par excellence“ werden, deren Steigerungsanlage zu „nichts weniger“ dienlich ist als zur Veranschaulichung eines „Gipfelpunktes moralischer Erlösung“ durch die Kunst; hierauf bezieht sich das anläßlich der Beisetzung Beethovens verlesene Wort Grillparzers: „Er hörte nur auf, wo die Kunst aufhört.“ Daß andererseits die Programmatik der *Pastorale* ins schlicht Bedeutungslose abfiel, stellt — als Kehrseite — nicht viel mehr dar als eine Konsequenz aus dem nämlichen Bedürfnis.

Nichts lag Beethovens eigener Intention ferner als eine derart prinzipielle Trennung gerade dieser beiden Symphonien voneinander. Unter allen anderen, die er komponierte, entstanden nur sie in vollkommener zeitlicher Parallelität von den ersten Skizzen bis hin zu Uraufführung und Drucklegung, und nur diese beiden versah Beethoven mit zweimal derselben Doppelwidmung. (Daß diese sich zudem an die beiden wichtigsten Kenner und Förderer seiner Kunst, nämlich Fürst Lobkowitz und Graf Rasumowsky, richtete und ausnahmsweise eben nicht an den Auftraggeber, einen Grafen von Oppersdorff, der sie doch beide bestellt und zum Teil auch bezahlt hatte, belegt einmal mehr die zentrale Bedeutung, die Beethoven dem Symphonien*paar* — und nicht einer dieser beiden Symphonien — beimaß.) Überdies bestand Beethoven nur für diese beiden Symphonien auf einer gemeinsamen ersten Aufführung, so daß sie von Anfang an mit Bezug aufeinander erfaßt werden konnten[1], und dies ist auch der Grund für jene identische Spezialität in der Orchesterbesetzung der jeweiligen Schlußsätze. Nur in diesen beiden hat Beethoven — unter anderem — zusätzlich Posaunen und Piccolo vorgeschrieben, die in der Fünften wohl nur deshalb zur Verwendung kommen, weil sie (im Rahmen der von allem Anfang an intendierten Doppelaufführung) schon einmal eingeplant waren — nämlich für Blitz, Donner und Gebet. Es ist zwar hier nicht der Ort, der Vielfalt weiterer Gemeinsamkeiten zwischen Beethovens Symphonien op. 67 und op. 68 nachzugehen, die von Außenaspekten wie Besetzung und Schlußsatzgestaltung bis ins Innere der beiden Partituren reichen, zumal dies schon an anderer Stelle mit vertiefter Ausführlichkeit geschehen ist[2], sicher aber bedeutet es unter solcher Perspektive mehr als ein bloß philologisches Detail, daß die Numerierung beider Symphonien ursprünglich umgekehrt sein sollte.

Daß Beethoven mit Komposition und öffentlicher Aufführung eines so exemplarischen Werkpaars wie der 6. und 5. Symphonie die Ausmessung eines polaren Gegensatzes intendierte, nämlich mit den nämlichen Mitteln und im Rahmen derselben Gattung die Extreme musikalischer Zeitgestaltung in eine gegenwartsgemäße Formulierung zu bringen, steht selbst dann außer Frage, wenn es auch offenbleiben mag, was ihn wohl zu diesem Experiment bewog. Die schnelle Antwort jedenfalls, es sei ihm um die Spannung zwischen absoluter und Programmusik gegangen, verfehlt schon deshalb die historische Position, weil sich die ästhetische Diskussion gerade dieses Punktes im ersten Jahrzehnt des neuen Jahrhunderts noch gar nicht so weit ins Prinzipielle hinein vertieft und überdies noch nicht hinreichend weit vom Streitpunkt der Priorität von Vokal- oder Instrumentalmusik gelöst hatte. Ganz unzutreffend wäre es freilich, wollte man nur in der Sechsten sozusagen einen Ausflug Beethovens in die Provinzen symphonischer Programmusik erblicken, demgegenüber die Fünfte umso entschiedener das Kernland absoluter Musik repräsentiere. Auch wenn der Fünften jene programmatischen Beischriften fehlen, an deren Formulierung Beethoven von allem Anfang der Skizzierung seiner Pastoralsymphonie an schon zu feilen begonnen hatte, so ist sie doch ebenfalls eine „Sinfonie caractéristique". Zu deutlich sind die Anklänge an die (inzwischen längst postrevolutionäre) französische Opern-, Fest- und Agitationsmusik, vor allem in der heute peinli-

1 Auch die bei Thayer / Deiters / Riemann, *Ludwig van Beethovens Leben,* Bd. III (^{2}1911), S. 90 zitierte Briefstelle vom 8. Juni 1808 läßt sich hierauf beziehen; in ihr versucht Beethoven dem Verlag Breitkopf & Härtel gegenüber sicherzustellen, daß beide Symphonien ein halbes Jahr zurückzuhalten sind, so „daß sie vom 1. Juni [!] an gerechnet erst in Sechs Monathen herauskommen dürfen".

2 Vgl. besonders R. Bockholdt, *Ludwig van Beethoven. VI. Symphonie*, S. 72—75.

chen „Überdosis“ an „affirmativem Pathos“[1] des letzten Satzes, als daß die Rede davon sein könnte, Beethoven habe gerade hier einmal auf seinen Anspruch verzichtet, ein „Tondichter“ zu sein, der von nicht weniger kündet als von den Ideen selbst. Die nach Bülows Wort „direkte Rede“, den unverhüllt agitatorischen Appell an die große Öffentlichkeit — also das neue bürgerliche Publikum — hörte der greise Goethe selbst noch durch den milden Klaviervortrag des gerade 21jährigen Felix Mendelssohn Bartholdy hindurch; dessen Versuch, dem enzyklopädisch interessierten Dichterfürsten in einem Vormittagsstündchen anhand der Fünften zu erläutern, wer in der Musikgeschichte „die Sache weiter gebracht hätte“, hat Goethe schließlich nur noch befremdet kommentiert: „das ist sehr groß, ganz toll, man möchte sich fürchten, das Haus fiele ein; und wenn das nun alle die Menschen zusammenspielen!“[2]

Wie grundsätzlich jedoch die Rezeptionskonstante, gemäß der die Fünfte den eigentlichen und die Sechste den uneigentlichen Beethoven repräsentiere, dessen eigene Intention verfehlt, geht nicht nur aus der engen Verbindung hervor, in der gerade diese beiden Werke konzipiert, zum Abschluß gebracht und in die Öffentlichkeit entlassen wurden. Beethoven hat, ohnehin an der Konzeption dialektisch aufeinander bezogener Werkpaare interessiert[3], seine beiden Symphonien op. 67 und 68 stets wie ein einziges Werk im gleichen Atemzug genannt; sie bilden ein symphonisches Doppelwerk, dessen musikalisch-kompositorischer Gehalt sich erst aus der Spannung seiner inneren Gegensätze völlig erschließt, nämlich aus der Ausformulierung zweier konträr entgegengesetzter Arten menschlicher Zeiterfahrung — ohnehin einem zentralen Thema der Musik Beethovens[4] — innerhalb desselben Gattungsrahmens sowie unter weitestgehender Annäherung der Ausgangsbedingungen. Fordert die *Pastorale* als die ihr gemäße Wahrnehmungsform jene verlorene Beschaulichkeit, wie sie der Zivilisation und Kultur des vorindustriellen Zeitalters (und zudem in ländlichem Ambiente noch ausdrücklicher als in der Stadt) adäquat war, so kann der unablässig fortschreitende Sturmlauf der Fünften dagegen nicht anders wahrgenommen werden als „panoramatisch“, und das heißt mit unausgesetztem Blick auf das Ganze. Alles in dieser Symphonie drängt nach vorn; ihr motivisches Material und die zur Anwendung gelangenden Verfahrensweisen schränken sich aufs äußerste ein, damit nur ein einziger Zweck erfüllt wird: die auf das Ende ausgerichtete Erwartungssteigerung. Selbst noch die vom Finale ausgehende Wirkung sieghafter Erfüllung, der überwältigende Ausbruch der musikalischen Komposition in offen triumphierende Aktion, sind kompositorisch legitimiert und ausgestaltet, und sie bedürfen keiner ideologisierenden Programm-Paraphrasen über Nacht und Licht, Unterdrückung und Revolution oder Schicksal und Triumph. Solche und ähnliche Interpretationsschemata stellte schon zu Beethovens Lebzeiten ein Kunstraisonnement bereit, welches die Fünfte zum exemplum classicum für das Erhabene in der Musik und die Sechste zu dem des Idyllischen auseinanderstilisierte, während es doch nur vorgab, über die ästhetische Priorität von Ausdruck gegenüber Darstellung zu argumentieren.

1 Vgl. P. Gülke, *Zur Neuausgabe der Sinfonie Nr. 5,* S. 68.
2 F. Mendelssohn Bartholdy, *Reisebriefe* (⁷1865), S. 8.
3 Vgl. M. Walz, *Kontrastierende Werkpaare.*
4 Vgl. R. Bockholdt, *Ludwig van Beethoven. VI. Symphonie,* S. 74.

Gewiß würde man der Bedeutung beider Werke nicht gerecht, wenn man die Gegensätzlichkeit ihres „Inhalts“ aus der Wahrnehmung und Beschreibung ihres jeweiligen Charakters auszublenden suchte. Beethovens Symphonien, und vor allem seine beiden mittleren, sind adäquat und restlos eben nicht in Termini bloß kompositorischer Verfahrensweise beschreibbar. In der Vorführung der angedeuteten Extreme musikalischer Zeitgestaltung realisieren beide Stücke zugleich die ihnen jeweils zukommende Idee, und gemäß dieser würde freilich der Kontrast zwischen der Sechsten und der Fünften auf die Differenz zwischen einer „äußeren“ und einer „inneren“ Dramatik hinauslaufen oder — um es mit den Worten zu sagen, mit denen Richard Wagner die Ambiguität des leitmotivischen Materials seiner *Ring*-Tetralogie einmal erläutert hat — auf den Gegensatz zwischen der Musikalisierung von „einfachen Naturmotiven“ und der Gestaltung einer durch menschlichen Willen und seine „Leidenschaftstendenzen“ dramatisch bewegten Handlung. Selbst dann aber, wenn man derart die eigene Hörerperspektive auf Gegensatzpaare wie „lyrisch—dramatisch“, „Tableau—Aktion“ oder „Dauer—Zeitlauf“ reduzierte, würde hier wie dort — für diese beiden charakteristischsten aller Beethoven-Symphonien — die Konzentration auf den Inhalt die Einsicht in die Komposition behindern, ihren Aufbau, ihre Faktur und in die innere Einheit der gewählten formalen Gliederungs- und Darstellungsmittel mit dem gegebenen Vorwurf. Auch in der Musik läßt das Starren aufs Sujet das Bild als solches verschwinden, und genau dies geschah eigentlich mit Bezug auf beide Symphonien längst. Der Hinweis eines zeitgenössischen Rezensenten, der interessierte Hörer werde sich über das Werk sowieso schon bald mithilfe der gedruckten Partitur sein eigenes Urteil bilden können, bleibt für die Aufnahme und Weitergabe dieser beiden Symphonien symptomatisch. Hinsichtlich ihrer angestrebten inneren Dialektik verlief ihre Rezeption diffus, so daß kaum etwas von dem, was Beethoven mit dem Doppelwerk seiner beiden extremsten Symphonien intendiert hatte, zu wirklich allgemeiner Aufmerksamkeit gelangte. Zu seinen Lebzeiten fand, soweit sich sehen läßt, keine einzige weitere Doppelaufführung der Symphonien op. 68 und op. 67 mehr statt[1], Richard Wagner mißverstand die Sechste gar als Vorstufe zur Siebten, und noch heute wird die banausische Eselsbrücke, die „ungeraden“ der neun Symphonien Beethovens seien die wichtigeren[2], mit nichts so gern belegt als mit dem Verweis auf einen qualitativ gedachten Abstand zwischen der Fünften und der Sechsten.

Rainer Cadenbach

1 Die im Juli 1813 im Rahmen der Mollerschen Akademie zu Mailand stattgehabten Aufführungen der 4., 5. und 6. Symphonie beziehen sich nach einer Notiz in der *AmZ* vom 4. August 1813 auf eine ganze Konzertreihe.

2 Auch Carl Dahlhaus reflektierte eher die Konsequenzen aus diesem Vorurteil für den „Beethovenmythos“, als daß er es zu widerlegen suchte (vgl. *Ludwig van Beethoven und seine Zeit,* S. 31f.).

6. Symphonie F-Dur
Pastorale
op. 68

ENTSTEHUNGSZEIT: 1803—1808; Hauptarbeitszeit: 1807—1808.
ERSTAUFFÜHRUNG: am 22. Dezember 1808 im Theater an der Wien in Beethovens „Akademie", zusammen mit op. 67, op. 58, op. 80 u.a.
SKIZZEN: Deutsche Staatsbibliothek Berlin, Grasnick 3; Staatsbibliothek Preußischer Kulturbesitz Berlin, Landsberg 10, Pastoralsymphonie-Skizzenbuch; Biblioteka Jagiellońska Krakau, Landsberg 6, Eroica-Skizzenbuch; British Library London, Add. Ms 31766; Skizzenblätter: Beethoven-Haus Bonn; Skizzenausgaben: G. Nottebohm, *Ein Skizzenbuch*; D. Weise, *Ein Skizzenbuch zur Chorfantasie*; dies., *Ein Skizzenbuch zur Pastoralsymphonie*.
AUTOGRAPH: Beethoven-Haus Bonn.
ERSTDRUCK UND WIDMUNG: Stimmen: Leipzig 1809 (Breitkopf & Härtel); Partitur: Leipzig 1826 (Breitkopf & Härtel); Fürst Franz Joseph v. Lobkowitz und Graf Andreas v. Rasumowsky gewidmet.
GESAMTAUSGABE: Alte Gesamtausgabe: Nr. 6 = Serie 1 Nr. 6.

Die allzuoft gestellte Frage, ob die *Pastorale* „Programmusik" sei oder nicht, wird in der Regel mit apologetischem Unterton verneint, ohne daß daraus die Konsequenz gezogen würde, von reiner Nacherzählung der zweifellos abgebildeten Ereignisse abzurücken. Die Frage ist aufschlußreich, weil doppelt schief. Zum einen gibt es keinen Begriff von Programmusik schlechthin. Und Definitionsversuche bleiben abstrakt, wenn sie ohne Blick auf die Begriffsgeschichte Allgemeingültigkeit beanspruchen. Man muß sich in Erinnerung rufen, daß der Ausdruck als solcher erst seit der Mitte des 19. Jahrhunderts in einem Umfeld geläufig wird, das allenfalls durch kompositorische Auseinandersetzung mit der Symphonik Beethovens (und nicht nur mit der *Pastorale*) geprägt ist. Insbesondere aber ist Programmusik aus dem Kontext der hitzigen Diskussion um die sogenannte „absolute Musik" nicht zu lösen. Und als einer ihrer Gegenbegriffe wurde er zunächst ausschließlich in abschätzigem Sinne gebraucht, was bis heute nachklingt. Dies wiederum erklärt, warum man Beethoven immer wieder vor der Bezeichnung glaubt bewahren zu müssen.

Andererseits ist die Frage nicht zu beantworten, weil die Alternative, die sie intendiert, zu Beethovens Zeit so nicht gegeben war. Denn Vogelstimmen oder Donner und Blitz, kurz die abbildhaften Naturelemente der Symphonie, die ja die Frage stets auslösen, sind ebensowenig rein musikalisch (im Sinne der späteren Absolutheitsforderungen) begründbar, wie sie allein als musikalische Abbilder von „Außermusikalischem" (im Sinne des späteren Begriffs der Programmusik) dastehen. Weder die „absolute" noch die „programmatische" Sicht ist also angemessen, und die Alternative paßt begriffsgeschichtlich ebensowenig wie inhaltlich.

Was aber ist die *Pastorale* dann? Beethoven selbst nannte sie „Sinfonia caracteristica". Der Ausdruck bezeichnet viel besser den Sachverhalt, ist gleichwohl aber eine etwas altmodische Formel für das ausschlaggebend Neue am Werk, für das der Zeit im Grunde keine Bezeichnung zur Verfügung stand. Wohl gibt es vor der *Pastorale* längst rein instrumentale Naturschilderungen. Man denke nur an die bekanntesten, zum Beispiel an Vivaldis *Vier Jahreszeiten*, die pastorale Sinfonia in Bachs *Weihnachtsoratorium*, an Haynds *Schöpfung* oder an die „Rosenarie" in

Mozarts *Figaro.*[1] Selbst eine sogar fünfsätzige Pastoral-Symphonie mit auffällig ähnlich gehaltenen Satzüberschriften gab es schon, nämlich Justin Heinrich Knechts *Le Portrait musical de la Nature ou Grande Simphonie* in G-Dur, 1785 erschienen.[2]

Im Erstdruck der *Pastorale* steht auf der Rückseite des allgemeinen Titelblatts der ersten Violine (der Direktionsstimme) die Überschrift „Pastoral-Sinfonie oder Erinnerung an das Landleben". Darunter aber findet sich in Klammern die vielzitierte Bemerkung: „mehr Ausdruck der Empfindung als Malerey". Äußerungen dieser Art hat Beethoven jedoch nicht nur hier, sondern so oft in seinen Skizzen zur *Pastorale* niedergeschrieben[3], daß es scheint, als habe er nach einer Rechtfertigung gesucht. Und tatsächlich beugt Beethoven einem möglichen Einwand vor, der im übrigen genau das betrifft, was später mit der Frage nach der Programmusik so schief ausgedrückt wurde: Malerei in der Musik war gegen Ende des 18. Jahrhunderts längst verpönt, von niederem ästhetischem Wert. So sagt auch er selbst an anderer Stelle: „Jede Mahlerei nachdem sie in der Instrumentalmusik zu weit getrieben verliehrt."[4]

Wie die 9. Symphonie mit dem Griff zum Wort eine Grenzüberschreitung der Symphonie bedeutet, so geht auch die *Pastorale* über deren Rahmen hinaus. „Mahlerey", konkrete Satzüberschriften oder auch die Fünfsätzigkeit des Werkes sind äußere Zeichen dessen. Warum aber hat Beethoven ein altes, so heikles Genre aufgegriffen? Uns muß vor allem der kompositorische Grund interessieren. Denn wie bei der 9. Symphonie, so ist auch bei der *Pastorale* die besondere Anlage eine Konsequenz des neuen symphonischen Konzepts.

Mit der *Eroica* ist Beethoven zu einem Symphonie-Typus durchgestoßen, den man als „Ideensymphonie" bezeichnen könnte. Jedem der Werke liegt eine spezifische und jeweils andere Idee zugrunde, die den individuellen Form- und Ausdrucksprozeß ebenso steuert und gestaltet, wie sie selbst am Ende als dessen vollkommene Erfüllung erscheint. Beethoven selbst soll von der „zugrunde liegenden Idee" gesprochen haben, die ihm als „Bild in seiner ganzen Ausdehnung wie in einem Gusse" vor seinem Geiste stehe, bevor er an „die Arbeit des Niederschreibens" gehe.[5] Ob und wie sie auch immer im Falle der anderen Symphonien sprachlich gefaßt werden kann, — in der *Pastorale* scheint Beethoven sie selbst benannt zu haben: im Titel sowie in den Satzüberschriften. Und hierin liegt auch der Grund, warum er selbst den Ausdruck „Sinfonia caracteristica" benutzt hatte. Ihre „Idee" nämlich ist so konkret, so „charakteristisch", daß sie, im Unterschied zu den anderen Symphonien, in Worten sprachlich faßbar wird. Die *Pastorale* ist ebenso eine Ideensymphonie wie die anderen. Das Besondere des Werkes aber liegt darin, daß Beethoven seinem neuen symphonischen Konzept (mit tradierten Mitteln) eine Konkretion verleiht, deren Grad einmalig im Gesamtschaffen ist und doch nur gleichsam handgreiflich macht, was jedem seiner Werke „zugrunde liegt".

Warum aber diese Pointierung eines kompositorischen Grundprinzips am Beispiel der Schönheiten des Landlebens? Land als Gegensatz zur Stadt ist auch für

1 Vgl. A. Sandberger, *Zu den geschichtlichen Voraussetzungen der Pastoralsinfonie.*
2 Neuausgabe in *The Symphonie C,* 13 (1984), S. 1—71.
3 Zusammengestellt z.B. bei R. Bockholdt, *Ludwig van Beethoven. VI. Symphonie,* S. 77—79.
4 Im Skizzenbuch Landsberg 10. Vgl. am besten die in Anm. 3 genannte Schrift.
5 Äußerung gegenüber Louis Schlösser, wiedergegeben in Fr. Kerst, *Die Erinnerungen an Beethoven,* Bd. II, S. 15. Vgl. auch C. Dahlhaus, *Ludwig van Beethoven und seine Zeit,* S. 183ff.

Beethoven Inbegriff der den Menschen einbeziehenden „Natur". Friedvolle Geborgenheit und heitere Ruhe sind die primären Kennzeichen, wie sie auch im pastoralen Ton der Symphonie zum Ausdruck kommen. Nun wissen wir, daß die *Pastorale* zur gleichen Zeit wie die 5. Symphonie entstanden ist. Die Aufzeichnungen stammen aus der Zeit zwischen 1803 und 1808, ähnlich wie die der 5. Symphonie. Die Hauptarbeitszeit an beiden fällt ins selbe Jahr: 1807. Und beide Symphonien wurden im selben Konzert vom 22. Dezember 1808 erstmals aufgeführt, ironischerweise sogar noch mit vertauschten Nummern. Vor allem aber läßt sich eine auffällig lange Reihe an kompositorischen Detailübereinstimmungen erkennen.[1] Gleichwohl bildet die 5. Symphonie sowohl der kompositorischen Anlage als auch dem Charakter nach, kurz: hinsichtlich ihrer „Idee", einen so diametralen Gegensatz zur *Pastorale*, daß die Vermutung naheliegt, der Komponist habe genau dessen Bewältigung im Rahmen ein und derselben Gattung gesucht.[2]

Beethovens bekannte Naturliebe[3] ist gewiß nicht mehr als eine äußere Motivation für die Entstehung der Symphonie, wie es die Ideen von Gesetz und Freiheit, Arbeit und Vollendung oder Konflikt und Lösung sind, die bei ihm jeweils mit spezifisch musikalischen Gestaltungen in Verbindung stehen. Viel wichtiger ist das kompositorische Problem, das Beethoven mit der *Pastorale* angeht. Man kann es als „Aufhebung" (also als Negation und zugleich Bewahrung) all dessen verstehen, was an der 5. Symphonie zielhafte (und am Ende sieghafte) Progression ist. Und genau diese Besonderheit schafft eine Analogie zum Naturbegriff und ist zugleich essentielle Grundlage für den pastoralen Ton des Werkes.

Der musikalische Prozeß in der *Pastorale* strebt nicht eigentlich einem Ziel entgegen und kommt doch voran; er will nicht eigentlich Endgültiges erreichen, gleichwohl aber entfaltet er sich. So aber läßt sich „Natur" musikalisch fassen, wenn sie als entwickelnder und doch wiederholter und immerwährender Fortgang verstanden wird. Was an der 5. Symphonie gleichsam konsequente ‚Handlung' ist, wird bei der *Pastorale* zum in sich ruhenden ‚Bild'. Dessen kompositorische Realisation aber bedeutet nichts Geringeres, als in (fortlaufender) musikalischer Zeit den Gegensatz von Progression und Stillstand aufzuheben. Natur ist (als Leben auf dem Lande in der Natur) die geeignete ‚Konkretion' des allgemeinen kompositorischen Problems. Sie ist gleichsam prozessualer Stillstand.[4] Und umgekehrt: Natur in der Konkretion pastoraler Stimmungen und Bilder ist im Sinne des neuen Symphoniekonzepts kompositorisch sinnvoll nur zu fassen, wenn die Analogie zwischen dem spezifisch musikalischen und dem abgebildeten Gestaltungsprozeß stimmig ist. Daß die Symphonie deswegen im engeren Sinne „charakteristisch" ausfiel[5], liegt am Genre, das sie zur Konkretion aufgreift und das zugleich dem spezifisch musikalischen Werkkonzept historische Legitimation und jedermann vernehmbare Plausibilität verleiht.

---

1 Vgl. z.B. R. Bockholdt, *Ludwig van Beethoven. VI. Symphonie,* S. 72—75.

2 Zur paarweisen Komposition bei Beethoven vgl. M. Walz, *Kontrastierende Werkpaare.*

3 Vgl. W. Kahl, *Zu Beethovens Naturauffassung.*

4 Vgl. hierzu die etwas anders lautende Formulierung von der „‚bestimmten Negation' des Prozeßcharakters" bei der Darstellung von Natur in der Musik des 19. Jahrhunderts bei C. Dahlhaus, *Die Musik des 19. Jahrhunderts,* S. 257.

5 Vgl. J. de Ruiter, *Der Charakterbegriff,* S. 93—116, insbes. S. 108f.

Eine ausführliche Analyse dieses (ohnehin besonders bekannten) Werkes findet hier keinen Platz.[1] Es kann nur darum gehen, Wesentliches aus dem umrissenen Problem, dem Verhältnis von Formprozeß und (Pastoral-)Idee, exemplarisch zu verdeutlichen. Formprozeß meint dabei den inneren Verlauf des Werkes und seiner Teile im Blick auf den Sinn musikalischen Fortgangs im Rahmen jeweiliger ‚Außenformen', wie sie durch Tradition Allgemeingültigkeit und -verständlichkeit erlangt haben.

Daß der erste Satz Sonatensatzform hat, gehört zur Norm. Aber auch im Blick auf seine Überschrift „Erwachen heiterer Gefühle bei der Ankunft auf dem Lande" ist dies um so weniger erstaunlich, je weiter man von der Vorstellung abrückt, bei Beethoven müsse Sonatensatzform stets „dramatisch" im Sinne konfliktlösender Handlung sein. Hier ist sie das Gegenteil. Beethoven nutzt die Form für die Realisierung der Satzidee. Die Exposition setzt keinen Konflikt durch kontrastierende Themen. Vielmehr steht das Moment thematischer Einheit im Vordergrund, an die auch die Einheit der Stimmung und des musikalischen Tonfalls gebunden ist, ohne daß auf Vielfalt der Gestalten und Mittel, die hintergründig wirken, verzichtet würde. Wohl gibt es zwei in Diastematik, Rhythmik oder Phrasierung durchaus unterschiedliche Themen (T. 1ff. bzw. T. 67ff.), ihre Übereinstimmungen (absteigende Oktavausfüllung, Gleichheit der Haupttöne oder der Brechung des Sept-Nonen-Dreiklangs, vgl. T. 67—68 mit T. 2) überwiegen jedoch. Homogenität schafft auch der fließende, nirgends (z.B. durch Achtelpunktierungen) stockende Duktus. Der ‚Tonfall' ist durchweg „heiter" und unbeschwert: Überall klingt helles Dur (Moll gibt es nur an einer einzigen Stelle: im triolischen Hörnereinwurf Takt 57, der den Wechsel zur Dominanttonart ankündigt); die Dreiklangsbrechungen und parallelen Terzen der Oberstimmenmelodik mit typischen Begleitformen sowie die metrisch klare Zwei- und Viertaktgruppierung machen den Satz sanglich-einfach; die bordunartige Klangfundierung ist unüberhörbar volkstümlich; und die Harmonik beruht nahezu ausschließlich auf einfachem Pendeln zwischen Tonika und Dominante; eine klare Subdominante kommt überhaupt nur an zwei Stellen vor (dazu weiter unten). Die Betonung von Einheit in Anlage und Ton sowie der Verzicht auf sämtliche Mittel des Konflikts entspricht dem Bild von der ungebrochenen, ganzheitlich aufgefaßten Natur, der klare, heitere Charakter dem unbeschwerten Wohlgefühl in ihr. So wenig die Musik den Konflikt sucht, so sehr ruht sie in sich. Das Mittel der vielfachen Wiederholung kurzer thematischer Sinneinheiten, das motivische Insistieren, gehört zu Beethovens allgemeinen, immer wieder verwendeten Satzprinzipien. Aber es gibt wohl keinen Satz, der mehr auf Wiederholung baut, ein Kompositionsmittel so uneingeschränkt zum Prinzip erhebt wie dieser. Wiederholung, an sich ein monotones und bei Beethoven oft ein Prinzip stockiger Beharrlichkeit, wird hier zur Grundlage musikalischer „Natur"-Analogie, von „prozessualem Stillstand". Auch dies exponiert die Exposition.

Der gesamte Hautptsatz (T. 1—53) ist großangelegtes Beginnen auf allen kompositorischen Ebenen. In der Zunahme der Mittel, ausgehend von der leeren Quinte und einem noch unfertig verharrenden Eröffnungsruf (T. 1—4), „erwacht" der Satz und mit ihm die Heiterkeit des Tons. Nirgends aber gibt es eigentlich ein definitives Ziel. Der Vorgang ist additiv, horizontal ebenso wie vertikal. Er mehrt sich, aber

1 Verwiesen sei auf die ausgezeichnete Studie von R. Bockholdt, *Ludwig van Beethoven. VI. Symphonie.*

er zielt nicht, und alle Grundlage ist Wiederholung, auf der die Zunahme stattfindet. Auch gibt es nicht eigentlich ein Thema. Die ersten vier Takte sind zu vorläufig, die folgenden zu unselbständig, und der Wiederbeginn in der Oboe (T. 29) wird von den anderen Holzbläsern unterbrochen (und fehlt übrigens auch in der Reprise); nur der Tuttieinsatz, der Höhepunkt der Eröffnung, findet laut jubelnd zu einer fertigen Gestalt, ist jedoch jene traditionelle Tuttiwiederholung mit Fortspinnung, die im Grunde die Existenz eines Themas schon voraussetzt. Gewiß ist der gesamte Öffnungsprozeß thematisch, daß es aber im wellenartig anwachsenden Kontinuum kein eigentlich bestimmbares Thema gibt, ist Teil der raffinierten Ideenrealisation: Alles ist Beginnen, alles ist „Erwachen" und wäre es nicht durch und durch, wenn nicht auch das Thema davon betroffen wäre.

Wird die Wiederholungsanlage des Hauptsatzes noch vom Öffnungsprozeß dominiert, so bringt der Seitensatz die Wende (T. 67). Und hierin liegt, neben der Markierung der erreichten Dominantebene, seine spezifische Formfunktion. Permanente Wiederholung ist es, die nunmehr den Prozeß erneut beginnender und zunehmender Raumweitung ihrerseits dominiert. Und mit den Kräften der weiterhin additiven, gleichsam aufblühenden Entfaltung beginnen schließende Kräfte sich die Waage zu halten. Die Bewegung wird gleichförmig, metrisch verbreitert (doppeltaktig), und vor allem wendet sich die gewissermaßen steigende Harmonik der permanenten T-D-Folge im Hauptsatz in einen fallenden, schließenden D-T-Wechsel. Auch hier gibt es (außer dem harmonischen) kein Ziel. Ein solcher selbst im Zunehmen gleichbleibender Wiederholungsvorgang kann nur durch Abbruch enden. Und er ist, nach der Rückkehr zum Hauptthemenmotiv (T. 93), in einem Klang erreicht, der im Satz bislang konsequent (bis auf eine entsprechende Stelle im Hauptsatz, T. 11 und 15) ausgespart blieb: die Subdominante (T. 96). Sie markiert den endgültigen Wendepunkt, und von hier an dominiert die Schlußkraft. Baute sich der Hauptsatz gleichsam aus lauter sich öffnenden Vordersätzen auf, brachte der Seitensatz den metrischen Ausgleich, so hören wir nun zunehmend schlußbildende Einheiten: Nachsätze, deren thematisches Material aus dem Hauptsatz stammt, zunächst in Viertaktgruppen, dann, im eigentlichen Epilog (T. 116), in zwei- und schließlich nur noch in eintaktigen Einheiten. Der Kreis schließt sich: sowohl thematisch als auch im Blick auf die Bewegungskurve. Und die Verhältnisse der Teile und Bewegungsformen könnten ausgewogener nicht sein.

Was in der Exposition nicht gesetzt wird, kann in der Durchführung (T. 139—279) nicht verarbeitet werden: Konflikt findet auch hier nicht statt. Mehr noch: Es gibt wohl keine Durchführung bei Beethoven, die stärker als diese auf Wiederholung und Ausbreitung von Klangflächen setzt. Das aber war ja das Prinzip, das exponiert wurde, und berechtigt dazu, sie Durchführung zu nennen, weil sie durch und durch ausnutzt, was zum Thematischen der Exposition gehörte. In zwei nahezu gleichen Abschnitten der dreiteiligen Anlage hören wir nur das ewig Gleiche des Hauptthemenmotivs, freilich alle vier Takte in neuer Besetzung und anderer Dreiklangslage, gleichsam in jeweils anderer ‚Beleuchtung' und in verschiedenen Intensitätsformen, zu- und abnehmend. Dem Bild vom Licht entsprechen auch die breit ‚strahlende' Klangfülle der Höhepunkte (T. 175 und 221), vor allem aber die beiden berühmten Stellen des mediantischen Klangwechsels (T. 163 und 209) mit ihrer Aufhellung eines Dreiklangstons zu neuer Durterz. Sie wirkt wie ein Wechsel zu hellerer Farbe, taucht die in sich bewegte Fläche gleichsam in ein neues, leuchtendes Licht und verhindert im rechten Moment, daß Wiederholung zu Monotonie wird. Durch diesen (im 19. Jahrhundert oft imitierten) Vorgang aber gerät der Satz in harmonisch weit von der Grundtonart entfernte Gebiete (fünf Quinten aufwärts von F- nach E-Dur), von wo aus wieder zurückgefunden werden muß. Dazu ist der dritte Durchführungsteil da. Er geht mit einem noch unverbrauchten Themenmotiv, und zwar konsequenterweise mit dem ‚subdominantischen' aus Takt 9—12, den langen Weg über die fünf Stufen zurück, erreicht nach der einzigen Mollpartie im ganzen Satz (T. 257) den um so strahlenderen Höhepunkt der Durchführung (T. 263), um schließlich, mit einem Schritt übers Ziel hinaustretend, in jenem Klang zu enden, den wir in dieser Funktion nunmehr schon kennen: die Subdominante (T. 275). Von hier aus senkt sich (melodisch wie harmonisch) auslaufend das Geschehen in die Reprise (T. 279).

Der Reprisenbeginn aber hat selbst das Aussehen einer Überleitung. Aufgelockert durch eine Solopartie der Geigen und überlagert durch eine in die Oberstimme verlegte Begleitung, um den Wiedereinsatz der Holzbläser verkürzt sowie mit nur einer Steigerung mündet der Satz in die Tuttiversion des Hauptsatzes (T. 312). Hier erst sind wir mit Gewißheit in der Reprise und doch, wie schon in der Exposition, über den Anfang längst hinaus. Eine solche Reprisengestaltung ist ein ebenso genialer wie konsequenter Einfall: Sie folgt der thematischen Unbestimmtheit der Exposition und gibt ihm den Schein einer Überleitung, ohne den „Erwachens"-Prozeß des Werkbeginns, der hier widersinnig wäre, wiederaufzunehmen. Im übrigen ist die Reprise mit ihrem ambivalenten Eintritt eine Konsequenz der in jeder Beziehung ‚entrückten' und schließlich aus der Ferne zurückkehrenden Durchführung.

Wie sich der Exposition die Durchführung anschließt, so folgt der Reprise eine fast gleichlange Coda (T. 418, entsprechend T. 139). Ihre formale Funktion erfüllt sie als ausgedehnte Schlußpartie. Ihr Tonfall ist Abschied, so als sei nach heiterer Ankunft und glücklichem Tag der Abend gekommen. Die Epilogmelodie, die schon zweimal zum Schluß führte, wird (nach lustig-energischem Themenkopf) zu wiegenden Triolen (wie wir sie längst kennen) aufgelöst (T. 428), wiederholt und ihrerseits in einen absinkenden Repetitionsgang zurückgenommen. Und ein weiteres Mal muß Schluß gemacht werden, nun mit einer Klarinettenmelodie (T. 476), die aus dem Hauptmotiv lauter Lebewohl-Gesten macht und schließlich in reiner Dreiklangsumspielung zu Ende geht. Ganz zum Schluß aber erklingt nochmals der Satzbeginn. Das Hauptthema verabschiedet sich. Es tritt regelrecht von der Bühne, und sein Abgang wird schließlich vom vollen Orchester bestätigt.

Ist der Kopfsatz sowohl als Eröffnungssatz als auch nach Anlage und Charakter die allgemeinste Gestaltungsform von Natur, gleichsam ihre Idee selbst, so werden die mittleren Sätze zunehmend konkreter. Der zweite Satz, die „Szene am Bach", nimmt tatsächlich in der außergewöhnlichen Besetzung mit zwei gedämpften Solocelli eine Bewegung auf, in der man auch ohne die Überschrift ein sanftes, wellenartiges Fließen erkennt, das sich (fast) ohne Unterbrechung (selbst schon einheitsstiftend) durch den ganzen Satz zieht. Daß Beethoven von einer „Szene" spricht, liegt durchaus in der Tradition des langsamen Satzes, der vielfach mit der lyrisch-kontemplativen Stimmung einer Arie in Verbindung gebracht wurde. Und von daher liegt die Möglichkeit zu gestischer Anlage der Musik nahe. Die Außenform des Satzes ist wieder die Sonatensatzform, freilich ohne Expositionswiederholung, jedoch mit Haupt-, Seitensatz (T. 27) und Epilog (T. 48), Durchführung

(T. 54) mit drei Themenvariationen (T. 58, 69, 79), Reprise (T. 91) und Coda (T. 125).

Die selige, innige Stimmung des Satzes wird nicht nur durch die weiche Legatobewegung der Celli hervorgerufen. Vielmehr spielt sich über diesem Kontinuum ein dauernder Wechsel zwischen locker-formelhaften Figuren, Tonumspielungen oder Trillern (z.B. T. 1—4 und 7—10) und weitgedehnter, sanglicher Kantilene ab (T. 5—7, 11ff.). Dieser Wechsel, Ausdruck des Gegenüber von Natur und Mensch, von (äußerer) Umgebung und (innerer) Empfindung, ist gewissermaßen das ideelle Thema des Satzes und von der Formidee her ein (permanent wiederholter) Prozeß der Gestaltgewinnung. Gemeinsam mit dem Ausdruckscharakter der Mittel hat der Vorgang etwas von wiederholter Wendung aus zögerlicher Unbestimmtheit zu innig-seliger Ausdrucksfindung. Und genau hierin liegt eine besondere Wirkung des Satzes. Man betrachte nur den Beginn: die auseinanderliegenden Umspielungsfiguren der ersten Geige, die sich noch nicht zu einer geschlossenen Linie zusammenfügen wollen; darunter eine Begleitung, die die melodische Führung übernimmt (mit der gleichen Tonbewegung wie im Themenkopf des ersten Satzes), je zwei Takte Tonika und Dominante, also öffnend; und dann, über leise bewegter Akkordbegleitung und (schließender) Vollkadenz (T. 5—7), der Aufschwung zu einem weitgespannten, man möchte sagen: zart blühenden Melodiebogen, als habe der Satz nach tastendem Anfang seinen Ausdruck gefunden (die melodische Kurve entspricht ebenfalls der des Themenkopfes aus dem ersten Satz). Die sich anschließende bereicherte Wiederholung verstärkt diesen Eindruck, insbesondere auch deshalb, weil sie ergänzt wird durch den warmen, sonoren Ton eines (doppelten) Abgesangs, der den Bogen in entgegengesetzte Richtung abrundet (T. 13).

Den gleichen Vorgang, freilich in andersartiger und noch reicherer Einzelgestaltung, finden wir auch im Seitensatz sowie im abschließenden Epilog, der wie eine Bestätigung, fast wie eine Dankesgebärde den Abgesang des Hauptsatzes wiederholt. Vor diesem Hintergrund und im Blick darauf, daß während des ganzen Satzes im (auffällig vielschichtigen, dichten) ‚Stimmengeflecht‘ naturhafte Laute, Triller, Vogelgezwitscher und ähnliches ihren thematisch vorgegebenen Platz haben, ist die Partie der Vogelstimmen in der Satzcoda (T. 129; die Vogelnamen hat Beethoven selbst angegeben) eine dreifache Konsequenz und alles andere als äußerlich: Sie ist nach Ort und Einführung (nach ausgehaltenem Quartsextakkord) bekanntlich eine Art Instrumentalkadenz (gleichsam der solistischen Sänger im Walde) und steht insofern außerhalb der Form; sie ist aber vor allem die letzte und gegenständlichste Konkretion der zum Thema gehörenden, scheinbar zufälligen Naturlaute; und schließlich haben wir hier die letzte, erfüllteste Form des (thematischen) Wechselspiels: die Vogelstimmen als die freieste, ungebundenste Folge formelhafter Figuren, gefolgt vom seligen Abgesang aus Hauptsatz und Epilog (T. 132 und 136). Am Ende des Satzes also wird seine Idee (deren Konkretion die Natur am Bache ist) noch einmal abschließend formuliert: lauschendes Innehalten und inniger Dankgesang als Reaktion.

Man hat immer wieder gefragt, wieviele Sätze die *Pastorale* eigentlich habe. Den Überschriften nach sind es fünf, der Gliederung nach drei; denn die drei letzten gehen ohne Pause direkt (dominantisch) ineinander über. Beides aber verläßt den klassischen Rahmen symphonischer Viersätzigkeit und sucht seine Begründung im Außermusikalischen. Aber auch an vier Sätze ist gedacht worden. Dabei wird der

„Gewitter"-Satz als zu unselbständig nicht eigens gezählt, sondern entweder als „erweiterte Einleitung zum Finale"[1] oder als Teil des Tanzes aufgefaßt.[2] Wenn es richtig ist, daß hinter aller außermusikalischen Schilderung auch ein rein-musikalischer Formprozeß steckt, dann ist allerdings die Frage nach der Satzzahl ebenso nebensächlich, wie die nach der Programmusik abwegig war. Vielmehr wäre umgekehrt zu fragen, wie die ‚Sätze' denn zusammengehören und worin ihr musikalischer Sinn besteht. Vor allem müßte die Gestaltungsidee benannt werden, die dazu führt, den Tanz abzubrechen, einen Satz anzuschließen, der sich als musikalisch realisiertes Chaos erweist, um schließlich in die Inkarnation reinen Friedens zu münden, wie sie nach Tonfall und Form der Schlußsatz darstellt. In dieser Bestimmung liegt freilich schon der Lösungsansatz.

Der dritte Satz, „Lustiges Zusammensein der Landleute", wird noch ein Stück konkreter als der zweite. Er ist nicht mehr Empfindungsausdruck, sondern regelrechte Bewegungsabbildung des Tanzes und tanzender Gruppen. Als traditioneller schneller Mittelsatz vertritt er die Stelle des aus dem Tanzsatz stammenden Scherzos und ist auch nur vor diesem Hintergrund zu verstehen. Beethovens Scherzo-Idee im allgemeinen beruht auf einem raffinierten Spiel mit der Form, ausgelöst von dem kompositorischen Konflikt, der sich aus der geschlossen-periodischen Anlage des traditionellen Tanzsatzes (Scherzo—Trio—Scherzo mit klar abgesteckten Binnenwiederholungen) und dem Willen zu freier thematischer Entwicklung ergibt und die Form von innen sprengen muß. Ausgetragen wird der Konflikt vielfach durch Aufstellung und Verarbeitung von Kontrasten.[3] Das gilt auch für den Tanzsatz der *Pastorale*. Hier herrscht überall einfache, tanzmäßig-achttaktige Ordnung. Dennoch ist in jeder Einheit, versteckt oder offen, irgend etwas nicht ganz ‚in Ordnung'.

Takt 1—8 des Scherzos gliedert sich korrekt in zwei Viertaktgruppen; die zweite aber ist kein ‚richtiges' Pendant zur ersten, beginnt zum Beispiel mit dem ‚falschen' Takt (in Takt 37 wird das richtig gemacht) und ‚sackt' gleichsam in die falsche Tonart nach d-Moll ab. Die Takte 9—16 stellen zwar die metrische Ordnung wieder her, aber nunmehr in der völlig falschen Tonart: nicht in F-, sondern in D-Dur, besonders spürbar bei der Wiederholung (T. 17). Die beiden Einheiten korrespondieren metrisch durchaus wie Vorder- und Nachsatz (zum Beispiel durch ihre zweiten Viertaktgruppen); dennoch bilden sie einen extremen Gegensatz und folgen einander scheinbar unvermittelt. Die Takte 33—48 scheinen das richtigstellen zu wollen. Aber die Bewegung schießt über drei Quintstufen (D-, G-, C-, F-Dur) abwärts und übers Ziel hinaus, sucht nach (typischer) Schlußbestätigung, fährt sich aber in Wiederholung fest (T. 55), staut sich in einem (metrisch überzähligen) Takt (T. 59) und geht, statt nun endlich alles zum Abschluß und in Ordnung zu bringen, munter in einen neuen melodischen Gang über. Nun sind wir unverhofft am Scherzo-Höhepunkt angelangt, der aber, obgleich ordnungsgemäß achttaktig, in sich völlig asymmetrisch ist. Und als ob durch radikale Taktbetonung (T. 75) die latente Unordnung wieder wett zu machen wäre, will es den Tuttikadenzen (T. 78f., 82f.) nicht gelingen, Schluß zu machen. Der stereotype Bewegungsdrang des Dreivierteltakt-

1 Ch. Rosen, *Der klassische Stil,* S. 454.
2 Z. B. bei A. Morin, *Ludwig van Beethoven. Sechste Symphonie,* S. 136.
3 Vgl. W. Steinbeck, *„Ein wahres Spiel mit musikalischen Formen"*.

Rhythmus schießt auch hier übers Ziel hinaus und hinein in einen neuen Teil, der nach Tonfall und Besetzung das Trio (T. 91) ist.

Die gleichsam falsch einsetzende Oboenmelodie, die naiven Grundtöne des Fagotts, das scheinbar ungeordnete Mitwirken der anderen Instrumente später, all dies ist konkreter Bezug zur unbekümmerten Spielweise von Dorfmusikanten, aber zugleich (vielgeübtes) Scherzo-Spiel mit dem Tanztakt und periodischer Tanzliedhaftigkeit, wie es auch der Hauptteil, nur mit feineren Mitteln, tat. Triomäßig ist auch die Außenform mit dem wiederholten ,Thema' (T. 107) und einem zweiten Abschnitt (T. 123), der wie ein Mittelteil anhebt, dann aber erweitert wird und zunächst latent, schließlich offen in die erwartete Hauptteil-Wiederholung zurückleitet (T. 153 bzw. T. 162).

Statt des Scherzos aber kommt eine weitere Überraschung: Ein völlig neuer Tanztyp im 2/4-Takt erklingt, kraftvoll und derb stampfend wie ein Bauerntanz. Wir können kaum annehmen, daß wir uns mit dem zurückliegenden Formteil getäuscht haben und das Trio erst jetzt hören. Es scheint vielmehr, als ob die übliche (und angekündigte) Scherzo-Wiederholung übergangen wurde und wir uns schon im Finale befinden[1], im ersten Ritornell (,Thema') eines durchaus hierher passenden Rondosatzes etwa, dessen Thema einen deutlichen Rückbezug zum ersten Satz erkennen läßt (den direkten Übergang vom schnellen Mittelsatz zum Finale hat Beethoven ja schließlich auch in der 5. Symphonie gemacht). Aber auch das Finale ist es nicht, das wir hören. Die periodische Tanzmelodie, die wie in einem Trio (oder Rondo-Thema) wiederholt wird (T. 173) und in eine mittelteilartige Fortspinnung mündet (T. 181), kommt nicht weiter (T. 189). Die Bewegung gerät ihrerseits in eine Überleitung, die sich als groß angelegte Ankündigung entpuppt. An ihr wirken sogar auch (übrigens erstmals im ganzen Satz) die Trompeten mit. Man erwartet folglich gewaltig Befreiendes nach den beiden Fermate-Klängen — und hört sie nun doch noch: die schlichte Wiederholung des Scherzos. Das ist, bei so viel Aufwand, ein Witz, der Einfall unzeitgemäßer Erfüllung einer schon vergessenen Erwartung oder die Wiederherstellung einer Ordnung, die verwirrt. Solch ein Formspiel wäre Willkür, hätte es nicht in der inneren, permanent verqueren Anlage des ganzen Satzes, wie im besonderen in dessen Thema, seine Voraussetzung. Alles, innere wie äußere Form, ist eben ungewöhnlich — und Teil der Scherzo-Idee.

Die äußerlich spürbarste Folge des Formspiels im Scherzo ist übrigens die Erweiterung seiner urspünglichen Form um eine weitere Gesamtwiederholung (Scherzo—Trio—Scherzo + Trio—Scherzo—Coda), wie etwa schon in der 4. oder später in der 7. Symphonie. Der Tanzsatz der *Pastorale* ist im Grunde ebenso angelegt, mit dem Unterschied, daß nach dem ersten ,Trio' ein Schein-Finale folgt, das sich dann als (eigentliches oder zweites) ,Trio' entpuppt. Durch einen derartigen Satzverlauf, inneren wie äußeren, ist man im Grunde auf alles gefaßt. Und so ist es keine Überraschung mehr, wenn nach der Gesamtwiederholung das Scherzo, einem Perpetuum mobile vergleichbar, erneut beginnt (T. 205). Aber eine kleine Änderung deutet darauf, daß die Wiederholung anders verläuft: die Rückmodulation im D-Dur-Teil nach F-Dur (ab T. 216). Diese Modulation ist doppelt merkwürdig. Zum einen scheint sie überflüssig zu sein, denn auch der Hauptteil ging doch nach F-Dur, nur

1 R. Bockholdt spricht tatsächlich vom „Pseudo-Finale" (*Ludwig van Beethoven. VI. Symphonie,* S. 46).

später. Zum andern holt sie das helle D-Dur nach F-Dur ‚herunter'. Es ist der umgekehrte Vorgang wie in der Kopfsatz-Durchführung. Und wenn wir dort „Aufhellung" hörten, so vernehmen wir jetzt „Eintrübung". Die Modulationsstelle verweist auf das Unausweichliche: auf den Abbruch des Perpetuum mobile und zugleich, als Abbild der Verdunkelungen am Tanzhimmel, auf das Gewitter. Das Scherzo aber bricht genau da ab, wo früher das Spiel mit der äußeren Form begann, vor dem ‚ersten Trio', mit anderen Worten: Es bleibt beim Spiel mit der Form, als dessen strikte Konsequenz sich ihre Auflösung erweist: das (gestaltete) Chaos des Folgenden.

Ist der Tanz (dem Begriff der Beethoven-Zeit nach) musikalisch-artifizielle Ordnung schlechthin, so ist dessen Gegensatz die unberechenbare, katastrophale Natur: Gewitter. Daß sich der Satz „Gewitter, Sturm" also dem Tanzsatz anschließt, geht nicht vom Bild des unterbrochenen Dorffestes aus, sondern ist eine plausible Möglichkeit, den Gegensatz von Ordnung und Chaos, der im Naturbegriff aufgehoben ist, in einer musikalischen Form zu konkretisieren, deren Prinzip die Auseinandersetzung damit ist. Natürlich ist der „Gewitter"-Satz der konkreteste in der *Pastorale*. Faßt man ihn jedoch als Teil der Scherzo-Idee auf, die auch die Form des Tanzsatzes schon sprengte, so wird uns die Folgerichtigkeit klar. Rein programmatisch gesehen, hätte uns das Gewitter auch am Bach überraschen können, wo es sogar eine viel spektakulärere Wirkung gehabt hätte. Aber es steht nicht irgendwo, sondern dort, wo es die spezifisch musikalische Formidee fordert und zugleich in die Konkretion des Werkes paßt.

Donner, Sturm und prasselnder Regen sind Naturereignisse, deren musikalische Nachahmung durch Paukenschläge und -wirbel, ‚heulende' chromatische Läufe bzw. tremolierte, abwärtsstürzende Dreiklangs-‚Kaskaden' jedermann vernehmbar werden. Selbst der lautlose Blitz wird hörbar durch einen kurzen Orchesterschlag, dem eine zackige, abgerissene Aufwärtsbewegung der Geigen vorausgeht (deren Rhythmus übrigens aus dem Hauptthema des Kopfsatzes stammt). Die aufgewühlte, unheilvoll dräuende Stimmung des Satzes, der in der dunklen Unheils-Tonart f-Moll steht, wird von permanent wiederholten Skalenausschnitten in gleichzeitig gespielten Quartolen und Quintolen der tiefen Streicher getragen.

Der innere Formverlauf des Satzes folgt tatsächlich einer imaginären Gewitterszene: Nach dem lauernden Anfang der Satzeinleitung bricht das Unwetter in einem ersten Höhepunktabschnitt in f-Moll aus (T. 21). Die beiden ‚Blitz'-Perioden (T. 33 und 43) werden durch eine wild dazwischenfahrende Unisonopartie der Streicher getrennt (T. 35). Nach erneutem Anlauf mit dem Staccatomotiv der Einleitung (T. 64) steigert sich der Satz zum zweiten Höhepunktabschnitt, der, in c-Moll beginnend (der Molldominante des Satzes), in drei Abschnitten den herabstürzenden Regen (T. 78, 82, 86) sowie, erneut durch das Unisonomotiv unterbrochen (T. 89), das Heulen des Sturmes (T. 95) schildert. Die chromatisch absteigenden, mit Akzenten versehenen Tremoloklänge (T. 111) künden den Rückzug des Unwetters (den Abbau der Höhepunkte) an und leiten über zur zweiten ‚Regen'-Partie (T. 119), die in b-Moll beginnt (der Subdominante des Satzes). Obgleich wie die erste aufgebaut, bringt sie den Satz zur Ruhe, mündet in einen ersten reinen, aber noch sehr kurzen C-Dur-Klang (T. 136) mit nachgrollendem Unwetter (Ausklang). Dann aber erklingt endlich ein lang gehaltener, heller C-Dur-Klang und darüber die reinste aller Dur-Melodien, getragen wie ein Choral (T. 146). Die Klarheit nach so viel dumpfem Grollen ist die Klarheit der Natur. Wir kennen diese Melodie. Im Kirchenlied

„O daß ich tausend Zungen hätte“ oder später in Silchers Lied „So nimm denn meine Hände“ hören wir das gleiche: die (aufblickende) Öffnung zur Dur- oder Natursexte und der (ergebungsvolle) schlichte Stufengang abwärts: Dankgesang nach durchstandener Not, Niedersinken, Hingabe. Schon als solche ist die Melodie an diesen Gehalt geknüpft, im gegebenen Zusammenhang jedoch um so mehr. Wir kennen die Melodie aber auch aus dem Satz selbst: Sie erklang am Anfang (T. 3) sowie in der Mitte (ab T. 56) in hastig-unheilvoller Situation. Ihre choralartige Form am Satzende ist mithin kompositorische Läuterung und damit Ausdruck von Rettung und Dank. Schließlich aber ist in der Tonfolge ohne weiteres auch die Kontur des Hauptthemas aus dem Kopfsatz zu erkennen. Obgleich also der „Gewitter“-Satz als das Gegenstück zur (durchtriebenen) Ordnung des Tanzes Chaos darstellt, wird musikalischer Zusammenhang geschaffen, insbesondere durch die innere Spannungskurve mit ihren motivischen Bezügen sowie durch harmonische Stationen oder Abschnittwiederholungen.

Wenn schließlich der „Hirtengesang. Frohe und dankbare Gefühle nach dem Sturm“ den symphonischen Abschluß bringt, so äußert sich die Finalidee nicht nur im Tonfall des Dankgesanges, der ja schon das Ende des „Gewitter“-Satzes ausmachte. Vielmehr liegt die Finalidee der *Pastorale* auch in wiedergewonnener Ordnung. Insofern ist das Gewitter, wenn auch gewiß keine „Einleitung“ zum Finale, so doch dessen Voraussetzung. (Man sieht: Die Frage nach der Satzzahl geht am Problem vorbei.)

Das Finale aber kehrt nicht zur artifiziellen (Tanz-)Ordnung, mit der „gespielt“ würde, zurück, sondern erhält eine ‚natürliche‘ musikalische Ordnung: den Reigen, genauer: das Rondo. Auch diese musikalische Form paßt wiederum zur Naturkonkretion: Sie meint den Hirtenreigen. Freilich verbindet Beethoven mit dieser an sich unendlichen Form der Reihung das zyklische Prinzip der Sonatensatzform, wie es längst für Finalsätze üblich war. Denn so erhält der Finalgedanke eine adäquate, weil auf einen Schluß hin konzipierte Form. Es sei aber betont, daß Beethoven ein solches Sonatenrondo in seinen Symphonien ausschließlich hier sowie in der in mancher Beziehung verwandten 8. Symphonie verwendet.

Wie der Kopfsatz, so ist auch das Finale nirgends auf Konflikt angelegt. Auch hier wird nirgends auf etwas gezielt, kein Durchbruch aus Dunkelheit zum Licht, wie in der 5. Symphonie, und alles andere als monumental ist dieses Finale — Konsequenz der Werkidee. Schon die naturtonhafte Einleitung von Klarinette und Horn mit ihrem einfachen Bläserruf gibt das Signal: Rückkehr der friedvollen Natur. Überall klingt Harmonie, reine Konsonanz, wiegender pastoraler 6/8-Rhythmus. Die liedhaft-einfache, auf dem Bläserruf aufbauende Themenmelodie (T. 9) mit ihren sanglichen Dreiklangsbrechungen ist ‚natürlich‘, das heißt volksmäßigen Melodien abgelauscht, wie sie in den Alpen gesungen und gespielt werden. In ihrer Achttaktigkeit bildet sie eine schlichte Periode über den Stufen der einfachen Kadenz mit offenem Vordersatz und schließendem Nachsatz.

Dieses Thema öffnet nichts (warum auch im Finale?), es entwickelt sich nicht, es ist gewissermaßen längst da. Und nicht zur Verarbeitung, sondern im Grunde nur zur Wiederholung ist es gedacht oder besser: Was im folgenden mit dem Thema geschieht, entspricht seiner Anlage. Es wird, wie die Strophen eines Liedes, jeweils zweimal wiederholt, in der Exposition unverändert (T. 9—32), später in der Reprise (ab T. 117) in figurativen Variationen. Freilich ändert sich die Begleitung des

Themas. Und an ihr liegt es allein, daß doch ein Prozeß der Öffnung entsteht, am Satzbeginn weiter ausholend als in der Reprise. Denn der Anfang beginnt gleichsam im Ursprung, mit der Liedmelodie als solcher in schlichtestem Satz. Gesteigert wird allein die Klangfülle, Instrumentierung und Aktionsdichte der Begleitung. Das Eröffnen in der Reprise, in der der Begleitsatz wiederholt wird, hebt dagegen mit der Themenvariation von vornherein auf ‚höherem', artifiziellerem Niveau an. So werden die Formteile ihrer Funktion gerecht: die Exposition als Satzeröffnung, die Reprise als Rückkehr, oder im Blick auf den vorausgegangenen Satz: die Expositon als Wiedergewinnung klarer und schöner (Natur-)Ordnung, die Reprise als artifizieller Reflex dieses Prozesses.

Auch die beiden Couplets des Satzes übernehmen Funktionen der Sonatensatzform. Das erste (T. 32) geht nach einer einfachen Modulation zur Dominanttonart kontinuierlich aus dem Hauptthema des Ritornells hervor, befestigt in stetem harmonischem Wechsel sowie mit einem kräftigen Schluß das erreichte Niveau und bildet damit den Seitensatz der Sonatenform (T. 42). Das bestätigt sich allerdings erst in der Reprise, in der das Couplet in der Grundtonart wiederholt wird (T. 140 bzw. T. 150). Das zweite Couplet hat die Funktion einer Durchführung. Es beginnt (T. 80) zunächst mit einem neuartigen, gleichfalls sanglich-lieblichen Gedanken in B-Dur, der den Gesang der Hirten um ein weiteres Lied zu ergänzen scheint, verharrt dann jedoch, durch dynamische Wechsel gegliedert, über ausgehaltenem Orgelpunkt auf c in steter Wiederholung des Rufmotivs mit einer (längst bekannten) Umspielungsfigur.

Ferner ist zwischen Seitensatz und Durchführung die Wiederholung des Ritornellthemas in der Grundtonart gesetzt (T. 64). Die Dominantspannung wird also, zumindest für die Dauer des Themas, zugunsten der Rondoanlage verlassen. Und hieraus schöpft auch die geringe Differenz zwischen Haupt- und Seitensatz ihren formalen Sinn, der zugleich ebenso Grundlage des Einheitsgedankens wie Ausdruck des konfliktlosen Daseins in friedlicher Natur ist. Die Konsequenz für die Durchführung (die auch hier ihren Namen verdient, weil sie ‚durchführt', was die Exposition vorgibt) liegt mithin darin, daß sie nicht zum Ort der Auseinandersetzung wird und werden kann, sondern zum (coupletartigen) Mittelteil mit neuem melodischem Einfall und der Ausbreitung pulsierenden und gleichsam ornamental umrankten Stillstands.

Natur konkretisiert sich hier also als naturtönige Liedmelodie, als (Hirten-)Reigen, als Wiederholung im Wechsel und als (prinzipielle) Unendlichkeit der Form. Die Finalidee äußert sich in der Umbiegung der Form zu einer trotz der Wiederholungen finalen Anlage sowie vor allem in ihrem Mündungscharakter. Im Finale erfüllt sich nicht nur der gute Ausgang, ein „lieto fine" der Oper, sondern auch die Rückkehr zu symphonischer Ordnung. Der Grad der Konkretion wird im Finale wieder auf das Maß des Kopfsatzes gesetzt, Klärung und Rückführung also auch hier.

Die latente Unendlichkeit der Form begründet schließlich, daß der Reprise eine Coda folgt, die wie ein Ritornell mit dem Hauptthema beginnt (T. 177). Der ebenso gegebene finale Formverlauf aber ist es, der die Wiederholung zum Schlußsatz werden läßt. Das Thema wird nicht mehr zu Ende geführt, die Techniken der Begleitung und des Variierens ziehen noch einmal wie in rückschauender Erinnerung an uns vorbei, und dann hören wir in großer zu- und wieder abnehmender Bewegung eine ausgedehnte Schlußkadenz in lang gehaltenen Akkorden und Vorhaltsbildungen über dem Themenrhythmus im Baß. Hier könnte die Symphonie zu Ende sein. Aber es folgt noch ein weiterer, der eigentliche Schlußteil (T. 237). Er ist Abschied, mehr noch als der entsprechende Teil des Kopfsatzes. Endgültig kehrt nun Ruhe ein. Wir hören drei rhythmisch nahezu gleiche Taktgruppen, harmonisch zunehmend auf den Schluß gerichtet und melodisch zunächst ansteigend; dann der plötzliche Abbruch (T. 242) mit einer melodischen Formel, die Topos seufzerartigen Abschieds ist, freilich mit gleichsam noch hoffendem, nicht endgültigem Abschluß auf der Terz: das „Lebe wohl" der *Pastorale*. Und tatsächlich singt diese Figur, wie auch ihre nachfolgenden Varianten, einen Text: „Leb wohl, auf Wiedersehn" (T. 243f.) und: „...auf Wiedersehn" (T. 249f.). Der Mensch singt es zum Abschied, zum Abschied vom „Lande" wie vom Werk. Und dann, nach nochmaligem An- und Abschwellen, tritt die Musik, tritt die *Pastorale* regelrecht von der Bühne ab, vereinzelt sich in den Streichern, um ganz zum Schluß mit einer lauten Ruf-Terz endgültig, aber hoffnungsvoll zu enden: „Leb wohl".

Wolfram Steinbeck

Cellosonate A-Dur
op. 69

ENTSTEHUNGSZEIT: 1807 bis Anfang 1808.
ERSTAUFFÜHRUNG: unbekannt.
SKIZZEN: British Library London, Add. Ms 31766; Gesellschaft der Musikfreunde Wien, A 41 und A 59; Beethoven-Haus Bonn, Mh 76 und BSk 9/57; Bibliothèque du Conservatoire Paris, Beethoven Ms 45; Königliches Konservatorium Kopenhagen; Staatsbibliothek Preußischer Kulturbesitz Berlin, Landsberg 10, Pastoralsymphonie-Skizzenbuch.
AUTOGRAPH: Sammlung Felix Salzer New York (1. Satz); Rest verschollen.
ERSTDRUCK UND WIDMUNG: Leipzig 1809 (Breitkopf & Härtel) als op. 59; gewidmet dem Freiherrn Ignaz v. Gleichenstein.
GESAMTAUSGABEN: Alte Gesamtausgabe: Nr. 107 = Serie 13 Nr. 3; Neue Gesamtausgabe: Abt. V, Bd. 3.

Die Absicht, die innere Einheit eines mehrsätzigen Werkes nachzuweisen, kann unterschiedliche Methoden zu Hilfe ziehen. Fast stets erfolgreich — zumal bei Beethoven — ist das Verfahren, durch Vergleich der verschiedenen Themen und ihrer Weiterentwicklungen und Abspaltungsformen „vor- und überthematische Strukturen" zu „entschlüsseln", die sich „gegenseitig begründen" und einen gemeinsamen Ursprung erkennen lassen, weniger ein „fest umrissenes Substrat" als vielmehr eine „abstrakte Potentialität", „die erst durch den thematischen Prozeß sichtbar gemacht werden muß, um musikalisch real zu sein".[1] Dergleichen ist für die Cellosonate op. 69 vorgenommen worden, ob für den ersten oder zweiten Satz allein[2] oder für das ganze Stück.[3]

1 C. Dahlhaus, *Zum Begriff des Thematischen bei Beethoven,* S. 45f. und 63f.
2 Vgl. L. Lockwood, *The Autograph of the First Movement*; G. Boringhieri, *Nota su uno Scherzo.*
3 Vgl. Fr. Brand, *Zur dialektischen Struktur.*

Anders geartet und oft schwieriger ist der Versuch, der Frage nach der Einheit unter dem Gesichtspunkt der Zahl, der Satzart und der Gefühlsbalance der unterschiedlichen Teile eines Werkes zu Leibe zu rücken — ein Versuch, der vornehmlich bei der Betrachtung des Spätwerks Beethovens einerseits zu Verunsicherungen, andererseits zu erstaunlichen Spekulationen geführt hat und den Gedanken auslösen kann, das Ziel der Einheitssuche in Frage zu stellen oder zumindest zu problematisieren. Ein solcher Gedanke ist durchaus auch angebracht, wenn man die Bemühungen beobachtet, mit denen innerhalb der Forschung erörtert wird, wieviel Sätze op. 69 hat, drei oder vier. Der Zweifel setzt an bei dem nur 18 Takte langen Adagio cantabile in E-Dur, welches nach einer Fermate und einem Doppelstrich in das abschließende Allegro vivace (A-Dur), einen Sonatensatz von 202 Takten Länge, übergeht. „Das Adagiolied ist dominantische Einleitung“[1], wenn man sich ausschließlich auf die Tonartfolge und die bei Beethoven fast selbstverständliche melodische Verbindung der Hauptthemen beider Teile bezieht, welche allerdings wiederum einer Gesamtverbindung aller Werkthemen untereinander eingefügt ist, nicht also spezifisch für den hier angesprochenen Zusammenhang sein muß. Unter diesem Gesichtspunkt hätte die Sonate also drei Sätze.

Nicht nur der Vergleich mit einer wirklich so gemeinten, da mit dieser Absicht nachkomponierten Einleitung zu einem Schlußsatz wie derjenigen zur *Waldsteinsonate* op. 53 läßt Bedenken gegenüber einer solchen Auffassung aufkommen, sondern auch die Tatsache, daß der Abbruch des Adagio cantabile als Beispiel gesehen werden kann für „the problem of closure“ in der mittleren Periode von Beethovens Kammermusik, vor allem im Hinblick auf die beiden Klaviertrios op. 70.[2] Die fragmentarischen 18 Takte erzeugen ja tatsächlich den Eindruck, als beginne hier nach Stil und Gefühlshaltung ein echter langsamer Satz, und schon das logische Denken muß eine Interpretation des Sachverhaltes einschließen, wonach es sich hier um einen veröffentlichten Zweifel über Berechtigung und Funktion eines ausgedehnten langsamen Satzes innerhalb der Cellosonate handelt. Damit wäre einerseits der auffällige Ausbruch aus der Konvention der Folge der Sätze innerhalb der Kammermusik akzentuiert — nur schnelle Sätze —, andererseits für Beethovens Zurschaustellung von Zweifeln über Schlußbildungen wie später im Streichquartett op. 130 — *Große Fuge* oder nachkomponiertes Rondo? — ein frühes Beispiel benannt. So hätte das Werk vier Sätze.

Die Entscheidung, das Adagio cantabile zur Einleitung zu machen, unterschätzt das Individuelle und das vorgefaßten Tendenzen widersprechende Spezifische, mit denen Beethoven häufig Entscheidungen für die formale Gestaltung eines bestimmten Werkes vornahm. So ist es zwar angemessen, „der thematischen Gestalt“ des zweiten Themas im Schluß-Allegro „einen rhapsodischen Charakter, der sich dem Charakter des ersten Themas anschließt“, zuzusprechen — Robert Schumann hat offenbar von dieser stillen, nachdenklichen Geste manches gelernt —, aber nur vom Aussichtsturm des Spätwerkes her kann man es unternehmen, diesen Schlußsatz als aus der Tendenz fallend, seine Freundlichkeit und — im guten Sinne — Harmlosig-

1 Ebenda, S. 823.
2 Vgl. L. Lockwood, *Beethoven and the Problem of Closure.*

keit als unpassend zu kritisieren, da er nicht die Titanenpflicht erfülle: Beide Themen „reduzieren den Spannungsgehalt, verkleinern den Sonatensatzprozeß, der auch in der Durchführung nicht gesteigert, sondern schließlich diminuiert, d.h. weiter abgebaut wird [...]. Zu beachten ist [...], daß mit der Dialektisierung des Sonatenprozesses die musikphilosophisch möglichen Grenzüberschreitungen im musikalischen Ausdruck angestrebt sein müßten [...]. Die bloß nach der Konvention komponierte Sonate, d.h. die noch an keiner Stelle die Grenzüberschreitung anstrebt, ist von diesem Begriffskriterium her lediglich kompositionstechnisch Sonate zu nennen [...], aber auch Beispiel dafür, daß der in der dialektischen Spannung nachlassende dritte Satz in der äußeren Form eines Sonatensatzes keine Lösung für den dritten Ort der intendierten Grenzüberschreitung darstellen kann. In Frage kamen Fuge und Hymne."[1]

Hier wird Beethoven mit seinen eigenen Waffen geschlagen, mit Waffen, die er allerdings auch selbst nur gelegentlich zur Hand nahm, etwa in der zeitlich parallel komponierten 5. Symphonie. Beethoven hatte für jede seiner Gesamtideen, die er jeweils ansammelte, unterschiedliche Facetten der Darstellung, welche sich in Einzelwerken ganz unterschiedlichen Charakters und auch unterschiedlichen formalen Anspruchs mitteilten. „Der grenzüberschreitende Durchstoß in die zeitüberschreitende Tiefe"[2] wird wohl nicht bei jedem Werk zu seinen selbstgestellten Aufgaben gehört haben. Vielleicht dachte er bei der Herstellung des Schluß-Allegros an die schönen, wenn auch schon etwas altmodischen Worte Johann Nikolaus Forkels aus der Bonner Jugendzeit: „Das erste Grundgesetz der ganzen musikalischen Aesthetik ist: angenehme Leidenschaften und Empfindungen zu schildern, oder mit andern Worten, dem Menschen wohlzuthun und ihn zu ergötzen."[3]

Selbstverständlich: Der Schlußsatz bzw. die beiden Schlußsätze kann bzw. können erstaunen, wenn man in ihnen eine „heroische" Einlösung dessen erwartet, was die beiden Anfangssätze vorbereitet haben, ein Allegro ma non tanto als eröffnender Sonatensatz und ein nachfolgendes Allegro molto, eines jener fünfteiligen Scherzi mit Triowiederholung, die Beethoven seit der *Eroica* zur Monumentalisierung des schnellen Mittelsatzes entwickelt hatte. Dieses Scherzo, welches entgegen den Angaben in vielen Notenausgaben, selbst jener der Neuen Gesamtausgabe, zufolge der endgültigen Korrektur Beethovens (Brief vom 3. August 1809) nicht mit einem Piano, sondern sofort mit einem Fortissimo beginnt, ist in seinem rätselhaften Zusammenspiel von Außenseite und Binnenstruktur bemerkenswert und typisch zugleich. Gustavo Boringhieri hat dem Synkopenflug des Themas über die schnellen, im 6/8-Gefühl zu spielenden Dreiertakte zu Recht eine „leggerezza di una creatura aleata che volteggia" zugesprochen[4], zugleich aber die strukturellen Feinheiten hervorgehoben, die diese Flugsprünge tragen und in Spannung halten: So ist die — zunächst unhörbare — Konsequenz zu beachten, mit der in der ersten Hälfte des Scherzo-Teiles das zweite Themenmotiv, danach ab Takt 56 das dritte ausgespart bleibt, ferner der Wechsel zwischen dem Durchhalten der Viertaktgruppen und dem

1 Fr. Brand, *Zur dialektischen Struktur,* S. 823f.
2 Ebenda, S. 824.
3 J. N. Forkel, *Ueber eine Sonate,* S. 26.
4 G. Boringhieri, *Nota su uno Scherzo,* S. 370.

Abweichen davon, etwa bei dem eingeschobenen Zweitakter Takt 63f. und dem überzähligen Takt 109 vor Eintritt des Tonartwechsels a-Moll zu A-Dur am Beginn des Trios. Von dieser Stelle ausgehend, hat der Autor einleuchtend gemacht, daß die Trio-Melodie auf einem zweiten Takt eines Viertakters beginnt und diese Einteilung sich durch den gesamten Teil fortzieht, weshalb auch die Buchstabensetzung mancher Ausgaben jeweils um einen Takt vorzurücken ist. Nur bei solcher Auffassung behält auch das Trio die „leggerezza" des Scherzo-Hauptteils bei, so auch während der 32-taktigen Wechselnotenkette ab Takt 149, in welcher Beethoven selbst durch ein Fortepiano in Takt 153 die Grenzen der Viertakter andeutet.

Diese 32 Wechselnotentakte des Cellos sind symptomatisch für das Neuartige der Sonate. Es besteht nicht in spieltechnischen Neuerungen. Denn selbst die schnellen Akkordzerlegungen aus Satz 1 (T. 115ff.) kommen schon in der Sonate op. 5, Nr. 2 vor. Vielmehr stechen gegenüber dem Übergewicht des Klaviers in den Sonaten op. 5 hier die Mittel hervor, mit denen „range, register and balance play" des Streichinstrumentes beachtet worden sind „in a work in which the problem of establishing an adequate balance of function between these two instruments is faced for the first time by a major composer in a major work".[1] So auch bei der genannten Achtelkette. Wie soll diese keineswegs neuartige, ja diese Allerweltstechnik vom Cello eingesetzt werden? Beethoven gibt wenig Hinweise. Das Klavier fügt einige Einwürfe, dann auch Melodiesatz hinzu. Spielt das Cello Begleitung oder die heimliche Hauptstimme, sozusagen die innere Leitlinie der Passage? Man muß sich entscheiden, welche Lösung sich für dieses Beispiel einer neuartigen, aber eben ambivalenten Integrationssprache der beiden Instrumente finden läßt.

Wie stark die Absicht zu solcher Integration die Arbeit an der Sonate bestimmt hat, läßt sich an dem erhaltenen Autograph des ersten Satzes erkennen, einer „skizzenhaften Vorstufe" zur Fassung letzter Hand.[2] Nachdem Beethoven ursprünglich dem Cello ab Takt 117 nach zwei Takten der erwähnten Akkordzerlegungen eine längere Passage mit zum Klavierbaß alternierenden Melodiefloskeln gegeben hatte, zu welchen die rechte Klavierhand die Akkordik übernahm[3], ließ er in der Schlußfassung das Cello die Akkordzerlegungen noch weitere acht Takte zusammen mit dem Klavier fortsetzen und so ein gemeinsames, flimmerndes Klangband über dem melodischen Klavierbaß herstellen — eine Erfindung, die offenbar orchestralen Ursprungs ist (man vergleiche die entsprechende Stelle in der zeitlich nahen 6. Symphonie, Gewitterszene T. 78ff.) und die Möglichkeiten des Miteinanders von Cello und Klavier auf eine neue Ebene stellt.

Überhaupt ist der erste Satz der Sonate eine ganz besonders feine Arbeit, fein nicht nur im Sinne der Qualität, sondern auch der Differenziertheit. Schon der mottohafte Einsatz des Hauptthemas allein im Cello scheint als „Thema-Vorhang gegen Ende der mittleren Schaffensperiode wegweisenden Charakter zu haben" als „Dia-

---

1 L. Lockwood, *The Autograph of the First Movement,* S. 34; zur Einordnung der Sonate in die Komposition für Violoncello vgl. auch I. Parrott, *Beethoven, the Cello and the Treble-Clef;* R. Pfeiffer, *Einige Bemerkungen zum Violoncello;* L. Lockwood, *Beethoven's Early Works for Violoncello;* ders., *Beethoven's Early Works for Violoncello and Pianoforte.*

2 L. v. Beethoven, *Werke,* NGA, Abt. V, Bd. 3, S. VII (Vorwort von B. van der Linde).

3 Vgl. L. Lockwood, *The Autograph of the First Movement,* S. 69.

lektisierung des Anfangs".[1] Die darin verbundenen Funktionen von Zeichen und Auftrag, wie sie sich auch am Beginn zum Beispiel des *Erzherzogtrios* op. 97 zeigen, weisen der Kammermusik Beethovens um 1810 eine Position als Denk- und Experimentierzentrum sowie als Materialvorrat für die zukünftigen Entscheidungen zu: Das mottohafte Verfahren an Satz- und Werkanfängen der Spätzeit kündigt sich an. (Ob nicht die ganz ähnliche Unisono-Melodie des ersten Stückes aus Schumanns *Gesängen der Frühe* op. 133 von 1853 eine Verbeugung vor Beethoven bedeutet?) Auch andere hervorstechende Züge lassen sich erwähnen, so die zunächst ganz fremd erscheinende Wendung nach Moll ab Takt 25, welche sich jedoch vollkommen dem gesamtthematischen „mode of association throughout the movement" einordnet[2], oder der Übergang von Begleit- zu Melodiefunktion im Wechsel von Pizzicato- zu Arco-Spiel in tiefer Lage des Cellos ab Takt 66. Nicht aber diese Details aus der Exposition des Sonatensatzes, sondern einige Beobachtungen an kompositorischen Entscheidungen der Durchführung sollen im folgenden ausführlicher bedacht werden, da sie auf grundsätzliche Aspekte der Arbeitsweise Beethovens um 1810 führen.

Außer der bereits erwähnten orchestralen Passage mit Akkordzerlegungen und abwärts wandernden Baßfloskeln ab Takt 115 fällt an der Durchführung ein Element besonders auf: Es ist eine die Akkordpassage rahmende Sequenzierung jener aus dem zweiten Hauptthemenmotiv entwickelten Linie, welche Beethoven zugunsten der Akkorde aus der Cellostimme ab Takt 117 wieder strich und nur dem Baß überließ. Sie wechselt ab Takt 108 in Klavieroberstimme und Cello wie Frage und Antwort (fis-Moll), dann ab Takt 128 in umgekehrter Reihenfolge der Instrumente (cis-Moll). Die beiden Stellen mit ihrem Frage-Antwort-Spiel auf Dominante und Tonika in Moll in Gestalt einer um eine Sekunde nach oben verschobenen Sequenz mit Vorhaltabschluß erinnern stark an das Molto Adagio „Es ist vollbracht" (h-Moll) aus Bachs *Johannespassion*.

Diese Beobachtung könnte man allzu schnell und leicht als beliebige Assoziation ohne jeden historischen Wert abtun. Drei Fakten gebieten solcher Ablehnung aber

1 Fr. Brand, *Zur dialektischen Struktur,* S. 824.
2 L. Lockwood, *The Autograph of the First Movement,* S. 90.

Einhalt. Martin Geck hat wahrscheinlich gemacht, daß die entsprechende zweiteilige Melodie im „Klagenden Gesang“ der Klaviersonate op. 110 (1821) aus Bachs Werk übernommen ist, wofür über das Strukturelle hinaus auch die Parallelität der Semantik spricht.[1] Ferner kann die Vermutung eines Zusammenhanges zwischen op. 69 und der Passion gestützt werden dadurch, daß Beethoven eine der berühmtesten Gambenmelodien Bachs gerade dem Cello zuweist, welches im ganzen 19. Jahrhundert und noch lange danach die Bachschen Partien für das unbekannte bzw. ungenutzte Originalinstrument zu übernehmen hatte. Schließlich hat Beethoven nicht nur an der zitierten Stelle die Melodielinien mit Trillern versehen, sondern in den Skizzen zur Parallelstelle dem Vorhaltton cis (noch im Klavier) einen Doppelschlag von unten (mit his) gegeben, beide Maßnahmen möglicherweise mit der Absicht, dem verzierten Stil des Modells nahezukommen.

Falls man nun bereits ein gewisses Zutrauen zu einer Hypothese über die Verbindung zur *Johannespassion* gefaßt haben sollte, so bliebe immer noch die Frage, ob denn eine intensive Bekanntschaft Beethovens mit dem Werk Bachs schon vor der späten Phase wahrscheinlich zu machen ist. Zu dieser Frage müßte allerdings einmal eine Untersuchung durchgeführt werden, die in Abwandlung des auf das Spätwerk konzentrierten Titels von Martin Zenck heißen müßte: Die Bach-Rezeption des mittleren Beethoven.

Daß Beethoven neben zahlreichen Instrumental- auch manche Vokalwerke Bachs frühzeitig kannte, ist als Möglichkeit bereits für die *Eroica* beschrieben worden.[2] Die Bachschen Passionen waren bereits um und vor 1800 für jeden Fachmann zugänglich, wenn er interessiert genug daran war wie Beethoven.[3] Für den op. 69 betreffenden Zeitraum können hier nur einige Beobachtungen aufgeführt werden, die den Schluß nahelegen, daß Beethoven wesentlich vertrauter mit Bachs Werk war, als man gemeinhin annimmt: Der Gewitter-Satz der 6. Symphonie enthält ab Takt 21 Harmoniefolgen und Motivik, die bemerkenswert denen aus dem Chorsatz „Sind Blitze, sind Donner“ aus Bachs *Matthäuspassion* entsprechen (dort vor allem ab T. 105). Und das *Harfenquartett* op. 74 ist am Ende des ersten Satzes mit einer Violinkadenz ausgestattet, deren etwas altertümliche Virtuosität und deren alternierende Begleitfiguren in den mittleren Streichern ganz offensichtlich eine Reminiszenz an die entsprechende Stelle aus dem Schlußsatz von Bachs 4. Brandenburgischen Konzert darstellen (dort z.B. ab T. 104).[4] Auch die Figuren, mit denen in der Mitte der Durchführung in op. 69 vom Streichinstrument Akkorde zerlegt werden, könnten einer solchen Bachschen Quelle entstammen. Daß Beethoven sich in der Durchführung der Cellosonate auf Bach beziehen könnte, läßt auch ein weiteres Element vermuten, nämlich die zweifache Engführung (fis-Moll, D-Dur) des vereinfachten, teilweise auch augmentierten Hauptthemenbeginnes vor dem Eintritt in die Reprise (ab T. 140). Es ist schwer vorstellbar, daß eine solche formal exponierte und in der Sonate isolierte Vorführung älterer Kontrapunkt-Technik ohne Hinweischarakter sein sollte. Immerhin faßt sie doch die Bach-Reminiszenzen der abgelaufenen Durchführung mit einer historisierenden Geste zusammen, deren formale Funktion

1 Vgl. M. Geck, *Johann Sebastian Bach. Johannespassion BWV 245,* S. 93.
2 Vgl. M. Geck / P. Schleuning, *„Geschrieben auf Bonaparte“,* S. 156f.
3 Vgl. M. Zenck, *Die Bach-Rezeption des späten Beethoven,* Teil 1.
4 Der Autor bereitet eine Arbeit zu diesem Komplex vor.

vor dem Repriseneinsatz bedeutet: zurück, Wiederbeginn. Und in diesem Sinne eines in der Größe der Vergangenheit wurzelnden — auch patriotischen — Neubeginns könnten auch die historisierenden Anspielungen innerhalb der Durchführung gemeint sein, ganz ähnlich wie es sich im Finale der *Eroica* verhält. Beethoven wäre mit diesem in die Zukunft gewandten Aufgreifen geschichtlicher Größe keine Ausnahme unter seinen Zeitgenossen, wenn man an die Nazarener, die Volksliedsammler und -dichter und andere denkt. Ob der Abbruch des langsamen Satzes, überhaupt die Unsicherheit, ja teilweise sogar Abstinenz im Umgang mit Adagio-Sätzen in vor allem den kleiner besetzten Werken dieser Zeit (op. 70, 78, 79, 81a) eher einer „romantischen" Sprunghaftigkeit entspringt oder Widerspiegelung jener Unruhe ist, die viele Zeitgenossen angesichts der erniedrigten und zerrissenen Situation Deutschlands unter der napoleonischen Herrschaft erfaßt hatte, läßt sich nicht annähernd beantworten, geschweige denn entscheiden und müßte einer ausführlichen, aber nicht nur die Strukturanalyse berücksichtigenden Untersuchung der Geschichte des langsamen Satzes bei Beethoven zugewiesen werden. Zu fragen wäre dabei, ob die Fähigkeit zu ausgedehnten Adagio-Sätzen und die Situation äußerer und innerer Ruhe bei Beethoven sich gegenseitig bedingen.

Die Erwähnung von Übernahmen Bachscher Elemente, ob Themen oder Kompositionstechniken, führt auf die anfangs dieses Artikels angesprochene Methode zurück, dasjenige, was man Einheit eines Werkes nennt, durch den Nachweis motivischer Verbindungen unter den Themen und Themenableitungen der einzelnen Sätze zu behaupten. Wie werden solche Verbindungen erkannt?

Daß die Anfangsthemen des Adagio cantabile und des abschließenden Allegro vivace sozusagen heterophone Ausgestaltungen des gleichen Modells sind und daß dieses Modell sich ebenso in den Intervallabläufen des Hauptthemenbeginns des ersten Satzes wiederfinden läßt, ist wohl unstrittig. Dabei ist es nicht zwingend, dieses letztgenannte Thema als Ursprung und Keimzelle aller folgenden Ableitungen zu bezeichnen. Vielmehr kann an ein übergeordnetes, nie real in Gestalt gebrachtes, aber hinter und in allen thematischen Figuren erscheinendes Grundmodell gedacht werden, ein ideelles Thema. Die Einsichtigkeit solcher thematischen Übereinstimmungen ist darin begründet, daß die Suche nach ihnen sich bei allen Auslassungen und Zusammenziehungen nach dem Lese- bzw. Klangablauf der Töne richtet, selbst wenn dabei in einzelnen Fällen ein Rücksprung notwendig ist. Beispielsweise entspricht das erste Thema des abschließenden Allegros dem des ersten, wenn man annimmt, dessen Eingangsmotive würden im Thema des Schluß-Allegros zweifach verarbeitet und abgewandelt: zunächst Terzaufsprung und Sekundabstieg (cis—e—d bzw. gis—h—a), dann der gesamte Oktavabstieg von e nach E bzw. e' nach e, wozu man einen Ton zurückspringen muß. Auch daß der Tonleiteraufstieg im zweiten Thema des ersten Satzes, von E beginnend, als Umkehrungsform jenes soeben erwähnten Abstieges aus dem Anfangsthema gelten soll oder daß die Töne 5—11 des Anfangsthemas als ausgefüllte Umkehrung der Töne 1—3 verstanden werden können, mag noch auf Konsens beruhen, solange man davon überzeugt ist, daß Beethoven sich zur Aufgabe setzte, wirklich so gut wie jedes Detail aus einem Kern zu entwickeln. Auch hier haben wir es immer noch mit einem Vergleich unter den Bedingungen der Lese- oder besser Hörrichtung zu tun.

Wie steht es aber mit der Aufforderung, das Hauptthema des ersten Satzes im Scherzo-Thema „durch Vergrößerung der Notenwerte, durch Synkopen und Pausen im Krebsgang" wiederzufinden und im Nebenthema des Schlußsatzes (Klavierteil) „in verkürztem Krebs und fallender Ablaufgestalt"?[1]

Sieht man einmal davon ab, ob diese beiden konkreten Themenableitungen überzeugen, so stellt sich doch die grundsätzliche Frage, ob für Beethoven bereits in seiner mittleren Schaffensperiode Themenableitungen zu behaupten, vor allem aber nachzuweisen sind, die das ideelle Themenmodell gegen die Hör- und Leserichtung, also krebsgängig lesen und entwickeln. Wenn zum Beispiel in der Cellosonate an exponierter Stelle ein Motiv erscheinen würde, welches aus Sekundabstieg und Quintabsprung bestünde, also die ersten drei Töne des Anfangsthemas von hinten aufzählte, so wäre der Beweis erbracht. Ich sehe aber nichts dergleichen, kann die zitierten Ableitungen lediglich als Behauptungen auffassen, was aber nicht dagegen spricht, daß Beethoven eine solche Methode anwendete, und zwar nicht in kontrapunktischen Sätzen traditioneller Stilistik, wo dergleichen zum Grundbestand höherer Technik gehörte, sondern eben innerhalb der „normalen" Themenbildung. „Niemand [kann] durch bloßes ‚Zeigen auf den Notentext' gezwungen werden, die beschriebenen Motivzusammenhänge als ‚musikalische Tatsachen' gelten zu lassen. Und wiederum besteht das Problem nicht darin, Beziehungen zu entdecken — worin manche Analytiker einen Selbstzweck zu sehen scheinen, so daß die Gefahr des ‚Beziehungswahns' nicht fern liegt —, sondern zwischen ‚realen' und ‚fiktiven' Ableitungen begründet zu unterscheiden."[2] „Begründet" hieße aber, der Motivanalyse ein Element der Beliebigkeit und Spekulation zu entziehen, indem die verbreitete Motivableitung mit dem Mittel der Krebsgängigkeit (cancrizans) für die Musik um 1800 als Kompositionsabsicht einwandfrei nachgewiesen würde, und zwar durch mehr als durch Beschwörungen, oder indem sie als Übertragung entschleiert und dann aufgegeben würde, nämlich als Übertragung einer Methode, die für manche Musik Bachs und der Zeit davor sowie des späteren 19. Jahrhunderts und der Neuen Musik sich eignet und dort beheimatet ist, auf einen falschen Gegenstand, dem sie nun als interessante, aber fremde Feder aufgesteckt wird. Im Falle des Nachweises allerdings — hier für den mittleren Beethoven — müßte man vermuten, daß die Begründung seines Kompositionsverfahrens auf die Methoden des „unsterblichen Gottes der Harmonie" (Beethoven über Bach[3]) noch wesentlich weiter reichte, als es die im vorangegangenen für die Elemente der Durchführung des ersten Satzes vermuteten Zusammenhänge wahrscheinlich machen. Dann nämlich müßte man folgern, daß eine thematische Technik, die Bach selbst im wesentlichen nur in Werken streng kontrapunktischen Stiles anwendete, durch deren bewundernde Rezeption durch Beethoven sich als Grundlagentechnik auf die Themenbildung seines gesamten Schaffens auswirkte. Wir hätten dann ein zwar subtiles, aber weitreichendes Wirkungselement des musikalischen Historismus vor uns, damit auch ein gesichertes neues Instrument der Werkanalyse. Solange aber ein solcher Nachweis nicht erbracht ist, sollte der analytische Blick sich auf die altbewährte Richtung beschränken: von links nach rechts.

Peter Schleuning

1 Fr. Brand, *Zur dialektischen Struktur,* S. 822f.

2 C. Dahlhaus, *Eine wenig beachtete Formidee,* S. 253.

3 Brief an Breitkopf & Härtel vom 22. April 1801, zit. nach E. Kastner / J. Kapp, *Ludwig van Beethovens sämtliche Briefe,* S. 41.

2 Klaviertrios D-Dur „Geistertrio“ und Es-Dur op. 70

ENTSTEHUNGSZEIT: 1808.
ERSTAUFFÜHRUNG: privat: Dezember 1808 im Hause der Gräfin Erdödy.
SKIZZEN: vor allem British Library London, Add. Ms 31766 (vgl. D. Weise, *Ein Skizzenbuch zur Pastoralsymphonie*); Staatsbibliothek Preußischer Kulturbesitz Berlin, Landsberg 10, Pastoralsymphonie-Skizzenbuch; weitere Skizzen in Paris und Wien.
AUTOGRAPH: Nr. 1: Pierpont Morgan Library New York, Cary Collection; Nr. 2: Staatsbibliothek Preußischer Kulturbesitz Berlin, Artaria 175.
ERSTDRUCK UND WIDMUNG: Leipzig 1809 (Breitkopf & Härtel); Gräfin Marie Erdödy gewidmet.
GESAMTAUSGABE: Alte Gesamtausgabe: Nr. 82 und Nr. 83 = Serie 11 Nr. 4 und Nr. 5.

Die beiden Klaviertrios op. 70 wurden in zeitlicher Verschränkung komponiert und als Werkpaar publiziert. Beethoven hat neben der traditionellen Gruppierung von sechs Werken und drei Werken die Cellosonaten op. 5 und op. 102 und die Klaviersonaten op. 14, 27 (und 49) als solche Werkpaare veröffentlicht. So zusammengehörig, kontrastieren die beiden Klaviertrios doch in vielerlei Hinsicht, sowohl in der zyklischen Konzeption als auch in der Anlage der einzelnen Sätze.

Das 19. Jahrhundert sah das erste Trio als das gewichtigere, heroischere und damit seiner Vorstellung von Beethoven am ehesten entsprechende an. Hinter ihm trat das zweite in der Rezeption als Werk heiteren Spiels zurück. Für diese Einschätzung des unterschiedlichen Charakters beider Werke sind bereits die Kopfsätze prägend. Der erste Satz des D-Dur-Trios beginnt mit einer markanten devisenartigen Bildung, die zu einer Aufspaltung schon des Hauptsatzes in einen starken Kontrast führt, der den Verlauf des gesamten Satzes bestimmt. Den ersten Satz des Es-Dur-Trios hingegen eröffnet eine langsame Einleitung. Sie alludiert vielfach auf die Thematik des schnellen Teils und wird selbst in diesen einbezogen. Die kantablen Themen des Satzes sind im Unterschied zu denen des D-Dur-Satzes in Bau und Charakter einander angenähert, starke Gegensätze werden so gerade vermieden. Deutlich kontrastieren auch die beiden Schlußsätze in ihrer Anlage. Neigt der des ersten Trios zur thematischen Konzentration auf das Hauptthema, aus dem immer neue Varianten gewonnen werden, betont er so das prozessuale Moment der thematischen Arbeit, so ist der des zweiten gebaut auf prägnante, in sich stabile Themen.

Auf die unterschiedliche zyklische Anlage der Werke geben bereits die Tempobezeichnungen der Sätze einen Hinweis. Die Abfolge Allegro vivace con brio — Largo assai ed espressivo — Presto im ersten Trio ist gekennzeichnet vom extremen Kontrast zwischen den beiden recht schnellen Außensätzen und dem sehr langsamen Mittelsatz, für dessen metrische Organisation zudem die virtuell unendliche Dehnung der Zeit durch die bis zu seiner Aufhebung reichende Dehnung des metrischen Pulses charakteristisch ist. Diesem Satz verdankt das D-Dur-Trio seinen Beinamen „Geistertrio“. Der erste und der dritte Satz bilden einen Rahmen um den Mittelsatz (d-Moll), der auf radikale Weise die Position der innerlich bewegten, unruhigen, offenen Mitte einnimmt. Obwohl alle Sätze formal für sich abgeschlossen sind, zeigt doch gerade die Coda des Largos deutlich den Versuch, eine Übergangssituation zum Schlußsatz zu schaffen. Noch im Autograph, das auch im Falle des Es-Dur-Trios eine Arbeitsphase dokumentiert, in der noch entscheidende Eingriffe in die Werkgestalt unternommen wurden, finden sich mehrere verworfene Fassungen des Schlusses der Coda (T. 93ff.).[1] Beethoven hat schließlich die ursprünglich geplante Aufnahme des Hauptmotivs vom Satzanfang, ja jeden motivischen Rückbezug zugunsten eines melodisch-harmonischen Öffnungsgestus (T. 93—95) aufgegeben, der im Durchgang D-Dur, die gleichnamige Durtonart des Largos und Tonart des Schlußsatzes, anklingen läßt. Der Beginn des letzten Satzes bildet zu dieser Öffnung der Coda insofern das Gegenstück, als er geradezu die Möglichkeit eines Beginnens nach einem solchen Satz thematisiert: Das Zögern in der mit einer harmonischen Ausweichung verbundenen Fermate am Ende des ersten Viertakters wird zum prägenden Motiv, das in vielen Varianten den gesamten Satz durchzieht.

Im Es-Dur-Trio hat dieser langsame Satz kein Gegenstück, seine Mitte bilden ein Variationensatz mit zwei Themen (C-Dur/Moll) und ein fünfteiliges Scherzo (As-Dur). Die Satzfolge Poco sostenuto / Allegro ma non troppo — Allegretto — Allegretto ma non troppo — Finale. Allegro vermeidet gerade jene scharfen Tempogegensätze des ersten Trios. Die einzelnen Sätze ruhen stärker in sich. Aber auch in diesem Zyklus ergeben sich Verbindungen zwischen den Sätzen über die Verwirklichung der typischen Tempofolge hinaus. Die beiden Außensätze werden durch die Allusion des Großauftaktes zu Beginn des Finales an die Schlußgruppe des ersten Satzes miteinander verknüpft, und auch in diesem Zyklus wird der Eintritt des Finales, jedoch auf andere Weise und mit anderen Konsequenzen als im ersten Trio, durch den Schluß des vorangegangenen Satzes vorbereitet. In den Skizzen findet sich zur Anlage des Scherzos die Bemerkung: „Mit dem trio wird geschlossen."[2] Die eingreifende Öffnung, die der Satz so erfahren hätte, wird zugunsten einer Coda nach der Wiederkehr des Scherzos verworfen, die sowohl auf das Trio als auch das Scherzo zurückgreift, sich aber verklingend zum Finale öffnet. Trotz dieser Aspekte, die über die prinzipielle Abgeschlossenheit der einzelnen Sätze gegeneinander hinauszielen, verwirklichen beide Werke doch jeweils traditionelle Möglichkeiten einer zyklischen Anlage.

Die Wahl der Besetzung ist für beide Werke eine Entscheidung, mit der kompositionstechnische Vorbedingungen gesetzt werden. Ein Satz wie das Largo des D-Dur-Trios modifiziert jedoch nicht mehr nur einen formalen Grundtypus nach den Maßgaben der Besetzung, sondern die klanglich-instrumentatorischen Möglichkeiten des Ensembles werden zum entscheidenden Moment der individuellen Komposition. Das Gegeneinander der Streicher als Melodieinstrumente und des Klaviers, dessen Tremolo charakteristisch für die klangliche Farbe des Largos ist, gehört ebenso zur Substanz der Komposition wie die metrische und harmonische Organisation. Ja, die drei Bereiche sind in diesem Satz nicht mehr sinnvoll voneinander zu trennen: Das Tremolo setzt einerseits — Ernst Theodor Amadeus Hoffmann hat dies beschrie-

1 Vgl. L. Lockwood, *Beethoven and the Problem of Closure,* S. 262ff. Zum Autograph von op. 70 vgl. A. Tyson, *Stages in the Composition of Beethoven's Piano Trio op. 70, No. 1.*
2 Vgl. D. Weise, *Ein Skizzenbuch zur Pastoralsymphonie,* fol. 58^{v}.

ben[1] — eine bestimmte, im Bereich der Kammermusik höchst ungewöhnliche instrumentale Farbe, zugleich ist es ein entscheidender Faktor für die temporale Organisation, die ungeheure Spannung zwischen den unterschiedlichen Bewegungsebenen des Satzes, und es schafft sich im Vortreten verminderter Septakkorde gleichsam sein harmonisches Pendant. In der Coda des Satzes wird dieser Zusammenhang von metrischer Struktur, Klangfarbe und Harmonik bis zu einer Desintegration des Kadenzgefüges (T. 87—91) zugespitzt. Am Beginn des Trios des As-Dur-Scherzos im zweiten Klaviertrio wird der Melodie-Begleitstimmensatz, der dem Scherzo zugrundeliegt, aufgelöst in ein Gegenüber von Klanggruppen (Streicher / Klavier T. 57ff.). Darauf, daß dieses klangliche Moment zum Kern der Erfindung gehört, deutet die Instrumentenangabe in den Skizzen, die sonst in der Regel nur melodische und harmonische Zusammenhänge notieren.[2] Die Schlußsätze und der Variationensatz des zweiten Klaviertrios zeigen trotz ihrer alles andere als konventionellen formalen Anlage einen weitaus traditionelleren Ensemblesatz. In den beiden Kopfsätzen gestaltet sich das Verhältnis von Komposition und Besetzung auf recht unterschiedliche Weise. Daß aber dieses Verhältnis über traditionelle Lösungen hinausgetrieben wird, ist beiden Sätzen gemeinsam.

Der erste Satz des D-Dur-Klaviertrios beginnt mit einer eigentümlichen motivisch-thematischen Konstellation, die schon Hoffmann in seiner Rezension hervorhob.[3] Es folgen aufeinander zwei kontrastierende Bildungen, die Hoffmann als Haupt- und Nebenthema ansprach. Sie kontrastieren im Satz (vierfaches Unisono gegen Oberstimme mit Achtelbegleitung), in Dynamik und Artikulation (fortissimo und staccato gegen piano dolce und legato), im Ambitus und Bewegungsgestus (ausgreifend über beinahe vier Oktaven, schwingend im Umfang einer Sexte), schließlich im Verhältnis der Bewegung zum Metrum des Dreivierteltaktes (gegen den Takt durch Gruppierung von je vier Achteln anlaufend, den Takt aussingend): mithin ein Kontrast zwischen einer scharf markierten, vorwärtsdrängenden Skalenbewegung und einer höchst kantablen Melodie.

Die Durchführung arbeitet auf vielfältige Weise mit diesem Kontrast. Gleich zu Beginn steht eine Vermittlung zwischen beiden Charakteren: Der Anfang des ersten Charakters im Cello erhält — und dies verändert seine rhythmische Struktur — einen Kontrapunkt, aus dem schon Hoffmann etwas aus dem zweiten Takt des zweiten Charakters Abgeleitetes hörte.[4] Das Cello übernimmt im dritten und vierten Takt selbst den Gestus des Kontrapunktes. Auf diesen Beginn folgt zunächst ein Bereich (T. 88—119), der aus dem Material des zweiten Charakters gewonnen ist. Er mündet in die eigentliche Konfliktzone (T. 120—127), den Knoten der Durchführung, der, indem er in einem Fugato nochmals Motive aus beiden Charakteren kombiniert, zugleich ein Scharnier zur zweiten Hälfte der Durchführung (T. 128—156) bildet. Sie beruht auf dem ersten Charakter und bereitet die Reprise vor.

Der thematische Kontrast, von dem in der Beschreibung der Durchführung in abstrakter Weise die Rede war, hat in der Exposition seinen formalen Ort innerhalb

1 Vgl. E. Th. A. Hoffmann, *Schriften zur Musik,* S. 127.
2 Vgl. D. Weise, *Ein Skizzenbuch zur Pastoralsymphonie,* fol. 58^v.
3 Vgl. E. Th. A. Hoffmann, *Schriften zur Musik,* S. 122ff.
4 Vgl. ebenda, S. 123.

der Hauptsatzregion selbst, ja der erste thematische Charakter, dem in der Durchführung breiter Raum eingeräumt ist, bleibt in der Exposition auf die Anfangstakte beschränkt, lediglich die Takte 35ff. lassen ihn nochmals anklingen. Für die Konstruktionsidee der Exposition ist der beschriebene Kontrast erst im Zusammenhang mit einem weiteren Moment entscheidend. Innerhalb des ersten formalen Abschnitts der Exposition, der die Haupttonart entfaltet und mit einer virtuosen Kadenz des Klaviers in Takt 21 endet, schaffen zwei Takte (T. 5f.) Distanz zwischen den kontrastierenden Charakteren. Die sich gegen den Dreivierteltakt stemmende Achtelbewegung des ersten Charakters mündet in einen rhythmischen Stau, der mit einer harmonischen Komplikation einhergeht: Die Terz fis des von der Unisonobewegung umschriebenen D-Dur ist zu f erniedrigt und wird in Takt 6 umgedeutet zur Quinte des Tons b, der (nun piano) in der linken Hand des Klaviers erklingt. Diese plötzliche Wendung zur Quinte b—f wird im nächsten Takt durch den Fortschritt zum Quartsextakkord auf a nachträglich in einen Kadenzzusammenhang gebunden (zweideutig bleibt, ob die Quinte als Fragment der Mediante B-Dur oder als Fragment des übermäßigen Quintsextakkords b—d—f—gis zu verstehen ist). Die Kadenzlogik wird jedoch auch hier zugleich rhythmisch gelockert. Zwar setzt in Takt 7 der metrische Achtelpuls wieder ein, der Quartsextakkord wird jedoch einen ganzen Takt lang ausgehalten und erst im nächsten Takt in den Dominantseptakkord weitergeführt. Der Fortschritt zum Ziel der Kadenz — dem D-Dur-Akkord — erklingt auf der dritten Zählzeit von Takt 8 über dem nachschlagenden Baßton a als Durchgang zur Dominante in Takt 9. Das Kadenzmuster wird so weitgehend gelockert, und der Quartsextakkord gerät in die Schwebe zwischen seiner kadenzierenden Funktion und dem Charakter eines klanglich gespannten Dreiklangs. Mit der Tonika in Takt 11 beginnt ein neuer Kadenzbogen, dessen Ende mit einer solistisch-kadenzierenden Bewegung des Klaviers erreicht wird. Dieser Kadenzvorgang bildet insgesamt die Grundlage für die Exposition des zweiten motivischen Charakters.

Der Viertakter Takt 7—10 kann in Relation zum Folgenden als Vordersatz aufgefaßt werden, dem ab Takt 11 ein verlängerter Nachsatz antwortet. Den Takten 1ff. käme so die Funktion einer den Satz eröffnenden Devise zu. Dagegen spricht jedoch der Beginn dieses hypothetischen Vordersatzes, der als Teil einer Kadenz seinerseits Fortsetzung des Vorangegangenen ist. Das syntaktische Muster von Vorder- und Nachsatz wird zudem dadurch aufgelöst, daß die harmonische Progression A—D—G, die den Takten 9—13 zugrundeliegt und wesentlich vom aufwärtsgerichteten Quartgang des Basses (T. 9f., 11f.) gelenkt wird, als zugleich melodische Sequenz die Grenze von Vorder- und Nachsatz überschreitet und so die relative Selbständigkeit der Abschnitte aufhebt. Möglich ist auch, die Takte 7ff. insgesamt als ausgedehnten, kontrastierenden Nachsatz zu den Takten 1—6 zu verstehen. So werden am Beginn von Mozarts Klaviertrio in C-Dur KV 548 zwei kontrastierende Bildungen — auch hier eröffnet den Satz ein (viertaktiges) Unisono von Klavier und Streichern — in einen periodischen Zusammenhang gebunden. Ein solcher Erklärungsversuch würde jedoch gerade der Kluft, die sich zwischen Takt 5 und Takt 7 auftut, nicht gerecht.

Entscheidend für die Anlage dieses Hauptsatzes ist nicht so sehr der Bezug auf ein geschlossenes syntaktisches Muster als vielmehr ihre Offenheit, die durch die beschriebenen Momente erreicht wird. Sie steht in engstem Zusammenhang mit dem Verhältnis von Melodik und Besetzung. Ist der erste motivische Charakter geprägt vom Staccato des Klaviers, das die Streicher gleichsam verstärken, so scheint der zweite Charakter im Gegensatz hierzu erfunden aus dem idealen Charakter der Streichinstrumente. Der Wechsel des Klangcharakters trägt ebenso zur Sensation der Takte 5—7 bei wie die harmonische Konstruktion selbst. Nachdem die Violine zunächst auf den Einsatz des Cellos antwortet, bewirkt die Oktavführung der Streicher in Takt 11—12 eine klangliche Steigerung. Schließlich wechselt — während die Streicher behutsam zurücktreten — die kantable Melodie in die rechte Hand des Klaviers. Der Melodiekopf wird bis zu diesem Punkt bei jedem Ansatz erneut in eine höhere Klangregion gerückt: zunächst vom Einsatz auf dem fis' im Cello zum cis'' in der ersten Violine, von hier aus — gelenkt durch die beschriebene harmonische Konstruktion der Takte — zum fis'' der ersten Violine und zum h'' des Klaviers. Erst ab Takt 15, dem dritten Melodietakt in der rechten Hand des Klaviers, ist nun auch ein Crescendo vorgeschrieben. Die gesamte Passage von Takt 7 bis zum Abschluß der Kadenzbewegung im Klavier stellt so nicht nur harmonisch und syntaktisch, sondern auch instrumentatorisch einen Integrationsprozeß dar.

Dieser Hauptsatz überstrahlt die gesamte Exposition so, daß es nicht mehr zur Ausbildung eines eigenständigen, deutlich profilierten Seitensatzes kommt. Ein Überleitungssatz (T. 21ff.), der den Charakter des zweiten Motivs verändert, indem er ihn durch eine harmonisch und metrisch angespannte Zone führt, mündet in einen Halbschluß auf dem E-Dur-Akkord. E-Dur erhält nun aber den Charakter einer neuen Tonika. Der Einsatz von Takt 35 wird so zum entscheidenden Ereignis der zweiten Hälfte der Exposition, der Eintritt der Seitensatztonart A-Dur (T. 43) wird demgegenüber zu einer sekundären Qualität. Harmonisch bedeutet er ein Absinken, melodisch eine Zurücknahme der Akzente aus Takt 35 bzw. 39, in denen der Rhythmus und die ersten vier Töne des Satzbeginns anklingen. Die Skalenläufe sind nun jeder motivisch-charakteristischen Funktion entkleidet. Sie bilden einen Durchgang zu der Kadenz, die die Expostion mit einem Anklang an den zweiten motivischen Charakter abschließt. Diese erst ist wieder ein bedeutender Attraktionspunkt.

Die Exposition, auch die Hauptsatzregion selbst, stellt nicht so sehr Themen als vielmehr ein motivisch-charakteristisches und harmonisch-klangliches Potential auf. Aus ihm werden im weiteren Verlauf Konsequenzen gezogen. Der Beginn der Reprise (T. 157ff.) wird zum entscheidenden Moment des Satzes. Das Ende der Durchführung bereitet den Repriseneinsatz sowohl motivisch wie harmonisch (T. 128ff. F-Dur, T. 132ff. d-Moll, T. 136ff. E-Dur/E^7, T. 140ff. A-Dur/A^7) unzweideutig vor. Der Einsatz von D-Dur erklingt als Ergebnis des Vorangegangenen, die Reprise setzt mit Entschiedenheit ein. Nach dem zehnten Takt, der Antwort der Violine auf den Celloeinsatz, folgt jedoch ein abrupter Neuansatz der Reprise, der, indem er in d-Moll einsetzt, nachträglich die Konsequenz aus der Erniedrigung der Terz fis zu f zieht. In Takt 172, dem sechsten Takt der Bildung, wird dem ausgehaltenen Ton f nun nicht die Unterquinte B unterlegt, sondern der Klavierbaß verdoppelt den Ton f, die kantable Melodie setzt im folgenden Takt in B-Dur ein: Die Hauptsatzregion wird in die beiden Tonartregionen aufgespalten, die zu Beginn des Satzes und noch der Reprise einander nur kurz als Möglichkeit gegenüberstanden. Die kontrastierenden Charaktere werden diesen Regionen so zugeordnet, daß der thematische Kontrast seine Entsprechung im tonartlichen findet. Diese Aufspaltung geht, indem sie die ohnehin prekäre Einheit der Hauptsatzregion in Frage stellt, weit über die nach der Reprise des Hauptthemas in klassischen Sonatensätzen oft anzutreffende harmonische Ausweichung hinaus.

Vom Einsatz von B-Dur an spannt sich in der Reprise ein Bogen bis zum A-Dur-Akkord (T. 199), der den Beginn der zweiten Hälfte der Reprise markiert. Der eigenständige Überleitungssatz entfällt. Sowohl der Hauptsatz als auch der Seitensatz werden ausgeweitet. Die in der Exposition auf wenige Takte beschränkte „Solokadenz" des Klaviers entfaltet sich in 20 Takten über einem chromatisch aufsteigenden Baß, der die Modulation von B-Dur nach A-Dur leitet. Der A-Dur-Akkord wirkt hier bereits durch die Vorbereitung als neue Tonika, D-Dur wird in Takt 207 zu einer Wiederholung der melodischen Bewegung aus Takt 199ff. erreicht. Nun sinkt jedoch von D-Dur aus die Harmonik nochmals um eine Quinte nach G-Dur ab, und zwar genau an dem Punkt (T. 215), an dem in der Exposition die Seitensatztonart A-Dur erreicht wurde. Erst in Takt 223 wird D-Dur wieder eingesetzt, von hier beginnt analog zur Exposition der melodisch-dynamische Anstieg in die abschließende Kadenz. Der Beginn der Coda (T. 250) läßt die Harmonik zu einer „Rezitation" des zweiten Motivs nochmals nach G-Dur absinken. Von hier aus bewegt sich die Coda, während das Klavier dreimal die kantable Melodie singt, über die Subdominantparallele e-Moll zurück nach D-Dur. So wird in der Reprise eine Eigentümlichkeit der Kadenz, die schon die Exposition beschloß, das gleichsam plagale Absinken in die Subdominante (T. 64f. D-Dur, T. 240f. G-Dur), in den Zusammenhang gebunden.

Die Einheit des Satzes verbürgen nicht zuletzt einzelne Momente, die in unterschiedlichem Grad von den Motiven abstrahiert sind: Der Schritt zur Subdominante, der in der Reprise im Bereich des Seitensatzes so große Bedeutung erhält, ist auch das entscheidende harmonische Bewegungsmotiv in der ersten Hälfte der Durchführung und kulminiert schließlich in einem Fugato (T. 120ff.), das als Quintfallsequenz einen Zirkel (F—h—E—A—D—G—C—F) beschreibt. Dieser Schritt ist abgeleitet aus einem Moment des zweiten Charakters, der Akkordprogression A—D—G (T. 9—13), die durch die Quartbewegung des Basses in Gang gesetzt wird. Ist diese Progression hier noch Teil einer weitausholenden Kadenz, so stößt sie in Takt 22f. die Modulation an. Die Takte 92ff. bzw. 100ff. sind unmittelbar aus der Quartbewegung des Basses gewonnen. Das strukturierende Moment der zweiten Durchführungshälfte ist im Gegensatz hierzu ein rhythmisches Modell. Dem Fugato liegt eine Folge von Zweitaktern zugrunde, die ein Akzentmuster realisieren, das in seinem Widerspruch gegen das reguläre metrische Schema des Dreivierteltaktes aus den ersten drei Takten des Satzes abgeleitet ist. Von hier aus erfolgt eine sukzessive Zusammenziehung der Akzentordnung, die bis zur Betonung jeder Taktnote ab Takt 149 reicht und im Einsatz der Reprise mit dem ersten Motiv kulminiert. Haben sowohl der Quartschritt als auch das Akzentmuster ursprünglich ihren Ort in den Gestalten, so wirkt der chromatische Gang (d)—e—f—fis der Takte 5—7 vollends nur als strukturelles Moment. Er bildet den Baß, der vom B-Dur-Akkord in Takt 31 zum E-Dur-Akkord in Takt 35 führt. Und der chromatische Baß, der vom B-Dur-Bereich der Reprise in den E-Dur-Terzquartakkord in Takt 195 führt, kann zunächst verstanden werden als Verlängerung des Basses der Takte 31—35, zugleich aber auch als Konsequenz der chromatischen Bewegung der Takte 5—7, die hier ausgeschrieben wird.

Im Unterschied zum ersten Satz des D-Dur-Klavertrios, der entwickelt ist aus dem extremen Kontrast zweier Motivcharaktere, ist der Kopfsatz des Es-Dur-Klaviertrios gebaut auf periodisch stabile, kantable Themen. Sie sind jeweils aus dem traditionellen Charakter des Sechsachteltaktes gewonnen und, statt untereinander zu kontrastieren, nähern sie sich auch im Bau eher einander an. Selbst der Überleitungssatz (T. 40ff.) beruht auf einer viertaktigen Bildung mit thematischer Qualität, sein Anhang erst öffnet sich nach B-Dur. Seitensatz (T. 64ff.) und Schlußgruppe (T. 72ff.) sind im Unterschied zum D-Dur-Satz auf traditionelle Weise in Funktion und Gestalt getrennt. Schließlich scheint auch das Verhältnis von Form und Besetzung — zumindest in der Exposition — traditioneller zu sein. Im Unterschied zum Kopfsatz des ersten Klaviertrios läßt sich hier für die Exposition von einer Aneignung der Themen durch das Instrumentalensemble sprechen. So tragen zunächst die Streicher den ersten Viertakter des Hauptthemas (T. 20ff.) vor, dann wechselt er ins Klavier. Im folgenden kadenzierenden Satz (T. 28ff.) werden Klavier und Streicher in verschiedene Kombinationen gebracht, die aufeinander antworten. Der Überleitungssatz beginnt als Cellokantilene, die dann in der nachsatzartigen Wiederholung in die Violine und die rechte Hand des Klaviers wechselt. Im ersten Viertakter des Seitensatzes liegt die Melodie zunächst in der rechten Hand des Klaviers, in der variierten Wiederholung wechselt sie so zwischen Cello, Violine und Klavier, daß — zusammen mit dem Crescendo — trotz gleicher Akkordprogression der Eindruck eines in der Bewegung gesteigerten Nachsatzes entsteht.

Quer zu diesem traditionellen Verhältnis von Besetzung und Thematik steht der Beginn der langsamen Einleitung, der jeweils in Exposition und Reprise vor dem Einsatz des Seitensatzes zitiert wird. Seine linear-imitatorische Struktur scheint eher konzipiert für ein Ensemble gleichberechtigter Melodieinstrumente, wie es das Streichquartett darstellt, als für das Trioensemble, das traditionell zu einer Spaltung des Satzes in Melodie und Begleitung neigt. In der langsamen Einleitung selbst findet eine sukzessive Vermittlung zum traditionellen Satztyp des Klaviertrios statt. Quer zum Charakter des Haupt-, Seiten- und Überleitungsthemas des Satzes steht dieser Einleitungssatz bei seiner Wiederkehr im schnellen Tempo (T. 54ff., 165ff.) auch metrisch und harmonisch. Er hebt die Sechsachtelbewegung zu einer geradtaktigen Bewegung in punktierten Vierteln auf — eine Bewegung, die an dieser Stelle wie ein Stillstand wirkt —, und er klingt harmonisch exterritorial: Die absteigende Bewegung beschreibt nach dem Schluß auf dem B-Dur-Akkord eine Ges-Dur-Skala, die in solchem harmonischem Kontext den Eindruck modaler Organisation hervorruft. E. Th. A. Hoffmann hat den Eindruck, der durch den Wechsel sowohl des Bewegungscharakters wie des harmonischen Zentrums entsteht, umschrieben: „So wie der Satz hier gestellt ist, klingt er wie ein unerwartet eintretender Choral, der das künstliche Gewebe plötzlich durchbricht, und wie eine fremde, wunderbare Erscheinung das Gemüt aufregt.“[1]

Erst nach diesem Satz, der ebenso plötzlich wieder nach B-Dur gewendet wird, beginnt der Seitensatz wie ein Neubeginn und wie eine Wiederaufnahme des Satzzusammenhangs zugleich. Das Moment des Kontrastes, das im Kopfsatz des D-Dur-Klaviertrios gewissermaßen aus dem konventionellen Gegenüber von Haupt- und

1 Ebenda, S. 133.

Seitensatz in den Hauptsatz selbst eingedrungen war, ist hier durch das Zitat der langsamen Einleitung in den Raum zwischen den Themen, die die harmonischen Schwerpunkte der Form repräsentieren, verlegt.

Nicht nur die Organisation dieses Kontrasts ist unmittelbar an das Verhältnis von Satz und Besetzung gebunden, sondern eine Umformung des Satztyps wird im weiteren Verlauf zum zentralen Ereignis. Die Schlußgruppe des Satzes ist gebaut aus emphatisch aufsteigenden Läufen in Sechzehnteln, deren Kontrapost ein aus der Schlußfloskel des Seitensatzes gewonnener Skalenabstieg in punktierten Vierteln bildet. Sie öffnet den Verlauf eher, als daß sie ihn schlösse. In Takt 90 erklingt, wenn diese Bewegung innehält, eine Reminiszenz an den Einleitungssatz, der Ruhepunkt wird durch eine virtuose Akkordbrechung im Klavier gedehnt, dann beginnt eine neue Bewegung, die sowohl zurück in die Wiederholung der Exposition als dann auch in den Beginn der Durchführung führt. Diese Verknüpfung von Exposition und Durchführung ist zwar als solche nicht ungewöhnlich, hier wird sie aber zum Ausgangspunkt einer bedeutenden Umformung und Neuorganisation des Satzes. Diese Umformung setzt an bei der Organisation des Triosatzes selbst, sie führt einen Satztyp ein, der durch das ganze 19. Jahrhundert von großer Bedeutung sein wird. Von der Grundlage des Klaviersatzes her wird die rhythmisch-metrische Struktur des Satzes umgewandelt. Bei halbtaktiger Harmoniebewegung liegen im Klavier Akkordbrechungen, die zu einem Pedaleffekt übergebunden werden. Das dem Hauptthema entnommene Auftaktmotiv ist so nicht mehr bezogen auf die Grundbewegung des traditionellen Sechsachteltaktes, aus der die Themen der Exposition gewonnen waren, sondern wird entschieden dynamisiert. Diese Wendung wird im Übergang zur Wiederholung der Exposition sofort zurückgenommen, am Beginn der Durchführung aber zu einem neuntaktigen Crescendo verlängert. Bereits in Takt 93 beginnt eine in Sekunden aufsteigende Terzenkette zwischen Baß und Spitzentönen (oktaviert und durch Oktavversetzung gebrochen), die bis zum Intervall c—e in Takt 101 führt und die Dynamisierung so auf ein Ziel ausrichtet. Hier erklingt im Baß eine Bewegung, die sich wie die Takte 90 bzw. 33f., 38f. auf die Baßlinie am Beginn der Einleitung zurückbeziehen läßt. Die zweite Hälfte der Durchführung wird beherrscht von einer dynamisierten Form des Seitensatzes, der durch ein Absinken im Quintenzirkel in entlegene Tonarten wie Ces-Dur, die Region, die das Zitat des Einleitungssatzes wie einen Fremdkörper in die Exposition und dann nochmals in die Reprise einführt, geleitet wird. Die modulatorische Anlage der zweiten Durchführungshälfte greift die Quintfallharmonik in der ersten auf. (Ces-Dur wird enharmonisch umnotiert zu H-Dur, die Fortführung über E-Dur, B^7 nach es-Moll ist daher als Folge von Ces—Fes—B^7—es, das heißt als Fortsetzung der Quintfallmodulation zu verstehen.)

Die Dynamisierung der Metrik und der Harmonik in der Durchführung ragt weit in die Reprise hinein und verändert sie. Von es-Moll in Takt 124ff. sinkt die Harmonik nochmals um zwei Quintschritte bis zum Des-Dreiklang in Takt 128 herab. Hier setzt das Cello mit dem Hauptthemenkopf in Des-Dur ein. Der Schritt zum Ges-Dur-Klang mit der subdominantischen Sexte es, der der harmonischen Bewegung im ersten Thementakt der Exposition entspricht, wird durch den Baßschritt des—ges verstärkt. Im folgenden Takt setzt nun das Klavier mit dem Hauptthemenkopf in Es-Dur ein. Bei gleicher Baßfortschreitung (g—as) ist die Harmonik gegenüber der Exposition verändert. Sie erscheint jetzt durch die Auflösung des verminderten Septakkords auf e in den f-Moll-Sextakkord, der in der Exposition noch die Bedeutung eines As-Dur-Klangs mit subdominantischer Sexte hatte, als Fortsetzung der vorangegangenen Bewegung und noch nicht als Eintritt der Haupttonart. Durchführung und Reprise werden durch diese harmonische Bewegung in fallenden Quintschritten miteinander verklammert. Erst im folgenden Takt ist die Reprisensituation eindeutig. Die klangliche Massierung und die Verstärkung der abwärtsziehenden Baßbewegung bereitet jedoch die Aufnahme des Satzmodells, das die erste Hälfte der Durchführung bestimmt hatte, vor. Die Wiederholung des Themas gerät so erneut in einen rhythmischen (sich überlappende Zweitaktgruppen, dann Eintakter) und harmonischen (Quintfallsequenz, fallende Baßlinie) Sog, der erst in Takt 141 wieder in die kadenzierende Bildung der Exposition (vgl. T. 31) einmündet. Der Überleitungssatz wird jetzt gleichfalls durch Taktverschränkung und eine in Quintschritten in die Subdominante As-Dur absinkende modulatorische Bewegung dynamisiert. Das Zitat der Einleitung erklingt jetzt entsprechend in Ces-Dur.

Am Ende der Reprise setzt nochmals das dynamisierte Satzmodell ein. Es führt erneut in die aufsteigenden Sechzehntelläufe aus der Schlußgruppe. Diese werden wieder aufgefangen in einer Solokadenz des Klaviers. In der Coda wird der Beginn der langsamen Einleitung im ursprünglichen Tempo und in der Haupttonart zitiert. Hier erst kommt die Dynamisierung des Satzes zur Ruhe und wird die tonartliche Einheit endgültig hergestellt. Im letzten Teil der Coda, der das schnelle Tempo und den Sechsachteltakt aufnimmt, wird der ursprüngliche Bewegungscharakter des Taktes wieder eingesetzt. Dieser Teil stellt insgesamt ein Diminuendo dar, die auftaktige Bewegung des Hauptthemas wird zu einer abtaktigen, der Satz klingt im Piano aus.

Hinter der spielerischen Oberfläche des Satzes steht eine subtile Konstruktion. Besetzung, Themenstruktur, formale Anlage und harmonische Disposition stehen in engster Verbindung. Die Umorganisation des Satzes verändert die Balance der Formteile vollkommen. Die zahlreichen Ruhepunkte und kadenzierenden Passagen — nach dem Hauptthema, dem Thema des Überleitungssatzes, schließlich die Wiederkehr der langsamen Einleitung — scheinen erst in der Reprise ihre eigentliche Funktion als Widerpart der dynamisierten Abschnitte zu erhalten. Die Themenstruktur, die symmetrische Setzung harmonisch abgeschlossener Viertaktgruppen in der Exposition, wird zur Voraussetzung für die Umwandlung der Themen in Durchführung und Reprise. Die fremde Tonart, die das Zitat des Einleitungssatzes als Pendant des instrumentatorisch-klanglichen Kontrastes in Exposition und Reprise setzt, wird im Lauf des Satzes zum Moment der Konstruktion: Hier berühren sich die Kompositionsideen der Kopfsätze. Gerade daß die beiden Klaviertrios op. 70 jeweils in unterschiedlicher Weise auf das Verhältnis von Form und Besetzung reflektieren, verbindet sie über die gattungsgeschichtlichen Grenzen hinweg mit der Gruppe der Streichquartette von op. 59 bis op. 95.

Lothar Schmidt

Bläsersextett Es-Dur
op. 71

ENTSTEHUNGSZEIT: 1796, die ersten beiden Sätze eventuell früher.
ERSTAUFFÜHRUNG: öffentlich im April 1805 in einem Konzert des Schuppanzigh-Quartetts in Wien.
SKIZZEN: zum 3. und 4. Satz im Kafka Sketchbook (British Library London).
AUTOGRAPH: verschollen, saubere Abschrift des 3. Satzes (Menuett mit Trio) in Partitur im Kafka Sketchbook (fol. 104^v und 105^r).
ERSTDRUCK: Leipzig 1810 (Breitkopf & Härtel).
GESAMTAUSGABE: Alte Gesamtausgabe: Nr. 61 = Serie 8 Nr. 3.

Das mit der nachträglichen Opuszahl 71 versehene Sextett aus dem Jahre 1796 gehört zu den zahlreichen Werken für Bläsermusik, die Beethoven im letzten Jahrzehnt des 18. Jahrhunderts komponiert hat. Es besteht aus 4 Sätzen — Adagio / Allegro, Adagio, Menuetto / Trio und Rondo — und ist für die typische Besetzung der Harmoniemusik[1] mit je zwei Klarinetten, Fagotten und Hörnern geschrieben.[2] Schon die Besetzung deutet darauf hin, daß in diesem Werk keine kammermusikalische Komposition mit Gleichrangigkeit aller Stimmen, sondern eher ein reduzierter Orchestersatz zu erwarten ist. Beethoven äußerte sich 13 Jahre nach der Komposition dieses Werkes deutlich abwertend, als er am 8. August 1809 anläßlich einer Übersendung des Sextetts im Tausch für diverse Geschenke des Verlagshauses Breitkopf & Härtel an dieses schreibt: „Das Sextett ist von meinen früheren Sachen und noch dazu in einer Nacht geschrieben; man kann wirklich nichts anderes dazu sagen, daß es von einem Autor geschrieben ist, der wenigstens einige bessere Werke hervorgebracht — doch für manche Menschen sind d.[er] g.[leichen] Werke die besten.“[3]

Die Ablehnung, die aus diesen Zeilen spricht, vermittelt allerdings einen falschen Eindruck von der Qualität des Sextetts. Denn Beethovens herablassende Formulierung gilt weniger der individuellen Komposition als vielmehr dem dahinterstehenden Gattungsanspruch, dem diese verpflichtet ist. Seine nachträgliche Distanzierung von der Harmoniemusik des späten 18. Jahrhunderts, und das bedeutet auch von der Welt der Divertimenti und Serenaden, kann zugleich im Hinblick auf die Entfernung gelesen werden, die seit dem frühen 19. Jahrhundert zwischen der musikalischen Unterhaltungsfunktion und dem Anspruch auf ästhetische Autonomie zu beobachten ist. Legt man jedoch — anders als Beethoven im Jahre 1809 — für die Betrachtung dieses Werkes die musikalischen Vorgaben noch des späten 18. Jahrhunderts zugrunde, die mit dem Begriff der Harmoniemusik verbunden wurden, und akzeptiert man die funktional geprägten Werte, die sich beispielsweise schon im

1 Vgl. näher dazu unter WoO 25.

2 Da die beiden Mittelsätze „derartig klein und gedrungen“ sind wie in keiner Sonatenkomposition Beethovens und wie „Menuett- und Adagio-Sätzchen in den Serenaden“ aussehen, vermutet H. Gál, *Die Stileigentümlichkeiten des jungen Beethoven,* S. 111, daß op. 71 möglicherweise aus weiteren, „vielleicht schwächeren“ Sätzen bestanden haben könnte, die anläßlich der Veröffentlichung eliminiert wurden. Weiter heißt es: „Ein Hauptargument für die aufgestellte Vermutung ist auch der Umstand, daß die Tradition jener Zeit speziell für die Harmoniemusik Divertimentoform verlangte.“

3 E. Kastner / J. Kapp, *Ludwig van Beethovens sämtliche Briefe,* S. 146.

Wort Divertimento erkennen lassen[1], so kann man nicht umhin anzuerkennen, daß Beethoven die Standards der Gattung in jeder Hinsicht erfüllt. Rudolf Stephan spricht die Stellung des hier in den Begriff Gesellschaftsmusik gefaßten Musizierideals im Schaffen Beethovens und seine Kennzeichen folgendermaßen an: „Die Auseinandersetzung mit der Gesellschaftsmusik seiner Zeit und deren endliche Überwindung spielt sich in Beethovens Schaffen in den neunziger Jahren des 18. Jahrhunderts ab. Gesellschaftsmusik heißt hier: Leichtheit des Tons, Abwechslungsreichtum, Vielsätzigkeit, Buntheit der Besetzung oder Triobesetzung, insgesamt Anspruchslosigkeit.“[2]

Eine kursorische Analyse derartiger „Gesellschaftsmusik“ kann nun keineswegs, wenn sie nicht Beethovens eigene Abwertung wiederholen möchte, darauf abzielen, Merkmale absoluter Musik (wie thematische Individualität, motivische Logik oder gehaltliche Tiefe) nachweisen zu wollen oder gar deren Fehlen zu bemängeln. Vielmehr gilt es, der funktionalen Gebundenheit der Bläsermusik in der zweiten Hälfte des 18. Jahrhunderts Rechnung zu tragen und nachzufragen, wie in diesem speziellen Fall des Sextetts Funktionalität oder funktionale Gebundenheit in das kompositorische Gefüge eingegangen ist. Die damit fast zwangsläufige Betonung des gattungsmäßig Typischen und Normativen statt des individuellen Merkmals korrespondiert dabei den Vorgaben der Gattung selbst insofern, als Divertimentomusik des späten 18. Jahrhunderts das Besondere, Individuelle zumeist einzig als besonders gelungene Erfüllung des Gattungsanspruchs aufweist.

Rudolf Stephans oben zitierte Attribute der „Gesellschaftsmusik“ lassen sich im Blick auf Beethovens Sextett zusammennehmen und als kompositorisches Ziel der höchsten Faßlichkeit (und das heißt sofortige Eindeutigkeit des musikalischen Geschehens selbst bei einmaligem oder oberflächlichem Hören) bei gleichzeitig größtmöglichem Abwechslungsreichtum ansprechen. In welcher Art und Weise diese Maxime von Beethoven umgesetzt wird und inwiefern op. 71 hinsichtlich seines funktionalen Gestus geradezu als mustergültig angesehen werden kann, sei anhand von fünf Aspekten der kompositorischen Faktur beleuchtet.

1. Beethoven arbeitet bei der Gestaltung des musikalischen Verlaufs fast ausschließlich mit dem Mechanismus des instrumentationstechnischen Binnenkontrasts, der andere Verfahrensweisen der Themen- und Abschnittsverknüpfung wie beispielsweise auf der Ebene der Motivik vollständig suspendiert. Kaum finden sich längere Abschnitte, in denen Beethoven sowohl Dynamik als auch Stimmendichte, Instrumentation oder melodieführende Instrumente beibehält. Im Verbund mit kurzgliedriger Abschnittsbildung und typisierter Melodiegestaltung verlagert Beethoven das musikalische Geschehen dadurch vollständig auf die klangliche „Außenseite“ oder — wie Hans Mersmann es nennt — in die „Stofflichkeit“. Die zehntaktige Adagio-Einleitung des Kopfsatzes und die Exposition des ersten Themas illustrieren dieses Prinzip der permanenten Veränderung durch Kontrastbildungen: Den ersten beiden vollinstrumentierten Takten, die den gebrochenen Tonika-Dreiklang aufwärts im Forte und unisono exponieren, stellt Beethoven im darauffolgenden

1 Vgl. dazu den Artikel *Divertimento* von W. Ruf im Handwörterbuch der musikalischen Terminologie.
2 R. Stephan, *Zur Kammermusik des jungen Beethoven,* S. 30f.

Taktpaar den größtmöglichen Gegensatz zur Seite. Im Piano, ohne Hörner, folgt ein vierstimmig ausgesetztes und in der Oberstimme diatonisch abwärts gerichtetes Motiv (Klarinetten und Fagotte jeweils in Terzparallelen). Den Takten 5 und 6, die diese Motivbildung sechsstimmig aufgreifen, weiterführen und mit zahlreichen Sforzati durchsetzen, folgen zwei von der Faktur her „durchbrochene", kammermusikalische und jetzt auf den Motivkern reduzierte Takte, wonach die Einleitung im Fortissimo und im Rückgriff auf das Eingangsmotiv abgeschlossen wird. Das Prinzip dieser Adagio-Eröffnung, je zwei Takte mit größtmöglichen Kontrasten voneinander abzusetzen, überträgt Beethoven auf Vorder- und Nachsatz des achttaktigen Hauptthemas und seine anschließende, modifizierte Wiederholung: Der von der ersten Klarinette solistisch und piano exponierte Vordersatz (jetzt bestimmt von einem abwärtsgerichteten Dreiklangsmotiv in Achteln) wird im Nachsatz kontrastiert mit dem aufwärtsgerichteten Dreiklangsmotiv in Vierteln, begleitet von zweiter Klarinette und Fagott. Dieser ersten Vorstellung des Themas schließt sich nochmals der Vordersatz an — jetzt orchestral und forte im Unisono —, dann aber fortgesetzt mit dem sich öffnenden Nachsatz, der fünfstimmig gesetzt wieder im Piano erklingt. Dieses Kontrastprinzip bestimmt Aufbau, Instrumentation, Themenbildung und Dynamik nicht nur des ganzen ersten und auch vierten Satzes, die als Ecksätze die gewichtigsten und ausgedehntesten sind, sondern bleibt — wenn auch in abgeschwächter Form — in den Mittelsätzen wirksam.

2. Beethoven erfüllt die Ansprüche der „Gesellschaftsmusik" in op. 71 zudem durch einen inhaltlichen, thematisch-motivischen Verlauf, der sich nicht zu einer diskursiven Struktur verfestigt, sondern ein „punktuelles" Hören erlaubt. Die Gemeinsamkeiten der motivischen Bildungen beschränken sich auf absichtsvoll allgemeine Merkmale wie Dreiklangsbildungen, Aufwärts- oder Abwärtsgerichtetheit; Bezüge zwischen einzelnen Formabschnitten, die ein erinnerndes oder vergleichendes Hören nötig machen könnten, werden vermieden. Der Aufriß der Sätze ermöglicht und befördert ein kursorisches Aufmerken auf „schöne Stellen"; die Anforderungen an verknüpfendes, in Beziehung zueinander setzendes Hören sind bewußt gering gehalten, so daß die Aufmerksamkeit vollständig auf die quasi-konzertanten Effekte der Kontrastbildungen, auf die „Außenseite", gelenkt wird.

3. Damit eng verknüpft ist die syntaktische Gestaltung, die ebenfalls auf größtmögliche Faßlichkeit angelegt ist. Beethoven vermeidet jegliche formale Ambiguität, jegliche Unklarheit in der formalen Anlage. Klare Periodenbildung und die Berücksichtigung der erwartbaren ausbalancierten Korrespondenz zwischen Form- und Satzteilen herrschen selbst im Menuett und Trio vor, einem Satztypus, der spätestens seit Joseph Haydns „Russischen Quartetten" op. 33 aus dem Jahre 1781 als Mittelpunkt einer an Periodennorm und Korrespondenzprinzip ansetzenden kompositorischen Arbeit gilt. Einzig der imitatorische Einsatz des Triothemas und seine den Taktschwerpunkt verschleiernden Sforzati auf der schwachen Zählzeit weisen von ferne auf den kompositorischen Anspruch des Menuetts der Kammermusik, artifiziell mit den Normen der Syntax und Periodik der klassischen Musiksprache umzugehen. Offenkundig aber deutet nicht nur das Ausbleiben dieser Auseinandersetzung, sondern auch die Reduzierung der Stimmenzahl darauf hin, daß Beethoven hier ganz bewußt und im Sinne der Gesellschaftsmusik an den traditionellen Begriff des Trios anknüpft als „dreistimmiger Mittelteil eines Tanzsatzes" und sich nicht an der neueren Wortbedeutung für einen nicht notwendig dreistimmig gesetzten

„Alternativteil [...] im stilisierten Tanzstück“ orientiert.[1] Ein Aufscheinen dessen, was artifizielles Umgehen mit Syntax und Periodik heißen kann, findet sich jedoch im ersten Satz: Den viertaktigen Vordersatz des Hauptthemas gestaltet er mit dem wiederholten rhythmischen Motiv ♪♪♪ | ♩ 𝄾 , unterläßt aber die zu erwartende Wiederholung im vierten Takt. Die dabei entstehende Generalpause, das heißt der auskomponierte metrische „Leerlauf“, und die „Korrektur“ zur erwartungsgemäß ausgefüllten Viertaktigkeit am Beginn des Durchführungsabschnitts bleiben allerdings singuläre Erscheinungen und bezeichnen gerade dadurch die Orientierung an dem Gattungsanspruch der funktional gebundenen Musik.

4. Beethovens Akzeptanz der funktionalen Gebundenheit von op. 71 ist auch an der klaren Hierarchie von melodieführender Stimme und Begleitung erkennbar. Analog zur Gestaltung des zeitlichen Verlaufs orientiert sich Beethoven auch in der Vertikalen stets an dem Kriterium der Faßlichkeit: Die oberste Stimme ist jeweils melodietragend. Das Ziel der Durchhörbarkeit ist in allen vier Sätzen erreicht, die Begleitstimmen bleiben unselbständig und werden der melodieführenden Stimme angepaßt. Dem orchestralen Duktus des Sextetts entspricht die dominante Rolle der ersten Klarinette und die weitgehende Zuordnung der Begleitung zu den Hörnern und Fagotten.

5. Als letzter Punkt sei die Themengestaltung angeführt, um zu zeigen, wie Beethoven das Sextett im Hinblick auf die Funktionalität der Gattung komponiert. Sämtliche Motivbildungen sind ausgerichtet an typisierten, zumeist diatonischen Melodieformeln oder sind — wie beispielsweise das Anfangsmotiv der langsamen Einleitung zum ersten Satz, dessen Hauptthema, das Anfangsmotiv des Adagio-Satzes oder das Triothema — ein zur thematischen Substanz geronnener gebrochener Dreiklang. Das melodische Geschehen erweist sich in seiner affektiven Simplizität abhängig von der Funktionalität der Divertimentosphäre. Denn Beethoven komponiert die Themengestaltungen auf den stilisierten und körperlich umsetzbaren Gehalt der Tanzmusik hin, so daß die Ausdruckshaftigkeit der melodieführenden Oberstimme hinter deren Funktion als Verstärkung des metrischen Schemas zurücktritt. Somit bleibt das Primat des bewegungsmäßigen Erlebens, das sich als Zusammenfallen von metrischem Schwerpunkt und Akkordton in der Melodiebildung äußert, in allen vier Sätzen gewahrt.

Größtmögliche Faßlichkeit bei optimalem Abwechslungsreichtum ist in der kompositorischen Faktur des Sextetts op. 71 kein akzidentielles Merkmal. Die Ausprägung des Divertimentocharakters als Erfüllung des funktionalen Anspruchs der „Gesellschaftsmusik“ ist von Beethoven intendiert und in genauester Kenntnis und Gespür für die sie verantwortenden Techniken mustergültig umgesetzt. Daß allerdings vor dem Hintergrund des Originalitätspostulats im 19. Jahrhundert eine solche Verfahrensweise bestenfalls noch als gelungene Stilübung gelten darf, mag Beethoven 1809 bewußt geworden sein. Sein abfälliges Verdikt über den Hörer, der daran sein Vergnügen hat — „für manche Menschen sind d. g. Werke die besten“ —, trifft jedoch weit weniger das kompositorische Gefüge in seiner ästhetisch-funktionalen Qualität, als daß es schon die Tendenz des 19. Jahrhunderts verrät, die sogenannte Gesellschaftsmusik mitsamt ihrem Publikum gegenüber den autonomen Gattungen des bürgerlichen Musikbetriebs abzuwerten.

Markus Bandur

---

1 Vgl. den Artikel *Trio* von H. Unverricht im Handwörterbuch der musikalischen Terminologie.

Fidelio (Leonore)
op. 72

LIBRETTO: Joseph Sonnleithner, Stephan von Breuning, Friedrich Treitschke.
ENTSTEHUNGSZEIT: zwischen 1804 und 1814.
ERSTAUFFÜHRUNG: 1. Fassung: am 20. November 1805 im Theater an der Wien als *Fidelio oder Die eheliche Liebe* (Oper in 3 Akten); 2. Fassung: am 29. März 1806 im Theater an der Wien als *Leonore oder Der Triumph der ehelichen Liebe* (Oper in 2 Akten); 3. Fassung: am 23. März 1814 im Kärntnertortheater Wien als *Fidelio* (Oper in 2 Akten).
SKIZZEN: Staatsbibliothek Preußischer Kulturbesitz Berlin; Gesellschaft der Musikfreunde Wien.
AUTOGRAPH: Die Urschrift der 1. und die der 2. Fassung sind verschollen, Teile befinden sich in Berlin (Deutsche Staatsbibliothek und Staatsbibliothek Preußischer Kulturbesitz) und in Bonn (Beethoven-Haus). Nahezu alle Teile der 3. Fassung befinden sich in den beiden Berliner Staatsbibliotheken.
ERSTDRUCK: 1. Fassung (1805): Klavierauszug: Leipzig 1905 (Breitkopf & Härtel); Partitur: Leipzig 1908/1910 (Privatdruck, hg. von E. Prieger); 2. Fassung (1806): Klavierauszug: Leipzig 1810 (Breitkopf & Härtel); die Partitur blieb ungedruckt; 3. Fassung (1814): Klavierauszug: Wien 1814 (Artaria & Co.); erster Partiturdruck: Paris 1826 (A. Farrenc); erster deutscher Partiturdruck: Bonn 1847 (N. Simrock).
GESAMTAUSGABE: Alte Gesamtausgabe: 1. Fassung: Supplemente zur Alten Gesamtausgabe, Bd. 11 und 12; 2. Fassung: Supplemente Bd. 13; 3. Fassung: Nr. 206 = Serie 20 Nr. 1.

1. ZUR OPUSZAHL. Immer wieder ist im Schrifttum von Beethovens „einziger Oper“ die Rede. Was das 1955 von Georg Kinsky und August Halm vorgelegte Werkverzeichnis unter der Ziffer 72 aufführt, betrifft nicht nur die heute weltweit unter dem Titel *Fidelio* als Repertoireoper gespielte, im Frühjahr 1814 uraufgeführte dritte Fassung des Werkes. Rubriziert sind darunter gleichfalls die erste Fassung von 1805 sowie die zweite vom Jahre 1806. Dies ist insofern bemerkenswert, als die zweite Fassung zu Lebzeiten Beethovens als *Leonore, Oper in Zwey Aufzügen* ebenso als Klavierauszug in Druck gelangte (1810 und kaum verändert 1815 als „neue Ausgabe“ bei Breitkopf & Härtel in Leipzig) wie die dritte Fassung als *Fidelio, eine große Oper in 2 Aufzügen* (1814 bei Artaria & Co. in Wien). Opuszahlen trugen diese Ausgaben, aber auch alle weiteren zeitgenössischen Drucke jedoch nicht.

An einer Drucklegung der Opernpartitur waren Beethoven und seine Librettisten offensichtlich nicht interessiert. Die Aufführungen von 1805 und 1806 blieben ohne die dazu ermunternde Resonanz. Den Erfolg, der sich dank der Umarbeitung des Librettos in der Fassung von 1814 einstellte, glaubten Beethoven und Georg Friedrich Treitschke, der maßgeblich an der Umgestaltung beteiligt war, ökonomisch besser auswerten zu können, wenn sie sich mit Partiturabschriften direkt an die Opernhäuser wandten.[1] Erst als 1847 die erste deutsche Partitur herauskam — kurioserweise war der Erstdruck der *Fidelio*-Partitur 1826 in Paris mit französischem Text erfolgt —, wurde auch eine Opuszahl vermerkt, allerdings die chronologisch nicht legitimierte Ziffer 88. Die Werkzahl 72 hatte als erster der Verlag Breitkopf & Härtel für den Druck des *Leonoren*-Klavierauszuges von 1810 reserviert.[2] Dies entsprach der richtigen Einordnung hinsichtlich der Erscheinungszeit. Für die 1814 uraufgeführte Oper sah Beethoven keine eigene Werkzahl vor, obgleich er damals etwas übertreibend davon sprach, daß „die gegenwärtige musikalische Bearbeitung

1 Vgl. M. Schuler, *Unveröffentlichte Briefe*, S. 53ff.
2 Vgl. G. Kinsky / H. Halm, *Das Werk Beethovens*, S. 186f.

[...] von einer früheren wohl zu unterscheiden" sei, „da beinahe kein Musikstück sich gleich geblieben, und mehr als die Hälfte der Oper ganz neu komponiert worden ist".[1] Während Gustav Nottebohm diesem Umstand insofern Rechnung trug, als er bei seinem Werkverzeichnis die erste und zweite Bearbeitung mit der Opuszahl 72ª versah und die dritte als op. 72ᵇ davon abhob[2], hält das *Thematisch-bibliographische Verzeichnis* von Kinsky / Halm nur die Werkzahl 72 parat. Rubriziert werden darunter gleichfalls drei der vier Ouvertüren.

2. ZUR NOTWENDIGKEIT DES OPERNVERGLEICHS. Einleitend sich derart ausführlich auf die Opuszahl einzulassen, geschieht nicht ohne Grund. In den Vordergrund gerückt werden damit Überlegungen, die im Kontext von Analysen, deren Disposition eben von der Opuszahl ausgeht, essentiell sind. Zwingend muß nämlich gefragt werden, ob es legitim erscheint — wie häufig geschehen —, die *Fidelio*-Fassung als Beethovens „einzige Oper" zu betrachten und folglich auch bei der hier einzureihenden Interpretation das Interesse allein auf dieses Werk zu richten. Das hieße zugleich, die früheren Fassungen als verworfene Vorformen in den Hintergrund zu rücken. Genau dies wäre aber kaum vertretbar angesichts der in den letzten Jahrzehnten immer deutlicher gewordenen Tatsache, daß die „Ur-*Leonore*" ein eigenes Werkprofil aufweist und somit ein Kunstwerk eigenen Ranges und Rechts darstellt. Mit anderen Worten: Ist man sich im Zuge einer Monographie über Beethovens op. 72 der Herausforderung bewußt, die von den darunter versammelten Werken herrührt, dann scheint es unausweichlich geboten, sich diesen Problemen mittels einer vergleichenden Betrachtung nicht zu verschließen.

Die verschiedenen Fassungen der Oper unterscheiden sich nicht nur in Äußerlichkeiten. Doch selbst Äußerlichkeiten wie die Akteinteilung, die Umstellung ausgearbeiteter Nummern oder der Wegfall ausgefeilter Teile stehen letztlich ein für sich wandelnde ästhetische Positionen und unterschiedliche dramaturgische Konzepte. Willy Hess, der ein Forscherleben lang „im Banne von Leonore / Fidelio" tätig war und darüber auch eine persönliche Bilanz zog[3], schien mit seinem ersten, 1953 fertiggestellten Buch über *Beethovens Oper Fidelio und ihre drei Fassungen* kaum Fragen offengelassen zu haben. Anhand des weitverstreuten Quellenmaterials hatte er es unternommen, jede Einzelnummer wie auch das Akt- und Werkganze zu untersuchen, zahlreiche analytische Einzelheiten zu beleuchten und kompositorisch zu bewerten. Dabei war er gleichfalls für eine Aufwertung der Urfassung eingetreten, die älteren Urteile und Eindrücke von Otto Jahn und Erich Prieger bestätigend.[4] (Otto Jahn hatte 1853 einen Klavierauszug der 2. Fassung, Erich Prieger 1905 — rechtzeitig zum Jahrhundertjubiläum, das auch eine Wiederaufführung der *Leonore* am Königlichen Opernhaus in Berlin bescherte — einen Klavierauszug der Urfassung herausgegeben, 1908/1910 gleichfalls eine im Privatdruck gestochene Partitur, von

1 E. Kastner / J. Kapp, *Ludwig van Beethovens sämtliche Briefe,* S. 272.
2 Vgl. G. Nottebohm, *Ludwig van Beethoven. Thematisches Verzeichnis,* S. 65ff.
3 Vgl. hierzu W. Hess, *Fünfzig Jahre im Banne von Leonore—Fidelio.*
4 Vgl. hierzu auch die ältere, auf ähnlicher Einschätzung beruhende Stellungnahme von A. Wendt, der 1815 dafür plädierte, die Oper „im Wesentlichen lieber in der ursprünglichen Bearbeitung aufführen zu lassen", da für ihn namentlich auch durch die „Umstellung der Scenen für das Dramatische der Oper wenig gewonnen, ja das Misverhältnis der Acte nur vergrössert worden ist" (*Gedanken über die neuere Tonkunst,* Sp. 398).

der anscheinend jedoch nur sechs Exemplare existieren.) Für Otto Jahn war „im Allgemeinen die erste Bearbeitung nicht nur die längste, sondern auch die größte".[1] Aus dem Vergleich mit dem *Fidelio* hatte Erich Prieger seinerseits den Schluß gezogen: „Was die ‚Leonore' voraus hat, das ist das ungehemmte breite Ausströmen der Melodien in den mächtiger ausgeführten Sätzen, wie es sich namentlich in den Terzetten so wirkungsvoll erweist."[2]

3. ZUR FORSCHUNGSLAGE. Daß es eine nennenswerte wissenschaftliche Beschäftigung mit den *Leonore*-Fassungen kaum gab oder daß sie lange Zeit stagnierte, hat einen eindeutigen Grund. Selbst die von Willy Hess geleisteten Beobachtungen und Beschreibungen ließen sich erst sehr spät sachlich nachvollziehen; erst 1967 bzw. 1970 konnte Hess der 1862/64 im Rahmen der Gesamtausgabe edierten *Fidelio*-Partitur in den Supplementbänden (Nr. 11/12 und Nr. 13) die Fassungen von 1805 und 1806 in Partituredition folgen lassen. Eigentlich erst seit 1967 war es möglich, die „Ur-*Leonore*" wieder aufzuführen (so etwa 1978 am Kieler Opernhaus) oder das Werk einem größeren Publikum auf Schallplatte oder in Konzertversionen nahezubringen. Veranlaßt durch die konzertante Wiedergabe im Rundfunk der DDR (1970) entstand 1975 Harry Goldschmidts Kommentar über *Die Ur-Leonore*. Hier hatte er die Überzeugung ausgesprochen: „Im Grunde genommen stellt der ‚Fidelio' von 1814 weitgehend eine zweite Oper neben der ‚Leonore' von 1805 dar"; auch für Goldschmidt ist „die Geschichte der Überarbeitungen des ‚Fidelio' [...] nicht die Geschichte ihrer linearen Vervollkommnung".[3]

Gerade diese Einsicht hatte Willy Hess immer wieder allgemein bewußt zu machen versucht. Zwischenzeitlich gewonnene Erkenntnisse wie notwendig gewordene Korrekturen hat er 1986 in einem resümierenden *Fidelio-Buch* niedergelegt. Die Methoden seiner Analysen sind indes die alten geblieben, orientiert an Formbestimmungen, wie sie Alfred Lorenz vorgenommen und verfeinert hatte und wie sie Hess selbst im Sinne einer „dynamischen Form" zu beschreiben lehrte.[4]

Über eine folgenschwere Korrektur der Partitur der *Leonore* von 1805 konnte Willy Hess in seinem neuesten *Fidelio-Buch* noch nicht berichten. Sie betrifft den Marsch, der dem Auftritt Pizarros vorausgeht und der in den Partituren sämtlicher Fassungen zu finden ist. Dafür, daß dieser Marsch 1805 als „kleine Ouvertüre" zum zweiten Akt fungierte, konnte Hess zwar nie einen gesicherten Nachweis erbringen; im Libretto ist der Marsch nicht erwähnt, im Autograph erhalten ist lediglich dieses Instrumentalstück, das 1806 als Nr. 5 verwendet wurde. Dennoch zweifelte Hess nicht an der Zugehörigkeit dieser Musik, da die Fassung von 1806 das Ergebnis einer rigorosen Streichaktion war, was gewiß die Neukomposition dieses Marsches kaum erklärlich machen konnte.[5] 1988 hat Helga Lühning anhand der im Musik-

1 Zit. nach L. v. Beethoven, *Werke*, GA, Supplemente Bd. 11, S. X. Vgl. ferner O. Jahn, *Leonore oder Fidelio?*, S. 236ff.

2 Zit. nach L. v. Beethoven, *Werke*, GA, Supplemente Bd. 11, S. XI.

3 H. Goldschmidt, *Beethoven. Werkeinführungen*, S. 255f.

4 Vgl. W. Hess, *Die Dynamik der musikalischen Formbildung*. Bd. I: *Studien und Betrachtungen über die Psychophysis des künstlerisch Schönen*, Bd. II: *Werkbetrachtungen*; ders., *Die Dynamik von Beethovens Großformen*, S. 37ff.

5 Vgl. L. v. Beethoven, *Werke*, GA, Supplemente Bd. 11, S. IX; W. Hess, *Das Fidelio-Buch*, S. 137.

archiv des Prager Nationaltheaters aufbewahrten *Leonore*-Partitur, die eine mit eigenhändigen Eintragungen Beethovens versehene Abschrift der Fassung von 1805 ist, in der nachträglich aus der zweiten Fassung sich ergebende Änderungen festgehalten sind, nachzuweisen vermocht, daß der Marsch — zusammen mit der neugeschaffenen *Leonoren-Ouvertüre* Nr. 3 — eindeutig als „späteste Zutat" identifiziert werden muß.[1] Anders gesagt, die Fassung von 1805 enthielt jenen Marsch, dem nachgerade eine gewichtige Funktion zuerkannt wird, noch gar nicht. 1990 ist es sodann Clemens Brenneis gelungen, das Rätsel zu lösen, womit 1805 der zweite Akt eingeleitet wurde, von dem laut Bericht eines Zeitzeugen — dem Tagebuch des Engländers Henry Reeve, das zugleich als Zeugnis der damaligen Rezeptionsprobleme betrachtet werden darf — bekannt ist, daß auch dieser Aufzug seine eigene Instrumentaleinleitung besaß: „Die Geschichte und der Plan des Stückes ist ein trauriges Gemisch von schlechten Handlungen und romantischen Situationen; die Arien, Duette und Chöre verdienen jedes Lob. Die verschiedenen Ouvertüren, denn es ist zu jedem Act eine Ouvertüre vorhanden, scheinen zu künstlich gearbeitet zu sein, um allgemein zu gefallen, namentlich wenn man sie zum erstenmale hört. Verwicklung und Schwierigkeit ist der Charakter von Beethovens Musik, und es erfordert ein sehr geübtes Ohr, oder eine häufige Wiederholung desselben Stückes, um seine Schönheiten zu verstehen und zu schätzen."[2] Brenneis konnte den nicht weniger überzeugenden Beweis antreten, daß 1805 als „Ouvertüre" jenes „alla marcia ma non troppo prest" gespielt wurde, das man bislang als *Introduzione del IIdo Atto* (WoO 2b) für die Zwischenaktmusik zu Christoph Kuffners Trauerspiel *Tarpeja* gehalten hatte.[3]

Dieses gerade erst bekannt gewordene Faktum wird zwangsläufig neue Aktivitäten notwendig machen: Zu revidieren ist die rekonstruierte Partitur der Uraufführung von 1805; bislang vorliegende Schallplatten- und CD-Einspielungen enthalten nicht mehr die „Ur-*Leonore*", sondern sind auf klingende Dokumente der bisherigen *Leonore*-Forschung reduziert. Daß auch aus dem Vergleich gewonnene analytische Voraussetzungen und Deutungen nicht länger aufrecht zu halten sind, da der Ausgangspunkt ein anderer geworden ist, versteht sich von selbst. Das große Fidelio-Buch ist also nach wie vor ein Desideratum. Von dieser Arbeit abschrecken sollte auch nicht das mittlerweile immens angewachsene Verzeichnis einschlägiger Schriften. Beunruhigend bleibt vorerst allerdings, daß einer Analyse noch immer nicht die philologisch verläßlichen Ausgaben an die Hand gegeben sind, die sie benötigt. Zu erwarten ist zudem, daß auch die Aufarbeitung und Berücksichtigung relevanter Skizzen für die Deutung von Kompositionsintentionen während der Zeitspanne von 1804 bis 1814 noch manche Überraschung bereithalten wird.

4. ANALYSE UND KOMPOSITIONSPROBLEME. Über Beethovens *Fidelio* informiert nachgerade jeder Opernführer. Rar sind hingegen die Versuche, die Werkdeutung auf analytischen Erkenntnissen zu gründen. Dies mag wiederum damit zusammenhängen, daß — abgesehen von der Monographie von Willy Hess — nur wenige

---

1 H. Lühning, *„Fidelio" in Prag*, S. 365.
2 Zit. nach Thayer / Deiters / Riemann, *Ludwig van Beethovens Leben*, Bd. II ([3]1922), S. 491.
3 Vgl. Cl. Brenneis, *Beethovens „Introduzione del IIdo Atto" und die „Leonore" von 1805*, S. 181ff.

Einzel-„Nummern" dieser Oper bislang einer eingehenden Kompositionsanalyse unterzogen wurden. Generell hat Carl Dahlhaus wiederholt dafür plädiert, Analysen in der Absicht zu betreiben, daß sie sich nicht nur abmühen, den Kunstwerkcharakter unter Beweis zu stellen, sondern daß sie — wenn möglich — vorrangig Einsichten in das Problem vermitteln, vor das sich der Komponist bei der Schaffung dieses speziellen Werkes oder eines seiner Teile gestellt sah. Der Notentext sollte bevorzugt also daraufhin befragt werden, für welches Problem die von dem Komponisten getroffenen Entscheidungen als Lösung betrachtet werden müssen. Gegenüber Beethovens op. 72 ist es kaum möglich, von einem singulären Kompositionsproblem zu sprechen. Zwar fehlt es nicht an Deutungen, welche die zentrale Werkintention in der Schaffung einer „Rettungsoper", einer „Revolutionsoper" oder eines musikalischen „Humanitätsdramas" erblicken. Der Umstand, daß die Entstehung der endgültigen Operngestalt des Jahres 1814 dank erhaltener Skizzenbücher in Teilen zurückverfolgt werden kann bis zur ersten Findung von Motiven, Themen und deren Ausarbeitung zum einen wie auch zur rigorosen Verwerfung ganzer Arien und Ensembles zum anderen, läßt überdeutlich erkennen, daß sich Beethoven seit Beginn seiner Arbeit an diesem Opernprojekt im Jahre 1804 mit einem Bündel von Problemen herumgeschlagen hat. Darauf ist vereinzelt immer wieder hingewiesen worden. Hinsichtlich der „Partitur von seiner Oper" soll der Komponist Anton Schindler gegenüber geäußert haben, „daß dieses sein geistiges Kind ihm vor allen anderen die größten Geburtsschmerzen [...] gemacht habe".[1] Selbst solche im engeren Sinne kompositorischen Probleme hatten sich zwischenzeitlich verändert. Lösungen, hinter denen Beethoven 1805 stand, konnten ihn 1813/1814 offenbar nicht länger zufriedenstellen. Lediglich bei der Fassung von 1806 scheint ein singuläres Interesse im Vordergrund gestanden zu haben. Die damaligen Kürzungen, die nur sehr beschränkt ästhetisch motiviert waren, da sie in erster Linie auf die Beschneidung der Aufführungsdauer abzielten, wurden Beethoven widerwillig abgerungen. Dabei mußte sich der Komponist in der Tat vergewaltigt vorkommen.[2] Die Fassung von 1806 ist nach ihrer Wiener Präsentation gelegentlich wieder aufgeführt worden, einen eigenen Kunstanspruch vermag sie schwerlich zu erheben.

Will eine analytische *Einführung* — und mehr ist bei *Fidelio* als einer aus 16 Einzelteilen bestehenden „Nummernoper" aus Raumgründen hier ohnehin kaum zu leisten — wenigstens von einigen der Probleme handeln, die sich Beethoven bei seinem op. 72 aufbürdete, dann sollte vorab von solchen die Rede sein, die sich aus dem Vergleich illustrieren lassen. Neben den drei Fassungen Beethovens sind dazu auch die *Leonoren*-Opern von Pierre Gaveaux (1798; Librettist: J. N. Bouilly) und Ferdinando Paër (1804; Librettist: vermutlich G. Cinti) heranzuziehen, die Beethoven gekannt haben muß, da er Anregungen aus ihnen bezog.[3] Erst aus dem Vergleich erhellen Eigenanteil und Eigenart und können als solche interpretiert werden.

1 Zit. nach G. Kinsky / H. Halm, *Das Werk Beethovens,* S. 174.

2 Vgl. hierzu den Bericht von J. A. Röckel, in: Thayer / Deiters / Riemann, *Ludwig van Beethovens Leben,* Bd. II (^{3}1922), S. 493f.

3 Beachtenswert sind dabei folgende Einzelstudien: J. Brincker, *Leonore and Fidelio*; R. Engländer, *Paër's „Leonora" und Beethovens „Fidelio"*; H. Lühning, *Florestans Kerker im Rampenlicht*; M. Ruhnke, *Die Librettisten des „Fidelio"*; R. Strübing, *Die Bearbeitungen des „Leonore"-Stoffes vor Beethoven.*

5. AUSGANGSPUNKT: „UR-*LEONORE*". Daß Joseph Sonnleithner, Beethovens erster Librettist, der das Textbuch „frei nach dem Französischen" einrichtete, sich dabei eng an die Vorlage von Jean Nicolas Bouilly gehalten hat, ist des näheren von Martin Ruhnke dargelegt worden.[1] Auf Sonnleithner gehen zugleich Eingriffe und Erweiterungen zurück, die bis in die Endfassung hinein Bestand hatten: Anders als Bouilly hat er Pizarro anstelle seiner Sprechrolle eine tragende Gesangsrolle gegeben, damit für das Quartett (1805: Nr. 16) mit dem erlösenden Trompetensignal erst die Voraussetzung zu einem einzigartigen musikalischen Höhepunkt geschaffen; bei Bouilly tönt das Signal in eine bloße Sprechszene hinein. Sonnleithner hat ferner einfache Chorschlüsse in großangelegte Finalszenen umgeformt, somit dem Chor überhaupt eine erhöhte Bedeutung eingeräumt; Paër hatte seinerseits auf den Chor gänzlich verzichtet. Neu in Sonnleithners Textbuch sind die Zeilen, die Beethoven als Kanon (1805: Nr. 4) vertonte. Neu ist gleichfalls jene ergreifende Szene, in der sich Florestan als gottergebener und dankerfüllter Christenmensch zu erkennen gibt („O Gott, welch ein Augenblick! [...] Gerecht, o Gott, ist dein Gericht. Du prüfest, du verläßt uns nicht"). Sie inspirierte Beethoven dazu, im Orchester den Hymnus aus seiner in Bonn komponierten Trauerkantate auf Joseph II. anklingen zu lassen, wobei durch jene ungesungen mitklingenden Worte („da stiegen die Menschen ans Licht") eine doppelte Symbolik beschworen wird. Sonnleithner hat wohl auch dafür gesorgt, durch Retuschen am Charakter und an der Verantwortlichkeit der handelnden Personen das Libretto so zu verändern, daß es der Wiener Zensurbehörde schließlich passabel erschien. Immerhin handelte es sich um eine wahre Begebenheit aus den Tagen der Französischen Revolution, in Frankreich vorsichtigerweise bereits ausgegeben als „fait historique Espagnol". Gezielt hat Sonnleithner, wie Ruhnke resümierte, „aus dem gewissenlosen Opportunisten Rocco einen biederen Hausvater und das unschuldige Opfer eines grausamen Tyrannen" gemacht.[2] Die späteren Librettisten — Stephan von Breuning für die Fassung von 1806 und Friedrich Treitschke für die von 1814 — haben solche Tendenzen weiter verstärkt; erklärt Republikanisches wird eingedämmt zugunsten dessen, was der erstarkten Restauration genehm ist, „das Böse" tritt schließlich nur noch in der Rache des „Privatmenschen" Pizarro in Erscheinung, und auch die „jakobinische Härte" wird „josefinisch geglättet"[3], indem auf den König als „Richter" verwiesen wird. Daß die Zensurbehörde gleichwohl ein Verbot verhängte und daß die Aufführung erst nach „einiger Abänderung der grellsten Szenen" zu einem späteren Termin erfolgen konnte, ist bekannt.[4] Sonnleithner hatte sich schriftlich gegen das Verbot gewehrt. Unter seinen vorgebrachten Argumenten mochte vor allem dies nicht ohne Eindruck geblieben sein, daß „die Kaiserin das Original sehr schön gefunden und versichert habe, kein Opernstoff hätte ihr jemals so viel Vergnügen gemacht" und daß diese Oper deshalb auch, wie beabsichtigt, „zum Namensfest der Kaiserin" gegeben werden sollte.

1 Vgl. M. Ruhnke, *Die Librettisten des „Fidelio"*, S. 121ff.
2 Ebenda, S. 129.
3 H. Goldschmidt, *Beethoven. Werkeinführungen*, S. 262.
4 Ebenda, S. 263f.

6. TEXTVORLAGE UND VERTONUNGSPROBLEME. Welche Schwierigkeiten Beethoven die Vertonung des Librettos im einzelnen bereitete, läßt sich gleich an der „Arie" der Marzelline ablesen, mit der ursprünglich der erste Akt eröffnet wurde. Das Textbuch hatte dafür, eng angelehnt an die französische Vorlage, ein zweistrophiges Gebilde vorgegeben, bestehend aus einem Vierzeiler (a b a b) und zwei Dreizeilern (c c d, e e d), wobei der zweite insofern abgetrennt erscheint, als ihm die Funktion eines Refrains zukommt. Wenigstens der Beginn der ersten Strophe artikuliert einen sehnsüchtigen Klageton. Der Refrain hingegen singt nur von „bonheur" und „plaisir", von „unaussprechlich süßer Lust", vom „glücklich sein" bzw. „glücklich werden"[1]:

Bouilly, 1798:	Sonnleithner, 1805:
PREMIER COUPLET	
Fidélio, mon doux ami, Qu'il me tarde d'être ta femme! Fille, hélas! ne peut qu'à demi Avouer c'qui s'passe en son ame: Mais sans rougir te caresser, Dans mes bras pouvoir te presser, Te dire a chaque instant: je taime ...	O wär' ich schon mit dir vereint, Und dürfte Mann dich nennen! Ein Mädchen darf ja, was es meint, Zur Hälfte nur bekennen! Doch wenn man nicht erröthen muß, Ob einem warmen Herzenskuß, Wenn nichts uns stört auf Erden -
(Elle pousse un profond soupir et porte la main sur son cœur.)	(Sie seufzt, und legt die Hand auf's Herz)
Si le seul espoir du bonheur, De plaisir, fait battre mon cœur, Qu'est-ce donc (bis.) que le bonheur même?	Die Hoffnung schon erfüllt die Brust Mit unaussprechlich süßer Lust; Wie glücklich will ich werden!
DEUXIEME COUPLET	
Accord, fidélité, repos; Qui, tel sera notre partage; Et bientôt d'jolis p'tits marmots Viendront embellir not'ménage. Il me semble déjà les voir Sur nos genoux, grimper, s'asseoir Et nous balbultier: je t'aime...	In Ruhe stiller Häuslichkeit Erwach' ich jeden Morgen; Wir grüßen uns mit Zärtlichkeit; Der Fleiß verscheucht die Sorgen. Und ist die Arbeit abgethan, Dann schleicht die holde Nacht heran, Dann ruh'n wir von Beschwerden -
(Elle porte encore la main à son cœur en poussant le plus tendre soupir.)	(wie oben)
Si le seul espoir du bonheur, De plaisir, fait battre mon cœur, Qu'est-ce donc (bis.) que le bonheur même?	Die Hoffnung schon erfüllt die Brust Mit unaussprechlich süßer Lust; Ich werde glücklich werden [sein].-

1 Von Gaveaux' *Leonore* und Paërs *Leonora* gibt es keine Neuausgaben. Im folgenden benutzt wurden Druckausgaben aus dem Besitz der Bibliothèque Nationale in Paris und der Deutschen Staatsbibliothek Berlin. Das Libretto Bouillys ist veröffentlicht in: A. Sandberger, *„Léonore" von Bouilly,* S. 281ff. Der Text Sonnleithners ist entnommen aus: L. v. Beethoven, *Werke,* GA, Supplemente Bd. 12, S. XIII.

Der Stellung des Mädchens entsprechend wie auch dem spanischen Ambiente, hat Gaveaux dieses Eingangslied als „Tempo di Minuetto Seguidilla“ gestaltet. Die Vorspieltakte, die die Gesangsmelodie antizipieren, tönen durch ihr apartes, an Gitarrenklänge erinnerndes Pizzicato der Streicher sowie durch Synkopierungen eine unüberhörbare „couleur locale“ an. Paër, dessen Textvorlage bei diesem Sologesang ohnehin keine Strophigkeit aufweist, beschreitet kompositorisch einen anderen Weg. Bei ihm singt Marcellina, als sei sie bereits eine Person von Stand, eine unmittelbar an die Ouvertüre anschließende, dreiteilige Arie (A: 3/4, Es; B: 6/8, B, Kadenz; A': 3/4, Es). Ausgestattet ist dieser Auftrittsgesang sogleich auch mit vor Selbstbewußtsein und Glückserwartung strotzenden Koloraturen („Oh quante cose belle con te, ben mio, farò“).

Beethoven fiel es offensichtlich bereits schwer, für die Vertonung der unterschiedlichen Strophenteile von Marzellines „Arie“ das passende Tongeschlecht zu finden. Nicht weniger als vier handschriftliche Partitur-Fassungen sind überliefert[1], darunter eine vor der Uraufführung von 1805 entstandene Version, die das Lied sogar ganz in Dur einfärben wollte (Supplemente Bd. 2, S. 35—45). Vollends die Skizzenbücher machen deutlich, wie viele melodische und deklamatorische Alternativen Beethoven gerade für diese Introduktionsarie erwog.[2] In einem frühen Stadium (Landsberg 6, S. 147 / 5—13) sollte der Textbeginn des Refrains sogar auf das Incipit jener Gassenhauermelodie gesungen werden, die Beethoven im Schlußrondo seines Klavierkonzertes op. 15 zitiert.[3] Folgt man Anton Schindler, aus dessen Besitz das Berliner Beethoven-Autograph 26 stammt, das auch sämtliche Partitur-Fassungen der Marzellinen-Arie enthält, dann ist die erwähnte Version in C-Dur „nach Beethovens Äußerung die allererste unter den vieren“ gewesen.[4] Sie weist betont liedhaft-quadratische Züge auf. Aus dem ersten Textblock wird musikalisch ganz selbstverständlich ein Bar (A A B); trotz vorhandener Textunterschiede stimmen Vorder- und Nachsatz der ersten Periode überein. Hier intoniert Marzelline fraglos eine volksliedartige Melodie:

GA-Supplement, Bd. II, S. 35f.

1 Vgl. W. Hess, *Wieviele Fassungen der Marzellinen-Arie gibt es?,* S. 514; ders., *Das Fidelio-Buch,* S. 229ff.

2 Vgl. Ph. Gossett, *The Arias of Marzelline,* S. 141ff.

3 Die betreffenden Melodietöne sind in der nachfolgend wiedergegebenen, dem Aufsatz von Ph. Gossett entnommenen Skizzenübertragung (S. 153, Ex. 4) gesondert markiert.

4 W. Hess, *Das Fidelio-Buch,* S. 230.

Beim Studium der Skizzenbücher gelangte Philip Gossett zu einer anderen Chronologie. Danach hatte Beethoven bereits bei seinen ersten Niederschriften den späteren Moll-Dur-Wechsel vorgesehen und die Vertonung der Einzelstrophe wie folgt geplant[1]:

Willy Hess hält in seinem *Fidelio-Buch* gleichwohl an der durch Anton Schindler verbürgten Entstehungsfolge fest.[2] Das angedeutete Problem wird davon nicht tangiert; für eine gattungsästhetische Beurteilung der Marzellinen-Arie bleibt in jedem Fall die Tatsache ausschlaggebend, daß Beethoven (zunächst oder zwischenzeitlich) für die Introduktion seiner Oper ein simples Singspiellied in Erwägung gezogen hatte, um sich schließlich dennoch anders zu entscheiden.

Also erst nach mehrfachem Entwerfen, Aus- und Umarbeiten und abermaligem Verwerfen kehrte Beethoven zu der bereits von Gaveaux vorgenommenen Lösung

1 Nach Ph. Gossett, *The Arias of Marzelline,* S. 153.
2 Vgl. W. Hess, *Das Fidelio-Buch,* S. 230f.

zurück: zu dem Wechsel von Moll-Strophen und Dur-Refrain, bezogen auf den gleichen Grundton (c / C), — ein Kontrastprinzip, das sich während jener Schaffensjahre bei Beethoven häufig beobachten läßt. Mit dieser Entscheidung war freilich die Endgestalt des Eingangsliedes noch längst nicht fixiert. Selbst die Fassung von 1814 unterscheidet sich später dann noch von jenen Versionen der Jahre 1805 und 1806. Die zuletzt vorgenommenen Änderungen betrafen indes mehr eine Zusammenziehung und Straffung der Übergänge, die Setzung eines effektvollen Fermatentaktes in der Coda, die ihrerseits aus Gründen eines rascheren Verklingens im Piano verkürzt wurde. Die Distanz zu dem noch um 1805 gängigen Liedtypus ist offenkundig. Willy Hess monierte in diesem Zusammenhang, daß „dem liedartig-schlichten Stile" der Erstfassung damit „ein ihm fremder Stempel einer späteren Entwicklungsstufe aufgepfropft" worden sei.[1]

Marzellines „Arie" ist zweifelsohne Teil jenes den Alltag einer kleinbürgerlichen Familie zeichnenden, dabei zu Idyllik neigenden Bildes, mit welchem bereits Bouillys Libretto die Oper beginnen läßt. Im Einklang steht dieses „tableau" mit den Forderungen der neuen französischen Dramenästhetik für „comédie larmoyante" und das „gemischte Genre"[2]; ernsthaft einbezogen sind fortan die Gefühle, Freuden und Sorgen der „kleinen Leute", über die man sich nun auch nicht mehr nur lauthals belustigt. Vollends mit seiner Musik hat Beethoven die Tochter des Gefängniswärters in ihrem sozialen Rang aufgewertet, ihr letztlich sogar unüberhörbar individuelle Züge verliehen. Sofern man — wie häufig geschehen — aus der „Arie" Marzellines nur einen schlicht-einfachen Singspielton zu vernehmen vermag, negiert man mehrere Details eines „Orchesterliedes", in dem kunstreiche Nuancen des „seelenmahlenden" *Kunst*liedes begegnen, wie es sich in den Jahren vor 1814 in Wien allmählich auszuprägen begann.[3] Aufmerksamkeit verdient hier zum wenigsten

— die Art, wie Beethoven den Spitzenton g'' zunächst ausspart, ihn dann wiederholt ansteuert (1814: T. 21, 24, 31), damit das Wort „glücklich" pointierend, um in der Coda sodann das Jubilieren noch zu steigern (T. 69—72 und T. 74: neuer Spitzenton a''),

— der Gebrauch der „durchbrochenen Arbeit", die Verlagerung des Liedmelos von der Singstimme in den Orchesterdiskant, um dergestalt ein inneres Dialogisieren anzudeuten (T. 12f.) wie damit auch ein expressives Deklamieren (T. 26ff.) zu ermöglichen, ohne die Liedstruktur zu zerstören,

— das durch das Orchesteraccompagnato geleistete variative Abheben der zweiten von der ersten Strophe, wobei zugleich ein feines psychologisierendes Moment zutage tritt; bei den Worten „wir grüßen uns mit Zärtlichkeit" gerät Marzellines Phantasie, dargestellt im Orchestersatz, leicht in Verwirrung, insofern der Baß — im Unterschied zur ersten Strophe — zweieinhalb Takte lang außer Tritt gerät und unversehens harmonische Reibungen provoziert. Aufgeboten ist damit, und zwar bereits in der Fassung von 1805, ein Mittel der Strophenvariation, welches später das „Kunstlied" Schuberts auszeichnet.

---

1 W. Hess, *Beethovens Oper „Fidelio"*, S. 43. Diese Auffassung hat Hess 1986 auch in seinem *Fidelio-Buch* nochmals betont (S. 121).

2 Vgl. hierzu H. Goldschmidt, *Die Ur-Leonore*, S. 258f.; C. Dahlhaus, *Ludwig van Beethoven und seine Zeit*, S. 225ff.

3 Vgl. hierzu H. W. Schwab, *Sangbarkeit, Popularität und Kunstlied*, S. 161ff.

1814, Nr. 2

7. AKTBEGINN UND DRAMATURGISCHES KONZEPT. Das unablässige Ringen um die endgültige Gestalt der Eingangsarie ist symptomatisch für Beethovens Opernkomposition, nicht weniger die Tatsache, daß diese Arie 1814 ihre prominente Funktion als Introduktionsstück wiederum verlor. In der Fassung von 1805 entsprachen sich die Eingänge des ersten und dritten Aktes hinsichtlich der Steigerung, daß nach einer Soloarie ein Duett, ein Terzett und sodann ein Quartett einander folgten. Dafür, daß Beethoven dies änderte und die Marzellinen-Arie an die zweite Stelle rückte, lassen sich gewiß dramaturgische Gründe ins Feld führen. Um gleich zu Beginn mehr Musik*theater* zu bieten, verzichtete er nach der Ouvertüre auf die früheren Sprechpartien und schloß sogleich das Duett an, das in jenem Ton e anhebt, mit dem die neue E-Dur-Ouvertüre gerade schloß. Folgt Marzellines Einzelgesang zum anderen erst nach ihrem Streitduett mit Jaquino, werden Text und Musik ungleich besser verständlich. Das Duett, formal strukturiert durch das lautstarke Klopfen an der Gefängnistür (T. 65—68; 168—171), ist zudem ein Handlungsduett, das dem Bühnengeschehen einen lebhafteren Beginn sichert.

Kompositorisch aufgegriffen hat Beethoven hier jenes „diskontinuierliche" Gestalten, das nachgerade zu den besonderen Markenzeichen der Wiener Klassiker zählt. Sinnfällig nachvollziehbar wird es dank der zunächst in den Bratschen intonierten Vorspieltakte, die auf jenes Pochmotiv folgen, aus dessen Kern sich das Duett facettenreich entfaltet:

1805, Nr. 2

Mit diesem fast trivialen, eingängigen 2 + 2-Takter beginnt motivisch zuletzt auch die Coda (1814: Nr. 1, T. 174ff.), in der das Duett, ohne daß das sich quälende Paar zu klaren Entschlüssen gefunden hätte, ausklingt. Zwischenzeitlich gewinnt dieses Liedmotiv insofern an Bedeutung, als es zum einen im Mittelteil (T. 109ff.) durchgeführt wird und sich zum anderen an ihm als einprägsamer Folie die unterschiedlichen Stimmeinsätze Jaquinos ablesen und deuten lassen: zunächst übermotiviert beginnend, da der Einsatz trotz des zögerlichen Sprechens zu früh erfolgt (T. 40), sodann, weil verspätet einsetzend (T. 50), Zeichen der Verunsicherung verratend. Aus Erregung bricht Jaquino dann sogar aus dem eigenen Melos aus und eignet sich die Töne Marzellines an (T. 141—148). Und in Takt 109ff. beantwortet Beethoven die von dem verwirrten Jaquino gestellte Frage („Wo bin ich?") musikalisch damit, daß er den Orchestersatz schon gar nicht mehr zu jener Introduktion zurückfinden läßt, die Jaquinos entschlossener Werbung den Impuls gab.

Unverkennbar sind dies Züge des komischen Genres. Nicht Marzellines Arie, wohl aber dieses an die erste Stelle gerückte Streitduett kehrte 1814 umso nachdrücklicher solche, aus dem Singspiel vertraute Momente hervor, die es der ästhetischen Beurteilung schwer machten, zwischen dem Komischen der Eingangsszene einerseits und dem Tragisch-Erhabenen der späteren Kerkerszene andererseits eine legitimierbare Verbindung zu akzeptieren. Was Beethovens Partitur 1814 an Theaternähe und Lebendigkeit hinzugewann, büßte sie umso empfindlicher an ästhetischer Geschlossenheit ein.

8. Die Mannigfaltigkeit der Gattungstraditionen. Für einen Rezensenten der *Münchener allgemeinen Musik-Zeitung* war 1827 Beethovens Oper „ein hochmusikalisches Kunstwerk deutscher Schule“.[1] Auf den ersten Blick handelt es sich um ein deutsches Singspiel bzw. eine deutschsprachige „opéra comique“. Keiner dieser Gattungen ist die Oper indes nahtlos einzupassen. In allen ihren Fassungen laufen sowohl Stränge der französischen als auch solche der italienischen und deutschen Gattungstradition zusammen. Wenn ein Kritiker der Uraufführung von 1814 urteilte, „die Musik sey, in Hinsicht des *Gesanges*, gewiss nicht so originell, als man von diesem Meister habe erwarten müssen“ und sogar meinte, „dass einige Reminiscenzen sich eingeschlichen haben“[2], so war damit eher die Präsenz vertrauter Gattungstypen und -charakteristika gemeint als der Vorwurf, Beethoven habe aus Einzelwerken anderer zitiert. Revolutionär neu erschien das Werk den Zeitgenossen jedenfalls nicht.

Was in dieser Oper im einzelnen zusammenfloß, ist nicht immer klar auseinanderzuhalten. Auf die französische „opéra comique“ gehen zunächst die gesprochenen Dialoge zurück. Französischer Provenienz sind die Revolutionsrhythmen im neu geschriebenen *Fidelio*-Finale und in dem Aufzugsmarsch (1806: Nr. 5; 1814: Nr. 6), gleichfalls das Trompetensignal, das der später so bezeichneten „Rettungsoper“ zu entstammen scheint (etwa Cherubinis *Lodoiska*, 1791)[3] sowie das „Melodram“ (1805: fraglich; 1806: Text nur gesprochen; 1814: Nr. 12); wie bekannt hatte erstmals Rousseau dieses pathetische Sprechen zur Musik in seiner Scène lyrique *Pygmalion* zur Anwendung gebracht, — eine Kombination, die in Deutschland sodann durch Georg Benda zu einer modischen Besonderheit avancierte, für die sich selbst Mozart begeisterte. An Frankreich läßt vor allem das *Fidelio*-Finale denken. Für die Schlußszene auf einer „place publique“, wo die Volksmenge und Freunde eines in Bedrängnis geratenen Brautpaares „dessen wiederhergestelltes Glück und den gnädigen König als Wohltäter preisen“, konnte bereits Monsignys vorrevolutio-

1 *MaMZ* 1 (1827), Sp. 94ff., zit. nach St. Kunze, *Gesammelte Konzertberichte,* S. 158.
2 *AmZ* 16 (1814), Sp. 420f.
3 Vgl. S. Döhring, *Die Rettungsoper,* S. 128. Die Trompetenfanfare, die in Gaveaux' Oper laut Textbuch in einer Sprechszene zu ertönen hat, ist in der Partiturausgabe nicht zum Abdruck gelangt. Demgegenüber enthält Paërs *Leonora*-Partitur ein in die entsprechende Szene einkomponiertes Trompetensignal. Wovon sich Beethoven seinerseits inspirieren ließ, steht nicht eindeutig fest. Vgl. hierzu des näheren E. A. Friese, *Das Leonore-Signal,* S. 442; L. Nowak, *Beethovens „Fidelio“ und die österreichischen Militärsignale,* S. 373. In Frage käme möglicherweise auch die Trompetenfanfare aus dem zweiten Satz von Haydns *Militärsymphonie* (1792).

näre Rettungsoper *Le déserteur* (1769) als Vorbild dienen.[1] Erinnert man an die zeremoniellen Freiluftmusiken im Frankreich der Revolutionszeit, dann ist der Aufmarsch auf dem „Paradeplatz des Schlosses mit der Statue des Königs" dieser jüngeren Tradition verpflichtet, mittlerweile freilich den Verhältnissen angepaßt, auf die, der Zensur wegen, schon das Textbuch Rücksicht genommen hatte.

Die italienische Tradition in Beethovens Oper entstammt der der „opera seria". (Dabei wird nicht verkannt, daß das von Thrasybulos Georgiades an der Musik der Wiener Klassiker als spezifisch erkannte und beschriebene Stilmerkmal, das der „Diskontinuität"[2], seinen gattungsgeschichtlichen Ausgang von der „opera buffa" nahm; in Beethovens Oper hat diskontinuierliches Fortschreiten als Sinnbild des freien menschlichen Bewegens und Handelns demgemäß auch in sämtlichen Ensembles seinen kompositorischen Niederschlag gefunden, angefangen — wie gerade näher gezeigt — beim Eingangsduett zwischen Jaquino und Marzelline.) Der Gattung der opera seria sind vor allem die höchste virtuose Ansprüche stellenden Soloarien Beethovens verpflichtet. Als italienisch erweisen sie sich bereits darin, daß ihnen in der Regel „Introduktionen" in Form eines aufwendig gestalteten Recitativo accompagnato vorangehen. Abwechselnd ist der typologisch festgefügten „Rachearie" der Standesperson Pizarro (1805: Nr. 8; 1806: Nr. 6; 1814: Nr. 7) der Chor beigesellt. Für jene Szene, in der der eingekerkerte Florestan zum ersten Mal auf der Bühne in persona erscheint, hielt die opera seria bereits seit dem frühen 18. Jahrhundert — gattungsgeschichtlich also lange vor der Ausprägung der sogenannten französischen „Rettungsoper" — mit dem „sotterraneo" ein eigenes und detailliert ausgefülltes „tableau" bereit. Helga Lühning kommt das Verdienst zu, erstmals auf diese Zusammenhänge aufmerksam gemacht zu haben.[3] (Insonderheit bei diesem Akteingang war Beethoven darauf bedacht, mittels einer „kleinen Ouvertüre" ein detailreiches Szenengemälde zu schaffen. Beim zweiten Akt beginnt die Ausmalung des „sotterraneo", vor allem das *Charakter*gemälde des Eingekerkerten, in allen Fassungen der Oper bereits bei geschlossenem Vorhang mit den ersten Takten der „Introduktion". Die Molltonart, langausgehaltene Akkordsäulen der Bläser, ein engschrittiges, tiefintoniertes Streichermotiv, verminderte Dominantseptakkorde, der beklemmende Tritonus A—Es der Pauken sind einige der hierzu wirkungsvoll aufgebotenen musikalischen Mittel.)

Wo 1827 von *Fidelio* als einem „Kunstwerk *deutscher* Schule" die Rede war, wurde an Beethoven als „Gedanken"-Musiker erinnert, letztlich an den unnachahmlichen „Instrumental-Componisten". Die allseitige Präsenz von motivischer Arbeit oder obligatem Accompagnement in seiner Oper ließ sich somit erklären. Daß „die Gesangsstücke [...] wegen starker Instrumentirung für den Sänger sehr anstrengend sind", daß hier „nicht der *gewöhnliche* theatralische Gesang [...], sondern ein eigenthümlicher, ausdrucksvoller" vorherrsche, wobei die „Declamation [...] bis ins Einzelne wahrhaft meisterhaft, und in der neuern Theatermusik selten" sei, wurde bereits von den Zeitgenossen eigens hervorgehoben.[4] Zu einer im enge-

---

1 Vgl. S. Döhring, *Die Rettungsoper,* S. 114.
2 Thr. Georgiades, *Musik und Sprache* (^{2}1974), S. 90ff. und 115ff.; ders., *Schubert. Musik und Lyrik* (^{2}1979), S. 117ff.; vgl. hierzu ferner R. Bockholdt, *Freiheit und Brüderlichkeit,* S. 77ff. und 94ff.
3 Vgl. H. Lühning, *Florestans Kerker im Rampenlicht,* S. 137ff.
4 St. Kunze, *Gesammelte Konzertberichte,* S. 192.

ren Sinne deutschen Tradition rechnet neben dem Eingangslied Marzellines gleichfalls der „Volkston", wie er in der Rolle des Don Fernando begegnet; gemäß der Forderung von Johann Abraham Peter Schulz intoniert der Minister in der Tat eine jener Melodien, die jeder — und deshalb läßt sich auch von einer „Humanitätsmelodie" sprechen — „leicht nachsingen und auswendig behalten" kann[1] (1814, Nr. 16, T. 83ff.: „Es sucht der Bruder seine Brüder"). Das spezielle Erbe Glucks glaubte man stets in den ausgedehnten Chorpartien zu erkennen. Zum Teil trifft dies auch für den statuarisch-oratorischen Stil zu, in den der Opernschluß einmündet. Chorsätze enthielt zwar Gaveaux' *Léonore*, nicht jedoch Paërs *Leonora*. Zumal in Beethovens „Gefangenenchor", mit dem das erste Finale beginnt (1805: Nr. 12; 1806: Nr. 11; 1814: Nr. 10), mischen sich Tradition und Novität auf besondere Weise. Der gleichermaßen politisch wie musikalisch interessierte Richard Otto Spazier erblickte in ihm jene „Glanzstelle", wo der Komponist „im Fidelio am grössten, vielleicht einzig dasteht"; er begründete dies mit der Art, wie sich hier der Chor „mit den handelnden Personen in Wechselberührung" setzt, „sich selbst handelnd mit einführen" läßt, wozu entscheidend das „Medium der Chorführer" beiträgt: „So haben wir hier dies Auseinanderlegen des Chors, der so, wie der Komponist will, Individuum und Masse in der Musik zugleich sein kann."[2]

Streiten kann man sich, welcher Tradition der „Kanon" (1805: Nr. 4; 1806: Nr. 3; 1814: Nr. 3) zuzuordnen ist, der in allen drei Fassungen der Oper die geringsten Veränderungen erfuhr. Weder bei Gaveaux noch bei Paër ist er in deren *Leonoren*-Opern vorgegeben. Robert Haas sprach in diesem Zusammenhang von einer Wiener „Mode des Kanonsingens", die er auch im „Wiener Singspiel" verwirklicht sah.[3] Die Bemerkung in der Uraufführungskritik von 1814, der Kanon „erinnere zu sehr an den [...] in der Camille" Paërs, verweist demnach auf das italienische „dramma semisero".[4] Ob die Aufnahme des Kanons verantwortlich auf den Librettisten oder Komponisten zurückgeht, ist ohnehin schwer zu entscheiden. Joseph Sonnleithner hatte auch für die 1806 in Wien uraufgeführte, von Luigi Cherubini vertonte Oper *Faniska* den Text eingerichtet; auch diese Oper enthält einen Kanon. In seiner Funktion als „kontemplatives Ensemble"[5] könnte der Kanon in Beethovens Oper nicht minder von Mozarts „dramma giocoso" inspiriert sein. Beethoven bekundete zwar, daß er jenes frivole Textbuch zu *Così fan tutte* nie hätte vertonen können, andererseits haben Wolfgang Osthoff und Stefan Kunze überzeugend deutlich gemacht, wie sehr auch die Arie der Leonore (1805: Nr. 11; 1806: Nr. 8; 1814: Nr. 9) auf das E-Dur-Rondo der Fiordiligi Bezug nimmt und als gattungsgeschichtlich nahezu beispielloser „großer Monolog" gleichwohl von Mozarts Vorbild zehrt.[6]

Kurzum: Die Aufzählung unterschiedlicher Gattungsstränge sollte im einzelnen bewußt machen, daß Beethovens Nummernoper ein Œuvre ist, in dem ungemein vieles, gerade auch Disparates zusammentraf. Nicht ohne Grund wurde es als „vermischt" bezeichnet, wenn auch mehr von den nachgeborenen Kritikern als von den

1 J. A. P. Schulz, *Lieder im Volkston*, Bd. I (^{2}1785), Vorbericht.
2 St. Kunze, *Gesammelte Konzertberichte*, S. 159ff.
3 R. Haas, *Zum Kanon im Fidelio*, S. 136f.
4 *AmZ* 16 (1814), Sp. 420f.
5 C. Dahlhaus, *Über das „kontemplative Ensemble"*.
6 Vgl. W. Osthoff, *Beethovens „Leonoren"-Arie*, S. 191ff. sowie St. Kunze, *Mozarts Opern*, S. 451 und 515.

unmittelbaren Zeitgenossen selbst. Hier liegt zugleich begründet, weshalb die Oper ästhetisch immer wieder auch in Mißkredit geriet.

9. NUMMERNOPER UND KOMPOSITORISCHE EINHEIT. Beethovens Oper ist in all ihren Fassungen eine „Nummernoper". Unterschiedlich zusammengesetzt ist sie aus Arien, Duetten, Terzetten und Quartetten sowie aus breitangelegten Finali, die — so hat dies etwa Lorenzo da Ponte nachdrücklich gefordert — zum guten Schluß nochmals sämtliche Mitwirkende, also auch den Opernchor, auf der Bühne versammeln sollen. Zu erwarten, daß hinter der Abfolge dieser Einzelnummern ein bewußt intendiertes kompositorisches Ordnungsgefüge zutagetritt, dem Liederkreis op. 98 vergleichbar oder durch eine thematisch-motivische „Substanzgemeinschaft" gestiftet wie zwischen den Sätzen in Werken Beethovenscher Instrumentalmusik, hieße schlicht Gattungstraditionen überfordern. Bekanntlich hat man in der Oper Stücken applaudiert, mitunter sogar durch Zwischenbeifall. Dies war auch noch 1814 herrschender Usus. Der Premierenkritiker hob im einzelnen „mehrere wahre Meisterstücke" hervor und berichtete davon, daß „die meisten Musikstücke lebhaft, ja tumultarisch beklatscht" worden seien.[1] Selbst von einem kürzeren Akt durfte man längst noch keine nummernübergreifende kompositorische Einheit erwarten. Eine Analyse, die dies zu ermitteln trachtet, richtet sich gegen Gattungskonventionen und verfährt im Grunde ahistorisch. Auch Beethoven ist als Opernkomponist nicht mit dem gleichen kompositorischen Anspruch aufgetreten, mit dem er sich in seiner Instrumentalmusik profilierte.

Gleichwohl fehlt es nicht an analytischen Versuchen, im Blick auf sämtliche Fassungen des *Fidelio* deren geheimen Bauplan zu enträtseln oder wenigstens solche ihn konstituierende Gestaltungskräfte dingfest zu machen. Willy Hess hat dabei auf verwickelte tonikale Korrespondenzen hingewiesen. Indem er die Tonarten „aller Nummern des zweiten Aufzuges" herausgriff, ließ sich das Ordnungsschema behaupten: „Der Akt beginnt und schließt mit B-dur. Im übrigen aber kreisen auch diese Tonarten alle zusammen die Werktonika C-dur ein."[2] Ausgehend vom Libretto stellte sich Hess das „Werkganze" auch tonal als „ein Bogen von Akt 1 und Akt 3" dar, wobei er freilich zugleich um eine Konzession bitten mußte („Man stoße sich nicht am Umstellen einzelner Teile! Die beiden Akte stehen sich als Ganzes in Gegengleichheit gegenüber, mögen innerhalb dieses Ganzen einzelne Glieder vertauscht sein. Die Gegengleichheit aber ist überraschend klar durchgeführt!"[3]):

Arie Nr. 1: Marzellinens reine unschuldige Liebe	c, C
Duett: Tändelndes Spiel des unbedeutenden Paares	A
Terzett Nr. 3: Tändelndes Spiel: Rocco schlägt Jaquinos Wunsch ab	Es
Quartett Nr. 4: Stille; keine äußere Handlung. Versunkenheit aller Personen	G
Roccos Goldarie Nr. 5: Vertrauen auf das Gold	B
Terzett Nr. 6: Entschluß Leonorens, in die Kerker zu gehen	F
Arie Nr. 13: Florestans Vertrauen auf Gott	f, As
Duett Nr. 14: Leonore *ist* im Kerker	a

1 *AmZ* 16 (1814), Sp. 421.
2 W. Hess, *Beethovens Oper „Fidelio"*, S. 143 (in dem *Fidelio-Buch* von 1986 sind diese Sätze, eindeutig nun auch auf die Fassung von 1805 bezogen, unverändert beibehalten).
3 Ebenda, S. 144 (auch hierzu gibt es 1986 keine Korrektur).

Terzett Nr. 15: Leben aus der Seele Tiefen: Rocco bewilligt Leonorens Wunsch ....A
Quartett Nr. 16: Dramatisches Geschehen, Leidenschaften aller Personen ....D
Duett: Tiefste Leidenschaftsäußerungen des auserwählten Paares ....G
Schluß der Oper: Leonorens Liebe als höchste Kraft.........(c), C

Konstruktionen dieser Art scheitern schlicht an den Fakten: Der ehemals selbständige zweite Akt eröffnete — da der B-Dur-Marsch 1805 noch nicht existierte — in d-Moll. Hält man andererseits an einem tonalen Ordnungsplan fest, dann wäre zwar von den Fassungen von 1805 und 1806 zu behaupten, daß Anfang (Ouvertüre; Marzellinen-Arie Nr. 1), Mitte (Duett Nr. 10) und Schluß (Finale Nr. 18) die Präsenz einer „Werktonika C" nahelegen. Die *Fidelio*-Fassung von 1814 hat durch Umstellungen, Streichungen und ihre neue Ouvertüre in E-Dur ein solches, auf zyklischen Korrespondenzen aufgebautes Ordnungsprinzip rabiat über Bord geworfen. Von C-Dur als „Werktonika" ließe sich allenfalls noch reden, wenn man sie als finale Tonart begreift, in welche die Oper emphatisch einmündet und damit als „Rettungsoper" schließlich an ein tonales Ziel gelangt, das zuvor eher ausgespart blieb. In dieser schlichten Tonart erklingt der allgemeine Jubel („Heil sei dem Tag, Heil sei der Stunde"), wird die Brüderlichkeit deklariert („Es sucht der Bruder seine Brüder [...]"), dankt Florestan für ein „unaussprechlich süßes Glück" und Don Fernando für das Walten einer höheren Gerechtigkeit („Gerecht, o Gott, [...] ist dein Gericht"), stimmen letztendlich alle Umherstehenden ein in den Hymnus der Gattenliebe („Wer ein holdes Weib errungen [...]").

So sehr Willy Hess zum einen bemüht war, tonale Bezüge als Indiz verborgener Formschönheit zu entdecken, so offen gab er andererseits zu, daß 1814 — im Unterschied zu 1805/1806 — „die Oper als Ganzes eben doch in erster Linie als *Summe* von Einzelsätzen betrachtet" werden muß, daß „deren Tonartenfolge als solche" für Beethoven „von sekundärer Bedeutung" gewesen sei, eher „das Werk der Intuition", dem Komponisten „weder bewußt noch wesentlich".[1] Dem wäre indes entgegenzuhalten, daß noch 1814 der auffällige Moll-Dur-Kontrast, wie er in den Arien Marzellines (Nr. 2: c C), Pizarros (Nr. 7: d D), Leonores (Nr. 9: g, e E) sowie Florestans (Nr. 11: f As, F) begegnet, durchaus eine bewußt gestaltende Hand erkennen läßt. Solcher Wechsel ist bezeichnend für die singend agierenden, sich dergestalt darstellenden „Charaktere" und deren Durchsetzungskraft. (Pathetisch gesprochen steht er ein für den von Beethoven viel bemühten Topos „Durch Nacht zum Licht".)

Kaum größere Akzeptanz kann der analytischen Entdeckung von Rudolf Steglich entgegengebracht werden.[2] Steglich glaubte in Beethoven *Fidelio* ein „melodisches Hauptmotiv" aufgespürt zu haben, dem angeblich ein „über die ganze Oper sich erstreckender Zusammenhang" zu danken sei. Unternommen wird von ihm der Versuch, einen melodisch-motivischen Kern als die Zelle zu betrachten, aus der spätere Melodiegestalten organisch entwachsen sein sollen. Dieses Unterfangen, weit entfernt, „den ‚Fidelio' in Beethovens Sinn verstehen" zu lehren, ist nicht nur ahistorisch in seinem Erkenntnisziel, sondern setzt sich zudem bedenkenlos über die Reihenfolge der Stücke hinweg. Unberührt von der Tatsache, daß jene Tonfolge, mit der der erste *Fidelio*-Akt beginnt, entstehungsgeschichtlich kaum als „res prior

1 Ebenda, S. 150.
2 Vgl. R. Steglich, *Das melodische Hauptmotiv*, S. 51ff.

facta" deklariert werden kann, werden diese vier Töne als Ausgangsmotiv für mehr als 30 „charakteristische Melodie-Verdichtungen" in Anspruch genommen. Bei der unpräzisen Fassung dessen, was hier Kontinuität gewährleisten soll, fällt es nicht schwer, zuletzt auch noch in der E-Dur-Ouvertüre das „melodische Hauptmotiv" nachweisen zu können. Daß in Beethovens Oper „in noch weiterem Ausmaß" als in seinen „großen Instrumentalwerken" sich ein „in weitgespannter melodisch-motivischer Arbeit gewordenes Ganzes" einstellt, ist ernsthaft nicht nachvollziehbar. Der Nachweis einer bewußt gestalteten kompositorischen Ganzheit bleibt bloßes Wunschbild. Steglichs „melodisches Hauptmotiv", weit entfernt von der Konsistenz eines einprägsamen „Leitmotivs", reduziert die kompositorische Eigenart zudem auf die Präsenz beiläufiger und vager Reminiszenzen.

Zweifelsohne lassen sich nummernübergreifende Zusammenhänge, ausgelöst von so bezeichneten „Erinnerungsmotiven", vereinzelt konstatieren. Darauf hat des näheren Erich Schenk aufmerksam gemacht, seine Beobachtungen indes gleichfalls überinterpretiert, sofern er in ihnen „Vorläufer" der Wagnerschen „Leitmotivik" zu erblicken lehrte.[1] Solange bei der Gattung der Brauch herrschte, bei gelungener Darbietung den Fortgang nach jeder geschlossenen Nummer durch Beifall zu unterbrechen, solange die Komponisten nicht durch Formen der „Durchkomposition" oder mittels der Setzung von „Leitmotiven" die Absicht zu erkennen gaben, aus einzelnen Gesangsnummern größere musikalische Gebilde zu schaffen, muß es problematisch bleiben, nach Gestaltungsprinzipien zu fahnden, wie sie die vom Wort unabhängige Instrumentalmusik gerade erst zu kultivieren begann. Selbst wenn sie sich materialiter nachweisen lassen, bleibt des weiteren die Frage, ob ihnen bereits auch jene spätere Funktion zugeschrieben werden darf.

Daß Beethoven bei der Ensemblegestaltung seiner Oper einen Weg beschritt, der in kompositorisches Neuland führte, steht außer Zweifel. Illustrieren läßt er sich anhand des Vergleichs seiner beiden Quartette: zum einen an dem Kanon aus dem ersten Akt, in dessen Verlauf Leonore erstmals singend in Erscheinung tritt, zum anderen an dem Quartett aus der Kerkerszene, in dem erstmalig die Gegenspieler Leonore und Pizarro einander konfrontiert werden und das, im Gegensatz zu dem ersten, von atemberaubenden Aktionen beherrscht ist.

10. QUARTETT ALS VIERFACHER MONOLOG. Der Kanon (1805: Nr. 4; 1806: Nr. 3; 1814: Nr. 3) ertönt im Anschluß an die Worte Roccos an Leonore („Meinst du, ich könnte dir nicht ins Herz sehen?") und ist nach dem betretenen Schweigen, das sie auslösen, das in inneren Monologen geäußerte Geständnis dessen, woran die vier Personen im einzelnen denken. „Sie reden nicht", heißt es bei Carl Dahlhaus, „sondern ein Gefühl, das sie im Innersten verschlossen halten, dringt tönend nach außen"[2]: Marzelline vermeint ihre Liebe erwidert, Leonore, verängstigt ob ihres Versteckspiels, bereitet die zunehmende Täuschung Marzellines „namenlose Pein", Vater Rocco freut sich über das zukünftig ins Haus stehende Familienglück, und Jaquino bleibt, etwas abseits stehend, nur mehr ratlose Eifersucht. Gleichklang und Offen-

---

1 E. Schenk, *Über Tonsymbolik,* S. 225ff.; „in diesem Sinne dürfte auch meine Formulierung von 1949 zutreffen: Wagner brauchte nur an eine in dem von ihm vergötterten ‚Fidelio' durchaus lebendige Tradition anknüpfen, um seine Leitmotivtechnik zu entwickeln" (S. 252).

2 C. Dahlhaus, *Über das „kontemplative Ensemble",* S. 192.

heit gibt es in dieser verworrenen Situation, die nur Leonore klären könnte, nicht.

Daß der musikalische Ton hier unvermittelt ein anderer wird, hängt gewiß nicht damit zusammen, daß sich Leonore, dem Milieu des Gefängniswärters ohnehin nicht zugehörig, erstmals singend einschaltet. Marzelline ist es nach Roccos auslösender Frage „so wunderbar" zumute. Von dieser Anfangszeile — neben den Worten „glücklich sein" übrigens die einzigen, die in den verschiedenartigen Bekundungen nochmals aus dem Munde einer anderen Person zu vernehmen sind — ist offensichtlich die musikalische Charakteristik des Quartetts abgeleitet; dieses „Wunderbare" soll kompositorisch ein Kanon stiften, dessen Thema sich aus einer achttaktigen, sonoren Introduktion von zweigeteilten Bratschen und Celli behutsam herausschält. Bereits diese aparte Klangaura der Vorspieltakte entrückt von allem bislang Geschehenen und Erklungenen. Vollends der Gesang, der sich beim Einsetzen Leonores als in sich kreisender Kanon entpuppt, läßt die Zeit gleichsam stillestehen. Zugleich geraten die wissentlich oder unwissend miteinander in Konflikt verstrickten Personen, indem sie nacheinander in diese Kanontöne einstimmen, musikalisch zwangsweise in Einklang:

1814, Nr. 3

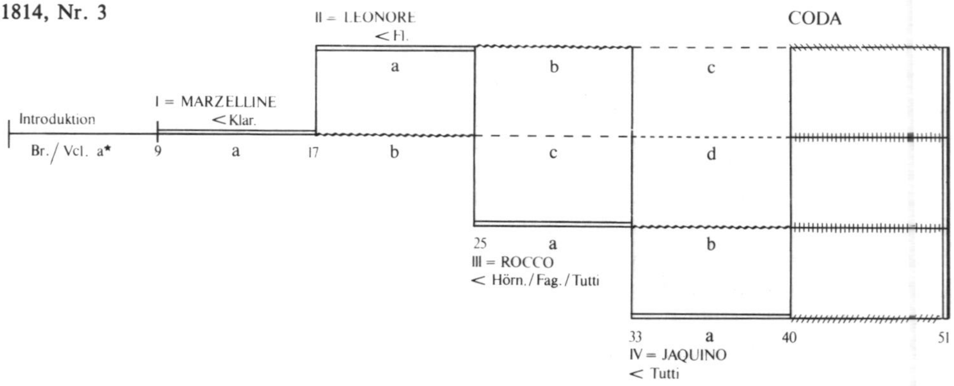

Kompositorisch ist der Kanon so angelegt, daß auf das zunächst stockend beginnende, achttaktige Thema (a) gleichlange kontrapunktische Fortführungen folgen (b—d; nur bei Marzelline sind es drei, bei dem zuletzt hinzutretenden Jaquino entfallen sie sogar). Die Auftürmung und zunehmende Verdichtung des Vokalsatzes wird des weiteren dadurch erzielt, daß das Orchester — in Art einer Variationenreihe — die in den Gesang eintretende Person durch neu hinzukommende Instrumentalfarben und Begleitformen charakterisiert, dieses Singen indes nicht nur begleitet, sondern in wechselnder Zuordnung auch das Kanonthema selbst und die Kontrapunkte mitspielt.

Nachdem Jaquino gleichfalls das Thema vorgetragen hat, bricht das Kanongeschehen abrupt ab; über einen Trugschluß steuert Beethoven in eine elftaktige Coda. Hier erst, über den verbleibenden Harmonien der Schlußkadenz, brechen die vier Stimmen aus dem sie einigenden Stimmverband aus und wiederholen, jede für sich, ihre Textzeilen in eigener musikalischer Diktion. Daß in den letzten beiden Takten, und zwar nach unmittelbar vorausgehendem Pianissimo im einzigen Fortissimo des ganzen Stückes, die jeweiligen Schlußzeilen nochmals derart Gewicht erhalten, darf nicht überhört werden: Akzentuiert spricht hier Leonore von „namenlose[r] Pein“, reden Marzelline und Rocco gemeinsam von „glücklich sein“, während Jaquino sein Lamentieren wiederholt („Mir fällt kein Mittel ein“).

Für Winfried Kirsch wird „die ausweglos erscheinende Konfliktsituation [...] durch den Kreisverlauf des Kanons geradezu symbolisiert“, da er „von sich aus zu keinem Abschluß gelangen kann“. Gespiegelt sieht er darin die „situationsbedingte Abhängigkeit der vier Personen voneinander“.[1] Carl Dahlhaus erblickt demgegenüber in dem Kanon eine „der Szene gleichsam von außen auferlegte“ Form, in der „widerstreitende und sich durchkreuzende Affekte [...] zusammengehalten und musikalisch einander gleichgesetzt“ werden: „Was zerspalten ist, wird musikalisch als versöhnt gezeigt.“ Was freilich nur für die Dauer der Kanonabschnitte gelten kann — denn die Coda lenkt unweigerlich zu den in den Textzeilen ausgesprochenen Konflikten zurück —, ist als musikalischer Vorgriff auf Zukünftiges zu deuten; „indem sie hier versöhnt“, vermag die Musik „zu der Zuversicht zu verführen, alles müsse gut werden“.[2]

Dramaturgisch gesehen weist das erste Quartett auf das zweite voraus, das letztlich auch die Lösung aller Konflikte beschert. Dort nämlich gibt sich der Gefängnisgehilfe Fidelio als Gattin Florestans zu erkennen, dort wehrt Leonore den gegen Florestan geführten Todesstoß ab, dort verkündet das Trompetensignal die Ankunft des Ministers und damit die Errettung von Florestan und Leonore. Was in den früheren Fassungen noch unklar blieb, ist 1814 Gewißheit; in Gegenwart von Pizarro und Rocco triumphiert das Ehepaar über den Lauf der Gerechtigkeit, den eine mutige Liebe zu lenken vermag.

11. QUARTETT ALS „MUSIKALISCHE SZENE“. Aufgrund dieses dramatisch zugespitzten Geschehens ist das zweite Quartett (1805: Nr. 16; 1806: Nr. 15; 1814: Nr. 14) gänzlich anders strukturiert:

1814, Nr. 14

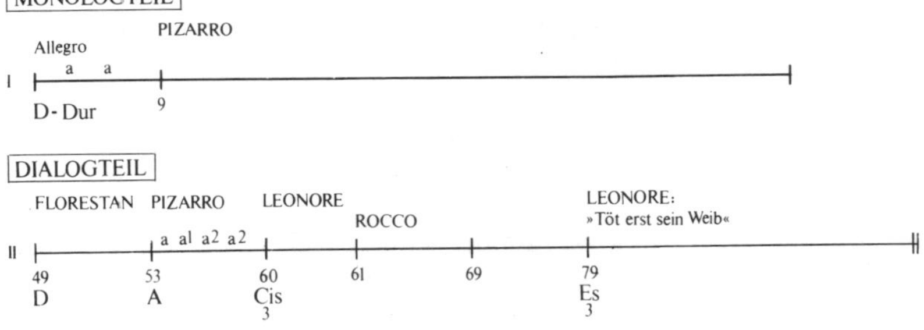

1 W. Kirsch, *Zur musikalischen Konzeption,* S. 189.
2 C. Dahlhaus, *Über das „kontemplative Ensemble“,* S. 193.

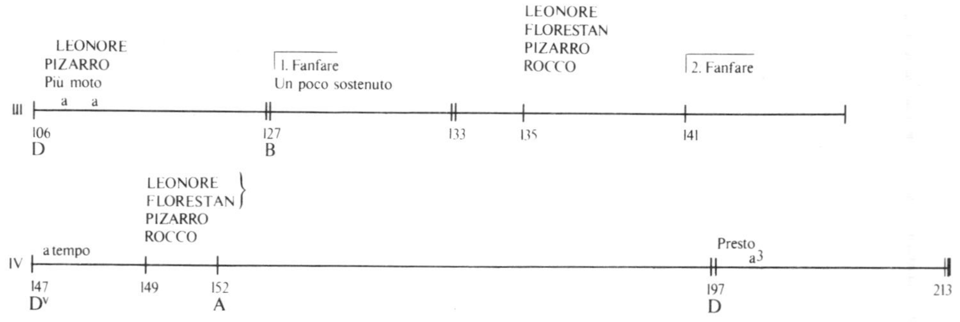

Formal betrachtet besteht es aus vier separaten Teilen, einem ersten, von Pizarro eingenommenen Monolog-Abschnitt (I) und drei Dialogpartien (II—IV), die in unterschiedlicher Kombination Pizarro, Florestan, Leonore und — als Nebenperson — Rocco zusammenführen und teils im a parte-Gesang, teils in erregter Auseinandersetzung erfolgen. In sich zäsuriert ist der Ablauf der Dialogteile durch Leonores mutiges Einschreiten („Töt erst sein Weib") sowie die beiden Trompetenfanfaren, wobei das zweite Signal — wie übrigens auch Leonores Schrei (T. 79f.) oder die Eingangsstelle „Er sterbe" (T. 4f.) — unbegleitet ertönt, was ihm eine erhöhte Aufmerksamkeit und Eindringlichkeit verleiht.

Der „Allegro"-Gestus, die auf D bezogene Tonart, Pizarros exaltierter Sologesang, damit die Nähe auch des Quartetteingangs zu Pizarros Arie mit Chor aus dem ersten Akt (1805: Nr. 8; 1806: Nr. 6; 1814: Nr. 7) lassen den Schluß zu, das Kopfthema (a) der instrumentalen Introduktionstakte als „eine Art Leitmotiv Pizarros" zu betrachten.[1] Ebenso kann man, losgelöst von der Person, von einem Mord- oder Todesmotiv sprechen. Wann immer es im folgenden in seiner Grundgestalt oder in Veränderungen (a1—a3) wiederaufgegriffen wird, ist davon die Rede; bevor es in Takt 52 wiederholt wird, spricht Florestan aus, daß nicht ein „Rächer", sondern ein „Mörder" vor ihm steht. Wichtiger freilich als ein solcher semantischer Zusammenhang ist für die Ausformung des Quartetts zur Szene die integrative Funktion dieses mehrfach wiederkehrenden Motivs.

Ist das über drei Takte sich erstreckende, abwärts gerichtete Kopfmotiv geprägt von dem Ambitus einer fallenden Septime,

so erfolgt Pizarros echauffierter Gesang in einer ständig sich höher schraubenden Chromatik, letztlich den Tonraum H bis e' in Besitz nehmend. Trotz eingreifender Umbiegungen blieb diese Steigerungsabsicht auch noch für die Fassung von 1814 maßgebend:

---

1 W. Hess, *Das Fidelio-Buch,* S. 190.

Ehe Florestan erstmals in diesem Ensemble seine Stimme erhebt, intonieren Hörner, Trompeten und Pauken ein kontrastierendes Fanfarenmotiv (T. 49—51), das zwar sogleich wieder von dem Mordmotiv verdrängt wird, das in dem Augenblick, wo das Schlaglicht auf Florestan fällt, akustisch aber nicht unwesentlich ist, da es auf die späteren Rettungsfanfaren vorauszuweisen vermag.

Tempowechsel zeigen Einschnitte und den Beginn von Teilen an. Abgehoben erscheint vor allem der „a tempo" aufgenommene Abschnitt IV mit seiner instrumentalen Presto-Coda, die durch Motivvariation den Bogen zum Beginn des Quartetts spannt. Obgleich in die Partitur viermal einfache Doppelstriche eingetragen sind, können diese Markierungen nicht sämtlich als formbestimmende Zäsuren angesehen werden. Andererseits fällt es schwer, überall dort, wo das Kopfmotiv wiederauftaucht, einen Hauptabschnitt beginnen zu lassen; die Übergänge erfolgen vielmehr fließend, machen somit aber auch deutlich, daß sich das Ganze weniger aus festen Teilabschnitten addiert, sondern als solches heranwächst.

Generell gilt: Die Nummer 14 in Beethovens *Fidelio* ist mehr als nur ein singuläres Gesangsstück. Im Verhältnis zu dem vorangegangenen Monolog (Nr. 11), dem Melodram und Duett (Nr. 12) und dem Terzett (Nr. 13) stellt sie als Quartett eine kontinuierliche Steigerung dar. Das musikgeschichtlich Besondere besteht in dem Aneinanderreihen dramatisch zugespitzter Handlungsabläufe und in deren thematisch-motivischer Strukturierung: Über mehr als 200 Takte hinweg entstand dergestalt eine „musikalische Szene". Nach dem Urteil von Hector Berlioz ist „das Ganze [...] ein Wunder dramatischer Musik", zu welchem er „bei keinem alten oder neuen Meister ein Gegenstück kenne".[1]

12. OPER ALS „SUMMA". Anders als Mozarts Meisteropern gegenüber ist das Urteil über Beethovens *Fidelio* gleichwohl zwiespältig. Auffällig scheiden sich die Geister bereits in ihrer Einstellung zu der häufig als „minderwertig" beschimpften Poesie des Textbuchs mit dessen Pendeln zwischen „Folterkammer und Idylle".[2] Moniert wird zumeist auch das musikalische „Stilgemisch" der beiden Akte. Dabei ließe sich aus letztgenanntem Sachverhalt durchaus auch ein positives Kriterium gewinnen. Anzusetzen wäre bei der Kennzeichnung der Oper als „Große Oper", erblickt man dahinter zugleich den bewußt gesetzten Akzent zu der geleisteten Zusammenführung disparater Gattungstraditionen. (Als „Große Oper" ist das Werk erstmals auf dem Titelblatt der 1814 bei Artaria & Co. erschienenen Originalausgabe des Klavierauszugs bezeichnet, ebenfalls auf dem Zwischentitel dieser Ausgabe zum zweiten Aufzug sowie auf dem Titelblatt des Librettodrucks.) Eine „Große Oper", in dem speziellen Wortverständnis der Zeit, daß „wie in der italischen, Alles gesungen wird", ist Beethovens Werk freilich nicht. „Groß", so belehrt Ignaz Jeitteles *Aesthetisches Lexikon*, entspricht im Bereich der Künste jedoch auch dem, „was sich durch die Menge seiner Theile und seine weite Ausdehnung, oder durch seine vorzügliche Kraft, Wichtigkeit oder Würde vor anderen Dingen sehr merklich auszeichnet".[3] Als „Große Oper" beansprucht das Werk nicht nur für sich einen singulären künstlerischen Rang. Soll mit dieser Kennzeichnung überhaupt noch eine Gattungszugehörigkeit angezeigt sein, dann ist damit fraglos eine übergreifende Spezies gemeint: eine eigens für die deutsche Sprache geschaffene Gattung, zu deren Anspruch es gehört, andere und ältere Formen zu übergreifen. Verstehen ließe sich Beethovens *Fidelio* demgemäß als eine „summa" dessen, was die Musikbühne damals an kompositorisch bedeutsamen Gattungsformen aufzuweisen hatte. Was für Beethoven dazu rechnete, wurde des näheren skizziert. Und schließlich sind im Blick auf die übernommenen und in diesem Werk präsent gemachten Gattungstypen und -traditionen in nahezu sämtlichen Nummern dieser Oper unbestreitbar Meisterwerke von Rang entstanden. Dies gilt auch für solche Stücke, die aus Gründen neu gewonnener dramaturgischer Einsichten ausscheiden mußten (1805: Duett Nr. 10 mit Solovioline und -violoncello), die ihre Meisterschaft seither jedoch im Konzertsaal bewiesen haben. Zu einer solchen Konzeption gehört des weiteren, daß sich eine der-

1 H. Berlioz, *Fidelio*, S. 68.
2 Vgl. hierzu H. Claussen, *Folterkammer und Idylle;* J. Wolff, *Annäherungen an Fidelio.*
3 I. Jeitteles, *Aesthetisches Lexikon*, Bd. I, S. 329, Bd. II, S. 150.

artige „summa" kompositorisch schwerlich zweimal ziehen läßt. Ist eine solche Intention nach mehreren Anläufen schließlich so ins Werk gesetzt, daß es den Komponisten nicht nach weiteren Umarbeitungen und Verbesserungen drängt, dann vermag ein solches „Opus" im nachhinein auch zu erklären, weshalb der Komponist nach 1814 keine ernstlichen Anstrengungen unternahm, eine weitere Oper zu schreiben. Angesichts der gefundenen Lösung hätte er schwerlich anderes als der Epigone seiner Werkidee werden können.

Beethovens *Fidelio* läßt sich zugleich als ein „Epochenwerk" betrachten. In seinem Buch über *Die Musik des 19. Jahrhunderts* hat Carl Dahlhaus dafür plädiert, das *Fidelio*-Jahr 1814 als Epochenzäsur zu setzen, ohne allerdings auf dieses sonderbare Ereignis der wiederholten und letztmaligen Uraufführung dieser Oper Bezug zu nehmen; in Anschlag gebracht wurden von Dahlhaus unter anderem der Einschnitt, den das „Spätwerk Beethovens" erforderlich macht wie auch die Geburt des Schubertschen „Kunstliedes", des weiteren die „Konfiguration des Jahres 1814", also die damals einsetzende, das gesamte 19. Jahrhundert musikgeschichtlich prägende Polarität zwischen Beethoven auf der einen, Rossini auf der anderen Seite.[1] Versucht man eine Epochengrenze zu ziehen, gilt es nicht nur, auf die Zeugnisse eines revolutionär „Neuen" zu reagieren; ebenso zwingend hat eine Musikgeschichte auf Ereignisse oder Werke hinzuweisen, mit denen sich eine Ära repräsentativ verabschiedet. (Für die Allgemeinhistoriker ist das Epochenjahr 1814 unstrittig, sofern man sich darüber einig ist, daß letztlich der Wiener Kongreß den Schlußstrich unter das 18. Jahrhundert gezogen hat.) Die Oper *Fidelio* vermag, indem sie 1814 selbst ihren eigenen Werdegang zu einem Abschluß bringt, zudem das Ende des 18. Jahrhunderts als musikgeschichtlicher Epoche zu markieren. An deren Anfang steht unter anderem der sich an der Oper entzündende Hegemoniestreit zwischen „musique italienne" und „musique française" (Lecerf de la Viéville, 1705), demzufolge der „deutsche Geschmack" nachgerade nur als „vermischter" bestimmt werden konnte. Am Ende dieser Epoche steht mit Beethovens *Fidelio* eine Oper, in der diese „deutsche" Stiltendenz zur Synthese nochmals als konstitutiver Wesenszug entgegentritt. Daß diese Oper gewissermaßen den Schlußstein einer Epoche bildet, scheinen nicht zuletzt die Tonsetzer selbst respektiert zu haben. Keiner der zu einer Herausforderung befähigten „großen" Opernkomponisten hat nach Beethoven nochmals das unternommen, was Beethovens eigener künstlerischer Impetus war: anhand des Librettos von Bouilly ein bewegendes Thema jenes Säkulums aufzugreifen und bereits bestehende *Leonore / Fidelio*-Opern in der Absicht fortzuschreiben, „große Oper" zu verwirklichen.

Heinrich W. Schwab

---

1 C. Dahlhaus, *Die Musik des 19. Jahrhunderts,* S. 1ff.

Ouvertüren zu Leonore/Fidelio op. 72a/b (zusammen mit der Leonoren-Ouvertüre Nr. 1 op. 138)

Vgl. auch op. 72.
BEZEICHNUNGEN: *Leonore I* (C-Dur, op. 138), *Leonore II* (C-Dur, op. 72a), *Leonore III* (C-Dur, op. 72a), *Fidelio* (E-Dur, op. 72b); die Zusätze a und b zur Nummer 72 inzwischen obsolet.
ENTSTEHUNGSZEIT: Herbst 1805 (*Leonore II*); erstes Quartal 1806 (*Leonore III*); 1806/07 (*Leonore I*); Frühjahr 1814 (*Fidelio*).
ERSTAUFFÜHRUNG: *Leonore II* am 20. November 1805 im Theater an der Wien (bei der Aufführung der dreiaktigen Oper); *Leonore III* am 29. März 1806 im Theater an der Wien (bei der Wiederaufführung der nun zweiaktigen Oper); *Fidelio* am 26. (25.?) Mai 1814 (jedenfalls noch nicht bei der Premiere der Umarbeitung der Oper am 23. Mai 1814) im Wiener Kärntnertor-Theater; *Leonore I* postum am 7. Februar 1828 in Wien (eine Verwendung bei Opernaufführungen zu Lebzeiten Beethovens ist so ungewiß wie eine private Aufführung vor 1828).
SKIZZEN: *Leonore I* (op. 138): Deutsche Staatsbibliothek Berlin, Grasnick 20a, Gesellschaft der Musikfreunde Wien, A 37 und A 59, Bibliotheca Bodmeriana Genf (Skizzenblatt); *Leonore II*: Staatsbibliothek Preußischer Kulturbesitz Berlin, Landsberg 10, Pastoralsymphonie-Skizzenbuch; *Leonore II* und *III*: Staatsbibliothek Preußischer Kulturbesitz Berlin, Mendelssohn 15, Fidelio-Skizzenbuch.
AUTOGRAPH: *Leonore I—III*: verschollen; *Fidelio*: Staatsbibliothek Preußischer Kulturbesitz Berlin.
ERSTDRUCK: *Leonore I*, Partitur, als op. 138: Wien 1838 (T. Haslinger); *Leonore II*, Partitur, gekürzt: Leipzig 1842 (Breitkopf & Härtel), Partitur, ungekürzt: Leipzig 1854 (Breitkopf & Härtel); *Leonore III*, Stimmen: Leipzig 1810 (Breitkopf & Härtel), Partitur: Leipzig 1828 (Breitkopf & Härtel); *Fidelio*, Stimmen: Leipzig 1822 (Breitkopf & Härtel), Partitur der Oper: Leipzig 1826 (Breitkopf & Härtel), erste Partitur-Einzelausgabe: Leipzig 1828 (Breitkopf & Härtel).
GESAMTAUSGABE: Alte Gesamtausgabe: *Leonore I*: Nr. 19 = Serie 3 Nr. 2, *Leonore II*: Nr. 20 = Serie 3 Nr. 3, *Leonore III*: Nr. 21 = Serie 3 Nr. 4, *Fidelio*: Nr. 26 = Serie 3 Nr. 9.

Im folgenden werden die vier Ouvertüren unter den allgemein vertrauten Namen geführt. Entstanden sind sie, soweit bekannt, in der Reihenfolge: *Leonore II, III, I, Fidelio*. Obwohl um 1870 durch Gustav Nottebohm verbreitet wurde, daß *Leonore I* nicht die zuerst komponierte Ouvertüre sei, hielt sich die ältere Vorstellung auch in seriöserer Literatur gelegentlich bis in die jüngste Zeit.[1] Kurios daran ist weniger der mögliche Irrtum in der jeweils angenommenen Datierung, als es vielmehr die unverdrossen vorgetragenen Argumente und Urteile sind, die von der falschen Reihenfolge (Priorität als Nacheinander) auf die nicht minder prekäre Rangfolge (Priorität als Übereinander) zwischen den Ouvertüren ausstrahlen.

Hauptsächlich drei miteinander verbundene Fragenkreise sind mit den Ouvertüren zu Beethovens Oper aufgeworfen: Was bedeutet es erstens, daß der zwar im Verfassen von Opern wenig erfahrene, wohl aber in der Instrumentalmusik so versierte und treffsichere Komponist sich genötigt sah, vier Ouvertüren über ein und denselben Stoff zu verfassen? Diese Frage ist zwar unmittelbar abhängig von den Umarbeitungen der Oper selbst, reicht aber insofern darüber hinaus, als das Problem der

1 Vgl. G. Nottebohm, *Beethoveniana*, S. 60ff.; 1927 hat J. Braunstein in seiner ausführlichen, aber nicht in allem zuverlässigen Darstellung *Beethovens Leonore-Ouvertüren* versucht, Nottebohm zu widerlegen, während 1975 A. Tyson, *The Problem of Beethoven's „First" Leonore Overture* Nottebohms Annahme untermauerte.

Fassungen in die Instrumentalmusik hineingetragen wird, die bei Beethoven, zumal in seinen Orchesterwerken, sonst eher marginal bleibt. Inwiefern spiegelt sich zweitens das Bühnenwerk in den Ouvertüren, und inwieweit können oder sollen sie angesichts eines gesteigerten Anspruchs an die Instrumentalmusik in der Lage sein, eine Art Ersatz für den Inhalt der Oper zu bieten? Dieser allgemeinere, auf das Wesen der Ouvertüre insgesamt zielende Fragehorizont betrifft nicht zuletzt das Verhältnis von Ouvertüre und Programmusik. Welche musikalischen Präferenzen sind schließlich zwischen den Ouvertüren gesetzt worden, und warum ist dies so?

So glücklich wir uns schätzen können, daß Beethoven sich durch den Leonore-Stoff sukzessiv zur Komposition von nicht weniger als vier Ouvertüren veranlaßt sah, so hatte er doch selbst eine Reihe von Schwierigkeiten mit seinem Schmerzenskind, der Oper, und durch die Tatsache gleich mehrerer Ouvertüren seinen Interpreten in Wort und Ton zu einigen Aporien verholfen. Die naheliegendste und einfachste Annahme ist die, daß die mißlichen, zunächst wenig erfolgreichen Umstände der Aufführung der Oper, ihre mangelnde Akzeptanz durch Publikum und Kritik zu jenen Umarbeitungen des Bühnenstückes Anlaß gaben — vgl. zu op. 72 —, die zugleich neue Ouvertüren wenn nicht erforderlich, so doch wünschenswert machten. Aber es ist auch nicht weniger plausibel, daß Beethoven mit dem Ouvertüren-Konzept als solchem so gründlich unzufrieden war, daß er sich der Mühe unterzog, auf neue Versionen zu sinnen. Schon der Verriß von *Leonore II*, an den Adolf Bernhard Marx zurückerinnert[1], war wohl eine Belastung, die selbst einen Beethoven so wenig hat unbeeindruckt lassen können wie der Mißerfolg der Opernaufführungen mit *Leonore III* im Jahre 1806.

„Dem großen Haufen freilich gilt es gleich, ob Beethoven zu einer Oper vier Ouvertüren schrieb, und ob z.B. Rossini zu vier Opern eine Ouvertüre." Dies hat Robert Schumann im Winter 1839/1840 nicht zugunsten von Rossini gesagt.[2] Der dräuende Unterton ist unüberhörbar: Der deutsche Geist ist eben so reich wie die italienische Phantasie ärmlich. Doch Fleiß und Gewissenhaftigkeit, die Schumann lobt, sind nur das eine, das andere ist Beethovens hier erkennbare Experimentierlust. Schumann verweist auf die „wie im Spiel schaffende und zerstörende Erfindungskraft dieses Beethoven" und schlägt vor, die vier damals in einem Leipziger Gewandhauskonzert durch Felix Mendelssohn erstmals zusammen zu Gehör gebrachten Ouvertüren in einem Band herauszugeben. Seine Überzeugung, alle Spuren zu verfolgen, die „zur geheimern Arbeitswerkstatt des Meisters führen", mutet ungemein vorausblickend und modern an.[3] Die Erfüllung seines Wunsches einer gemeinsamen Ausgabe hat noch geraume Zeit auf sich warten lassen, und das Prinzip, von jedem Werk möglichst alle Fassungen zu veröffentlichen, ist in der Editionspraxis erst sehr viel später urgent geworden. Ein Vergleich der Versionen — viermal über dasselbe Sujet, viermal in derselben Eröffnungsfunktion, aber wenigstens dreimal deutlich voneinander unterschieden — ist natürlich vor allem für den Kompositionsunterricht damals wie heute überaus instruktiv. Zwei Jahre später (1842) erblickt Schumann in der nun eben erstmals erschienenen *Leonore II* instinktiv „ganz

1 Vgl. A. B. Marx, *Ludwig van Beethoven*, Bd. I (1902), S. 256.
2 R. Schumann, *Gesammelte Schriften*, Bd. I, S. 505.
3 Ebenda.

den Charakter eines kühnen ersten Anlaufs".[1] Da er sich jedoch von Anton Schindler einnehmen läßt und *Leonore I* nach wie vor für das zuerst komponierte Stück hält, gerät auch er in die Verwerfungen zwischen der Chronologie und der romantischen Sehnsucht nach dem ursprünglich Ersten als dem Originalsten.

Um 1840 waren *Leonore III* und *Fidelio* die beiden bekanntesten unter den Ouvertüren. Dabei ist es geblieben. Für Schumann, auf der Opernbühne noch weniger zu Hause als Beethoven, war *Leonore III* „die wirkungsvollste und künstlerisch vollendetste".[2] Für Beethoven muß dies bis 1814 anders gewesen sein. Er konnte damals noch nicht wissen, daß *Leonore III* eine Zukunft beschieden werden würde, in der dieses Stück, insbesondere aus der Sicht der Konzertsaals, zum Inbegriff einer Ouvertüre werden würde. Die nachträgliche Komposition von *Leonore I* und *Fidelio* duldet keinen Zweifel daran, daß er mit *Leonore III* seine Möglichkeiten noch keineswegs ausgeschöpft hatte, sondern auf der Suche nach einer befriedigenderen Eröffnung für seine Oper blieb. Er benötigte vorderhand kein vollendetes Konzertstück, keinen Konzertsaalerfolg und auch kein symphonisches Drama, das als symphonische Dichtung die Oper überflüssig machte. Die Uferlosigkeit der Diskussionen wird nicht allein durch die Vierzahl der Ouvertüren, sondern mehr noch durch die Vielzahl der Meinungen darüber genährt, wie man sich eine Ouvertüre und ihre Aufgaben vorstellt.

Bei *Leonore III* handelt es sich um eine Umarbeitung von *Leonore II*, eine Weiterentwicklung in enger Abhängigkeit. Eine andere, je eigene Konzeption verfolgte Beethoven erst danach: Schon kurz darauf (vorausgesetzt, daß die Chronologie unzweifelhaft ist) setzte er einen neuen Schritt mit *Leonore I*, der wohl entscheidende Neuanfang folgte dann mit *Fidelio*, und dieser ist schon deshalb radikaler ausgefallen, weil eine größere Zeitspanne von acht bis neun Jahren inmitten einer vehementen kompositorischen Entwicklung dazwischen lag.

Mit 530 Takten ist *Leonore II* als eine Art Zyklop angesehen worden und den einen ungestalt, den anderen originell erschienen (letzteres vor allem romantisch gestimmten Geistern, soweit ihnen die Spontaneität der ersten Erfindung das entscheidende Merkmal ist). Es ist dabei in Rechnung zu stellen, daß *Leonore II* für die auf drei Akte disponierte erste Fassung der Oper geschrieben ist. Häufig wird diese Ouvertüre als ein Sonatensatz ohne Reprise beschrieben (es ist fraglich, ob der Komponist tatsächlich ein solches hölzernes Eisen im Sinn hatte). Eine zusätzliche Schwäche der Ouvertüre sah man in der Annahme, daß diese Version das Geschehen der Oper vorwegnehmen wolle. Das damit angerissene Problem betrifft nicht mehr nur das individuelle Stück, sondern ist auch prinzipieller Art: Inwiefern kann eine Ouvertüre die Handlung einer Oper zur Darstellung bringen oder ein Drama zusammenfassen? Im Brennpunkt der vier Ouvertüren ist damit das Ouvertüren-Problem insgesamt, mehr noch das der Ouvertüre als Programmusik aufgeworfen.

Nach Susanne Steinbeck hat sich *Leonore II* für die programmatische Konzert- und Schauspielouvertüre möglicherweise als „zukunftsweisend" erwiesen.[3] Dieses läßt sich verschieden auslegen. Man kann Beethoven damit zum Pionier oder zum

---

1 Ebenda, Bd. II, S. 77.
2 Ebenda.
3 Vgl. S. Steinbeck, *Die Ouvertüre,* S. 85.

Verächter einer solchen Ouvertürenart machen. Sofern er die anders ausgerichteten Ouvertüren folgen ließ, hat er sich in seiner Progressivität selbst nicht verstanden, danach vielmehr sozusagen einen dreimaligen Rückfall erlitten. Insgesamt stellt sich methodisch die Frage, ob es erforderlich ist, Annahmen zu machen, die an und für sich nur darauf hinauslaufen können, entweder auf Kosten des Komponisten zu gehen oder in Auffassungswiderstreite zu geraten (Ouvertüre als Programmusik versus absolute Musik usw.), von denen es fraglich ist, ob sie den angemessenen Maßstab für die Beurteilung bilden können. Beethoven gab uns, so gesehen, zu viel Vergleichs- und Typisierungsmöglichkeiten. Es erscheint so gut wie aussichtslos, die vier Ouvertüren miteinander zu vergleichen, ohne ständig, bewußt oder unbewußt, Werturteile zu fällen — eine eigentlich mißliche Lage, aber ein im Zauber der Musikkritik von Anfang an gepflegtes Verfahren.

Paul Bekker ist von der These ausgegangen, daß Beethoven in seinen Ouvertüren „die Anlehnung an die Handlung zum Prinzip" erhob, und hat von da aus den Versuch unternommen, die Ouvertüren zu typisieren.[1] Dort wird dann einmal in der Ouvertüre ein „seelischer Generalnenner aus den Begebnissen" gezogen, oder es sind „seelische Triebkräfte" als „rein geistige Bewegungskräfte" am Werke und findet anstelle einer Handlungsdarstellung eine „dramatische Gegenüberstellung ideeller Handlungsprinzipien" statt; ein andermal gibt es in der Ouvertüre eine „äußerliche Andeutung der Schlußstimmung" der Oper, es wird an die „innere Wurzel des Dramas" gefaßt oder die „ethische Quintessenz der ganzen vorher [?] durchlebten Handlung" gezogen usw. Bekkers sensibles, intuitives Verstehen dessen, was in Beethovens Musik geschieht, kann nicht über Ungereimtheiten der verschlungenen Wort- und Gedankenketten hinwegtäuschen. Wie läßt sich die „ethische Quintessenz" abkomponieren? (Der um den gesamten Beethoven gelegte Topos des Ethischen scheint im Umkreis seiner Oper so unausweichlich zu sein, daß nicht mehr bemerkt wird, wie prekär er im Blick auf Stücke der bloßen Instrumentalmusik ist.) Äußeres, Inneres, Ethisches: Spätestens in der Applikation auf Töne verschwimmt dies alles wie jene „dramatische Gegenüberstellung ideeller Handlungsprinzipien", die einer Handlungsdarstellung entgegengestellt sein soll. Ist man nicht fast verleitet zu fragen, ob es nicht besser wäre, die Oper zur Beurteilung der Ouvertüren als Ouvertüren überhaupt nicht zu kennen? Denn die Kenntnis der Oper ist für die Würdigung der Ouvertüren nicht nur ein Erfordernis, weil sie nun einmal für die Oper geschrieben sind, sondern offenbar auch ein Hindernis, weil sie dazu einlädt, das Sujet, das Libretto, die Szene usw. der Ouvertüre als Programm zu verordnen — ein Programm freilich, das unendlich deutbar wird.

Für Richard Wagner, in dessen Bannkreis Bekker fraglos steht, liegen die Dinge denkbar klar: *Leonore III*, in der ein Sonatensatz erkennbar vorliegt, ist, obwohl keine gute Ouvertüre, Beethovens beste. Er sieht die symphonische Form bzw. Sonatenform auf Wechsel und Wiederkehr gerichtet, nicht auf „Entwicklung", die in dieser Form „unmöglich" und nur durch eine andere, die dramatische Musik, zu verwirklichen sei; Beethoven habe sich zwar fähig gefühlt, „die Idee der Entwicklung auszuführen, und nirgends bestimmter erfahren wir dies, als in der großen Ouvertüre zu Leonore", doch gerade in *Leonore III* habe sich gezeigt, „wie nachtei-

1 P. Bekker, *Beethoven* ([2]1912), S. 328; die folgenden Bekkerschen Ausdrücke ebenda, S. 339 und 351.

lig das Festhalten der überkommenen Form dem Meister werden mußte", weil „die Wiederholung des ersten Teils nach dem Mittelsatze" eine „Schwäche" bildet.[1] Wagner verzichtet darauf — man darf annehmen: absichtlich —, *Leonore II* ins Spiel zu bringen, in der das später sogenannte Reprisenproblem gar nicht erst begegnet und die doch eigentlich genau das erfüllt, was er im Sinn zu haben scheint. Statt dessen läßt er den Zwiespalt stehen, um später freilich anzuerkennen, daß in *Leonore III* „die Musik auch das vollkommenste Drama in sich schließe", während der Operntext, also das wirkliche Drama, nichts anderes als eine „fast widerwärtige Abschwächung des in der Ouvertüre erlebten Dramas" sei.[2] Das Nebelhafte, in das Geschehen, Handlung und Drama hinsichtlich der Musik im Umkreis von Ouvertüren bei Erklärern wie Bekker und Wagner verschwimmend getaucht sind, lichtet sich ein wenig, wenn man diese Wörter nicht um jeden Preis in die Musik preßt, sondern umgekehrt die Musik von den unpassenden Wörtern freizumachen versucht, wie es Thomas Mann im 9. Kapitel seines Romans *Doktor Faustus* getan hat, wenn er *Leonore III* hellsichtig erläutert: „Die energischste, wechselvollste, spannendste Folge von Geschehnissen, Bewegungsvorgängen, nur in der Zeit [...], ins konkret Handlungsmäßige einmal ungefähr gerückt durch das wiederholte Trompetensignal von außen."

Trotz ihrer 638 Takte — also 100 mehr als zuvor — ist *Leonore III*, was die Aufführungszeit betrifft, nicht länger, sondern etwas kürzer als *Leonore II*. Dennoch hat es sich eingebürgert, *Leonore III* die „große" zu nennen. Die Änderungen und Straffungen beziehen sich auf alle Teile von der Einleitung bis zur Coda. Selbst der nun vorhandene Wiederholungsteil (Reprise) hat zu keiner Erweiterung des Gesamtdauer geführt. Er ist die eine entscheidende formale Änderung, die Beethoven vornimmt, die andere besteht darin, daß er das aus dem „symphonischen" Kontext wie ein Fremdkörper herausstechende Trompetensignal (in der Oper soll es „vom Turm", im Konzert entsprechend nicht mitten im Orchester geblasen werden) an eine andere Stelle verpflanzt. In *Leonore II* steht es vor der Coda, also an der Paenultima (T. 392ff. und T. 406ff.); in *Leonore III* wandert es nun vor den Beginn der Reprise (T. 272ff. und T. 294ff.) und kommt damit ungefähr in der Mitte der Ouvertüre zu stehen.

In der Oper selbst kündigt das Trompetensignal die Ankunft des Ministers — deus ex machina — an, bildet es die Peripetie, ist es Symbol für die abrupte Lösung des Konflikts. Die Rettung naht, alles wendet sich zum Guten, Knechtschaft schlägt in Freiheit um, die Wiedervereinigung der Gatten ist besiegelt. Diejenigen, die in der Ouvertüre die Handlung der Oper noch einmal eingefangen, dargestellt, nacherzählt sehen wollen, müssen sich dadurch düpiert fühlen, daß die Peripetie in *Leonore III* so früh, wegen des Wiederholungsteils zu früh eintritt. Der Platz vor der Reprise ist allenfalls angemessen, wenn man rein von einer musikalischen Form ausgeht, während die Prozedur unter den dramatischen Gesichtspunkten von Konflikt und Lösung bedenklich bleibt. Man kann mit Susanne Steinbeck annehmen, daß diese

1 R. Wagner, *Über Franz Liszts Symphonische Dichtungen* (1857, in: *Gesammelte Schriften*, Bd. VIII, S. 110); vgl. ganz ähnlich später *Über die Anwendung der Musik auf das Drama* (1879, in: ebenda, Bd. XIII, S. 286).

2 In der Beethoven-Zentenarschrift Wagners (ebenda, Bd. VIII, S. 188).

Reprise das „Fazit alles Bisherigen" bildet[1], oder man kann fragen: Was soll, da zur Ouvertürenmitte die Rettung schon eingetreten ist, nun noch geschehen? In *Leonore II* hingegen steht das Trompetensignal dort, wo es auch in der Oper steht.

Beethoven hatte noch weitere Gelegenheit, an dem Effekt zu laborieren: In *Leonore I* ist das Trompetensignal getilgt, das in *Leonore II* und *III* als Zitat aus der Oper genommen war. Schließlich und endlich in der vierten Ouvertüre, *Fidelio*, ist diese Fanfare gewissermaßen radikal an den Anfang gestellt, ganz und gar verändert, stilisiert, in den Tonsatz integriert, kein Zitat aus der Oper mehr (dazu später). Indem die Fanfare von ihrer Schlußposition (*Leonore II*) über die Mitte (*III*) an den Anfang (*Fidelio*) wanderte, war Beethoven des Fremdkörpers inmitten seiner Ouvertüre ledig, ohne das Signal preisgeben zu müssen.

Die Einflüsse der französischen Musik aus der Zeit der Revolution, insbesondere der Ouvertüren Cherubinis und Méhuls auf Beethovens Ouvertüren, sind von Arnold Schmitz und Romain Rolland lebhaft diskutiert worden bis hin zu dem Punkt, an dem Méhuls Ouvertüre zu *Hélène* für Beethovens Trompetensignal hat in Anspruch genommen werden können.[2] Wie in *Leonore II* und *III* ist das Trompetensignal auch in der Oper (in der gängigen *Fidelio*-Fassung) im Quartett Nr. 14 zweimal eingeführt. Die vier beteiligten Stimmen reagieren unmittelbar darauf, je nach ihrer Disposition verschieden. Leonore und Fidelio singen: „Ach! du bist gerettet" bzw. „Ach! ich bin gerettet". Dem Bösen gibt die Trompete sogleich das Signal zu singen: „Ha! ha! der Minister! Höll und Tod!" (Pizarro, der sich im klaren darüber ist, daß er verloren hat) sowie „O! o, was ist das, gerechter Gott!" (Rocco, dessen Herz zwischen privatem Mitgefühl und dienstlicher Loyalität schwankt). Dann unterbricht die Wiederholung der Trompetenfanfare das Quartett erneut.[3] In *Leonore II* und *III* verfährt Beethoven damit folgendermaßen:

Leonore II

T. 392—397	Trompetensignal
398—405	Hauptthema der Ouvertüre (durchführungsartig)
406—411	Wiederholung des Trompetensignals
412—425	Reminiszenz an das Quartett Nr. 14
426—432	Zitat aus Florestans Arie „In des Lebens Frühlingstagen" (Nr. 11, Adagio-Teil)
433ff.	Allegro-Überleitung zur Presto-Coda

Leonore III

T. 272—277	Trompetensignal
278—293	Zitat aus dem Quartett Nr. 14
294—299	Wiederholung des Trompetensignals
300—329	Reminiszenz an das Quartett Nr. 14 als Überleitung bzw. Rückleitung zum Hauptsatz
330—377	fausse reprise
378ff.	Reprise
514ff.	Presto-Überleitung zur Presto-Coda

1 S. Steinbeck, *Die Ouvertüre,* S. 23.
2 Vgl. R. Rolland, *Beethoven. Les grandes époques créatrices. De l'Héroïque à l'Appassionata* ([2]1939), S. 248.
3 So schon in der ersten Opernfassung von 1805 (das Quartett dort noch als Nr. 16).

Während die Zeit zwischen den beiden Signalen in der Oper damit ausgefüllt wird, daß die Überraschung die einen sogleich befreit, die anderen eher lähmt, füllt Beethoven sie in *Leonore II* mit einem Rekurs auf das Hauptthema der Ouvertüre im Allegro (T. 398ff.), ehe nach der Wiederholung des Trompetensignals einige Takte des Beginns der Florestan-Arie eingeschaltet werden (T. 426—430). Dies hat die doppelte Funktion, zum einen durch motivischen Anschluß Anlaß zu geben für den Anlauf zur raschen Coda, zum anderen, um eine formale Balance herzustellen; denn schon in der Einleitung von *Leonore II* wurde dieses Stück aus der Oper verwendet (T. 10—15).

In der wohl vor allem wegen ihrer Reprise gerne als klassisch oder klassizistisch apostrophierten Ouvertüre *Leonore III* ist das Trompetensignal nicht nur weiter in die Mitte, sondern auch in eine neue Umgebung gerückt. Einerseits streicht Beethoven sinnvollerweise den Rekurs auf das Hauptthema (*II*, T. 398ff.); er spart es sich für die breit ausgeführte fausse reprise auf (*III*, T. 330ff.). Andererseits streicht er das Zitat der Florestan-Arie, das in *Leonore II* (T. 426—430) vor dem Übergang zum raschen Tempo eingeführt ist[1], und ersetzt es so, daß die ganze Passage in *Leonore III* zwischen den Takten 272 (dem ersten Vortrag des Trompetensignals) und 330 (dem Beginn der fausse reprise) vom Kontext des Quartetts Nr. 14 bestimmt bleibt. Viel mehr als in *Leonore II* mutet es in *III* fast an, als schnitte Beethoven die Passage aus der Oper heraus und klebte sie gewissermaßen in die Mitte seiner Ouvertüre: ein veritables Collage-Verfahren. Die Passage um die Trompetensignale herum entspricht in *Leonore II* der Position nach der Oper, in *Leonore III* hingegen ist die Position zwar verrückt, aber dafür die Passage enger an die Oper selbst angebunden.

Wie Beethoven in *Leonore III* kürzt, ändert, umstellt, um schlagendere musikalische Formulierungen im Detail und eine konzisere Form im ganzen zu finden, ist um so spannender zu verfolgen, als die beiden zuerst komponierten Ouvertüren einander so viel näher stehen als die andern beiden. Nur zwei Beispiele seien herausgegriffen. Die Durchsicht der beiden Partituren Takt für Takt gehört nicht hierher, obwohl sie gerade im Falle von *Leonore II* und *III* ganz im Sinne Schumanns in besonderem Maße dafür geeignet ist, Einsicht in das Beethovensche Komponieren zu gewähren. 1. Schon die ersten Takte der Adagio-Einleitung sind in *Leonore III* von fünf auf vier Takte reduziert.[2] Statt das erste dreitönige Motiv mit dem ihm innewohnenden Wechsel vom Fortissimo zum Piano zu wiederholen (*II*, T. 3f.), wird es nur einmal vorgetragen. Dadurch verliert Beethoven den zweifachen Anfangsimpuls (den man mit vielerlei assoziieren könnte, etwa damit, daß auch das Trompetensignal doppelt erklingt, daß die Oper von einem Paar handelt usw.), spart jedoch einen Takt und gewinnt andererseits in *Leonore III* mehr Raum für das Decrescendo. Die zweite Lösung ist prägnanter. Dazu trägt auch bei, daß die Instrumentierung zwar kaum sparsamer, aber raffinierter ist. Man hat diese Anfangstakte, in

1 Es ist schwer zu sagen, ob dies etwas mit Änderungen der Arie selbst zu tun hat, deren schwieriger Rekonstruierbarkeit zuletzt M. C. Tusa, *The Unknown Florestan* nachgegangen ist. — Beibehalten ist das Zitat dieser Arie allerdings in der langsamen Einleitung von *Leonore III* (T. 9—13; ähnlich *Leonore II*, T. 10—15).

2 Vgl. dazu W. Osthoff, *Zum dramatischen Charakter der zweiten und dritten Leonoren-Ouvertüre*, S. 14.

denen die Geigen eine Oktave abwärts durchschreiten (*II*, T. 3—5; *III*, T. 2—4), im Vorgriff auf den Stoff der Oper mit einem Abstieg in den Kerker assoziiert — ein gewiß ebenso sinniges wie idealisches Verfahren. 2. In *Leonore II* folgt die Coda dem Zitat aus der Florestan-Arie; als Scharnier dient das letzte, dreitönige Motiv des Zitats (T. 430—433); für die Überleitung zur Coda ist „Tempo I" vorgeschrieben, mithin Allegro (alla breve), und erst der im dreifachen Forte einsetzende und vom vollen Orchester begleitete Vortrag des Hauptthemas steht im Presto (T. 443); trotz des beschleunigten Tempos sind die Notenwerte gegenüber dem Hauptsatz (T. 89) halbiert: Dirigent und Orchester haben ihre liebe Not damit, das Thema unentstellt hören zu lassen, ohne im Tempo nachzugeben.[1] In *Leonore III*, gegen Ende der Reprise (T. 468ff., nicht so am Ende der Exposition), ist die Melodie des langsamen Teils von Florestans Arie ebenfalls eingeblendet, allerdings nicht wie in *Leonore II* (T. 426) im „originalen" Adagio vor der Coda, sondern im Haupttempo (Allegro, alla breve) als Reprisenschluß; als Scharnier dient nicht mehr das Anschlußmotiv (vgl. *III*, T. 507ff.); Überleitung und Coda erhalten nun dasselbe Tempo (Presto); die Überleitung wird von 10 auf 20 Takte verdoppelt; die Notenwerte beim Einsatz des Hauptthemas (*III*, T. 534) sind nicht mehr auf die Hälfte verkürzt: Das Hauptthema wirkt mächtiger, und zwar nicht zuletzt auch deshalb, weil die Instrumentierung es plastischer hervortreten läßt, statt das Hektische noch zu unterstützen. Welcher Fassung man aus welchen Gründen letzten Endes auch den Vorzug geben mag: Der Prozeß des Revidierens und Emendierens des Textes ist im Detail verfolgbar, und man wird die Einzelentscheidungen des Komponisten vernünftig nennen dürfen.

Florestan befindet sich am Beginn des 2. Aktes in seinem Verließ und hadert mit seinem schweren Schicksal: „In des Lebens Frühlingstagen ist das Glück von mir geflohn. Wahrheit wagt ich kühn zu sagen, und die Ketten sind mein Lohn." Diese Arie ist es, um die Beethoven in allen drei *Leonoren-Ouvertüren* am häufigsten kreist. Was aber bedeutet es, wenn gerade diese Passage in *Leonore II* und *III*, wiewohl auf etwas unterschiedliche Weise, als letzte Wendungen vor der optimistischen Coda übernommen ist? Handelt es sich um ein Kontrastmittel, ein letztes Innehalten, eine Rückerinnerung an die Kerkerzeit (sofern man an den Verlauf der Ouvertüre denkt), eine Vorerinnerung (sofern man an die nachfolgende Oper denkt)? Den Erklärungsmöglichkeiten sind kaum Grenzen gesetzt. In jedem Falle aber wird dadurch, ob man will oder nicht, irgendetwas an dem Sujet der Oper (Text, Szene, Situation, Handlung), meist qua musikalischen Entsprechungen, der Ouvertüre als Inhalt vorgeschrieben; und man wird deshalb Franz Liszt zustimmen müssen, wenn er gelegentlich seiner Abhandlung über die Symphonie *Harold en Italie* von Berlioz, ganz im allgemeinen, eben die Ouvertüre als eine der Wurzeln von Programmusik namhaft gemacht hat. Denn so gut wie alles, was zu Beethovens vier Ouvertüren auf verschiedene Weise gesagt worden ist, liefert den Nachweis für diese These.

Leonore I als der nächste Schritt ist die einzige der vier Ouvertüren, in der das Trompetensignal bzw. die Idee davon gänzlich aufgegeben ist. Nach Susanne Steinbeck handelt es sich um einen „szenisch-lyrischen Typus", wobei ein langsamer Mit-

---

1 Offenbar hatten die Orchester zunächst (1805/1806) erhebliche Schwierigkeiten mit der Ausführung sowohl von *Leonore II* als auch *III*.

telteil die Durchführung ersetzt, um eine „undramatische Konzeption", bei der „weder die Handlung noch die entscheidende Handlungsszene unter Einbeziehung der Katastrophe" geschildert werden, sondern Konflikt und Lösung ausgespart sind.[1] Dieses gilt bei Lichte besehen auch für die *Fidelio-Ouvertüre. Leonore I* wird (wo sie nicht als allererste gilt) vielfach als ein kaum erklärlicher Rückfall hinter den mit *Leonore III* gesetzten Standard angesehen; im Konzertleben fristet diese Ouvertüre kaum mehr als ein Schattendasein. Es ist lange her, seit Adolf Bernhard Marx sie mit liebevollen Augen als die Version ansah, die der Oper am nächsten steht und für sie am angemessensten ist.[2] Unverkennbar ist Beethovens weiter verstärktes Bemühen um Kürzung, um die Abkehr von der großen „symphonischen" Ambition und von der (im weitesten Sinne) Schilderung. Beethoven unternimmt nun tatsächlich den Versuch, alles zu vermeiden, was auf eine Duplizierung des Geschehens der Oper hindeuten könnte. Der Sonatensatz mit einem langsamen Mittelteil statt einer Durchführung legte auf *Leonore I* den Schimmer eines Verdachts, der ihr wohl am nachhaltigsten geschadet hat: in der Nähe eines Potpourris zu stehen. Musikkenner reagieren darauf — aus welchen Gründen auch immer — mit Unduldsamkeit, obwohl viele Ouvertüren in dieser Nähe stehen. Auch die Ansicht, daß es sich um eine „charakteristische Ouvertüre" handle — eine Geigenstimme eines Kopisten enthält von Beethovens Hand diese Überschrift[3] —, konnte das Aufkeimen jenes Verdachts um so weniger verhindern, als sie zu einer Zeit verbreitet wurde, da diese Kennzeichnung schon begonnen hatte, ungewöhnlich zu werden.

In den vier sukzessiven Versionen hat Beethoven die Ouvertüre konsequent gestrafft. Die letzte, *Fidelio*, ist bei weitem die kürzeste, kompakteste und im wesentlichen auch die rascheste. Desgleichen hat er die in *Leonore II* (wie in *III* und *I*) mehr oder weniger extensiv verwendeten, „zitierten" Opernstellen vermindert, beinahe getilgt. Erst in der *Fidelio-Ouvertüre* tauscht Beethoven dieses Verfahren gegen flüchtige Allusionen aus; selbst der „Fremdkörper" ist zum bloßen kompositorischen Material geworden.

Vielleicht bedeutete dies den eigentlichen Durchbruch, der es dem Komponisten ersparte, noch eine fünfte Fassung folgen zu lassen. Nicht zu übersehen ist natürlich auch die zeitliche Distanz zwischen den eng beieinander liegenden *Leonoren-Ouvertüren* und der *Fidelio-Ouvertüre*. Die *Leonoren-Ouvertüren* bauen auf der Erfahrung der *Eroica* auf, der *Fidelio-Ouvertüre* liegen die Erfahrungen mit den Symphonien 5—8 zugrunde, die sich natürlicherweise in dem neu konzipierten, relativ selbständigen Instrumentalstück viel mehr haben niederschlagen müssen als in der Revision der Oper für die Aufführung von 1814. Inmitten des umarbeitenden Geschäfts an der Oper, durch die Beethoven sich die „Märtyrerkrone" zu erwerben glaubt, läßt er seinen Librettisten Friedrich Treitschke wissen, daß er auch noch die

1 S. Steinbeck, *Die Ouvertüre,* S. 84.

2 „Niemals ist eine Ouvertüre schöner gedacht, ein Prolog sinnvoller erfunden worden. Aber das alles geht so menschlich, so deutsch und weiblich her" (A. B. Marx, *Ludwig van Beethoven,* Bd. I, 1902, S. 250).

3 Zu Beethovens Zusatz vgl. G. Nottebohm, *Beethoveniana,* S. 60. — Von der Herausgabe von *Leonore I* als „Ouverture caractérisque" spricht A. B. Marx, *Ludwig van Beethoven,* Bd. I (1902), S. 253, während bei Anton Schindler unklar bleibt, ob sich der Zusatz „charakteristisch" auf *Leonore I* oder *II* bezieht.

Ouvertüre komponieren müsse, „welches zwar das leichteste ist, da ich sie ganz neu machen kann".[1]

Gleichwohl hat die *Fidelio-Ouvertüre* insbesondere gegenüber *Leonore III* keinen leichten Stand, und dieses schon wegen ihrer Kürze; da die Vorstellung von Größe immer auch mit Länge zu tun hat, scheitert die *Fidelio-Ouvertüre* um so leichter, weil die *Leonoren-Ouvertüren* als Maßstab zum Vergleich dienen. Der Konzertführer weiß zu berichten, daß sie keine Ouvertüre „im Sinne einer musikalischen Vorwegnahme der inneren Entwicklung der Opernhandlung" sei, sondern sich damit begnüge, auf die erste Szene der Oper mit heiteren Klängen vorzubereiten.[2] Abgesehen von den verdrießlich unbedachten Fiktionen über das, was eine Ouvertüre darzustellen vermag, ließe sich diese Ouvertüre gewiß ebenso als heroisch wie als heiter charakterisieren. Von Beginn an wurde bemängelt, daß sie mit der Oper „nur wenig in Verbindung zu stehen scheint", wie Amadeus Wendt sich schon 1815 vernehmen läßt, der die „kürzere Ouverture gern entbehren" würde, wenn Beethoven *Leonore III* weniger „bizarr" in der Laune, weniger „zerstreut" in den Gedanken und dafür in „schönem Ebenmaße" komponiert hätte[3]: Dem Manne kann wohl nicht geholfen werden. Auch Adolf Bernhard Marx vermißt den näheren Bezug zur Oper: „Es ist eine der geistreichsten, von Talent und Kunstgeschick funkelnden Kompositionen. Aber von Leonore keine Spur."[4] Bei aller Beliebtheit, die die *Fidelio-Ouvertüre* errang, haftet ihr dieser Makel bis heute an.

Sofern die *Fidelio-Ouvertüre* erstens nur ungefähr die Hälfte oder zwei Drittel umfaßt (je nach dem, mit welcher der anderen verglichen wird), zweitens handlungslos sein soll (ohne daß die Frage gestattet wird, was eigentlich eine handelnde Ouvertüre sei) und drittens einheitlicher, „konfliktloser" und „undramatischer" als die anderen erscheint, wird vor dem Hintergrund der anderen Ouvertüren argumentiert — eines Hintergrunds, der natürlich auch für Beethoven selbst nicht wegzudenken war. Da „dramatisch" und „Dramatik" in der Instrumentalmusik so vielfältig verstanden werden können, läßt die *Fidelio-Ouvertüre* sich entweder die nennen, die ein Minimum an Dramatik aufweist (sofern „dramatisch" auf die Handlung bezogen wird), oder diejenige, die besonders dramatisch ist (wenn man „dramatisch" als erregend, spannend usw. begreift).

Bestand Beethovens Absicht am Ende nicht gerade darin, jenes auffällig programmatische Moment zu tilgen, das man vor allem in *Leonore II* glaubte erkennen zu können? Bestand sein Bestreben nicht einfach darin, sich trotz der drei vorangegangenen Versuche noch einmal prinzipiell die dringlichsten Fragen vorzulegen: Wie erwecke ich die Aufmerksamkeit der Zuschauer, wie bereite ich vor, ohne zu ausführlich vorwegzunehmen? Die Ouvertüre ist vermutlich eher für diejenigen konzipiert, die die Oper womöglich zum ersten Mal hören werden, als für diejenigen, die die Oper schon in- und auswendig kennen und Oper und Ouvertüre Stelle für Stelle vergleichen möchten.

---

1 E. Kastner / J. Kapp, *Ludwig van Beethovens sämtliche Briefe,* S. 268.
2 H. Renner, *Reclams Konzertführer. Orchestermusik,* Stuttgart [5]1961, S. 187.
3 St. Kunze, *Gesammelte Konzertberichte,* S. 194f.
4 A. B. Marx, *Ludwig van Beethoven,* Bd. I (1902), S. 270.

Zweifellos sind für die Oper gegensätzliche Sphären leitend, zum einen die des Kerkers, die im zweiten Akt in die der Freiheit verwandelt wird — also Finsternis und Licht oder „per aspera ad astra" —, überlagert zum anderen von den beiden Sphären, die mit den Hauptpersonen zu tun haben: der beherzten, siegreichen Leonore hier, dem tapferen, träumerischen Florestan dort. In der angesichts des kurzen Hauptsatzes beträchtlich langen Einleitung der *Fidelio-Ouvertüre* wechseln sich wenige Allegro-Takte (T. 1—4, T. 13—16) zweimal mit einer ausführlicheren Adagio-Partie ab (T. 5—12, T. 17—46). Die mehrfache Unterteilung der Einleitung in schnell und langsam mag an und für sich gewöhnlich sein, aber Beethoven verwendet sie nur in der *Fidelio-Ouvertüre*, nicht den anderen, deren expansive Einleitungen zur Gänze langsam sind. In dem Tempowechsel der Einleitung lassen sich zwei Sphären spiegeln: Durch Analogien der musikalischen Motive mag man in dem fanfarenartigen punktierten Anfangsmotiv (von dem oben behauptet wurde, daß es nun am Anfang auch die Funktion des früheren Trompetensignals erfülle) die Leonoren-Sphäre erblicken. Es wird dann, die E-Dur-Dreiklangstöne aufsteigend, dreimal vorgetragen (T. 1—3). Unschwer läßt sich in dem Motiv und im Umriß der ersten drei Takte eine Anspielung auf den Beginn der Fagott- und Horn-Begleitung des raschen Teils („Ich folg dem innern Triebe") von Leonores E-Dur-Arie im ersten Akt (Nr. 9) ausmachen. Und in der Adagio-Partie wird man ebenso unschwer Motive aus dem Umkreis Florestans erkennen, und zwar speziell aus dem rascheren, in F-Dur stehenden zweiten Teil („und spür ich nicht linde, sanft säuselnde Luft?") seiner Arie zu Beginn des zweiten Akts (Nr. 11), — Florestans Vision im Kerker: Die Terzgänge der Ouvertüre erinnern zunächst (T. 5—12, T. 17—22) an den Schluß, sodann (T. 23ff.) unverhohlener an den orchestralen Beginn jenes Arienteils. Beethoven macht sich eigens die Mühe, vom Grundton seiner Ouvertüre E-Dur in Takt 23 zu jenem Dominantseptakkord auszuweichen, dessen Auflösung nach F-Dur er uns freilich vorenthält. Visionen, Halluzinationen leidender oder sterbender Menschen sind als extraordinäre Sujets für Komponisten besonders interessant, beispielsweise für Bach angesichts des sterbenden Jesus in der *Johannespassion*. Florestan imaginiert oder antizipiert in seiner Vision den Engel, der da kommen wird („ich seh, wie ein Engel im rosigen Duft"), und tatsächlich befindet die als Fidelio verkleidete Leonore sich zu dem Zeitpunkt schon vor der Kerkertür. Dieser zweite, raschere Arienteil endet nicht schmetternd, sondern im Pianissimo, da die Vision in die noch bittere Wirklichkeit zurückgeführt werden muß.

Entgegen der Meinung von Marx fällt es folglich nicht schwer zu demonstrieren, daß die *Fidelio-Ouvertüre* sehr wohl etwas mit Leonore zu tun hat, das Gewicht vielleicht sogar von vornherein von Florestan auf Leonore verlagert wird. Da nun gerade bei Marx nicht anzunehmen ist, daß er zu seiner Meinung aus bloßer Rankune gekommen ist, bleibt das Rätsel bestehen, warum die Beobachter das Gefühl haben, daß die *Fidelio-Ouvertüre* von der Oper distanzierter stehe, obwohl die Textur der *Fidelio-Ouvertüre* viel enger geknüpft ist und Beziehungen zur Oper daher vielfältiger, wenngleich unauffälliger und scheinbar ungenauer erlaubt.

So umfangreich die Einleitung der *Fidelio-Ouvertüre* ist, so kurz angebunden im Unterschied zu den anderen ist alles andere: der Haupt- und Seitensatz sowie die Durchführung. Schon dieses verleitet zu Interpretationen, die Werte in sich bergen: kurze Durchführung = keine Austragung von Konflikten = keine wirklichen Gegensätze, mithin undramatisch, als ob das „Dramatische" sich an der Länge einer

Durchführung bemessen ließe. Die eminente Reduzierung der thematischen Gestalten und des motivischen Materials ist um so schlagender, wenn das mit dem Eröffnungsmotiv (T. 1) zweimal anhebende Hauptthema (T. 49ff., eventuell schon T. 47ff.), mehr noch das sozusagen kaum vorhandene Seitenthema (T. 82ff.) betrachtet, vor allem wenn diese mit den Themen der anderen Ouvertüren verglichen werden. In welchem Nichts, wenn man so sagen darf, soll der Seitensatz (T. 82—85) geortet werden: in der Hornstimme, einem einzelnen über drei Takte gehaltenen Ton fis mit synkopierter oberer Wechselnote gis im vierten Takt, in den auftaktigen Streicherfiguren, die ein halbtaktiges Partikelchen gleich sechsmal wiederholen, oder in beidem zusammen? Angesichts des raschen alla breve-Tempos huschen die extrem kurzen thematischen Gestalten so geschwind vorüber, daß sie kaum als solche wahrgenommen werden können, und dennoch ist der Kontrast zwischen Haupt- und Seitensatz schon deshalb beträchtlich, weil der mit dem Beginn der Einleitung identische signalartige abtaktige Rhythmus des Hauptsatzes (punktiertes Viertel — Achtel — Viertel) sich von dem gleichmäßigeren, pronociert auftaktigen Rhythmus der Streicherfiguren des Seitensatzes (Achtel — Achtel — Viertel) so auffällig unterscheidet[1], während am Schluß der Exposition (T. 114ff.) gleichsam eine abtaktige Synthese (Viertel — Achtel — Achtel) zu hören ist. Angesichts der für das Beethovensche Komponieren jener Jahre so charakteristischen starken Fragmentierung der thematisch-motivischen Gestalten, des großen Aufwands, den er mit geringen und geringsten Elementen als Einheiten betrieb, um nicht zuletzt auf dem Wege unentwegter Wiederholung für Kohärenz zu sorgen, wird es im Verlauf der *Fidelio-Ouvertüre* tatsächlich schwieriger, mit Hilfe musikalischer bzw. motivischer Beziehungen eine tragfähige Brücke zur Oper zu schlagen.

Zwischen Reprise und Coda bedient Beethoven sich in einer leicht modifizierten Form des Mittels, mit dem er die Ouvertüre begonnen hat: des Wechsels von schnell und langsam, allerdings nur einmal, nicht wie zu Beginn doppelt (T. 230—233 entsprechen T. 1—4). Wenn es stimmt, daß der fanfarenartige Ouvertürenbeginn eine Erinnerung an das Trompetensignal birgt, so kehrt er hier an der Paenultima-Stelle wieder, an der das Trompetensignal in *Leonore II* gestanden hatte und in der Oper steht. Es folgt der Adagio-Einschub, nun in der Länge von 14 Takten (T. 234—247 als Modifikationen von T. 9ff. bzw. 17ff.), ehe die Coda im Presto anhebt, die sich ausgiebig mit dem Anfangsmotiv der Einleitung bzw. dem Kopfmotiv des Hauptsatzes — es handelt sich ja um dasselbe — beschäftigt. So kurz vor Schluß ist es dramaturgisch natürlich von Vorteil, den Wechsel von Allegro und Adagio nur noch einmal zu vollziehen.

Es versteht sich von selbst, daß das reiche Angebot an Ouvertüren für die eine Oper zu Überlegungen geführt hat, es nicht nur im Konzert, sondern auch bei Opernaufführungen besser zu nutzen. Je berühmter der Komponist wurde und je sanktionierter seine Werke waren, desto weniger wollte man sich auf die Wahl einer Ouvertüre beschränken. Da in der Regel auf die Version der Oper von 1814 zurück-

1 Auch Bewegungsrichtung und Intervalle sind verschieden: Der fallenden Quarte als Kopfmotiv des Hauptthemas korrespondiert das in kleinen Intervallen (vorzugsweise Sekunden) in sechsfacher Wiederholung aufwärts geführte Streichermotiv des Seitensatzes.

gegriffen wurde, schien die *Fidelio-Ouvertüre* schon wegen der Tonart unverzichtbar; aber vor allem *Leonore III* sollte einbezogen sein, zumal ihr Prestige unvergleichlich höher war als das der *Fidelio-Ouvertüre* (wenn vielleicht nicht unter allen Opernliebhabern, so doch unter den meisten Musikkennern). So konnte es vorkommen, daß zwei Ouvertüren an den Beginn der Oper gestellt wurden. Ein anderes probates Verfahren blieb nicht weniger umstritten: Ernst Bloch, hochexpressionistisch gestimmt, versteht die Oper *Fidelio* „völlig unzweideutig" als Beethovens (sonst nicht geschriebenes) Requiem und das Trompetensignal als die Ankündigung „einer Ankunft des Messias"; er bezeichnet es als „große Eingebung" Gustav Mahlers, vor dem letzten Szenenwechsel im zweiten Akt *Leonore III* als „eine Legende der erfüllten Hoffnung" einzuschieben, ehe im Finale das geistlich-weltliche Freiheitswerk (der Jubel um „Leonore-Maria militans" nach „gefallener Bastille") zum Abschluß kommt.[1] „Unfug" nennt Wilhelm Altmann diesen Brauch eines Ouvertüren-Einschubs im Vorwort der 1919 erschienenen Eulenburg-Taschenausgaben der vier Ouvertüren. Andere dachten gnädiger: Im *Doktor Faustus* (Kapitel 9) teilt Thomas Mann uns mit, wie sehr der Held seines Romans, der junge Adrian Leverkühn, von der vor dem Schlußbild gespielten Ouvertüre *Leonore III* gefesselt war und läßt ihn sagen: „wahrscheinlich hat man nicht auf mich gewartet, daß ich es feststellte, aber das ist ein vollkommenes Musikstück! Klassizismus, — ja; raffiniert ist es in keinem Zuge, aber es ist groß." Sollte die *Fidelio-Ouvertüre* weniger vollkommen sein? Raffiniert ist sie in jedem Zuge, kurz und — ja: klassizistisch.

Albrecht Riethmüller

5. Klavierkonzert Es-Dur
op. 73

Entstehungszeit: Ende 1808 bis Anfang 1809.
Erstaufführung: im November 1811 in Leipzig.
Skizzen: vgl. Johnson / Tyson / Winter, *The Beethoven Sketchbooks*, S. 176—179, 181—192 und 527—529; 1. Satz: Deutsche Staatsbibliothek Berlin, Grasnick 3 und ein Skizzenblatt in der Pierpont Morgan Library New York (Heinemann Foundation); vgl. G. Nottebohm, *Zweite Beethoveniana*, S. 500—507 und D. Weise, *Ein Skizzenbuch zur Chorfantasie*; 2. Satz: Bibliothèque Nationale Paris, Mh 73 und Mh 72; vgl. G. Nottebohm, *Zweite Beethoveniana*, S. 254—257 und *Die Musik* 3/2 (1904), S. 401—411; 3. Satz: Deutsche Staatsbibliothek Berlin, Landsberg 5 und ein Skizzenblatt in der Österreichischen Nationalbibliothek Wien; vgl. G. Nottebohm, *Zweite Beethoveniana*, S. 260f.; außerdem sind noch neun weitere Skizzenblätter bekannt, die sich im Beethoven-Haus Bonn und in der Pierpont Morgan Library New York (Heinemann Foundation) befinden.
Autograph: Deutsche Staatsbibliothek Berlin.
Erstdruck und Widmung: London 1810 (Clementi) als op. 64; Leipzig 1811 (Breitkopf & Härtel); dem Erzherzog Rudolph von Österreich gewidmet.
Gesamtausgabe: Alte Gesamtausgabe: Nr. 69 = Serie 9 Nr. 5.

1 Aus dem *Prinzip Hoffnung*, in: E. Bloch, *Zur Philosophie der Musik*, S. 333.

Obwohl die mannigfaltigen erhaltenen Skizzen für op. 73 (siehe oben) noch nicht genügend erforscht sind, ist es in letzter Zeit doch wenigstens gelungen, die Zeitspanne, in der die eigentliche Komposition stattfand, genauer festzustellen. Das Autograph vermeldet als Datum 1809, was aber keineswegs besagen will, daß Beethoven sein von Energie sprühendes, kriegerischstes Konzert nicht bereits beendet hatte, als Österreich sich wieder im Kriegszustand befand (nach dem 9. April 1809). Einerseits sprechen die Indizien kaum für Nottebohms Behauptung, daß Beethoven mit der Arbeit an op. 73 noch vor seiner Akademie vom 22. Dezember 1808 begann; andererseits hat Tysons Analyse des Landsberg 5-Skizzenbuches März 1809 als Datum für die Finale-Skizzen bestätigt.

Clementi veröffentlichte das Konzert 1810 in London (als op. 64), und Breitkopf & Härtel folgten 1811 in Leipzig, wo noch im November desselben Jahres die Uraufführung mit dem Dessauer Pianisten Friedrich Schneider stattfand, und zwar mit großem Erfolg, wie die *Allgemeine musikalische Zeitung* mitteilte. Als Czerny das Werk dann einige Monate später in Wien zur Aufführung brachte, fiel es nach verschiedenen Aussagen durch. 1818 bat Beethoven ihn, es im Redoutensaal noch einmal zu spielen. Czerny weigerte sich zunächst unter dem Vorwand, daß seine umfangreichen Lehrpflichten ihm nicht genug Zeit ließen, um seine Technik auf dem nötigen Niveau zu halten, spielte es dann aber doch bei einem Privatkonzert. Populär wurde es jedoch erst durch Liszt, der es bereits 1829 als Teil eines Pariser Konzerts ankündigte, das dann aber nicht stattfand. Jedenfalls erfreut sich das Es-Dur-Konzert als Beethovens beliebtestes Klavierkonzert längst großer Popularität beim Konzertpublikum. Bei den Kritikern hingegen genießt das G-Dur-Konzert den Vorzug. Zumindest haben sie sich mit dem späteren Werk weitaus weniger beschäftigt.

Bei seiner berühmten Akademie von 1808 spielte Beethoven das G-Dur-Konzert op. 58, das er 1806 vollendet hatte, sowie die neukomponierte Chorfantasie op. 80. Sein wenn auch nicht einstimmiger Erfolg bei dieser Gelegenheit gab ihm, wie es scheint, den nötigen Mut für ein weiteres Stück für Klavier und Orchester, obwohl es nicht bekannt ist, ob ihm eine neue Akademie oder sonstige Aufführungsgelegenheit vorschwebte. Man darf sich daher vielleicht der Spekulation hingeben, daß die Akademieerfahrung bei ihm einfach das Interesse für ein weiteres Konzert rein um seiner selbst willen erweckte. Die Übereinstimmungen zwischen den improvisatorischen Anfängen von op. 80 und op. 73 sind ebenso deutlich wie oberflächlich; tiefer gehend ist der Einfluß von op. 58. Trotz der zwei Jahre, die Beethovens zwei letzte Klavierkonzerte voneinander trennen, lassen sie sich durchaus als Werke betrachten, die sich mit gewissen Kompositionsproblemen von verschiedenen, sogar entgegengesetzten Standpunkten beschäftigen, wie ja auch andere Kompositionspaare, zum Beispiel die 5. und 6. Symphonie.[1] Kontaktpunkte mit op. 58 zeigen sich im ersten Satz von op. 73 hauptsächlich an zweierlei: der Virtuosität, welche dem Solisten gleich zu Anfang den Vorrang einräumt, und dem harmonischen Plan, der der Gesamtstruktur unterliegt.

---

1 Es bestehen auch einige deutliche Verbindungen mit dem c-Moll-Konzert op. 37. Die Übereinstimmungen der Überleitungen im Ritornell der Kopfsätze von op. 73 und op. 37 fallen ebenso auf wie die der jeweiligen skalenartigen Klavier-Ein- und -Ausgänge. Im Finale folgen die drei Erscheinungen des Rondothemas im Entwicklungsteil dem Muster des Finales von op. 37.

Es ist deutlich, daß es Beethoven keinesfalls darum ging, sich an den Grundprinzipien des klassischen Konzerts zu vergreifen, daß im ersten Satz das wichtigste thematische Material zum ersten Mal im Orchester-Ritornell in Erscheinung tritt, mit dem das Ganze beginnt, und der Solist dann bei seinem Eintritt darauf zu reagieren vermag. Op. 73 liefert sogar Beethovens reichstes und auf vollendete Weise formuliertes Beispiel dieser herkömmlichen Form. Dennoch kann kaum ein Zweifel darüber bestehen, daß er es für nötig befand, dem Soloinstrument bereits zu einem früheren Punkt in der Gesamtstruktur größere Prominenz zuzuschreiben. Im Violinkonzert op. 61 mag es dem Geiger genügt haben, in den Kulissen zu warten, während das Orchester das thematische Material vorlegte. Für den Pianisten Beethoven war ein solches Vorgehen in seinen letzten zwei Klavierkonzerten unannehmbar geworden. Und der Komponist Beethoven löste dieses Problem auf zwei ganz verschiedene Weisen.

In op. 58 gab er dem Klavier das Hauptthema gleich zu Beginn und gliederte es mit größtem Geschick in das grundlegende Geschehen des Konzertes ein. Für op. 73 hatte er eine einfachere Idee, indem er dem Solo ein quasi improvisiertes Vorwort zu spielen gab, ein Vorspiel oder einen Vorhang außerhalb der eigentlichen Form. Dies wäre über eine überraschende Geste nicht hinausgegangen, wenn er es nicht dadurch gerechtfertigt hätte, daß er es dem Orchester gegenüberstellte. Im Gegensatz zu op. 80 präsentiert sich die Klavierpartie zu Beginn von op. 73 weniger als eine frei sich entfaltende Improvisation als vielmehr im Sinn eines didaktischen Vorsatzes: Beethoven demonstriert hier seine außerordentliche Fähigkeit, grundlegende Verhaltensmöglichkeiten der Musik unter — oder fast unter — der eigentlichen Abhandlungsebene zu entwickeln. Das Resultat ist eine Vision reinster Gegensätzlichkeit, themalose und rhythmuslose Wesentlichkeit von orchestraler Macht einerseits und von solistischer Verspieltheit andererseits.

Bei einer derart inspirierten Verkörperung des Konzert-Urbilds darf von einer improvisatorischen Verspieltheit gesprochen werden, obwohl der Komponist jede Note für das Klavier genau notiert hat — ein Punkt, zu dem wir später zurückkehren werden. Ebensowenig sollte das Wort Macht allein im Sinn von Kraft und Lautstärke verstanden werden, sondern auch als organisierende Macht, die Macht der artikulierten Form. Die mächtige, vom Orchester getragene Konstellation von Tonika-, Subdominant- und Dominant-Akkorden, deren Dauer durch Fermaten verlängert wird, dient nicht nur der Überwachung des Solospiels, sondern auch der Definition — wiederum im urbildlichen Sinn — der Tonalität, der letzten Endes die Kontrolle über die Solo-Rhapsodie zufällt. Übrigens übt das Orchester in der gesamten Komposition mehr oder weniger dieselbe Funktion aus, im ersten Satz zum Beispiel da, wo das Solo nach ces-Moll zu modulieren sucht oder nach C-, As- und E-Dur im Finale.

Was den internen harmonischen Plan betrifft, ist es ebenfalls instruktiv, op. 73 mit op. 58 zu vergleichen. Denn es scheint, daß Beethoven in beiden ersten Sätzen auch in dieser Hinsicht auf dieselben Probleme einging. Im klassischen Konzert, in dem das Hauptmaterial dreimal in Erscheinung tritt, ist harmonische Stagnation eine wirkliche Gefahr, jedenfalls eine größere als in einem gewöhnlichen Sonatensatz. Im ersten Satz von op. 61 ist Beethoven dieser Gefahr nicht völlig entgangen. In op. 58 macht er von einem weitschweifigen, modulierenden zweiten Thema Gebrauch, das jeweils in einer anderen Position auftritt. In op. 73 arbeitet er stattdessen mit einem bündigen, nach Dur tendierenden Moll-Thema, genau umgekehrt wie in op. 61. Wie Paul Bekker bemerkte, ist der Eindruck von Variationen, der sich vielleicht schon im Ritornell aufdrängt, angesichts des cupo voce minore in den Streichern und des sanften maggiore in den Hörnern, unverkennbar in der Solo-Exposition mit ihren drei so gut wie neuen[1] Variationen in ces-Moll, Ces-Dur und — nach einer brutalen Vergewaltigung der harmonischen Gänge — B-Dur. Diese Tonarten und auch ihr Verhalten zueinander erfahren in der Reprise radikale Veränderungen.

1

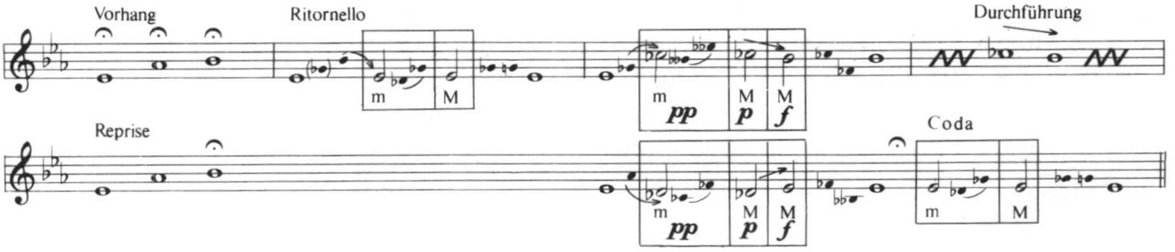

„La cadenza sia corte", schrieb Beethoven im Finalsatz von op. 58; „Non si fa un Cadenza, ma s'attacca subito il seguente", heißt es im ersten Satz von op. 73. Die Tatsache, daß er die kurze Kadenz in seinem letzten Konzert ausschrieb, ist ebenso oft bemerkt worden (Tovey, Misch) wie die virtuosen Gänge und kadenzartigen Passagen des Stückes. Zum ersten Mal übernahm ein Komponist die alleinige Verantwortung für den gesamten Text eines Konzerts, einschließlich seiner mannigfaltigen quasi-improvisatorischen Momente. So mancher hat es als schicksalhaft und menschlich ergreifend empfunden, daß der Komponist Beethoven den Pianisten Beethoven seines letzten ihm verbleibenden Privilegs beraubte, so unmittelbar nach seinem letzten öffentlichen Auftreten in dieser Rolle, bei dem er die Kadenzen für op. 58 sowie den Beginn von op. 80 ex tempore spielte.

Beethoven wußte natürlich nicht, daß er nie wieder öffentlich spielen würde, und das Werk, in das er sich nach der Akademie von 1808 vertiefte, war keinesfalls so geplant, daß es der improvisatorischen Virtuosität keinen Platz mehr einräumte. Ganz im Gegenteil enthält op. 73 viel mehr davon als op. 58. Es ist nur so, daß Beethovens Plan für das Werk eine sorgfältige Kontrolle der Virtuosität erforderte. Die Hinzufügung von virtuosen Passagen gleich zu Anfang und dann in der Reprise und anderswo geschah auf Kosten der traditionellen Kadenz und ergab zugleich die Möglichkeit einer freieren Reprise als in den früheren Konzerten. Das gesamte Schema hing schließlich von einem angemessenen Gleichgewicht der vielen virtuosen Stellen ab.

1 Neu, obwohl genau gesagt nur die zweite Variation völlig frisch ist mit ihrer hohen ätherischen Meditation in der rechten Hand (vgl. Beispiel 5) über tiefen Arpeggien in der linken, die an eine ähnlich sublime Passage in op. 58 erinnert. Die erste Variation bietet eine Ausarbeitung des Ritornell-Minores mit Hilfe eines frappanten neuen Gegenrhythmus, und die dritte ist eine im Charakter verwandelte Forte-Fassung der Maggiore-Episode im Ritornell.

Man sollte jedoch nicht vergessen, daß Beethoven, wenn auch nicht komplette Kadenzen, dann doch Eingänge und kadenzartige Passagen in den Konzerten op. 15, 19, 56 und 58 ausgeschrieben hatte. 1809 brachte er diese Praxis nur zu ihrem logischen Ende. Auch in dieser Hinsicht muß op. 80 ausschlaggebend gewesen sein, denn er konnte das Stück natürlich nicht zur Veröffentlichung anbieten, ohne bereit zu sein, seine Improvisation auszuschreiben oder eine neue zu schaffen. Und im Fall von op. 73 konnte er die improvisatorischen Floskeln im Vorhang nicht der Willkür eines ausführenden Musikers überlassen. Und ähnliches gilt für die gemesseneren Floskeln in der Reprise, selbst wenn er mit einer konventionellen Kadenz gegen Ende hätte auskommen können. Die ausgeschriebene, rudimentäre Kadenz, wie wir sie aus der Partitur kennen, ging nur einen Schritt weiter. Der nächste Schritt war Beethovens systematisches Vorgehen im Jahre 1809 mit der Verfertigung von retrospektiven Kadenzen für all seine früheren Konzerte.

Im ersten Satz (Allegro) ist das erste Thema womöglich allzu effizient gebaut. Daß seine zwei auffälligsten Rhythmen — die Triolen und die punktierte Figur — ausführlich entwickelt würden und daß die stark betonte höchste Note g auf fruchtbare Weise mit ges in Konflikt geraten würde, läßt sich fast voraussagen. Der kriegerische Ton des Themas hält bis nach der Überleitung an, ja selbst für die Dauer des ruhigen zweiten Themas, in dem das Moll-Dur-Verhältnis zum ersten Mal die Gegenüberstellung von g und ges zur Diskussion stellt. Und diese Noten kommen zusammen nochmals in einer kurzen Wartepassage vor der Rückkehr des ersten Themas zu Gehör, forte, von 6 (12) auf 16 Takte ausgebreitet und gefolgt von 33 Takten zweier miteinander verbundener Kadenzthemen K-1 und K-2. Der Schlußteil des Ritornells umfaßt demnach fast 50 Takte, mehr als die ersten und zweiten Themagruppen zusammen. Diese außergewöhnliche Ausdehnung trägt viel zu der besonderen grandeur von op. 73 bei.

K-2 (siehe Beispiel 3) endet mit scharfen Fragen seitens des Orchesters, mit Wiederholungen der punktierten Figur auf dem Dominantseptakkord, umgeben von zwei erwartungsvollen Generalpausen. Das Klavier, das seine virtù auf so brillante Weise im Vorhang ausgewiesen hat, kann es sich erlauben, diese Herausforderung zu ignorieren. Es beginnt ruhig mit einer aufsteigenden chromatischen Skala über den Dominant-Sept- und Nonen-Pulsierungen des Orchesters — einer Skala, die im weiteren Verlauf noch mehr als einer Transformation unterworfen sein wird. Es mag sein, daß es das Orchester auf diese Weise zu necken versucht; aber ruhig oder nicht, eines kann ein Orchester nicht tun, und das ist eine lange chromatische Skala spielen.

Das Klavier beschäftigt sich mit dem ersten Thema zunächst sanft, wenn auch nur kurz, bevor es sich in stets schnellere Passagen stürzt. Es macht kaum eine Atempause, bevor es die Überleitung von Ges-Dur aus (als Dominante auf dem Weg zum zweiten Thema in ces-Moll[1]) aufgreift. Drei „charakteristische" Variationen an dieser Stelle eines Sonatensatzes — eine geheimnisvolle, eine sublime, und eine un-

1 Wie Ch. Rosen bemerkt hat (*Sonata Forms*, ²1988, S. 249—255), ist Ces-Dur nicht fest verankert. Man denke besonders an den vom Solocello gespielten Orgelpunkt ges im Maggiore. Dieser Orgelpunkt hat seine Parallele übrigens im Orgelpunkt auf b in der Hornbegleitung des Rondothemas im Finale.

eingeschränkt kämpferische — stellten damals eine durchaus neue Idee dar; man denkt an Brahms (c-Moll-Klavierquartett op. 60), wenn nicht an Mahler. Nach der plötzlichen Auflösung in B-Dur kommt ein längerer Teil, der von kraftvoller Virtuosität beherrscht ist und anfänglich auf dem Triolen-Doppelschlag des ersten Themas beruht. Da K-2 ausfällt, ist diese Stelle nicht ganz so lang wie der entsprechende Kadenzteil des Ritornells und läßt noch Platz für eine andere harmonische Ausweichung vor der Schlußkadenz (vgl. Beispiel 1). Das Solo tritt ab, wie es eingetreten ist, mit einer langen chromatischen Skala, aber dieses Mal verläuft die Skala in Gegenbewegung und explodiert in ein Forte.

Das Orchester übernimmt die gesamte Schlußperiode vom ersten Ritornell als Material für das zweite. Abgesehen davon, daß sie von b nach g moduliert, bleibt die Musik dem ursprünglichen Ritornell eng verwandt und unterstreicht somit das Gefühl einer immensen Weite. K-2 mit seinen zwei Generalpausen wird vom Klavier wiederum mit der chromatischen Skala beantwortet.

Meditative Klavierarpeggien und Triller in G-Dur leiten den Entwicklungsteil ein; sie stehen dem Geist der entsprechenden Gesten von op. 58 nahe, und die Ähnlichkeiten in der Faktur, wenn auch nicht in der Haltung, sind in der gesamten ersten Entwicklungsepisode deutlich hörbar. Thematische Fragmente werden hier zu modulierenden Sequenzen in den Holzbläsern mit Unterstützung von Klavierfigurationen, die mehr und mehr an Kraft gewinnen. Die Streicher gesellen sich zu dieser keineswegs stabilen Kombination mit der punktierten Figur. Der Baß strebt aufwärts, und ein Crescendo führt schnell zur Krise.

Diese berühmte und wichtige Passage verdient, ausführlich zitiert zu werden:

2

Die Blasinstrumente intonieren das Ende des Ritornells mit seinen zwingenden Fragen seitens des Orchesters. Jetzt aber sind die zwei Generalpausen voll von ärgerlichen, volltönigen Soloantworten. Man gewinnt den bestürzenden Eindruck einer Konfrontation von Orchester und Solo. Zwar scheinen die Blasinstrumente unter Druck bereit, ihren Baß aufzugeben — ein grandioses Echo jener Vergewaltigung der Gänge zwischen ces und b im zweiten Thema —, aber ihr hohes es lassen sie nicht gehen, und es bleibt die Aufgabe des Klaviers, sie zu vertreiben. Das gelingt ihm mit Hilfe einer höchst eindrucksvollen Geste, einer elektrisierenden neuen Figur (T. 7—8), die das entscheidende Intervall es—ges wieder einführt als Auslöser für die vorwärts marschierenden Skalen. Das Orchester versucht, dem mutig mit imitierenden Einsätzen zu begegnen. Aber die von Liszt so geliebten Doppeloktaven des Klaviers treiben alles vor sich hin.

Dieser Konfrontationshöhepunkt des Entwicklungsteils ist der locus classicus für einen Effekt, der im späteren 19. Jahrhundert zum Klischee wurde, sich aber weder in op. 58 noch in irgend einem anderen Beethoven-Konzert findet, obwohl Mozart, wie üblich, ein Vorbild lieferte, und zwar mit dem Entwicklungsteil des ersten Satzes seines c-Moll-Konzerts KV 491. Das Mozartsche Pathos wird zum Beethovenschen Triumph: Während bei Mozart das Solo deutlich vom Orchester zurechtgewiesen wird, schreit bei Beethoven das Klavier das Orchester geradezu nieder.

Dennoch ebbt die Flut mit dem weiteren Verlauf der von einem einsamen Fagott angeführten Modulationen ab. Die Skalen spielen sich aus, und die Musik kehrt zu G-Dur sowie zu unerwartet zärtlichen Erinnerungen an K-2 zurück. Das Klavier verflüchtigt sich in die hohen Gefilde. Laute, auf der Triolenfigur basierende orchestrale Ausbrüche verlangen unvermittelt nach einer triumphalen Reprise.

In der Reprise des ursprünglichen Vorhangs, der Konstellation von drei durch virtuose Klavierkaskaden unterbrochenen Akkorden, erscheinen diese jetzt kürzer und dringender. Noch bedeutungsvoller ist, daß die ersten zwei in striktem Tempo ohne Fermaten gespielt werden. Somit hat Beethoven den Vorhang zumindest in metrischer Hinsicht dem Rest der musikalischen Vorgänge angepaßt. Die dritte virtuose Passage tut, als ob sie die ihr im Vorhang entsprechende genau wiedergibt, endet aber mit der Signatur des Klaviers, der aufwärtsstrebenden chromatischen Skala. Wenn diese bei ihrem ersten Erscheinen das Orchester zu necken schien, so spottet es jetzt eher.

Nach all diesem Muskelspiel ist es überraschend zu hören, wie das forsche erste Thema in den Holzbläsern verlischt und vom Klavier sanft wieder aufgenommen wird, genau wie in der Solo-Exposition, wenn auch mit einer neuen und ebenfalls überraschenden Verzierung, einer ausdrucksvollen chromatischen Appoggiatura-Figur. Charles Rosen hat auf den ausgiebigen Gebrauch der Subdominantregion an diesem Punkt in der Sonatenform hingewiesen, und op. 73 stellt einen extremen Fall dar: Die Überleitung kommt in der Subdominante as, statt ges wie in der Exposition, und bereitet auf diese Weise die „Subdominante der Subdominante" vor, des-Moll und Des-Dur anstelle von zum Beispiel ges, das Beethoven womöglich nicht mehr frisch genug erschien. Der dramatische Schritt einen Halbton hinunter für die letzte Variation des zweiten Themas (von ces zu b) in der Exposition ist hier durch einen wirklich frischen und umso dramatischeren Schritt einen Ton aufwärts (von des zu es) ersetzt. Bei allem, was in der Rekapitulation neu ist, folgt ihr Ende der Soloexposition, wie üblich, sehr genau.

Zwei weitere Neuerungen dürften Beethovens Zeitgenossen stärker bewegt haben, als wir heute vielleicht zu verstehen imstande sind. Zum einen stoppt die formale Orchesterpassage, die den Quartsextakkord für die Kadenz vorbereitet, zweimal auf Fermaten, um weiteren weit ausschweifenden Arpeggios des Klaviers Platz zu machen — eine letzte Bezugnahme auf die improvisatorischen Abenteuer des Vorhangs. (Dirigenten müssen an dieser Stelle besonders darauf achten, daß der Pianist gut zu hören ist.) Die zweite Neuerung ergänzt die erste sehr genau, da sie der Kadenz den Atem raubt, ohne sie zu eliminieren. 19 Takte lang scheint das Klavier nach der letzten, dritten Fermate seines Weges sicher zu sein; der Hörer hat keine Möglichkeit zu wissen, daß alles, was gespielt wird — Skalen, Arpeggien, Triller usw. —, von Beethoven ausgeschrieben wurde. Und wenn dann das zweite Thema in der Moll-Tonika vollständig im Solo in Erscheinung tritt, ist zu erwarten, daß seine innere Bewegung nach des die üblichen Kadenzmodulationen vorbereitet. Stattdessen führen die weichen Töne der Hörner nach es, beinahe genau wie im Ritornell (die Pauken schweigen). Es folgt die wartende Passage des Ritornells, die ges und g noch ein letztes Mal gegenüberstellt. Die chromatische Klavierskala liefert die Begleitung, nur daß sie jetzt umgekehrt hinunter statt aufwärts läuft. Vielleicht weist dieser ätherische Effekt — pianissimo, leggiermente — bereits auf andere, aber ähnlich geheimnisvolle koloristische Effekte im nächsten Satz.

Was nun vor sich geht, hat den Anschein einer zweiten Rekapitulation, einer Reprise des Anfangsritornells. Diese endgültige Fassung des langen Schlußteils des Ritornells beginnt glänzender als je zuvor mit einem höchst originellen neuen Dialog zwischen dem Orchester und dem Solo. Er beruht auf dem ersten Thema, läßt aber K-1 weg, das bereits in der Reprise zu Gehör kam; K-2 wird gemächlich wieder eingefügt, und die chromatische Skala kommt endlich zur Ruhe, während das Klavier ungeduldig K-2 heraufbeschwört:

3

Dieser letzte aggressive Schachzug des Soloinstrumentes im ersten Satz des Konzertes erinnert an den großen Konfrontationshöhepunkt des Entwicklungsteils. Weitere erwarten uns im Finale.

Es hat Sinn, den kurzen zweiten Satz (Adagio un poco mosso[1], H-Dur) als eine Klangstudie zu betrachten. Er entstand ja nicht lange nach der „Szene am Bach" aus der *Pastorale*. Zu den ungewöhnlichen Klangeffekten gehört die Stille gebietende Instrumentation der hymnenartigen Anfangsmelodie, die von den Geigen, aber nicht von den tieferen Streichern, con sordini gespielt wird; die weit auseinander liegenden Töne, mit denen das Klavier, seinen weiten Raum schließend und wieder öffnend, die Antwort liefert; die unerwarteten Hornquinten in der Satzmitte; die durchsichtige Klavierfiguration in der zweiten Variation; und der coup de théâtre vor dem Finale. Farbe läßt sich von der Tonalität nicht trennen, und dieser langsame Satz steht in einem bei Beethoven verhältnismäßig seltenen Dur-Medianten-Verhältnis. Die erste Melodienote dis stellt die Verbindung zum es des ersten Satzes her, während H-Dur (Ces) an das zweite Thema der Klavierexposition erinnert sowie an den Konfrontationshöhepunkt der Entwicklung. Die frühere erhöhte Dominantenfunktion nimmt hier eine reiche romantische Färbung an.

---

1 Beethovens Taktvorschrift war alla breve; für diese und andere wichtige Unterschiede zu den geläufigen Texten vgl. C. Czerny, *Vom richtigen Vortrag* (1963), Kommentar S. 11.

Formal betrachtet ähnelt dieses Adagio besonders dem langsamen Satz des Violinkonzerts op. 61: einfache Variationen auf ein kurzes hymnenartiges Orchesterthema von ungewöhnlicher Struktur, die eine kleine codetta einschließt. Es besteht jedoch ein wichtiger Unterschied: Auf das Thema folgen nicht unmittelbar die Variationen, wie in op. 61, sondern neues Material, aus dem sich ein kontrastierender Teil zu entwickeln verspricht. In op. 73 kommen die Variationen (zwei) erst am Ende. Das neue Material verdient durchaus, romantisch genannt zu werden. Das Klavier beginnt im hohen Register, pianissimo und espressivo, mit meditativen Linien, die sich in die Tiefen hinunter winden, als suchten sie nach einer eigenen, angemessen ehrfürchtigen Antwort auf die beinahe bedrückende Erhabenheit der Orchesterhymne. Diesen wahrlich poetischen Effekt kopierte Brahms in seinem 2. Klavierkonzert.

Zweifellos ebenfalls romantisch ist die fragmentarische, unentschiedene Natur der Musik, die auf den Eintritt des Klaviers folgt, denn Beethoven weigert sich entschieden, das Versprechen eines kohärent kontrastierenden Mittelteils zu erfüllen. Das Klavier hat kaum Zeit, sich mittels Sequenzen und Modulationen zur Dominante zu sammeln, da moduliert das Orchester schon wieder nach D-Dur. Dieses überraschende strahlende Ergebnis ist einer aufsteigenden Drei-Noten-Figur zu verdanken, die auch den Forte-Höhepunkt der Originalmelodie vorbereitet hat (vgl. Beispiel 4). Obwohl die Luft dadurch zunächst gereinigt scheint, zwingt steigender Druck seitens der Drei-Noten-Figur des Orchesters das Klavier in eine kadenzartige Passage über einem Quartsextakkord. Der Triller, mit dem diese Passage endet, bewegt sich schrittweise aufwärts, höher und höher, bis die Tonart nicht länger D-, sondern H-Dur ist. Die Stimmung wird zugleich ekstatischer und selbstsicherer. Das Solo fühlt sich zu guter Letzt frei, die Hymnenmelodie aufzugreifen.

„Als Beethoven dieses Adagio schrieb, schwebten ihm die religiösen Gesänge frommer Wallfahrer vor." Falls sich diese Bemerkung von Czerny auf die Anfangsmelodie bezieht, dürfte seine Klavierfassung aufgrund seiner fruchtbaren Verzierungen als weltlicher, menschlicher betrachtet werden. Sie bietet auch ein paar feine kontrapunktische Ausarbeitungen: einen exponierten fragmentarischen Kanon in den Holzbläsern und einen subtileren fragmentarischen Kanon im Klavier, der auch die Figuration der letzten Variation sowie die Minore-Färbung der codetta vorwegnimmt:

4

In der letzten Variation erscheint das Thema unverziert in den Holzbläsern mit einer schlichten, aber dennoch zu Recht berühmten expressiven Klavierfiguration in Sechzehnteln. Es handelt sich um eine Farbe, die wir bereits zuvor gehört haben, wenn auch die Oktaven neu und charakteristisch sind:

5

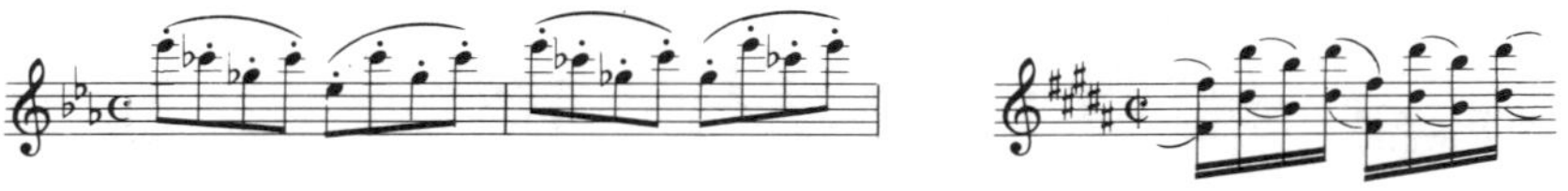

Man hat in diesem Satz das Gefühl einer elementaren Erzählung. Nach seinen Anstrengungen im ersten Allegro begegnet das Solo im Adagio mit etwas völlig Unerwartetem. Die Orchestermelodie verfolgt ihren eindrucksvollen Bogen von Unbeweglichkeit zu Kraft und dann zu gedämpftem Pathos auf tonalen Gebieten voll von Mysterien, — Mysterien, deren Intensität unter ihrer gewissenhaften Vorbereitung in keiner Weise leidet. Das Solo antwortet mit einer Mischung von Ehrfurcht und Unsicherheit. Aber nach einer Anzahl obskurer Abenteuer, in deren Verlauf es verschiedene Regionen durchstreift, rafft es sich doch dazu auf, die Melodie als Ganzes zu umfassen und sie auf ganz persönliche Weise zu singen. Darauf engagieren sich Solo und Orchester, als hätten sie eine schweigende Vereinbarung miteinander geschlossen, in einen vorsichtig ausgeführten Rückzug. Das Klavier muß schließlich sein Pathos aufgeben, seine Figurationen von der Holzbläser-Melodie abheben, um dann über das Tonika-Arpeggio bis zum tiefen h unterhalb des Baßschlüssels hinunter zu sinken. Die allgemeine Bewegung hatte sich verlangsamt; jetzt hält sie völlig an. Was bleibt, ist nur eine Pianissimo-Oktave h mit Hilfe der Fagotte. Sollten wir in unserem traumartigen Zustand vergessen haben, wie h in diesem Stück als eine erhöhte Dominante von es in Erscheinung trat, so erinnern wir uns daran, sobald die Musik wiederum absinkt, diesmal einen Halbton von h (ces) nach b — eine noch längere, von Pianissimo-Hörnern gehaltene Note.

Über diesem Orgelpunkt erhebt sich eine neue Stimme oder, wenn es nicht eine eigentliche neue Stimme ist, dann doch eine neue Persönlichkeit des Solos, eine, die den letzten Satz weniger vorbereitet als ihn vielmehr sucht. Die berühmtesten derartiger Vorbereitungen von Finalthemen stammen bekanntlich aus Beethovens letzten Jahren. Frühere Fälle finden sich unter anderem in zwei Werken, die im Laufe der Akademie von 1808 zur Aufführung gelangten, der 6. Symphonie und insbesondere der Chorfantasie op. 80. Was op. 73 von diesen unterscheidet, ist eine der Konzertgattung auf den Leib geschriebene Manier, nämlich das Improvisatorische, jene Qualität, die Schumann auf etwas andere Weise an der entsprechenden Stelle seines Klavierkonzertes beibehielt. Nach zwei zögernden aufstrebenden Es-Dur-Arpeggien explodiert das Klavier in die kraftvollen gebrochenen Akkorde des Finale-Themas. Die Hörner bleiben zwar auch während der ersten 14 Takte des Finales bei ihrem Orgelpunkt, behindern jedoch die kräftigen klanglichen Gesten des Solos in keiner Weise (T. 1, 5 und 12).

Das so einzigartig vorbereitete — und begleitete — Thema des dritten Satzes (Rondo: Allegro) hat etwas Primitives an sich („etwas simpel, lapidar“: J. und Br. Massin; „gewissermaßen erdenfest“: H. Engel), ganz anders als Beethovens andere Rondothemen, es sei denn, daß man das *Rondo a capriccio* op. 129 mitrechnet. Es beginnt mit einem Ausbruch, einer gewaltsamen Eroberung des Es-Dur-Dreiklangs mit Hilfe von rohen, zugespitzten Synkopierungen. Die Linie schießt über eine Oktave aufwärts, dann noch etwas weiter, bis sie sich schließlich auf die Dominante zurückzieht:

6

Eine genaue Wiederholung folgt[1]; die zweitaktigen Fortissimo-Piano-Abwechslungen, die später zu zweitaktigen Solo-Orchester-Abwechslungen werden, geben der Melodie etwas vom Charakter eines wilden Jägerchores in einer noch nicht geschriebenen romantischen Oper.

Kaum weniger primitiv ist der Beginn der nächsten Phrase — ein stotternder Abstieg der chromatischen Skala. Dieser endet zwar etwas melodischer, aber das Solo bricht bei seiner Wiederholung plötzlich zusammen. Wie könnte auch die Wiederholung effektiv mit der melodischen Figur x zurechtkommen (eine Figur, die Schumann noch in seinem *Carnaval* zu schaffen machte, zweifellos eine Folge der Prominenz, die sie durch Beethovens Finale erlangt hatte). Modulationen wären zu kultiviert, zu elegant. Eine genaue Wiederholung mit einem neuerlichen Schluß in der Tonika wäre dreifach primitiv. Sobald die Streicher sich in der Mitte der Phrase einmischen — ein sehr ungewohnter Schritt —, verfolgen sie den Abstieg spottend weiter, und das Rondothema stellt sich zu seiner Tutti-Präsentation ein, als wäre es in größter Eile. Und das Orchester spielt die Figur x, wie als Antwort auf die stillschweigende Frage des Solos, zweimal auf derselben Tonhöhe und zieht daraus ein Ende für die Melodie hervor, das sich zugleich emphatisch, weit ausgreifend und dennoch knapp gefaßt gebärdet.[2] Es folgt eine ähnlich knappe codetta mit einem neuen militärischen Rhythmus im Blech.

Die dringliche Qualität des Beethovenschen Rondothemas ist bemerkenswert nicht nur, weil es dem ganzen Satz seinen unvergeßlichen Stempel aufdrückt, sondern auch weil alles weitere — die erste Rondo-Episode, der Rest der Exposition (vom Standpunkt eines Sonatenrondos) — angetan scheint, ihm entgegenzuarbeiten oder es auszugleichen. Die für Beethovens Konzertpraxis ungewöhnliche Kürze dieses Teils ist seiner Funktion durchaus nicht schädlich. Das Rondothema erstreckt sich über 42 Takte, die gesamte Exposition über 48 weitere Takte, und von diesen stehen nur acht fest in der Dominante, bevor Dominant-Sept-Arpeggien schnell zum Rondothema zurückführen. Das alles geschieht auf reguläre, sogar ziemlich konventionelle Weise ohne jegliche Überraschungen. Auch ist das Material trotz eines

---

1 Die Melodie ist dieselbe, aber die erste Phrase endet im Baß auf b unter dem Baßsystem, während die zweite eine Oktave höher schließt. Dies dürfte eine der raffiniertesten Vordersatz-Nachsatz-Paarungen im gesamten klassischen Repertoire darstellen.

2 Eine sehr interessante Skizze findet sich bei G. Nottebohm, *Zweite Beethoveniana*, S. 260f. Sie enthält alles Spezielle des Themas, wenn auch oft in einer anderen Reihenfolge.

exponierten, markanten Wechselgesprächs von Solo und Orchester kaum besonders kennzeichnend. Selbst beim ersten Klaviereingang gibt sich Beethoven zurückhaltend.

Die zweite Episode, der Entwicklungsteil, ist dagegen von weitaus größerer Dauer — fast dreimal so lang — und hat ein viel schärferes Profil. Wie gewöhnlich verkürzt Beethoven die zweite Erscheinung des Rondothemas, das in eine kurze, delikate, kanonische Orchesterfassung von x ausläuft. Sie endet mit einer Art von Streichern und Bläsern unisono vorgetragenem Aufruf zur Tat, und diese auf x beruhende Herausforderung erfährt ihre Antwort von einem Ansturm wilder oder quasiwilder Solofigurationen. Die Stelle hört sich an wie ein Echo der Orchester-Solo-Konfrontation im Entwicklungsteil des ersten Satzes, umgestimmt in ein für Beethovens barschen Humor charakteristisches Verhalten.

Auf jeden Fall ist x jetzt entscheidend zurückgewiesen, vielleicht weil es zu eng mit dem Orchester identifiziert ist. Den Rest der Entwicklung bestimmt das Solo so völlig, daß es nur kurz zwischen seinen drei längeren Ausführungen einer „transformierten" Fassung des Rondothemas Atem schöpft. In verschiedenen Tonarten ergeben sich jeweils andere Stimmungen, zunächst brillant, dann durchsichtig und das dritte Mal träumerisch-tänzerisch. Von dem eigentlichen Thema bleibt nur der anfängliche Ausbruch. Nach jeder Darstellung bricht das Orchester mit der codetta ein; die ersten beiden Male moduliert es sehr abrupt von C-Dur nach as und von As-Dur nach e. Das dritte Mal erliegt es einem weiteren Ansturm lauter Klavierfigurationen, in der Stimmung ähnlich dem, der den ganzen Prozeß in Bewegung setzte.

Die Klavierfiguration, die zum dritten Erscheinen des Rondothemas führt und die Rekapitulation eröffnet, umfaßt übrigens eine Erinnerung an den „Suchprozeß" gegen Ende des Adagios. Die Violinen versuchen sich am Es-Dur-Arpeggio unter einem ausgedehnten Klaviertriller. Die Rekapitulation entspricht der Exposition ziemlich genau. Sie endet eine Quinte tiefer, und das Rondothema kehrt in der Subdominante wieder, — ein Anklang an die zweite Episode im Durchführungsteil.

Sobald dieses vierte und letzte Erscheinen des Themas wieder die Tonika erreicht, kommt es zu einem neuen Orchester-Solo-Wechselgespräch über die Figur x, aber mit einem neuen Kadenzschwung. Das Thema endet wie zuvor mit der knappen codetta. Diese wiederum wird sowohl verlängert als auch liquidiert mit Hilfe einer höchst originellen, kurzen, kadenzartigen Passage, die wie alle anderen Kadenzen in diesem Werk selbstverständlich ausgeschrieben ist. Die ruhigen, langsam absteigenden Akkorde des Klaviers erinnern irgendwie an etwas aus der Exposition, aber in einer ungenauen Umkehrung, während die Pauken alleine die kriegerisch-rhythmische Figur der codetta markieren. Diminuendo, rallentando, adagio: In einem glanzvollen neuen Ausbruch durchmustert das Solo vier Oktaven für sein Es-Dur-Arpeggio, das jedoch vom Orchester mit einem hohen dreigestrichenen g noch überboten wird. Mit diesen zwei explosiven sechstaktigen Phrasen findet das Werk seine selbst für Beethoven außergewöhnlich kraftvollen und zugleich ungewöhnlich bündigen Abschluß.

In einer 1905 posthum veröffentlichten Studie sprach George Grove von op. 73 als einem jener Werke, in denen „der Dichter, der Maler oder der Bildhauer nach allgemeiner Übereinstimmung den Gipfel seiner Kunst erreicht hat und für die nur das universelle Urteil des Beifalls gilt." Dennoch hatte J. Levin in einem Beitrag zum Beethoven-Heft der Zeitschrift *Die Musik* gerade ein Jahr zuvor von einem der

„in sich ungleichsten Werke des Meisters“ gesprochen; insbesondere empfand er das Finale als eine große „Enttäuschung“. Spätere Kritiker waren vorsichtiger mit ihren Erklärungen. Aber sofern sie überhaupt ein universelles Urteil zu fällen vermochten, liegt dies wahrscheinlich irgendwo zwischen den beiden Extremen aus der Zeit um die Jahrhundertwende. Das frühe 20. Jahrhundert mit seinem Interesse für alles Komplexe, Problematische und Kontrapunktische konnte auf die Unverblümtheit des Finales, in dem Kontrapunkt kaum vorkommt, insbesondere im Vergleich mit dem Finale von op. 58, nur mit Skepsis reagieren.

Ein Vergleich mit op. 58 muß jedoch zu der Erkenntnis führen, daß Beethoven ein ganz anderes Stück im Auge hatte, und zu dem Verdacht, daß er gewisse Aspekte des früheren Werkes bewußt in ihr Gegenteil verwandelte. Der erste Satz von op. 58, Beethovens subtilster Konzert-Essay, hat eine etwas bescheidenere Form; das psychologische Schwergewicht der Komposition liegt im Andante con moto. Das neuartige Finale bringt die Lösung auf Art eines stimmungsvollen Spiels. In op. 73 sind die Verbindungen tatsächlich unverblümter; sie haben zumeist den Charakter von Konfrontationen und Konflikten, die in dem weitläufigen, reichen ersten Satz triumphierende Lösungen finden. Das Adagio ist eine utopische Episode, und der letzte Satz bringt die Stimmung des ersten zurück. Während die Form des ersten Satzes von op. 58 zurückhaltend ist und die des letzten expansiv, ist die Lage in op. 73 umgekehrt. Das erste Allegro ist voll von Entwicklungsenergien und Neuigkeiten von Anfang bis Ende, während das Finale in dem Sinn beschränkt ist, daß es im Gegensatz zu op. 58 alles auf ein einziges Element setzt, nämlich das Rondothema.

Da nun die Strategie des Finales von op. 73 alles vom Thema abhängig macht, muß eben die tumultuöse Energie dieses Themas für alles herhalten, eben jene primitive, gestische, „etwas simple, lapidare“ Qualität, von der oben die Rede war (vgl. Beispiel 6). Kein anderes klassisches Rondothema beginnt forte, geschweige denn fortissimo; kein anderes klassisches Rondothema gebärdet sich auf so ausgezeichnete Weise (oder so unsingbar) idiomatisch für das Pianoforte in seinem Entwicklungsstand zu Beethovens Zeit. Ohne besondere Anlehnung an die traditionelle Klavier-Virtuosität bietet dieses unbeirrbare Finale hervorragende Musik für einen Virtuosen, einen Liszt. Und projiziert nicht die überschwengliche Energie des Finales auf seine Art jene Konzertqualitäten, die der Vorhang zum ersten Satz so großartig zur Schau stellte? Für die meisten Hörer heute, wie auch gestern, gilt Beethovens letztes Konzert als das erste echt moderne Exemplar der Gattung, ob sie sich nun in dieser Richtung ausdrücken oder nicht, und das Finale ragt als sein durchaus passender Höhepunkt heraus, sein modernstes Glied.

Joseph Kerman
Übersetzung: Alexander L. Ringer

Streichquartett Es-Dur „Harfenquartett" op. 74

ENTSTEHUNGSZEIT: Sommer/Herbst 1809.
ERSTAUFFÜHRUNG: unbekannt.
SKIZZEN: Deutsche Staatsbibliothek Berlin, Landsberg 5.
AUTOGRAPH: Verbleib unbekannt.
ERSTDRUCK UND WIDMUNG: Leipzig 1810 (Breitkopf & Härtel); dem Fürsten Franz Joseph v. Lobkowitz gewidmet.
GESAMTAUSGABE: Alte Gesamtausgabe: Nr. 46 = Serie 6 Nr. 10.

Von den 16 Streichquartetten ist das Es-Dur-Quartett op. 74 — chronologisch das zehnte — das in der Literatur am wenigsten behandelte. Ursache hierfür ist zum einen, daß der Komponist mit diesem Werk weder einen bedeutsamen Erstling (wie mit den Quartetten op. 18) noch eine stilistisch-formale Weiterentwicklung (wie in op. 59) noch ein gedankenschweres Spätwerk geschaffen hat, das weit in die Zukunft weist und als solches dem landläufigen Bild des alle Konventionen hinter sich lassenden „Titanen" entspricht. Zum anderen hat der „neue Ton" einer „lyrischen Emphase"[1], der das Quartett vom ersten Takt an durchzieht und der für Beethovens Werkgruppe zwischen op. 74 und op. 97 typisch werden sollte, viele Autoren allzu schnell von einem „freundlich-liebenswürdigen Stil"[2] oder einem „open, unproblematic, lucid work of consolidation"[3] sprechen lassen, auf das näher einzugehen sich jedenfalls weniger lohne als auf das nur ein Jahr später entstandene Schwesterwerk f-Moll op. 95, dessen — zudem wahrscheinlich intime biographische Ereignisse reflektierende — schroffe Grundhaltung und kühne Sprachlichkeit ganz offensichtlich alle Traditionen sprengte.

Blickt man jedoch im Hinblick auf Entstehung und chronologisch-biographischen Kontext und unter Bedachtnahme auf die musiksprachlich-semantischen Hinweise des Komponisten sowie auch nach autonom musikalischen (analytischen) Gesichtspunkten genauer auf das Es-Dur-Quartett, so stellt sich uns das Werk als zutiefst persönliche, weitgehend von negativen, ja schmerzhaften Affekten geprägte Botschaft dar, als welche sie bereits die Leipziger *Allgemeine musikalische Zeitung* vom 22. Mai 1811 (Sp. 349f.) ansprach. Der (uns unbekannte) Rezensent, der die Musiksprache seiner Zeit offenkundig auch in ihrer semantischen Dimension bestens verstand, verglich das Es-Dur-Quartett mit dem „düstern Geist" der Vorgänger-Werke op. 59, befand es als „mehr ernst als heiter, mehr tief und kunstreich als gefällig und ansprechend" und meinte auch, daß es, „wie jedes geniale Werk, an dem Hörer eine gewisse Gewalt" ausübe: „doch nicht gerade — um ihn viel zu liebkosen."

Die Entstehung des Quartetts op. 74 scheint weitgehend im Sommer und Herbst des Jahres 1809 stattgefunden zu haben, wie die Stellung der Entwürfe im chronolo-

1 C. Dahlhaus, *Ludwig van Beethoven und seine Zeit,* S. 246.
2 H. Goldschmidt, *Beethoven. Werkeinführungen,* S. 147.
3 J. Kerman, *The Beethoven Quartets,* S. 156.

gischen Verband der übrigen Skizzen erkennen läßt[1]; der 1. Satz könnte sogar „schon vor der Kriegszeit begonnen" worden sein, also vor dem 9. April, dem Tag der Kriegserklärung Österreichs an Frankreich, bzw. dem 10. Mai, als französische Truppen Wien erreichten. Jedenfalls vermeldete Beethoven am 19. Oktober dem Leipziger Verlag Breitkopf & Härtel: „Nächstens über Quartetten, die ich schreibe" und kündigte damit sogar mehrere Werke dieser Gattung an; vielleicht waren drei wie bei op. 59 geplant, doch blieb es bei dieser einen Komposition, die am 4. Februar 1810 endgültig dem Verlag offeriert wurde. Nach der Chronologie der Skizzen arbeitete Beethoven damals gleichzeitig noch das Klavierkonzert Es-Dur op. 73 und die *Les Adieux*-Sonate Es-Dur op. 81a aus, doch auch die Lieder „An den fernen Geliebten", „Der Zufriedene", „Lied aus der Ferne" und „Der Jüngling in der Fremde", die Fantasie op. 77 sowie die Sonaten Fis-Dur und G-Dur op. 78 und 79 fallen in diese Zeit. Psychischen Auftrieb hatte der Komponist damals wohl durch den zum 1. März 1809 abgeschlossenen Vertrag mit Erzherzog Rudolph, Fürst Lobkowitz und Fürst Kinsky erhalten, der ihm eine jährliche Apanage von 4000 Gulden zusicherte und daher zunächst ein sorgenfreies Leben zu garantieren schien. Und schließlich hatte der Komponist damals gerade Therese Malfatti kennengelernt, zu der er in allerdings wenig erwiderter Liebe entbrannte und die dann im Frühjahr 1810 seinen Heiratsantrag ablehnen sollte.

Noch ein Werk wird uns Hinweise auf das zu betrachtende Es-Dur-Quartett geben: die Bühnenmusik zu Goethes *Egmont*, an welcher Beethoven Oktober 1809 zu arbeiten begann. Eine später verworfene Skizze zu Klärchens Lied „Freudvoll und leidvoll" ähnelt nämlich in Motivik und Gesamtkonzeption[2] deutlich dem Variationenthema des Quartett-Finales, womit ein interessanter inhaltlicher Bezug zu des Komponisten eigener biographischer Situation sehnsüchtiger Liebeswerbung gegeben ist. Die Verwandtschaft des Finalthemas zur früher niedergeschriebenen Introduktion des Quartetts läßt es nämlich als sicher erscheinen, daß es vorher existierte und dann seiner semantischen Prägung wegen den Entwürfen zu Klärchens Lied Pate stand.

Zwei weitere biographische Gegebenheiten erscheinen mit Blickrichtung auf das Quartett von hohem Interesse: zunächst einmal die damalige Beschäftigung Beethovens mit Johann Georg Albrechtsbergers *Gründlicher Anweisung zur Komposition*, die ihn nicht zuletzt auch an seine Studien bei jenem Meister im Jahre 1794 erinnert haben mag; finden sich doch im Skizzenbuch des Jahres 1809 mitten zwischen eigenen Entwürfen „abgeschriebene Beispiele" aus jenem Lehrbuch[3] — einen Nachhall jener Kontrapunkt-Studien haben wir in der Polyphonie des Trios aus dem 3. Satz vor uns. Und gerade für dieses Trio wichtig erweist sich auch eine Begebenheit, die uns durch Carl Czerny überliefert ist: „Manchmal wählte er die belanglosesten und plattesten Stellen zum Improvisieren. Im Jahre 1808 oder 1809 kam der alte Pleyel nach Wien und brachte sein neuestes Streichquartett mit, welches er vor dem Prinzen Lobkowitz aufführte. Beethoven war auch da und wurde schließlich gebeten, etwas zu spielen. Wie gewöhnlich ließ er sich lange bitten und sich endlich von

1 Vgl. G. Nottebohm, *Zweite Beethoveniana,* S. 91—95, 255—275.
2 Vgl. ebenda, S. 559.
3 Ebenda, S. 266.

den Damen ans Klavier zerren. Er wird zornig, ergreift eine der Stimmen von Pleyels Quartett — zufällig war es die der 2. Violine — wirft sie beliebig geöffnet aufs Pult und beginnt zu improvisieren. Niemals hatte man von ihm etwas so Geistvolles, so Bezauberndes, so Kunstreiches gehört: aber in der Mitte seiner Phantasie konnte man deutlich einen belanglosen Lauf aus der Violinstimme hören, wie sie zufällig da lag. Er hatte seine ganze schöne Improvisation auf diesem Lauf aufgebaut."[1] Den „belanglosen Lauf" vermeinen wir deutlich im „Rondeau"-Finale des G-Dur-Quartetts op. 8, Nr. 2 von Ignaz Pleyel zu sehen, wo er Takt 63ff. in der 2. Violine geradezu penetrant auftaucht und auch im weiteren Verlauf des Satzes die Rolle einer immer wiederkehrenden kontrapunktischen Floskel einnimmt — er prägt das ebenfalls kraftvoll zur Oberterz aufsteigende und dann abfallende Eröffnungsmotiv des Trios im Quartett op. 74, das dann kunstvolle kontrapunktische Behandlungen à la Albrechtsberger erfährt. Die von Czerny erzählte Szene spielte sich zudem im Hause jenes Fürsten Franz Joseph von Lobkowitz ab, dem Beethoven das Es-Dur-Quartett bei der Drucklegung widmete und in dessen Haus wohl auch die private Uraufführung stattfand — ein nicht datierter Brief Beethovens an Nikolaus von Zmeskall vom Herbst 1809 jedenfalls spricht von einer Quartettprobe „bei Lobkowitz [...] Seine Durchlaucht, die zwar meistens mit ihrem Verstande abwesend, sind noch nicht da — kommen Sie also". Daß Beethoven Fürst Lobkowitz mit Hilfe von Anklängen an seine seinerzeitige Pleyel-Improvisation an jene Begebenheit erinnern und dabei wohl auch noch einmal nachhaltig seine überlegene Kunst dokumentieren wollte, erscheint angesichts anderer, durchaus weitgehenderer historisch-biographischer Verwebungen in seine Werke[2] gleichermaßen möglich wie plausibel. Von Interesse ist dabei noch, daß auch ein zweiter wesentlicher Gedanke des Es-Dur-Quartetts, nämlich über mehr als zwei Oktaven sich erstreckende Dreiklangszerlegungen in kurzen Notenwerten, in Pleyels Werk vorgebildet erscheint.

Der schon angedeutete Grundcharakter des Es-Dur-Quartetts wird auch durch den Tonartenplan umrissen: 1. Satz Es-Dur, 2. Satz As-Dur, 3. Satz c-Moll, 4. Satz Es-Dur. Die Grundtonart, der Beethoven im Jahre 1809 in erhöhtem Maße anhing (op. 73, op. 74, op. 81a), prägt nicht nur die tragisch durchpulste *Lebewohl*-Sonate, sondern zum Beispiel auch die *Eroica*, das „Melodram" aus der Bühnenmusik zum *Egmont*, das „Per pietà" aus „Ah! perfido", *Wellingtons Sieg* (Beginn mit den Trommeln auf der „französischen Seite") sowie die Lieder „Seufzer eines Ungeliebten", „Gedenke mein", „Als die Geliebte sich trennen wollte", „Nur wer die Sehnsucht kennt" (3. Vertonung) oder „Des Kriegers Abschied"; es handelt sich dabei durchweg um Stücke mit schmerzvollem Hauptaffekt, vornehmlich auf den Gebieten von Kampf oder Liebe. Noch düsterer erscheint As-Dur, Christian Friedrich Daniel Schubarts „Gräberton"[3]: Beethoven verwendet diese Tonart unter anderem in Florestans wehmütigem Rezitativ „Gott! welch Dunkel hier!", in Christus „So ruhe denn mit ganzer Schwere" oder in der Arietta „In questa tomba oscura". C-Moll schließlich muß wohl kaum charakterlich umrissen werden, zu bekannt scheint die Affektlage dieser Klangwelt, der Schubart die „Klage der unglücklichen Liebe" zu-

1 C. Czerny, *Erinnerungen aus meinem Leben*, S. 45f.
2 Vgl. H. Krones, *„...er habe ihm seine Liebesgeschichte in Musik setzen wollen"*, S. 595ff.
3 Chr. Fr. D. Schubart, *Ideen zu einer Ästhetik der Tonkunst*, S. 378.

ordnete und Beethoven die *Pathétique* op. 13 oder die Christus-Arie „Meine Seele ist erschüttert“ anvertraute. — Der Komponist zeigt sich also auch in seinem Es-Dur-Quartett der damals üblichen und allgemein verwendeten (und daher auch verstandenen) Tonartencharakteristik verpflichtet[1], die uns heute so wertvolle Hinweise zur inhaltlichen Sphäre der Werke jener Zeit zu geben imstande ist.

Mit dem Tonartenbefund stimmen die Ausdrucksbezirke der Intervalle und Grundmotive überein, die das thematische Geschehen der vier Sätze in erster Linie prägen: Sextsprung, Halbton und Dreiklang. Ersterer, der oft auch deutlich in einer Umkehrungsfunktion des aufgefächerten Dreiklangs, also als gleichsam rudimentärer Sextakkord, auftaucht, besitzt als musikalisch-rhetorische Figur der Exclamatio in seiner aufsteigenden Form die Funktion eines Aufschreies bzw. Rufes, absteigend weist er häufig auf Ergebung in das Schicksal, Trauer oder Klage hin. Und der Sextsprung begegnet uns (absteigend) sofort als Kopf des Eröffnungsmotivs der Introduktion zum 1. Satz, durchzieht in seinen beiden Erscheinungsformen das Hauptthema des anschließenden Allegros, reißt (in der 2. Violine) den 2. Satz an, ehe sich der Halbton als das wichtigere Intervall profiliert, und ist auch im Variationenthema des Finales als Gegenpol zur sonstigen Klein-Intervallik präsent.

Der Halbton folgt in der Introduktion des 1. Satzes dem Sextsprung sofort auf dem Fuß, verdichtet sich dort bald zur chromatischen Kette, die in das Allegro drängt, durchzieht auch die kantablen Gedanken des Hauptteils in mannigfacher Form und erscheint dann im 2. Satz vollends als Zentralintervall, als inhaltlich wie musikalisch das Geschehen bestimmender „Seufzer“. Im 3. Satz ist er neben dem Dreiklang das wichtigste Element und wird in den dramatischen Fortführungen in beharrlich pochender Form unentwegt wiederholt; in einer ersten Skizze zu diesem[2] hatte er sogar noch höhere Bedeutung (was allerdings zu einer gewissen, von Beethoven wohlweislich verworfenen Eintönigkeit geführt hätte). Und im Thema des Finales verdichtet sich eine Koppelung von Halbtönen vollends zum „chromatischen Quartfall“, zu jener Sonderform des Passus duriusculus, die seit den Tagen des frühen Barock das Schmerzsymbol par excellence war und gerade auch von Haydn, Mozart und Beethoven immer wieder in einschlägiger Form verwendet wurde.

Der Dreiklang schließlich, oft Symbol für Kampf oder Auflehnung gegen das Schicksal, erscheint im Eröffnungsmotiv der Introduktion angesprochen (wenngleich das im Sinne einer Zerlegung erwartete b' durch das schmerzhafte des'' ersetzt wird), stellt das Hauptmotiv des Allegro-Hauptsatzes dar und taucht als solches auch unentwegt in Form von dramatischen Pizzicati auf, gibt den Rahmen zum (von einem Seufzer gleichermaßen kantabel wie elegisch erweiterten) ersten Zwischensatz des Adagios (2. Satz), ist im Scherzo-Presto wieder Basis des Hauptthemas und verleiht auch dem Variationenthema des Finales die entscheidende Eckton-Struktur — die ersten vier Töne dieses Gebildes ergeben krebsgängig die „erwartete“ glatte Form des Introduktionsmotivs: 4. Satz b'—as'—g'—es'', 1. Satz es''—g'—as'—(b') des''. Nachdem auch der hohe Ausdrucksanteil der Punktierung sowie der Suspiratio-Pause beiden Gebilden eigen ist, muß Beethovens Wille zu bogenförmiger Gesamtsicht des Zyklus als sicher gelten — eine Gesamtsicht, deren Grundaf-

1 Vgl. H. Krones, *Vier Opern — Ein Vokabular,* S. 339f.
2 Vgl. G. Nottebohm, *Zweite Beethoveniana,* S. 93.

fekt im semantischen Bezirk des „Freudvoll und leidvoll, gedankenvoll sein, langen und bangen in schwebender Pein [...]“ anzusiedeln ist (siehe oben) und deren (sukzessiver) Inhalt durchaus die Bezirke des „Ernsthaften, fast Finsteren“ (Introduktion), der ernst beginnenden, dann auch launig kontrastierenden „freyen Phantasie“ (Allegro), des „dunklen Nachtstücks“ (2. Satz), eines „rauhen, wilden Muthes“ (3. Satz) sowie „tiefer und origineller“ Abrundung der Gesamtsicht umfaßt, wie sie die frühe Rezension der Leipziger *Allgemeinen musikalischen Zeitung* (1811) mit dem Verständnis zeitgenössischer Betrachtung in Worte faßt. (Aus diesem Affektgang ohne konkrete biographische Hinweise eine programmatische Bezogenheit des Werkes auf Shakespeares *Romeo und Julia* abzuleiten, wie dies Arnold Schering versuchte[1], ist allerdings mehr als problematisch.)

Das Hauptmotiv der Introduktion erscheint noch unter einem weiteren Aspekt interessant. Die vier Noten es—g—as—des ergeben, anders gereiht, eine ähnliche „viertönige Struktur“, wie sie „ein gemeinsames Merkmal der opera 132, 130, 133 und 131 bildet“[2]; motivische Konstante ist dabei das Prinzip von großem Sprung und anschließender stufenweiser Gegenbewegung, eine Stimmführungsregel im Kontrapunkt — das Nacheinander von Ausruf (Exclamatio) und anschließendem Seufzer wird von Beethoven also gleichsam aus dem strengen Satz heraus legitimiert.

Jene Umformung der viertönigen Struktur als Beginn der absteigenden Moll-Skala, die sich insbesondere im cis-Moll-Quartett op. 131 konstituiert (cis—his—a—gis), war im übrigen laut den erhaltenen Skizzen als zweites Trio-Thema des Quartetts vorgesehen (c’’—h’—as’—g’), und dementsprechend hätte der bewegte Kontrapunkt aus einer absteigenden Linie in Viertelnoten bestanden. Bereits damals plante Beethoven also eine freie Nachempfindung der alten, 1794 bei Albrechtsberger geübten Form der Choralfuge, in welcher „das Fugenthema durch Verkleinerung, Verzierung etc.“ des zweiten, choralartigen Themas gewonnen wurde.[3] Es konnte ihn dann nur ein triftiger äußerer Grund dazu bewegen, die thematische Einheit mit dem Stirnsatz aufzugeben, eben jene Begegnung mit Pleyels „belanglosem“ Lauf. Daß der aus dessen Augmentierung gewonnene zweite Gedanke (c—d—e—d—h—d—e—d—h) in seinem Beginn deutlich an Joseph Haydns *Kaiserhymne* anklingt, kann angesichts der politischen Ereignisse, die Kaiser Franz I. als Anführer der Allianz gegen Napoleon sahen, ein durchaus gewollter Effekt gewesen sein. Ob die Ähnlichkeit des dritten Motivs des Trios, das zuerst in der 2. Violine auftaucht und aus abwechselnden abwärtsführenden Schritten und aufwärtsführenden Quartsprüngen besteht, mit dem ersten der von Albrechtsberger unserem Meister zur Verarbeitung übergebenen Choräle ebenfalls ein bewußter Anklang sein sollte, mag dahingestellt bleiben; denkbar wäre auch das.

Das Viertonmotiv der Introduktion endet mit einer in subdominantische Bezirke weisenden Frage (Figur der Interrogatio), an die sich, als ob man auf eine Antwort lauschte, eine breite Pause anschließt. Dieser Motivkern kehrt nun immer wieder, er „fragt unausgesetzt, die melodische Geste nützend, die später im Thema dem

1 Vgl. A. Schering, *Beethoven in neuer Deutung,* S. 16—22.
2 C. Dahlhaus, *Ludwig van Beethoven und seine Zeit,* S. 272.
3 G. Nottebohm, *Beethoven’s Studien,* S. 112f.

Es-Dur-Dreiklang antworten wird“[1], und durchzieht insbesondere das Violoncello mit seiner (intervallisch noch gesteigerten) Intensität. Seine hohe „Sprachlichkeit“ wurde im übrigen inhaltlich sowohl als ein „wehmuthvolles Rückerinnern, durch ein ‚Denkest du mein?‘ zu verdeutlichen“[2] als auch als „a sort of ‚Muß es sein‘ or (better) ‚Möchte es sein?‘“ erklärt.[3] Ersteres, durch motivische Verwandtschaft mit dem Lied „Andenken“ („Ich denke dein“) WoO 136 bzw. im speziellen mit der Musik zur Textstelle „wann denkst du mein?“ gestützt, würde auch unseren bisherigen Befunden entsprechen, wenngleich man hier immer die gebührende Vorsicht walten lassen sollte. — Auch die weiteren Gedanken der Introduktion finden sich, erweitert und intensiviert, im Hauptteil an strukturell gleicher Stelle wieder: das Takt 4 anhebende Akkordgeschiebe, die als Kyklosis-Umspielung angelegte Figuration Takt 9 sowie die mit einem Drei-Achtelnoten-Auftakt anhebende Espressivo-Linie Takt 11f., deren Rhythmus sowohl diesen Satz als auch das Presto noch in mannigfacher Weise prägen und später außerdem unmißverständlich auf die Initial-Schläge der 5. Symphonie weisen wird. Durchführungsartig strebt das Geschehen sodann in den Hauptteil.

Dessen Hauptthema stellt nun in für Beethoven typischer Form „zwei Prinzipe“ gegeneinander[4], die das gesamte folgende Geschehen durchziehen: den im Staccato aufsteigenden Es-Dur-Dreiklang und eine kantable Fortspinnung, die das Eröffnungsmotiv der Introduktion erweitert. Ersterem gewinnt der Komponist bald jene Pizzicato-Effekte ab, auf Grund derer „in späteren Jahren die liebe Einfalt diesem Werke den Beinamen ‚Harfen-Quartett‘ beigelegt hat“[5]; ihre semantische Eingrenzung erscheint angesichts der unterschiedlichen Verwendung des Pizzicatos durch Beethoven kaum möglich[6], doch könnten die Zusammenfassung von je vier Tönen zu einem Septakkord sowie die in den Violinen in drängender Reperkussion erfolgende Ausprägung eines Kyklosis-Motivs gesteigerte Sehnsuchts-Affekte vermuten lassen.

Ein „Seitenthema“ in seiner engen späteren Bedeutung gibt es angesichts der damaligen Sicht der Sonatenhauptsatzform als „Drama“ mit einem einzigen Grundthema, dessen verschiedene Ausprägungen nun die zwei (!) Teile der Grundform gestalten, nicht. Vielmehr treten ein von der Introduktion abgeleitetes Akkordgeschiebe, eine Variante des Viertonmotivs, der Drei-Achtelnoten-Schlag, eine von der Kyklosis (Kreis-Umspielung, oft als Symbol für Umarmung, aber auch für Rundes bzw. Schönes verwendet) bestimmte Figurationskette sowie eine Weiterführung des kantablen „zweiten Prinzips“ nacheinander auf. Die verschiedensten Autoren haben hier jeweils einen anderen Gedanken als „das“ Seitenthema bezeichnet, ohne den prinzipiellen Reihungscharakter der Form zu erkennen, deren eigentliche Bestimmung inhaltlicher bzw. rhetorischer Natur ist.[7] Wichtiger als (zweifelhafte) thematische Abgrenzungen erscheint jedenfalls die tonale Fixierung Takt 50 bzw. 52 auf B-Dur, womit auch die formale Zäsur gegeben ist. Im übrigen entspricht die

---

1 P. Gülke, *Introduktion als Widerspruch im System,* S. 368.
2 A. B. Marx, *Ludwig van Beethoven,* Bd. II (⁴1884), S. 423.
3 J. Kerman, *The Beethoven Quartets,* S. 158.
4 Vgl. A. Schmitz, *Beethovens „Zwei Prinzipe“,* passim.
5 A. Schindler, *Biographie* (1977), S. 201.
6 Vgl. A. Schering, *Die Symbolik des Pizzikatos bei Beethoven,* passim.
7 Vgl. H. Krones, *Rhetorik und rhetorische Symbolik,* S. 124ff.

Bedeutung der Kyklosis-Figur ihrer Plazierung in der Introduktion sowie sämtlichen inhaltlichen Bestimmungen des Werkes. — Auch die „Schlußgruppe“ stellt eine Ableitung aus der analogen Introduktions-Motivik mit ihrer Drei-Achtelnoten-Folge sowie ihrer seufzerhaften Fortführung samt „Suspiratio“-Pause dar.

Entsprechend dem bisher Gesagten beschränken sich die Verarbeitungen der „Durchführung“ (Beginn des 2. Teils) auf die Elemente des Hauptthemas, zerteilen diese in immer kleinere Fragmente und verdichten sich schließlich in ein punktiertes Motiv, ehe eine klangliche Ausbreitung von B-Dur die „Reprise“ initiiert. Eine noch einmal kunstvoll mit Elementen des Hauptthemas arbeitende „Coda“ rundet die Form mit erneuter flächiger Auffächerung ab.

Als ein gleichsam unendlicher Gesang von zarter, doch immer elegisch getönter Stimmungswelt stellt sich der 2. Satz dar, dessen sämtliche Gedanken von Seufzern durchdrungen erscheinen. Das Hauptthema der sechsteiligen Rondoform, das zweimal deutlich variiert wiederkehrt, ist dabei von Schrittbewegungen geprägt, der erste Zwischensatz (in as-Moll) zusätzlich Dreiklangszerlegungen verpflichtet. Mit einer Des-Dur-Kantilene samt kanonischen Führungen tritt der zweite Zwischensatz vor uns hin, die Gesanglichkeit der Szene noch zusätzlich steigernd, bis sich das Geschehen in einer Schein-Reprise des Hauptteils (in as-Moll) geradezu obsessiv dem Seufzer hingibt und erst nach einigen Dramatisierungen in die As-Dur-Welt zurückfindet. Nach zarten Umspielungen des Hauptthemas scheint sich (als Coda) noch einmal der düstere erste Zwischensatz zu behaupten, doch zerfällt die Entwicklung immer mehr in kleine Motivpartikel und endet schließlich mit schmerzlicher „morendo“-Gebärde.

Neben den schon erwähnten Elementen von Drei-Achtelnoten-Auftakt, Dreiklangszerlegung und Halbton fällt im an dritter Stelle stehenden Presto noch die häufige Berührung der „neapolitanischen“ Sphäre (hier Des-Dur) auf, die, wie jüngst statistisch nachgewiesen wurde, bei Beethoven nahezu immer die semantischen Felder von Tod oder Todessehnsucht (auch auf Grund unglücklicher Liebe) abdeckt[1]; die ab Takt 45 immer häufiger auftretenden Seufzer-Figuren sowie das gegen Ende stark pausendurchfurchte Geschehen unterstreichen diese Ausrichtung zusätzlich. Nach jenem schon mehrfach berührten kontrapunktisch gebauten und Pleyel-Anklänge verarbeitenden Trio, nach Scherzo-Wiederholung und erneutem Trio-Einschub läßt die letzte Scherzo-Reprise eine groß dimensionierte Coda folgen, in welcher die perpetuierte Bewegung sukzessive in tiefen Lagen verklingt und „eine ähnliche Düsternis wie beim Übergang vom Scherzo zum Finale der 5. Symphonie“ hervorruft[2], bis die Bewegung auf dem Quintsextakkord der V. Stufe von Es-Dur stehenbleibt.

Attacca setzt nun das Thema des Finales ein, das neben den erwähnten Anklängen an erste Skizzen zu Klärchens Lied „Freudvoll und leidvoll“ noch eine auf derselben Motiv-Konstellation beruhende Verwandtschaft zum 1. Satz der *Les Adieux*-Sonate op. 81a aufweist. Die Unentschiedenheit der Gefühlslage spiegelt sich in der „scheinbaren Verwechslung der leichten und schweren Taktteile“ wider[3], die unse-

1 Vgl. M. Bálint, *Die Bedeutung des Neapolitanischen Sextakkordes,* passim.
3 A. Wallis, *Beethovens Streichquartette,* S. 55.
3 P. Bekker, *Beethoven* ([2]1912), S. 511.

res Erachtens allerdings kaum „humoristisch pointiert“ erscheint, sondern vielmehr als „fortgesetzte Antizipation der Harmonien der schweren Zeit auf die vorausgehenden Auftakte“[1] für innere Unruhe und — speziell im sforzato-durchsetzten zweiten Abschnitt des Themas — akzentuierte Schärfe sorgt. Durch die sofortige Einbringung der subdominantischen Sphäre (im zweiten Akkord) zieht der Hauptgedanke zudem einen Bogen zur Introduktion, die ja auch sofort nach As-Dur wies. — Die folgenden sechs Variationen verarbeiten das Thema, das im Sinne der „barocken Doppelgerüst-Technik“ Melodie und Baßlinie als gleichberechtigt ansieht und „beide gemeinsam zur Grundlage der Komposition“ macht[2], in unterschiedlichster Form; in der mehrteiligen 6. Variation gewinnt Beethoven dem Thema sogar noch eine Facette ab, deren Pendelmelodik auf das Finale des Liederkreises *An die ferne Geliebte* op. 98 weist[3] und somit eine weitere inhaltliche Verdeutlichung des Finales bzw. des gesamten Werkes darstellt. Eine Allegro-Stretta, die aus der Melodie analog der 3. Variation noch einmal eine Kyklosis-Kette entstehen läßt, schließt das Werk mit einer letzten Intensivierung.

Hartmut Krones

6 Klavierlieder op. 75 (zusammen mit „Neue Liebe, neues Leben“ WoO 127)

GEDICHTE: Nr. 1 „Mignon“, Nr. 2 „Neue Liebe, neues Leben“ und Nr. 3 „Aus Goethes Faust“ (J. W. v. Goethe), Nr. 4 „Gretels Warnung“ (G. A. v. Halem), Nr. 5 „An den fernen Geliebten“ und Nr. 6 „Der Zufriedene“ (Chr. L. Reissig)
ENTSTEHUNGSZEIT: 1809 (Nr. 2, 3 und 4 sind Umarbeitungen älterer Kompositionen); WoO 127 (1. Fassung von Nr. 2): 1798—1799.
ERSTAUFFÜHRUNG: op. 75 und WoO 127: unbekannt.
SKIZZEN: zu Nr. 1: Beethoven-Haus Bonn, BH 102 und Mh 79; Gesellschaft der Musikfreunde Wien, A 41; zu Nr. 2: unbekannt; zu Nr. 3 (aus den Jahren 1790—1793): Staatsbibliothek Preußischer Kulturbesitz Berlin, aut. 28, Skizzenbuch Fischhof; British Library London, Add. Ms 29801, Kafka Sketchbook; Beethoven-Haus Bonn, BH 114; zu Nr. 3 (aus dem Jahr 1809): Privatbesitz; zu Nr. 4: unbekannt; zu Nr. 5 und Nr. 6: Deutsche Staatsbibliothek Berlin, Landsberg 5; zu WoO 127: Deutsche Staatsbibliothek Berlin, Grasnick 1; vollständiger Entwurf der Singstimme auf einem heute zerteilten Doppelblatt, von dem sich die eine Hälfte in Privatbesitz, die andere im Verlagsarchiv Schott befindet.
AUTOGRAPH: zu Nr. 1: nicht erhalten (Hauptquelle ist eine von Beethoven korrigierte Abschrift: Beethoven-Haus Bonn, NE 158); zu Nr. 2: Beethoven-Haus Bonn, Mh 34; zu Nr. 3: Privatbesitz (nicht zugänglich); zu Nr. 4: nicht erhalten (von Beethoven korrigierte Abschrift einer älteren Version: Gesellschaft der Musikfreunde Wien, A 29); zu Nr. 5: Deutsche Staatsbibliothek Berlin, Artaria 173; zu Nr. 6: Zentrales Staatsarchiv Moskau (erste Niederschrift), Deutsche Staatsbibliothek Berlin, Artaria 173 (Reinschrift); zu WoO 127: nicht erhalten.
ERSTDRUCK UND WIDMUNG: op. 75: London 1810 (Clementi) und Leipzig 1810 (Breitkopf & Härtel); WoO 127: Bonn 1808 (N. Simrock); op. 75 ist der Fürstin Caroline Kinsky gewidmet.

1 H. Riemann, *Beethoven's Streichquartette,* S. 88f.
2 R. Flotzinger, *Die barocke Doppelgerüst-Technik,* S. 166.
3 Vgl. J. Kerman, *The Beethoven Quartets,* S. 167.

GESAMTAUSGABEN: op. 75: Alte Gesamtausgabe: Nr. 219 = Serie 23 Nr. 5; Neue Gesamtausgabe: Abt. XII, Bd. 1; WoO 127: Supplemente zur Alten Gesamtausgabe, Bd. 5, Nr. 8; Neue Gesamtausgabe: Abt. XII, Bd. 1.

Opus 75 ist die letzte Liedersammlung Beethovens, deren Inhalt gleichsam wahllos zusammengestellt wurde. Ohne Disposition und auch noch ohne den Gedanken, daß ein Bezug zwischen den Stücken sinnvoll sein könnte, wurden hier einfach diejenigen Kompositionen vereinigt, die Beethoven 1809 gerade „vorrätig" hatte. Bezeichnenderweise forderte er im August 1810, kurz vor der Veröffentlichung, seinen deutschen Verleger (Härtel) auf, ihm mitzuteilen, welche Lieder er bereits erhalten habe, da er selbst es nicht mehr wisse. Und noch Mitte Oktober, unmittelbar vor dem Erscheinen der Ausgabe, schlägt er Härtel vor, das bereits einzeln veröffentlichte Lied „Andenken" (WoO 136) „zu dieser Sammlung hinzutun".[1] Tatsächlich hätte es besser in die Reihe gepaßt als etwa „Gretels Warnung". Vielleicht ist damals die Idee entstanden, Sammeldrucke — auch für Gelegenheitskompositionen, wie es Lieder weiterhin waren — hinfort nicht mehr derart beliebig zusammenzuwürfeln. Jedenfalls tat Beethoven es bei den folgenden Sammlungen op. 82 und op. 83 nicht mehr. (Bei Schubert war die Idee des Bezugs zwischen zusammen veröffentlichten Liedern von vornherein präsent.)

Drei sehr gewichtige Kompositionen, nicht zufällig auf Texte von Goethe, stehen am Anfang: Mignons „Kennst du das Land", „Neue Liebe, neues Leben" und Mephistos Flohlied „Aus Goethes Faust"; dann eine kleine, recht banale Komposition auf einen ebenso banalen Text von einem älteren Autor, Gerhard Anton von Halem: „Gretels Warnung"; schließlich zwei Lieder zu Gedichten aus den *Blümchen der Einsamkeit* des in Wien lebenden und mit Beethoven persönlich bekannten Christian Ludwig Reissig — kein inhaltlicher, kein geplanter Zusammenhang, aber dennoch besteht ein Rahmen, der sogar sehr markant ist: Die Sammlung bildet nämlich eine Art „Kompendium". Wenn man die Reihenfolge der Stücke verändert, dann beginnt das Opus beim anspruchslosen „Lied" des 18. Jahrhunderts („Gretels Warnung") und führt über zwei weitere Strophenlieder auf zeitgenössische Texte (Reissig-Vertonungen) und zwei variierte Strophenlieder, von denen das eine eine Ballade ist („Es war einmal ein König"), zum durchkomponierten, zum „Kunstlied" („Neue Liebe, neues Leben"), das nicht nur das entwicklungsgeschichtliche Ziel, sondern hier auch den ästhetischen Höhepunkt bildet.

Zwischen diesen beiden Polen, dem Gedicht mit Musik und dem durchkomponierten „Gesang", spielt sich Beethovens Liedschaffen ab. Daß die Bandbreite des Schaffens in der Sammlung dokumentiert wird, ist durchaus nicht zufällig; es gehörte zum Programm der Liederdrucke älterer Art. (Auch op. 52, Beethovens erste Sammlung, ist in diesem Sinn ein Kompendium.) Nur durch diesen Rahmen einer quasi repräsentativen Zusammenstellung ist es auch zu erklären, daß Beethoven die Kompositionen in seine „Werke" einreihte, ihnen eine Opusnummer gab. In den englischen Originalausgaben erschienen die sechs Lieder nicht als Sammlung, sondern einzeln, folglich ohne Opuszahl. (Das sechste Lied der Reihe war hier übrigens

1 E. Kastner / J. Kapp, *Ludwig van Beethovens sämtliche Briefe,* S. 182.

tatsächlich „Andenken“, allerdings trat es nicht an die Stelle von „Gretels Warnung“, sondern an die des letzten Liedes „Der Zufriedene“.) Daß die Stücke nicht in der Reihenfolge vom einfachsten (Strophenlied) zum kunstvollsten (durchkomponierten Gesang) angeordnet sind, mag verkaufstechnische und auch chronologische Gründe haben; aber es ist ebenfalls repräsentativ, denn auch Beethovens Schaffen hat diesen Gang nicht genommen, sondern pendelt zwischen „Lied“ und „Gesang“ wie zwischen verschiedenen Gattungen hin und her — von Anfang an, hier in der Mitte und bis zuletzt.

„Gretels Warnung“ ist zwar das älteste Lied der Sammlung; in einer ersten Fassung entstand es bereits 1795.[1] Aber gleichzeitig oder wenig später komponierte Beethoven unter anderem auch „Adelaide“, ein durchkomponiertes, ein Kunstlied, obendrein eines der bedeutendsten aus seiner Feder. Die frühe Entstehungszeit von „Gretels Warnung“ besagt also nichts — weder für Anlage und Charakter der Komposition noch für deren Qualität. Weshalb Beethoven das Stück nicht in seine erste Sammlung (op. 52) aufnahm, ist nicht bekannt. Ebenso wenig weiß man, durch welchen Zufall es ihm 1809 wieder in die Hände fiel. Damals hat er es für den Druck gründlich überarbeitet. Dabei hat er die Singstimme kaum verändert; nur die Schlußsequenz wurde gerafft. Revidiert wurde (wie meistens) vor allem der Klavierpart, was ihm durchaus zugute gekommen ist.[2] Die *Allgemeine musikalische Zeitung* warb Anfang Oktober 1810 mit einem Vorabdruck von „Gretels Warnung“ für das neue Verlagsprodukt. Sie pries Beethovens op. 75 als „Sammlung, meistens höchst origineller und trefflicher *Lieder*“, bezeichnete das gewählte Beispiel jedoch als „keines der vorzüglichsten“, sondern nur als „eins der kürzesten“.[3]

Unter dem Gesichtspunkt der Kürze hätten sich die beiden Reissig-Lieder „An den fernen Geliebten“ und „Der Zufriedene“ für den Vorabdruck noch eher angeboten, denn sie umfassen nur 10 bzw. 15 Takte. Aber möglicherweise erschienen sie dem Redakteur noch weniger „vortrefflich“. Dabei stammen sie nun vollständig aus dem Jahr 1809. Wiederum stellt sich die Frage, weshalb Beethoven sie nicht in anderem Rahmen veröffentlichte, nämlich zusammen mit den drei anderen Reissig-Vertonungen, die er in diesem Jahr schrieb: „Gesang aus der Ferne“, „Der Jüngling in der Fremde“ und „Der Liebende“ (WoO 137—139). Am gewichtigsten stellt sich diese Frage jedoch bei den Goethe-Liedern, denn der Abstand zwischen ihnen und den drei letzten Stücken ist, selbst für ein Kompendium, sehr groß. Aber vor allem hätte es so nahe gelegen, sie mit den Goethe-Liedern op. 83 zusammenzufassen, die im Sommer 1810, zur Zeit der Drucklegung von op. 75, wohl bereits weitgehend fertiggestellt waren.

„Kennst du das Land“ und „Es war einmal ein König“ sind ebenfalls Strophenlieder; nur die jeweils dritte Strophe weicht von den beiden vorausgehenden ab. In Mignons Lied ist die Strophenform durch die identische Anlage, besonders durch die refrainartigen Schlußverse im Text vorgegeben. In Mephistos „Flohlied“ ist sie es dagegen nur durch die Gattung (Ballade). Der musikalische Refrain, den Beetho-

---

1 Noch weiter liegen allerdings die Anfänge des „Flohliedes“ zurück, zu dem vermutlich schon Anfang der 1790er Jahre eine erste Fassung fertiggestellt wurde. Sie hat sich jedoch nicht erhalten.
2 Die ältere Fassung ist erschienen in: L. v. Beethoven, *Werke,* NGA, Abt. XII, Bd. 1, S. 208.
3 *AmZ* 12, Nr. 53 vom 3. Oktober 1810, Sp. 854.

ven auch hier gebildet hat, ist nicht direkt durch Goethes Verse, sondern durch eine andere Gattung angeregt, durch die des Gesellschaftsliedes. Mephisto ist der Vorsänger. Den Chor, die lustigen Zecher in Auerbachs Keller, die bei Branders „Es war eine Ratt im Kellernest" noch am Ende jeder Strophe „jauchzend" den letzten Vers nachgesungen hatten, läßt Goethe bei Mephistos Lied nur noch am Schluß einfallen: „Wir knicken und ersticken / Doch gleich, wenn einer sticht." Vorher wird die Erzählung nicht unterbrochen. Daran hat sich Beethoven auch gehalten. Aber das Knicken und Ersticken, das den Chor am Schluß so begeistert, hat er zuvor als Ritornell, gewissermaßen als Refrain ohne Text dargestellt.

Bei Beethoven überschlägt sich die Gesellschaft schließlich fast vor Vergnügen und kann gar kein Ende finden. Immer noch einmal wiederholt sie die letzten Verse, redet immer schneller (vielleicht auch durcheinander) und mündet im Gelächter. Natürlich können solche dramatischen Vorstellungen in einem Klavierlied nur angedeutet werden. Aber das Gelächter hat Beethoven immerhin durch die eigenartigen Repetitionen auf dem letzten Wort („sticht") verdeutlicht, die in der Ausführung („sti—hi—hi—hi—hicht") zum Gekicher werden. Zum vorletzten Takt des Klaviers, dem Ausklang des Gelächters, hat er Fingersätze angegeben: Die Töne sollen zwar gebunden, aber alle mit dem Daumen angeschlagen werden — als ob der Chor am Schluß noch ein paar Flöhe knickt.

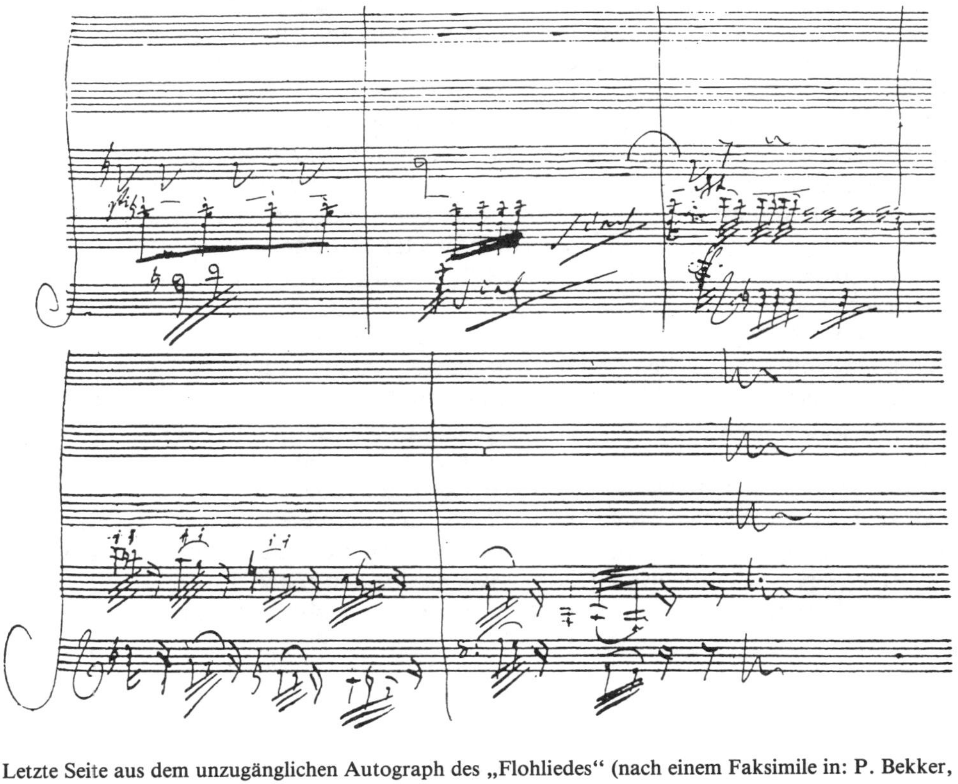

Letzte Seite aus dem unzugänglichen Autograph des „Flohliedes" (nach einem Faksimile in: P. Bekker, *Beethoven*, Anhang S. 72).

„Aus Göthe's Faust“ ist der Titel des Liedes. Der dramatische Rahmen ist also durchaus mitgedacht. Folglich ist nicht nur der gesungene Text, sondern auch die singende Person Gegenstand der musikalischen Darstellung. Das Klaviervorspiel, die Eröffnung, nimmt auf kürzestem Raum auf beides, auf den Inhalt des Gedichtes und auch auf die Gestalt des Mephisto Bezug. In der Erzählung läßt Beethoven Mephisto fast durchweg syllabisch und überwiegend auf Tonrepetitionen rezitieren, mehr sprechen als singen, zudem in sehr tiefer Lage (c—d'). Er wird also nicht als richtiger Sänger (Tenor) vorgestellt, sondern als singender Schauspieler, als „basso caricato“.

An der letzten Seite (siehe Abbildung), der einzigen zugänglichen des Autographs, fällt die merkwürdige Einteilung auf: zwei Akkoladen mit je fünf Systemen, von denen die drei unteren für Singstimme und Klavier bestimmt, die beiden oberen jedoch leer sind. Auf den vorhergehenden Seiten steht vermutlich auf dem oberen der fünf Systeme die erste Strophe, darunter die zweite und auf dem mittleren System die dritte Strophe. Der Klavierpart ist nur einmal, für alle drei Strophen zusammen, notiert; nur der Gesangspart, zumindest der Text, möglicherweise auch die Noten, sind ausgeschrieben, und zwar so, daß eventuelle Differenzen in Deklamation, Betonung oder Ausdruck zwischen den Strophen bemerkt und ausgeglichen werden können.[1]

Früher hatte Beethoven bei Strophenliedern stets nur die erste Strophe unterlegt und die Folgestrophen, die im Druck nachgestellt wurden, kaum beachtet. Jetzt (1809) legt er seine Manuskripte so an, daß schon äußerlich sofort erkennbar ist, daß nicht mehr nur die erste, sondern alle Strophen vertont wurden, daß alle zusammen das Lied bilden.[2] Auch in den Autographen zu den Reissig-Liedern sind die Strophen so untereinander geschrieben. Allerdings trug Beethoven die Texte dort nicht selbst ein, sondern ließ sie von einem Kopisten schreiben. Entsprechend wurden die Lieder auch gedruckt: Die Folgestrophen wurden nicht mehr nachgestellt, sondern der Singstimme unterlegt — es sei denn, Beethoven verlangte, wie beim „Flohlied“, ausdrücklich: „die zu wiederholenden Strophen müssen sammt der Einleitung gänzlich ausgeschrieben werden“, was in den beiden Originalausgaben selbstverständlich auch geschah.

Auch im Autograph von Mignons Lied, das ebenfalls verloren ging, waren die Strophen wohl entsprechend notiert. Beethovens junge Freundin Therese Malfatti fertigte danach eine Abschrift an (Beethoven-Haus Bonn: Mh 41), in der sie die Strophen ausschrieb. Bei der Textunterlegung machte sie einen aufschlußreichen Fehler: Gegen Ende der zweiten Strophe sprang sie in die erste Strophe zurück. Offenbar hatte sie sich nur in der Zeile geirrt. Mit Beethovens Schrift wenig vertraut, gab sie bald darauf die lästige Abschreiberei auf. Ihr Verehrer korrigierte und vervollständigte das Manuskript. Beethovens Notierungen setzen nun aber genau an der Stelle ein, an der die dritte Strophe von den beiden ersten abweicht: mit der linken Hand des Klaviers zum dritten Vers „In Höhlen wohnt der Drachen alte Brut“.

1 Die Unvollständigkeit des Autographs läßt sich auch aus der Korrespondenz mit Härtel erschließen, der es als Stichvorlage für die deutsche Originalausgabe erhielt. Vgl. L. v. Beethoven, *Werke,* NGA, Abt. XII, Bd. 1, *Kritischer Bericht,* S. 50.

2 Erstmals wohl schon 1805 in der ersten Vertonung von „An die Hoffnung“ (op. 32). Deren Autograph ist nicht erhalten, aber die Originalausgabe unterlegt die Strophen.

Möglich, sogar wahrscheinlich ist, daß er seine Komposition nicht einfach abschrieb, sondern daß ihm in diesem Moment, gezwungen, die dritte Strophe auszuschreiben, die Variation einfiel, die das Ausschreiben der Strophen erst sinnvoll macht.

Mignons Lieder (aus dem Roman *Wilhelm Meisters Lehrjahre*, 1795) gehören zu den am häufigsten vertonten, aber zugleich zu den am schwersten zu vertonenden Gedichten Goethes. Die gebrochene, verkürzte Sprache, die das, was sie sagen will, scheinbar nur unvollständig ausdrücken kann, scheint der Musik weiten Spielraum zu bieten; bei „Kennst du das Land" hat Goethe selbst den Sachverhalt so beschrieben: Wilhelm „ließ sich die Strophen wiederholen und erklären, schrieb sie auf und übersetzte sie ins Deutsche. Aber die Originalität der Wendungen konnte er nur von ferne nachahmen. Die kindliche Unschuld des Ausdrucks verschwand, indem die gebrochene Sprache übereinstimmend und das Unzusammenhängende verbunden ward."[1] Die knappen Worte, die verdichteten Assoziationen schränken Goethe jedoch sofort wieder ein, und die Musikalität der Dichtung selbst macht es einer zusätzlichen Musik außerordentlich schwer.[2] Zu „Kennst du das Land" hat Goethe überdies eine sehr suggestive Beschreibung des Gesanges gegeben: „der Reiz der Melodie" konnte „mit nichts verglichen werden." Mignon, die sich auf einer Zitter begleitete, „fing jeden Vers feierlich und prächtig an, als ob sie auf etwas Sonderbares aufmerksam machen, als ob sie etwas Wichtiges vortragen wollte. Bei der dritten Zeile ward der Gesang dumpfer und düsterer; das '*Kennst du es wohl?*' drückte sie geheimnisvoll und bedächtig aus; in dem '*Dahin! Dahin!*' lag eine unwiderstehliche Sehnsucht, und ihr '*Laß uns ziehn!*' wußte sie bei jeder Wiederholung dergestalt zu modifizieren, daß es bald bittend und dringend, bald treibend und vielversprechend war."[3]

Einen weiteren Hinweis für die musikalische Gestaltung hat Goethe durch die Anordnung der Verse gegeben[4]:

> Kennst du das Land? wo die Citronen blühn,
> Im dunkeln Laub die Gold = Orangen glühn,
> Ein sanfter Wind vom blauen Himmel weht,
> Die Myrthe still und hoch der Lorbeer steht.
> Kennst du es wohl?
> Dahin! Dahin!
> Mögt ich mit dir, o mein Geliebter, ziehn.

(Zweite und dritte Strophe entsprechend.) Der ohnehin um zwei Silben kürzere fünfte Vers wurde zerlegt: Die erste Hälfte („Kennst du es wohl?") bildet den Abschluß der Strophe; mit der zweiten Hälfte („Dahin! Dahin!") beginnt eine Art Sentenz oder ein Refrain.

Beethoven besaß eine der ersten Ausgaben des *Wilhelm Meister*, hatte sie auch gelesen, kannte also nicht nur das Gedicht, sondern auch Goethes Beschreibung der Musik, und er kannte auch die Gestalt der Mignon. Auf einem Skizzenblatt

---

1 Anfang des 3. Buches; J. W. v. Goethe, *Werke*, Bd. VII ([11]1982, Hamburger Ausgabe), S. 146.
2 Vgl. auch Beethovens vier „Versuche" über „Nur wer die Sehnsucht kennt" (WoO 134).
3 J. W. v. Goethe, *Werke*, Bd. VII ([11]1982, Hamburger Ausgabe), S. 146.
4 Zit. nach der Erstausgabe, Frankfurt, Leipzig, Berlin 1795.

(Beethoven-Haus Bonn: BH 102) hat er kurz nacheinander einen Entwurf zu „Kennst du das Land" und einen zu Klärchens „Freudvoll und leidvoll" notiert. Offensichtlich war ihm die Verwandtschaft der beiden rührenden Goetheschen Figuren bewußt und hat ihn bei der Komposition ihrer (im übrigen ganz verschiedenen) Gesänge inspiriert.

Goethes Beschreibung hat Beethoven nicht nur als Anregung, sondern geradezu als Anweisung aufgefaßt. Seine Komposition übergeht zwar die Zitter, auf der sich Mignon begleitet, aber sie fängt „feierlich und prächtig", mit ruhigen sicheren Schritten an, die jedes Wort gewichtig machen. Über die ersten Verse der zweiten und der dritten Strophe schrieb Beethoven zudem „Mit Nachdruck"; dasselbe bedeuten die (Marcato-)Punkte in der Singstimme. Gleichwohl beginnt die Vertonung als richtiges (Strophen-)Lied, in dem nicht die Textdeklamation, sondern der Gesang die Hauptsache ist. Beethoven betont nicht dem Sinn entsprechend („Kennst du das Land, wo die *Zitronen* blühn, / Im dunkeln Laub die *Goldorangen* glühn..."), sondern er unterwirft den Textsinn von vornherein der wechselnden Strophendeklamation — so, als hätte er sich tatsächlich die Strophen zeilenweise untereinander geschrieben:

Kennst du das Land? wo die Citronen blühn,	Im dunkeln Laub die Gold=Orangen glühn,
Kennst du das Haus? auf Säulen ruht sein Dach,	Es glänzt der Saal, es schimmert das Gemach,
Kennst du den Berg und seinen Wolkensteg?	Das Maulthier sucht im Nebel seinen Weg.

Beim dritten Vers, bei dem der Gesang „dumpfer und düsterer" werden soll, wechselt Beethoven unvermittelt von A-Dur nach a-Moll, aber zugleich auch zu lebhafterer Melodik und Harmonik und zu einem ganz neuen, bewegten Begleitsatz, der wohl der stürzenden Flut der dritten Strophe entsprungen ist. Die Wendung nach C-Dur am Ende des vierten Verses scheint sich dagegen dem hoch stehenden Lorbeer der ersten Strophe zu verdanken.

Mit dem die Strophe zusammenfassenden fünften Vers „Kennst du es wohl?", der nach Goethes Anweisung „bedächtig und geheimnisvoll" ausgedrückt werden soll, hat Beethoven Mignon fast aus dem Lied heraustreten lassen. „Bedächtig" wirkt das Zwischenspiel des Klaviers, das an den Anfang der Strophe erinnert und über den Bewegungswechsel hinweg den Zusammenhang herstellt. Bei der Wiederholung durch die Singstimme ist Mignons Frage aber plötzlich nicht mehr rhetorisch, sondern direkt gestellt. Sie wirkt, als hätte die Darstellungsebene gewechselt, als würde Mignon bei der Fermate, dem musikalischen Stillstand, auf die Antwort warten. Beethoven hat die Fermate übrigens so notiert, daß die Singstimme auf dem zweiten Viertel ganz allein, ohne Begleitung bleibt.

Aus dieser extremen Entfernung vom Lied stürzt sich die Komposition ohne Übergang in den Refrain, für den Beethoven Takt und Tempo ändert, um die vorhergegangene Bewegung zu überbieten und die von Goethe geforderte „unwiderstehliche Sehnsucht" zum Ausdruck zu bringen. Der letzten Anweisung, den Schlußvers in den drei Strophen so zu modifizieren, daß er „bald bittend und dringend, bald treibend und vielversprechend" sei, ist Beethoven nachgekommen, indem er die Worte schon innerhalb des Refrains wiederholte.

Das Raffinement und die Sorgfalt, aber auch die musikalische Intensität in der Darstellung von Haltung, Gestik und Aussage eines Gedichtes haben in dieser Komposition einen Höhepunkt erreicht, den Beethoven in seinen Strophenliedern nicht überboten hat.[1] Möglich war ihm dies eher in durchkomponierten Gesängen, die von vornherein mit einem anderen Anspruch und einem anderen kompositorischen Ziel auftreten. „Neue Liebe, neues Leben", das einzige durchkomponierte Lied in op. 75, bildet allerdings ebenfalls einen Höhepunkt in seiner Gattung.

Wie beim „Flohlied" und bei „Gretels Warnung" ist die Version, die Beethoven 1809 drucken ließ, die Bearbeitung einer älteren Komposition. Er hatte sie zehn Jahre früher, 1798/1799 skizziert und damals vermutlich auch ausgeführt. Diese erste Fassung (WoO 127) wurde, zusammen mit dem „Opferlied" (WoO 126) und dem „Freien Mann" (WoO 117), 1808 von Simrock veröffentlicht. Wann und wie die Komposition in den Bonner Verlag gelangt war, weiß man nicht. Jedenfalls scheint Simrock Beethoven (um Honorarforderungen zu umgehen?) nicht danach gefragt zu haben. Offenbar gab jedoch erst diese Ausgabe den Anstoß zur Revision und zur eigenen Herausgabe des Liedes. Durch die Veröffentlichung der zweiten Fassung wurde der Simrockschen Edition gewissermaßen die Legitimation entzogen. Und natürlich erscheint sie auch musikalisch als die deutlich unterlegene.[2]

Der Vergleich der beiden Fassungen macht deutlich, auf welch hohem Niveau der Gesangskomposition die Vertonung von vornherein steht. In der formalen Anlage (1. Strophe — 2. Strophe — 1. Strophe — 2. Strophe — 3. Strophe) stimmen beide Versionen überein. Möglicherweise waren es die Schlußverse der zweiten Strophe („Führet mich im Augenblick / Ach! mein Weg zu ihr zurück"), die Beethoven veranlaßten, noch einmal zur ersten Strophe zurückzukehren und so das Kreisen der Gedanken, das Andauernde des geschilderten Zustands darzustellen. Die dritte Strophe wird dadurch abgesetzt und, wie im Gedicht, zum Resümee.

Deklamatorische Probleme, die Beethoven oft große Schwierigkeiten gemacht haben, gibt es schon in der ersten Fassung nicht mehr. Was er an der Singstimme geändert hat, sind Details: Glättungen, Intensivierungen, kleine, markante Glanzlichter des Ausdrucks, die zum Teil auch in der ersten Fassung schon angelegt, nur noch nicht so ausgefeilt waren (vgl. etwa Vers 5 und 6: „Weg ist alles was du liebtest, / Weg warum du dich betrübtest"). Vor allem hatte Beethoven aber schon den Grundton für die Komposition gefunden, der es ihm erlaubte, zwischen sehnsuchtsvoller Emphase und bloßer Gebärde zu wechseln und auch Goethes augenzwinkernde Zwischentöne zu treffen. Grundlage dieser musikalischen Haltung ist eine auffallende Entsprechung zu Mignons Refrain „Dahin! Dahin! / Möcht ich mit dir, o mein Geliebter, ziehn". Die Taktart (6/8), der Klaviersatz und auch das Verhältnis zwischen Singstimme und Begleitung stimmen überein. „Bald bittend und dringend, bald treibend und vielversprechend" hatte Goethe Mignons Verse beschrieben. In seinem Lili-Gedicht richtet sich die Verführung jedoch nicht naiv auf ein geliebtes Gegenüber, sondern reflektierend auf den Verliebten selbst. Beethoven hat den Unterschied nicht nur erkannt, sondern auch die charakteristische Gratwanderung zwischen Schwärmerei und Übertreibung mitvollzogen, die in der Vertonung solch ambivalenter Gedichte nur selten gelungen ist.

1 Daß er selbst die Vertonung besonders schätzte, geht mehrfach aus seinen Briefen hervor und wohl auch daraus, daß er sie an den Anfang der Sammlung op. 75 setzte.

2 Simrock störte das allerdings wenig. Der Verlag brachte um 1820 und nach 1830 noch zwei Neuauflagen seiner „III deutschen Lieder" mit unverändertem Notentext heraus.

Was die endgültige Fassung über die ältere hinaushebt, sind (abgesehen von etlichen kompositionstechnischen Retuschen) vor allem die Änderungen, die auf dieser Ebene liegen: auf der der Differenzierung der Aussage, der musikalischen Gestik. So wird der letzte Vers der ersten Strophe („Ach, wie kamst du nur dazu?"), der sich zuvor nur durch den Wechsel der Begleitung (liegende Akkorde) vom atemlosen Anfang abhob, durch ein kleines Zwischenspiel abgetrennt und, wie Mignons „Kennst du es wohl?", zu einem bedächtigen Einhalt (im zweiten Durchgang auch „ad libitum" und mit Fermate bezeichnet). Die Frage, an sich selbst gestellt, bleibt dagegen eine rhetorische, die keine Antwort braucht, und gleich anschließend plätschert die Musik heiter fort. Eines der nächsten Zwischenspiele (zwischen dem zweiten und dem dritten Vers der zweiten Strophe: „Diese liebliche Gestalt, / Dieser Blick voll Treu und Güte") wird dagegen gestrichen, weil es nur eine verzögernde Wiederholung des vorhergegangenen ist. Dafür wird der Blick der Geliebten geradezu überwältigend. Von der „Treu und Güte" (Seufzer) und von der „unendlichen Gewalt" dieses Blickes scheint sich der Verliebte allerdings erst durch seinen eigenen Gesang überzeugen zu müssen.

Die Schlußstrophe, vor allem die letzten vier Verse, hat Beethoven am stärksten verändert. Für sie hatte er auch bei der Niederschrift des (zweiten) Autographs noch keine Lösung. Auf den letzten beiden Seiten notierte er sieben verschiedene Ansätze. Schließlich entschied er sich für die kürzeste und kraftvollste Version, für ein energisches Ende — ein wenig gegen das Gedicht und ganz im Gegensatz zur ersten Fassung, in der sich der Liebhaber gewissermaßen geschlagen gibt. Eine musikalische Entscheidung oder ein persönliches Bekenntnis? In Beethovens Liedkompositionen stehen diese Bereiche der künstlerischen Gestaltung und des Erlebens oft dicht beieinander.

Helga Lühning

6 Variationen D-Dur für Klavier op. 76

Entstehungszeit: 1809.
Erstaufführung: unbekannt.
Skizzen: Deutsche Staatsbibliothek Berlin, Landsberg 5, S. 100, 102—103, 105 (zur Paginierung des Skizzenbuchs vgl. Johnson / Tyson / Winter, *The Beethoven Sketchbooks*, S. 189).
Autograph: verschollen.
Erstdruck und Widmung: Leipzig 1810 (Breitkopf & Härtel); Franz Oliva gewidmet.
Gesamtausgaben: Alte Gesamtausgabe: Nr. 164 = Serie 17 Nr. 3; Neue Gesamtausgabe: Abt. VII, Bd. 5.

Den Sommer des Jahres 1809 verbrachte Beethoven gezwungenermaßen unter französischer Besatzung in Wien. Umgeben von „nichts als Trommeln, Kanonen, Menschenelend in aller Art" komponierte er „wenig Zusammenhängendes [...], beinahe nur hier und da ein Bruchstück" (Brief an Breitkopf & Härtel vom 26. Juli). Seine Freunde und Gönner, auch die Unterzeichner seines Jahresvertrags (datiert auf den

1. März 1809) hatten die Stadt verlassen, und Beethoven mußte sein neu ausgehandeltes Einkommen für von den Franzosen erhobene Steuern aufwenden. Solche Umstände erklären, warum Beethoven — neben größeren Werken wie op. 74 und op. 81a — eine kurze Folge technisch einfacher Variationen über ein Thema mit deutlich militärischem Charakter komponierte. Wie die Lieder op. 75 und die Sonatine op. 79 entstanden die Variationen wahrscheinlich im Hinblick auf ihren schnellen Verkauf an Breitkopf & Härtel — der einzige Verlag, der in jenen schwierigen Zeiten angemessen und umgehend zahlte.[1]

Das Thema ist allgemein bekannt als „Türkischer Marsch" aus der Bühnenmusik, die Beethoven zwei Jahre später für August von Kotzebues Festspiel *Die Ruinen von Athen* komponierte. Tatsächlich klingt es durch die primitive Stimmführung (durchweg in parallelen Terzen und Sexten), durch lärmende Akzente, den harten Trommelbaß und die einfache (wenngleich unorthodoxe) Harmonik wie ein Stück Janitscharen-Musik. Beethoven hatte bereits andere „exotische" Themen variiert (um 1790 ein Schweizer Volkslied und im „*Eroica*-Sommer" 1803 zwei britische Vaterlandslieder), und er tat es später noch einmal (1817—1818 in den beiden Sammlungen von „national airs"). Das Thema von op. 76 aber, wohl dasjenige, welches von allen am exotischsten klingt, scheint — entgegen früheren Vermutungen über seine russische Herkunft[2] — Beethovens eigene Erfindung gewesen zu sein.

Drei der sechs Variationen (Nr. 1, 3 und 5) gewinnen aus der Grobheit des Marsches eine unerwartete Poesie. Die 1. Variation löst die rhythmische Steifheit des Themas in eine kontinuierlich fließende Melodie und Begleitung im oberen Register des Klaviers auf und fügt chromatische Durchgangstöne hinzu, die im Baß schnell motivische Eigenständigkeit erlangen. Dynamisches An- und Abschwellen ersetzt die heftigen Akzente des Marsches. Die 3. Variation, sempre dolce im sanft wiegenden 6/8-Takt, ist kaum weniger ätherisch. Wie im Thema bewegt sich auch hier die Melodie in parallelen Terzen und Sexten über einem tonikalen Orgelpunkt; doch die fein pointierte Artikulation, zarte Verzierungen und das relativ hohe Register verbinden die Variation mit Nr. 1. Die 5. Variation, ebenfalls legato und dolce, führt beide Hände in ständiger Gegenbewegung — die entsprechende Skizze trägt die Bezeichnung „beide Hände contraria"[3] —, während die Pedaltöne des Themas den Mittelstimmen übertragen werden. Eine Mollvariation fehlt in op. 76, aber Nr. 5 übt eine vergleichbare Funktion aus, indem diese Variation als einzige deutlich vom harmonischen Gerüst des Themas abweicht. Anstelle der schroffen Mittelkadenz auf der Untermediante gleiten die Stimmen in einen verträumten Septakkord. Von diesem Punkt relativer harmonischer Unklarheit aus gehen beide Hände allmählich auseinander (auch in diesem Sinne: „beide Hände contraria"), um schließlich im letzten Takt eine Spanne von vier Oktaven zu umfassen.

Abwechselnd mit diesen sanfteren setzt Beethoven drei Variationen eher spielerischen Charakters. Diese quasi scherzando-Variationen enthalten interne Kontraste in der Motivik, der Rhythmik und/oder im Register — und zwar gerade dort, wo

---

1 Vgl. E. Forbes, *Thayer's Life of Beethoven,* S. 474; Thayer / Deiters / Riemann, *Ludwig van Beethovens Leben,* Bd. III ([3]1917), S. 165.

2 Vgl. dazu G. Nottebohm, *Zweite Beethoveniana,* S. 272f., Anmerkung.

3 Ebenda, S. 273.

das Thema selbst mit seinen Terzenläufen gegen Anfang, Mitte und Schluß einen leichten Kontrast bildet. (Daß diese kontrastreichen Variationen wiederum am Anfang, in der Mitte und am Schluß des Werks stehen, ist kaum zufällig.) Variation 2 setzt wild springende Terzen mit synkopischen Akzenten gegen eine lakonisch absteigende Skala in nachschlagenden Oktaven. Der melodische Oktavsprung des Themas (T. 2, 6, 14) wird dabei zum bestimmenden Prinzip der Variation. In rhythmischer Hinsicht jedoch stellt die Variation das Thema auf den Kopf. Wo es langsam bewegt ist (T. 1—2), eilt die Variation vorwärts; wo das Thema schneller fortschreitet, läßt sich die Variation Zeit.

Die paarweise gebundenen Noten und die vielen Akzente im dritten Teil des Themas (T. 8—12) sind kompositorischer Ausgangspunkt für die 4. Variation, wo sie zu einem periodischen, akzelerierenden Poltern im tiefen Register des Klaviers werden („Trommeln" und „Kanonen"?). In jedem gebundenen Notenpaar geht ein dominantischer Akkord in der ersten Umkehrung der Tonika voraus; jede Phrase scheint daher vorwärtszudrängen. Im Kontrast dazu werden aus den Terzenläufen des Themas zierliche Läufe in Sechzehnteltriolen, leggiermente in der oberen Oktave zu spielen. Die in dem Thema impliziten Gegensätze im Rhythmus und Register werden damit bis an die Grenze der Karikatur explizit.

Die Finalvariation ist zugleich Zusammenfassung und Verwandlung. Die parallelen Terzen, die gehämmerten Bässe und der untermediantische Binnenschluß des Themas, die alle in Nr. 5 fehlen, werden hier wieder aufgenommen. Auch die chromatischen Durchgangstöne aus der 1. Variation, die verzierten Auftakte der 3. und der Gegensatz von gebundenen Akkordpaaren und staccato absteigenden Skalen aus der 2. und 4. Variation sind zu hören. Gleichzeitig wird der einstige Janitscharen-Marsch zu einem nicht weniger geräuschvollen Kehraus im schnellen Dreiertakt. Nur die zweite Hälfte der Variation wird wiederholt und endet beim ersten Durchlauf unerwartet ebenfalls auf der Untermediante. Der Eindruck des Vorwärtsdrängens entsteht vor allem durch die ständige, in der zweiten Hälfte der Variation betonte Punktierung des Auftaktes. Das Auftaktgebilde enthält — sowohl punktiert als auch unpunktiert — fast das gesamte musikalische Material der Coda bzw. des sich anschließenden Abschnitts, der sich als Coda angibt.

Traditionellerweise bietet die Coda einer Variationenfolge Gelegenheit zu harmonischen Fortschreitungen, die in den eigentlichen Variationen mehr oder weniger ausgeschlossen sind, wenn diese dem harmonischen Gerüst des Themas folgen sollen. In op. 76 entwickelt sich die Coda aus der untermediantischen Rückung als der auffälligsten harmonischen Eigenschaft des Themas, indem sie sich durch terzverwandte Tonarten bewegt: zuerst in d-Moll und F-Dur, dann in einer abwärts gerichteten Spirale durch f-Moll, Des-Dur, b-Moll und Ges-Dur, wobei letzteres die ursprüngliche Untermediante (h-Moll) durch die enharmonische Hintertür wieder eintreten läßt (Ges = Fis, Dominante in h-Moll). Diese ganz auf der oben erwähnten auftaktigen Figur beruhende modulierende Passage führt in eine vollständige Variation von Nr. 6 (einschließlich der wiederholten zweiten Hälfte), mit aggressiverer Begleitung, volleren Akkorden und stärkerer Dynamik. Die „Coda" erscheint damit als eine durchführungsartige Episode zwischen dem Kehraus und seiner variierten Reprise (A B A').

Mit einem kadenzierenden Tusch (oder zweien) hätte das Werk hier gut enden können. Statt dessen aber unterbricht Beethoven die Schlußklausel durch eine synkopierte Mediante (Fis), als stünde eine weitere („richtige“) Coda bevor. Daraufhin wiederholt er unerwartet das Thema, zusammen mit einem kleinen Anhang, der auf dem Terzenlauf basiert. Dieses Da capo des Themas, ein durchaus üblicher Abschluß in Variationswerken der 1760er und 1770er Jahre, erscheint in einer Komposition von 1809 als Anachronismus — umso mehr, als die Komposition bereits vorher beendet schien. Es ist kaum anzunehmen, daß Beethoven die transparente Schlußwirkung des Da capo anstrebt, welche sein op. 109 krönt. Die unfeierliche Wiederholung hier dient eher als krönendes Beispiel für jene „differenzierte Grobheit“ des op. 76, die uns — nach Jürgen Uhde — „den Menschen Beethoven eigentümlich nahe“ bringt.[1] In op. 76 gibt es offenbar — wie vielleicht auch für den Menschen Beethoven im Sommer 1809 — kein Entkommen vor den Janitscharen.

Steven M. Whiting
Übersetzung: Lydia Jeschke

Klavierfantasie op. 77

ENTSTEHUNGSZEIT: zwischen Ende 1808 und Oktober 1809.
ERSTAUFFÜHRUNG: unbekannt.
SKIZZEN: Deutsche Staatsbibliothek Berlin, Landsberg 5.
AUTOGRAPH: Beethoven-Haus Bonn.
ERSTDRUCK UND WIDMUNG: Leipzig 1810 (Breitkopf & Härtel); Graf Franz v. Brunsvik gewidmet.
GESAMTAUSGABE: Alte Gesamtausgabe: Nr. 187 = Serie 18 Nr.5.

Dieses Stück, eine Folge von scheinbar planlos hingeworfenen Gedanken in unterschiedlichsten Tonarten und abschließenden Variationen über ein Originalthema in H-Dur, ist ein Prüfstein für die Analyse und für die Grundlagen ihrer jeweiligen Methode. Denn die Strukturanalyse, welche sucht, die innere Einheit eines Werkes durch das Auffinden von motivischen Zusammenhängen, thematischen Ableitungen oder Tonartplänen nachzuweisen, stößt bei der Fantasie an die Grenzen ihrer Möglichkeiten: Die Ausbeute ist zu gering, und die strukturelle Logik als Sinnstifterin muß die Segel streichen. In dieser Erkenntnis haben sich viele Musiker und Forscher — wohl erleichtert — den Titel des Stückes zur Rechtfertigung der Ergebnislosigkeit ihrer Suche nutzbar gemacht.

Carl Czerny sieht das Stück als Musterbeispiel eines „Capriccio“, der „freieste[n] Art des Fantasierens; nämlich ein willkürliches Aneinanderreihen eigener Ideen, ohne besondere Durchführung, ein launiges schnelles Abspringen von einem Motiv zum anderen, ohne weiteren Zusammenhang, als den der Zufall oder absichtslos der

1 J. Uhde, *Beethovens Klaviermusik,* Bd. I, S. 426.

Musiksinn des Spielers gibt".[1] „Diese sehr geistreiche Fantasie gibt ein getreues Bild von der Art, wie er zu improvisieren pflegte, wenn er kein bestimmtes Thema durchführen wollte und sich daher seinem Genie in Erfindung immer neuer Motive überließ." So an anderer Stelle Czerny[2], und entsprechend Moscheles: „Mir scheint, als habe Beethoven sich darin selbst wiedergeben wollen, wie er sich unvorbereitet, vielleicht gar übler Laune ans Instrument setzt und im Reich seiner Gedanken planlos herumfährt. Ich selbst habe ihn zuweilen auf solche Weise spielen hören und immer sind mir solche Momente beim Anhören dieser Phantasie unwillkürlich wieder eingefallen."[3] Auch Hugo Riemann nennt das Stück „Fixierung einer freien Improvisation"[4], und Jürgen von Oppen spricht gar von „Schau-Improvisieren".[5] „Es ist zu offenbar Programm des Werkchens, zunächst ganz improvisationsartig allerlei Anfänge zu versuchen und wieder fallen zu lassen und so durch allerlei Tonarten zu gehen [...], die nur ganz lose, geradezu willkürlich verknüpft sind, um schließlich mit H-Dur Ernst zu machen."[6] Das Stück sei „undoubtedly the only written record of Beethoven's style of extemporization"[7] oder auch „an improvisational document".[8] In einer der neuesten Untersuchungen nimmt Hugh MacDonald das Stück als Beispiel für die Hilflosigkeit der Einheitssuche der Strukturanalyse, da Beethoven hier doch „the principle of disunity" verfolge: „If we abandon the search for hidden and inner unity the advantages are striking and numerous", etwa die Möglichkeit, „diversity, illogicality, inconsistencies and contradictions" zu erkennen als „the principal idea of the piece". Entlarvend sind aber dann das Urteil, daß deshalb das Stück „cannot possibly be counted among Beethoven's greater works", und der recht einleuchtende Versuch, die Tonrepetitionen (z.B. T. 79) mit dem Beginn des Variationsthemas in Zusammenhang zu bringen[9], dies in Nachfolge der von ihm angegriffenen Bemühungen Jürgen Uhdes, das gesamte thematische Material des Stückes auf drei Elemente zurückzuführen (Abwärtslauf, Terzenfolgen, Tonrepetitionen), die in „Episoden" ihrer Entwicklung „gewissermaßen eine schrittweise Bewegung auf das Variationenlied hin stattfinden" lassen.[10] Dem sich sträubenden Objekt eine motivische Einheit abzutrotzen, unternimmt auch Helmut Aloysius Löw[11], und zwar mit der Konzentration auf Quartaufsprung- und Terzenstrukturen, mit der Entdeckung einer „Durchführung" (T. 44ff.), von „Fortschritt", „Entwicklung", „folgerichtigen" Passagen und eines Variationsthemas, das sich „erweist [...] als das Ziel des Anfanges". Hier zeigt sich die Strukturanalyse als Krücke der Einheitsideologie und ist in ihrer Anwendung weit unglaubwürdiger als die ausladende, Kretzschmarscher Hermeneutik verpflichtete Analyse von Paul Bekker[12],

1 C. Czerny, *Systematische Anleitung zum Fantasieren auf dem Pianoforte,* Kap. 9; zit. nach H. A. Löw, *Die Improvisation,* S. 34f.
2 Zit. nach H. Schramowski, *Bemerkungen zu zwei Funktionsarten,* S. 403.
3 Zit. nach H. A. Löw, *Die Improvisation,* S. 98f.
4 H. Riemann, *Beethovens Prometheus-Musik,* S. 22.
5 J. v. Oppen, *Beethovens Klavierfantasie op. 77 in neuer Sicht,* S. 530.
6 Thayer / Deiters / Riemann, *Ludwig van Beethovens Leben,* Bd. III ([3-5]1923), S. 175.
7 A. E. Hull, *Beethoven's lesser known piano works.*
8 M. R. Sitton, *Beethoven's op. 77.*
9 H. MacDonald, *Fantasy and Order,* S. 144—146.
10 J. Uhde, *Beethovens Klaviermusik,* Bd. I, S. 116—118.
11 H. A. Löw, *Die Improvisation,* S. 93—98.
12 P. Bekker, *Beethoven* ([2]1912), S. 116—118.

die nach Apostrophierung all der „heimlichen Träume“, „unentschlossenen Tonwiederholungen“ und „tröstenden Gedanken“ postuliert: „Trotz aller Mannigfaltigkeit des Themenmaterials bewahrt diese Phantasie durchaus die innere Einheit und spiegelt einen genau erkennbaren Gedankengang von reizvoller poetischer Freiheit.“

Die anfangs skizzierte Form des Stückes ist auf dem Hintergrund der zu Beethovens Zeit improvisierten oder veröffentlichten Fantasien, ob sie von großen Virtuosen stammen oder der Salonfantasie zuneigen, nichts Außergewöhnliches.[1] Arnold Schönberg sah, wie üblich, den Sachverhalt nüchtern und richtig: Man könne das „außerordentlich ‚phantastisch[e]‘ [...] Stück ‚Introduktion und Thema mit Variationen‘ nennen, wäre die Zahl der Themen nicht zu beträchtlich und ihr Auftreten nicht zu unabhängig, um als Introduktion zu gelten“.[2] Diese polymorphe Vielfalt vor den Variationen kann keinesfalls den dokumentierten Rückzug in das Argument einer „improvisatorischen“ Beliebigkeit und Buntscheckigkeit rechtfertigen. Immer wieder ist doch darauf hingewiesen worden, daß der Beginn und auch die Weiterführung Zeichen einer „musikalischen Auseinandersetzung“ seien[3], eines Wechsels von „interrogation“ und „expression of resigned hopelessness“[4], eines Prozesses um das „Gleichgewicht der Seele“.[5] Daß Beethoven seinen ursprünglichen Plan, mit Passagen in H-Dur zu beginnen, gegen einen Anfang in g-Moll eingetauscht hat, weist ebenso auf eine Absicht hin, extreme Pole und ihre Spannungen vorzuführen. Und daß solche Spannungen sich in eine als Variation behandelte hymnische Melodie auflösen, ist für Beethoven ein durchgehendes Gestaltungsprinzip, wie die 3. und 9. Symphonie und die Chorfantasie op. 80 zeigen. Czerny weist eigens auf diese Werke als der Gattung Fantasie nahestehende Parallelerscheinungen zu op. 77 hin.[6] Der Titel des Stückes ist also kein Freibrief für zielloses Herumspringen, sondern gemäß der Geschichte der Gattung und ihrer Musterbeispiele, nämlich der Freien Fantasien von Carl Philipp Emanuel Bach, eine Verpflichtung zu einer besonders feinen und geistvollen Art der Strukturierung. Nicht umsonst hat Beethoven den Anfang, die harmonisch unterschiedlich beleuchteten Tonrepetitionen, manche der Harmoniesprünge und der Akkordbrechungen Stellen aus den großen Fantasien der 4. und 5. der *Sammlungen für Kenner und Liebhaber* „des herrlichen Ph. Eman. Bach“ nachgebildet, worauf schon Johann Friedrich Rochlitz in der Besprechung von op. 77 hinwies (*AmZ* 13, 1811, Sp. 548).

Beethoven hat die Fantasie im Oktober 1809 vollendet, und die Skizzen vermischen sich mit jenen zum 5. Klavierkonzert op. 73 und der Chorfantasie op. 80, ebenfalls Werken mit freien, improvisatorischen Einleitungen für Klavier. Inwiefern die bei der Uraufführung am 22. Dezember 1808 improvisierte, erst 1809 nachkomponierte Klaviereinleitung von op. 80 mit op. 77 zu tun hat, ist eine schwer zu klärende Frage.[7] Die von Jürgen von Oppen geäußerte, von ihm aber nicht näher

1 Vgl. P. Schleuning, *Die freie Fantasie,* S. 353f.
2 A. Schönberg, *Die formbildenden Tendenzen der Harmonie,* S. 181f.
3 J. Uhde, *Beethovens Klaviermusik,* Bd. I, S. 116.
4 D. Fr. Tovey, zit. nach H. MacDonald, *Fantasy and Order,* S. 143.
5 P. Bekker, *Beethoven* ([2]1912), S. 116.
6 Vgl. H. A. Löw, *Die Improvisation,* S. 35.
7 Vgl. ebenda, S. 105ff.

geprüfte Vermutung, die Fantasie könne in näherem Bezug zu op. 73 stehen, kann sich als entscheidender Hinweis auf die inhaltliche Bedeutung des Stückes erweisen. Es scheint nämlich, als sei die Fantasie eine vor- oder nachbereitende Reflexion auf Material des Klavierkonzertes. Schon daß die Fantasie jenen Extremismus wiederholt, der im Übergang von Satz 1 zu Satz 2 des Konzertes besteht — Schlußton es und dann H-Dur (offenbar eine Umschreibung von Ces-Dur, wie Satz 1, T. 157f., zeigt) —, läßt die Fantasie wie ein imaginäres Verbindungsstück zwischen den beiden ersten Konzertsätzen erscheinen. Und so ist es auch folgerichtig, daß Anfangs- und Schlußgedanke der Fantasie aus der Melodik des Hauptthemas des 2. Konzertsatzes gebildet sind, natürlich in für Beethoven typischer, variativ umgeformter Gestalt. (Man beachte auch die Tempoentsprechungen zum Allegretto-Thema in Notenbeispiel 1.)

1

Der als Fugato behandelte Abgang im 6/8-Takt (T. 116ff.) ist in unterschiedlichen Tempi überall im Konzert zu finden (Satz 1 T. 184ff., Satz 2 T. 16ff., Satz 3 T. 140ff.), und die rätselhafte As-Dur-Periode Takt 6ff. erinnert in Auftreten, Satzart, Rhythmik und Intervallstruktur doch sehr stark an die Vorbereitung des Rondothemas am Ende von Satz 2 (Notenbeispiel 2).

2

Es bleiben noch vier Elemente der Fantasie, die im Verweis auf C. Ph. E. Bach oder op. 73 nicht aufgehen (Notenbeispiel 3): Die 6/8-Melodie ab Takt 15 vom Typus Frühlingslied in der Art Mozarts, das anschließende Fugato Takt 29ff. mit Tritonus-Beginn in der Art eines melancholischen Stockens wie bei vielen Schlußgruppeneinleitungen von Beethoven, das Allegro con brio in d-Moll Takt 40ff. vom Typus des düsteren, erregten Auffahrens wie in den Schlußsätzen von Mozarts g-Moll-Symphonie und d-Moll-Klavierkonzert und das più presto in h-Moll Takt 102ff. (mit dem eingelagerten Abstiegs-Fugato) vom Typus des bizarren, gehetzten Eilens wie im dritten Gedanken des 1. Satzes von op. 10, Nr. 2 (T. 46ff.).

3

Daß Quartauftakt und Terzenfolgen diese Themen verbinden, haben teilweise schon Löw und Uhde gesehen, ohne daß dabei mehr herausspränge als die Freude an der Einheit, nicht aber, was der Bezugskern dieser Gebilde ist, die doch mit Sicherheit variative Umbildungen eines Modelles sind wie die übrigen Themen der Fantasie. Ob das Hauptthema des Schlußsatzes des 5. Klavierkonzertes mit seinen Quarten und Terzen dieser Kern ist, sei bezweifelt, da auch dieser Gedanke einem Zwang zur Werkeinheit entspringt, nämlich dem Zwang, die gesamte Fantasie auf die Themen eines einzigen Bezugswerkes festzulegen. (Vielleicht also ist die Fantasie doch eher ein Pendant zu jenem unter dem Eindruck der französischen Besetzung Wiens an Härtel geschriebenen Satz vom 2. November 1809: „Ich erwarte nichts Stetes mehr in diesem Zeitalter; nur in dem blinden Zufall hat man Gewißheit." Dann allerdings müßte man auch die frappante Ähnlichkeit zwischen Variations-Thema und dem Volkslied „Sur le pont d'Avignon" ernster nehmen, vielleicht so sarkastisch behandelt aus dem Erleben der sangesfreudigen Soldaten und Bürger während der angeordneten Wiener Feiern zu Bonapartes 40. Geburtstag am 13. August 1809.)

So bleibt als Fazit, daß op. 77, vermutlich in der Nachfolge von Mozarts c-Moll-Fantasie KV 475, in einem raschen Wechsel von Gattungs- und Formtypen Elemente eigener und vielleicht auch fremder Musik paraphrasiert.

Peter Schleuning

Klaviersonate Fis-Dur
op. 78

ENTSTEHUNGSZEIT: 1809 (beendet im Oktober).
ERSTAUFFÜHRUNG: nicht bekannt.
SKIZZEN: nicht bekannt.
AUTOGRAPH: Beethoven-Haus Bonn, Sammlung H. C. Bodmer.
ERSTDRUCK UND WIDMUNG: Leipzig 1810 (Breitkopf & Härtel); der Gräfin Therese v. Brunsvik gewidmet.
GESAMTAUSGABE: Alte Gesamtausgabe: Nr. 147 = Serie 16 Nr. 24.

In Beethovens Klaviersonatenschaffen kommt dem zweisätzigen Opus 78 in mehrerlei Hinsicht eine besondere Bedeutung zu. Zum einen ist es das einzige Werk innerhalb dieser Gattung, das Beethoven in Fis-Dur komponiert hat, einer zumindest zur Entstehungszeit des Jahres 1809, als meist vom Blatt gespielt wurde, aufgrund der zahlreichen Vorzeichen ausgesprochen schwierig auszuführenden Tonart. Nicht zuletzt der zweite Satz der Sonate verlangt eine virtuose Spieltechnik, und möglicherweise wollte also Beethoven mit dem Stück seine ehemalige Schülerin Gräfin Therese von Brunsvik, der es gewidmet ist, vor eine Aufgabe stellen, die höchstes pianistisches Können erforderte. Zum anderen schlug Beethoven mit der Fis-Dur-Sonate — ähnlich wie im ebenfalls 1809 entstandenen Streichquartett Es-Dur op. 74 — gegenüber seinen vorhergegangenen Klaviersonaten, deren letzte mehr als vier Jahre zurücklag (f-Moll op. 57; 1804—1805), einen spezifisch neuen, nämlich weniger dramatisch-prozessualen als vielmehr vorherrschend lyrisch-kantablen Ton an, der über den Geltungsbereich des eigenen Œuvres hinaus eine allgemeine musikhistorische Wirksamkeit entfaltete. Denn von hier aus eröffnet sich ein kompositionsgeschichtlicher Zusammenhang mit der musikalischen Romantik und namentlich eine „Wegbahnung“ zu Franz Schubert, die Carl Dahlhaus folgendermaßen charakterisiert hat: „Die strenge Konsequenz der thematisch-motivischen Arbeit wurde gleichsam gelockert, um einer lyrischen Emphase Platz zu machen, die im Widerspruch zum Geist der Sonatenform in der mittleren Periode [vor op. 74] ganze Sätze durchdrang, statt auf deren Seitenthemen beschränkt zu bleiben. Kantabilität, in der klassischen Sonatenform eine bloße Enklave, wurde zum tragenden Strukturprinzip.“[1] Zugleich hat Dahlhaus mit dem zuletzt genannten Aspekt den wohl ausschlaggebenden Grund für die Zweisätzigkeit der Fis-Dur-Sonate zur Sprache gebracht, indem das Moment lyrischer Kantabilität, das in einem dreisätzigen Werk unter der ästhetischen Prämisse des Kontrasts einen sanglichen, langsamen Mittelsatz musikalisch motiviert, bei dieser Sonate schon soweit die Konstruktion und Ausdrucksqualität ihrer bestehenden Teile prägt, daß dadurch ein dritter Satz in Gestalt eines lyrisch-sanglichen Zentrums überflüssig, wenn nicht vielleicht sogar unmöglich wurde.

Der erste Satz beginnt mit vier Takten im „Adagio cantabile“ (auf die weiter unten noch zurückzukommen sein wird), denen sich unter Wechsel vom Zweivierteltakt zum Vierviertelaktakt „Allegro ma non troppo“ eine viertaktige Gesangsphrase anschließt (T. 5—8). In ruhiger Viertelnotenbewegung (mit Synkopen-Auftakt und

1 C. Dahlhaus, *Die Musik des 19. Jahrhunderts,* S. 66f.

einem kurzen Verweilen auf der Dominante in Takt 6) bildet sie den Kopf des ersten Themas, das insgesamt zwölf Takte umfaßt; sein kantabler Anfangsfluß löst sich zunächst in „leggiermente" vorzutragende Sechzehntelfiguren auf (T. 9—10), um dann von einem Achteltriolenlauf in einen Ganzschluß geführt zu werden (T. 11—12) und in einer die Tonika Fis-Dur bekräftigenden, homophonen Passage zu enden (T. 13—16). Die nun folgende, ebenfalls eine Länge von zwölf Takten aufweisende Überleitung hebt erneut in einem kantablen Gestus an, der verglichen mit dem sanglichen Kopf des ersten Themas indes von nur sehr flüchtiger Dauer ist, und mündet unter dominierender Sechzehntelbewegung modulierend in den „dolce"-Einsatz des zweiten Themas (T. 28, der zugrundeliegenden Sonatensatzform gemäß in der Dominanttonart Cis-Dur). Das zweimal zwei Takte ausfüllende, in einem präludierenden Charakter gehaltene Achteltriolen-Figurenwerk (T. 28—29 / 30—31) wird durch einen — wie Jürgen Uhde ihn plastisch gekennzeichnet hat — „*f*[*orte*]-Zwischenfall jäh unterbrochen", der sich als „der eigentliche harte Kern des 2. Themas" erweist[1] (T. 31—32) und der nochmals in dessen Sechzehntelfiguren-Fortsetzung dazwischenfährt (T. 33—34), bevor die Rückkehr in die Wiederholung der Exposition bzw. der Übergang in die Durchführung in die Wege geleitet wird.

Um das Konstruktionsprinzip, das sich angesichts der bisher beschriebenen Exposition bereits im Sinne der Aufstellung eines kantablen thematischen Gebildes und dessen Auflösung oder Unterbrechung ansatzweise hervorkehren läßt, im Hinblick auf den gesamten ersten Satz nachvollziehen zu können, genügt es jetzt, seinen restlichen Verlauf etwas knapper zu skizzieren. Während die Durchführung (T. 39—56) hauptsächlich auf dem sanglichen Kopf des ersten Themas (in fis-Moll T. 39ff., in gis-Moll T. 43ff.) sowie auf dessen abgespaltenem Auftaktmotiv (T. 46ff.) basiert, zeigt die Reprise (T. 57—97) hingegen Erweiterungen in jenen Abschnitten, die zuvor bei der Betrachtung der Exposition als Stellen einer Auflösung von Kantabilität interpretiert wurden; so sind die ursprünglich zwei „leggiermente"-Takte in ihrem Umfang verdoppelt (T. 61—64) mit einer aufhellenden Modulation nach E-Dur (T. 65f.) unter Ausdehnung der homophonen Passagen in Taktzahl und Klangfülle (T. 67—75), und ähnlich ist auch der „harte Kern" des zweiten Themas akkordisch bis zur Zehnstimmigkeit (T. 92f.) angereichert. Die Coda (T. 98—105) ist wiederum allein aus dem über einer durchgehenden Sechzehntelbewegung crescendierenden, sanglichen Kopf des ersten Themas gebaut, um nach dessen zweifacher Sequenzierung in Sechzehntelfiguren und Tonika-Akkorden auszulaufen. Und dergestalt konstituiert sich somit die musikalische Entwicklung des Satzes im Ausgang von einer kantablen thematischen Gestalt, die zwar nicht dramatisch-triumphal zu Melodienseligkeit entfaltet, sondern immer wieder — nicht zuletzt am Ende der Coda — aufgelöst wird, die aber dabei doch als konstruktives Prinzip den steten Anknüpfungs- und demzufolge Mittelpunkt einer gleichsam in sich kreisenden, lyrischen Form darstellt. In diesem Zusammenhang bedeutet die von Beethoven vorgeschriebene, jeweilige Wiederholung der beiden Hauptabteilungen des Satzes (Exposition sowie Durchführung, Reprise und Coda) auch keinen bloßen Tribut an eine überkommene Konvention, wie es bei manchen anderen seiner Werke der Fall sein mag; vielmehr liegt darin ein zusätzliches, signifikantes Merkmal der lyrisch-musi-

1 J. Uhde, *Beethovens Klaviermusik,* Bd. III ([3]1986), S. 230.

kalischen Form, auf dessen Wiedergabe bei einer Aufführung der Sonate keineswegs verzichtet werden darf (und das, wie hier nur am Rande vermerkt sei, in entsprechenden Kompositionen Schuberts wiederbegegnet).

Dem ersten Satz korrespondiert das Rondo des zweiten „Allegro vivace"-Satzes, das im gegebenen Rahmen nicht in gleicher Ausführlichkeit erörtert werden kann[1], in Hinsicht auf das Kriterium lyrischer Kantabilität in einem umgekehrten Verhältnis insofern, als man im zweiten Satz ein übergeordnetes Konstruktionsprinzip im Sinne nicht der Auflösung, sondern der qualitativen Festigung eines sanglichen Potentials bemerken kann. Am Anfang des Rondos ist das wie im ersten Satz zwölf Takte ausfüllende Hauptthema in drei viertaktige, ihrerseits in Frage und Antwort kontrastierte Teile zergliedert (T. 1—4 / 5—8 / 9—12), die unter choralartiger Begleitung gewissermaßen auch harmonisch labil von der Dominante (bzw. Doppeldominante) zur erst mit dem Themaschluß erreichten Tonika streben. Und nachdem das Thema zwei weitere Male in derselben (T. 32—43) sowie in noch stärker dissoziierter, zudem harmonisch auf die Subdominante ausgerichteter Gestalt (T. 89—100) erschienen ist, erklingt es dann bei seiner letzten Wiederkehr (T. 150—177) in einer längeren Fortspinnung seiner zweitaktigen Schlußwendung (T. 160ff.) mit der ihm innewohnenden, aber bis dahin verborgen gebliebenen Kantabilität.

Das weitaus größte Kopfzerbrechen haben freilich fast allen Analytikern, die sich mit der Fis-Dur-Klaviersonate op. 78 beschäftigten, die vier „Adagio cantabile"-Anfangstakte des ersten Satzes bereitet, denen deshalb ein besonderes Augenmerk gewidmet werden soll, zumal sie — soviel kann jetzt schon vorweggenommen werden — den eigentlichen Schlüssel zum Verständnis des Werkes bilden. Das von ihnen hervorgerufene Problem hat exemplarisch als einer der ersten Hans von Bülow benannt: „Das so innige und gesangvolle Präludium dieses Satzes steht zwar ausser thematischer Beziehung zu demselben, aber in sehr unmittelbarem ästhetischen Zusammenhange mit ihm."[2] Und ähnlich äußerte sich Hugo Riemann über den scheinbaren Widerspruch zwischen einer unleugbar vorhandenen, im musikalischen Ausdruck wahrnehmbaren ästhetischen Verbindung des Adagio-Vorspiels mit dem darauffolgenden Allegro-Hauptteil einerseits und einer fehlenden hörbaren thematischen Weiterführung des auch harmonisch in sich verharrenden und damit kompositorisch isoliert bleibenden Adagio-Gebildes andererseits (das in dieser Faktur an keiner späteren Stelle wiederbegegnet): „Vier als Einleitung vorausgeschickte Takte Adagio cantabile genügen, die Stimmung der ganzen Sonate in unser Herz zu zaubern"[3], wobei diese Takte „aber nicht den Charakter einer Einleitung oder eines Vorhangs haben, da sie sehr positiv mit Ganzschluß in *Fis-dur* kadenzieren", weshalb Riemann sie „als einen selbständigen 'kurzen Satz'" einstufte[4]; die kaum zu übersehende Tatsache, daß Riemann in seinen eben zitierten, zeitlich auseinander-

1 Siehe dazu des näheren die Analyse von J. Uhde, ebenda, S. 231ff.
2 H. v. Bülow, *Beethovens Werke für Piano solo,* Teil 1 (1902), S. 115, Anmerkung a.
3 H. Riemann, *Beethovens Fis-dur-Sonate Op. 78*, S. 83f. In gleicher Weise interpretierte P. Bekker die „langsame Einleitung": „Eine schwärmerisch aufblühende Fis-dur-Melodie bereitet auf das Kommende vor. Sie ist rein präludierend gedacht und taucht in dem ganzen Satz nicht wieder auf. Sie versetzt uns nur in die Empfindungssphäre des folgenden Allegros: eine Welt voll innig starken Gefühlslebens, dem jedoch alle Gärungsstoffe fehlen" (*Beethoven,* [2]1912, S. 173).
4 H. Riemann, *L. van Beethovens sämtliche Klavier-Solosonaten,* Bd. III, S. 143.

liegenden Feststellungen (von 1888 bzw. 1919) hinsichtlich der formalen Bewertung der Adagio-Passage als „Einleitung“ mit sich selbst durchaus uneins war, während Bülow demgegenüber von einem „Präludium“ sprach, wirft darüber hinaus ein bezeichnendes Licht auf die in Rede stehenden analytischen Schwierigkeiten.

Erst in jüngerer Zeit ist man auf die Hintergründe der rätselhaften musikalischen Struktur gestoßen, mit deren Hilfe Beethoven die vier — in ihrer Intensität des Ausdrucks als lyrisches Motto der gesamten Sonate fungierenden — „Adagio cantabile“-Takte mit dem anschließenden Allegro derart eng und höchst raffiniert kompositorisch verknüpft hat, daß sie als „*Einstimmung* [...] unmittelbar hineintragen in die Welt der Exposition“, und zwar mit einer von Clemens Kühn gerade angesichts dieses Werkes paradigmatisch hervorgehobenen ästhetischen Stringenz: „Der lyrische Beginn des Allegro ist danach nicht Neuanfang, sondern wie aufatmendes Fortsingen.“[1] Einen noch sehr vorsichtigen Fingerzeig zur Lösung des kompositorischen Rätsels gab Walter Riezler, wenngleich er ihn als Hinweis auf einen vermeintlich sekundären musikalischen Gesichtspunkt abschwächte: „Die vier Takte Adagio [...] mit der wie improvisatorisch geführten, über dem Orgelpunkt der Tonika aufsteigenden, des rechten Abschlusses entbehrenden melodischen Linie stehen zum folgenden zwar in leiser thematischer Beziehung (die letzten Töne ais—dis—cis kommen bereits im Hauptthema und dann später in der Figuration wieder), ihre eigentliche Funktion jedoch ist eine rein innerliche: die zarte Beseeltheit des ersten Allegros vorzubereiten und den Spieler zu ermahnen, jede Figuration wichtig zu nehmen.“[2] Abgesehen von der aufschlußreichen Bekräftigung des mit den Adagio-Takten vorgegebenen, lyrisch-freischwebenden musikalischen Charakters im Sinne des Improvisatorischen, läßt Riezlers im Blick auf das Wiedererscheinen der Tonfolge ais—dis—cis aus Takt 4 — wo sie Bestandteil einer vorschlagartigen Zweiunddreißigstelfigur ist — in der Unisono-Melodie (T. 7) zurückhaltende Konstatierung einer „leisen thematischen Beziehung“ erkennen, daß er selbst ein gewisses Unbehagen verspürt haben muß, für diesen Sachverhalt uneingeschränkt auf den Begriff des Thematischen zu rekurrieren. Und ein entsprechender Vorbehalt hat auch für die in der gleichen Richtung weitergehenden analytischen Beobachtungen zu gelten, die Richard Rosenberg mit der Hypothese vortrug, man könne unter Einschluß der vier Adagio-Takte „sich das Thema [...] als langsam beginnendes und dann sich verflüssigendes vorstellen“; so setze sich „der Quartsprung des ersten Adagio-Taktes folgerichtig im Allegro fort“ (T. 1: cis'—fis'; Auftakt zu T. 6: fis'—h'; T. 7: ais'—dis'', cis''—fis''), und wenn mit den Sechzehnteln „das Empfindsame in spielerischer Weise“ sich auflockere, dann klinge aus deren „Spitzennoten [...] noch der Allegro-Anfang entgegen“ (gemeint sind die jeweils ersten Töne der Sechzehntelfiguren; T. 8f.: ais' / h'; T. 9f.: h' / cis''), ebenso wie man „auch die aufsteigenden Quarten [...] hier wiederfinden“ könne (T. 8—9: fis'—h'; T. 9—10: gis'—cis'').[3] Es mag von der mehr oder minder wohlmeinenden Einstellung des individuellen Betrachters abhängen, inwieweit er die aufgezeigten Details als wirklich einleuchtend zu akzeptieren gewillt ist, wobei vermutlich der Nachvollzug beim Quartsprung

1 Cl. Kühn, *Formenlehre der Musik,* S. 133.
2 W. Riezler, *Beethoven* ([7]1951), S. 193.
3 R. Rosenberg, *Die Klaviersonaten Ludwig van Beethovens,* Bd. II, S. 309.

leichter fällt als bei den sogenannten Spitzennoten. Unstrittig dürfte hingegen allgemein die Skepsis überwiegen, ob sich solche kompositorischen Korrespondenzen in ihrer Mehrzahl überhaupt als konkrete thematische Zusammenhänge — nicht zuletzt beim Hören — erfassen lassen.

Einen Ausweg aus diesem Dilemma eröffnete Carl Dahlhaus, indem er die offensichtlich zumindest partiell einer Komposition wie Beethovens Sonate op. 78 inadäquate, vorrangig dem Begriff des Thematischen verhaftete Analyse-Perspektive preisgab und durch eine Theorie des „Subthematischen" erweiterte, dessen Merkmale man „mit Schlagworten wie Abstraktheit und Latenz sowie der Metapher von der Form als Netzwerk umschreiben kann. Daß ein musikalischer Gedanke und der Zusammenhang, den er stiftet, ‚abstrakt' bleiben, besagt, daß einzelne, isolierte Momente des Tonsatzes, losgelöst von den übrigen, den Ausgangspunkt des kompositorischen Denkens bilden: [...] eine ‚diastematische Struktur', die unabhängig vom Rhythmus und vom Metrum — mit variablen Tondauern und Akzenten — den Tonsatz durchdringt und dessen Teile von innen heraus miteinander verklammert."[1] Demgemäß läßt sich nun die geheimnisvolle, in einer „subthematischen", abstrakten kompositorischen Struktur verankerte Verknüpfung der vier Adagio-Takte mit dem Allegro-Beginn sowie dessen weiteres, gleichsam subkutanes diastematisches Beziehungsgeflecht vollends enträtseln: „Die unaufgelöste Septime h' in Takt 6, die über dem letzten Viertel (gis') nachhallt, bildet zusammen mit Takt 7 eine Viertongruppe (h'—ais'—dis''—cis''), deren diastematische Substanz aus Takt 4, dem Schluß des Adagio cantabile, stammt. Wesentlicher für den inneren Konnex des Satzes — für das ‚subthematische' Webmuster, das ihm zugrunde liegt — ist allerdings die unmittelbar anschließende Viertongruppe (T. 8: fis''—eis''—dis''—cis''), ein Quartgang, dessen Umriß in der Überleitung (T. 19: gis'—fis'—eis'—dis') ebenso durchscheint wie im Seitenthema (T. 29: ais'—gis'—fis'—eis'). Daß er in der Überleitung durch ein aufsteigendes Tetrachord kontrapunktisch überlagert und im Seitenthema — als ‚Quartzug' im Sinne Heinrich Schenkers — in ‚Prolongationen' versteckt wird, besagt keineswegs, daß die Analyse ins musikalisch Irreale abirrt, sondern ist charakteristisch für den Hang zur Abstraktion, der in opus 78 als einem paradigmatischen Werk der ‚Übergangsphase' als Kehrseite der Kantabilität erscheint: einer Kantabilität, deren Verhältnis zum zielgerichteten Prozeß thematischer Arbeit prekär ist. Das Tetrachord, zunächst ein ‚Motiv', ist später, im Seitenthema, eine bloße ‚Struktur', die aus der Latenz nicht hervortritt, ohne daß darum ihre Funktion, inneren Zusammenhalt zu verbürgen, aufgehoben wäre."[2]

Eingedenk eines solch exquisiten kompositorischen Beziehungszaubers, der in nuce in nur vier „Adagio cantabile"-Takten angelegt ist — die übrigens auch das periodische Bauprinzip der Sonate vorgeben (wie schon erwähnt, bestehen beispielsweise die Hauptthemen beider Sätze aus dreimal vier Takten, und ähnlich basieren sämtliche übrigen Bildungen auf Viertaktgruppen) —, nimmt es überhaupt nicht wunder, daß Beethoven selbst laut Zeugnis Carl Czernys dieses Werk besonders geschätzt haben soll, indem er in Absetzung von der „Sonata quasi una Fantasia" op. 27, Nr. 2 äußerte: „Immer spricht man von der *Cis moll* Sonate; ich habe doch

1 C. Dahlhaus, *Ludwig van Beethoven und seine Zeit,* S. 248.
2 Ebenda, S. 250.

wahrhaftig Besseres geschrieben. Da ist die *Fis dur*-Sonate doch etwas anderes."[1] Daß außerdem bestimmte persönliche Emotionen im Spiel waren, sofern die Widmungsträgerin Gräfin Therese von Brunsvik die „Unsterbliche Geliebte" Beethovens gewesen wäre oder er die Sonate unter dem Einfluß von Heiratsabsichten, die sich auf Therese Malfatti richteten, komponiert hätte, um nach dem Scheitern seines Eheplans das Werk eben doch der Erstgenannten zuzueignen[2], entbehrt einer sachlichen Grundlage.[3] Vielmehr dürfte Beethovens hohe Wertschätzung der Fis-Dur-Klaviersonate op. 78 hauptsächlich durch ihre spezifisch musikalische Eigenart bedingt gewesen sein, die gleichfalls Czerny mit der Bemerkung registrierte, die „Sonate unterscheidet sich auffallend von den frühern durch Geist und Styl", wobei er den ersten Satz als „ruhig, naiv, zärtlich, fromm, und mit dem singbarsten Ausdruck vorzutragen" kennzeichnete.[4] Andere haben den lyrisch-intimen Charakter des Werkes in bildhaften, mitunter recht treffenden Vergleichen zu verdeutlichen versucht. So erblickte Carl Reinecke in dem Umstand, daß die Sonate relativ selten in öffentlichen Konzerten aufgeführt werde, einen unmittelbaren Reflex auf „die unendliche Innigkeit des einleitenden Adagios und die unsägliche Liebenswürdigkeit des Hauptthemas" und bekannte, daß er dieses Stück sich „mit besonderer Vorliebe ganz allein" in seinen eigenen „vier Wänden vorspiele"[5], während Paul Bekker notierte: „über das Ganze weht es wie ein Hauch aus vergangenen Tagen, in denen das Klavier noch das Organ eines stillen Gedankenaustausches von Seele zu Seele war".[6]

Christoph von Blumröder

1 Zit. nach Thayer / Deiters / Riemann, *Ludwig van Beethovens Leben,* Bd. III (²1911), S. 171.

2 Vgl. etwa die in diese Richtung zielenden Spekulationen H. Riemanns (*L. van Beethovens sämtliche Klavier-Solosonaten,* Bd. III, S. 141f.).

3 Gemäß H. Goldschmidts letzten Forschungen (*Um die Unsterbliche Geliebte*) kommen zumindest derzeit als Adressatin des legendären Liebesbriefes nur die Schwester Gräfin Josephine von Brunsvik oder Antonia Brentano in Frage.

4 C. Czerny, *Über den richtigen* Vortrag (1963), S. 54. Auch E. Fischer hält für „die Verteidigung dieser Sonate von seiten des Komponisten" keine persönlichen Motive, sondern die „Tatsache eines neuen Stils" ausschlaggebend (*Ludwig van Beethovens Klaviersonaten,* 1958, S. 100).

5 C. Reinecke, *Die Beethoven'schen Clavier-Sonaten* (⁷1917), S. 77.

6 P. Bekker, *Beethoven* (²1912), S. 173.

Klaviersonate G-Dur
op. 79

ENTSTEHUNGSZEIT: 1809.
ERSTAUFFÜHRUNG: unbekannt.
SKIZZEN: 1. Satz: Deutsche Staatsbibliothek Berlin, Landsberg 5.
AUTOGRAPH: Beethoven-Haus Bonn, Sammlung H. C. Bodmer.
ERSTDRUCK: Leipzig 1810 (Breitkopf & Härtel).
GESAMTAUSGABE: Alte Gesamtausgabe: Nr. 148 = Serie 16 Nr. 25.

Der erste Satz der dreisätzigen Sonatine (dazu später), „Presto alla tedesca" überschrieben, basiert auf einem forte in Viertelwerten vom Tonika-Grundton über die große Terz zur Quinte energisch emporschwingenden Dreiklangsthema, das mit einer anschließenden, gegen Ende wieder in Viertelnoten retardierenden Achtelabwärtsbewegung nach sieben Takten in eine viertaktige Fortspinnung (T. 8—11) mündet. Piano und leggiermente erfolgt die Überleitung (T. 12—23) zum Seitensatz (T. 24—45), dessen thematische Substanz einer crescendierenden Kombination aus Achtelfigurenbögen und sich verdichtenden Akkordketten von der Fortspinnung des Hauptthemas (T. 8—11) analytisch hergeleitet werden kann. Eine kurze Schlußgruppe (T. 46—49 bzw. 51) führt motivisch und harmonisch in den Einsatz des Hauptthemas zurück. Ebenso wie die Exposition soll die darauffolgende Durchführung (T. 52—122) gemeinsam mit der Reprise (T. 123—173 bzw. 175), in deren Verlauf die Schlußgruppe in ihrem Umfang um zwei Takte erweitert erscheint (T. 168ff.), wiederholt werden, bevor eine das Hauptthema aufgreifende Coda (T. 176—201) den Abschluß bildet. Aufgrund der fallenden kleinen Terz, mit der die Schlußgruppe endet (T. 48f.) und deren thematische Verarbeitung in der Durchführung über weite Passagen den Satz durchzieht (T. 59—73, T. 83—97 und T. 111—118), hat die Sonatine op. 79 einen besonderen, heute freilich nicht mehr so geläufigen Beinamen erhalten; das entscheidende Stichwort dafür lieferte vermutlich Adolf Bernhard Marx, als er (abschätzig) von der (seiner Ansicht nach „gar zu flach" geratenen) „Durchführung des kukukartigen Schlusssatzes" — also der Schlußgruppe — redete[1], woraus dann etwa bei Wilibald Nagel oder Hugo Riemann schlicht und einfach die Kennzeichnung „Kuckuckssonate" wurde.[2]

Die lyrisch-expressive Qualität einer zweistimmigen, aus parallelen Sexten und Terzen bestehenden Barkarolen-Melodie über der Repetition einer gleichförmigen, aus drei Achtelnoten zusammengesetzten Baßfigur ist das tragende Moment des zweiten Satzes (T. 1—8), eines kleinen Andante in g-Moll mit einem kontrastierenden, hinsichtlich sowohl seiner Melodik als auch der dazugehörigen Sechzehntelbegleitung stärker fließenden, klangvolleren Es-Dur-Mittelteil (T. 10—20; die Takte 9 und 21 haben eine Überleitungsfunktion) sowie mit einer Coda (T. 30—34), in der

---

1 A. B. Marx, *Ludwig van Beethoven,* Bd. I (^{6}1902), S. 53.
2 Vgl. W. Nagel, *Beethoven und seine Klaviersonaten,* Bd. II (^{2}1924), S. 153; Thayer / Deiters / Riemann, *Ludwig van Beethovens Leben,* Bd. III (^{2}1911), S. 170; H. Riemann, *L. van Beethovens sämtliche Klavier-Solosonaten,* Bd. III, S. 168.

die Barkarolen-Melodie und die Sechzehntelbegleitung des Kontrastteiles miteinander verschmolzen werden. Zahlreiche Rezipienten haben in diesem Andante, das buchstäblich das musikalische Herz der Sonatine darstellt, eine kompositionsgeschichtliche Antizipation des romantischen Charakterstücks erblickt. So betrachtete Hans von Bülow den Satz „als das Prototyp der modernen ‚Lieder ohne Worte' [...], deren schwerlich eines ihn an liebenswürdiger ursprünglicher Frische übertrifft"[1]; und während Paul Bekker zwar ohne die namentliche Erwähnung eines späteren Komponisten, aber doch ganz dezidiert von „der melancholischen g-moll-Barcarole" sprach[2], nannte Richard Rosenberg das Andante explizit „einen Vorläufer von Mendelssohns ‚Liedern ohne Worte'" unter Verweis auf „speziell zwei der ‚Venezianischen Gondellieder', das in g-Moll [...] und das in a-Moll".[3]

Der Finalsatz präsentiert sich als ein beschwingt-spritziges Vivace-Rondo, dessen zwei achttaktige Perioden ausfüllendes Thema (T. 1—16) in solcher Regularität vom siebentaktigen Bau des Hauptthemas im ersten Satz deutlich unterschieden ist — ein Unterschied, den man im gleichsam übergeordneten, prozessualen Sinne einer kompositorischen Spannungsauflösung interpretieren kann; daß dieser Sachverhalt von Beethoven tatsächlich so intendiert wurde, bestätigt eine Skizze, mit der auch das Thema des ersten Satzes zunächst periodisch konzipiert wurde[4], bevor es in einem weiteren Ausarbeitungsstadium seine bewußt von der Achttaktigkeit abweichende Gestaltung erfuhr.

Indes steht Beethovens 1809 komponierte G-Dur-Sonatine relativ singulär innerhalb der langen Reihe anderer, gewichtigerer Klaviersonaten, denkt man nur einmal an die entstehungschronologisch unmittelbaren Nachbarwerke, nämlich an die Fis-Dur-Sonate op. 78 und die Es-Dur-Sonate op. 81a, mit denen zusammen Beethoven op. 79 am 4. Februar 1810 dem Verlagshaus Breitkopf & Härtel zur Publikation offerierte: „Drei Klavier-Solosonaten, *NB.* wovon die dritte aus drei Stücken, Abschied, Abwesenheit, das Wiedersehen besteht, welche man allein für sich herausgeben müßte."[5] Und entsprechend dieser Briefäußerung hieß der ursprüngliche Titel von op. 79 im Autograph noch *Sonata*. Doch im Blick auf eine mögliche Sammelveröffentlichung von op. 79 mit op. 78 schlug Beethoven dann selbst am 21. August 1810 in einem weiteren Brief an Gottfried Christoph Härtel folgende Titelmodifikation vor, die offensichtlich der Verschiedenartigkeit des kompositorischen Anspruchs — und wohl ebenso des aufführungspraktischen Schwierigkeitsgrades — beider Stücke Rechnung tragen sollte: „Was die zwei Sonaten angeht, so geben Sie jede allein heraus; oder wollen Sie sie zusammen herausgeben, so setzen Sie auf die aus dem *G*-Dur *Sonatine facile* oder *Sonatine*, welches Sie auch tun können, im Fall Sie sie nicht zusammen herausgeben."[6] Schließlich wurden die zwei

1 H. v. Bülow, *Beethovens Werke für Piano solo,* Teil 1 (1902), S. 136, Anmerkung a; Fr. Volbach hat diese Einschätzung zustimmend bekräftigt (*Die Klaviersonaten Beethovens,* S. 218).
2 P. Bekker, *Beethoven* (^{2}1912), S. 176.
3 R. Rosenberg, *Die Klaviersonaten Ludwig van Beethovens,* Bd. II, S. 320. Gewissermaßen auf rezeptionsgeschichtlich halber Strecke zwischen Bekker und Rosenberg stellte W. Riezler fest, daß der „Mittelsatz [...] Töne anschlägt, die auch in der Barcarole eines Mendel[s]sohn stehen könnten" (*Beethoven,* ^{7}1951, S. 194; nicht in ^{5}1942).
4 Vgl. G. Nottebohm, *Zweite Beethoveniana,* S. 269.
5 E. Kastner / J. Kapp, *Ludwig van Beethovens sämtliche Briefe,* S. 155.
6 Ebenda, S. 175f.

Werke separat publiziert, wobei gemäß Beethovens zuletzt unterbreiteter Anweisung op. 79 die Überschrift *Sonatine* erhielt. Die damit bezeichnete ästhetisch-formale Differenzierung hat Salomon Jadassohn, dessen theoretische Erörterungen des musikalischen Formenkanons sich wesentlich auf Beethovens Œuvre beziehen, exemplarisch zum Ausdruck gebracht: „Die Sonatine ist — wie das Verkleinerungswort es sagt — eine kürzere Sonate."[1] Darüber hinaus impliziert der Begriff der Sonatine den oben schon angedeuteten Aspekt einer leichteren Ausführbarkeit, auf den wohl nicht zuletzt Beethovens Alternativbenennung „Sonatine facile" anspielte und den Carl Czerny offen hervorhob: „für minder geübte Spieler brauchbar".[2] (Zudem hat es den Anschein, als habe Beethoven eine Parallele zu den eigenen *Deux Sonates faciles* op. 49 — zu deren erster auch ein Skizzenblatt mit der Notiz „Sonatine" erhalten ist[3] — sowie möglicherweise zu Wolfgang Amadeus Mozarts *Sonate facile* KV 545 — erklärtermaßen „Eine kleine klavier Sonate für anfänger"[4] — ziehen wollen; bemerkenswerterweise entwarf Beethoven den Anfang von op. 79 unter dem Stichwort „Sonate facile" zunächst in derselben Tonart C-Dur[5], in der vor ihm Mozart sein gleichlautendes Stück komponiert hatte.)

Jedenfalls rief die Sonatine op. 79, die zumindest beim ersten Hinhören in ihrer engeren Klaviersonatenumgebung fast wie ein Fremdkörper wirkt, bis auf den heutigen Tag bei den meisten Rezipienten Befremden hervor, das man auf mancherlei Weise zu beschwichtigen suchte. Zum einen diente über längere Zeit als entlastende Hypothese die vermeintliche Erklärung, es handele sich bei dem Werk um eine „Jugendarbeit", die Beethoven in akuter Publikationsnot nachträglich veröffentlicht habe.[6] Zwar ist diese Behauptung spätestens mit Gustav Nottebohms Entdeckung zweier (im vorigen bereits mehrfach erwähnter) Entwürfe zum Anfang des ersten Satzes der Sonatine in einem Skizzenbuch des Jahres 1809 hinfällig geworden, doch hielt man hartnäckig an einer Relativierung ihrer kompositorisch minderen Qualität wenigstens dergestalt fest, daß ihre thematische Substanz auf Beethovens im Winter 1790/1791 in Bonn entstandene *Musik zu einem Ritterballett* (WoO 1) oder sogar auf eine Violinsonate Mozarts zurückgehe; die von Carl Reinecke in Umlauf gesetzte Vermutung, „dass das Thema des Schlusssatzes bereits in dem Ritterballett [...] anklingt und dass der Keim vielleicht in der Mozart'schen Sonate für Clavier u. Violine (Köchel 379) zu suchen ist"[7], wurde noch unlängst von Jürgen Uhde eingehend weiterverfolgt.[8] Zum anderen tröstete man sich mit der Annahme, das Werk sei al-

---

1 S. Jadassohn, *Die Formen in den Werken der Tonkunst* (^{2}1894), S. 82.
2 C. Czerny, *Über den richtigen Vortrag* (1963), S. 62.
3 Siehe G. Nottebohm, *Zweite Beethoveniana,* S. 44.
4 W. A. Mozarts Eintragung am 26. Juni 1788 in sein *Verzeichnüß aller meiner Werke,* in: *Briefe und Aufzeichnungen,* Bd. IV, S. 68.
5 Siehe G. Nottebohm, *Zweite Beethoveniana,* S. 269.
6 Vgl. beispielsweise E. v. Elterlein (*Beethovens Clavier-Sonaten,* ^{4}1875, S. 100), A. B. Marx (*Ludwig van Beethoven,* Bd. I, ^{6}1902, S. 53) oder noch R. Rosenberg, der in Kenntnis des Skizzenfundes zum ersten Satz argumentierte, „es wäre ja möglich, daß die Skizze nur die Überarbeitung eines noch im Notenschrank verwahrt gebliebenen Jugendentwurfs darstellt" (*Die Klaviersonaten Ludwig van Beethovens,* Bd. II, S. 317).
7 C. Reinecke, *Die Beethoven'schen Clavier-Sonaten* (^{7}1917), S. 77f.
8 J. Uhde, *Beethovens Klaviermusik,* Bd. III (^{3}1986), S. 256f.

lein „instruktiven Zwecken gewidmet" gewesen[1] oder vielleicht von Beethoven „als eine Erholung inmitten wichtigerer Arbeiten" komponiert worden.[2]

Im Gegensatz zu solchen kompositorisch-ästhetischen Einschränkungen läßt sich im 20. Jahrhundert, als Beethovens Spätwerk an Renommee gewann, das gleichermaßen auf seine sogenannten Nebenwerke zurückwirkte, das verstärkte Bemühen um eine in diesem Sinne angelegte Aufwertung der Sonatine beobachten. Eine dementsprechend ausgerichtete Werkinterpretation, die nicht frei von Apologie, Willkür und Ungereimtheiten ist, zeichnete ebenso pointiert wie apodiktisch Donald Francis Tovey mit der Feststellung vor, daß die Sonatine idiomatisch überhaupt nicht an musikalisch Vergangenes, sondern einzig an den „Stil von Beethovens dritter Periode" gemahne.[3] Paradigmatisch könnten an dieser Stelle die motivischen Analogien aufgezählt werden, die man zwischen der Sonatine und dem B-Dur-Streichquartett op. 130[4], der E-Dur-Klaviersonate op. 109[5] sowie den Bagatellen op. 126[6] zu erkennen glaubte, wobei es sich indes schlicht um gebrochene Dreiklangskonfigurationen handelt, um musikalische Allerweltsbildungen also, zumal wenn sie in Sätzen mit Tanzcharakter auftreten. Und ähnlich spiegelt die jüngere Diskussion der Spielanweisung „Presto alla tedesca" des ersten Satzes einen Hang zu übertriebener Problematisierung, wenn das darin enthaltene Bezeichnungsfragment alla (danza) tedesca als außerordentliche Merkwürdigkeit unnötig akzentuiert wird[7], statt es — wie vordem unstrittig war[8] — als Berufung auf den Deutschen Tanz hinsichtlich umstandsloser, unbeschwerter Fröhlichkeit aufzufassen.

---

1 I. Peters, *Beethovens Klaviermusik,* S. 48; in Verbindung mit der Auffassung von op. 79 als „Jugendwerk" vertrat diesen Standpunkt ähnlich schon E. v. Elterlein (*Beethovens Clavier-Sonaten,* [4]1875, S. 100), und J. Uhde spekulierte über Gräfin Marie von Erdödy als mögliche Widmungsempfängerin der aufgrund einer „heute nicht mehr bekannten pädagogischen Absicht" komponierten Sonatine (*Beethovens Klaviermusik,* Bd. III, [3]1986, S. 256).

2 So urteilte J.-G. Prod'homme angesichts des erwiesenen zeitlichen Entstehungszusammenhanges der Sonatine mit anderen bedeutenden Kompositionen Beethovens: „La sonatine, étant donné le contexte, peut donc apparaître comme un délassement au milieu de travaux plus importants" (*Les Sonates pour Piano de Beethoven,* S. 190).

3 D. Fr. Tovey, *A Companion,* S. 182: „Slight and careless as Op. 79 is, its idioms are utterly unlike either Mozart's or Haydn's. The only thing they resemble is the style of Beethoven's third period, not ready to dawn for some years yet."

4 H. v. Bülow verwies als erster auf die „Affinität" des ersten Sonatinensatzes „‚alla tedesca' mit dem gleichnamigen Intermezzo in dem grossen Streichquartett Op. 130" (*Beethovens Werke für Piano solo,* Teil 1, 1902, S. 129, Anmerkung a); vgl. später z.B. D. Fr. Tovey, *A Companion,* S. 183 (allerdings unter wohl irrtümlicher Angabe des cis-Moll-Streichquartetts op. 131) oder G. E. Meyer, *Untersuchungen zur Sonatensatzform,* S. 29f. (zusätzlich mit vergleichender Erörterung des ersten Satzes der 8. Symphonie F-Dur op. 93).

5 Siehe etwa P. Bekkers Rede von „dem zierlichen Vivace, das später in op. 109 wiederkehrt" (*Beethoven,* [2]1912, S. 176) und R. Rosenbergs daran anknüpfende thematische Rückführung des ersten Satzes von op. 109 auf den letzten Satz von op. 79 (*Die Klaviersonaten Ludwig van Beethovens,* Bd. II, S. 321f.).

6 J. Uhde bezog den dritten Sonatinensatz auf die fünfte Bagatelle (*Beethovens Klaviermusik,* Bd. III, [3]1986, S. 267f.).

7 Vgl. R. Rosenberg, *Die Klaviersonaten Ludwig van Beethovens,* Bd. II, S. 317; J. Uhde, *Beethovens Klaviermusik,* Bd. III ([3]1986), S. 259; G. E. Meyer, *Untersuchungen zur Sonatensatzform,* S. 24ff.

8 „Die Tempobezeichnung *Presto alla Tedesca* weist auf den ‚Deutschen', d. h. den Wiener Schnellwalzer hin" (H. Riemann, *L. van Beethovens sämtliche Klavier-Solosonaten,* Bd. III, S. 170). „Der Tanzcharakter [...] spricht sich neben dem Rhythmus besonders in der Fröhlichkeit aus, die den ganzen Satz so sorglos durchströmt" (Fr. Volbach, *Die Klaviersonaten Beethovens,* S. 216).

Zwar kann auch in Beethovens G-Dur-Sonatine op. 79 kompositorisch Ungewöhnliches entdeckt werden, wie am Hauptthema des ersten Satzes gezeigt wurde. Doch abgesehen davon, daß die Kategorie des Spätstils durch eine übermäßige Ausweitung auf Stücke wie op. 79 unscharf zu werden droht, sollte man sich davor hüten, weder durch unangemessen hohe musikalische Erwartungen noch durch allzu tiefgründige analytische Interpretationen die Sonatine zu überfrachten[1], sondern sich vielmehr mit dem zufriedengeben, was sie unzweifelhaft ist: eine leichte, kleine Klaviersonate mit einem wunderschönen Andante.

Christoph von Blumröder

Fantasie c-Moll für Klavier, Chor und Orchester op. 80 (zusammen mit „Seufzer eines Ungeliebten" WoO 118)

ENTSTEHUNGSZEIT: op. 80: 1808, die Einleitung hat Beethoven in der ersten Aufführung fantasiert; notiert wird sie erst 1809—1810; WoO 118: 1794 oder Anfang 1795.
ERSTAUFFÜHRUNG: op. 80: am 22. Dezember 1808 im Theater an der Wien; WoO 118: unbekannt.
SKIZZEN: op. 80: Deutsche Staatsbibliothek Berlin, Grasnick 3 (vgl. D. Weise, *Ein Skizzenbuch zur Chorfantasie*) und Landsberg 5 (Klaviereinleitung); vgl. dazu: Johnson / Tyson / Winter, *The Beethoven Sketchbooks*; WoO 118: Staatsbibliothek Preußischer Kulturbesitz Berlin, aut. 28, Skizzenbuch Fischhof; Deutsche Staatsbibliothek Berlin, Grasnick 3; Gesellschaft der Musikfreunde Wien, A 35.
AUTOGRAPH: op. 80: Ob eine autographe Partitur je existiert hat, wird bezweifelt. Erhalten sind eine Abschrift der Klavierstimme mit Korrekturen und Nachträgen Beethovens und ein Autograph der Singstimme in Partitur (Beethoven-Haus Bonn). Von der Uraufführung ist nur eine Violinstimme erhalten (Gesellschaft der Musikfreunde Wien). Zum Verhältnis der Quellen zur Erstausgabe vgl. Sh. A. Kojima, *Zur Quellenkritik von Beethovens Chorfantasie op. 80* (Kojima verzeichnet und revidiert die umfangreiche ältere Literatur); WoO 118: Autograph nicht nachgewiesen.
ERSTDRUCK UND WIDMUNG: op. 80: Stimmen: Leipzig 1811 (Breitkopf & Härtel), 15 Auflagen bis 1864 (vgl. W. Hess, Vorwort der Eulenburg-Taschenpartitur, S. V); Partitur: London 1810 (Clementi); op. 80 ist König Maximilian Joseph von Bayern gewidmet; WoO 118: erste Ausgabe als op. posth. in Wien 1837 (A. Diabelli & Co.).
GESAMTAUSGABEN: op. 80: Alte Gesamtausgabe: Nr. 71 = Serie 9 Nr. 8; WoO 118: Alte Gesamtausgabe: Nr. 253 = Serie 23 Nr. 40; Neue Gesamtausgabe: Abt. XII, Bd. 1.

Was nicht der Norm entspricht, nannte man auch in der ersten Hälfte des 19. Jahrhunderts noch Fantasie. Die Chorfantasie ist ein einzigartiges Stück. Als Moritz von Schwind um die Jahrhundertmitte ein Werk Beethovens malen wollte, stellte er ein Ensemble vor, das eine Pianistin, ein großes Orchester und einen Chor vereint. Und

1 „Hinter der Simplizität und Harmlosigkeit verbirgt sich in gewisser Beziehung die Kompliziertheit der kompositorischen Wirklichkeit, die dann im Spätstil so offen und konsistent zu Tage tritt", vermerkte G. E. Meyer in ihren an sich sehr verdienstvollen *Untersuchungen zur Sonatensatzform bei Ludwig van Beethoven,* S. 78.

jeder, der sich nur ein wenig auskannte, wußte, daß es die Chorfantasie ist, die hier gesungen und gespielt wird. Die außergewöhnliche Besetzung prägt die Form. Der Rezensent der *Allgemeinen musikalischen Zeitung* beschrieb sie 1811 in einem Satz: „Jetzt wurde zum erstenmale eine grosse Beethovensche Phantasie für das Pianoforte, zu welchem sich hernach allmählig alle Stimmen des Orchesters, dann Solo-Sänger, und endlich der volle Chor gesellen, aufgeführt."[1] Der so naheliegende formale Aufbau ist für die Interpretation, für die ältere wie für die hier vorgelegte, bedeutsam.

Die große freie Fantasie des Solisten, die das Werk eröffnet, ist alles andere als angenehm und nichts weniger als schön. Beethoven vereint scheinbar Unvereinbares, Erhabenes mit Groteskem, Großes mit Winzigem, Weitausschweifendes mit Engem. Nichts steht fest, und nichts wird vollends ausgebildet: nicht die Tonart, nicht die Taktart und schon gar nicht ein Motiv, ein Gedanke oder ein Gesang. Die mächtigen Akkordbögen, die die Tonart c-Moll und den großen langsamen 4/4-Takt (Adagio) einführen, sind nicht mehr als der Ausgang einer höchst ungewöhnlichen Entwicklung. Beethoven wendet sich von der Tonart des Beginns, kaum daß sie erklungen ist, ab. Er geht in eine leise geschmeidige Zweiunddreißigstel-Bewegung über; sie moduliert nach Es-Dur, befestigt aber wird auch diese Tonart nicht. Auf dem Weg dahin mutiert die weiche melodische Linie; sie wird zur metrischen Figur: ein interessanter Punkt. Die neue, gestochen scharfe Figur begründet eine neue metrische Ordnung. Die Angelegenheit ist freilich kompliziert. Das neue Metrum setzt sich nicht vollends durch. Es nistet sich in die vorgegebene Taktart ein. Im 4/4-Takt etabliert sich für kurze Zeit das minimale Maß des 2/16-Taktes. Es bestimmt von der Mitte des siebten Taktes an die melodische Zeichnung. Beethoven bildet vier modulierende satzartige Einheiten, deren jede aus vier „2/16-Takten" besteht. Die Sätzchen sequenzieren und führen binnen kurzem in dunkelste Tiefen (b-Moll, g-Moll, f-Moll, Des-Dur). Damit sie sich von ihrer Umgebung abzeichnen, markiert Beethoven ihre Endpunkte durch Sforzati. Im zweiten Teil der Einleitung (T. 19f.) werden sie sogar melodisch gezeichnet. Die Einförmigkeit des balkenreichen Notenbildes täuscht demnach: Beethoven setzt Akkordfiguren von riesigen Dimensionen gegen Figuren von äußerster Gedrängtheit. Im zweiten Teil, der von E-Dur (T. 10) ausgeht, wiederholt und verdeutlicht er den Gegensatz der rhythmischen Formationen. Große, unabsehbare, fast ereignisleere Spielräume stehen gegen Phasen von drangvoller Enge. Gegen Ende weitet ein Crescendo den metrischen Spielraum wieder. Seine Energie staut sich in zwei synkopisch akzentuierten Akkordpaaren auf. Mit einem gewaltig ausholenden Arpeggio (auf der Doppeldominante) öffnet sich der Solist danach den Weg nach vorne.

Es folgt ein Allegro in c-Moll, ein kurzes Stück im Stil eines Accompagnato. Das Orchester setzt ein, so zurückhaltend wie möglich, einstimmig, mit einer leisen unisonen Schrittfigur, vorgetragen von den Celli und Bässen. Der Aufbruch wird durch Expressionen flehentlichen Verlangens aufgehalten. Der unentschiedene Gang endet seltsam. Das Schrittmotiv entfaltet sich in einem Fugato (T. 47ff.), hält aber plötzlich inne. Naturmusik ertönt: Hornsignale erklingen und ihr Echo in den Oboen. Es ist, als öffne sich eine schöne weite Landschaft. Der Solist nimmt die anapästisch

1 St. Kunze, *Gesammelte Konzertberichte,* S. 213.

gezeichneten Naturmotive auf und bildet daraus ein Lied, einen schlichten, ebenmäßigen, anmutigen Gesang. Herder hätte daran seine Freude gehabt. Nur die beiden Hörner, die das Lied intoniert haben, begleiten den Solisten. Beethoven läßt dem Lied zunächst fünf einfache Variationen folgen. Von Variation zu Variation führt er ein Orchesterinstrument mehr ein, in die erste Variation die Flöte, in die zweite zwei Oboen, in die dritte zwei Klarinetten und ein Fagott, in die vierte zwei Violinen, Viola und Cello, das solistisch besetzte Streichquartett also. Die ersten beiden Variationen werden durch den Pianisten so zurückhaltend wie möglich begleitet. Jede Variation bringt eine charakteristische Seite des Instruments zur Geltung, dem sie gewidmet ist: die erste das sanfte und gleichwohl hochgemute Spiel der Flöte, die zweite den dionysisch getönten Klang der Oboen, die dritte die zärtliche Melodik der Klarinetten und die vierte die Beweglichkeit und Dynamik des Streichquartettsatzes. Am Ende fehlen nur mehr die Trompeten und Pauken. Diese bringt Beethoven mit der fünften Variation ins Spiel. Sie ist Wiederholung und Variation des Themas zugleich, „Reprise“ insofern, als sie zur schlichten Melodie des Anfangs zurückkehrt, Variation insofern, als sie das Thema ins Tutti hebt und auf den energisch fortschreitenden Baß stellt, der dazu — wie das Lied „Gegenliebe“ zeigt — ursprünglich gehört.

Damit ist der Variationszyklus nicht beendet. Die folgenden Variationen aber folgen einer anderen und, wie Beethoven wohl gesagt hätte, neuen Manier. Sie prägen vier sehr eigentümliche musikalische Charaktere aus. Sie stehen allesamt unter dem Gesetz der Mitte, und dies in doppeltem Sinn, in bezug aufs Formale und Zyklische. Sie führen das Thema durch. Und sie zeichnen dadurch, daß sie an die Charaktere der mittleren Sonatensätze, des langsamen Satzes und des Scherzos, erinnern, die Konturen der zyklischen Form nach. Die Variationen geraten nun in große Gegensätze zueinander und müssen umständlich vermittelt werden. Diese Überleitungen, die ein nicht geringes kompositionstechnisches Problem darstellen, hat Beethoven sorgfältig ausgeführt. Die erste Variation, ein Allegro molto in c-Moll, hat Scherzo-Charakter. Beethoven drängt das Thema aufs engste — auf Achtelnoten — zusammen. Er vereint in einem Takt zwei rhythmisch zählende Einheiten, — eine Erinnerung wohl an die unfreien Rhythmen der Fantasie. Beethoven versetzt die Melodie ins Fortissimo und begleitet sie auf primitivste Weise. Sie ist wild und ungestüm. Es dauert lange, bis sich der Griff löst, in den Beethoven das Thema hier nimmt. — Die zweite Variation der Mitte kontrastiert, obwohl Beethoven Takt und Tempo nicht ändert, aufs schärfste mit der vorausgehenden. Sie ist biegsam und gefügig. Sie moduliert von H-Dur nach A-Dur. Beethoven erweitert den melodischen Spielraum. Der Allabrevetakt wird als Einheit realisiert. Die Melodie schwingt leise und frei in Viertelnoten. Beethoven glättet sie; er macht den zweiten Takt zum Ansatz einer schönen Progression und bildet den Nachsatz zu einer weichen Linie um, die mit einer eleganten Kadenz schließt. Diese schöne Schlußwendung bildet den Kern eines dreitaktigen modulierenden Gerüstsatzes: eines „Ritmo di tre battute“. Er prägt die Variation und ihren Anhang. — Die langsame Variation (Adagio, ma non troppo) steht in A-Dur, im 6/8-Takt. Sie wahrt — auch wenn man es vielleicht über der Dehnung vergißt — wieder den periodischen Grundriß und den harmonischen Verlauf des Themas. Bläser und Klavier wechseln miteinander ab. Der Pianist antwortet dem homophonen, kleingliedrigen Satz der Bläser mit hochdifferenzierten, ausdrucksvollen Figurationen.

Die letzte Variation in F-Dur, im 2/4-Takt, ist ein Marsch (Marcia, assai vivace). Er fällt gänzlich aus dem Kontext heraus. Man hört ihn nicht im Gegensatz zu den vorausgehenden Variationen. Er durchkreuzt die Kunstform mit Pauken und Trompeten. „Dramatisch" wie der Durchzug ist der Auszug. Der Marsch verklingt in der fernsten Ferne. — Was er hinterläßt, ist Leere. Der Pianist versinkt in melancholischen Grübeleien. Sein Spiel verliert alle Konturen. Es durchzieht die dunkelsten Sphären der Musik: f-Moll, Des-Dur, es-Moll. Es ist wohl die Erinnerung an das anmutige Thema, die den Weg aus dem Labyrinth weist. Die Streicher spielen dessen Motive leise, im Pizzicato, anfangs zaghaft, dann beherzter in den Satz hinein. Der Solist erobert schließlich den freien Raum zurück. Er reißt ihn durch ein riesiges Arpeggio (auf der Doppeldominante von c-Moll) auf. Die Situation erinnert an den Beginn der Komposition, an den Übergang von der freien Fantasie zum Allegro. Die leise Schrittfigur erklingt wieder. Hier aber drängt der Pianist kraftvoll nach vorne. Wo anfangs Gesten der Sehnsucht erklungen sind, reißen hier himmelstürmende Arpeggien den ganzen Klangraum des Instruments auf. Sie führen die „Reprise" des scheinbar verlorenen Liedes herbei. Wieder erklingen die Hornquinten und ihr Echo. Diesmal aber eingebunden in den 2/4-Takt, umspielt von weit ausgreifenden Figuren des Klaviers. Baute Beethoven in der „Exposition" das Orchester auf, so fügt er den Instrumenten nun Singstimmen hinzu. Erst einige wenige hohe Stimmen (vielleicht auch drei Solisten), dann drei tiefe Stimmen und schließlich den ganzen Chor. Die „Reprise" mündet schon nach der zweiten Variation ins Tutti. Ihm folgen Coda und Stretta. Sie erst führen den Höhepunkt des Ganzen herbei. Beethoven überhöht und steigert die einst so anmutige Melodie. Er betont das Wort „Kraft". Ein letzter Ansatz (T. 547ff.) augmentiert die enthusiastische Schlußzeile und verwandelt sie in einen kraftvollen Hymnus.

Die Chorfantasie zählt seit langem zu den problematischen Kompositionen Beethovens. Zurückhaltende Kritiker wie Paul Bekker halten sie für seltsam, zupackende wie Walter Riezler für mißlungen.[1] Vieles von dem, was bedeutende Werke auszeichnet, wurde vermißt. Gustav Ernest stößt sich an der Simplizität der Anlage und der Leichtigkeit des thematischen Gehalts, an der Spekulation auf die sensationelle Besetzung und die Virtuosität, an der Spekulation also letztlich aufs Populäre.[2] Einer gerechteren Beurteilung des Werks bereitet neuerdings Steven Whiting dadurch den Boden, daß er an die Aufgabe, die die Fantasie ursprünglich hatte, erinnert.[3] Beethoven kam 1808 — so Czerny — kurz vor dem Tag, an dem eine große Akademie stattfinden sollte, auf „die Idee ein glänzendes Schlußstück [...] [dafür] zu schreiben. Er wählte ein schon viele Jahre früher componirtes Lied-motif, entwarf die Variationen, den Chor, etc: und der Dichter Kuffner mußte dann schnell die Worte / : nach Beethovens Angabe : / dazu dichten."[4] Die Akademie vom 22. Oktober 1808 bot Ungeheueres: die 6. Symphonie, die Arie „Ah! perfido", Teile der C-Dur-Messe, das 4. Klavierkonzert, die 5. Symphonie, eine freie Fantasie Beethovens auf dem Klavier und zu guter Letzt die Chorfantasie. Die Fantasie ist demnach ein Schlußstück par excellence. Wohl deshalb schreibt Beethoven im Erstdruck

1 Vgl. P. Bekker, *Beethoven* (²1912), S. 169; W. Riezler, *Beethoven*, S. 195.
2 Vgl. G. Ernest, *Beethoven* (²1922), S. 227f.
3 Vgl. St. M. Whiting, *„Hört ihr wohl"*.
4 G. Schünemann, *Czernys Erinnerungen an Beethoven*, S. 57.

das Wort „Finale“ bereits über den ersten leisen Einsatz des Orchesters. Sie hat durchaus eine metazyklische Funktion. Sie alludiert auf das vorausgehende Programm. Sie faßt die Besetzungen zusammen, die darin vorgeführt worden sind, und sie erinnert an den einen oder anderen einprägsamen Moment der verklungenen Werke, im Rezitativ etwa an den langsamen Satz des 4. Klavierkonzerts.

Nun beantwortet der Hinweis auf den ursprünglichen Kontext des Werkes nicht die Frage nach seiner ästhetischen Bedeutung. Das 19. Jahrhundert war um die Antwort darauf nicht verlegen. Schon der erste, der sich auf das Werk näher einläßt, ein Anonymus, bringt die Interpretation auf, die gilt, solange man das Werk ästimiert. Er erklärt 1812 die Chorfantasie zum Selbstporträt Beethovens. Sie ist — schreibt er — „der eigentliche Culminationspunkt des aus sich selbst schaffenden Genius [...], der hier sein eigenes Seelengemälde zeichnet“.[1] Es versinnliche sich darin „das mächtige Emporstreben eines tiefdenkenden Genius aus dem Meere unendlicher Harmonien zur höchsten Klarheit und Beschaulichkeit“: die chaotischen Verwirrungen des Beginnens, die Fortschritte des zum Bewußtsein seiner selbst kommenden, „vorwärtsstrebenden Genius“, die Konzentration auf ein musikalisches Hauptgefühl und dessen Entfaltung und Verdeutlichung bis hin zur höchstmöglichen „Klarheit“, bis zur vernünftigen Bestimmung durch die Poesie. Adolf Bernhard Marx wiederholt diese Deutung: „Die Idee des Werks ist eben so einfach, wie künstlerisch wahr und ergiebig, sie ist gleichsam eine Enthüllung jener, vielen so unbegreiflichen Persönlichkeit: Komponist.“[2] Es scheint, als verlöre die schöne Idee aus Beethovens Tagen gegen Ende des Jahrhunderts an Überzeugungskraft. Ein Zeichen wohl dafür, daß das Werk nicht mehr ernstgenommen wird. Wilhelm Joseph von Wasielewski hört es als Genrebild: „Der Meister sitzt phantasirend an seinem Instrument. Da wird von außen her etwas wie menschlicher Fußtritt vernehmbar. Es droht Besuch. Darob schwermütige Exclamationen. Man will nicht gestört sein“[3]: Beethoven in Hausschuhen. — Es ist offensichtlich: Alle diese Ideen wurzeln im Künstlerkult des 19. Jahrhunderts. Sie sind nicht nur abgelebt, sondern fragwürdig vor dem Werk. Vieles, die Form der Fantasie, ihr Thema und der Text, läßt darauf schließen, daß ihr Gegenstand nicht der Künstler, sondern die Kunst ist. Das ist ein Unterschied, den die Zeit durchaus ernst nahm: „Wahrhaftig“, ruft Joseph Berglinger aus, „die Kunst ist es, was man verehren muß, nicht den Künstler“.[4]

Die Fantasie führt — wie die Formanalyse zeigt — einen vielstufigen, zielgerichteten Prozeß vor. Er ist ganz offensichtlich ähnlich gedacht wie die hypothetischen Zeitbilder, in denen die Philosophen der Aufklärung den Gang der Menschheitsgeschichte skizziert haben. Die strukturale Analogie zwischen der Temporalverfassung der aufgeklärten Geschichtsfantasie und der Chorfantasie Beethovens legt den Versuch nahe, das Kunstwerk auf die Geschichtsphilosophie zu beziehen und darin wenigstens seinen strukturalen Hintergrund, wenn nicht gar seinen besonderen Sinn zu suchen.

1 St. Kunze, *Gesammelte Konzertberichte,* S. 215.
2 A. B. Marx, *Ludwig van Beethoven,* Bd. II (^{6}1902), S. 82.
3 W. J. v. Wasielewski, *Ludwig van Beethoven,* Bd. II (^{2}1895), S. 49f.
4 W. H. Wackenroder, *Sämtliche Schriften,* S. 100.

Das dunkle zerklüftete Klaviersolo macht Anfänge fühlbar. Einsam — glaubte Rousseau zu wissen — irrte der Mensch durch die Wildnis, der Natur und sich ausgeliefert, ohne Sprache und ohne Gesang. Das Accompagnato verbindet den Ausdruck einer ersten zaghaften Progression mit Gesten der Sehnsucht, der Sehnsucht gewiß nach Mitmenschen. In den Hornquinten ertönt die Stimme der Natur, die Stimme der gütigen, besänftigten Natur, die es — so Rousseau — dem Menschen erlaubt, sich endlich mit seinesgleichen zu verbinden. Die Melodie, die der Solist aus den Appellen der Natur heraus bildet, ist ein Ausdruck der Menschenliebe. Dafür spricht auch ihre Herkunft. Beethoven hat diese Melodie 1794 oder 1795 für das Klavierlied „Seufzer eines Ungeliebten — Gegenliebe" (WoO 118) erfunden. Das Lied vereint zwei an sich selbständige Gedichte Gottfried August Bürgers: die Klage eines Einsamen — inmitten einer liebesseligen Natur sehnt er sich nach „Gegenliebe" — und das Lied über die Gegenliebe oder genauer über das Crescendo, in das sich Liebe und Gegenliebe gegenseitig treiben: „Gegengunst erhöhet Gunst, Liebe nähret Gegenliebe, und entflammt zur Feuersbrunst, was ein Aschenfünkchen bliebe." Das Lied bietet eine Miniatur dessen, was die Fantasie darstellen wird. Die Klage des Einsamen setzt Beethoven anfangs als Rezitativ in c-Moll. Er fügt daran ein großes, edles Andantino in Es-Dur, in der Tonart der Verlassenen, das halbschlüssig wiederum in c-Moll einhält. Im Schlußakkord setzt ein großes hoffnungsfrohes Crescendo ein. Es öffnet sich hin zu dem anmutigen Lied über die Gegenliebe, das später in die Chorfantasie eingehen wird. Es steht in C-Dur. Beethoven führt das Lied weit aus. Der Gesang gibt — wie der Topos sagt — dem Enthusiasmus der Poesie erst Flügel.

Die Fantasie weitet das Thema. Das Lied besingt die Liebe zweier Menschen. Die Fantasie geht weit darüber hinaus. Das Orchester steht — so die zeitgenössische Ästhetik — für eine große, wenn nicht für die menschliche Gemeinschaft. Die ersten Variationen führen die Genese einer Gesellschaft vor. Dabei ist das Lied weit mehr als ein musikalisches Symbol. Es ist das Mittel der Kommunikation und der Vereinigung. Es steht für einen der einfachen, edlen und wirkungsmächtigen Gesänge, denen die Philosophen — Rousseau, Sulzer, Herder — die Kraft zusprachen, gesellschaftliche, staatliche und religiöse Gemeinschaften zu begründen und im Innersten zusammenzuhalten. Einen nach dem anderen zieht ein solcher Gesang in seinen Bann, bis das Gemeinwesen vollendet ist. Es ist — wenn man den Konstrukten der Philosophen folgt — ein glücklicher Moment in der Geschichte der Menschheit, in dem die ersten Gemeinschaften entstehen. Rousseau besetzt ihn mit einem rührenden Bild: Am Brunnen begegnet der Liebende der Liebenden. Im Verlangen, ihre Leidenschaften und Gedanken auszutauschen, finden sie zur ersten Musik, zu Musik und Poesie in einem, zu dem, was die Griechen Musiké genannt haben. Und daraus erwachsen die großen Gemeinschaften.

Die Bewunderung und die Sehnsucht, mit der die Philosophen auf das „goldene Zeitalter" der Menschheit zurücksahen, hat ihren Grund im Leiden an der Gegenwart, in der Einsicht vor allem, daß die guten Anfänge die historischen Katastrophen nicht überdauert haben. Und verkommen sind mit ihnen auch die Poesie und die Musik. Es fällt nicht eben schwer, im zweiten Teil der Variationen, in der „Durchführungspartie", die musikalisch immer eine Phase der Vergegenwärtigung ist, den Ausdruck einer krisendurchzogenen Gegenwart zu hören. Die natürliche, so edle und schlichte Melodie wird entstellt, zergliedert, verzärtelt und schließlich gar zu einer auftrumpfenden wilden Kriegsmusik mißbraucht. Das Unglück, das ein Krieg hinterläßt, hat Beethoven erlebt. Am 26. Juli 1809 schreibt er seinem Verleger Härtel: „Welch zerstörendes, wüstes Leben um mich her, nichts als Trommeln, Kanonen, Menschenelend in aller Art. [...] Ich hatte einigemal angefangen, wöchentlich eine kleine Singmusik bei mir zu geben — allein der unselige Krieg stellte alles ein.“[1] Die Philosophen rekonstruieren die Vergangenheit um der Gegenwart und vor allem um der Zukunft willen. Ihre historischen Entwürfe münden in Utopien, deren Vorbild nun andererseits wiederum die verlorenen alten Zeiten sind. Daß man das verlorene Ideal naiv nachbilden könne, glaubt keiner. Doch wollen Rousseau und Herder den Versuch unternommen wissen, das Ideal, auch das musikalische, gleichsam durch „Rückkreuzung“ zu erneuern.[2] Beethovens Fantasie führt den Prozeß vor. Die Ratlosigkeit, die die Vergegenwärtigungen des Themas hinterläßt, nötigt zu einem weiteren „Fortschritt“, zum Übertritt in die Utopie. Beethoven wiederholt die Schrittfigur. Nun aber verbindet der Solist damit kraftvolle, zukunftsweisende Gesten. Er gestaltet den historischen Prozeß mit. Er führt ihn herbei und verschafft dem Lied ein zweites, erhöhtes, sentimentalisches Dasein. Ein zweiter Prozeß der Vereinigung beginnt. Ein kraftvoll, bewußt gestalteter Prozeß. „Wenn sich Lieb und Kraft vermählen, lohnt dem Menschen Göttergunst“, lauten die Schlußzeilen des Gedichtes. Der Nachdruck liegt auf dem Wort „Kraft“.

Daß Beethoven die Reprise mit Poesie verbindet, kann man als das Zeichen der Reflektiertheit ansehen, mit der die Erneuerung dessen, was einst naiv geglückt war, nunmehr und in Zukunft herbeigeführt, ja errungen werden muß. Zugleich ist es ein Zeichen des Übertritts vom gegenwärtig Gültigen ins Utopische. Der Umstand, daß die Verse der fertigen Komposition nachträglich auf den Leib geschrieben worden sind, ist wohl mit schuld daran, daß sie an sich mißlich wären. Doch eben weil sie so eng mit der Komposition verbunden sind, ist ihr fahriges, ästhetisierendes Gestammel bedeutsam. Die Textierung einiger Skizzen läßt im übrigen darauf schließen, daß sich auch Beethoven daran versucht hat. Die Verse poetisieren Sätze, die den Kern dessen ausmachen, was Beethoven über Kunst und Wissenschaft gedacht hat; sie kreisen um die Gedanken, Kunst und Wissenschaft verbänden die edelsten Menschen, ließen sie ein höheres Leben hoffen, erhöhten sie bis zur Gottheit.[3] Die Poesie der Chorfantasie spricht nur von Kunst, aber ihr Ziel ist auch das der Wissenschaft, dies nämlich: Dunkles aufzuklären, Licht werden zu lassen. Gleich zweimal ist davon die Rede. Nicht anders als in der zeitgenössischen Musikästhetik geht es um das, was die Kunst vermag, um das also, was sie zum Fortschritt der Menschheit beizutragen fähig ist. Wir wissen, daß Beethoven in diesen Horizonten dachte. Mit seinem Œuvre gedachte er „die Fortschritte“ der Kunst hin zur Perfektion zu befördern.[4]

Nur scheinbar erneuert das Gedicht — soweit man bei seiner schwach ausgebildeten Gedanklichkeit Bestimmtes erkennen kann — den Topos, Musik versöhne kraft ihrer Harmonie die Gegensätze der Welt. Die erste Strophe blickt zwar auf vergangene Dissonanzen zurück, aber es ist keine ruhige gottselige Harmonie, die sie sich

1 E. Kastner / J. Kapp, *Ludwig van Beethovens sämtliche Briefe*, S. 161f.
2 Vgl. P. Gülke, *Rousseau und die Musik*, S. 130.
3 Vgl. A. Schmitz, *Das romantische Beethovenbild*, S. 72ff.
4 Vgl. M. Unger, *Beethoven über die Gesamtausgabe seiner Werke*.

von der Musik verspricht, sondern das Gefühl einer ästhetischen Erhebung: „Was sich drängte rauh und feindlich, ordnet sich zu Hochgefühl." Die Liebe allein genügt nicht. Das Thema der Fantasie ist — das Gedicht sagt es — gewiß „schmeichelnd hold und lieblich". Aber um die Nacht und die Stürme der Gegenwart zu überwinden, braucht es mehr als den Ausdruck naiver Liebe, dazu bedarf es eben auch der Kraft. Zunächst der ganzen Kraft der Musik. Der Poet setzt, gewiß weil es Beethoven — hier Herder ganz nahe — so sah, auf die Wirkung einer Musik, die die Macht der Töne mit der Kraft der Worte vereint: „Wenn der Töne Zauber walten und des Wortes Weihe spricht, muß sich Herrliches gestalten, Nacht und Stürme werden Licht." Die Kraft der Musik zeigt sich in der Wirkung, die sie über die Menschen ausübt, darin, daß sie sie in den Zustand der Begeisterung versetzt, ohne den sie der utopischen Erkenntnis und der wirklichen Einheit nicht teilhaftig werden können. Wir wissen, daß Beethoven sein Ziel, wenn auch vielleicht nicht in der ersten Aufführung, die unter Mißverständnissen zwischen ihm und den Musikern litt, so doch andernorts vordergründig erreicht hat. Die Fantasie reiße — notiert ein Rezensent — die Zuhörer „mit einer wahrhaft despotischen Gewalt mit sich" fort.[1]

Die Chorfantasie ist ein Stück komponierter Musikästhetik, die säkularisierte Variante der alten Cäcilien-Oden. Sie handelt vom Anteil, den die Musik an der Bildung und Kultur der menschlichen Gesellschaft hat. Sie ist ein Appell, die Kraft der Musik zur Erneuerung der Gesellschaft zu nützen. Darin berührt sie sich mit der Idee der 9. Symphonie. Das Finale, das Schlußwort, mit dem Beethoven die Akademie am 22. Oktober 1808 beendet, hat seine „Kunstphilosophie" zum Gegenstand.

Wilhelm Seidel

Klaviersonate Es-Dur Les Adieux / Das Lebewohl op. 81a

ENTSTEHUNGSZEIT: 1809/1810.
ERSTAUFFÜHRUNG: unbekannt.
SKIZZEN: Deutsche Staatsbibliothek Berlin, Landsberg 5.
AUTOGRAPH: Gesellschaft der Musikfreunde Wien (1. Satz), restlicher Teil seit den 1860er Jahren verschollen.
ERSTDRUCK UND WIDMUNG: Leipzig 1811 (Breitkopf & Härtel); dem Erzherzog Rudolph von Österreich gewidmet.
GESAMTAUSGABE: Alte Gesamtausgabe: Nr. 149 = Serie 16 Nr. 26.

In Beethovens Briefwechsel mit dem Leipziger Verlagshaus Breitkopf & Härtel ist von der Es-Dur-Klaviersonate, die „aus drei Stücken, Abschied, Abwesenheit, das

1 St. Kunze, *Gesammelte Konzertberichte,* S. 218.

Wiedersehen besteht", erstmals am 4. Februar 1810 die Rede[1]; daß zu diesem Zeitpunkt die Sonate, die Beethoven hiermit als eines seiner allerneuesten Stücke anbot, bereits fertig komponiert gewesen sei, kann daraus freilich nicht gefolgert werden. Am 2. Juli kündigte Beethoven neuerlich die baldige Lieferung „der charakteristischen Sonate: der Abschied, Abwesenheit, das Wiedersehen" an[2], um am 23. September 1810 zu bekräftigen, daß „die große charakteristische Sonate" zur Abschrift der Stichvorlage bereitliege[3]; erst diese Aussage dokumentiert mit Sicherheit den kompositorischen Abschluß des Werkes. Die erwähnten Titel, die auf die drei Satzüberschriften der Es-Dur-Sonate verweisen, stehen in Beziehung zu einem konkreten, biographisch-zeitgeschichtlichen Hintergrund, der aus den erhalten gebliebenen Skizzen des näheren erhellt: „Der Abschied [durchgestrichen: Das Lebewohl] — am 4ten Mai — gewidmet und aus dem Herzen geschrieben S. K. H.", notierte Beethoven während der Arbeit am ersten Satz[4], womit die vom anrückenden französischen Heer 1809 veranlaßte Wiener Abreise seines Gönners und Schülers Erzherzog Rudolph gemeint ist; und zwischen den Entwürfen zu den letzten Sätzen heißt es: „Abschied — Abwesenheit — Ankunft"[5], womit zusätzlich auf die nach neunmonatiger Absenz durch den Rückzug der Franzosen ermöglichte Heimkehr des Erzherzogs am 30. Januar 1810 angespielt wird. Geringfügig modifiziert und mit französischer Übersetzung versehen, sind die Satzüberschriften auch in der gedruckten Partitur beibehalten worden: Der erste Satz trägt seit dem Autograph[6] den in den Skizzen zugunsten „Der Abschied" durchgestrichenen, ursprünglichen Titel *Das Lebewohl* („Les Adieux"), der zweite Satz ist *Abwesenheit* („L'Absence") und der dritte — anders als in den Skizzen und im Autograph („Die Ankunft"), sondern so wie in den Briefbelegen — *Das Wiedersehn* (aber französisch: „Le Retour") benannt.

Das Vorhandensein solcher verbaler Partitur-Inskriptionen hat die meisten Kommentatoren seit der Mitte des 19. Jahrhunderts dazu bewogen, die Es-Dur-Sonate op. 81a als ausgesprochene Programmusik zu kennzeichnen: „Cette Sonate aura été écrite par Beethoven sur un programme proposé", stellte unmißverständlich Wilhelm von Lenz 1852 fest[7], und Adolf Bernhard Marx bemühte sich, „den ganz bestimmten Inhalt", den „diese Programmenmusik" Satz für Satz mit Worten angebe, noch näher zu umschreiben, wobei ihm offensichtlich der konkrete biographisch-zeitgeschichtliche Anlaß entweder gänzlich unbekannt war oder aber er bewußt davon absah. Vielmehr erblickte Marx verallgemeinernd in der Sonate ein „Seelengemälde, das Trennung, — wir nehmen an, zweier Liebenden, — Verlassen sein, — wir nehmen an, der Geliebten oder Gatten, — und Wiedersehn der Getrennten vor die Seele bringt".[8] Zugleich entflammte mit dieser Sichtweise der Sonate op. 81a als Programmusik eine Debatte über den ästhetischen Wert des Stückes, die vom seinerzeit heftig wogenden Prinzipienstreit zwischen den Verfechtern reiner,

1 E. Kastner / J. Kapp, *Ludwig van Beethovens sämtliche Briefe,* S. 155.
2 Ebenda, S. 169.
3 Ebenda, S. 179.
4 G. Nottebohm, *Zweite Beethoveniana,* S. 100.
5 Ebenda.
6 Vgl. ebenda, S. 96.
7 W. v. Lenz, *Beethoven et ses trois styles,* Bd. II, S. 272.
8 A. B. Marx, *Ludwig van Beethoven,* Bd. II ([6]1902), S. 152.

absoluter Instrumentalmusik einerseits sowie programmatisch gebundener, poetisierender Musik andererseits gespeist wurde und in deren Verlauf sich drei unterschiedliche, in ihrem Kern zwischen mehr oder minder rückhaltloser Zustimmung, entschuldigender Akzeptierung sowie entschiedener Zurückweisung schwankende Positionen herauskristallisierten.

So pries Marx die Es-Dur-Klaviersonate emphatisch als „eine der wärmsten Schöpfungen Beethovens [...], eins seiner reizendsten Gebilde“[1], bei dem — und zwar paradigmatisch für Beethovens Musik überhaupt — die „Idee“ dem „Materialismus“ vorwalte[2]; und in diesem positiven, die Bestimmtheit des musikalischen ‚Inhalts‘ betonenden Sinne hob Ernst von Elterlein hervor, das „Programm“ habe die Sonate „zu einer der verständlichsten unter den späteren Werken des Meisters“ werden lassen.[3] Skeptischer hatte hingegen schon Lenz geäußert, die „bezeichnete Musikmalerei“ besitze „nicht den Werth der frei erkannten Erfindung“[4]; die „musikalische Scene“ in op. 81a „verhält sich zu der Beethoven'schen Sonate, in der die Gedanken frei sind, wie die Pastoralsymphonie zu den Symphonien. Daß man nichts Anderes denken darf, als was bezeichnet worden, lähmt immer den Aufschwung, so unnachahmlich meisterhaft das Bezeichnete musikalisch dargestellt sein mag“.[5] Der Verweis auf die *Pastoralsymphonie* op. 68 begegnet in der Folgezeit auch bei anderen Autoren, die wie Carl Reinecke dadurch das ästhetische Gewicht des „Programms“ von op. 81a relativieren wollten: „Dieses Programm ist aber ein solches, welches dem Hörer noch einen weiten Spielraum lässt für seine eigene Auffassung, und andrerseits ist das Werk so geartet, dass man den ungetrübtesten Kunstgenuss an demselben haben würde, wenn auch jeglicher Hinweis des Meisters auf das fehlte, was ihm dabei vorgeschwebt hat“; das Motto der 6. Symphonie „Mehr Ausdruck der Empfindung als Malerei“ gelte ebenso für die Es-Dur-Sonate[6] (ein Motto, das freilich — wie Albrecht Riethmüller am Beispiel der *Pastoralsymphonie* bemerkt hat — als Argument sowohl für die Auffassung reiner Instrumentalmusik als auch ausgeprägter Programmusik herangezogen werden kann[7]).

Noch dezidierter wandte sich Wilibald Nagel gegen die Einschätzung der Es-Dur-Klaviersonate als „eigentliche Programm-Musik“ (nämlich der kontinuierlichen kompositorischen Entwicklung einer „poetischen Idee“), um statt dessen lediglich von „Tonmalerei“ und „Stimmungsmusik“ zu sprechen[8], die er allerdings gleichzeitig dafür verantwortlich machte, daß es sich „in der Es dur-Sonate nicht um ein Werk, das den Meisterarbeiten Beethovens völlig gleichzustellen ist“, handele[9], weshalb Nagel das Stück „als eine rechte Gelegenheitsmusik im landläufigen Sinne des Wortes“ ästhetisch minderwertig erachtete, indem „die poetische Idee und ihre

---

1 Ebenda.

2 Ebenda, S. 154. H. v. Bülow unterstrich die vollkommene Einheit von Idee und Form der Sonate dahingehend, daß das „dichterische Programm [...] gewissermaassen eine Apotheose der dreisätzigen Sonatenform selbst“ sei (*Beethovens Werke für Piano solo,* Teil 1, 1902, S. 147, Anm. a).

3 E. v. Elterlein, *Beethovens Clavier-Sonaten* (^{4}1875), S. 101.

4 W. v. Lenz, *Kritischer Katalog,* Bd. III, S. 201.

5 Ebenda, S. 202.

6 C. Reinecke, *Die Beethoven'schen Clavier-Sonaten* (^{7}1917), S. 78f.; siehe ähnlich beispielsweise D. Fr. Tovey, *A Companion,* S. 189 oder J.-G. Prod'homme, *Les Sonates pour Piano de Beethoven,* S. 201.

7 Vgl. A. Riethmüller, *Landschaft in der Musik,* S. 69.

8 W. Nagel, *Beethoven und seine Klaviersonaten,* Bd. II (^{2}1924), S. 164.

9 Ebenda, S. 165.

Beschränkung d. h. die bestimmte *Absicht*, in der angegebenen Richtung zu schreiben, dem Werke geschadet" habe.[1] Demgegenüber sah Paul Bekker das ästhetische Defizit im vorhandenen Programm, das eine Konzession an die Mode der Zeit darstelle, ohne jedoch die musikalische Qualität der resultierenden Komposition zu tangieren: „das einzige programmatische Klavierwerk Beethovens, ebenso unoriginell im Programm wie bedeutungsvoll in der Ausführung".[2] Völlig überspitzt bezog den gleichen Standpunkt Walter Riezler, dem die Satzüberschriften „fast etwas komisch erscheinen, wie sie ja auch Beethoven kaum ganz ernst gemeint haben wird"[3], und der also folgerte, daß „das ursprünglich als Titel vorgesehene Programm [...] nicht ernst zu nehmen ist".[4]

Erinnert man sich indes an Beethovens eigene, eingangs zitierte briefliche Aussagen, dann erweist sich zum einen die Unhaltbarkeit einer solchen Behauptung und zeigt es sich zum anderen, daß die verbissene Diskussion um das Für und Wider der Es-Dur-Sonate als vermeintlicher Programmusik überhaupt recht müßig war. Denn Beethovens mehrfache, von den meisten Rezipienten bis heute zu Unrecht außer acht gelassene Apostrophierung seiner Komposition als „charakteristische Sonate" liefert einen entscheidenden Fingerzeig zum Verständnis des Werkes. Unverkennbar knüpft Beethoven mit dieser Bezeichnung an eine bestimmte musikalische Tradition an, und zwar an die gegen Ende des 18. Jahrhunderts entstandene Gattung der *Charakteristischen Clavierstücke*, wie die wohl früheste Sammlung entsprechender Stücke — ihrerseits mit besonderen Titeln wie *Fröhlichkeit*, *Schwermuth und Gemüthsunruhe*, *Zärtlichkeit*, *Wuth und Raserei* versehen — von Gottlieb Christian Füger 1783 (oder 1784) benannt war; beispielsweise Johann Carl Friedrich Rellstab (*Characterstück*, *Eigensinn*, *Edle Zärtlichkeit*, *Leichtsinn und Hang zur Schwermuth*), Johann Abraham Peter Schulz (*Naiver Scherz*) und Carl Friedrich Zelter (*La Malade*) steuerten in Rellstabs *Clavier-Magazin für Kenner und Liebhaber* 1787 ebenfalls Werke zu dieser Gattung bei, deren Attribut „charakteristisch" sich auf die musikalische Umsetzung eines spezifischen, in der Überschrift des jeweiligen Stückes verbalisierten Gemüts- und Seelenzustandes bezog.[5] In derselben Hinsicht lassen sich also auch die Satzüberschriften in Beethovens op. 81a auffassen, die psychische Ausdrucksgehalte (Abschiedsschmerz, Abwesenheitsmelancholie und Wiedersehensfreude) kenntlich machen sollen — und nicht mehr, aber auch nicht weniger. Wenn man denn unbedingt die Sonate mit leitenden ästhetischen Kategorien zumal der zweiten Hälfte des 19. Jahrhunderts in Verbindung bringen will, so verhält sie sich zweifellos näher zur Idee des Charakterstücks, das Stimmungen schildert, als zu der einer Programmusik in Gestalt musikalischer Dichtung, die Handlungsabläufe wiedergibt. Daß andererseits in der Entstehungszeit des Werkes der skizzierte

1 Ebenda, S. 185. Als „Gelegenheits-Stück" wurde die Sonate auch in einer — sonst wenig aufschlußreichen — anonymen Rezension in der Leipziger *AmZ* 1812 gekennzeichnet, freilich mit dem gegenteilig urteilenden Zusatz: „aber wie es ein geistreicher Meister macht!" (zit. nach St. Kunze, *Gesammelte Konzertberichte,* S. 218).

2 P. Bekker, *Beethoven* (^{2}1912), S. 175.

3 W. Riezler, *Beethoven* (^{7}1951), S. 92.

4 Ebenda, S. 194.

5 „Charakteristische Stücke nennt man vorzugsweise diejenigen einzelnen Tonstücke, worin entweder der Charakter einer Person etc. oder irgend eine Leidenschaft z. B. die Liebe, der Stolz etc. ausgedrückt wird", lautet die exemplarische Definition D. G. Türks 1789 (*Klavierschule,* S. 395).

Traditionsrückbezug noch nicht vollständig in Vergessenheit geraten war, dokumentiert außerdem die postum publizierte, vierte Partiturausgabe (August 1830) unter dem wohl von fremder Hand dazugesetzten Titel *Sonate caractéristique* (als welche sie auch Lenz registrierte[1]) sowie Carl Czernys in diese Richtung zielende, beim Anfangssatz beginnende Explikation: „Die Überschrift dieses Satzes: (*Les Adieux*, das Lebewohl) deutet hinreichend an, dass das Ganze ein tief bewegtes Gemüth schildern soll, welches sich auf kräftige und lebhafte Weise ausdrückt. [...] Das *Andante* mit dem Ausdruck der tiefsten Betrübniss. [...] Das *Finale* äusserst lebhaft, brillant und beinahe ausgelassen munter."[2] (Währenddessen empfand knapp ein Jahrhundert später Nagel „das Beiwort ‚charakteristisch' [...] nicht durchaus berechtigt".[3])

Darüber hinaus bekräftigen zwei weitere Briefe Beethovens an Gottfried Christoph Härtel die hier herausgearbeitete Bedeutung der Satzüberschriften sowie die Wichtigkeit, die Beethoven selbst ihnen zumaß. Offensichtlich unter Rücksichtnahme auf die Bevorzugung des französischen Flairs seitens der Gebildeten jener Jahre hatte Härtel sich entschlossen, die Es-Dur-Sonate in zwei separaten Partituren einmal mit deutschem und einmal mit französischem Titel zu veröffentlichen. Anläßlich der Rücksendung der Korrekturen insistierte Beethoven am 20. Mai 1811: „machen Sie den Titel, wie ich ihn aufgeschrieben, Französisch und Deutsch, ja nicht Französisch allein — und so die übrigen Überschriften"[4], eine Anweisung, über die sich Härtel indessen hinwegsetzte, woraufhin Beethoven nach Erhalt der Druckexemplare am 9. Oktober 1811 protestierte: „Eben erhalte ich das Lebewohl usw.; ich sehe, daß Sie doch auch andere Exemplare mit französischem Titel [herausgegeben haben]. Warum denn? ‚Lebe wohl' ist etwas ganz anderes als ‚les adieux'. Das erstere sagt man nur einem herzlich allein, das andere einer ganzen Versammlung, ganzen Städten."[5] Daß Beethoven, wie gelegentlich gemutmaßt wurde, aus patriotischer Gesinnung den französischen Titel ablehnte[6], findet zumindest in diesen Briefäußerungen keine Stütze, sondern mag eher dem — möglicherweise zeitbedingten — Wunschdenken der Exegeten entsprungen sein, ebenso wie die etwas abwegigen Vorstellungen, der poetische ‚Inhalt' der Sonate oder die erstmals in op. 81a begegnenden deutschen Tempoangaben seien durch Vaterlandsliebe motiviert[7] (im Blick auf den zuletzt erwähnten, neuartigen Sachverhalt scheint Hans von Bülows Erklärung naheliegender, „dass Beethoven, um seine Absicht deutlicher auszuspre-

1 W. v. Lenz, *Beethoven et ses trois styles,* Bd. II, S. 272; ders., *Kritischer Katalog,* Bd. III, S. 201.

2 C. Czerny, *Über den richtigen Vortrag* (1963), S. 55; ausdrücklich ist hier also von Gefühlen und nicht von Handlungen die Rede, wobei sich allerdings Czerny im Zeichen des heraufziehenden ästhetischen Prinzipienstreits um die Programmusik legitimierend hinzuzufügen genötigt sah: „Übrigens kann und soll diese *Sonate* [...] auch denjenigen interessieren, der sie als *reine Musik*, ohne Rücksicht auf die Überschriften, geniessen will."

3 W. Nagel, *Beethoven und seine Klaviersonaten,* Bd. II ([2]1924), S. 185.

4 E. Kastner / J. Kapp, *Ludwig van Beethovens sämtliche Briefe,* S. 190.

5 Ebenda, S. 201.

6 Siehe etwa I. Peters, *Beethovens Klaviermusik,* S. 50f.

7 Auf diese Art versuchte W. Nagel das angeblich von Beethoven in Töne verwandelte Gefühl, „das ihn bei der unter traurigen und seinen patriotischen Sinn tief verwundenden politischen Verhältnissen erfolgenden Abreise des fürstlichen Schülers bewegte", zu begründen (*Beethoven und seine Klaviersonaten,* Bd. II, [2]1924, S. 165), während E. Fischer auf eine damals durchs Land laufende „nationale, patriotische Welle" abhob, „die auch Beethoven erfaßte und ihn zu deutschen Tempobezeichnungen [...] veranlaßte" (*Ludwig van Beethovens Klaviersonaten,* 1958, S. 102).

chen, für die Tempobezeichnung deutsche Ausdrücke zu Hülfe nimmt“[1]). Vielmehr läßt sich der Sinn von Beethovens Beharren auf dem Wort Lebewohl, ganz abgesehen davon, daß er es originär in den Skizzen wie im Manuskript über die drei Anfangsakkorde des ersten Satzes notierte, in der Akzentuierung des Einzelfalls, den die Pluralbildung „Les Adieux“ nicht wiedergibt, erkennen: Die Satzüberschrift, die auch dem ganzen Werk seinen Namen verlieh, soll kein allgemein gehaltenes Programm, keine gleichsam öffentliche, tondichterische Botschaft kundtun, sondern einen charakteristischen Singular ausdrücken, ein Lebewohl an und für sich, das erst so musikalische Eigenbedeutung gewinnt, losgelöst aus einer konkreten Situationsbindung und enthoben in die besondere Sphäre begriffsloser, aber nichtsdestoweniger bestimmter Musiksemantik.

Die 16 Takte umfassende Adagio-Einleitung des ersten Satzes veranschaulicht exemplarisch, wie Beethoven mit einem gezielten Rückgriff auf den überlieferten Fundus musikalischer Motive und Figuren, die ihm seinerzeit als geschichtlich vorgeprägte Ausdrucksträger von Abschied und Schmerz verfügbar waren, den Stimmungsgehalt des Lebewohl, das die primäre musikalische Idee und somit den Imaginationsimpuls des Werkes bezeichnet, kompositorisch realisiert hat. Mit dem eigentlichen, häufig so genannten Lebewohl-Motiv (T. 1—2), das melodisch aus zwei fallenden großen Sekundschritten g'—f'—es' und harmonisch aus einer Folge von großer Es-Dur-Terz (es'—g'), reiner Quinte (b—f') und kleiner Sexte (g—es') besteht, wird gleich am Anfang unüberhörbar der musikalische Grundcharakter dieses Satzes zum Erklingen gebracht. Die Ganztonschritte abwärts sind — auch metrisch — der Sprechintonation des Abschiedsgrußes nachempfunden, und der Gestus des gesamten Gebildes, das von den Rezipienten überwiegend als (Wald-) Hornphrase (bzw. -klang) wahrgenommen wurde[2], markiert als solcher kaum ein Beginnen, sondern vielmehr ein Ende; „so könnte ein Volkslied schließen“, bemerkte zutreffend Jürgen Uhde.[3] Indes bewirkt der unisono unter die Schlußsexte g—es' tretende Grundton c eine Fortsetzung, indem er die Tonika-Dominant-Folge aus Takt 1 in einen c-Moll-Trugschluß führt; die Tonikaparallele antizipiert hier ein zusätzliches, signifikantes harmonisches Kompositionsmittel, insofern zunächst einmal im Adagio die Grundtonart unbestimmt belassen ist, womit eine spezifische Empfindungsqualität der Ungewißheit erzeugt wird. Zugleich knüpft in der Unterstimme an den Grundton c mit einem auf den Ton G niedersteigenden, chromatischen Quartgang (T. 2—4) eine weitere, bedeutsame Tonkonfiguration an, die seit dem 17. Jahrhundert als Lamento-Baß in der Oper oder Passus duriusculus in der Musica poetica eine besonders ausdrucksintensive, musikalisch-rhetorische Figur der Klage und des Jammers darstellte. Darüber erhebt sich in der Oberstimme ein von Vorhalten durchsetzter Melodiebogen, dessen markantestes Binnenintervall der Tritonus g'—des'' (T. 3) ist — ein Intervall, das bekanntlich in barocker Tradition ebenfalls als musikalisches Synonym der Klage und des Schmerzes fungierte. Und

---

1 H. v. Bülow, *Beethovens Werke für Piano solo,* Teil 1 (1902), S. 150, Anm. a.

2 Vgl. beispielsweise Fr. Volbach, *Die Klaviersonaten Beethovens,* S. 220; D. Fr. Tovey, *A Companion,* S. 189; R. Rosenberg, *Die Klaviersonaten Ludwig van Beethovens,* Bd. II, S. 326 (mit Hinweis auf das Vorkommen der „typischen Hornphrase“ in ihrer Zugehörigkeit zum „musikalischen Allgemeingut“ bei J. Haydn und W. A. Mozart).

3 J. Uhde, *Beethovens Klaviermusik,* Bd. III ([3]1986), S. 272.

auch die ab Takt 12 eingestreuten Pausen sind keine bloßen Zäsuren, sondern ein expressionsgeladenes Satzmoment, „ein schweigender Kontrapunkt zu den Tönen".[1]

Als ein Verhältnis von „Tatsachen-Motiven" und „kommentierenden Motiven" hat Uhde die Konstellation der Lebewohl-Hornphrase, „eine Bildung quasi objektiven Charakters", und des nach dem Trugschluß in der Oberstimme mit einem Quartaufschwung anhebenden, aufwallend-fragenden Melodiebogens, „Stellungnahme des Subjekts", interpretiert[2], womit ihm ansatzweise eine Umschreibung des dem gesamten ersten Satz zugrundeliegenden Kompositionsprinzips geglückt ist. Denn auf der Spannung zwischen dem Lebewohl-Motiv, dem ‚subjektiven' Quart-Aufbegehren und dem klagenden Passus duriusculus basiert die thematische Ausarbeitung der Sonatensatzform des anschließenden Allegro-Hauptteiles, wobei sich die in der Adagio-Einleitung angestaute Spannung bereits in einem jähen Übergang entlädt, den Paul Bekker einfühlsam nachgezeichnet hat: Im Adagio geben die in Takt 2 beginnende, „in schmerzlichem Verlangen sich aufrichtende Phrase, chromatisch schreitende Bässe, übermäßige und verminderte Harmonien, dissonierende Vorhalte [...] ein trübes Kolorit. Die Tonart bleibt in ungewisses Dunkel gehüllt [...]. Auch die Rhythmen erhalten nach dem Verschwinden der klagenden Adagiophrase einen ungewissen Ausdruck. Sie stocken, nur noch ein leiser As-dur-Sextakkord erklingt auf den unbetonten Nebentaktteilen — da bricht auf eben diesem Akkord mit plötzlicher Heftigkeit der Abschiedsschmerz aus. [...] In chromatischen Terzengängen stürzen die Bässe abwärts, über ihnen schwebt das in erregte Rhythmen gekleidete Motto des Satzes."[3]

Der vollständige Verlauf des ersten Satzes braucht angesichts mehrerer vorliegender, fundierter Spezialanalysen[4] jetzt nicht mehr im einzelnen erörtert zu werden. Vielmehr mag es genügen, unter dem hier eröffneten Blickwinkel der analytischen Betrachtung zum einen darauf aufmerksam zu machen, wie die skizzierte Spannung der motivischen Ausdrucks-Elemente etwa den thematischen Kontrast des Haupt- und Seitensatzes prägt; während nämlich das Hauptthema (T. 17ff.) in seinen unmittelbar hörbaren Konturen aus der Quarte und dem Passus duriusculus aufgebaut ist (wohingegen das Lebewohl-Motiv strukturell verborgen bleibt, beispielsweise in Takt 18 in den beiden oberen Stimmen gegeneinander versetzt g''—f''—es'' und g'—f'—es'), wird das Seitenthema (T. 50ff.) von den kantabel hervortretenden, augmentierten Lebewohl-Sekundschritten beherrscht. Carl Dahlhaus hat das Seitenthema sogar ausdrücklich „ein Zitat des Lebewohl-Motivs aus der langsamen

---

1 Ebenda, S. 277.

2 Ebenda, S. 277f.; ähnlich unter Anlehnung an Th. W. Adorno in: J. Uhde / R. Wieland, *Denken und Spielen* (²1989), S. 451.

3 P. Bekker, *Beethoven* (²1912), S. 175.

4 Insbesondere J. Uhde, *Beethovens Klaviermusik*, Bd. III (³1986), S. 270ff. (eine Analyse auch der restlichen zwei Sätze), J. Uhde / R. Wieland, *Denken und Spielen* (²1989), S. 444ff. und C. Dahlhaus, *Ludwig van Beethoven und seine Zeit*, S. 60ff. (wo vor dem Hintergrund der Unterscheidung zwischen „ästhetischem" und „biographischem Subjekt" die These verfochten wird, daß der thematische Formprozeß des ersten Satzes „das programmatische Moment nicht etwa ausarbeitet [...], sondern es vielmehr allmählich auslöscht", S. 64f.) und S. 252ff. (über die chromatische, „‚subthematische' Struktur" des Satzes; siehe zu diesem Begriff weiter oben die Erläuterungen zu op. 78); Dahlhaus' Bestre-

Einleitung" genannt[1] und gleichzeitig die Korrespondenz zwischen Haupt- und Seitensatz als ein Paradigma für das „Prinzip der kontrastierenden Ableitung" hervorgehoben; und Arnold Schmitz, der das entsprechende thematische Kompositionsverfahren in Beethovens Musik entdeckte und dafür diesen Begriff erfand, faßte das Lebewohl-Motiv eingedenk dessen thematischer Omnipräsenz auch als „ein *Leitmotiv*" auf[2], womit nicht zuletzt der Aspekt einer bestimmten psychologischen Motivbedeutung berührt wird. Zum anderen verdient hinsichtlich des weiteren Satzverlaufes noch jene Stelle eine besondere Erwähnung, an der in der Coda (T. 162ff.) — die man aufgrund ihrer beträchtlichen Ausdehnung von 94 Takten nach der eigentlichen, nur 40 Takte umfassenden Durchführung (T. 70—109) als zweite, für die thematische Arbeit mit dem Lebewohl-Motiv weitaus gewichtigere Durchführung bewerten kann — eine ungewöhnliche Häufung von Dissonanzen geschieht, die gleichsam aus einer Engführung der akkordischen Lebewohl-Hornphrase im Zusammenklang von Tonika und Dominante resultiert (T. 130ff.). Nach anfänglich heftiger Kritik wurde diese dissonante Kumulation seitens der Sekundärliteratur nahezu übereinstimmend als ein direkt in der musikalischen Idee des Satzes verankertes Klangereignis — und demzufolge mitunter durchaus illustrativ — gedeutet. „Beethoven hat hier nicht mit Akkorden zu thun gehabt, sondern das Lebewohl von Ihm zu Ihr, von fern und nah ineinanderklingend, das hat er gegeben", kommentierte Adolf Bernhard Marx[3]; ähnlich verteidigte Hans von Bülow die „mehr der Natur als der Kunstmusik angehörigen Takte"[4], malte Edwin Fischer aus, daß „man hört, wie die Posthornklänge sich entfernen, und sieht, wie der geliebte Freund in der Staubwolke entschwindet"[5], machte Alfred Brendel für die rücksichtslosen Sekundreibungen „die deskriptiv ineinandergeschobenen Hornsignale der entschwindenden Kutsche" verantwortlich.[6]

Auch bei der Komposition der beiden noch folgenden Sätze seiner charakteristischen Es-Dur-Klaviersonate hat sich Beethoven signifikanter, tradierter Ausdrucksmittel und teilweise recht sublimer Verfahrungsweisen zur ideellen musikalischen Verdeutlichung bedient. So ist etwa im Andante-Satz die Vorstellung der Abwesenheit melodisch im dreitönig-fragenden „Verlassenheitssymbol"[7], mit dem die Oberstimme anfängt, festgehalten, harmonisch in „ruheloses Umherschweifen"[8] umgesetzt sowie formal in eine freischwebende Gliederung, die einen in g-Moll beginnenden, strophischen Abschnitt (T. 1—20) einen Ganzton tiefer in f-Moll variierend

ben, „das programmatische Moment" der Es-Dur-Sonate weitgehend auszuklammern, entspricht — so unlängst H. H. Eggebrecht — einer methodischen Konzentration auf den „ästhetischen Vorgang der Formalisierung kompositorischer Ideen, durch die sich das Werk als ästhetischer Gegenstand konstituiert", ein musikwissenschaftliches Verfahren, das in erster Linie „Beethoven als kompositorische Intelligenz" analysiert (*Musik im Abendland,* S. 576f.).

1 C. Dahlhaus, *Ludwig van Beethoven und seine Zeit,* S. 68.

2 A. Schmitz, *Beethovens „Zwei Prinzipe",* S. 61f.

3 A. B. Marx, *Ludwig van Beethoven,* Bd. II (⁶1902), S. 153f.

4 H. v. Bülow, *Beethovens Werke für Piano solo,* Teil 1 (1902), S. 149, Anm. c.

5 E. Fischer, *Ludwig van Beethovens Klaviersonaten* (1958), S. 103.

6 A. Brendel, *Der neue Stil* (⁶1982), S. 75.

7 R. Rosenberg, *Die Klaviersonaten Ludwig van Beethovens,* Bd. II, S. 331, mit Belegbeispielen von vergleichbaren „musikalischen Ursymbolen" in Werken von J. S. Bach, Fr. Schubert, F. Mendelssohn Bartholdy, R. Schumann und R. Wagner (S. 331f.).

8 J. Uhde, *Beethovens Klaviermusik,* Bd. III (³1986), S. 290.

wiederholt (T. 21—36; die Takte 37—42 bilden die Brücke zum anschließenden dritten Satz[1]), gewissermaßen eine depressive harmonische Trübung einerseits, die andererseits melodisch durch die Oktavierung des Themas und reichere Klangfülle ausgeglichen wird. Und im Vivacissimamente-Finale wird die Idee des Wiedersehens im wesentlichen durch eine ausgesprochen „starke und plastische Musik: Tumult und freudige Rufe“[2], durch Satzmomente wie „atemlose rhythmische Unruhe“ und „überschwenglichste Bewegung“ mit ihrem „Kontrast in der ruhigen einfachen Gewißheit der harmonischen Fortschreitungen“ charakterisiert.[3] Hans von Bülow erblickte in diesem Schlußsatz „einen der extatischesten Dialoge [...], der nur seines Gleichen in Richard Wagners ‚Tristan und Isolde‘ *(Act II, Scene 2)* findet“[4], bevor die Coda (Poco Andante, T. 176ff.) in „träger Seligkeit“ die vorhergegangene „psychische Erregtheit“ im Sinne eines reflektierenden Innehaltens beschwichtige[5] — ein Umschreibungsversuch, dem kaum etwas hinzuzufügen bleibt.

Christoph von Blumröder

Sextett Es-Dur für Streichquartett und 2 Hörner op. 81b

Entstehungszeit: 1794 oder Anfang 1795.
Erstaufführung: unbekannt.
Skizzen: Staatsbibliothek Preußischer Kulturbesitz Berlin, aut. 28, Skizzenbuch Fischhof; Entwürfe zu den ersten zwei Sätzen im Zusammenhang mit den Liedern „Seufzer eines Ungeliebten“ WoO 118 und „Adelaide“ op. 46 sind bei G. Nottebohm, *Zweite Beethoveniana*, S. 535f. mitgeteilt.
Autograph: unbekannt; eine einzelne geschriebene Stimme (erstes Horn) war im Besitz von G. Nottebohm. Sie ist von Beethoven überschrieben: „6tett von mir. Gott weiss wo die andern Stimmen sind.“ Überprüfte Abschrift der Stimmen: Beethoven-Haus Bonn.
Erstdruck: Bonn 1810 (N. Simrock).
Gesamtausgabe: Alte Gesamtausgabe: Nr. 33 = Serie 5 Nr. 2.

Obwohl alle Kammermusik des 18. Jahrhunderts als aristokratische Gesellschaftskunst fungierte, verloren mit dem Wandel des sozialen Gefüges und der sich verändernden Stellung des Komponisten zu Ende des Jahrhunderts doch nur die bunten Besetzungen mit Bläsern ihre Bedeutung, da sie in den beliebten Tafel- und Unterhaltungsmusiken der leichteren Art, in Serenaden und Divertimenti, bevorzugt wor-

1 Angesichts des Umstandes, daß die beiden letzten Sätze ohne Unterbrechung ineinanderfließen, qualifizierte schon W. v. Lenz das Andante als „Uebergangsform für den letzten Satz“ (*Kritischer Katalog*, Bd. III, S. 204), oder andere wie I. Peters sahen es „wohl nur als Einleitung zu dem Finale“ (*Beethovens Klaviermusik*, S. 49).
2 R. Rosenberg, *Die Klaviersonaten Ludwig van Beethovens*, Bd. II, S. 334.
3 J. Uhde, *Beethovens Klaviermusik*, Bd. III (³1986), S. 294.
4 H. v. Bülow, *Beethovens Werke für Piano solo*, Teil 1 (1902), S. 152, Anm. a.
5 Ebenda, S. 161, Anm. a. Ähnlich interpretierte J. Uhde die Coda als eine bilanzierende Wendung „nach innen“ (*Beethovens Klaviermusik*, Bd. III, ³1986, S. 298).

den waren. Daß Beethoven ab 1800 keine Bläserkammermusik mehr schrieb, ist daher nicht verwunderlich. Es ist im Gegenteil bedenkenswert, daß er sich überhaupt noch damit beschäftigte, nachdem Mozart bereits ab 1780 keine Divertimenti mehr komponiert hatte und seine Serenaden weit über den Anspruch der Gattung hinausgegangen waren und als Vorbilder für diese Spezies somit nicht mehr zur Verfügung standen. Eine Rechtfertigung für Beethovens dennoch zunächst großes Interesse an diesem Genre ebenso wie die Erklärung für seine definitive Abkehr davon müssen daher vordringlich in dem eigenen kompositorischen Impetus zu sehen sein: Die Tatsache, daß er den verschiedenen Besetzungen — dem reinen Bläsersatz und den Kombinationen von Bläsern mit Streichern oder Klavier — jeweils nur eine größere Arbeit widmete[1], legt denn auch den Schluß nahe, er habe mit solchen Stücken die Gelegenheit zur Vervollkommnung seiner instrumentatorischen Fertigkeiten wahrgenommen, um dem Postulat der Symphonie gerecht werden zu können, der Gattung, an der Beethovens emphatischer Kunstbegriff ausgerichtet war und die zum Paradigma einer Ästhetik autonomer Musik werden sollte.

Das darf für das Sextett umso eher angenommen werden, als ein konkreter Anlaß für die Entstehung nicht vorgelegen zu haben scheint, weder in Bonn, wo vermutlich die beiden ersten Sätze konzipiert, noch in Wien, wo es fertiggestellt und viel später erst veröffentlicht wurde. Ohne den Auftrag zu konzertanter Bläserbehandlung ist Beethovens Entscheidung für die in dieser Besetzung ungewöhnliche und ganz exzeptionelle Virtuosität der Hornpartien nur als Experiment und gewiß nicht als verspätetes Zugeständnis an Gesellschaftsmusik zu begreifen. Es spricht einiges dafür, daß, nachdem in Oktett und Rondino die Klangwirkungen und spielerischen Möglichkeiten der Hörner im Verhältnis zu den Holzblasinstrumenten erprobt worden waren, nun die Kopplung der Hörner mit Streichinstrumenten erarbeitet werden sollte, in diesem Zusammenhang aber die Klanggegensätze zu konkurrierendem Einsatz der Gruppen herausforderten. Erst als beide Möglichkeiten des Horns ihm geläufig waren, seine Mischfähigkeit mit dem Klang der Holzblasinstrumente und die solistische Brillanz im Zusammenwirken mit den beweglichen Streichern, gestattete Beethoven sich offenbar das Ensemble aller drei Instrumentengruppen — die einfache Besetzung im Septett op. 20[2] und, gleichzeitig (1799/1800), die doppelte Bläserbesetzung in seiner 1. Symphonie op. 21. Danach gab es kein Zurück mehr zur Kammermusik mit Blasinstrumenten. Die kompositorische Auseinandersetzung mit ihnen fand ausschließlich im Orchestersatz statt.

Sogleich in der 1. Symphonie fiel den Zeitgenossen denn auch der opulente Bläsersatz auf[3], und Extravaganzen der Bläserbehandlung, dezidiert der Hörner, blieben auch weiterhin Bestandteil der symphonischen Konzeptionen. Die Eigenheiten des Partiturbilds, der ständige Wechsel der Klangzusammenstellung, sticht aber bereits im Sextett hervor und kennzeichnet die formale Disposition seiner drei Sätze ebenso wie die Gliederung im Detail.

1 Nur das Oktett op. 103 und das Rondino WoO 25 sowie die beiden Trios op. 87 und WoO 28 und das Sextett op. 71 und der Marsch B-Dur WoO 29 haben jeweils dieselbe Besetzung.

2 Für Klarinette, Horn, Fagott, Violine, Viola, Violoncello und Kontrabaß.

3 „[...] und am Ende wurde eine Sinfonie von seiner Komposition aufgeführt, worin sehr viel Kunst, Neuheit und Reichthum an Ideen war; nur waren die Blasinstrumente gar zu viel angewendet, so daß sie mehr Harmonie, als ganze Orchestermusik war“ (*AmZ* 3, 1800, Sp. 49; „Harmonie“ bedeutet in diesem Zusammenhang Bläsermusik).

Beide Themen des ersten Satzes Allegro con brio sind durchbrochen gearbeitet. Dabei geht es aber um mehr als um die Aufteilung von Motiven eines strukturierten Ablaufs auf verschiedene Stimmen wie großenteils in den Überleitungspartien. Es geht um die Themenformung selbst, die erst und nur durch die instrumentale Auffächerung von Motivkomplexen möglich und sinnvoll wird: Der Kontrapunkt der tiefen Streicher übernimmt nämlich im Hauptthema den eigentlichen konstruktiven Gegensatz innerhalb der Periodenhalbsätze (T. 3, 3. Zählzeit bis T. 7, 2. Zählzeit und T. 7, 3. Zählzeit bis T. 11, 2. Zählzeit), während die Motivik der Horngruppe (im Nachsatz die der Violinen) anschließend nur noch die Norm melodischer Viertaktigkeit erfüllt. Anders gesagt: Die melodisch-liedhafte Hornperiode gewinnt thematisches Profil (durch kontrastierenden musikalischen Gedanken) im wesentlichen mit der beredten Einmischung einer andern Instrumentengruppe. Die ungleich drastischere, quasi mottohafte Gegenüberstellung der starren Forte-Streicherakkorde und der beweglichen Piano-Achtel der Hörner in den Eröffnungstakten wird in der Umkehrung des Kontrastverhältnisses, in der geschmeidigen Streicherbewegung zur gleichmäßigen Tonrepetition der Hörner gleichsam thematisch sublimiert.

Auch im Seitensatz (T. 30ff.), wo der kontrastierende Gedanke (T. 31, 2. Zählzeit bis T. 34, 3. Zählzeit) sich der Anfangsfiguration zwar zeitlich — wenn auch zu früh —, aber wieder nicht linear anschließt, läßt erst die instrumentatorische Unterscheidung ihn im Sinne eines Einwands und die ganze verschachtelte Fünftaktigkeit dieser Phrase als Dialog mit wiederholtem und vom hohen Horn schließlich akzeptierten Gegenargument verstehen. Und die Differenzierung der „thematischen Besetzung" (Hörner und tiefe Streicher) geht dezidiert auf diese Situation ein: Wo im Hauptthema die blockhaft gegeneinandergesetzten Instrumentengruppen ein- und nur hornspezifisch doppelstimmig bleiben (in Terzparallelen und zuvor mit „Hornquinten"), wird hier die „echte" gegenläufige Zweistimmigkeit des Kontrastgedankens durch die Kombination der solistischen Hörner mit dem Cello vorgestellt. In gleicher Instrumentenkopplung und -lage sind stärkere Unterschiede der Farbvaleurs und ihrer strukturellen Bedeutung kaum denkbar, so daß — ebenso, wie bei dem Vergleich von Haupt- und Seitenthema ansonsten von motivisch kontrastierender Ableitung ausgegangen wird[1] — hier von instrumentatorischer Ableitung und Kontrastvermittlung gesprochen werden kann. Denn auch die nachsatzartigen Fortsetzungen der Themen (im zweiten sich in eine Fortspinnung auflösend) sind kontrovers aufeinander bezogen, da ihre gleicherweise höhere Lage charakteristisch unterschiedlich gefärbt ist: Während das zweite Thema den Diskurs konsequent in denselben Instrumentengruppen mit vertauschten Rollen der Hörner fortführt, wird die unverbindliche Hornmelodie des Hauptthemas zugleich umgefärbt.[2] Die Themen sind also instrumental geprägt, die Instrumentation ist kompositorisch substantiell.

Die verspielte Frage—Antwort-Attitüde der Hörner im Schlußsatz (T. 56—65) resultiert, ebenso wie die Tutti-Besetzung, aus der Überleitung zwischen den The-

---

1 Motivische kontrastierende Ableitung (A. Schmitz) demonstriert Beethoven bereits in der Klaviersonate f-Moll op. 2, Nr. 1, und auch in diesem Sextett ist sie erkennbar in dem Wechselnotenmotiv Takt 5 und seiner Umkehrung in Takt 30.

2 Gleichzeitig wird dadurch das prinzipielle symphonische Instrumentationsverhältnis zwischen leisem Streicherthema und durch Bläserergänzung dynamisch gesteigerter Überleitung nachvollzogen.

men (T. 11, 3. Zählzeit bis T. 29, 3. Zählzeit) und der Spielepisode des Seitensatzes (T. 39—56, 1. Zählzeit): Ist dort aber das ganze Ensemble an dem Hin und Her beteiligt, um die Motivstückelung bunt, die Verteilung beliebig erscheinen zu lassen, um also die Instrumentation „locker" zu gestalten[1], so reflektiert die Beschränkung des Motivspiels auf die Hörner hier die halb-thematische Anlage des Epilogs. Die Teilhabe an beiden Instrumentationsmodellen — dem Tutti und motivischer Aufteilung wie in der Überleitung und die instrumentatorisch geschlossene Wiedergabe der Motivsplitterung wie im Seitenthema — entspricht genau dem Zwittertum von Schlußsätzen: Sie sind gewöhnlich unwesentlicher als ein Thema durch fehlenden Kontrastgedanken und harmonische Reduktion und wesentlicher als eine Überleitung durch syntaktische (hier satzartige[2]) und harmonische Geschlossenheit. Wie am Ende der Spielepisode und der Überleitung (ab T. 53, 2. Zählzeit und T. 25, 3. Zählzeit) machen die ausgesparten Hörner auch hier in den metrisch überzähligen Takten ihren anschließenden Wiedereinsatz zu einem kontrastiven, formbestimmenden Registerwechsel.

Anstelle eines harmonisch und instrumentatorisch vermittelnden Übergangs genügt daher der eintaktige Vorspann, um ein im Erscheinungsbild völlig neuartiges melodisches Hornsegment einzuführen (T. 67ff.).[3] Nur seine Versunkenheit in zyklisch tiefste Region (Ges-Dur) und seine zweimalige Sequenz (in es- und as-Moll) erinnern daran, daß es Bestandteil einer Durchführung ist. Denn wie es ohne Vorgeschichte erscheint, verschwindet es auch spurlos — der folgende dominantische Passus (T. 80, 2. Zählzeit bis T. 100, 3. Zählzeit) beschäftigt sich ausgiebig und in durchführungstypischer Abspaltungsmanier nur noch mit thematischem Motivmaterial. Es scheint so, als ob das melodische Teilstück (T. 67—80, 1. Zählzeit) eine weitere Variante thematischer Besetzung aufweisen solle, zumal es mit seinen Wiederholungen alle Instrumente der „thematischen Kombination" (beide Hörner und tiefe Streicher) deutlich in Erscheinung bringt. Den Reiz dieser Musik verkennen kann nur, wer ihr instrumentatorisches Raffinement geringschätzt oder gar als Orchestrierung verkennt. Auch wenn „die Streichinstrumente nicht individualisiert" sein mögen, könnte dennoch keineswegs „eine Klavierbegleitung anstelle derselben stehen".[4] Wäre dadurch nicht schon die Themengestaltung fragwürdig, so geriete jedenfalls das Adagio zur Farce.[5]

Schon der einstimmige Baß der ersten Takte kann als Begleitung der „ernsten, fast feierlich getragenen Melodie" der Hörner[6] nur für die modulationsfähige Tongestaltung eines tiefen Streich- (oder allenfalls Blas-)instruments konzipiert sein. Die Diktion des ersten Teiles (bis T. 20) ist von der „thematischen Besetzung" bestimmt, und Abweichungen von ihr stehen in Wechselbeziehung mit der formgeben-

1 „Fester" und „lockerer" gefügt sind Termini, die A. Schönberg und E. Ratz auf Harmonik und syntaktische Struktur beziehen.

2 Die satzartige Anlage entsteht hier durch Phrasenwiederholung und Motivabspaltung.

3 Die Erinnerung an Quartambitus und ganztaktige Tonrepetition des Hauptthemas wird durch die neue melodische Diktion getrübt.

4 Thayer / Deiters / Riemann, *Ludwig van Beethovens Leben,* Bd. II (^{2}1910), S. 46.

5 Die zu seinen Lebzeiten erschienenen Bearbeitungen („Übersetzungen") des Sextetts wurden zwar von Beethoven toleriert, aber ausdrücklich nicht autorisiert.

6 P. Bekker, *Beethoven* (^{2}1912), S. 417.

den satztechnischen Anlage. Da die melodische Anfangsperiode (bis T. 8) durch motivische Abwechslung hinreichend begründet ist, kann sie auf Farbkontraste verzichten und den Hörnern in durchgehender Begleitung des Cellos vorbehalten bleiben. Allerdings komprimiert und überhöht der Nachsatz die melodisch-harmonischen Vorgänge so, daß der Mittelteilkontrast des „dreiteiligen Lieds“ (T. 9—12) sich nur noch durch Reduktionen ausweist, die in fehlender Baßgrundierung und Cellofarbe am empfindlichsten zur Geltung kommen. Beethovens Tendenz, nach derart musikalischen Ausdünnungen besonders in langsamen Sätzen zu gesteigerten Reprisen zu kommen, wird im Tutti-Einsatz (T. 13f.) angedeutet, weiterhin aber in der Kompensation der im folgenden ausgesparten Hörner durch vierstimmige Satzdichte und harmonische Bereicherung. Die Bedeutung dieser Maßnahmen zeigt sich im Vergleich mit der nur instrumentatorisch variierten Gestaltung des Nachsatzes im Hauptthema des Allegros umso mehr, als der Registerwechsel in beiden Fällen den Zweck hat, der Hornfarbe neuen Informationswert zu geben für den jeweils nächsten Abschnitt, — der Überleitung in Sonatenexposition und -reprise und dem Mittelteil in der dreiteiligen Adagioform.

Mit der Instrumentation sich motivisch imitierender oder antwortender Hörner zu vollem Streichersatz (dem nur anfangs, der hohen Lage des Cellos wegen, die Bratsche fehlt) werden die Eigenart des zweiten Teils in der symmetrischen Anordnung langsamer Sätze und der generelle Unterschied zu einem zweiten Thema im Sonatensatz unüberhörbar markiert. Während das zweite Thema als Konkretion einer durch Quintspannung (in Dur) oder Durhelligkeit (in Moll) verschärften tonalen Ebene im Prinzip dieselbe Funktion hat wie das erste Thema, tritt der Mittelteil typischerweise in der spannungslosen Eintrübung der Paralleltonart, wie hier, oder in zyklisch tieferen Regionen auf und nimmt als Zwischenstück tonal übereinstimmen der Abschnitte untergeordnete Stellung ein. Und während der Konflikt gegensätzlicher Gleichheit der Themen die dynamisch sich bildende Form provoziert, trägt die ausgleichende Gegensätzlichkeit von Mittel- und Rahmenteilen zu einer eher „architektonischen“, blockartig zusammengesetzten Reihungsform bei: Der antithetische, konkurrierende Gegensatz ist durch ergänzenden, statischen Kontrast ersetzt. Konsequent und sinnfällig steht der markanten solistischen, steht der „thematischen Besetzung“ hier die allgemeine, den vollen vierstimmigen Satz ermöglichende Tutti-Besetzung der lockerer gefügten Teile gegenüber.

Am Ende des Mittelteils aber bleibt es nicht beim Fortissimo-Gestus und den vollgriffigen Streicherakkorden wie in der Überleitung des ersten Satzes, wo das spannungsvoll vorbereitete Neue angekündigt wird. Hier erstirbt der Impetus im Pianissimo-Unisono und versinkt im tiefsten Ton des ganzen Adagios, um dem Wiedereintritt des schon Bekannten und beziehungslos Gesetzten Raum zu geben.[1] Aber auch einer Überleitung steht diese Attitüde nicht zu, und wenn das Horn den Streichern den Ton abnimmt und, die Zäsur überbrückend, die Reprise einleitet, wird auch dadurch deutlich, daß der Mittelteil als ungerichteter, passiver Gegensatz nicht Neues herausfordert oder vorbereitet, sondern Rückkehr zuläßt und sinnvoll macht. Die Instrumentation des vollstimmigen, geschlossenen Satzes mit fast durch-

1 Auch harmonisch wird diese Beziehungslosigkeit ausgedrückt mit dem rückbezüglichen, nicht auf das Folgende gerichteten Halbschluß von fis-Moll.

gehender Präsenz aller Instrumente erweist sich in der Übereinstimmung mit der Coda (ab T. 69) und der Entsprechung zum Schlußgedanken im Allegro (T. 56—65) und deren hermetischer Anlage abermals als genau kalkulierter und logisch einzusetzender Faktor der musikalischen Komposition. Würde er Bestandteil der Formenlehre und in der Analyse ernstgenommen, ließe sich manche Unstimmigkeit der Interpretation vermeiden.

Wie mit syntaktischen und instrumentatorischen Komponenten, sind sie erst bedeutungsvoll geworden, auch spielerisch umgegangen wird und wie geistreich verfremdend sie eingesetzt werden können, zeigt sich im traditionell ohnehin leichtgewichtigen Rondo.[1]

Ein instrumentaler Rondorefrain wurde seiner festgefügten Gestaltung und positionellen Wichtigkeit wegen üblicherweise „thematisch besetzt", in der klassischen Symphonie vorwiegend nur mit Streichern und im Konzert nach Vorgabe der verschiedenen Expositionen im ersten Satz, der Orchester- und Soloexposition, ebenso oder ausschließlich mit dem Soloinstrument. Hier kann das antwortende Wechselspiel der Hörner aber nur dem Idiom des „Jagdrondos" (im 6/8-Takt) gelten, war es doch zuvor nie „thematisiert" erklungen. Entsprechend wird es auch jetzt mit aufgefülltem Streichersatz, also nicht-thematisch, begleitet. Die Uminstrumentierung einer Wiederholung, wie von beiden Themen des ersten Satzes und sogar den Rahmenteilen des Adagios (wo sie der Reprise des „dreiteiligen Lieds" gilt, so wie hier) geläufig, wird in diesem Fall jedoch problematisch, da die geigentypisch zu differenzierende Dreiklangsmotivik der Hörner zu einer neuen und komplexeren Struktur (T. 13—16) und nicht zur erwarteten eigentlichen Reprise führt. Die Charakteristik eines Rondorefrains, dessen konstante Wiederkehr Prägnanz und Deutlichkeit der Diktion erfordert, wird dadurch aber und durch die Auflösung der Motivik in leerem Skalenwerk mit metrisch überzähligem Schlußtakt (T. 16—20) in Frage gestellt. Und der Teil danach (T. 22—29) wird als Reflex auf dieses Vexierspiel selbst auch wieder unstimmig und nur aufgrund seiner Position zu dem, was er sein soll: eine Überleitung. Knappheit der Konzeption, syntaktische Fügung, kadenzierende Harmonik (ohne Modulation) und eigentlich auch die anfängliche Instrumentation (mit von den Geigen unisono-verstärkten tiefen Streichern) sind „thematisch". Die im ersten Couplet sich anschließende Melodie (T. 30—36) dagegen ist es nicht: Weit ausgreifend und rhythmisch indifferent, ist sie daher dem Streichquartett vorbehalten, wo in Symphonie und Konzert wiederum eher thematischer Duktus angesagt und zumindest anfangs entsprechend instrumentiert ist.[2] Die vergleichbare Reihenfolge — zuerst „thematische" Hörner, dann variierende Streicher — wird gleichwohl noch angedeutet, wenn nämlich in der Wiederholung (T. 38—45) dem tiefen Horn eine figurative Begleitvariante zugemutet wird, die der zweiten Violine zukäme (siehe dazu T. 18—20). Man darf mutmaßen, daß die Vertauschung nicht nur der unthematischen Melodie, sondern auch dieser Situation gilt, zumal die Reprise dieses Couplets (T. 162, 2. Zählzeit bis T. 194, 1. Zählzeit in T. 171—178)

1 Dieses Rondo folgt der klassischen Abfolge der Teile: Refrain — Überleitung — 1. Couplet (Oberquinttonart) — Überleitung — Refrain — 2. Couplet (variante Tonart es-Moll) — Überleitung — Refrain (nur Periode und ihre Wiederholung) — Überleitung — 1. Couplet (Grundtonart) — Refrain (variiert) — Coda.

2 Vgl. dazu A. Schönberg, *Die Grundlagen der musikalischen Komposition,* S. 49.

den Witz sublimierend zuspitzt: Eine Alberti-Figuren fiedelnde erste Violine als Begleitung zu melodieführendem zweiten Horn — sichtlich hervorgehoben durch das Absetzen der andern Instrumente und nur sparsam tupfendes Cello — ist eine Provokation für Spieler und Hörer. Und das korrigierende Eingreifen des ersten Horns läßt die Fehlbesetzung nur desto augenfälliger werden und gibt die Instrumentationsvariante der Geigenmelodie insgesamt als Mißgriff aus, wenn auch vom hohen Horn die höchsten Töne verweigert werden (T. 176—178). Da die Fortsetzung des Couplets (T. 45, 2. Zählzeit bis T. 54, 1. Zählzeit und T. 178, 2. Zählzeit bis T. 194, 1. Zählzeit) in der Wiederholung von Endigungsfloskeln ausdünnt, wirkt sie, instrumentatorisch bestätigt, wie ein Schlußsatz, und das folgende Dreiklangsmotiv (T. 61f.) könnte als wiederkehrender Refrain zu verstehen sein, müßten nicht die verballhornte Besetzung (und „falsche" Tonart) irritieren und des weiteren die instrumentenspezifischen Motivableitungen des ersten Refrains hier als Wegweiser hin zum zweiten Refrain fungieren. Da das gegeigte Hornsignal für diesmal als Ankündigungsmotiv definiert ist, taugt es beim nächsten Mal schon wieder als Anlaß zur Verwirrung (T. 193f.). Ist es Vorbereitung oder periodischer Bestandteil, wenn ihm statt der Motivvarianten die tonal und melodisch geschlossene Gestalt eines nach Höhe und Tiefe zu fünf Oktaven auseinanderdriftenden Instrumentations-Kuriosums konfrontiert wird, das in der Überleitung (T. 67—75) leise vorbereitet wurde? Die zusammenfassende Wiederholung und das anschließende Skalenwerk räumen ihm die Bedeutung des Horns im Refrain ein, die Verzerrung des Refrains nimmt sie ihm wieder. Am Ende ist also alles in Frage gestellt.

Das zweite Couplet (ab T. 97) gibt sich dagegen zunächst als Überleitung zu erkennen, indem es sich dem Refrain unmittelbar und mit demselben, jetzt nach Moll gewendeten Hornintervall anschließt wie der Zwischenteil beim ersten Mal (T. 22). Die Korrektur erfolgt erst durch den (in der Paralleltonart Ges-Dur) kadenzierenden Perioden-Nachsatz (T. 101—104), denn die instrumentatorische Verwechslung des früheren Zwischenteils sorgt in diesem Zusammenhang abermals für Unsicherheit: Die „thematisch" programmierte Besetzung erfüllt zwar auch hier den Zweck deutlichen Unterschieds zu Refrain und erstem Couplet, steht aber diesmal verquer zum pathetischen Gestus kontrastloser (unthematischer) Motivik und deren dynamischem Impuls, der vom Tutti besser zu befolgen wäre. Sequenzen und ihre Wiederholungen und die Wiederholungen von beidem skizzieren das Schema einer Form, die ohne inhaltliche Begründung — für Beethovens Formgestaltung auch zu dieser Zeit schon eine Unmöglichkeit — zur Persiflage ihrer selbst wird. Daß die Überleitung statt eines Kontrasts einen Ausklang zum sattsam Wiederholten bringt, der dem Forte der Solisten im Tutti-Piano gegenübertritt, ist Teil des immer ausgelasseneren Vexierspiels, das im Refrain weitergetrieben wird: Statt des Mittelteils wird das Jagdmotiv wiederholt, statt leise geblasen das einzige Mal im Forte und Fortissimo gegeigt und durch die oktavierende Bratsche noch mehr verfremdet, es wird das singende Gegenmotiv durch Fortissimo-Sechzehntel beschwert und durch nur hier eingesetzten Tanzbaß zum Ländler verzerrt (T. 149f. und 153f.), und der Nachsatz (T. 151—154) verkommt, alles Groteske zusammenfassend, zur Schrammelmusik. Und sollte es Zufall sein, daß dem Horn (T. 196ff.), seine Abgründe auslotend, der tradierte Schmerzenstopos unterläuft?

Die souveräne Beherrschung aller Möglichkeiten der Instrumentierung von Hörnern und des spielerischen Umgangs mit den syntaktisch-instrumentatorischen Regelungen der Zeit — war es nicht auch „Mozarts Geist [des Sextetts KV 522] aus Haydns Händen", kurz zuvor vom Grafen Waldstein beschworen, der hier wirkte? — rückte das anspruchsvolle Ziel der Symphonie um ein entscheidendes Stück näher.

Ingeborg Pfingsten

4 Arietten und Duett mit Klavierbegleitung op. 82

GEDICHTE: Nr. 1 („Dimmi, ben mio") „Hoffnung" (Autor unbekannt); Nr. 2 („T'intendo sì, mio cor") „Liebes-Klage", Nr. 3 („Che fa il mio bene?") „Arietta buffa. L'amante impaziene", Nr. 4 („Che fa il mio bene?") „Arietta assai seriosa. L'amante impaziene", Nr. 5 („Odi l'aura, che dolce sospira") „Duett. Lebens-Genuß" (P. Metastasio).
ENTSTEHUNGSZEIT: wahrscheinlich 1809.
ERSTAUFFÜHRUNG: unbekannt.
SKIZZEN: zu Nr. 1: Zentrales Staatsarchiv für alte Urkunden Moskau; zu Nr. 2: Deutsche Staatsbibliothek Berlin, Landsberg 5.
AUTOGRAPH: Nr. 1: Bibliothèque Nationale Paris; Nr. 4: Beethoven-Haus Bonn.
ERSTDRUCK: Leipzig 1811 (Breitkopf & Härtel).
GESAMTAUSGABEN: Alte Gesamtausgabe: Nr. 220 = Serie 23 Nr. 6; Neue Gesamtausgabe: Abt. XII, Bd. 1.

Wie es bei so vielen von Beethovens Liedern der Fall ist, liegen die Entstehungsumstände der *Vier Arietten und ein Duett* op. 82 im Dunkeln. Unter anderem hat man angenommen, daß die Stücke für Therese Malfatti geschrieben wurden, deren Familie italienischer Abstammung war, oder aber, daß sie in einigen Kompositionsübungen wurzeln, die Beethoven für seinen Lehrer Salieri anfertigen mußte. Es gibt allerdings letztlich für keine dieser Vermutungen Beweise: Alles, was sich nach einer eingehenden Untersuchung der Autographe und Skizzen sagen läßt, ist, daß die fünf Stücke von Anfang an als eine abgeschlossene Folge geplant waren.

Obgleich aus der Studienzeit Beethovens bei Salieri keine Skizzen zu diesen Liedern existieren, ist der Einfluß des italienischen Meisters nicht zu unterschätzen. Wie Salieris späterer Schüler Moscheles bezeugt, besuchte Beethoven tatsächlich zur Zeit der Komposition seinen ehemaligen Lehrer, was zu der durchaus vernünftigen Vorstellung Anlaß gibt, die *Vier Arietten und ein Duett* könnten von beiden diskutiert und beratschlagt worden sein. Die Überbetonung der möglichen Rolle Salieris jedoch verstellt andererseits ein grundlegendes Merkmal der Liedkomposition im Wien des beginnenden 19. Jahrhunderts: Italienische Dichtung wurde nämlich — ebenso wie die französische — häufig vertont, italienische Sänger genossen noch immer hohes Ansehen, und die Orientierung zur romanischen ebenso wie zur germanischen Kultur zählte noch immer zu den charakteristischen Merkmalen Wiens. Als Joseph Anton Steffan 1778 den ersten Teil seiner *Sammlung deutscher Lieder* herausbrachte, tat er es — wie im Vorwort zu lesen ist — in dem Bestreben, der Flut der italienischen und französischen (welschen) Stücke, welche zu jener Zeit in Wien so populär waren, einige deutsche Alternativen gegenüberzustellen.

Das allmähliche Aufkommen des deutschen Liedes im ausgehenden 18. Jahrhundert tat der kontinuierlichen Popularität der italienischen Verse keinen Abbruch; obwohl sich diese Situation in den ersten Jahrzehnten des 19. Jahrhunderts änderte, dürfen wir nicht vergessen, daß noch Schubert — und zwar in einer relativ späten Phase seines Komponierens — von der italienischen Dichtung begeistert war. Die Motivation Beethovens, italienische Verse und insbesondere Verse des noch immer gefeierten Metastasio zu vertonen, ist also auch ohne eine Anregung durch Salieri oder eine Widmungsträgerin mit italienischen Verbindungen recht verständlich.

Da es genügend Belege für die Annahme gibt, daß die *Vier Arietten und ein Duett* als zusammenhängende Folge geplant waren, kommt der Auswahl der Verse besondere Bedeutung zu. Zweifellos wählte Beethoven seine fünf Vorlagen so, daß sie eine abwechslungsreiche Folge bildeten: Die ersten beiden Lieder beschreiben die positiven und die negativen Seiten der Liebe, die beiden folgenden die komischen und die ernsten Aspekte; das Schlußstück faßt alles dieses zu einem Duett zwischen Venus und Pallas zusammen.

Bei der Vertonung italienischer Dichtung verfolgten die deutschen Komponisten dieser Periode eine Hauptintention: nämlich mit ihrer Vertonung einen angemessenen musikalischen Träger für die zu übermittelnden Worte zu schaffen, so daß die essentielle Schönheit und die lyrische Qualität der Worte noch durchscheinen konnten. Normalerweise lag in diesen Werken der Schwerpunkt auf einer lieblich fließenden melodischen Linie, die es dem Sänger ermöglichen sollte, seine Fähigkeiten in ausgedehnter, doch stets lebendiger Linienführung zu demonstrieren. Obwohl ausführliche Wortmalereien im Normalfall keinen Platz hatten, war andererseits ebensowenig der simplere Stil der Strophenkomposition vorherrschend, wie er in den einfachen deutschen Liedern der Zeit allgemein üblich war.

Für viele Komponisten mit überwiegend deutschem Erbe gehörte die Vertonung italienischer Texte beinahe zur Routine; nicht zuletzt natürlich deswegen, weil viele ihre Ausbildung mit frühen Übungen gerade in diesem Bereich begonnen hatten. Das trifft allerdings auf Beethoven nicht zu, und es ist unübersehbar, wie er in seiner Behandlung der italienischen Verse das übliche Niveau der Wiener Liedkompositionen zu jener Zeit deutlich überschreitet.

In „Dimmi, ben mio, che m'ami" verwendet Beethoven einen ausgesprochen konventionellen Text — eine Tatsache, die zu Beginn der Komposition deutlich aufgegriffen wird: Eine unauffällige Gesangslinie wird von einem ebensowenig exzeptionellen Klavierpart begleitet. An der Oberfläche stimmt die strukturelle Behandlung des Textes vollkommen mit dem überein, was man erwarten würde: Nachdem die Verse einmal vertont worden sind und eine Dominantvorbereitung erreicht ist, wird der gesamte Text wiederholt. Hinter dieser scheinbar üblichen Geste verbirgt sich jedoch Unkonventionelles — am auffälligsten ist die Ausweichung in einen ungewöhnlich entfernten Tonraum, die Hervorhebung von C-Dur nach Takt 12.

Die neuartigen Aspekte in „T'intendo sì, mio cor" gehen von einigen ungewöhnlichen Textwiederholungen aus. Wie schon in „Dimmi, ben mio, che m'ami" ist auch hier das offensichtliche Ziel, den gesamten Text zweimal zu vertonen; so kehrt nach dem ersten Durchlauf des Textes, der zu einem entsprechenden Höhepunkt führt, die Klaviereinleitung wieder. Die Singstimme beginnt mit den Worten: „T'intendo sì, mio cor", kommt aber diesmal nur bis zu „con tanto palpitar" und springt dann zu den letzten vier Zeilen der Strophe — die entscheidende Phrase „so che ti vuoi lagnar che amante sei" wird damit in der Wiederholung ausgespart. Diese Verkürzung des Textes und die daraus entstehende Betonung auf „Ah! taci il tuo dolor" ermuntern Beethoven zu harmonischen Ausweichungen. Indem er die Durterz der Tonika erniedrigt und sich so nach d-Moll bewegt, ermöglicht er eine Ausweichung nach B-Dur, was zu einer neuen Dramatik und Schärfe führt. Der Reichtum an harmonischen Quellen allein macht dieses Lied schon zu einer Ausnahme im allgemeinen Kanon der zeitgenössischen Vertonungen italienischer Verse.

„Che fa il mio bene?", dessen Text aus Metastasios Libretto zu *Adriano in Siria* stammt, nimmt eine andere Entwicklung. Wie der Titel des Liedes, „L'amante impaziene", ankündigt, geht es hier vor allem darum, eine Gelegenheit für die schnelle Übermittlung des Textes zu bieten und damit die grundsätzliche Heftigkeit des Textes in Musik zu fassen. Letzteres gelingt Beethoven hauptsächlich durch seine schnell bewegte Begleitung, in die er kunstvoll leere Oktaven einbaut — eine äußerst angemessene Folie für die beredte Vortragsweise der Stimme. Wieder weicht Beethoven von der Norm der Vertonungen italienischer Texte ab, indem er bestimmte Zeilen hervorhebt. In diesem Fall betont er die zweite, dritte und vierte Zeile, „Perchè, perchè non viene? Veder mi vuole languir così, così, così", deren ständige Wiederholung zu einem aufregenden und wirkungsvollen Höhepunkt führt.

Das vierte Lied legt einen Vergleich mit dem dritten nahe, da es denselben Text vertont (die Breitkopf-Ausgabe bietet allerdings zwei verschiedene Texte, wodurch die Differenz zwischen der komischen und der ernsten Deutung des italienischen Originals explizit wird). Bezeichnenderweise ist es wiederum der Anfang des Gedichts, dem stärkere Betonung zukommt; er wird von der zweiten Hälfte dadurch getrennt, daß er in einem anderen Metrum steht: 6/8 statt 2/4 (übrigens waren solche Veränderungen des Metrums für die Wiener Liedkomposition jener Zeit charakteristisch, wenngleich sie in der Hauptströmung der deutschen Tradition selten vorkommen). Beethoven zeigt hier zugleich, daß die Vertonung italienischer Worte in einem langsamen Tempo nicht unbedingt eine Belcanto-Linie impliziert: Im zweiten Andante-Teil erreicht er eine Tiefe des Ausdrucks, die mit derjenigen seiner deutschen Lieder durchaus vergleichbar ist.

Dem Schlußduett zwischen den mythologischen Gestalten Venus und Pallas liegen als Text einige Zeilen aus Metastasios Azione Teatrale *La pace fra la virtù e la bellezza* von 1738 zugrunde — einem Stück, das ursprünglich zur Feier des Namenstages der damaligen Erbprinzessin Maria Theresia geschrieben wurde. Von Anfang an zeigt die Begleitung eine Feinheit, welche die in derartigen Vertonungen übliche akkordische Unterstützung der Stimme weit überschreitet. Das vergleichsweise hohe Register des Klaviers, über dem der Sopran (Venus) singt, bildet einen starken Kontrast zu der tieferen Lage, die Beethoven für die Begleitung von Pallas (Tenor) verwendet. Wenn beide in der letzten Strophe zusammenkommen, erscheint ein kräftigeres Begleitmuster in der Art eines kleinen orchestralen Airs, das den gleichsam opernhaften Eindruck, der in den Gesangslinien schon angelegt ist, noch verstärkt.

Insgesamt bilden die vier Arietten und das abschließende Duett einen Höhepunkt in der Entwicklung des italienischen Liedes im frühen 19. Jahrhundert. Zusammen mit Schuberts italienischen Liedern gehören sie zu den gewandtesten Vertonungen italienischer Verse durch deutsche Komponisten. Ihre Wirkung erlangen sie jedoch in der Hauptsache nicht durch formalen Erfindungsreichtum oder harmonische

Komplexität, sondern durch die Konzentration auf die Gesangslinie. Diese starke Annäherung an die italienische Tradition der Vokalmusik ist bezeichnend — nicht zuletzt auch für Beethovens deutsche Lieder, deren gezielte Behandlung der Stimme der Kenntnis eines fremden Stils viel verdankt.

Ewan West
Übersetzung: Lydia Jeschke

3 Klavierlieder
op. 83

GEDICHTE: Nr. 1 „Wonne der Wehmut", Nr. 2 „Sehnsucht", Nr. 3 „Mit einem gemalten Band" (J. W. v. Goethe).
ENTSTEHUNGSZEIT: 1810.
ERSTAUFFÜHRUNG: unbekannt.
SKIZZEN: zu Nr. 1—3: Biblioteka Jagiellońska Krakau, Landsberg 11; Skizzenblätter zu Nr. 1 und Nr. 2: Library of Congress Washington und Bibliothèque Nationale Paris, Ms 48.
AUTOGRAPH: Bibliothèque Nationale Paris, Ms 21; erste Fassung von Nr. 1: Goethe-Schiller-Archiv Weimar.
ERSTDRUCK UND WIDMUNG: Leipzig 1811 (Breitkopf & Härtel); der Fürstin Caroline Kinsky gewidmet.
GESAMTAUSGABEN: Alte Gesamtausgabe: Nr. 221 = Serie 23 Nr. 7; Neue Gesamtausgabe: Abt. XII, Bd. 1; erste Fassung von Nr. 1: Supplemente zur Alten Gesamtausgabe, Bd. 5, Nr. 12; Neue Gesamtausgabe: Abt. XII, Bd. 1.

„Vieleicht könnten sie mir eine Ausgabe Von Göthe's und Schillers Vollständigen Werken Zukommen laßen [...] so machen sie mir die gröste Freude damit, um so mehr, da ich hoffe den Rest des Sommers noch in irgen[d] einem Glücklichern Landwinkel zubringen zu können [...] Die zwei Dichter sind meine Lieblings Dichter so wie Ossian [und] Homer" schrieb Beethoven am 8. August 1809 an seinen Leipziger Verleger Gottfried Christoph Härtel.[1] Während aber Schillers Dichtung, nicht nur nach Beethovens Einschätzung, „für den Musiker äußerst schwierig" war, verdankte er Goethe, gerade als Musiker, entscheidende Anstöße. Schon unter den frühen Liedern Beethovens beruhen auffallend viele auf Gedichten Goethes: „Marmotte", Mephistos „Flohlied", das „Bundeslied", der „Maigesang", „Neue Liebe, neues Leben" und „Nähe des Geliebten"; Entwürfe existieren zu „Rastlose Liebe", „Erlkönig" und „Heidenröslein". Wie bei Schubert, nur insgesamt in viel geringerem Umfang, wurde Goethe der am häufigsten vertonte Dichter Beethovens. Die Prägnanz, die Verbindlichkeit des sprachlichen Ausdrucks und der Form gerade auch in den einfachen, liedhaften Gedichten Goethes war Voraussetzung dafür, daß aus dem geselligen, anspruchslosen „Lied" des 18. Jahrhunderts der „Gesang" als ernst zu nehmende Gattung des Komponierens erwachsen konnte. Obwohl Beetho-

1 Die Brieftexte werden nach der Gesamtausgabe der Briefe Beethovens zitiert, die zur Zeit im Beethoven-Archiv, Bonn, vorbereitet wird.

ven dieser Wandel offenbar nicht bewußt war, hat er ihn doch höchst eindrucksvoll dokumentiert, nämlich in der Liedersammlung op. 75, in der Diskrepanz zwischen den drei ersten „Gesängen" (Goethe) und den drei folgenden „Liedern" (Halem, Reissig).

Die endgültigen Fassungen der in op. 75 vereinigten Kompositionen entstanden 1809, kurz vor oder während der Arbeit an der *Egmont*-Musik; die Goethe-Lieder op. 83 schrieb Beethoven bald nach Abschluß der Schauspielmusik im Frühling und Sommer 1810. (Er erwähnt die „3 Arietten" erstmals am 2. Juli 1810 in einem Brief an Breitkopf & Härtel.) Die *Egmont*-Musik bildet den gewichtigen Mittelpunkt; sie umrahmen die Lieder.

Während der Entstehungszeit der zweiten Liedergruppe (op. 83) lernte Beethoven im Mai 1810 Bettina Brentano kennen, die seine Goethe-Verehrung schürte und schließlich seine persönliche Bekanntschaft mit dem Dichter vermittelte, indem sie nicht nur bei Beethoven für Goethe, sondern vor allem auch bei Goethe mit geradezu feurigem Eifer für Beethoven eintrat. Die erste und einzige Begegnung zwischen den beiden fand zwei Jahre später, im Juli 1812 im Böhmischen Kurbad Teplitz statt. Anfangs waren beide sehr beeindruckt voneinander. „Zusammengefaßter, energischer, inniger habe ich noch keinen Künstler gesehen. Ich begreife recht gut, wie er gegen die Welt wunderlich sein muß", schrieb Goethe nach dem ersten Besuch bei Beethoven spontan an seine Frau. Eine Woche lang verbrachten sie fast täglich mehrere Stunden miteinander. Beethoven voll Begeisterung an Härtel: „daß Göthe hier ist, schrieb ich ihnen, täglich bin ich mit ihm zusammen, [...] schicken sie mir auf der *Briefpost* die 6 Gesänge von mir worin das „Kennst du das land" von Göthe begriffen ist — laßen sie so geschwind, so schnell, aufs geschwindeste aufs schnellste und so schnell, daß man es in der sprache nicht ausdrücken kann, einen Abdruck auf das dünnste feinste Papier machen, und schicken mir's auf flügel der Gedanken hieher zu, ja auf's dünnste feinste Papier" (24. 7. 1812). Doch dann kam es offenbar zum Bruch, der zumindest Beethoven tief getroffen hat. Am 9. August 1812 schreibt er die äußerst scharfen Worte: „Göthe behagt die Hofluft zu sehr mehr als es einem Dichter ziemt, Es ist nicht vielmehr über die lächerlichkeiten der Virtuosen hier zu reden, wenn Dichter, die als die ersten Lehrer der Nation angesehn seyn sollten, über diesem schimmer alles andere vergessen können." Goethe berichtete Zelter im September: „Beethoven habe ich in Töplitz kennen gelernt. Sein Talent hat mich in Erstaunen gesetzt; allein er ist leider eine ganz ungebändigte Persönlichkeit, die zwar gar nicht unrecht hat, wenn sie die Welt detestabel findet, aber sie freilich dadurch weder für sich noch für andere genußreicher macht [...]."[1] Der Anlaß für das Zerwürfnis ist nur aus dem angeblichen, jedenfalls im Wortlaut gefälschten Brief Beethovens an Bettina vom August 1812 bekannt, wonach Beethoven „mit untergeschlagenen Armen mitten durch den dicksten Haufen [der] Fürsten und Schranzen" ging, während Goethe „mit abgezogenem Hut, tief gebückt, an der Seite" stand.[2]

Durch das Zerwürfnis sind die Gesänge op. 83 beinahe zu Beethovens letzten Goethe-Vertonungen geworden. Ihnen folgen nur noch die Kantate *Meeres Stille*

1 M. Hecker, *Der Briefwechsel zwischen Goethe und Zelter,* Bd. I, S. 328.
2 E. Kastner / J. Kapp, *Ludwig van Beethovens sämtliche Briefe,* S. 228.

und Glückliche Fahrt op. 112 (1814/1815), die 1822 gedruckt und dem „unsterblichen Goethe“ gewidmet wurde, und die Orchesterfassung des *Bundesliedes* op. 122 (1822—1824). Um diese Zeit versöhnte sich Beethoven offenbar endlich mit seinen Erinnerungen an die Begegnung in Teplitz. Am 8. Februar 1823 richtete er seinen dritten und letzten Brief an Goethe. Er bat ihn darin um Vermittlung beim Verkauf der *Missa solemnis* an den Weimarer Hof und kündigte neue Vertonungen von Gedichten an, die jedoch über kurze Skizzen nicht hinausgelangten. Der Brief endet mit dem schönen Bekenntnis: „die Verehrung Liebe u. Hochachtung welche ich für den einzigen Unsterblichen Göthe von meinen Jünglingsjahren schon hatte, ist immer mir geblieben, so Was läßt sich nicht wohl in Worte faßen, [...] allein ein eigenes Gefühl treibt mich immer, ihnen so viel zu sagen, indem ich in ihren schriften lebe.“

Diese „letzten Worte“ lassen sich durchaus auf die 13 Jahre früher entstandenen (vor-)letzten Kompositionen zurückbeziehen, in denen Beethoven (wohl noch ohne Kenntnis, jedenfalls ohne Rücksicht auf Goethes eigenwillige Liedästhetik) seine Vertonungen ebenso selbständig wie einfühlsam mit den Gedichten verbunden hat. Tatsächlich sind die Goethe-Lieder der Jahre 1809/1810 ein ungewöhnliches Zeugnis für die künstlerische Nähe zwischen Dichtung und Musik. Die Vertonungen heben das charakteristisch Goethesche der Gedichte hervor, die Texte ihrerseits verdeutlichen das typisch Beethovensche der Kompositionen.

Wenn es in Beethovens Liedern überhaupt einen Spätstil gibt, dann beginnt er mit „Wonne der Wehmut“, also wesentlich eher als in den Instrumentalkompositionen. Kennzeichnend ist (zunächst ganz pauschal) das Aufbrechen der Gattung — einer Gattung allerdings, die es zuvor gerade auch in Beethovens Schaffen noch gar nicht zu eigener Konsistenz gebracht hatte, deren Konsens aber immerhin im Zusammenwirken von Gesangs-Solo und Begleitung bestand. In „Wonne der Wehmut“ werden diese elementaren Rollen scheinbar vertauscht: Das Klavier begleitet nicht, sondern es scheint die Hauptsache, die eigentliche Komposition zu sein, die von der Singstimme nur kommentiert wird. Der Gesang wirkt wie nachträglich hinzugefügt, fast wie ein Scheringscher Verständnisschlüssel. Wenn man die Pausen in Takt 10 und 11 ausfüllt, läßt sich der Klavierpart auch allein, gleichsam als „Bagatelle“ spielen. Dagegen ist die Singstimme ohne das Klavier nur ein Torso, nicht ausführbar und gewiß kein „Lied“.

Zwar ist dieser Rollentausch nur ein scheinbarer, denn die kompositorische Hauptsache ist nach wie vor der Gesang. Aber das Stück ist konstruiert wie ein Instrumentalwerk. In den ersten vier Takten werden seine musikalischen Glieder einzeln vorgestellt: Die Singstimme beginnt ohne Vorspiel, ohne instrumentale Einstimmung mit dem Halbvers „Trocknet nicht“, der auf leichter Taktzeit endet, gleichsam abgerissen wird. Seine Charakteristika sind der punktierte Rhythmus, der geringe Tonumfang, die melodische Stagnation und der öffnende Kadenzschritt. Die zweite Takthälfte greift zwar den letzten Ton der Singstimme auf (T. 1: a; T. 2: h), knüpft also an, stellt aber ein vollständig kontrastierendes, zweites Glied vor: die unbegleitete, einstimmige Zweiunddreißigstelskala des Klaviers, die sofort aus der Mittellage heraus in die höhere Oktave springt. Sie malt offenbar die herabfallenden Tränen, die der Text jedoch noch gar nicht genannt hat. Das Klavier nimmt also von sich aus einen Sprachduktus an — durch die malende Figur, durch den neuen Impuls, durch den Kontrast und als metrische Ergänzung der abgerissenen Halbverse. Das dritte Glied bilden die Takte 3—4, in denen Gesang und Klavier verbunden werden, einen liedhaften Vers formieren und ganz regulär zum Halbschluß führen.

In Takt 5 tut Beethoven so, als wollte er, ebenso regulär, einen zweiten Viertakter als Nachsatz folgen lassen. Für ihn fehlt aber der Text. Mitten in Takt 6 bricht dieser Nachsatz ab (noch abrupter als in den beiden ersten Takten die Singstimme), und es schließt sich, wieder ohne Vorspiel, metrisch herangerückt und sogar gegenüber dem liedhaften dritten Glied (T. 3—4) um einen halben Takt verschoben, eine Art Mittelteil an — Goethes Strophe entsprechend (Vers 3 und 4). Der am Anfang fehlende halbe Takt wird in Takt 10 als Dehnung nachgeholt; ab Takt 11 ist das Metrum wieder im Lot, und die Reprise könnte beginnen, wie sie es bei Goethe auch tut (Vers 5 und 6). Aber Beethoven weitet den Mittelteil noch nach e-Moll aus. Die Reprise tritt erst in Takt 16 ein. Auch sie ist verkürzt. Sie besteht nämlich nur aus dem anfangs unvollständigen Nachsatz. Die jeweiligen Überleitungstakte (T. 4 und 15) sind fast identisch. Der Nachsatz wird jetzt zu einer kleinen Schlußsteigerung erweitert — mit Trugschluß, bekräftigender Wiederholung der beiden letzten Takte („unglücklicher Liebe“) und Rückgriff auf das „Thema“, auf den ersten Halbvers („Trocknet nicht“) und die tropfenden Tränen.

Die Reprisenanlage, deren irreguläre Gestaltung und vor allem auch die metrische Unregelmäßigkeit, das ständige Stocken und Abreißen der Bewegung, wurden durch den Text zwar angeregt, aber nicht vorgegeben.

> Trocknet nicht, trocknet nicht,
> Thränen der ewigen Liebe!
> Ach! nur dem halbgetrockneten Auge
> Wie öde, wie todt die Welt ihm erscheint!
> Trocknet nicht, trocknet nicht,
> Thränen unglücklicher Liebe!

Beethoven greift diese Eigenarten der Versstruktur und des Strophenbaus auf und verstärkt sie durch die Vertonung, aber gleichzeitig bezieht er aus dem Gedicht die Begründung für die musikalischen Strukturen. Ähnliches gilt für die im „Lied“ eigentlich regelwidrigen Wortwiederholungen. Der Halbvers „Trocknet nicht“ wird (abgesehen von der Verdoppelung der Schlußverse in Mittelteil und Reprise) nur zweimal mehr wiederholt als bei Goethe, nämlich in Takt 5, am Beginn der abgebrochenen Reprise, und ganz am Ende in Takt 22. Doch die Worte werden in der Komposition durch Variation und wechselnde Stellung zu einer Art Tenor. Was im Gedicht nur angedeutet ist, wurde in der Vertonung zum thematischen Element.

Goethes Text entstand 1775, als eines der letzten Lili-Gedichte, als schmerzhaftes Ende einer Erfahrung, die mit „Neue Liebe, neues Leben“ begonnen hatte. Beethoven hat in op. 83 gewissermaßen den Weg umgekehrt und mit den beiden folgenden Kompositionen den unbeschwerten Anfang der Beziehung ans Ende gesetzt. „Sehnsucht“, das Gedicht, das dem mittleren Lied zugrundeliegt, ist ein späterer, schon etwas abgeklärter, im Ausdruck des Liebesverlangens nicht mehr so ungebärdiger Nachfahr von „Neue Liebe, neues Leben“, eine Variante einer Goetheschen Lieblingsvorstellung, des „Liebhabers in allen Gestalten“. Unter Beethovens Goethe-Liedern steht es besonders dem „Maigesang“ (op. 52, Nr. 4) nahe — dort jedoch ein junger Frühlingsmorgen, hier ein (Herbst-?)Tag mit lebhaften Wolken und ein Abend, dort die Lerche mit ihrem Gesang, hier die Raben in geselligem Flug. Der Liebhaber selbst wird zum „singenden Vogel“ und dann sogar zum „blinkenden Stern“. Er begnügt sich mit dem „Staunen“ der Angebeteten und ist schließlich beglückt, ihr zu Füßen zu liegen.

Beethoven hat das Gedicht als Strophenlied vertont, die Strophen aber, wenn auch nur sehr diskret, variiert. Die sich der Musik anbietenden Bilder (den Sonnenuntergang, den blinkenden Stern, den Gesang des Vogels, die wörtliche Rede) hat er übergangen und nur die allen fünf Strophen gemeinsame Haltung umzusetzen versucht. Bestimmend für die musikalische Erfindung war zwar (wie stets) die erste Strophe, die Unruhe, die den Liebhaber ergriffen hat, die hastige Reihung der kurzen Fragen in der ersten Strophenhälfte und die Zusammenfassung der Verse in der zweiten Hälfte. Aber die beiden letzten Verse „Da möcht' ich hinüber, / Da möcht' ich wohl hin!“ haben ihn nicht verleitet, an Mignons sehnsüchtigen Refrain „Dahin! Dahin! Möcht ich mit dir, o mein Geliebter, ziehn“ zurückzudenken, den er kurz vorher vertont hatte. Er schlägt lediglich einen bedächtigeren Ton an (ritardando), der zu allen Strophen paßt.

Was zieht mir das Herz so?
Was zieht mich hinaus?
Und windet und schraubt mich
Aus Zimmer und Haus?
Wie dort sich die Wolken
Um Felsen verziehn,
Da möcht' ich hinüber,
Da möcht' ich wohl hin!

Genau umgekehrt wie im (unvariierten) Strophenlied, in dem am ehesten die Singstimme dem Text, der wechselnden Deklamation und dem Audruck angepaßt und beim Vortrag variiert werden konnte, während die Begleitung gleich blieb, hat Beethoven hier den Gesang, mit ihm auch den harmonischen Gang und sogar die Akkordlagen des Klaviers in allen fünf Strophen nahezu unberührt gelassen. Variiert wird lediglich die Bewegung der Begleitung: in der ersten Strophe zunächst abgerissene Akkorde, die die Singstimme sprechen lassen, dann ein deutlicher Wechsel, der die Verse 5 und 6 zusammenfaßt und abermals ein Wechsel (Vers 7—8), der die melodische Linie hervorhebt und die Ritardando-Geste verstärkt. In der zweiten Strophe wird aus den abgerissenen Akkorden eine wiegende Bewegung („Nun wiegt sich der Raben / Geselliger Flug“), in der dritten Strophe („Da kommt sie und wandelt; / Ich eile sobald“) eine eilig schreitende und in der vierten Strophe („Die scheidende Sonne / Verguldet die Höhn“) eine durchgehend akkordische Begleitung (pianissimo), die auch die mittleren Verse nicht mehr abtrennt.[1]

Die fünfte Strophe hat Beethoven in die Dur-Variante versetzt. Das Ritornell, das vorher ein vielfach deutbares Kreisen darstellt, vollführt plötzlich einen Aufschwung in die höhere Oktave, gleichsam in die Region der Sterne. Erst zu den beiden letzten Versen („Ich lieg' dir zu Füßen, / Da bin ich beglückt!“) kehrt die Begleitung in die ursprüngliche, tiefere Lage zurück. Die Überraschung („Auf einmal

1 Man vergleiche mit diesem Sonnenuntergang die Sonnenaufgänge in op. 48, Nr. 4 und in op. 94, ferner das „Abendlied unterm gestirnten Himmel“ WoO 150.

erschein' ich, / Ein blinkender Stern") ausnutzend und humoristisch übertreibend, hat er die letzte Strophe, über den Text hinausgehend, zur Pointe gemacht und dadurch dem Lied einen sinnfälligen musikalischen Abschluß gegeben.

„Mit einem gemalten Band" ist (wie das „Mailied") ein frühes Gedicht Goethes aus der Sesenheimer Zeit, das Klopstocks „Rosenband" „ausmalt". — Beethovens Bezeichnung der Gesänge op. 83 als „Arietten", mit der er Härtel die Kompositionen ankündigte, paßt zu diesem letzten Stück am ehesten. Die erste und die vierte Strophe („Fühle, was dies Herz empfindet") bilden einen Reprisenrahmen, der die beiden mittleren Strophen umschließt, die zusammengefaßt und nicht in ein einheitliches Versmetrum gebracht, sondern relativ frei der Syntax und dem Ausdruck der Worte nachgehen. Die beiden letzten Verse der dritten Strophe („Einen Blick, geliebtes Leben, / Und ich bin belohnt genug") sind die inhaltliche Mitte und der formale Wendepunkt des Gedichtes. Man hätte ihnen auch einen eigenen Abschnitt widmen oder sie mit der Schlußstrophe verbinden können. Beethoven hat sie einfach wiederholt, dabei rhythmisch gedehnt und ihnen so den nötigen Nachdruck gegeben. Die Rückkehr zur Reprise wird durch eine modulierende Antizipation erreicht, die hier ebenfalls sehr kurz und schlicht gehalten ist.[1]

Der Reprisenrahmen (erste und vierte Strophe) trägt rondoähnliche Züge. Charakteristisch dafür sind die Regelmäßigkeit der musikalischen Periode und das Versmetrum: Jeder Vers beginnt mit einem langen Auftakt in der Taktmitte (wie die Ottonari einer Rondo-Arie). Arienhaft ist aber vor allem die kleine Stretta am Schluß (T. 38ff.), die die letzte Strophe wiederholt, dabei Singstimme und Begleitung auf die halben Notenwerte verkürzt und beschleunigt und den letzten Vers durch eine Gesangskadenz abtrennt. Die ausgeschriebene Auszierung zum Wort „verbindet" ist offenbar als rhetorische Figur gemeint: Der Doppelschlag (hier sogar in beide Richtungen) ist die Verbildlichung des ersehnten Bandes zwischen den Liebenden. Der Schlußvers, Ziel und Ausklang zugleich, enthält noch einmal die Anweisung „leichtlich, nicht geschliffen", die auch schon am Anfang stand und als Generalanweisung zu gelten hat. Sie soll wohl heißen, daß das Klavier nicht legato und erst recht nicht mit Pedal gespielt werden darf. Statt das „Rosenband" durch ein Gesangsmelisma darzustellen, abstrahiert Beethoven von der Wörtlichkeit des Textes und läßt den Sänger gerade im letzten Vers in das ungebunden leichte Spiel des Klaviers einstimmen.

In den Gesängen op. 83 hat Beethoven ein kurzes, ernstes, kompliziertes Lied an den Anfang gestellt und eine heitere, pastorale Ariette an den Schluß. In der Mitte steht eine „Sehnsucht", aber ausnahmsweise einmal keine sich verzehrende, Mignonsche, sondern eine verschmitzte, ein wenig ironische, vergleichbar der in „Neue Liebe, neues Leben". Die Anordnung der Kompositionen ist wohl primär eine chronologische; jedenfalls entspricht sie der Entstehungsfolge, die aus den Skizzen hervorgeht. Aber mit dem „langsamen Satz" am Anfang, den „Variationen" in der Mitte und dem „Rondo" am Schluß ist sie auch eine musikalisch sinnvolle. Der übergeordnete Zusammenhang besteht jedoch darin, daß das Werk eine Hommage an Goethe ist.

Helga Lühning

---

1 Vgl. die ähnlichen, aber weitläufigeren Durchgänge in „Neue Liebe, neues Leben" und „An die Hoffnung" op. 94.

Musik zu „Egmont"
op. 84

ENTSTEHUNGSZEIT: Herbst 1809—Mai/Juni 1810.
ERSTAUFFÜHRUNG: am 15. Juni 1810 in Wien.
SKIZZEN UND AUTOGRAPH: vgl. A. Fecker, *Die Entstehung von Beethovens „Musik zu Goethes Trauerspiel Egmont".*
ERSTDRUCK: Ouvertüre: Leipzig 1810 (Breitkopf & Härtel); Lieder und Zwischenakte: Leipzig 1812 (Breitkopf & Härtel); Klavierauszug: Leipzig 1812 (Breitkopf & Härtel), vgl. Anm. 1 im Text S. 650.
GESAMTAUSGABE: Alte Gesamtausgabe: Nr. 12 = Serie 2 Nr. 3; 2. Abdruck der Ouvertüre: Nr. 27 = Serie 3 Nr. 10.

Die Entstehung der Musik zu Johann Wolfgang Goethes *Egmont* ist, wie so oft bei Beethoven, dem Zusammenspiel zwischen innerer Neigung und äußeren Beweggründen zu verdanken. Vermutlich im Herbst 1809 erhielt er vom k.k. Hoftheaterdirektor Joseph Hartl den Auftrag, eine Begleitmusik zu Goethes Trauerspiel für eine Neuinszenierung am Burgtheater in Wien zu komponieren. Damit waren nicht nur die im Dramentext geforderten Musikeinlagen (zwei Lieder Klärchens „Die Trommel gerühret" sowie „Freudvoll und leidvoll", Musik „Klärchens Tod bezeichnend", „Melodrama", „Siegessymphonie"), sondern auch, den Gepflogenheiten damaliger Theaterpraxis folgend, eine Ouvertüre und die entsprechenden Zwischenaktmusiken gemeint. Beethoven übernahm diese Aufgabe sicherlich nicht nur, weil das Sujet der Tragödie seinen im weitesten Sinne politischen Vorstellungen entgegenkam (Suche nach Gerechtigkeit, Auflehnung gegen Unterdrückung, Triumph der Freiheit), sondern auch, weil es auf seine eigene biographische Situation beziehbar war, da er wie viele Wiener im Sommer 1809 unter der napoleonischen Besatzung Wiens zu leiden hatte und also hautnah erlebte, was eine Okkupation durch eine fremde Macht bedeutete: Viele seiner aristokratischen Bekannten, Freunde und Gönner waren im Mai vor den heranrückenden französischen Truppen aus der Stadt geflohen, Beethoven selbst mußte seine alljährliche Sommerfrische verschieben, seine gerade in einem Kontrakt festgehaltene Rente verlor aufgrund inflationärer Tendenzen mächtig an Wert, und nicht zuletzt seine Einschätzung der Person Napoleons war zu dieser Zeit bereits deutlich negativ gefärbt.[1] Wie intensiv und persönlich er sich in dieser Zeit mit Goethes *Egmont* beschäftigt hat („Ich habe ihn bloß aus Liebe zum Dichter geschrieben und habe auch, um dieses zu zeigen, nichts dafür von der Theaterdirektion dafür [sic] genommen"[2]), zeigt auch ein Albumblatt Beethovens vom Mai 1810 für Therese Malfatti (mit dem zweiten Klärchen-Lied), auf dem er, ohne nähere Angaben zu machen, einen Satz Egmonts aus der Schlußszene zitiert, der ebenso wie das Lied selbst mit seiner eigenen Befindlichkeit — die junge Dame hatte sein Werben gerade zurückgewiesen — in Verbindung zu bringen war.[3]

Seine Musik zu diesem Schauspiel hat Beethoven keineswegs gering geschätzt, er bemühte sich mit Nachdruck bei Breitkopf & Härtel um eine rasche und vollständi-

1 Vgl. die Briefe Beethovens an Breitkopf & Härtel vom 26. 7. 1809 (E. Kastner / J. Kapp, *Ludwig van Beethovens sämtliche Briefe,* S. 142—144) und vom 21. 8. 1810 (ebenda, S. 174).
2 Brief Beethovens an Breitkopf & Härtel vom 21. 8. 1810 (ebenda, S. 177).
3 Vgl. ebenda, S. 164.

ge Drucklegung[1], er war erpicht darauf, daß Goethe baldigst ein Exemplar der Partitur erhielt[2], und zeigte sich dem Verlegerwunsch, einige Schlüsse für die Zwischenaktmusiken hinzuzukomponieren, damit seine Musik auch im Konzertsaal aufgeführt werden könne, durchaus aufgeschlossen.[3]

Beethovens Egmont-Musik teilt das Schicksal fast aller ursprünglich für ein Schauspiel komponierten Werke: Sie überleben geschichtlich nur in Form von Ouvertüren oder Orchestersuiten. So ergibt sich zwangsläufig auch in diesem Falle eine Hierarchie hinsichtlich der Bekanntheit und auch der musikwissenschaftlichen Auseinandersetzung. Die Ouvertüre gehört zu den viel besprochenen und äußerst beliebten Werken, von den Liedern kann man behaupten, sie seien noch geläufig, die Zwischenaktmusiken dagegen zählen zu den meist unbekannten Nummern.[4] Die Gründe für eine solche Selektion sind offensichtlich. Nur die Ouvertüre und die Lieder sind separierbar, weil sie in sich geschlossene musikalische Ganzheiten bilden, die auch ohne den dramatischen Kontext bestehen können. Dennoch sollte man Vorsicht walten lassen bei der vorschnellen Übernahme dieser Selektionsvorgaben, weil die Verlagerung des Interesses auf die autonomisierbaren Teile des Werkes von den spezifischen Problemstellungen einer Schauspielmusik eher ablenkt. Gerade weil Beethovens Egmont-Musik als Paradigma der Schauspielmusik schlechthin gilt[5], sei im folgenden versucht, die bisher weniger beachteten Nummern in den Vordergrund zu rücken, um die Aufgaben, Beschränkungen, Spielräume und Grenzen der Gattung deutlich zu machen und gleichzeitig zu zeigen, wie Beethoven damit umging, — immerhin war es erst seine dritte Arbeit für die Bühne.

Es ist eine mißliche Situation, daß die ästhetischen Reflexionen über Sinn und Zweck von Schauspielmusik — etwa im Vergleich mit der Oper — nie eine tiefergehende und zusammenhängende Diskussionstradition ausgebildet haben. Allenfalls lassen sich einige immer wieder zitierte und kolportierte Texte nennen, die das Thema punktuell behandeln und von denen nicht klar ist, inwiefern sie überhaupt größere Geltung beanspruchen dürfen.[6] Um eine Grundproblematik von Schauspielmusik zumindest anzuzeigen, seien zwei historische Schnitte angesetzt: zum einen im Jahr 1739, in dem sich Johann Adolph Scheibe im „67. Stueck (Dienstags, den 8 December, 1739)“ seines *Critischen Musicus* als erster, wie er selbstbewußt be-

1 Vgl. die Briefe an Breitkopf & Härtel vom 6. 6. 1810 (ebenda, S. 168) und vom 21. 8. 1810 (S. 177f.); am 28. 1. 1812 fragt Beethoven: „Und die Gesänge von Egmont, warum noch nicht heraus, warum überhaupt nicht mit dem ganzen E. heraus, heraus, heraus?“ (S. 208). Sein Drängen war berechtigt, denn die Drucklegung zog sich doch merklich hin: Im Dezember 1810 war lediglich die Ouvertüre in Stimmen erschienen, im Februar 1811 folgte dann ihr Klavierauszug, im Januar 1812 wurde das Stimmenmaterial der Lieder und Zwischenaktmusiken, im Mai des Jahres deren Klavierauszug veröffentlicht. Die erste Partiturausgabe erschien erst posthum im Juli 1831.

2 Vgl. Briefe an Breitkopf & Härtel vom 15. 10. 1810 (ebenda, S. 181), vom 9. 10. 1811 (S. 203) und vom 28. 1. 1812 (S. 207).

3 Vgl. Brief an Breitkopf & Härtel vom 28. 1. 1812 (ebenda, S. 208). Die in der Stimmenausgabe vom Januar 1812 hinzukomponierten Zwischenaktmusikschlüsse stammen allerdings nicht von Beethoven selbst.

4 Exemplarisch für diese Haltung ist etwa Thayer / Deiters / Riemann, *Ludwig van Beethovens Leben*, Bd. III ($^{3-5}$1923), S. 238—242.

5 Der Tenor von A. Aber, *Die Musik im Schauspiel,* ist hierfür beispielhaft: „Diese ‚Egmont‘-Musik Beethovens hat zu allen Zeiten als ragender Gipfel der Schauspielmusik überhaupt gegolten“ (S. 103).

6 Vgl. hierzu A. Aber, *Die Musik im Schauspiel,* Th. Evans u.a., *Incidental music,* Fr. Mirow, *Zwischenaktmusik,* E. v. Waldthausen, *Die Funktion der Musik im klassischen deutschen Schauspiel* und H. Wirth, *Bühnenmusik.*

hauptet, Gedanken über diese Gattung gemacht hat, und zum anderen in Jahr 1799, in dem Ludwig Tieck in den *Phantasien über die Kunst für Freunde der Kunst* eher beiläufig, aber deshalb nicht weniger präzise sich über seine Vorstellungen von Schauspielmusik äußerte.

Scheibe sah sich der Situation gegenüber, daß die zu Tragödien und Komödien erklingenden Ouvertüren und Zwischenaktmusiken seinerzeit im Normalfall zufällig gewählt waren und nicht unbedingt zum aufgeführten Theaterstück paßten. Dagegen forderte er mit aufklärerischen Ambitionen — schließlich galt es, die Schaubühne, die „Schule der Tugend und der guten Sitten", zu befördern[1] —, daß „zu einem jeden Schauspiele auch eine eigene Musik, und zwar ordentliche und bloß allein mit eben demselben Schauspiele genau uebereinstimmende Symphonien" verfertigt würden.[2] Dabei habe der Komponist zweierlei zu beachten: Zum einen solle er auf den Inhalt des Werkes und die Charaktere der darin agierenden Personen Rücksicht nehmen, die Musik zu Tragödien und Komödien müsse sich ebenso voneinander unterscheiden, wie die Musik etwa zu den unterschiedlichen Arten von Tragödien. Zum anderen habe der Komponist die Funktion einzelner Musiknummern innerhalb des Theaterstückes zu berücksichtigen, denn es sei ein Unterschied, ob er eine Ouvertüre, eine Zwischenaktmusik oder eine Schlußmusik — vokale Einlagen sind in Scheibes Überlegungen ausgespart — zu verfertigen habe. Die Anfangssymphonie ist dabei am wenigsten spezifisch für die Schauspielmusik, da sie in ihrer Aufgabenstellung und Beschaffenheit der Opernsymphonie ähnele: „Sie muß sich also ueberhaupt auf das ganze Stueck beziehen, zugleich aber muß sie auch den Anfang desselben vorbereiten, und folglich mit dem ersten Auftritte ueberein kommen."[3] Dagegen kommt den Zwischenaktmusiken und die Schlußsymphonie spezifische Genres der Schauspielmusik. Dabei kommt den Zwischenaktmusiken eine vermittelnde Funktion zu: Sie „muessen sich nach dem Schlusse des vorhergehenden Aufzuges, und nach dem Anfange des folgenden richten. Sie muessen also beyde Aufzuege mit einander verbinden, und die Zuschauer gleichsam unvermerkt aus einer Gemuethsbewegung in die andere fuehren."[4] Die Schlußsymphonie, „die staerkste Stelle, die insgemein bey den Zuschauern den wichtigsten Eindruck" hinterläßt, soll aufs genaueste mit dem Schluß des Schauspiels korrespondieren. „Die Musik muß also mit den Begebenheiten, mit den Affecten oder Leidenschaften und mit den Charakteren der Personen vollkommen und auf das natuerlichste uebereinstimmen."[5] Entscheidend bei Scheibes Überlegungen ist, abgesehen von allen zeitbedingten regelhaften Vorgaben, daß er die Musik im Verhältnis zum Schauspiel als zu allen Zeitpunkten abhängig sieht: „Es ist leicht zu erachten, daß sich auch ein Componist in eben der Schreibart ausdruecken muß, deren sich der Dichter bedienet hat, und daß er folglich allemal seine Schreibart, seine Erfindung, und seine Abtheilungen der Saetze in den Symphonien nach den Charakteren der Schauspiele bequemen, und also dem Dichter nicht nur in der Schreibart, sondern auch in der Er-

1 J. A. Scheibe, *Der critische Musicus,* S. 611.
2 Ebenda, S. 612.
3 Ebenda, S. 616.
4 Ebenda, S. 617.
5 Ebenda.

findung, in der Lebhaftigkeit der Gedanken, und in dem Feuer nachfolgen soll."[1] Der Komponist hat also das Schauspiel zu illustrieren und die Charaktere zu verdeutlichen, allgemein: Vorgegebenes zu verstärken und zu unterstützen.

Daß eine solche dienende Rolle der Schauspielmusik im Zuge der Entfaltung der Idee der Autonomie der Künste, und damit auch der Musik, skeptisch beurteilt werden würde, liegt auf der Hand. So kommt Tieck 1799 im Zusammenhang mit der Betrachtung der *Symphonien* auch auf die Ouvertüren zu Opern und Schauspielen zu sprechen und macht den zunächst frappierenden Vorschlag, daß es wohl schöner wäre, wenn man Schauspiele und Opern anstatt mit einer Ouvertüre beginnen besser mit einer Symphonie beschließen würde. Die Tonkunst habe einen Grad von Selbständigkeit erreicht, der es verbiete, daß sie sich einer fremden Kunst abhängig mache, der es ihr im Gegenteil ermögliche, mit eigenen Mitteln das Stück poetisch zu wiederholen. Gerade dann aber ist eine Symphonie als Ouvertüre nachteilig: „Viele Szenen des Stücks", bekennt Tieck nach dem überwältigenden Eindruck, den eine Macbeth-Ouvertüre auf ihn gemacht hatte, „waren mir nach dieser großen Erscheinung trüb und leer, denn das Schrecklichste und Schauerhafteste war schon vorher größer und poetischer verkündigt."[2] Damit die Musik den Eindruck des Schauspiels nicht schmälere, solle sie als Symphonie erst am Schluß erklingen. „Hier könnte der Künstler denn alles zusammenfassen, seine ganze Kraft und Kunst aufwenden."[3] Es ist sicher kein Zufall, daß er in diesem Zusammenhang ausdrücklich auf Goethes *Egmont* zu sprechen kommt, allerdings nur auf die vom Dichter selbst im Schauspiel geforderten Musikstücke. Gerade die Musik gilt für Tieck in diesem Trauerspiel „als Erklärung, als Vollendung des Ganzen".[4] Tiecks Überlegungen laufen auf eine ganz andere Gewichtung des Verhältnisses von Text und Musik hinaus. Zum einen war er wohl sehr reserviert gegenüber den zu seiner Zeit üblichen Zwischenaktmusiken, die von den Komponisten hinzugefügt wurden, aber selten in der dramatischen Vorlage verlangt waren — ein Erbe der Praxis aus Scheibes Zeiten —, zum anderen sah er aber die Aufgabe der Musik in einem viel freieren, von funktional-dramaturgischen Momenten gelösten Sinne. So stelle die von Goethe geforderte Siegessymphonie am Schluß des *Egmont* „für den wahren Tonkünstler eine große Aufgabe; hier könnte er das Schauspiel kühn wiederholen, die Zukunft darstellen, und den Dichter auf die würdigste Art begleiten".[5] Der Musiker „begleitet" den Dichter, wenn dieser selbst aufgehört hat zu sprechen, was nur bedeuten kann, daß die Aufgabe der Schauspielmusik weniger eine verstärkende und illustrierende als vielmehr eine kommentierende und interpretierende sein soll, eine Art Weiterdichten in Tönen, wie es später Franz Liszt für seine Symphonischen Dichtungen reklamiert hat.

Diese beiden durch Scheibe und Tieck markierten Auffassungen von den Aufgaben der Musik im Schauspiel finden ihren Niederschlag auch in der Rezeption der Egmont-Musik. Auf der einen Seite trennt man die Ouvertüre von der restlichen Schauspielmusik ab und sieht in ihr, gleichgültig ob man sie semantisch oder struk-

1 Ebenda, S. 615.
2 L. Tieck, *Phantasien über die Kunst,* S. 256.
3 Ebenda, S. 257.
4 Ebenda.
5 Ebenda, S. 258.

turell deutet, eine Zusammenfassung oder Interpretation des Trauerspiels, während man die anderen Musiknummern lediglich als Abbild des Bühnengeschehens ansieht.[1] Dagegen lassen die spärlichen Äußerungen Beethovens zu *Egmont* sich durchaus in dem Sinne lesen, daß er die Ouvertüre und die anderen Nummern als zusammengehörig betrachtete.[2] Im folgenden sei die Ouvertüre bewußt ausgeklammert, um einmal die bisher vernachlässigten Nummern ins Blickfeld zu rücken. Dabei handelt es sich lediglich um Interpretationsversuche einzelner Stellen und Details, nicht um eine integrale Interpretation der gesamten Egmont-Musik, die vielfältige und wesentlich mehr Aspekte berücksichtigen müßte: die historische Brechung, die dadurch entsteht, daß Goethes Text (selbst über einen Zeitraum von 14 Jahren, 1773—1787, entstanden) bereits 1788 erschienen war, von Beethoven aber erst 1810 aufgegriffen wurde, den Versuch, Beethovens Auffassung des Stoffes zu rekonstruieren und nicht zuletzt die verzweigte Rezeptionsgeschichte des Werkes (der Goetheschen Originalfassung, der verschiedenen Bearbeitungen, der unterschiedlichen Musiken, der Konzertfassungen mit rezitiertem Text etc.).[3] Bei dem hier versuchten, eher induktiven Vorgehen, das allerdings vor semantischen Deutungsvorschlägen nicht zurückschreckt, wird kein geschlossenes (Beethoven-) Bild des Egmont-Dramas vorausgesetzt[4], sondern es soll vielmehr als ein schmaler Weg dorthin verstanden werden.

Daß für Beethoven die Zwischenaktmusiken nicht nur lästiges Beiwerk waren, sondern von ihm ebenso ernst genommen wurden wie andere Teile der Schauspielmusik, zeigt sich am überlieferten Skizzenmaterial.[5] Mannigfaltige handschriftliche Texteintragungen zeigen sein Bemühen, die inhaltlichen Bezüge der Zwischenaktmusiken festzuhalten. So heißt es etwa auf einer Skizze zur „Zwischenaktmusik I“: „1ter Akt. Klage Brackenburg tumult“.[6] In diesem Fall entschied er sich offenbar für eine vermittelnde Funktion zwischen beiden Akten. Während das Andante an die durch Klärchens Zurückweisung herbeigeführte beklagenswerte Situation Brackenburgs und seine Selbstmordabsichten anknüpft (Seufzermotivik, metrisches Stocken in T. 21—23[7]), zielt das Allegro con brio auf den Beginn des folgenden Aktes, das Zusammenlaufen der Bürger von Brüssel, die um die politische Ruhe besorgt sind (schon fast tonmalerisch umgesetzt im Durchführen einzelner melodi-

1 Vgl. zur Ouvertüre die eher hermeneutischen Interpretationen von V. Kreiner, *Ludwig van Beethoven. Ouvertüre zu Goethes „Egmont“ op. 84,* E. Oster, *The Dramatic Character of the Egmont Overture,* A. Schering, *Die Musik zu „Egmont“* und die eher strukturellen Interpretationen von B. Cooper, *Beethoven and the Creative Process,* S. 242—262 sowie C. Dahlhaus, *Ludwig van Beethoven und seine Zeit,* S. 41—45 und L. Misch, *Zur Thematik der Egmont-Ouvertüre;* zu den anderen Nummern vgl. neben der oben S. 650, Anm. 6 genannten allgemeineren Literatur zur Schauspielmusik etwa A. Fecker, *Die Entstehung von Beethovens „Musik zu Goethes Trauerspiel Egmont“* und H. Lühning, *Freudvoll oder leidvoll?.*

2 So schreibt Beethoven an Breitkopf & Härtel am 6. 6. 1810: „ich gebe Ihnen nun noch die Musik zu Egmont von Goethe, welche aus zehn Stücken besteht: Ouvertüre, Zwischenakte usw“ (E. Kastner / J. Kapp, *Ludwig van Beethovens sämtliche Briefe,* S. 168). Vgl. in diesem Zusammenhang auch die oben S. 650, Anm. 1 wiedergegebene Briefstelle.

3 Vgl. K. K. Polheim, *Zwischen Goethe und Beethoven* und S. Siedhoff, *Der Dramaturg Schiller.*

4 So beispielsweise bei G. Rienäcker, *Zur Dialektik bei der dramaturgischen Gestaltung der Musik zu Goethes ‚Egmont‘.*

5 Vgl. A. Fecker, *Die Entstehung von Beethovens „Musik zu Goethes Trauerspiel Egmont“,* S. 93—105.

6 Ebenda, S. 93.

7 Die Taktangaben beziehen sich auf die Ausgabe von W. Altmann.

scher Floskeln durch verschiedene Instrumente bzw. Instrumentengruppen, T. 31—36, 45—48 und 71—79). Auch in der dritten Zwischenaktmusik entscheidet sich Beethoven für dieses zweiteilige Modell: Das Allegro ist quasi eine Fortspinnung des zweiten Klärchen-Liedes („Freudvoll und leidvoll") und dient der Untermalung von Klärchens Aussage am Schluß des Aktes, als sie in Egmonts Armen liegt: „Die Welt hat keine Freuden auf diese!"[1] Der zweite Teil („Marcia. Vivace") antizipiert dann den Einmarsch Albas und seiner Truppen, von dem man zu Beginn des folgenden vierten Aktes durch die verunsicherten und geduckten Bürger erfährt; die Musik nimmt also ein Moment der Bühnenhandlung, das man gar nicht sehen kann und wird, in sich auf.

Diese beiden Zwischenaktmusiken erschöpfen sich jedoch in dieser kurzen Beschreibung nicht. Vielmehr gelingt es Beethoven mit teilweise einfachsten Mitteln über die rein verknüpfende und illustrierende Funktion hinaus, die Musik interpretierend einzusetzen. Dies sei zunächst an einem Motiv erläutert. Im ersten Lied Klärchens („Die Trommel gerühret") verwendet Beethoven eine kleines, unscheinbares tonmalerisches Gebilde, eine Halbtonfigur, um die Aufgeregtheit und Anspannung, das Herzklopfen zu illustrieren, von dem im Text des Liedes die Rede ist (T. 18). In der „Zwischenaktmusik I" nun wird diese unscheinbare Figur wieder aufgegriffen, wenn auch modifiziert. Zunächst im ersten Teil (T. 17—20, Violinen), die Verzagtheit und Verzweiflung Brackenburgs andeutend und damit einen Konnex zwischen beiden Protagonisten herstellend, der gerade in der Szene zuvor gelöst wurde. Bei der zweiten Verwendung, in den Takten 50 und 52, ist das zögernde, verunsichernde Moment umgeschlagen in einen vorwärtstreibenden, fast trotzig anmutenden Impuls, der durch die herabstürzenden Fortissimo-Violinfiguren, die akkordisch massive Quasi-Tutti-Begleitung und die Verdopplung (Violinen I und Violen mit sf) entsteht. Diese Wandlung des Motivs läßt sich verstehen, wenn man den zweiten Teil der „Zwischenaktmusik I" nicht allein als Abbild der darauf folgenden Szene erklärt. Von der Instrumentation, der Satztechnik und dem Tempo her zeigt er nämlich eindeutig verwandte Züge mit der das Trauerspiel beschließenden „Siegessymphonie", auch wenn sich keine direkten Anleihen finden. Diese Verwandtschaft wiederum wird bedeutsam, wenn man in Betracht zieht, daß die folgende, erste Szene des zweiten Aktes die erste des Dramas überhaupt ist, in der von der Hauptfigur Egmont nicht nur gesprochen wird, sondern in der diese auch auftritt. So könnte die Verbindung von tonmalerischer Bedeutung (Anspannung, Verzagtheit, Verzweiflung) und kämpferischem Gestus (Siegessymphonie) für Beethoven nahegelegen haben, weil so unterschwellig eine Verknüpfung beider Personen, Klärchen und Egmont, stattfindet — es wird musikalisch nicht die einzige bleiben. Schon diese Stelle deutet an, welche zentrale Rolle die Figur Klärchens für Egmont spielt; denn sie singt in ihrem ersten Lied davon, wie die Unsicherheiten durch Taten überwunden werden können und hat dabei natürlich ihren Egmont vor Augen (Liedschluß). Daß das Drama eine andere Wendung nimmt und Egmont durch „Tatenlosigkeit" der Freiheit zum Sieg verhilft, ist in diesem Moment und zu diesem Zeitpunkt noch nicht von Relevanz.

---

1 Beethoven notierte auf einem Skizzenblatt: „3ter Akt so laß mich sterben die Welt hat keine Freuden auf diese" (A. Fecker, *Die Entstehung von Beethovens „Musik zu Goethes Trauerspiel Egmont"*, S. 96).

Auch in der „Zwischenaktmusik III" gibt es über die einfache Bezogenheit auf beide Akte hinausgehende Momente. Da es sich um zwei vollkommen verschiedene Szenen handelt, zwischen denen übergeleitet werden soll, bot es sich an, einfach zwei selbständige Teile zu komponieren. Beethoven tat dies auch, erreicht aber wiederum mit einfachsten Mitteln zugleich eine interpretatorische Ebene. Die Schlußkadenz des ersten Teils wird erst abgeschlossen auf dem Ton C, mit dem die Trompeten und die Pauke den Marsch beginnen. So sind die beiden Teile nicht nur musikalisch verknüpft, sondern es wird auch gleichzeitig signalisiert, daß die im hier instrumentalmusikalisch wieder aufgegriffenen zweiten Klärchen-Lied zum Ausdruck kommende Ambivalenz (freudvoll und leidvoll) auch verbunden ist mit den allgemeinen politischen Umständen der Bühnenhandlung; die überschäumende Liebe Klärchens löst sich erst und notwendig durch die Machenschaften Albas, die ihr den Geliebten und damit ihr eigenes Leben nehmen werden. Daß dieser Anschluß nicht allein musikalisch motiviert ist, zeigt sich an einer weiteren, kaum bemerkbaren Stelle. Eines der prägnanteren melodischen Motive des Lied-Anfangs (T. 9—10 und 16—18, Violinen und Violen) tritt modifiziert in der „Marcia" wieder auf, allerdings inhaltlich vollkommen verwandelt (T. 67—69 Violinen, T. 75—77 Violinen und Flöten, T. 91—93): Aus dem Moment des Innehaltens und Besinnens im Lied, das instrumental die erste vertonte Textzeile rekapituliert, indem es die dreitönige Abwärtsbewegung der Melodie übernimmt, sie aber rhythmisch individuiert, wird der tumbe gleichgeschaltete militärische Schritt, denn trotz der melodischen Signifikanz dominiert die Vereinheitlichung und Zurichtung auf den Marschrhythmus.

Während die beiden eben betrachteten Zwischenaktmusiken zumindest oberflächlich dem Scheibeschen Modell entsprechen, erprobt Beethoven in den beiden verbleibenden andere Formgliederungen: Die „Zwischenaktmusik II" ist ein-, die „Zwischenaktmusik IV" dreiteilig. Wie stark man auf das Scheibesche Modell in der Rezeptionsgeschichte fixiert ist, zeigt sich am stärksten am Beispiel der zweiten Zwischenaktmusik, weil hier die Musik auch äußerlich zunächst nichts anbietet, worauf sie bezogen werden sollte. Umso divergierender sind die Interpretationen. Sie wurde entweder ganz auf das Ende des vorigen Aktes, das Gespräch zwischen Egmont und Oranien[1], oder aber sowohl auf das Ende des vorigen als auch auf den Beginn des folgenden Aktes (Dialog Regentin—Macchiavell) bezogen[2], wenn man nicht ganz von ihrer Funktion absah und in ihr ein Portrait des liebenden Egmont vermutete.[3] Alle Interpretationen kranken daran, daß sie letztlich keine musikalischen Begründungen liefern; dennoch scheint der Bezug auf die vorangehende Szene am plausibelsten. Die Dreiteiligkeit der „Zwischenaktmusik IV" nämlich entsteht durch eine wörtliche Wiederholung aus der „Zwischenaktmusik II", die von Beethoven eingeschoben wurde.[4] Dieser Rückverweis ergäbe im dramatischen Ablauf keinen Sinn, wenn sich die „Zwischenaktmusik II" auf den Dialog der Regentin mit Macchiavell bezöge, denn auf den weiteren Verlauf des Dramas hat sie, die bereits das Land verlassen mußte, keinen Einfluß mehr. Einzig der Bezug auf die Egmont-

---

1 Vgl. W. v. Lenz, *Kritischer Katalog,* Bd. III, S. 212f., G. Ernest, *Beethoven,* S. 516 und A. Schering, *Die Musik zu „Egmont",* S. 53.

2 Vgl. E. Kilian, *Goethes Egmont auf der Bühne,* S. 81 und A. Aber, *Die Musik im Schauspiel,* S. 104.

3 Vgl. A. Fecker, *Die Entstehung von Beethovens „Musik zu Goethes Trauerspiel Egmont",* S. 16f.

4 Vgl. ebenda, S. 98.

Oranien-Szene scheint daher sinnvoll. Und die Reminiszenz in der vierten Zwischenaktmusik ist auch von Goethe im Text vorausgenommen, wenn Egmont kurz nach seiner Verhaftung „Oranien! Oranien!“ ausruft, sich an dessen Mahnungen erinnernd (Akt IV, 2. Szene). Man braucht nicht auf Wilhelm von Lenz' Position der personalen Zuordnung einzelner Teile der „Zwischenaktmusik II“ zurückzugehen[1], um doch Momente zu finden, die den Bezug zum Dialog zwischen Egmont und Oranien verdeutlichen. Es lassen sich vier musikalische Ausdrucksbereiche unterscheiden, die in Zusammenhang mit dieser Szene gebracht werden können. Zuerst sind die Anlehnungen an Marschrhythmen auffallend (T. 18—23, 27—30, 46—50, 53, 55, 59, 61 und 64—68), die zwar keinen martialischen Ton anschlagen, der ja auch auf die spanischen Gegenspieler verweisen würde, bei denen man aber auch unsicher ist, ob sie nicht doch eine auf den Trommelwirbel reduzierte Trauermarschbegleitung sind. Zum zweiten gibt es Passagen gleichmäßig sich entwickelnder Melodik (T. 5—9, 14—21, 31—35 und 42—52), zum dritten finden sich tändelnde Figuren eingeführt (T. 9—11, 35—37, 52, 54, 56f., 60 und 62f.) und schließlich Passagen bedrohlichen Ausdrucks (T. 12f., 22—25 und 38—41). Beethoven reproduziert durch diese vier Ausdrucksbereiche nicht etwa eine Personenkonstellation, sondern charakterisiert die Situation des Egmont, allerdings wissend, welchen Schluß das Drama nehmen wird. So verbinden sich hier die realpolitischem Kalkül entspringende abwägende und ausgewogene Haltung (gleichmäßige Melodik), wie Oranien sie vorstellt, die unbedarft naive Lebens(sehn)sucht Egmonts (tändelnde Figuren), die real sich anbahnende Entwicklung der Handlung durch das Auftreten Albas (bedrohlicher Ausdruck) und das Ende des Titelhelden (verborgener Trauermarschrhythmus). Wie stark diese Ausdrucksbereiche auf die dramatische Situation Egmonts bezogen sind, zeigt sich daran, daß man sie trotz der gerade genannten Taktzahlen letztlich nicht separieren kann, da sie notwendigerweise ineinanderspielen. So ist beispielsweise in den Takten 18—21 die schlichte und gleichmäßige melodische Bewegung der Violinen kontrastiert mit einem Halbtontremolo in den Violen und den Violoncelli, und beides wiederum wird zurückhaltend grundiert vom auf ein Signal geschrumpften Trauermarschrhythmus der Pauken. Egmont beschließt den zweiten Akt mit folgendem Monolog: „Daß andrer Menschen Gedanken solchen Einfluß auf uns haben! Mir wär' es nie eingekommen; und dieser Mann [Oranien] trägt seine Sorglichkeit in mich herüber. — Weg! — Das ist ein fremder Tropfen in meinem Blute. Gute Natur, wirf ihn wieder heraus! Und von meiner Stirne die sinnenden Runzeln wegzubaden, gibt es ja wohl noch ein freundlich Mittel.“ Wenn man die musikalische Situations-Malerei der „Zwischenaktmusik II“ auf diesen Monolog beziehen wollte, so ginge die Musik zunächst wieder einen Schritt zurück, denn Egmont hat mit seinem trotzigen „Weg!“ die Komplexität seiner Situation erfolgreich reduziert zugunsten eines realpolitisch unbesonnenen Selbstvertrauens: Die mahnenden Gedanken Oraniens werden durch ein „freundlich Mittel“ weggebadet; daß er dabei Klärchen im Sinne hat, zeigt sich spätestens im folgenden dritten Akt (2. Szene). Beethovens Musik weist aber zugleich weit über diesen Monolog hinaus, weil sie mehr als der Protagonist in seinen Handlungen auf der Bühne den weiteren Verlauf und das Ende des Dramas miteinbezieht.

---

1 Vgl. W. v. Lenz, *Kritischer Katalog,* Bd. III, S. 212f.

Solche Verknüpfungen und Beziehungen wie in den Zwischenaktmusiken finden sich in fast allen anderen Nummern. Die Subtilität, die Beethoven dabei trotz der Einfachheit der Mittel zu Gebote stand, zeigt sich vielleicht am eindrücklichsten an der „Zwischenaktmusik III", wenn man sie im Zusammenhang mit Klärchens vorausgehendem Lied und der Musik „Klärchens Tod bezeichnend" sieht. Der erste Teil der Zwischenaktmusik, der auf das Lied zurückgreift, ist nicht allein Illustration des auf der Bühne sich umarmenden, in vollkommenem Glück schwelgenden Paares — damals gab es noch keinen Zwischenvorhang —, sondern zugleich mehr: eine Bekräftigung. Denn die Wiederaufnahme des Liedes schöpft allein aus dessen Allegro assai vivace und umspielt, variiert und spinnt instrumental weiter die zentralen Textworte „glücklich allein ist die Seele, die liebt". Der Charakter dieser „Reprise" wird zudem unterstützt durch den Satzcharakter des Concerto, der ein einzelnes Instrument, die Oboe, in den Vordergrund rückt. So bleiben Schwung und Übermut, mit denen das Lied endete, erhalten und werden teilweise sogar gesteigert, etwa in den Takten 6—9 durch die tippelnde Sechzehntelbegleitung der Violinen, in den Takten 49—51 durch die nachklappenden Bläserakkorde oder in dem Sich-Frei-Spielen des Soloinstrumentes Takt 25—49, das in einer furiosen Stretta endet; doch sie werden immer wieder gedämpft durch Rezitative oder rezitativartige Einschübe der Oboe (T. 2, 4, 55 und 57—59). Was auf den ersten Blick wie eine Jubelhymne auf die Liebe aussieht, entpuppt sich bei näherer Betrachtung als durchaus ambivalent — wie überhaupt die Ambivalenz in dieser Schauspielmusik viel eher zu finden ist als strikte und einfache Zuordnungen zu einem Typus, einer Person, einem Charakter. Im Lied selbst finden sich nur zweieinhalb Takte, in denen die Holzbläser — speziell die Oboe steht wohl für die Welt Klärchens — solistisch und in der Art vergleichbar mit der Zwischenaktmusik das bekannte Schaukelmotiv spielen (T. 31—33), ansonsten begleiten sie durch Akkordtupfer (etwa T. 27—30) oder dienen der Stimmenverstärkung (beispielsweise in T. 24f.). Der Text, den sie im Lied aber mit dem Schaukelmotiv begleiten, heißt „Pein" und nicht wie zu Anfang (T. 21—23) „glücklich allein ist die Seele, die liebt". Es ist also durchaus denkbar, daß die Ambivalenz, die im Liedtext zum Ausdruck kommt und die Beethoven in der Liedvertonung zurückgedrängt hat, auch, wie in den genannten Takten, in der Zwischenaktmusik zum Tragen kommt. Jedoch nur an einer Stelle offenbart sich dies annäherungsweise. Das Rezitativ in Takt 2 hat nämlich eine verblüffende Ähnlichkeit mit einer Rezitativ-Stelle in der Musik „Klärchens Tod bezeichnend" (T. 9), wodurch das den Jubel dämpfende solistische Hervortreten im nachhinein mit dem Schicksal Klärchens verbunden wird. Auch in der „Zwischenaktmusik III" tritt die Musik also interpretierend in Erscheinung: die Ambivalenz des Lied-Textes, die dramatische Situation (das höchste Glück vor dem definitiven Beginn des unheilbringenden Verlaufs), der Text in seiner noch unbewußten Vorausnahme des Geschehens (Klärchen: „So laß mich sterben!"): Alles ist kompositorisch eingefangen und gekoppelt.

Abschließend seien die beiden Lieder Klärchens ins Blickfeld gerückt, die meist geringer, wenn nicht gar gering geschätzt werden, weil sie als zu anspruchsvoll für die Theaterpraxis oder als zu opernhaft und damit der dramatischen Situation und der Figur Klärchens unangemessen erscheinen.[1] Es sei hier beiseite gelassen, inwie-

1 Vgl. beispielsweise E. Th. A. Hoffmann, Rezension von op. 84 und A. B. Marx, *Ludwig van Beethoven*, Bd. II, S. 159.

fern diese Kritik zutrifft, um die Aufmerksamkeit nochmals auf einige charakteristische Motive zu lenken, die beiden Liedern entspringen und die eine dominierende Stellung innerhalb der Schauspielmusik innehaben.

Das erste markante, meist als trivial und primitiv tonmalerisch gebrandmarkte Motiv der Schauspielmusik — die Ouvertüre bleibt wie gesagt außer Betracht — ist das Pfeifchenmotiv im ersten Lied Klärchens (T. 3—5, Piccoloflöte). Man könnte darüber hinweggehen, wenn dieses Motiv nicht, zunächst nur im Lied selbst, eine vorherrschende und fast allgegenwärtige Stellung einnähme (T. 27—29, 47f., 66 als Vorschlag, 76, 79 als Vorschlag, 87—91 als Vorschlag sowie T. 91—93). Vor allem die exponierte Stellung am Schluß, wo es im Forte dreimal hintereinander achtstimmig ertönt, läßt die Vermutung zu, daß es sich um mehr als nur eine tonmalerische Darstellung des Pfeifchenblasens beim Militär handelt, sondern darüber hinaus um ein Zeichen für eine kämpferische und zugleich siegesgewisse Haltung; die wenigen musikalischen Momente, die das Motiv konstituieren, weisen alle in eine solche Richtung: aufwärts gerichtete Bewegung, beschleunigtes Anlaufen des Zieltones, Schlußwirkung durch latente D-T-Kadenz und Quartambitus. Dadurch wird bereits zu einem Zeitpunkt, an dem der Lauf der Handlung noch gar nicht in Bewegung gekommen ist, das imaginäre Ende des Dramas vorweggenommen, zumindest in seiner Idee des Sieges der Freiheit, denn Klärchen ist es ja auch, die später als „Freiheit im himmlischen Gewande“ erscheint und den Sieg verkündet. Es nimmt unter dieser Interpretation nicht wunder, wenn auch die „Siegessymphonie“ genau mit diesem Motiv schließt (T. 51—55), als die Befreiung von der Unterdrückung (fast) zur Gewißheit geworden ist. Auch sonst klingt das Motiv im Verlauf der Schauspielmusik immer wieder an, als gelte es, an die Freiheit zu erinnern: so in der „Zwischenaktmusik I“ im zweiten Teil mit einem Doppelvorschlagmotiv ergänzt — in gleicher Form wird es in die „Siegessymphonie“ aufgenommen (T. 17—22), woraus man den finalen Bedeutungscharakter ebenfalls erahnen kann — oder stark modifiziert im Liebestaumel der „Zwischenaktmusik III“ (T. 36—38).

Aber nicht nur dieses die musikalische Geschlossenheit mitstiftende Motiv spendet Klärchen in ihrem ersten Lied, sondern zwei nicht weniger bedeutungsvolle im zweiten. Im Andante con moto von „Freudvoll und leidvoll“ erscheinen kurz vor dem Übergang in den schnellen überschwenglichen Teil zwei tonmalerische Motive, die den Textinhalt vorausnehmen (T. 18f.): eine einfache, rasch in Vierundsechzigsteln ansteigende G-Dur-Tonleiter, die ihren Spitzenton auf „himmelhoch jauchzend“ erreicht, um dann wieder in Sechzehnteln abzusteigen (vom g zum a), wobei die Singstimme einen kleinen Septsprung abwärts vollführt, ganz offenbar zur Verdeutlichung der Todesbetrübtheit, von der im Text gehandelt wird. Nun müßte man auch diesen beiden Motiven keine besondere Beachtung schenken, wenn nicht auch sie in unterschiedlichen Zusammenhängen Verwendung fänden. Das aufwärtsstürmende Motiv findet sich leicht modifiziert in der „Zwischenaktmusik III“ (T. 1 und 3 in den Violinen, T. 35 in der Oboe) und in der „Siegessymphonie“ (T. 1f., T. 49—51) als Bekräftigung. Das Septimenmotiv taucht allein auf zu Beginn der „Zwischenaktmusik IV“, direkt auf Egmonts Verhaftung bezogen, versteckter in den beiden Rezitativen der Musik „Klärchens Tod bezeichnend“ (T. 9 und 27) und im „Melodrama“ bei der Textstelle „und hören auf zu sein“ (T. 9f., Violoncelli und Kontrabässe). Die Kombination beider Motive wie in Klärchens zweitem Lied findet sich sonst nur an einer einzigen Stelle: im „Melodrama“, der einzigen Nummer, die eindeutig mit der Person Egmonts verknüpft ist (T. 52—55 und 64—57). Wiederum sind dadurch beide Personen aufs innigste miteinander verknüpft. Ohne sarkastisch werden zu wollen, könnte man auch hier die Worte „himmelhochjauchzend, zum Tode betrübt" unterlegen und sie dadurch aus der Sphäre des Persönlichen in die des Politischen transferieren, und sie behielten ihre Bedeutung bei. Denn nichts anderes wird Egmont im Traum offenbart, als daß sein eigener Tod den Provinzen die Freiheit bringen werde: Die Trennung von Politik und Privatsphäre, die der Dialog zwischen Egmont und Klärchen (Akt III, 2. Szene) suggeriert und die Egmonts Haltung und Handeln entspricht, wird damit als unhaltbar erkannt. Wenn man nun eine gewisse Verwandtschaft zwischen dem aufwärtsstürmenden Motiv und dem Pfeifchenmotiv aus dem ersten Klärchen-Lied konzediert, das als Signal für die Siegesgewißheit und die Zuversicht auf die Freiheit zu verstehen war, dann würde die entsprechende Passage im Melodrama ebenfalls Sinn ergeben: Die Freiheit hat als Voraussetzung Egmonts Tod. Daß diese vom Pfeifchenmotiv herkommende Bedeutung nicht unwichtig ist, zeigt ein letzter Blick auf die Reprise der „Zwischenaktmusik II" in der „Zwischenaktmusik IV": Zu einem Zeitpunkt, an dem Egmonts tragisches Geschick unaufhaltsam geworden ist, werden von Beethoven nur diejenigen Abschnitte wiederholt, in denen das aufwärtsstürmende Motiv nicht vorkommt; es findet sich erst wieder im „Melodrama", wo deutlich wird, daß Egmonts Untergang die Bedingung für die Erlangung der niederländischen Freiheit ist, um dann final seine Bedeutung in der „Siegessymphonie" zu offenbaren, wenn die Freiheit vorscheint.

Wie diese wenigen punktuellen Interpretationsversuche gezeigt haben, geht Beethoven in seiner Schauspielmusik über die zu Anfang aufgestellten Positionen Scheibes und Tiecks hinaus, da er die Musik weder als reine Untermalung komponiert, noch seine eigene Weiterdichtung des Stoffes allein in die Ouvertüre verlegt. Ob diese Zuordnung, die in der Literatur stillschweigend vorausgesetzt wird, stichhaltig ist, sei hier dahingestellt. Friedrich Schiller bemängelte in seiner bekannten Rezension des Goetheschen Trauerspiels in der *Jenaischen Allgemeinen Literaturzeitung* 1788 unter anderem die mangelnde innere Konsistenz des Dramas: „Hier ist keine hervorstechende Begebenheit, keine vorwaltende Leidenschaft, keine Verwickelung, kein dramatischer Plan, nichts von dem allem; — eine bloße Aneinanderstellung mehrerer einzelnen Handlungen und Gemälde, die beinahe durch nichts als durch den Charakter zusammengehalten werden, der an allen Anteil nimmt, und auf den sich alle beziehen [gemeint ist Egmont]."[1] Beethovens Musik nun setzt genau an diesem Punkt an, indem ihr Netz vielfältiger Verknüpfungen, Verweisungen und Bezugnahmen Zusammenhang und Zusammengehörigkeit herstellt. Geradezu paradigmatisch dafür ist die zweite Zwischenaktmusik. Beethovens Musik geht also nicht in einer dienenden Funktion am Text auf, sondern bei ihr wird Illustration immer zugleich zur Interpretation. Man könnte nun einwenden, daß es sich bei den hier angestellten Überlegungen um eine Interpretation von Musik als Text handelt, die bei einer realen Aufführung musikalisch nicht sinnfällig würde. Über eine an sich schon fragwürdige und problematische Beschränkung des Interpretationsbegriffs aufs Sinnfällige hinaus ist man im Falle der Egmont-Musik zusätzlich mit

1 Fr. Schiller, *Über Egmont,* S. 933.

einer paradoxen Situation konfrontiert. Wie ein Blick auf die Aufführungsgeschichte des Goetheschen Dramas zeigt, ist Beethovens Musik nur äußerst selten mit Goethes originalem Text von 1788, für den sie konzipiert war, gespielt worden; sinnfälligerweise blieb die Uraufführung am 15. Juni 1810 in der Presse unbemerkt. Entweder man spielte Musik anderer Komponisten (etwa die Johann Friedrich Reichardts), oder man führte die Schillersche Bühnenbearbeitung (1796) auf, zu der die Musik Beethovens aufgrund der massiven Eingriffe in den Text partout nicht paßt, oder man entschied sich für Goethes Bearbeitung der Schillerschen Bearbeitung (1806), mit der Beethovens Musik aber ebenfalls nur schwer in Einklang zu bringen ist; gleichwohl wurde diese Kombination in der ersten Hälfte des 19. Jahrhunderts öfters realisiert.[1] Angesichts dieser Sachlage ist jede Interpretation der Egmont-Musik darauf angewiesen, den literarischen und den musikalischen Text zueinander in Beziehung zu setzen und bühnendramaturgische Fragen hintanzustellen. Letztlich erscheint somit jede Interpretation der Egmont-Musik als die Interpretation eines musikgeschichtlichen Phantoms, das sich in einem gehörigen Maße der Einbildungskraft des Analytikers verdankt. Aber vielleicht wird im vorliegenden Falle nur besonders offensichtlich, was sonst bei Analysen und Interpretationen im Dickicht objektivierenden Sprechens gerne im Verborgenen bleibt?

Andreas Ballstaedt

Christus am Ölberge
op. 85

TEXT: Fr. X. Huber.
ENTSTEHUNGSZEIT: März 1803, Umarbeitung Anfang 1804, Revisionen bis 1811.
ERSTAUFFÜHRUNG: am 5. April 1803 im Theater an der Wien.
SKIZZEN: Staatliches M. I. Glinka-Zentralmuseum für Musikkultur Moskau, Wielhorsky-Skizzenbuch Beethoven-Haus Bonn, Mh 69, Mh 70 und Mh 71; Biblioteca Estense Modena, Sammlung Campori; Biblioteka Jagiellońska Krakau, Landsberg 6, Eroica-Skizzenbuch.
AUTOGRAPH: Deutsche Staatsbibliothek Berlin, Artaria 179 (teils Autograph, teils ergänzte Abschrift 1803/1804 und später); British Library London, Egerton 2727 (Partitur-Kopie mit autographen Korrekturen und Revisionen, Stichvorlage, 1803—1811).
ERSTDRUCK: Partitur und Klavierauszug: Leipzig 1811 (Breitkopf & Härtel).
GESAMTAUSGABE: Alte Gesamtausgabe: Nr. 205 = Serie 19 Nr. 3.

Das in einer am 5. April 1803 von Beethoven veranstalteten Akademie[2] erstmalig aufgeführte Oratorium *Christus am Ölberge* erfuhr bis zum heutigen Tage eine recht zwiespältige, um nicht zu sagen überwiegend negative Beurteilung. Die Gründe hierfür sind vielfältiger Art und berühren sowohl entstehungsgeschichtliche, text-

---

1 Vgl. S. Siedhoff, *Der Dramaturg Schiller,* S. 235—261.
2 In diesem Konzert erklangen, neben dem neuen Oratorium, Beethovens 1. und 2. Symphonie sowie sein 3. Klavierkonzert. Einzelheiten hierzu unter anderem bei Thayer / Deiters / Riemann, *Ludwig van Beethovens Leben,* Bd. II (^{3}1922), S. 372ff. und 385ff.

konzeptionelle und kompositionsstilistische als auch gattungstypologische und spezielle geistesgeschichtliche Aspekte dieses Werks: Handelt es sich hier doch um den ersten, offenbar in nur wenigen Wochen konzipierten kompositorischen Versuch Beethovens auf dem Felde der größeren (geistlichen) Vokalmusik über einen poetisch recht fragwürdigen Text, der zudem noch einen höchst sensiblen biblischen Stoff verarbeitet. Hinzu kommt, daß dieses Oratorium in einem Jahrzehnt der „völligen Sterilität der deutschen Oratoriumproduktion" entstand, das heißt in einer Zeit, in der man „nur geringen Ergeiz besaß, in dieser Gattung Neues zu leisten".[1] Es war eine Zeit weitgehender gattungsästhetischer Orientierungslosigkeit auf diesem Gebiet, das bis dahin von den Händelschen Oratorien, auch speziell von dem alten sentimentalen Messias-Oratorium beherrscht wurde und später dann erst wieder vor allem durch Mendelssohn neue Impulse erfuhr. (Joseph Haydns *Schöpfung* und *Jahreszeiten* von 1799 bzw. 1801 scheinen rezeptionsgeschichtlich zunächst nur eine isolierte Stellung eingenommen zu haben.) Beethovens *Ölberg*-Oratorium ist somit allein schon unter diesen Aspekten als ein Werk des gattungsgeschichtlichen Übergangs zu definieren, das — aufgrund seiner spezifischen musikalischen und dramaturgischen Konzeption — schon bald auch in die wiederaufflammende gattungstheoretische Kontroverse um die rechte Oratorienform und deren Abgrenzung gegenüber der Oper geriet.[2]

Die Gründe für die schon ein Jahr nach der Uraufführung erfolgte Umarbeitung des Werkes[3], für die Verzögerung des schließlich erst 1811 vorgelegten Erstdruckes[4] sowie für die spätere Distanzierung des Komponisten von seinem Werk[5] scheinen vor allem in dieser gattungsgeschichtlichen Situation bzw. gattungsimmanenten Verunsicherung zu liegen und sind wohl nur zum geringeren Teil in äußeren entstehungsgeschichtlichen Umständen oder individuellen künstlerischen Konstellationen zu suchen; nicht von ungefähr hat Beethoven ja dann auch die große oratorische Form zeitlebens gemieden. Ein in diesem Zusammenhang wichtiger Aspekt ist schließlich die spezifische Stoffverarbeitung, die extreme Art der verbalen und musikalischen Konkretisierung der göttlichen Person, wie sie in dem *Ölberg*-Oratorium, in offensichtlicher Verkennung der geltenden Gattungsgesetze und der gleichsam natürlichen Bedingungen des Sujets, erfolgt.[6] Und an diesem Punkt hakt sich auch die gesamte frühe und spätere Kritik an Beethovens Oratorium fest, auf

1 A. Schering, *Geschichte des Oratoriums,* S. 389.

2 Zu dieser Kontroverse vgl. W. Kirsch, *Oratorium und Oper.*

3 Zu der relativ komplizierten Entstehungsgeschichte der Endfassung von 1811 vgl. A. Tyson, *The 1803 Version,* sowie S. Brandenburg, *Beethovens Oratorium.*

4 Vgl. hierzu Beethovens Briefe an den Verlag Breitkopf & Härtel, aufgelistet bei G. Kinsky / H. Halm, *Das Werk Beethovens,* S. 237.

5 „Ich weiß, der Text ist äußerst schlecht [...]" (Brief an Breitkopf & Härtel vom 23. August 1811). „Daß ich wohl jetzt ganz anders ein Oratorium schreibe als damals, das ist gewiß" (Brief an Breitkopf & Härtel vom 9. Oktober 1811); zit. nach E. Kastner / J. Kapp, *Ludwig van Beethovens sämtliche Briefe,* S. 198 und 202.

6 Es wäre sicher aufschlußreich, das Beethovensche Oratorium einmal mit seinem wohl einzigen nachweisbaren thematischen Vorläufer, dem 1754 entstandenen *Christus am Ölberg* des Salzburger Komponisten Anton Cajetan Adlgasser zu vergleichen. Dieses einteilige „sepolcro"-Stück (für den Karfreitag) wurde in der Domkirche zu Salzburg und im Theatersaal der Residenz aufgeführt. Das Textbuch soll szenische Bemerkungen und Dekorationsschilderungen enthalten. Vgl. hierzu C. Schneider, *Die Oratorien und Schuldramen A. C. Adlgassers.*

die noch einzugehen sein wird. Die Analyse wird anhand der Fassung des Erstdruckes von 1811 erfolgen, die — wie bereits erwähnt — in manchen Teilen von der 1803 aufgeführten Form abweicht.

Franz Xaver Huber (1760—1810), der — wohl nicht ohne eine gewisse Mitwirkung bzw. Einflußnahme Beethovens[1] — das Textbuch zu *Christus am Ölberge* schrieb, war ein zu seiner Zeit in Österreich geschätzter, fruchtbarer Schriftsteller und ein recht populärer Dichter für die Wiener Bühne.[2] Die Basis für sein Libretto bilden die Evangelien-Berichte von „Christus und die Jünger am Ölberg" und von der „Gefangennahme Jesu".[3] Entstanden ist jedoch eine im ganzen neue, dichterische Version dieser biblischen Berichte, an deren sprachlicher, inhaltlicher und ideeller Transformation sich auch unsere Analyse zu orientieren hat. Die dabei anzugehende Frage, ob es sich bei dem *Ölberg*-Oratorium überhaupt noch um eine Bibel-Exegese oder um ein ideell selbständiges Artefakt in Anlehnung an die Bibel handelt, rührt bereits an die innere Problematik dieser oratorischen Arbeit.

Der zweiteiligen Grundstruktur („Ölberg" und „Gefangennahme"), die in den Evangelien Mt, Mk und Lk vorgegeben ist (bei Jo steht anstelle der Szene mit dem Gebet am Ölberg das handlungsenthobene „Hohepriesterliche Gebet"), folgt auch das Libretto (Nr. 1—3 und 4—6). Auffallend gegenüber der biblischen Vorlage ist zunächst eine Reduktion von Handlungsdetails. So entfällt in der Ölbergszene die gesamte Anrede Jesu an seine Jünger, seine Anweisung „Setzt euch hier nieder, während ich dorthin gehe und bete", seine wiederholte Aufforderung „Wachet mit mir, damit ihr nicht in Versuchung fallet" (bei Mt und Lk), seine vorwurfsvolle Frage an Simon „Du schläfst? Konntest du nicht eine Stunde wachen?" (Mk) und schließlich sein Einlenken „Schlaft ihr weiter und ruht!" (bei Mt und Mk). In der „Gefangennahme Jesu" fehlt die Person des Judas und mithin auch der Judas-Kuß mit dem entsprechenden Dialog, ferner ein Hinweis auf das einem Krieger durch Petrus abgeschlagene Ohr und die bei Lk erwähnte Heilung desselben durch Jesus. Diese Handlungsreduktion steht natürlich ursächlich damit in Zusammenhang, daß es in diesem Oratorium keinen Erzähler gibt und demzufolge auch alle näheren Angaben über Zeit und Ort der Handlung sowie über die Bewegungsabläufe im einzelnen entfallen.[4] Das heißt, das Libretto verzichtet auf die dramaturgische Möglichkeit eines im Oratorium üblichen direkten Berichtes (anstelle einer szenischen Darstellung wie in der Oper) im Wechsel mit dramatischen Handlungsdialogen zugunsten einer indirekten, gleichsam beiläufigen Erzählung, inmitten einer eher lyrischen als epischen oder gar dramatischen Gesamtstruktur. Diese Dramaturgie ermöglicht nicht nur eine noch stärkere Zentrierung auf die Person Jesu, als sie ohnehin schon

---

1 Beethoven schrieb am 23. Januar 1824 an die Direktion der Gesellschaft der Musikfreunde Wien: „Allein der Dichter war musikalisch und hatte schon mehreres für Musik geschrieben; ich konnte mich jeden Augenblick mit ihm besprechen" (E. Kastner / J. Kapp, *Ludwig van Beethovens sämtliche Briefe,* S. 703).

2 So schrieb Huber unter anderem das Libretto zu der zweiaktigen heroisch-komischen Oper *Das unterbrochene Opferfest* von Peter von Winter (Wien 1796) und mehrere Operntexte für Süssmayr.

3 Vgl. Matthäus 26, 36—56; Markus 14, 32—52; Lukas 22, 39—53; Johannes 17 und 18, 1—11, im folgenden wie üblich abgekürzt als Mt, Mk, Lk und Jo.

4 S. Brandenburg, *Beethovens Oratorium,* S. 215f., verweist auf ein handschriftliches Libretto (im Besitz der Wiener Beethoven-Gesellschaft), das wohl die Textfassung der Uraufführung von 1803 wiedergibt und eine ganze Reihe von authentischen „Regieanweisungen" enthält.

in den Evangelienberichten vorliegt, sondern auch eine stärkere Individualisierung und charakterliche Aus- bzw. Umdeutung des Menschen Christi, als sie der im ganzen sachliche Bericht der Evangelien zu bieten vermag. Aus dem biblischen, den Willen des Vaters letztlich souverän akzeptierenden Gottessohn, dessen menschliche Empfindungen vor seinem eigentlichen Leidensweg auf Erden im Evangelium nur angedeutet erscheinen, wird so ein Protagonist, dessen (wechselnde) Empfindungen offengelegt werden. Aus dem agierenden Subjekt wird so ein Objekt der Geschehnisse, aus dem sachlichen biblischen Bericht ein anschauliches Seelendrama, das seine Lösung jedoch nicht — wie es konsequent wäre — aus sich selbst entwickelt, sondern nach wie vor aus einer objektiven Vorgabe ableitet. So kollidiert die intendierte Vergegenwärtigung der *Ölberg*-Geschichte unversehens mit deren Symbolcharakter, das veräußerlichte Geschehnis mit dessen innerer Begründung.

Die dramaturgischen Ungereimtheiten des Huberschen Librettos (und übrigens auch der Beethovenschen Komposition) gründen in der Unentschiedenheit zwischen epischem und dramatischem Impetus. In einer umfangreichen, im Jahre 1812 erschienenen (im übrigen sehr positiven) Rezension der Erstausgabe des Oratoriums geht der anonyme Verfasser in einem Vorspann auf diesen allgemeinen dichtungstheoretischen Hintergrund ein[1]: „Es [das Oratorium allgemein] verhält sich [...] nämlich zum Drama, wie die Erzählung zur Begebenheit; [...] Das Drama stellt uns eine Begebenheit vor, [...] das Oratorium hingegen spricht von einer Begebenheit, [...] ist eine lebhaftere Erinnerung an schon Vernommenes." Der Hubersche Text verstößt gleich doppelt gegen diese Theorie (was dem Verfasser des Artikels gar nicht bewußt wird): indem er vorgibt, daß der Entscheidungsprozeß Jesu sowie die unmittelbaren Folgen (die Gefangennahme) hier und jetzt geschähen, und indem er andererseits durch seine konzentrische Dramaturgie einer eigentlichen Handlungsentwicklung den Boden entzieht, das heißt indem er die Grenzen zwischen Handlung und Erzählung zerfließen läßt. Erzählt wird von dem Gottessohn, dargestellt wird der Mensch Jesu. Die Doppelnatur Christi widerstrebt nicht nur per se einer aus dem Kontext des Evangeliums herausgenommenen Darstellung, sondern ist zu Beginn des 19. Jahrhunderts wohl ohnehin nicht mehr begreifbar.

Ohne jegliche verbale Einführung beginnt der Text mit einem Monolog (Nr. 1: Rezitativ und Arie), einem Gebet Jesu, das in dieser Art in den Evangelien nicht vorkommt. Die traditionelle Oratorien- und Opern-Nummer „Rezitativ und Arie" verschafft einen unmittelbaren Einblick in die Seelenlage des Gottessohnes, in seine menschliche Existenz. Der Text bedient sich hier zwar einzelner Worte und Zeilen aus den Evangelien („mein Vater" — „Sie nahet nun, die Stunde", Jo 17; „Meine Seele ist erschüttert", Mt und Mk; „ergreifet mich [ihn] die Angst" — „und von meinem [seinem] Antlitz träufet statt des Schweißes Blut herab", Lk 22, V. 44); der gesamte, weiter ausgeführte Text jedoch verabsolutiert die subjektive Situation. Bezeichnenderweise legt der Librettist seiner Jesus-Figur mehrere Zeilen aus dem umfangreichen, persönlichen „Hohenpriesterlichen Gebet" Jesu (aus Jo 17), das nicht direkter Bestandteil der Ölberg-Geschichte ist, dem Sinn nach in den Mund (Rez.: „[...] wer statt der Menschen sich" bis „ich büße, ich allein, der Menschen Schuld"). In diesem Gebet geht es schließlich vor allem um Christus, den Erlöser

1 Vgl. *AmZ* 14 (1812), Sp. 3—7 und 17—25.

der Menschen, den Vermittler zwischen Menschheit und Gott. Wie dort spricht auch der Hubersche Christus äußerlich ganz weltabgewandt zu seinem Vater. Nur handelt es sich hier nicht ausschließlich um einen Priester (in des Wortes eigentlicher Bedeutung), sondern auch um einen Menschen (sozusagen aus Fleisch und Blut), dem mit seinem bevorstehenden Tod die Erlösung in einem sehr viel weiteren und unmittelbarer erfahrbaren Sinne aufgetragen ist. Auf der einen Seite hebt er sich selbst von dem „Geschlecht, aus Staub gebildet“ ab, das nicht fähig wäre, „das Gericht zu ertragen“; auf der anderen zeigt er sich „tief gebeugt und kläglich“. Gerade diese Ambivalenz ist es, die bei dieser Oratorien-Figur einen sehr zwiespältigen Eindruck hinterläßt.

Die banale sprachliche Diktion des Arienteils (in um 1800 sehr beliebten vierhebigen, kreuzgereimten Trochäen konzipiert):

„Meine Seele ist erschüttert
von den Qualen, die mir dräuen.
Schrecken faßt mich, und es zittert
gräßlich schaudernd mein Gebein“

spricht wie andere Verse eher für eine plumpe Opernfigur als für einen edlen Menschen oder gar für den Gottessohn.

Von Lk 22, 43 („Es erschien ihm aber ein Engel vom Himmel und stärkte ihn“) leitet sich der Auftritt des Seraphs, als Wortführer eines Engelchores, her (Nr. 2: Rezitativ und Arie des Seraph — Chor der Engel). Mit dieser die „Handlung“ unterbrechenden Nummer wendet sich das Ganze vollends ins Oratorische. Die Ansprache des Seraphs an den Zuhörer ist ein im Oratorium üblicher interpolierender Kommentar zum eigentlichen Geschehen. Hier enthält sie zugleich die Aufforderung an die Menschheit, Christi Opfer und Erlösungstat mit allen Konsequenzen („Glaube — Liebe — Hoffnung“) dankbar anzunehmen. Das Stück blendet hinüber zur Endzeit, dem Jüngsten Gericht, wo die Guten ihre Erlösung, die Bösen ihre Verdammnis erfahren werden. Der Arienteil benutzt das (gegenüber den Trochäen in Nr. 1) leichtere und schmiegsamere dreihebige jambische Versmaß.

Das Rezitativ und Duett Jesus—Seraph (Nr. 3) knüpft unmittelbar wieder an den Eingangsmonolog (Nr. 1) an. Der kurze rezitativische Dialog gibt Handlung vor: Aus Jesu Frage an den Engel, ob dieser des „Vaters Erbarmen“ verkünde, spricht bange Hoffnung, die jedoch sogleich durch die Antwort des Engels zunichte gemacht wird: Nicht das Schicksal der Eigenpersönlichkeit, sondern die Erlösung der Menschheit ist hier das Anliegen. So kommt es auch nicht zu einer eigentlich dramatischen Auseinandersetzung. Beide, Jesus und der Engel, finden sich bald zu einem „versöhnlichen“, wiederum ganz oratorischen Duett zusammen, in dem der Seraph selbst menschliche Züge anzunehmen scheint („Ich bebe, und mich selbst umwehen / die Grabesschauer, die er fühlt“) und Jesus seine Bereitschaft zum Ausdruck bringt, sich aus Liebe zu „Adams Kindern“ dem „Strom der Leiden“ zu unterwerfen.

Damit schließt der erste Teil des Oratoriums. Er umfaßt eine in sich abgeschlossene „Handlung“, die sich eigentlich nur in der Person Jesu selbst abspielt: Angst — Gebet — Hoffnung — Mahnung — Sichfügen; eine seelische Entwicklung, die es in dieser Präzisierung in den Evangelien-Berichten nicht gibt. Der „Trost des Engels", von dem das Lukas-Evangelium spricht, bewirkt zwar hier wie dort die Bewußtseinsstärkung Jesu für seine ihm vorgegebene Aufgabe, die er als Mensch an sich vorübergehen lassen wollte, zeitigt im Oratorium jedoch zusätzlich den Ansatz einer theatralischen Auseinandersetzung.

Der Übergang zum zweiten Teil des Oratoriums (Nr. 3—6: „Die Gefangennahme Jesu") erfolgt in jeder Beziehung unmittelbar. Weder ein Ortswechsel noch ein zeitlicher Sprung wird angezeigt. Auch die innere Handlung knüpft an Nr. 3 an. Jesu Eingangsworte „Willkommen Tod" bezeichnen das Endgültige der bis zum Ende von Nr. 3 verlaufenden Entwicklung. Er ist nun wieder allein. Sein rezitativischer Monolog (Nr. 4: Rezitativ Jesu und Chor der Krieger) zieht sich bis in Nr. 5 (Rezitativ Jesu und Chor der Krieger und der Jünger) hinein. Er besteht aus der Anrede an den Tod und die Toten (Nr. 4), denen Erlösung verheißen wird, einem nochmaligen Gebet an den Vater (Nr. 5) mit der Bitte, sein Leiden schnell vorübergehen zu lassen, und er mündet in die aus den Evangelien bekannte, hier eigentlich nur die Situation am Ende von Nr. 3 duplizierende, endgültige Bescheidung „Doch nicht mein Wille, nein, dein Wille nur geschehe". Provoziert wird dieses nochmalige Gebet durch die gleichsam aus der Ferne heraufklingenden und den Monolog unterbrechenden Stimmen der Krieger, die Jesu suchen („Wir haben ihn gesehen / nach diesem Berge gehen"), worauf Jesus mit den bei Mt und Mk überlieferten Worten „Die mich zu fangen ausgezogen sind, sie nahen nun" reagiert. Am Ende des Gebets haben die Schergen ihn dann gefunden (Nr. 5) und sind auch szenisch präsent („Hier ist er, der Verbannte"). Schließlich sind da plötzlich noch die bis dahin mit keinem Wort erwähnten Jünger, die ihrer Angst Ausdruck geben („Was soll der Lärm bedeuten? / Es ist um uns geschehn!").

Das Ganze ist eine regelrechte, wenn auch nur sehr oberflächlich konturierte Opernszene. Der weitgehend monodramatische erste Teil des Oratoriums öffnet sich im zweiten Teil scheinbar zu einer theatralischen Szene.

Die Schlußnummer des Oratoriums (Nr. 6: Rezitativ, Terzett: Jesus, Petrus, Seraph — Chor der Krieger, Jünger und Engel) vertritt das Finale, in dem außer den bisher bekannten Personen und Gruppen noch Petrus neu hinzukommt, der — gemäß dem Johannes-Evangelium (in den anderen Texten heißt es nur „einer seiner Jünger") — seinen „Freund und Meister" mit dem Schwert verteidigen möchte (ein typisches retardierendes Moment), was jedoch Jesu mit den Evangelien-Worten „O laß dein Schwert in seiner Scheide ruhn; wenn es der Wille meines Vaters wäre" zu verhindern weiß.

Eine derartige Höhepunktsituation, kurz vor der Lösung, mündet in der Oper meist in ein kontemplatives Ensemble, hier in ein Terzett, in dem die Personen das vorangehende Gespräch und die darin ausgesprochenen Gedanken zunächst fortsetzen: Petrus, noch von Rachegelüsten erfüllt („In meinen Adern wühlen / gerechter Zorn und Wut"), Jesus, der ihn besänftigt („Du sollst nicht Rache üben"), und der Seraph, der der Menschheit hier die moralische Sentenz aus diesem Geschehnis verkündet („Merk' auf, o Mensch, und höre"). Opern- und Oratoriendramaturgie vermengen sich hier; was sich innerhalb dieses Terzetts entwickelt, betrifft sowohl die eine wie die andere: Jesus gibt momentan seine Darstellerfunktion auf, indem er sich textlich dem Seraph anschließt („O Menschenkinder fasset / dies heilige Gebot"); Petrus wird endlich besänftigt und stimmt dann ebenfalls in diesen Vers mit ein. Schließlich melden sich wieder die Krieger zu Wort, diesmal mit martialischen vierhebigen, kreuzgereimten Trochäen („Auf! ergreifet den Verräter, / weilet hier nun länger nicht“). Die Jünger äußern — eingedenk der Ankündigung ihrer Verfolgung (vgl. Mt 10, 17ff.) — ihre Angst, während Jesus seine „Qual“ als „bald verschwunden“ und der „Hölle Macht“ als „bald gänzlich überwunden“ sieht. Den Abschluß dieses Finale bestreitet, nun wieder rein oratorisch, der Chor der Engel mit der Aufforderung an das Weltall, dem Erlöser Dank und Lobpreis entgegenzubringen.

Die gattungsmäßig unentschiedene Dramaturgie des Librettos schlägt sich auch auf die musikalische Struktur des Oratoriums nieder. Andererseits bewirkt die Musik Beethovens — gegenüber dem Libretto — verschiedentlich eine größere Logizität hinsichtlich des Handlungsablaufes, der Stoffvermittlung und des intendierten Anliegens des Werkes.

Nr. 1: Introduzione: Orchestervorspiel — Recitativo und Aria (Jesus). Die Einführung in das Geschehen des Oratoriums erfolgt in zwei Stufen: mit einer 54-taktigen Orchestereinleitung und einer unmittelbar sich anschließenden Sologesangs-Nummer (Recitativo und Aria) Jesu. Der orchestrale Vorspann ist ausdruckssemantisch ganz auf den nachfolgenden Monolog des Protagonisten gerichtet, bezieht sich in keiner Weise auf andere Personen oder Geschehnisse der weiteren Handlung, was ohnehin in Oratorienvorspielen viel seltener der Fall sein dürfte als in Opernouvertüren. Davon abgesehen weist diese Konzentration der zweiteiligen Introduktion auf die *eine* Person und ihre Situation bereits auf das dramaturgische Gesamtkonzept dieses Oratoriums: Es gibt hier eigentlich nur *einen* Handlungsträger (Jesus) und nur *eine* Handlungssituation (der seelische Zwiespalt des Gottessohnes zwischen göttlichem Erlösungsauftrag und menschlich-kreatürlicher Todesangst). So macht diese Oratorienintroduktion klar, daß hier nicht etwa mit einem Dialog eingeführt werden muß, weil die Gesamthandlung per se monologisch ist und sich im Inneren des Protagonisten abspielt. (Über den dramaturgischen Bruch im zweiten Teil des Oratoriums wird noch zu sprechen sein.)

Auch die im Oratorium übliche verbale Einführung in das Geschehen durch einen Erzähler (Orator, Evangelisten etc.) oder einen kommentierenden Chor kann entfallen. Da die äußere Handlung keine tragende Rolle spielt, kann hier medias in res gegangen werden, kann das Orchester, eine „sprechende“ absolute Musik, jene verbale Information ersetzen, indem es das handlungsmäßig Eigentliche „zur Sprache“ bringt. Der Orchesterteil ist somit weniger Vorspiel zu etwas als bereits die Sache selbst. In dieser Beziehung unterscheidet er sich auch prinzipiell etwa von der Orchestereinleitung zum zweiten Akt des *Fidelio*: dort eine szenisch bildhafte Einführung in das Ambiente (den Kerker) der Szene, aus deren Dunkelheit heraus Florestan sein unheimliches „Gott (welch Dunkel hier)“ schreit, um anschließend seine von äußeren Ereignissen abhängige persönliche Situation zu präzisieren; hier das gleichsam vorweggenommene musikalische Seelenporträt einer raum- und zeitenthobenen Figur, die sich anschließend noch einmal selbst verbal artikuliert.

Diese dramaturgische Disposition hat Konsequenzen für die Struktur der orchestralen Einführung. Die zwischen Angst, Hoffnung und Ergebung schwankende seelische Befindlichkeit der Christus-Figur zeitigt eine diskontinuierliche Musik, die vorderhand keine logische Entwicklung erkennen läßt, sondern mit ihrer scheinbar a-logischen Aneinanderreihung und Wiederholung kurzer Abschnitte im Zuständlichen verharrt. An thematische Arbeit, gar in einem vordisponierten großformalen Rahmen, ist unter diesen Voraussetzungen nicht zu denken.[1]

Schon im zweiten Takt kommt es auf einer Fermate zum ersten Stillstand. Dabei ist die unverzierte, unisone Umschreibung des es-Moll-Dreiklangs im Grave-Zeitmaß durch die Bläser, mit der die Musik anhebt, weit entfernt von einem konventionellen, vorbereitenden „Hab' acht!"-Initium. Diese die so bedeutungsvolle Tonart es-Moll[2] widerspruchslos fixierende und zu keinem harmonischen, melodischen oder satztechnischen Aufbrechen fähige Dreiklangsfigur ist selbst bereits Programm. Nicht zuletzt ihre schlichte, einfarbige Piano-Dynamik bewirkt den Eindruck von Leere, Verlassenheit, Isolation. Was danach folgt, ist in diesem zunächst unscheinbaren Anfangsmotto gefangen.

Im dritten Takt hebt in den Streichern (con sordino) im Unisono ein Thema an, das bereits nach vier Takten, von den Bläsern mit einer kadenziellen Rundung beantwortet, auf der Dominante in einer erneuten Fermate zum Stillstand kommt. Der nach diesem Vordersatz erwartete periodische Nachsatz wird scheinbar durch einen neuen musikalischen Gedanken, zunächst als dreitaktiger, dann als viertaktiger Abschnitt, ersetzt: Die eigentliche *melodische* Fortführung der Vordersatz-Melodie ist nur noch latent wahrnehmbar; viel gewichtiger treten die fortepiano-markierten, gleichförmigen Tonrepetitionen in den Hörnern und dann in den Holzbläsern sowie die Fortepiano-Seufzer-Antworten der Streicher in Erscheinung, wodurch ein noch etwas unheimlicherer Ausdruck in die mollverhangene Sphäre hineinkommt. Fixierten die ersten beiden Takte dieser Introduktion den reinen es-Moll-Dreiklang, so legen die darauf folgenden elf Takte den Tonika—Dominant—Tonika-Rahmen dieser Grundtonart als etwas gleichsam aus sich heraus Unveränderliches fest; eine Entwicklungsmöglichkeit zeichnet sich auf *dieser* ideellen Ebene nicht ab. Wie zur Bestätigung dessen setzt die Pauke anschließend ihr repetiertes Tonika-es in den klangleeren Raum.

Eine Weiterführung scheint nur von außen her möglich: Die enharmonische Umdeutung des es zur Terz dis von H-Dur (T. 13/14), in dem nun ein scheinbar neues Thema, realiter aber, quasi als Seitenthema, eine nur freundlicher wirkende Variante des es-Moll-Hauptthemas erklingt, schafft für einen Moment (für drei Takte) den Einbruch einer lichten Sphäre. Die sich anschließende einsame Paukenton-Repetition, die erregte Verminderte-Septakkord-Umschreibung der Streicher im Fortissimo, die folgenden stockenden Bläser-Akkorde im Piano und vollends dann die von einem Nonenvorhalt ausgehende elegische kadenzielle Rundung in die Molldominante b (T. 20) führen das Ganze wieder zu seinem ideellen Ausgangspunkt zurück. Anstelle der hier nun erwarteten Wiederaufnahme des Eingangsthemas kommt es zunächst nur zu einer erneuten Bestätigung des harmonischen es-b-Moll-Rahmens

---

1 Ergänzend zu diesem Gesichtspunkt vgl. P. Gülke, *Introduktion als Widerspruch im System,* S. 351f.

2 Nach Chr. Fr. D. Schubart (*Ideen zu einer Ästhetik der Tonkunst,* 1977, S. 284ff.) drückt diese Tonart „Empfindungen der Bangigkeit des allertiefsten Seelendrangs der hinbrütenden Verzweiflung, der schwärzesten Schwermut, der düstersten Seelenverfassung" aus. — Beethoven hat die (bereits 1787 und 1789 in der *Vaterländischen Chronik* veröffentlichten) Schubartschen Tonartencharakterisierungen gekannt und geschätzt. Vgl. hierzu A. Schindler, *Biographie,* Bd. II ([3]1860), S. 162ff.; W. Auhagen, *Studien zur Tonartencharakteristik,* S. 104ff. und 279ff.

(Ostinati in den Bässen — Wiederholung des vorangehenden Kadenzvorganges), in dem der gesamte bisherige Verlauf der Musik gefangen war.

Erst in Takt 26 wird die Erwartung des Themen-Wiedereintritts (diesmal in b-Moll in den Bässen) erfüllt. Für einen Moment scheint es, als wäre dies ein neuer Ausgangspunkt, der nun endlich weiterführt: So kommt es hier sogar für zwei Takte zu einer Art motivisch-thematischer Arbeit, zu einer lieblich aufgelichteten dialogischen Cantabile-Beantwortung des Hauptthemas in Klarinette und Flöte. Aber bereits nach drei Takten setzt sich diese Entwicklung in einer harmonisch-flächigen Partie, mit chromatischen Ostinato-Sequenzen und Sforzati, erneut fest. Wenn die Pauke anschließend dann wieder ihre einsame Tonrepetition (auf B) in den Raum stellt (T. 32), ist man wieder soweit wie am Anfang des Stückes.

Noch einmal (T. 33—35) erfolgt mit einem nunmehr wirklich neuen thematischen Gedanken in der parallelen Dur-Tonart Ges für drei Takte der Einbruch einer geradezu tröstlich lichten Sphäre. Aber es handelt sich nur um eine melodisch ausgezierte kadenzielle Wendung, der gleichsam konsequenterweise sofort wieder die Paukenschläge (auf B) sowie die Wiederholung von bereits bekannten Partien (scharf punktierte Tonrepetitionen, Sforzati, Seufzer) folgen.

Aus der Wiederholung der Partie von Takt 26ff. in Takt 42ff. (diesmal in der Grundtonart es-Moll) — hier sogar um eine Beantwortung in den Bläsern erweitert — entwickelt sich schließlich die Wendung in die neue Tonart G-Dur (T. 47), die ab Takt 50 sechs Takte lang mit Hilfe von zum Teil zweistimmigen Dreiklangsbrechungen in verschiedenen Instrumenten zu einer Klangfläche sich verfestigt und in einem abschließenden ppp-Fermatenakkord (T. 55) noch einmal bestätigt wird. Aber auch diese Schlußtakte der instrumentalen Einleitung des Oratoriums bedeuten keineswegs eine Lösung der dort auskomponierten Aspekte (Verlassenheit, Hoffnung, Bitte, Unerbittlichkeit). Vielmehr wandelt sich hier die semantisch interpretierbare „absolute“ Musik zu einer szenisch-gestischen: Die G-Dur-Dreiklangsfiguren öffnen den gedanklichen Diskurs zu einem geradezu visuell erfahrbaren Bild (die Vorstellung eines „Vorhang auf!“ wäre hier allerdings etwas banal); denn nunmehr (T. 55ff.) spricht der Protagonist selbst das aus, was die Orchestereinleitung bis dahin musikrhethorisch vermittelte.

Die verbale und gesangliche Konkretisierung eines solcherart musikalisch-gedanklichen Diskurses, wie sie nun mit dem Rezitativ und der Arie erfolgt, birgt immer die Gefahr einer Vergröberung, ja Banalisierung in sich. Das Singen provoziert ohnehin leicht Emphase, zumal wenn es sich in der gebundenen, einen gewissen Grad von Autonomie beanspruchenden Form der Arie, mit ihren Textwiederholungen und -forcierungen, vollzieht, und gar, wenn es sich — wie im vorliegenden Fall — um eine Tenor-Heldenpartie handelt. Dieses emphatische Moment, diese Art der Personalisierung, der Verdinglichung eines Gedankens oder Gefühls, wie es für die Oper aufgrund ihrer theatralischen Strukturen notwendig ist, muß dort einen zwiespältigen Eindruck hinterlassen, wo es nicht in visuell erfahrbare Darstellung integriert ist, wo Oper oder Opernmäßiges auf das Konzertpodium verpflanzt wird. Im Fall des *Ölberg*-Oratoriums kommt noch hinzu, daß es sich um die Figur des Gottessohnes Christus handelt, die hier menschlich singend und — zwangsläufig — mit dem zur Verfügung stehenden musikalischen Material erfahrbar gemacht werden soll. Daß daraus eine überaus vermenschlichte (Erlöser-)Figur wurde, liegt also nicht allein an der weltanschaulichen bzw. religiösen Grundeinstellung Beethovens und seines Librettisten, sondern auch an musikmateriellen und gattungstypologischen Bedingungen der Zeit.

Die ersten vier Takte des Rezitativs definieren das G-Dur vom Ende der instrumentalen Einführung als Dominante von c-Moll, der Grundtonart der folgenden Musiknummer. G-Dur war also nicht Zieltonart einer Entwicklung, wie man hätte annehmen können, sondern nur Mittel der Überleitung in einen anderen, dem es-Moll ausdrucksverwandten und damit an die Grundstimmung der Orchestereinleitung sich anlehnenden Tonartenbereich. Und das Accompagnato-Rezitativ bringt auch im vierten Takt das Hauptthema (diesmal in c- anstatt in es-Moll), im sechsten die Pauken-Tonrepetition sowie die freundliche Themenvariante aus Takt 14/15 der instrumentalen Orchestereinleitung, letztere allerdings enharmonisch nach Ces-Dur umgedeutet und am Ende chromatisch verfremdet, dem Ausdrucksbereich des Begriffs „Leiden“ angepaßt. Beethoven bedient sich in diesem Rezitativ einer Reihe illustrativer Kontrastmittel, die unter anderem aus dem „tröstenden“ Engel des Johannes-Evangeliums einen mit vollem Bläserchor visionär geschauten martialischen Cherub „mit Donnerstimme“ (Maestoso) und aus dem still leidenden Gottessohn eine den Himmel (den Willen des himmlischen Vaters) und die Leiden (Sünden) der ganzen Welt zugleich tragende Atlas-Figur machen.

Die noch gesteigertere Arie („Meine Seele ist erschüttert“) kehrt die tragische Heldenfigur noch stärker hervor; sie vergrößert den Abstand zwischen dem nunmehr total vermenschlichten Christus und seinem offensichtlich als thronenden Herrscher gesehenen Vater noch beträchtlich. Zu dieser Vergröberung tragen nicht nur die instrumentale, bildliche Umsetzung der Emotionen („erschüttert“, „Schrecken faßt mich“, „von meinem Antlitz träufet [...] Blut herab“), die emphatischen Fermaten-Zäsuren, zum Teil mit chromatischen Vorhalten („zu dir, zu dir“), die trugschlußartigen Wendungen (T. 163: „von mir“) und die Koloraturen bzw. Solo-Kadenzen über „Leidenskelch“ bei. Auch die großformale Disposition A A' mit der nahezu vollständigen Wiederholung der drei Textstrophen, das heißt die ästhetische Autonomie der Form an sich ist dafür verantwortlich. Eine Art aufhellender lyrischer Mittelteil über „Vater! Tief gebeugt und kläglich / fleht dein Sohn hinauf zu dir“ führt — analog zur Dramaturgie der instrumentalen Introduktion — für einen Augenblick eine weiche, schöne Es-Dur- bzw. B-Dur-Melodie ein (T. 145ff., 197ff.), die — bei genauerem Hinsehen — eine variative Umkehrung der H-Dur-Episode aus der Orchestereinleitung des Oratoriums (T. 14ff.) darstellt.

Die ungemein subtil „sprechende“ Orchestereinleitung und die überaus prononcierte erste Gesangsnummer introduzieren an sich das gleiche. Das prinzipiell unterschiedliche musikalische Material, mit dem dies hier bzw. dort geschieht — der Bruch zwischen der modernen musikalischen Prosa der Orchesterintroduktion und der traditionellen musikalischen Poesie der gesanglichen Introduktion ist evident —, zeitigt jedoch eine unterschiedliche Anschauungsperspektive und damit auch ein jeweils anderes Ergebnis.

Nr. 2: Rezitativ und Aria (Seraph) — Chor (der Engel). In die im Pianissimo ausklingende c-Moll-Stimmung der Jesus-Arie bricht die himmlische Gestalt des Seraphs mit ihrem A-Dur-Rezitativ auch bildlich regelrecht ein: Man beachte die illustrativen, herabstürzenden Unisono-Figuren der Streicher und an zwei anderen Stellen („die Menschen, die er liebt“; „vom Tode auferstehen“) entsprechende Textausdeutungen. Der abrupte Tonartenwechsel von c-Moll nach A-Dur (Rezitativ) bzw.

G-Dur (Arie und Chor) scheint den interpolativen Charakter dieser Nummer, den diese innerhalb des Librettos einnimmt, kompositorisch zu bestätigen.[1]

Von einem mit „Donnerstimme" fordernden Seraph (vgl. Nr. 1, Rezitativ) ist hier jedoch musikalisch nicht mehr die Rede (was zweifellos einen text- und musikdramaturgischen Bruch bedeutet). Zwar beginnt des Seraphs Ansprache an die Menschheit mit einem recht bestimmten „Erzittre Erde!", im folgenden jedoch ist seine Rede in recht weiche, gar liebliche Klänge eingekleidet, die die lichte, überirdische Gestalt dieses (nach der Vision des Jesaias) sechsflügeligen Wesens charakterisieren. Vollends dann die Larghetto—Allegro-Arie und der sich anschließende (von Beethoven erst in der revidierten Fassung von 1804 hinzugefügte) Chor der Engel definieren die Seraphine als — wie es in der Überlieferung heißt — den höchsten der neun Engelchöre und den Träger höchster Liebesglut. So sind auch die in der Rezeption des *Ölberg*-Oratoriums oft beanstandeten Koloraturen dieser Solopartie (über „preist" und „Liebe") weniger als unangebrachte Opernrelikte denn als Symbol für die Abgehobenheit dieser himmlischen Gestalt und für die himmlische Lobpreisung zu betrachten.

Im ganzen handelt es sich bei dieser Seraph-Arie (der Chor bedient sich derselben Musik) um eine ausgesprochen schöne Musik, mit der den Erlösten „Seligkeit" verkündet wird (man beachte auch die skalischen „Jauchzer" der Holzbläser, z.B. T. 156ff.), sofern diese „getreu in Liebe, in Glaub' und Hoffnung" sind. Verstärkt wird dieser Ton noch durch seine mehrmalige Kontrastierung mit einer Es-Dur- und g-Moll-Eintrübung, wenn von den Verdammten die Rede ist („Doch weh! die frech entehren"), die „der Fluch des Richters" treffen wird. Die Allegro molto-Stretta (T. 207ff.) bietet dann sogar Gelegenheit zu einem dreifachen Fugato („Doch weh! die frech entehren" — „Verdammung ist ihr Loos" — „Sie trifft der Fluch") mit einer Antithese zum „O Heil euch"-Thema. Das ist eine musikalische Bildersprache, wie wir sie aus den (kurz zuvor entstandenen) Haydnschen Oratorien her kennen.

Nr. 3: Recitativo und Duetto (Jesus, Seraph). Der kurze rezitativische Dialog zwischen Jesus und dem Seraph knüpft nicht nur textlich an den einleitenden Christus-Monolog (Nr. 1) an: Endet jener in dumpfem c-Moll, so wendet sich Jesus hier (nachdem er die Gegenwart des Seraphs wahrgenommen hat) in C-Dur an den Himmelsboten.[2] Damit wird harmonisch sowohl der direkte Anschluß an Nr. 1 als auch an die textinterpolative Nr. 2, die in G-Dur endet, vollzogen. Gleichzeitig kommt dieser Tonartenfolge (Nr. 1—3) — ebenso jenseits aller Tonartenpragmatik

---

1 Daneben dürfte der Wahl dieser Tonarten auch eine Symbolfunktion zukommen: So wird von Schubart A-Dur unter anderem als Tonart des „Gottvertrauens", G-Dur als Tonart der „ruhigen und befriedigten Leidenschaft", des „Dankes für [...] treue Liebe" bezeichnet. Noch enger scheint sich die tonartliche Binnenstruktur etwa des Rezitativs an die Schubartschen Definitionen anzulehnen: gis-Moll („gepreßtes Herz bis zum Ersticken, Jammerklage") über „unnennbare Qual"; fis-Moll („ein finsterer Ton [...], schmachtet immer nach der Ruhe von A-dur oder nach der triumphierenden Seligkeit von D-Dur hin") über „bereit, den martervollsten Tod zu sterben"; D-Dur („der Ton des Siegesjubels") folgt unmittelbar danach über „damit die Menschen, die er liebt [G-Dur, s.o.] vom Tode auferstehen und ewig leben".

2 Er bedient sich also nicht nur der tonartlichen Sphäre des Engels (nach Schubart des Tons der Reinheit, der „Unschuld"), sondern auch — hoffnungsvoll — der Tonart der Erlösung; vgl. das Ende des Oratoriums.

— ein bildhaftes Bewegungsmoment zu: Der Engel tritt aus der „unendlichen“ Ferne (A-Dur) in die erdhafte Realität (c-Moll) ein, um sich dem Gottessohn (über G-Dur, der Dominante von c-Moll) zu nähern und mit diesem (in der nunmehr „gemeinsamen“ Tonart C-Dur) zu sprechen. Jesu Frage „Verkündet, Seraph, mir dein Mund Erbarmen [...]?“ wird harmonisch gleich zweimal auskomponiert (C_6—C^7—F—$F^{5\sharp}$—d_6/$d_6^{8\sharp}$—E), die negative Antwort des Engels mit einer abschießenden diatonischen Zweiunddreißigstelfigur der Streicher bereits vorweggenommen. Von gleichrhythmischen Bläser-Akkorden (unter anderem in den Posaunen) begleitet, sachlich rezitierend, wie eine Norne oder eine antike Schicksalsgöttin (Moire), verkündet der Seraph den Willen Jehovahs: „Eh' nicht erfüllet ist das heilige Geheimnis der Versöhnung, so lange bleibt das menschliche Geschlecht verworfen und beraubt des ew'gen Lebens.“ Die Verwandtschaft dieser Partie mit den Todesverkündigungsszenen der Barockoper (von Monteverdi bis Gluck) ist offensichtlich. Der Spruch des Seraphs erfolgt über eine Medianten-Dreiklangsfolge von acht absteigenden Terzschritten (mit regelmäßigem Wechsel von großen und kleinen Terzen): a—F—d—B—g—Es—C—As—F, woran sich eine zweifache dominantische Kadenzwendung G^7—c—G—c anschließt. Nicht nur diese sukzessive Rückführung in die „Ausgangstonart“ c-Moll (Ende von Nr. 1) erlaubt eine semantische Interpretation im Sinne des Engelsspruches. Die acht Terzschritte selbst scheinen die uralte christliche (und vielleicht schon antike) Symbolik der Zahl 8 aufzugreifen, der, etwa in der Architektur (Oktogone), oft dort eine signifikante Bedeutung zukommt, wo ein Abbild des Kosmos gegeben, ein universaler Anspruch erhoben wird, eine Vollkommenheit oder auch ein zentrales Martyrium gemeint ist oder eine Anspielung auf Tod und Auferstehung (des Täuflings) erfolgt.[1]

Das mit einer etwas gewaltsam wirkenden eintaktigen mediantischen Überleitung herbeigeführte As-Dur-Duett, welches anfänglich noch einem barocken Gestus (Bach) folgt, dann aber — angeführt von einem Cello-Solo — zu einem ausgesprochen melodienseligen Stück mutiert, in dem sich die beiden Solisten wie in einem Opern-Liebesduett des empfindsamen Stils in vielen Sextenparallelen zusammenfinden, stellt dramaturgisch das schwächste Glied in der Nummernfolge des Oratoriums dar. Sowohl der Christus-Figur als auch der des Seraphs sind hier alle überirdischen Züge genommen. Diese Musik will zu diesem Text und zu dieser Situation einfach nicht recht passen. Da helfen auch einzelne tragische Ausdrucksakzente wie synkopische Repetitionen, scharf punktierte Absprünge (T. 48ff.), Zweiunddreißigstel-Bebungen (T. 41ff.) und dynamisch differenzierte Achtelbewegungen (T. 57ff.) wenig. Auch zur Symbolik der As-Dur-Tonart[2] (falls Beethoven hier an eine solche überhaupt gedacht hat) verhält sich diese Musik sperrig (nicht dagegen der Text). In den Skizzen Beethovens war dieses Duett ursprünglich in A-Dur konzipiert, während das vorangehende Stück in E-Dur endete[3], woraus zu ersehen ist, daß die Tonarten-Dramaturgie erst im Verlauf des Kompositionsprozesses endgültige Gestalt annahm. Eigentlich ist dieses Duett ein typisches Einlagestück, das sich in die

1 Vgl. E. Kirschbaum, *Lexikon der christlichen Ikonographie,* Bd. I, Sp. 40f.
2 Nach Schubart der „Gräberton“, geeignet für „Tod, Grab, Verwesung, Gericht, Ewigkeit“.
3 Vgl. A. Tyson, *The 1803 Version,* S. 571.

musikdramaturgische Grunddisposition nur schlecht einfügt. Allerdings ist zu bedenken, daß dieses Duett am Ende des — wenn auch nicht expressis verbis deklarierten — ersten Teils des Oratoriums steht, was für die formale Gliederung der älteren Oratorien offensichtlich typisch war.[1]

So kurzvermittelt wie das Duett begann, verschwindet es auch wieder aus dem dramaturgischen Zusammenhang: Die fünf, einem Streicher-Unisono vorbehaltenen, „angehängten" Piu moto-Überleitungstakte modulieren nach C, womit die Dominante für das nachfolgende F-Dur-Stück (Nr. 4) gewonnen und die direkte Anbindung des zweiten Oratorienteils bewerkstelligt wird. Sie sind von Beethoven erst später hinzugefügt; ursprünglich endete das Duett — übrigens ganz im Sinne eines pointierten Abschlusses des ersten Oratorienteils — auf dem zweiten Viertel des Taktes 79 mit einem Fortissimo-As-Dur-Akkord.[2] Beethovens diesbezügliche Revision sorgte nicht nur für eine stringentere Abfolge der Nummern, indem sie den Tonartenbruch As—F zugunsten einer dominantischen Sukzession C—F eliminierte, sondern schuf gleichzeitig eine der Einführung des Duetts ganz entsprechende Abschlußlösung, was freilich den „Einlagecharakter" des Duetts nur noch verstärkte.

Nr. 4: Recitativo (Jesus) und Chor (der Krieger) / Nr. 5: Recitativo (Jesus) und Chor (der Krieger und der Jünger) / Nr. 6: Recitativo, Terzetto, Chor (der Krieger, Jünger und Engel). Diese drei Nummern bilden einen dramaturgischen Komplex, der aus einem von den Kriegerchören unterbrochenen Jesus-Rezitativ, einem rezitativischen Dialog zwischen Petrus und Jesus, einem Terzett und dem Schlußchor besteht. Handlungsmäßig könnte das mit Nr. 4 beginnende Jesus-Rezitativ sich an den Seraph-Spruch in Nr. 3 (an T. 13) direkt anschließen. Auch der Tonartenanschluß (c—F) wäre gut möglich. Und doch scheint es, als hätte es des im Gesamtzusammenhang so fragwürdigen vorangehenden Duetts, des lieblich-tröstenden Tones jener Musik doch bedurft, damit nun dieses aller Schwere enthobene, befriedete viertaktige F-Dur-Thema (das im übrigen noch einmal an den H-Dur-Gedanken in der Orchestereinleitung des Oratoriums erinnert) erklingen kann, um die Worte Jesu „Willkommen Tod!" einzuleiten und auch die sich anschließende Verheißung an die bereits Verstorbenen („ihr werdet froh zur Seligkeit erwachen") zu begleiten. Das Thema erscheint in dem Streichersatz dreimal vollständig und einmal unvollständig, jeweils wenn der Sänger pausiert, in verschiedenen Tonarten (F—B/D—G—C); eine harmonische Versetzung, die die Textaussagen geradezu gestisch unterstützt: Das F-Dur[3] erscheint hier (am Anfang des Rezitativs), wo eine vollkommene Beruhigung des Gemüts Jesu angezeigt wird, zum ersten Mal in diesem Oratorium. Die Modulation in die Unterdominanttonart B-Dur (T. 8) erscheint zunächst ganz normal[4]; signifikant ist der Trugschluß nach D-Dur, der diesen Themeneinsatz beendet: Diese harmonische Öffnung entspricht dem Gedankengang Jesu, der sich an dieser Stelle von seiner Person ab- und den Verstorbenen zuwendet. Fast schon

1 Vgl. R. Haas, *Eberlins Schuldramen und Oratorien,* S. 16.
2 Vgl. A. Tyson, *The 1803 Version,* S. 566.
3 Nach Schubart die Tonart der „Gefälligkeit und Ruhe".
4 Schubarts Charakterisierung des B-Dur als „Hinsehnen nach einer besseren Welt" liefert hier noch einen zusätzlichen Aspekt.

selbstverständlich, daß das verheißene „frohe Erwachen zur Seligkeit" dann in der Erlösungstonart C-Dur verkündet wird.[1]

Damit wäre dramaturgisch eigentlich der Weg frei für den C-Dur-Schlußchor der Engel (Nr. 6, 2 Maestoso). Denn die dort erklingende Aufforderung an die Menschheit („Welten singen Dank und Ehre"), dem Erlöser, Gott, für seine Selbstüberwindung zu danken („Preiset ihn, ihr Engelchöre"), stellt die oratorische Konsequenz aus dem dramaturgischen Status des Jesus-Rezitativs Nr. 4 dar (in Analogie zu Nr. 2). So aber wird hier noch die Gefangennahme Christi, das heißt ein äußeres Ereignis, das an der bereits vollzogenen Entscheidung Jesu nichts mehr ändern kann, dazwischengeschoben (Nr. 4—6, 1). Das eigentlich Problematische dieser Interpolation zeigt sich in der dramaturgischen Zwitterhaftigkeit der Nummern 5 und 6, 1, die auf äußere Handlung eingehen, ohne sie wirklich dramatisch zu gestalten. Allerdings ist, was den Aufwand der musikalischen Mittel betrifft, ein durchgehender Steigerungszug bis zum Schluß des Oratoriums erkennbar. Der auf diese Art sich einstellende Final-Charakter der Nummern 5 und 6 bildet sich jedoch allein auf dieser musik-materiellen Ebene aus; eigentliche Verwicklungen, das dramaturgische Kennzeichen eines (Opern-)Finales schlechthin, werden hier nicht mehr ausgetragen, sondern höchstens angedeutet. Das Oratorium hat die Oper eingeholt.

Die strukturelle, melodische und harmonische Simplizität, mit der das Herannahen der Krieger (Nr. 4, 2) und schließlich das Erscheinen derselben (Nr. 5) musikalisiert wird, ist wohl einerseits eine Konsequenz aus dieser dramaturgischen Disposition; andererseits folgt sie der Anspruchslosigkeit der Textvorlage: Es sind marionettenhafte Bühnen-Soldaten, die hier im dreistimmigen, nur selten polyphon etwas aufgelockerten akkordischen Satz ihren recht unpoetischen Text skandieren, während das Orchester sein punktiertes Alla Marcia-Thema diatonisch und chromatisch mehrmals versetzt. Vollends der wichtigtuerische repetierte Oktavfall im Fortissimo (und teilweise mit Fermate) über „Hier ist er, der Verbannte" (Nr. 5, Allegro molto), ein Thema in D-Dur[2], mit nachfolgender unisoner oder einfachster zweistimmiger Weiterführung, ein Thema, das durchaus für eine dramatische Fuge geeignet gewesen wäre, macht den Auftritt der Krieger zu einer etwas treuherzigen Bilderbuchgeschichte, in der alles auf gleiche Weise mehrmals gesagt wird. Mit der Nummer 5 (Allegro molto) steigern sich zwar die Ausdrucksakzente, und wenn sich der zweistimmige Chor der Jünger vernehmen läßt, kommt es sogar zu einer auskomponierten Spannung, zu einem Gegeneinander der beiden Gruppen. Alles bleibt jedoch Nacherzählung der biblischen Geschichte, eine Geschichte, die — nachdem das Eigentliche, Unabänderliche bereits ausgemacht ist — nur noch äußere Ereignisse markiert, für die auch der Protagonist nur noch wenig innere Anteilnahme aufbringt. Das zwischen den beiden Chören der Krieger wieder aufgenommene Accompagnato-Rezitativ (Nr. 5), mit dem Jesus auf das Herannahen der Krieger

---

1 Die Tonart der Reinheit, der völligen Unbeschwertheit, der Lösung von allen (irdischen) Fesseln. Schubart schreibt: „C-Dur, ist ganz rein. Sein Charakter heißt: Unschuld, Einfalt, Naivität, Kindersprache."

2 Nach Schubart der „Ton des Triumphes".

reagiert, hält sich motivisch an das Marschthema.[1] Diese Ölberg-Szene ist auch ideell weit entfernt von dem existentiellen Ereignis dann auf Golgotha.

Die Petrus-Episode zu Beginn von Nr. 6 geht ganz im Oratorischen auf; das heißt einem kurzen Rezitativ mit dem energischen Aufbegehren des Jüngers und der beruhigenden Poco Adagio-Antwort Jesu folgt ein Terzett, das die Spannung der „Auseinandersetzung" nach und nach völlig absorbiert und dann auf die Moral der Geschichte eingeht. Der Engel, die dritte einsetzende Stimme innerhalb eines zunächst vaudeville-ähnlichen Verlaufes, wendet als erster den verbleibenden Rest an „Handlung" ins Allgemeine („Merk auf, o Mensch und höre"). Der darauf folgende dreistimmige Refrain „O Menschenkinder fasset, dies heilige Gebot" (T. 67ff. bzw. 101ff.) befindet sich (das erste Mal zum Teil, das zweite Mal, wenn auch Petrus von seinem Rache-Text abläßt, dann vollends) außerhalb der Handlungsepisode.

Der nächste, polyphon strukturierte und damit ausdrucksgesteigerte Chor der Krieger („Auf, fort jetzt mit dem Missetäter") und der der Jünger (Allegro molto. „Ach! wir werden seinetwegen auch gehaßt, verfolget sein") führen mit stärkeren musikalischen Mitteln noch einmal zurück. Zusammen mit den Jesus-Kantilenen und -Koloraturen („Meine Qual ist bald verschunden") vollzieht sich hier nun doch noch so etwas wie ein dramatisches Finalensemble, dessen Ende die Ankündigung Jesu „bald ist gänzlich überwunden und besiegt der Hölle Macht" markiert. Dies ist dann auch das Ende der äußeren Handlung, an das sich der bereits erwähnte mehrteilige, zum Teil fugierte Schlußchor, mit einem Maestoso beginnend, in bester Oratorienmanier anfügt. Dieses Stück steht ganz in Händelscher und Haydnscher Oratorientradition.

Beethovens *Christus am Ölberge* ist nicht nur das Produkt eines auf dem Felde des Oratoriums wie auch der Oper noch nicht bewanderten Komponisten. Das Werk ist auch ein Paradigma für die labile Oratoriensituation am beginnenden 19. Jahrhundert. Beides hat wohl zu der relativ schlechten Aufnahme, die das Werk erfuhr, beigetragen. Dabei ging es bei der oratorientheoretischen Diskussion jener Zeit vor allem um die Frage der musikalischen bzw. musikdramatischen Stoffexegese. Auch im Falle des *Ölberg*-Oratoriums sah man dessen Hauptfehler in der bühnenmäßig zugeschnittenen Dichtung und musikalischen Diktion. Hauptangriffspunkt war stets der von Beethoven selbst im nachhinein als schlecht bezeichnete Text Hubers, „die trivialen und an's Lächerliche streifenden Worte"[2], durch die „Jesus den größten Teil der Würde und Erhabenheit" einbüßte[3], ein Text, der „an Geschmacklosigkeit nichts zu wünschen übrigläßt"[4], der „göttliche Dinge in menschliche Verhältnisse übertrug und so durch Verkleinerung anschaulich zu machen suchte. Gerade das Gegenteil war für Beethoven erforderlich".[5] Unakzeptabel empfand man allgemein einen derartig singenden Christus: „Stets wird ein singender Heiland,

1 Die entscheidenden, biblischen Worte „Doch nicht mein Wille, nein, dein Wille geschehe" erklingen — unter ostentativer Verwendung einer Endgültiges signalisierenden Dreilklangsmelodik — in h-Moll, nach Schubart dem „Ton der Geduld, der stillen Erwartung seines Schicksals und der Ergebung in die göttliche Fügung". Auch hier dürfte die Tonartenwahl Beethovens kein Zufall sein.

2 F. Hand, *Ästhetik der Tonkunst,* Bd. II, S. 450f.

3 H. Kretzschmar, *Führer durch den Konzertsaal,* Bd. II ([4]1916), S. 112f.

4 W. Hess, *Beethoven,* S. 100.

5 P. Bekker, *Beethoven* ([2]1912), S. 372f.

unwahr und in die niedere Sphäre der Wirklichkeit herabgezogen, mißfallen; hier aber tritt er sogar gleich einem schwachen Theaterhelden auf, und billig sollte man, um die preiswürdige Musik nicht untergehen zu lassen, auf Umgestaltung des Textes sinnen!"[1], was dann auch schon früh geschah.

Schon die Stichvorlage der Partitur von 1811 enthält, mit roter Tinte eingetragen, eine völlig revidierte, sprachlich-stilistisch geglättete Textfassung von unbekannter Hand (vom Verlag Breitkopf?), die — im Sinne eines erbaulich-betrachtenden Stils — allzu starke Affekte und bildhaft barocke Ausdrucksweisen des Originaltextes eliminiert.[2] Beethoven hat sich gegen diese Textfassung heftig gewehrt und konnte noch verhindern, daß der neue Text, bis auf wenige Zeilen, in dem Erstdruck Aufnahme fand.[3] — Thayer berichtet von einer Aufführung des *Ölberg*-Oratoriums am 28. Februar 1814 in London, für die eine englische Übersetzung von Samuel J. Arnold benutzt wurde, der „alle Rollen in die dritte Person umsetzte, so daß die Ehrfurchtsgefühle der Engländer nicht dadurch verletzt wurden, daß Christus und die Apostel auf der Bühne erschienen".[4] — Eine völlig neue englische Textversion erstellte 1842 Henry Hudson, indem er (ohne daß auch nur eine Note der Musik verändert wurde) die ganze Geschichte ins Alte Testament (Die Verfolgung Davids durch Saul) transferierte. 1874 erschien diese Partitur — mit der originalen und dieser neuen Textfassung — bei Novello unter dem Titel *Engedi: or, David in the wilderness*.[5] — Die nächsten Schritte in der Rezeptionsgeschichte des *Ölberg*-Oratoriums waren dann rein instrumentale Einrichtungen (ohne Textbeigabe), wie die Ausgabe für vierhändiges Klavier von E. F. Richter („Das Werk kennt Jedermann"[6]) und die 1846 erschienene zweihändige Klavierbearbeitung von Carl Czerny.

Die Musik Beethovens wird zwar im Ganzen gesehen etwas besser beurteilt als der Hubersche Text, zum Teil sehr kräftige Vorbehalte werden aber auch hier fast allenthalben angemeldet.[7] Friedrich Rochlitz meint: „Christus am Öelberge [...] besteht aus sehr disparaten Theilen, von denen nur einzelne des großen Meisters wahrhaft würdig sind."[8] Auch in jüngerer Zeit wurde das Werk als „mißglückt"[9], als „nur [...] von zeitgeschichtlicher Bedeutung"[10], „als eines der schwächsten Werke Beethovens"[11] bezeichnet, wobei der erste Teil (Nr. 1—3) und da vor allem die Orchesterintroduktion noch die besten Noten bekommen.[12]

1 F. Hand, *Ästhetik der Tonkunst,* Bd. II, S. 583.
2 Vgl. hierzu S. Brandenburg, *Beethovens Oratorium,* S. 208ff., wo auch beide Textfassungen gegenübergestellt sind.
3 Vgl. Beethovens Brief an Breitkopf & Härtel vom 28. Januar 1812, zur weiteren Geschichte der Drucklegung die bei G. Kinsky / H. Halm, *Das Werk Beethovens,* S. 237 aufgelistete Korrespondenz.
4 Thayer / Deiters / Riemann, *Ludwig van Beethovens Leben,* Bd. III (⁵1923), S. 637.
5 Vgl. hierzu E. Gerson-Kiwi, *Beethoven's Sacred Drama.*
6 *AmZ* 43 (1841), Sp. 14.
7 Vgl. hierzu die Rezensionen in der *AmZ* 5 (1803), Sp. 489, 590, 734; 14 (1812), Sp. 3—7, 17—25; 25 (1823), Sp. 665—668. Ferner O. Wangemann, *Geschichte des Oratoriums* (³1882).
8 Fr. Rochlitz, *Für Freunde der Tonkunst,* Bd. IV (³1868), S. 157.
9 W. Riezler, *Beethoven* (⁷1951), S. 182.
10 P. Bekker, *Beethoven* (²1912), S. 372.
11 G. Ernest, *Beethoven,* S. 142.
12 Eine etwas schulmeisterliche Kritik an der Fuge des Schlußchores übt H. Bellermann in der ersten Auflage seines *Contrapunkt* von 1862, S. 310.

Trotz allem hatte das Werk bis weit in die erste Hälfte des 19. Jahrhunderts hinein offenbar schöne Aufführungserfolge.[1] Thayer hat hierfür auch eine ganz plausible Erklärung: „Daß es [das Oratorium] doch in Wien und anderweit viele Aufführungen und Beifall fand, bis es vor Werken wie der [...] Matthäuspassion Bachs und Händels Messias verblaßte, ist aber wohl begreiflich bei der allgemeinen Gewöhnung an den Opernstil."[2]

Aber sicher reicht eine solche gattungsgeschichtliche Begründung der frühen Akzeptanz dieses Oratoriums ebensowenig aus wie eine musikstilistische Argumentation im Hinblick auf die spätere Kritik an diesem Opus. Sicher kam die ideelle Gesamtkonzeption des Oratoriums der Frömmigkeitshaltung des Menschen um 1800 noch eher entgegen als ein halbes Jahrhundert später. Denn die Autoren unternahmen hier den Versuch, die gott-menschliche Vollkommenheit Christi im Rahmen einer pragmatischen Gattung in den menschlich-nacherlebbaren Bereich zu transferieren, die menschliche und die göttliche Seite der Existenz Christi zu separieren bzw. die menschliche Seite darzustellen, ohne den ihr immanenten dogmatischen Hintergrund genügend transparent zu machen, ohne klarzustellen, daß dabei die actio eigentlich nicht „ist", sondern nur „bedeutet".[3] Das der Aufklärung verpflichtete Werk mußte mit der Ausbreitung eines allmählich alle Gebiete des geistigen Lebens bestimmenden restaurativen Gedankengutes im späteren 19. Jahrhundert an „Gebrauchswert" ebenso verlieren wie die vielen anderen oratorischen Werke kleinerer Meister im gattungs- und geistesgeschichtlichen Umfeld der Beethoven-Komposition. Das auf das Individuum, auf die kreatürliche Existenz des Menschen gerichtete *Ölberg*-Oratorium paßte nicht mehr in eine primär auf die Göttlichkeit Christi gerichtete dogmatische Theologie (und in deren objektivierenden Kultus). Die übermenschliche Person Christi war auch mit einem exzeptionellen Menschen, einem Heros, nicht mehr vergleichbar; Christi Erlösungstat war mit dem persönlich hic et nunc erfahrbaren Leiden eines Einzelnen inkommensurabel geworden. Die von Beethoven in seinem *Heiligenstädter Testament*, das nur ein Dreivierteljahr vor dem *Ölberg*-Oratorium entstand, beschriebene persönliche Situation unterschied sich von der Ölberg-Situation des Gottmenschen Christus — trotz einer gewissen Affinität — letztendlich prinzipiell. Genau das, was von jener persönlichen Erfahrung Beethovens in das Oratorium mit einfloß und was für den aufgeklärten Menschen um 1800 das Leiden und die Tat Christi erst menschlich erfahrbar machte, stand in der nächsten und übernächsten Generation einer theologischen Akzeptanz des Oratoriums im Wege.

Daß der religiöse Mensch und der religiöse Musiker Beethoven[4] mit seinem Oratorium kein kirchliches Werk schreiben wollte, liegt auf der Hand. Vielmehr ging es ihm, als „Freund der josephinischen Aufklärung", der in Jesus „mehr den großen Lehrer der Menschheit als die Gottheit Christi" sah, als Anhänger der Sailer-

1 Unter anderem zwischen 1803 und 1823 sieben in Wien, zehn in London und je eine in Leipzig, Graz und Lausanne.

2 Thayer / Deiters / Riemann, *Ludwig van Beethovens Leben*, Bd. II (^{3}1922), S. 375.

3 Zu der Geschichte der Jesus-Darstellungen in der Literatur und zu der in unserem Zusammenhang angeführten speziellen Problematik vgl. E. Frenzel, *Stoffe der Weltliteratur* (^{2}1963), S. 309—313.

4 Vgl. hierzu A. Schmitz, *Das romantische Beethovenbild*, S. 82ff.; ders., *Beethoven*, S. 65ff. Zu Beethovens Weltanschauung: A. Sandberger, *Ausgewählte Aufsätze zur Musikgeschichte*, Bd. II, S. 275ff.

schen Idee des „Selbstfühlens der überlieferten Offenbarungs- und Heilswahrheiten“[1], in erster Linie um die ethische, menschheitsbezogene Idee der Ölberg-Geschichte, um den darin zum Ausdruck gebrachten Anspruch auf moralische Vervollkommnung des Menschen, auf Befreiung der menschlichen Existenz aus den irdischen Niederungen menschlicher Schwäche. Und Beethoven schloß sich selbst davon keineswegs aus: Knapp zwei Jahre vor der Entstehung des *Ölberg*-Oratoriums schrieb er im Hinblick auf eine eventuelle Rückkehr aus Wien in seine rheinische Heimat[2]: „nicht als Künstler sollt ihr mich größer, sondern auch als Mensch sollt ihr mich besser, vollkommener finden.“

Winfried Kirsch

1 A. Schmitz, *Das romantische Beethovenbild,* S. 88f. und 94f.
2 Brief an Franz Wegeler vom 29. Juni 1801; E. Kastner / J. Kapp, *Ludwig van Beethovens sämtliche Briefe,* S. 45f.

Die Autoren der Beiträge

Peter Ackermann: op. 30 (Nr. 1)
Peter Andraschke: op. 22, 26
Andreas Ballstaedt: op. 84, 89, 129
Markus Bandur: op. 71, 87; WoO 25
Bodo Bischoff: op. 8
Christoph von Blumröder: op. 54, 78, 79, 81a
Elmar Budde: op. 10
Kathryn Bumpass: op. 108; WoO 83
Richard Burke: op. 45
Gabriele Busch-Salmen: op. 25; WoO 37
Rainer Cadenbach: op. 67
Peter Cahn: op. 9, 23, 96
Jurij Cholopow: op. 14, 39, 51; WoO 41, 55
Hermann Danuser: op. 90, 95, 102
Kenneth Drake: op. 7, 31 (Nr. 2)
Hans Heinrich Eggebrecht: op. 57
Arnold Feil: op. 20
Kurt von Fischer: op. 123
Arno Forchert: op. 19, 21
Inge Forst: WoO 47
Robert Forster: op. 11, 44, 121a; WoO 38, 39
Gernot Gruber: WoO 58
Theo Hirsbrunner: op. 33, 119, 126; WoO 56, 60, 61
Freia Hoffmann: WoO 94, 96, 97
Christa Jost: WoO 4, 80
Dietrich Kämper: op. 106
Joseph Kerman: op. 58, 73
Klaus Kieser: WoO 1
William Kinderman: op. 109, 110, 111, 127
Larissa Kirillina: op. 2, 49; WoO 36
Winfried Kirsch: op. 85, 121b, 122
Richard Kramer: op. 137
Hartmut Krones: op. 16, 74
Klaus Kropfinger: op. 130, 133, 134
Friedhelm Krummacher: op. 135
Helga Lühning: op. 32, 75, 83, 94
Christoph-Hellmut Mahling: op. 40, 50, 61
Michael Maier: op. 6, 30 (Nr. 3), 52, 88, 100; WoO 121, 122, 133, 134, 135, 136, 150
Günther Massenkeil: op. 48
Siegfried Mauser: op. 15
Ruth E. Müller: op. 113, 116; WoO 92, 93
Adolf Nowak: op. 36, 47, 118
Ingeborg Pfingsten: op. 81b; WoO 107, 108, 123, 124, 129, 130, 132, 140, 145
Emil Platen: op. 34; WoO 87, 88
Armin Raab: op. 17; WoO 78, 79
Dieter Rexroth: op. 12
Christopher Reynolds: op. 98
Jörg Riedlbauer: op. 24
Albrecht Riethmüller: op. 30 (Nr. 2), 72a/b, 91, 92; WoO 59
Alexander L. Ringer: op. 1, 4, 5, 35
Walter Salmen: op. 59, 105, 107
Peter Schleuning: op. 43, 55, 69, 77
Reinhold Schlötterer: op. 60
Manfred Hermann Schmid: op. 93, 131, 132
Christian Martin Schmidt: op. 37, 56, 120
Lothar Schmidt: op. 70, 97, 101
Amrei Schmitt: WoO 48, 49
Frank Schneider: op. 112, 115, 117, 124, 136; WoO 54
Herbert Schneider: op. 18
Heinrich W. Schwab: op. 72
Wilhelm Seidel: op. 80, 125
Joel Shapiro: op. 31 (Nr. 1 und 3)
Martina Sichardt: op. 66; WoO 45, 46
Ulrich Siegele: op. 53
Wolfram Steinbeck: op. 28, 62, 68
Rudolf Stephan: op. 3, 29, 86
Egon Voss: op. 13, 27
Ewan West: op. 46, 65, 82, 99, 128; WoO 137, 138, 139, 143, 146, 149
Steven M. Whiting: op. 76; WoO 40, 63, 64, 65, 66, 67
Michael Wittmann: WoO 71, 73